工業配管 시스템

朴永熙 譯

도서출판 골드

目 次

제1부

제2부

배관지침 ································
- ■ 배관기술과 관련하는 설계자, 도안자와 시스템 기술자에게 중요한 정보를 제공한다.
- ■ 배관시스템의 설계와 도면에 대한 상세한 검토 자료를 다루었다.
- ■ 가장 많이 쓰이는 파이프, 배관, 밸브와 機器에 대해 기술하였다.
- ■ 도표와 표를 싣고 일간간행 참고문헌의 예를 들었다.
- ■ 배관기술에 관련되는 배관 용어와 약어를 일람표로 만들었다.
- ■ 회사와 그 자문들에게 설계에 관한 참고문헌을 제시하였다.
- ■ 현재 쓰이는 회사의 표준규격과 자료, 방법 등을 보강하였다.
- ■ 교육의 목적으로서도 역할을 담당한다.

"PART Ⅰ" 설명 ·····················
- ■ 배관설계에 대한 현재 쓰이는 방법을 소개하였다.
- ■ 배관에 쓰이는 용어와 각 구성기기로부터 배관의 조합과 기기를 연결하는 방법에 대해 설명하였다.
- ■ 업무조직과 추상개념을 완성된 설계도로 전환하는 방법과 설계에 따라서 Plant를 완성시키는 법에 대해 설명하였다.

"PART Ⅱ" 자료제공 ··············
- ■ 자주 필요한 Data와 Fitting, Flange, Valve, 구조강 등의 주요한 치수와 중량을 나타내었다.
- ■ 치수를 직접 읽을 수 있는 미터법의 환산표를 기재하였다.

第一部

工業配管 시스템

工業配管 시스템의 設計와 製圖에 對한 참고자료이다.

본 저서에서는 ANSI 31.3, ASTM A-53, ISA S 5.1 등의 호칭을 사용하여 표준규격과 규격기호에 대해 설명하였다. 이런 표준규격과 기호에 대한 전체적인 명칭은 표 7.3에서 7.15에 걸쳐 나타내었다.

모난괄호(예 [12])로 나타낸 참고문헌의 번호는 이 책 끝부분의 색인 다음에 이어서 나오는 "참고문헌"에 표시한 공공자료의 출처를 나타낸다.

PART Ⅰ의 각절의 그림, 도표와 표는 일련번호로 나타내고 각 해당 페이지의 오른쪽 여백에 다시 한번 나타 내었다. PART Ⅱ의 도표와 표는 영문자로 분류하였다.

본문에 포함되지 않은 용어는 색인을 참고하며, 약어는 8장에서 다루었다.

본 책의 저자는 책이 출판되는데 많은 도움을 주신 회사, 설계자, 기술자들에게 감사를 드립니다. 근본적인 자료는 별개로 저자와 도움을 주신분 모두 본 저서의 자료를 사용한 설계에 대해 아무런 의무나 책임을 지지 않으므로 개인적인 승인은 하지 않았다. 이 책의 사용자는 Plant와 산업시설의 건설에 관한 사항을 포함하는 다양한 기호와 표준규격의 규정과 다른 법적인 의무사항을 따라야 한다. 생산물에 관한 검토 및 언급으로 보증을 꼭 필요로 하지는 않는다.

제 1 장
배　　관
용도, 비용 및 Plant의 건설

1.1 배관의 용도

배관은 산업(화학공정), 해양, 운송, 토목 및 상업적(연관공사) 목적으로 사용한다. 이 책은 주로 화학공정(Processing)과 써비스 시스템용 산업배관에 대한 내용을 다룬다. **공정배관**은 Vessel이나 Processing장치의 유체운전에 사용한다. **써비스배관**은 증기, 공기, 물 등의 운반에 使用된다. '써비스'배관으로 정의되는 배관은 때때로 "Processing"배관을 말 하기도 한다. 본 지침서에서 "설비배관"이란 용어는 물, 연료가스, 연료 기름을 공급하는 배선으로 한정한다.

해양배관 선박용으로 쓰이는 해양 배관은 그 범위가 매우 넓다. 해양 배관의 대부분은 이 책에 서술한 파이프와 Fitting을 사용하여 용접과 나사로 연결하여 使用한다.

운송배관 운송 배관은 액체와 Slurry와 기체를 운반하는데 쓰이며, 보통 그 지름이 큰 배관 설비이며, 종종 그 길이가 수백마일을 넘는 경우도 있다. 천연 Oil과 석유 생산물, 물과 석탄(물로 운반되는)같은 고체 재료들을 송유관을 통해 운송한다. 또 서로 다른 액체도 같은 송유관을 통해 연속적으로 운송할 수 있고 지선(枝線)배열을 하여 유동방향을 서로 다른 목적지로 전환 하는데도 使用된다.

토목배관은 공공설비(물, 연료가스 등)를 여러 곳으로 분배 하는데 쓰이고 지하수, 오물(하수)과 산업 폐수를 한 곳으로 모으는데 사용 하기도 한다. 이런 방식의 대부분은 지하에 위치한다.

건축물설비(상업용 배관) 건축물 설비 배관은 상업용 건물, 학교, 병원, 주택등에 설치하는 배관으로 물과 가스 연료를 분배하고 폐수를 모으거나 또는 다른 목적으로도 사용할 수도 있다.

1.2 설계의 위탁과 플랜트시공

설계의 위탁과 플랜트시공 제작자가 새로운 플랜트를 건설하거나, 기존의 것을 확장하려 할 때 기술(엔지니어링) 회사를 고용하여 설계와 건축을 맡기거나, 또는, 자기 회사내의 기술 담당 부서가 충분한 능력이 있으면, 자체 내에서 설계 작업과 계획 관리를 하고, 단지 건설 작업을 할 수 있는 하나 또는 그 이상의 하도급자를 고용한다. 어느 경우의 과정이든지 제작자는 건물의 사용목적, 생산비율, 화학공정에 관한 자료를 제공하고, 또한 실제 목적에 맞는 설계기준, 기존설비의 상세도, 부지조사에 관한 자료를 제공하여야 한다.

도표 1.1　플랜트 건설용 계통도

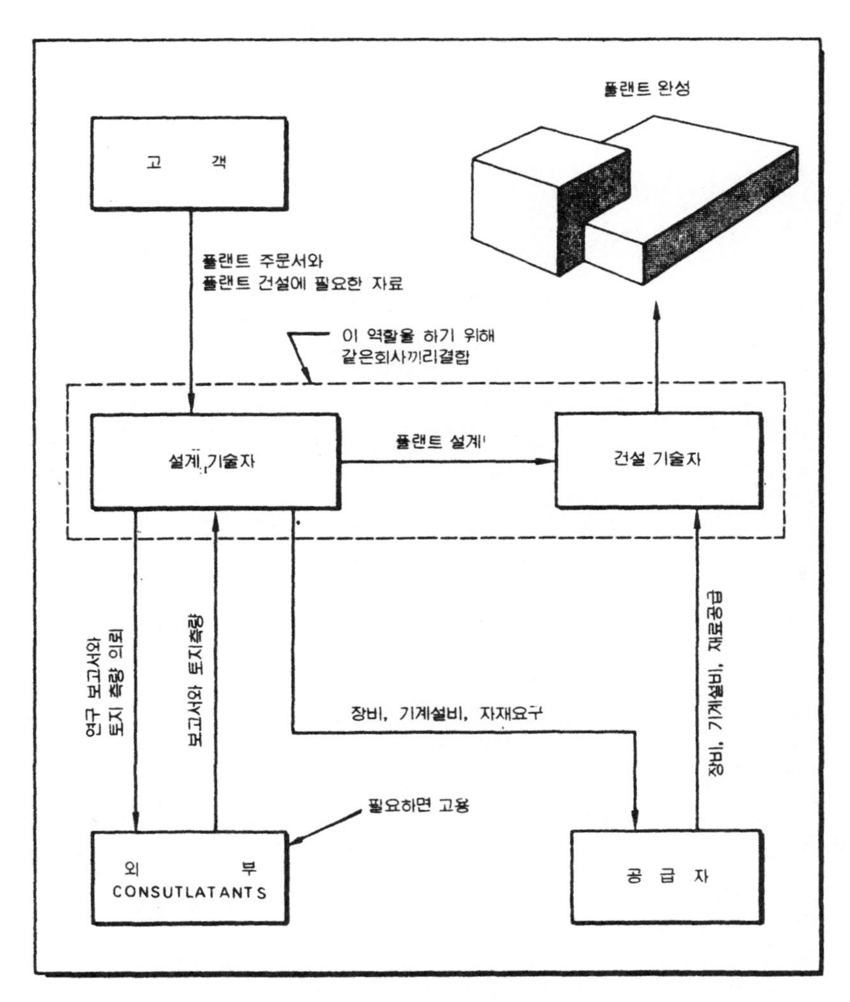

산업플랜트를 설계·건설하는 것은 어려운 사업이다. 따라서 자기 회사 내에 설계부가 있는 대형 산업 회사를 제외하고는 플랜트와 부대 시설의 설계와 건설은 전문회사에 맡기게 된다.

4.1절에는 플랜트용 배관설계의 개발에 참여하는 개개인의 특별한 의무사항과 함께 설계 기술자의 조직과 책임에 대해 기술하였다.

제2장 PIPE FITTING 및 FLANGE와 LINE설비

2.1 PROCESS PIPE

2.1.1 Pipe와 Tube

관 모양의 제품을 tube 또는 pipe라 한다. tube는 일반적으로 BWG (Birmingham Wire Gage)나 1/1000 in 단위로 표시하는 외경과 두께에 의해 구별한다. 파이프는 보통 2.1.3절에서 설명한 SCH.No. 나 'API 명칭' 또는 'Weight'로 정의하여 관 두께와 함께 '공칭 파이프 크기'로 구별한다. 비 표준 파이프는 관 두께와 함께 공칭크기에 의해 구별한다.

Tube는 열 교환기, 계측 기기배선(機器配線)과 압축기, 보일러와 냉각기 같은 장치의 작은 내부 연결용으로 중요하게 使用된다.

2.1.2 일반적으로 사용하는 강관의 크기와 길이

제작자들은 공칭직경('공칭파이프 크기')으로 1/8 in 에서 44 in 까지 또는 그 이상의 큰 파이프를 납품할 수도 있다.(2.3절 참조) 통상적으로 사용하는 크기는 1/2, 3/4, 1, 1 1/4, 2, 2 1/2, 3, 3 1/2, 4, 5, 6, 8, 10, 12, 14, 16, 18, 20, 24(in)이고 1 1/4, 2 1/2, 3 1/2, 5(in) 크기의 파이프는 사용을 잘 하지 않는다.(잘 쓰이지 않는 크기의 파이프는 간혹 장비의 연결에 필요하나, 보통 연결한 후에 그 다음으로 더 큰 크기의 파이프가 이어진다). 1/8, 1/4, 3/8, 1/2(in) 파이프의 사용은 계측기 line 또는 다른 장치와 짝을 이루는 써어비스 배선과 다른 배선에만 제한하여 使用한다. 증기트레이싱과 펌프등의 보조배관용으로 1/2(in) 파이프가 광범위하게 사용되어진다.

Straight 파이프는 '임의의'길이(6 m 또는 12 m)로, 또는 필요시 '2배의 임의의' 길이(38 ft ~48 ft)로 공급한다. 이러한 길이의 파이프의 끝은 보통 평면(PE)이나 용접하기 위한 Bevel 加工이나(BE) 나사로 되어있고 단위 길이당 1개의 Coupling과 함께 공급된다.('나사로 만든것과 Coupling 한', 'T&C') 만약 파이프를 'T&C'로 주문하는 경우에는 Coupling의 비율을 명시한다(도표 2.3 참조).

특수한 Coupling의 홈과 같은 다른 형태의 끝 부분(END)은 주문에 따라서 만든다.

2.1.3 파이프의 직경과 두께

모든 파이프의 크기는 'NPS' 또는 Sch.로 약칭하는 '공칭-파이프 크기'로 나타내고, 파이프의 Tube 口徑(內徑)과는 꼭 일치하지 않는다.

어떤 경우에는 그 차이가 상당히 크다. 14 in NPS와 그보다 더 큰 크기의 파이프는 외경과 공칭 파이프 크기가 서로 일치한다.

각각의 크기에 대해 몇 개의 다른 두께에 따라 다양한 크기의 파이프를 만들수 있는데 다음의 세가지의 원칙에 따라 설정한다.

(1) 미국표준협회(ASA)의 'Schedule Number'

(2) ASME와 ASTM의 'STD(표준)''xs'(Extra - Strong)과 'xxs'(Double-Extra-Strong) 이것은 제작자가 설정한 크기법으로 이 책에서는 이런 명칭은 제작자의 Weight이라 한다.

(3) API의 표준규격 5 L과 5 LX, 이러한 크기는 대부분 크기와 두께에 대한 기준이 없다.

'제작자의 Weight'(2번째 원칙)은 1939년 이래로 'Sch.No.'로 대치 하려고 하였다. 그렇지만 이런 방식을 사용하는 관계에 따른 수요에 의해 제작자들이 계속해서 이 원칙을 사용하였다. 어떤 Fitting은 '제작자의 Weight'에 의해서만 유용하게 사용할 수 있다.

두번째와 세번째 원칙에 따른 파이프의 크기는 ANSI B 36.10에 따라 쓴다. 이 규격에 따라 용접과 이음매가 없는 강관의 크기는 Data를 표 p-1에 기재하였다.

鋼管의 크기'

Steel pipe의 크기는 처음 'ST'D', 'xxs' 용어로 나타내어 관 두께에 따라서 주철관에 대해 규정하였다. ANSI B 36.10에는 주철관 크기를 규정한다(표3). 주철관은 거의 모두 강관으로 대체하였다. 1935년 ASA에 의해서 처음 강관의 Sch.No. 분류가 공포되기 전에는 Steel Pipe의 크기는 강관에 대해 관 두께를 조금씩 줄이면서 수정하여(외경은 일정한 상태) ft당 중량(LB／FT)을 Steel Pipe의 중량으로 하였다. ANSI B 36.10의 규정에서 '모든 파이프의 크기는 공칭 파이프 크기에 따라 구별한다'라고 발표하였다. 본 지침서에서는 제작자가 강관과 Fitting에 적용하여 표현한 STD, xs, xxs의 명칭을 '제작자의 Weinght'이라는 용어로 사용한다.

얇은 두께(Light Wall)(또한 '얇은 게이지'라고도 함)

Light Wall은 Sch. 10 s (ANSI B 36.19)와 Sch 10(ANSI B 36.10)과 같은 크기와 상응하는 상업적으로 인정하는 명칭이다. 표 p-1에 'L'에서 그 크기를 열거했다.

스테인레스 강의 크기 ANSI B 36.19에 Sch. 5 s 와 10 s 에 따라 규정하는 스테인레스강 파이프용의 얇은 관 두께의 범위를 설정하였다. 표 p −1에 크기를 명시하였다.

2.1.4 파이프용 재료(Materials for pipe) 2.1.4

참고문헌

'Metallic piping'. Masek J.A. 1968. Chemical Engineering, Jun 17. 215-29

'Materials of construction: 19th Biennial CE Report'. Aldrich C.K.1960. Chemical Engineering, Nov 14

'Lined pipe systems'. Ward J.R. 1968. Chemical Engineering, Jun 17. 238-42

'Non-metallic pipe: promise and problems'. Wrighti C.E. 1968. Chemical Engineering, Jun 17. 230-7

엔지니어링 회사에는 배관 시스템(System)에 사용하는 자재를 결정하는 엔지니어도 있다. 대부분의 파이프는 탄소강이고 ASTM A 53에 따라 제작한다.

강 파이프(Steel Pipe) 직선 이음 용접 파이프와 나선용접 파이프는 板製로 만들고 이음매가 없는 파이프 Seamless Pipe 는 고체 Billet 를 인발하여 製作한다.

탄소강 파이프는 경도가 크고 연성이며, 용접이 가능하고 가공이 쉬우며 내구성이 좋고, 다른 재료로 만든 파이프에 비해서 값이 싸다. 또한 탄소강이 압력, 온도, 부식저항과 위생조건에 적합하다면 값싼 탄소강의 선택은 자연스럽게 할 수 있다.

가장 쉽게 이용하는 탄소강은 Sch 40, 80, st'd 와 xs 크기로 ASTM A−53 규정에 따라 만들고 전기 저항용접(등급 A 와 등급 B −후자의 등급이 더 높은 인장 강도를 나타냄)과 이음매 없이 (등급 A 와 B) 제작한다. 보통 흑 Pipe나 또는 아연 도금을 해서 使用한다.

A −53의 사양과 비교할 수 있으나, 더 엄격한 시험검사로 규정한 ASTM A −106에 따라서 Seamless Pipe 는 모든 크기와 Weight 에 대해서 사용이 가능하다. A −106내의 세가지 등급이 유용하게 쓰이는데 등급 A,B 와 C 는 등급 순서대로 인장 강도도 증가한다. 도표 2.1, 2.2와 2.3은 산업적으로 가장 많이 쓰이는 파이프에 대한 사양이다.

다른 국가에서의 철강 사양은 미국의 그것과 일치한다. 탄소강과 스테인레스강의 상용하는 유럽의 표준규격은 표2.1에 기재하였다.

철(Iron) 파이프는 주철과 연성철로 만든다. 물, 가스, 오물의 배선용으로 중요하게 쓰고 연철관은 별로 사용하지 않는다.

다른 금속과 합금 구리, 납, 니켈, 황동, 알루미늄과 다양한 스테인레스강으로 만든 파이프와 Tube 는 쉽게 구할 수 있다. 이러한 재료는 상대 저가임으로 값이 비싸고 특유한 화학 작용에 의한 부식저항성, 양호한 열 전도성, 고온에서의 인장강도 등에 따라 선택해서 사용한다. 동과 동 합금은 보통 계측기 배선, 식품 가공과 열전달 장치에 사용하고 있으나 점차 스테인레스강이 이러한 목적으로 쓰이고 있다.

플라스틱 파이프 플라스틱으로 만든 파이프는 상당히 부식성이 있는 유체의 수송에 사용하고 특히 부식성이 있거나 위험한 가스 또한 묽은 무기산을 수송하는데 좋다. 플라스틱은 다음과 같은 세가지 방식으로 사용한다. 플라스틱 재료가 '충만된' 전체가 플라스틱 파이프(유리 석유 보강재, 탄소혼합 등)와 라이닝, 또한 피복재료로 사용한다. 플라스틱 파이프는 Polypropylene, Polyethylene(PE), Polybutylene(PB), Polyvinyl Chloride(PVC), acrylonitrile Butadiene-Styrene(ABS), Cellulose Acetate-Butyrate(CAB), Polyolefims, Polyesters 로 만든다. Polyester 과 에폭시 수지로 만든 파이프는 보통 유리 섬유가 첨가되고(FRP) 이런 상품은 마모와 화학 제품에 강한 저항성을 갖는다.

各國 管 規格表 도표2.1

구분	미국	영국	서독	스웨덴
탄소강파이프	**ASTM A53**	**BS 3601**	**DIN 1629**	
	Grade A SMLS	HFS 22 & CDS 22	St 35	SIS 1233-05
	Grade B SMLS	HFS 27 & CDS 27	St 45	SIS 1434-05
	ASTM A53	**BS 3601**	**DIN 1626**	
	Grade A ERW	ERW 22	Blatt 3 St 34-2 ERW	
	Grade B ERW	ERW 27	Blatt 3 St 37-2 ERW	
	ASTM A53	**BS 3601**	**DIN 1626**	
	FBW	BW 22	Blatt 3 St 34-2 FBW	
	ASTM A106	**BS 3602**	**DIN 17175***	
	Grade A	HFS 23	St 35-8	SIS 1234-05
	Grade B	HFS 27	St 45-8	SIS 1435-05
	Grade C	HFS 35		
	ASTM A134	**BS 3601**	**DIN 1626**	
		EFW	Blatt 2 EFW	
	ASTM A135	**BS 3601**	**DIN 1626**	
	Grade A	ERW 22	Blatt 3 St 34-2 ERW	SIS 1233-06
	Grade B	ERW 27	Blatt 3 St 37-2 ERW	SIS 1434-06
	ASTM A139	**BS 3601**	**DIN 1626**	
	Grade A	EFW 22	Blatt 2 St 37	
	Grade B	EFW 27	Blatt 2 St 42	
	ASTM A155 Class 2	**BS 3602**	**DIN 1626, Blatt 3, with certification C**	
	C 45		St 34-2	
	C 50		St 37-2	
	C 55	EFW 28	St 42-2	
	KC 55		St 42-2 *	
	KC 60	EFW 28S	St 42-2 *	
	KC 65		St 52-3	
	KC 70		St 52-3	
	API 5L	**BS 3601**	**DIN 1629**	
	Grade A SMLS	HFS 22 & CDS 22	St 35	SIS 1233-05
	Grade B SMLS	HFS 27 & CDS 27	St 45	SIS 1434-05
	API 5L	**BS 3601**	**DIN 1625**	
	Grade A ERW	ERW 22	Blatt 3 St 34-2 ERW	SIS 1233-06
	Grade B ERW	ERW 27 †	Blatt 4 St 37-2 ERW	SIS 1434-06 †
	API 5L	**BS 3601 Double-welded**	**DIN 1626**	
	Grade A EFW	EFW 22	Blatt 3 St 34-2 FW	
	Grade B EFW	EFW 27 †	Blatt 4 St 37-2 FW	
	API 5L	**BS 3601**	**DIN 1626**	
	FBW	BW 22	Blatt 3 St 34-2 FBW	
	**Specify "Si-killed"*	*†Specify API 5L Grade B testing procedures for these steels*		
스테인레스강파이프	**ASTM A312**	**BS 3605**	**WSN Designation:**	
	TP 304	Grade 801	4301 X 5 CrNi 18 9	SIS 2333-02
	TP 304H	Grade 811		
	TP 304L	Grade 801L	4306 X 2 CrNi 18 9	SIS 2352-02
	TP 310	Grade 805	4841 X 15 CrNiSi 25 20	SIS 2361-02
	TP 316	Grade 845	4401/4436 X 5 CrNiMo 18 10	SIS 2343-02
	TP 316H	Grade 855		
	TP 316L	Grade 845L	4404 X 2 CrNiMo 18 10	SIS 2353-02
	TP 317	Grade 846		
	TP 321	Grade 822 Ti	4541 X 10 CrNiTi 18 9	SIS 2337-02
	TP 321H	Grade 832 Ti		
	TP 347	Grade 822 Nb	4550 X 10 CrNiNb 18 9	SIS 2338-02
	TP 347H	Grade 832 Nb		
주소	American National Standards Institute, 1430 Broadway, New York, NY 10018, USA British Standards Institution, Sales Branch, 101 Pentonville Road, London N1, England Deutscher Normenausschuss, 1 Berlin 15, Uhlandstr 175, West Germany Sverige Standardiseringekommissios, Box 3295, 10366, Stockholm 3, Sweden			

유리(Glass) 전체가 유리인 Pipe는 그 자체가 갖고 있는 화학반응에 대한 저항성, 청정성과 투명성의 성질을 이용한다. 유리 파이프는 반복되는 열 응력을 받는 유리 Line 파이프와 Vessel에서 종종 볼 수 있는 '크레이징(Crazing)'이 일어나지 않는다. 공정 배관과 배수 관용으로 파이프와 fitting, 그리고 하드웨어가 유용하게 使用된다. Corning Glass 작업은 1 in, $1^1/_2$ in, 2 in, 3 in, 4 in, 6 in 크기(I.D.)의 공정 배선용 파이렉스 (Pyrex) '코니칼(Conical)' 시스템을 제공하는데 이때 최고 운전 온도는 450 °F 이고 그 압력 범위는 0~65 psia (1 in ~3 in), 0~50 psia (4 in), 0 ~35 psia (6 in)이다. 유리 Cock와 여과기와 써모웰이 使用된다. 파이프 Fitting과 機器는, 파이프 길이와 Fitting의 두꺼운 원추형 끝단에 견디는 플랜지의 조합으로 결합한다. Corning은 또한 테프론 Gasket 또한 나일론 압축 Coupling에 의해 결합한 구슬 모양의 끝단에 $1^1/_2$ in, 2 in, 3 in, 4 in, 6 in 크기의 파이렉스 산성 폐기 배수라인을 설치한다. 두가지 Corning 시스템 모두 바로 실리케이트 유리로 만든다.

라이닝과 코팅(Lining과 Coating) 라이닝 또는 코팅 탄소강은 화학 작용에 견딜 수 있는 재료이므로 부식성 유체의 수송에 사용한다. 긴 배관 파이프와 Fitting은 플랜지와 Elbow와 Tee로 연결되고 미리 플랜지 달린 제품도 유용하게 使用된다. 라이닝(예, 고무)은 배관 設置 후에 하지만 파이프는 보통 미리 배선 연결한 제품으로 되어 있고 제작자는 이것을 결합하는 方法을 제공한다. 여러가지 다양한 고무, 플라스틱, 금속과 유리질(유리) 재료를 사용하는 라이닝을 유용하게 사용한다. 주로 사용하는 피복 재료는 폴리비닐 클로라이드, 폴리프로필렌과 코폴리머이다. 아연 용액(Hot 아연도금)에 담구어서 아연을 피복시킨 탄소강 파이프는 식수 및 계기 사용 공기와 다른 다양한 유체의 운송에 使用된다. 고무 라이닝은 마멸 유체의 운송에 많이 使用된다.

2.1.5 溫度와 壓力限界値

탄소강은 고온에서 강도가 떨어진다. 전기 저항 용접 파이프는 750 °F 이상의 서어비스 配管用으로는 위험하고 맞대기 용접 파이프는 650 °F 이상에서 使用하면 좋지 않다. 높은 온도에 대해서는 스테인레스 강이나 다른 合金 파이프를 사용한다. 목록 61[54], 목록571과 목록55[33]에는 다양한 온도에 따른 탄소강관의 압력 한계치가 나와 있다. 이 표는 압력 배관용 ANSI B 31 규정에서 발췌하였다.(표 7.2에서 자세히 설명)

2.2 파이프 연결방법

탄소강과 스테인레스강 파이프에 사용하는 이음방법

맞대기 용접 .... 2.3절 참조
socket 용접 .... 2.4절 참조
나사체결 .... 2.5절 참조
Bolt-Flange .... 2.3.1, 2.4.1, 2.5.1절 참조
Bolt & Coupling .... 2.8.2절 참조

2.2.1 용접과 나사 체결로 결합

配管이 2 in 나 그 보다 더 큰 경우에는 맞대기 용접을 하는데, 이것은 大口徑 배관 연결에 쓰이는 가장 경제적으로 누설 방지를 할 수 있는 연결법이다. 보통 이와 같은 배관은 ' spools '로 표현하는 부분품으로, 배관업자에게 하청을 주어 미리 조립되어 현장으로 운반한다. 1½inch와 그보다 작은 배관은 나사로 체결하거나, Socket 용접을 하고, 일반적으로 도면을 보고 배관업자가 현장에서 직접 작업한다. 현장에서 직접 조립하는 법과 미리 조립하는 배관법에 대해서는 5.2.9에서 설명한다.

2.2.2 Socket 용접 이음

나사체결 배관과 마찬가지로 Socket 용접도 小口徑 配管의 연결에 使用되며 그 잇점으로 누설이 발생하지 않는다. 이것은 가연성, 유독성, 방사성 유체의 운반에 유리하고, 이같은 유체는 Socket 용접을 하므로서 결합부분에 아무런 영향을 주지 않도록 한다.

2.2.3 볼트체결 플랜지 이음

플랜지는 값이 비싸고 대부분은 플랜지 된 Vessel나 장치에 밸브와 같이 쓰이고, 화학 공정에서는 주기적인 청소를 해주어야 한다.

플랜지 이음은 기밀을 유지하기 위하여 플랜지 사이에 Gasket과 두개의 플랜지와 함께 볼트에 의해 체결된다. Standard 단조강 플랜지와 Gasket에 대해서는 2.6절에서 설명하였다.

2.2.4 Fitting

Fittings을 사용하여 배관 방향의 변경이나 파이프 口徑 변경이 가능하고 파이프 主管에서 枝線을 만들 수 있다. Fitting은 板材나 파이프로 구성되고 단조강 Blank나 주철로 부터 가공되거나 플라스틱 재료로 주조한다.

도표 2.1은 여러가지 파이프의 Sch. No.와 제작자의 Weight를 사용하여 조립하는 맞대기 용접에 대한 설명이 나와있다. 맞대기 용접과 플랜지의 크기에 대해서는 표 D−1부터 D−7까지와 표 F−1에서 F−9를 참조하라. 도면 기호는 도표5.3~5.5에 나타내었다.

나사체결이나 Soket용접, 탄소강-Fitting은 PSI(단위면적당 힘 lb/in²)로 표시하는 공칭냉각 비충격 작용압력에나 Rating이 표시되고 Fiteing압력이 2000PSI나 3000PSI 또는 6000PSI일 때 사용되는 것이 좋고 이 때 쓰이는 파이프의 크기는 표 2.2에 있다.

표 2.2 여러 가지 Weight의 탄소강 파이프와 함께 쓰이는 나사체결과 Socket 용접 단조강의 Fitting

단조강 품의 FITTING (ANSI B16.11)		나사체결			SOCKET 용접	
FITTING의 정격압력(PSI)		2000	3000	6000	3000	6000
FITTING과 함께 쓰는 파이프 'WEIGHT'	SCH. NO	40	80		80	160
	제작자 'WEIGHT'	STD	XS	XXS	XS	

2.1.3절부터 2.2.4절에 여러 가지 서로 다른 Rating 파이프와 Fitting이 선택된 재료에 관하여 나타내었다. 도표 2.1, 2.3까지는 여러 가지 파이프의 Weight 조립이나 밸브가 배관시스템에서 어떻게 연결하는가를 나타내었다.

2.3 맞대기 용접을 한 배관 시스템용의 要素

사용처 : Process 배관, 공익 설비 배관, 써어비스 배관

결합의 장점 : 大 口徑 파이프 연결용으로 가장 실용적이며, 확실하게 누설을 방지할 수 있다.

결합의 단점 : 파이프로 유입한 용접 금속이 유동에 영향을 준다.

연결방법 : 도표 2.1에서와 같이 파이프의 끝을 연결한다. Fitting 도 제작자가 같은 방법으로 연결한다.
두 부분을 일직선으로 組立 후 적당한 간격을 유지시킨 다음에 Tack 용접을 한후 완전 용접하여 완성시킨다.

도표 2.1에 같이 연결하여 使用하는 파이프와 Fitting, 밸브에 대한 Rating 을 표시 하였다. 도표 2.1은 단지 Guide 로만 사용하기 바란다.

2.3.1 맞대기 용접 시스템의 Fitting, Bend, Miter나 Flange

2.3.1 맞대기 용접 시스템의 Fitting, Bend, Miter 나 Flange 의 치수와 Weight 를 표 D,F 와 W −1을 參照하기 바란다.

Elbow 또는 Ells/Elbow나 ' Ells '는 파이프 방향을 90° 각도 또는 45° 각도로 方向 變更을 해준다. Elbow 는 보통 3/4 in 와 더 큰 공칭파이프 크기에 대해서 중심 선에서 부터의 곡률이 공칭 크기의 1.5배되는 '長 半徑(Long Radius, LR)'을 사용한다. '短半徑' Elbow 는 중심 선에서의 곡률 반경이 공칭 파이프 크기와 같은 것을 사용하는 것이 유리하다. 필요에 따라서는 Std Weight 로 한쪽 끝의 직선확장 90° 각도 LR Elbow 가 現在도 使用되고 있다.

Reducing Elbow 는 파이프 口徑을 변화 시키면서 방향을 90° 각도로 方向 變更을 시킬 수 있다. Reducing Elbow 는 중심선에서의 곡률반경은 큰 파이프의 공칭 크기의 1.5배이다.

Return 유동 방향을 180° 각도로 바꾸어 준다. 加熱 Coil 이나 Tank 의 Vent Nozzle 에 사용된다.

Bend Bend 는 직선 파이프로 만든다. 일반적인 Bend 반경은 파이프 크기의 3배 또는 5배이다. (3 R 과 5 R Bend 에서 R =공칭 파이프크기−공칭 직경 R은 반경이 아니다) 3 R Bend 가 표준 크기로 적당하다. 반경이 큰 Bend 는 주문 생산을 하여 製作 하는데 Bend 는 가열하는 방법으로 제작하는 것이며 Bend 用으로는 Seamless Pipe 나 전기 저항 용접을 한 파이프가 많이 使用된다.

맞대기용접 配管 | **도표 2.1**

탄소강파이프와 단조강품의 FITTINGS

파이프의 끝처리와 말단이음파이프, FITTING, 플랜지, 밸브장치를 연결하는 방법	용접부 / ROOT GAP* / 주† / 랜드 / 파이프, 밸브 장치 등의 말단의 엇이음 / 파이프 / BEVEL		
맞대기 용접에 쓰이는 최저 배선크기	2-INCH		
파이프와 이음쇠의 중량 압력, 온도, 부식정도에 따라 다른 재료나 weight Pipe. 이음쇠의 선택	공칭 파이프 크기	2 to 6 INCH	8 in 와 8 in 이상 규격에서 벽 두께.계산
	스케쥴 번호	SCH 40	SCH 20 또는 SCH 30
	제작자 weight	STD	——

밸 브

정격압력 (PSI)	2 in 보다 큰 밸브	시스템 압력에 따라서 150, 600, 900과 그 이상
	1½in 보다 작은 밸브	도표 2.2와 2.3 참조
	제어 밸브	USUALLY 300 MINIMUM (SEE 3.1.10)

*5.3.5절의 '스풀의 치수결정' 참조.

† 'Backing ring' − Chill Ring이라고도 하며 용접하기 전에 맞대기 용접연결 사이에 삽입한다. 용접시에 파이프내에 생기는 용접금속이 튀거나 용접 고드름이 생기는 것을 방지하고 일직선으로 배열하는데 도움을 준다. 서어비스 배선에 주로 쓰이고, 섬유 현탁액 등의 유체용 공정 배관에도 사용한다. 용접 고드름은 연결부에 물질이 집중되어 생기고 그로인해 배관 라인이 적어진다.

그림 2.1 **Backing Ring**

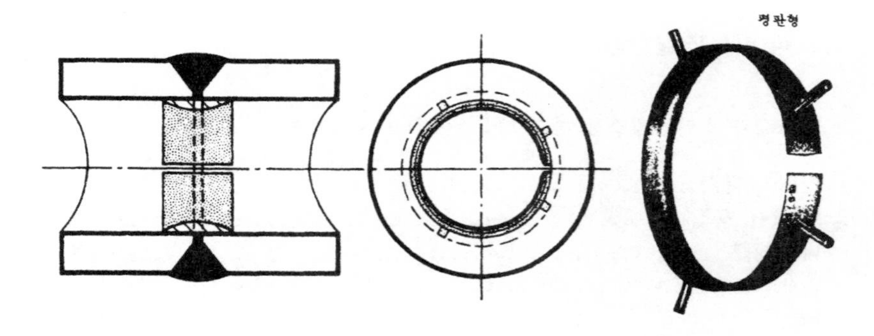

그림 2.2 **Elbow와 Return**

90℃ Long-Radius Elbow

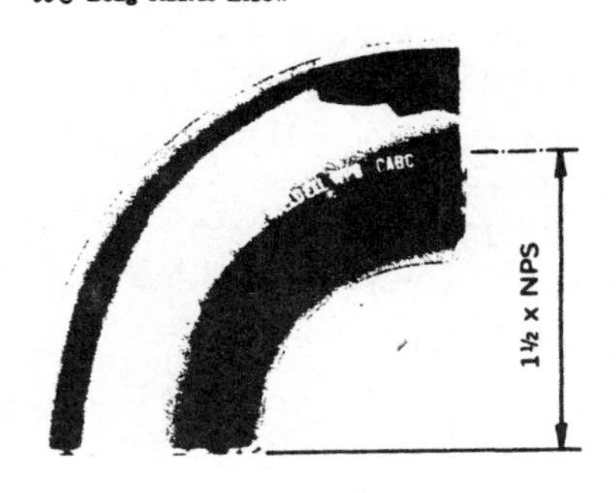

90℃ 短徑 Elbow

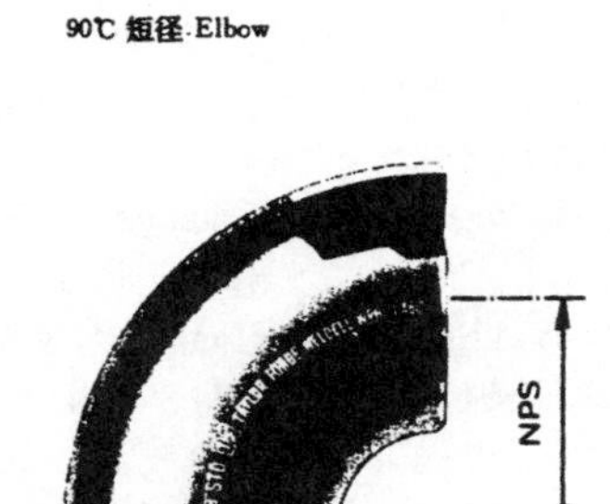

45℃ Elbow(LR)

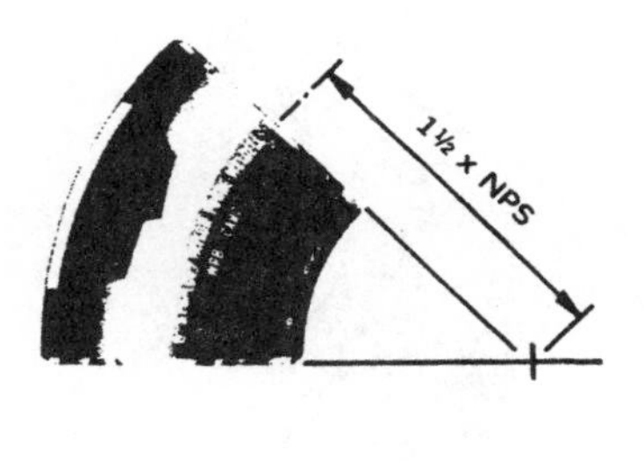

長徑 Return

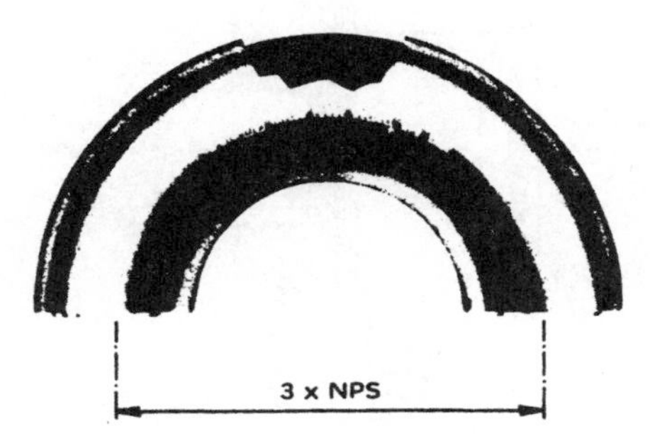

Reducing Elbow

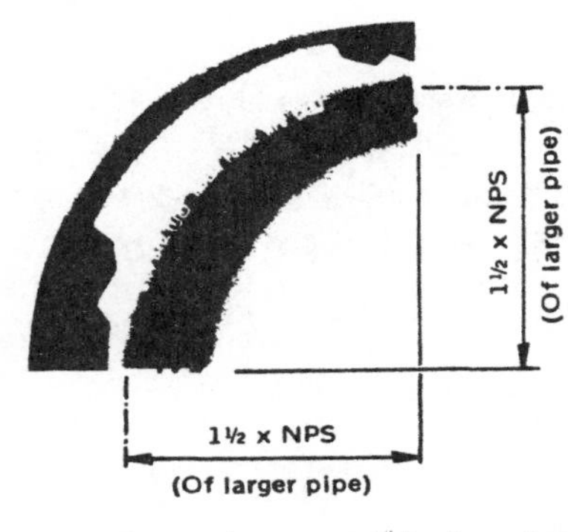

短徑 Pipe Return

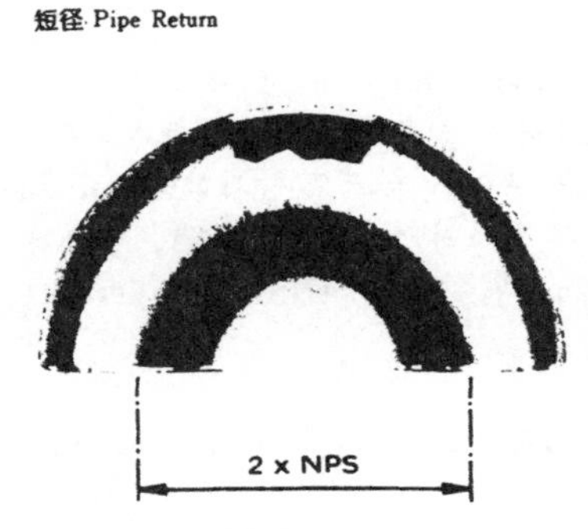

Reducer Elbow 구경이 서로 다른 파이프와 연결을 할때 사용한다. 아래 그림은 자주 사용하는 동심 원형과 편심형의 두가지 형태를 나타낸다. 편심형은 윗쪽이나 아랫쪽의 하나는 일정하게 유지하고 나머지 한쪽에서만 口徑의 크기를 줄인다. 편차는 $^1/_2\chi$ (이때 χ는 大口徑(ID)—小口徑(ID)를 말함)이다.

그림 2.3 **Reducer**

同心型(Concentric)

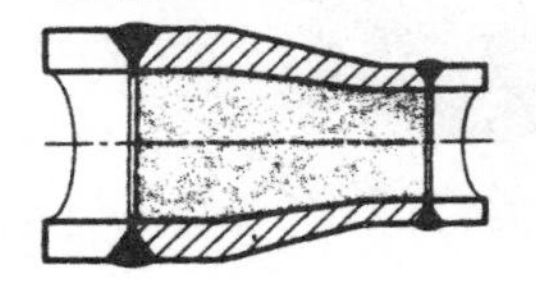

편심형(Eccentric)

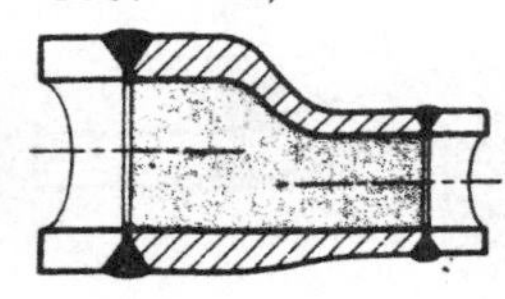

Swage/Swage는 맞대기 용접 배관과 小口徑 나사 체결 또는 Socket 용접 배관을 서로 연결하는데 使用된다. 맞대기 용접 배관에서 관의 크기를 크게 축소하려면 다른 형태의 Reducer를 使用한다. 일반적인 Swage도 Reducer와 마찬가지로 관 크기의 변화에 따라서 동심형이나 편심형으로 구별한다. Venturi를 쓰면 유동이 더욱 부드러워진다. 표2.3에 Socket 용접을 하며, 연결 할때의 Swage가 상세히 나와 있고 표2.4에는 나사체결 배관용 Swage가 나와있다. 편심에 대해서는 Reducing에서 설명한 바와 같다.

그림 2.4 **Swage 또는 Swage Nipple**

동심형

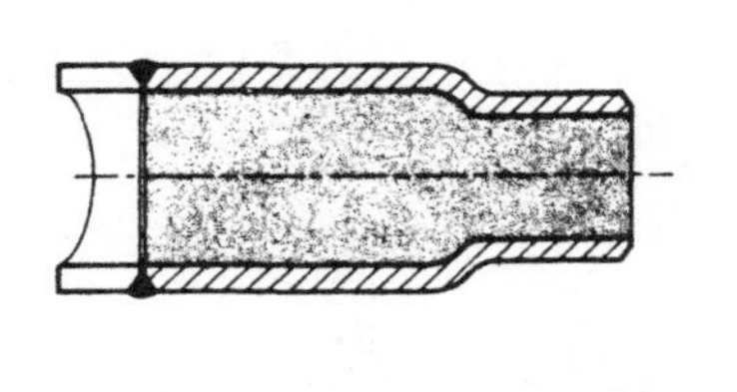

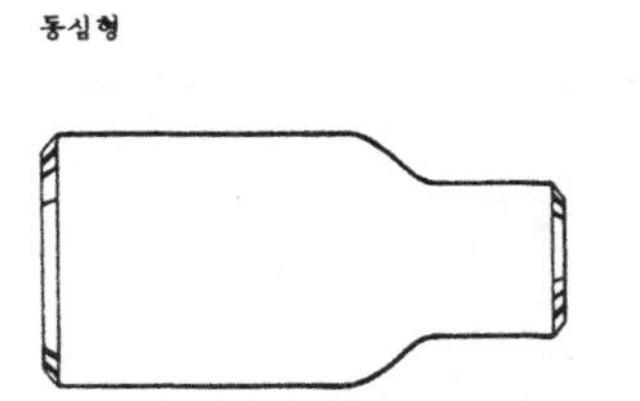

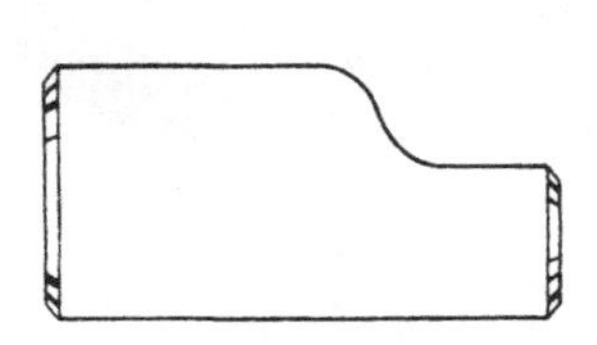

ECCENTRIC

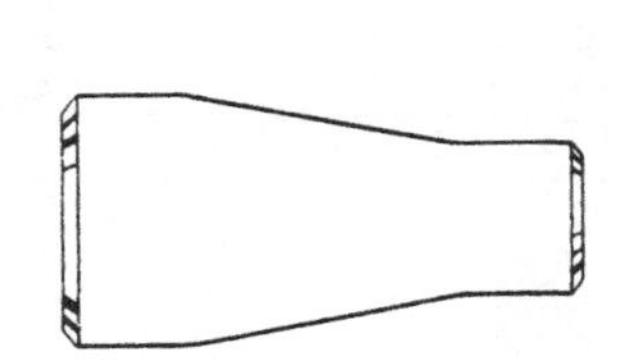

VENTURI TYPE

Mitered Elbows/Mitered Elbow는 보통 생산되는 Elbow나 Tee를 使用하여도 연결이 않되는 파이프에 대해 필요에 따라서 사용한다. Miter elbow는 배관 line의 방향을 바꾸어 주므로써 압력 강하의 영향이 중요하지 않는 10 in 나 10 in 보다 더 큰 大口徑 壓力 配管 line을 제한할 수 있다. 이런 경우에는 Standard elbow를 사용하면 비용이 더든다. 두 부분으로 된 90° 각도의 Miter를 동일한 규격 Long Radius Elbow에 비해 그 수압 저항이 4배내지 6배이며, 따라서 사용시에는 주의를 요한다. 세 부분으로된 90° 각도의 Miter Elbow을 연결하면 Standard 지름 유동 저항의 약 2배이며, 표10—7에 자세히 나와 있다. 3부분, 4부분, 5부분으로 된 Miter Elbow의 구조에 대해서는 표 M—2에 나타내었다.

그림 2.5 **3부분으로 된 Miter Elbow**

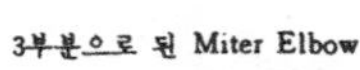

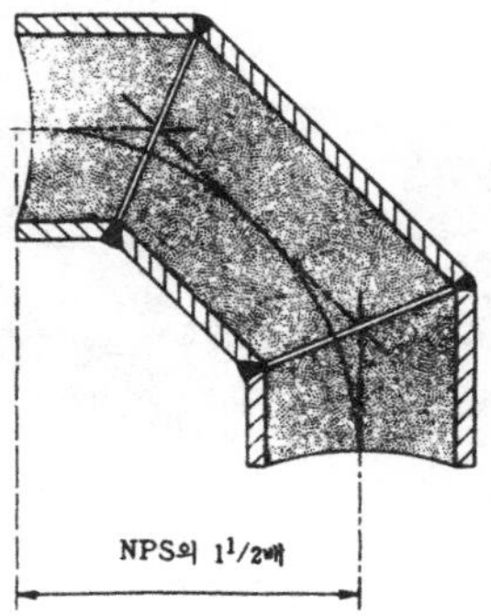

2부분으로 된 Miter Elbow

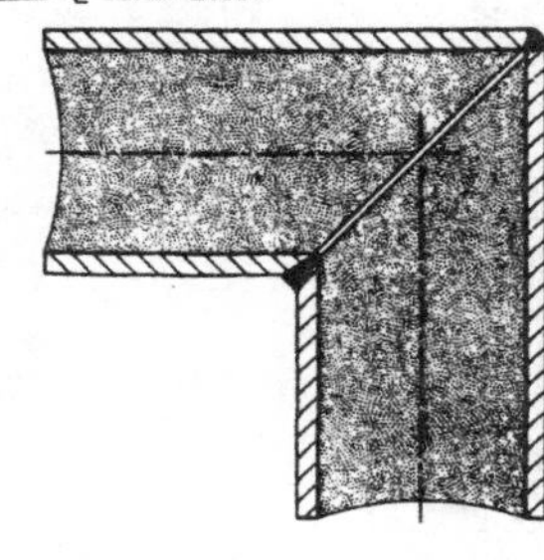

2부분 Miter Elbow는 유동저항이 ...(BF-10 참조)

다음 5가지의 플랜지 형태는 맞대기 용접한 配管用으로 使用된다. 서로 다른 플랜지면 형태에 대해서는 2.6절에서 설명한다.

Welding-Neck Flange, Regular와 Long Regular Welding Neck Flange를 맞대기 용접하여 Fitting같이 使用한다. Long Welding Neck Flange는 Vessel이나 機器 Nozzle에 사용하고 파이프에는 거의 사용하지 않는다. 급격한 온도, 전달력, 순간적인 충격과 진동 응력이 작용하는 장소에 적당하다. 그리고 일정하게 口徑을 유지할 수 있다. 이러한 플랜지의 口徑 크기에 대해서는 표 F에 나타내었다.

그림 2.6 Welding Neck Flange

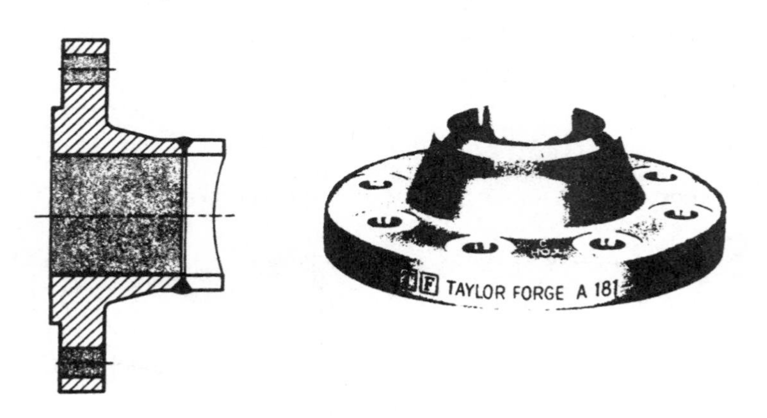

Slip-on Flange Slip-on Flange는 연결하는 각도가 큰 Elbow와 Reducer와 Swage(일반적인 것을 아니다)와 함께 사용한다. 내부 용접은 맞대기 용접에 비해서 부식은 더 쉽게 일으킨다. 이 플랜지는 충격과 진동에 대한 저항이 약하다. 이로 인해서 口徑의 변화를 초래할 수 있다. 이 방법은 Welding Neck Flange보다 더 염가로 구입할 수 있으나 조립비용은 더 비싸다. Welding Neck Flange 보다 배열하는게 더 쉽다. 내부 압력에서 계산한 강도는 동일한 Welding neck Flange의 약 $^1/_3$이다. 파이프나 Fitting은 플랜지 정면에서 부터 벽 두께의 -0 in $+^1/_{16}$ in 와 같은 거리에서 용접된다.

그림 2.7 Slip-on Flange

Reducing Flange/Reducing Flange는 Pipe 口徑을 변경할 때 사용하나 펌프와 연결할 때는 급작스런 과도현상에 의해 예기치 않은 난류가 발생할 소지가 있으면 사용하지 않는다. Welding Neck Flange와 편심형으로 주문하거나 Slip-on Flange의 종류로 발주한다. 결합하려는 小口徑의 파이프와 플랜지의 외경에 의해 Pipe 크기를 나타낸다. 예를 들어, 압력 150 psi 써비스 · Pipe Line用 4 in 파이프와 6 in 크기의 플랜지를 연결하는 Slip-on Reducing Flange는 다음과 같이 나타낸다.

RED FL'G 4″× 11″ OD 150 # SO

Welding Neck Flange의 정확한 口徑 크기는 용접해야 하는 주어진 파이프의 Sch.No와 제작자의 파이프 Weight에 의한다.

그림 2.8 Reducing Slip-on Flange

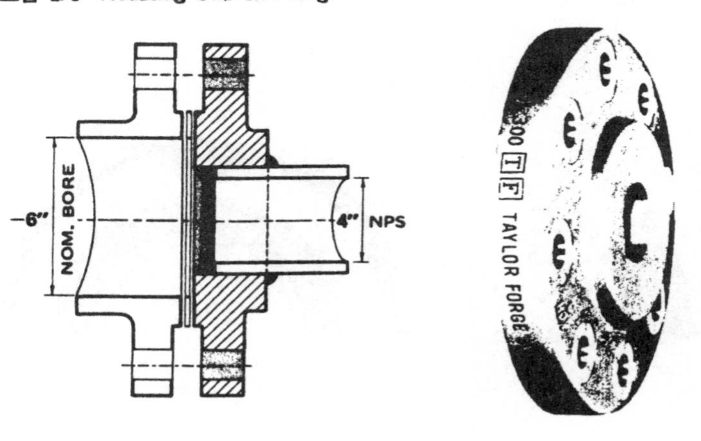

Expander Flange 앞에서 서술한 Welding-Neck Flange와 동일하게 적용하여 사용한다. 서로 접촉되는 파이프의 크기가 한단계 또는 두단계 더 큰 파이프 순으로 증가한다. Reducer와 Welding Neck Flange를 사용하기 위하여 선택한다. 밸브, 압축기, 펌프와의 연결에 사용된다. 壓力 Rating과 치수는 ANSI B 16.5에 依한다.

그림 2.9 Expander (또는 increaser) Flange

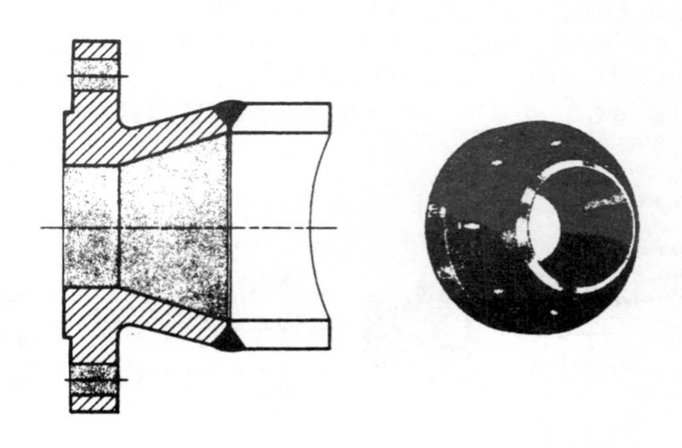

Lap-Joint Flange 또는 Van stone Flange 플랜지는 탄소강으로 하고 Pipe 재료는 Lap-Joint Stub로 하고 스테인레스 강과 같은 값이 비싼 파이프를 사용하면 경제적이다. Lap-Joint 플랜지에는 반드시 Stub가 쓰이고 두 품목의 비용을 함께 고려해야 한다. 만약 Stub와 플랜지 양자를 같은 재료를 쓰면 Welding Neck Flange 보다 비용이 더 든다. spool로서 플랜지를 연결하고 Vessel의 Nozzle에 연결할 때 볼트 구멍을 서로 연결 組立하기가 어렵다.

그림 2.10 Cap-Joint Flange(Stub)

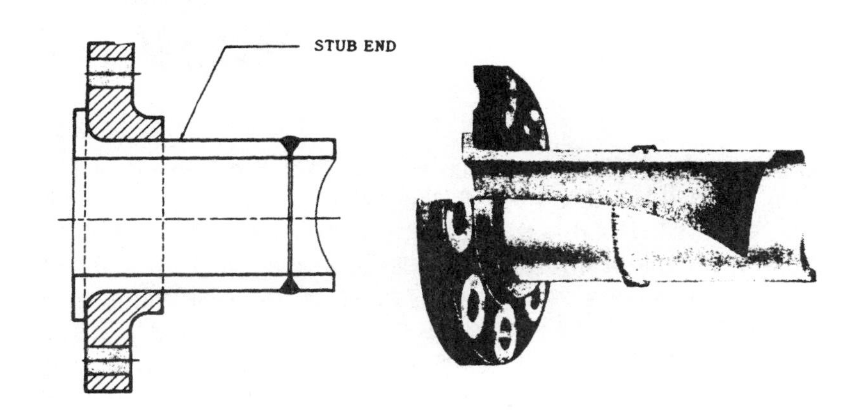

2.3.2 맞대기 용접 시스템으로 부터의 枝線 연결용 맞대기 용접 Fitting

Stub-in 主管에서 직접 枝管을 용접하는 것을 말하며, 이 방법은 일반적이고 또한 가장 적은 비용으로 2 in 와 2 in 보다 더 큰 파이프에 같은 크기의 지선이나 작은 枝線을 용접하는 방법이다. Stub-In 은 2.11절에서 설명한 方法으로 보강을 한다.

그림 2.11 Stub-In

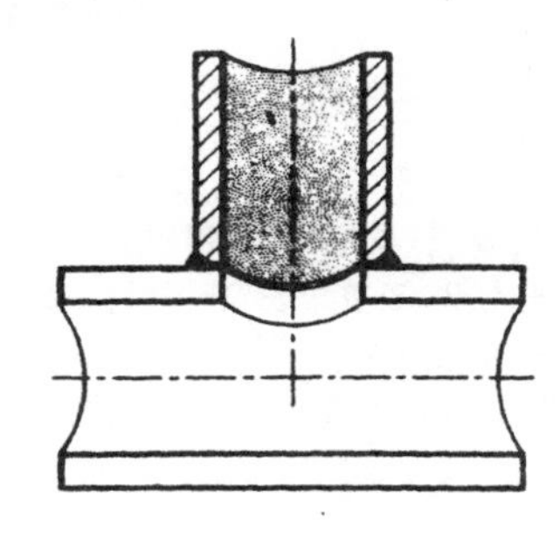

맞대기 용접 Fitting, Tees(T), Straigh Tee 또는 Reducing, Tee 이런 Tee는 主管에서 90° 각도의 지선을 연결하는데 使用된다. 직선 Tee는 主管과 같은 크기의 지선을 만드는데 쓴다. Reducing Tee는 主管보다 지관의 크기를 더 작게 만들때 使用한다. Reducing Tee는 主管의 크기 보다 더 크게 製作하는데 使用되나 실제로 사용하는 경우는 드물고 특별 주문에 의해서만 생산한다. 이러한 tee 들은 보강재가 필요없다. Reducing tee는 다음과 같은 것을 주문한다.

맞대기 용접을 한 Reducing Tee의 사양

TEE의 각 부분	入 口	出 口	지선(관)	예
지선용 REDUCING	6″	6″	4″	RED TEE 6″×6″×4″

그림 2.12 Butt Welding Tees

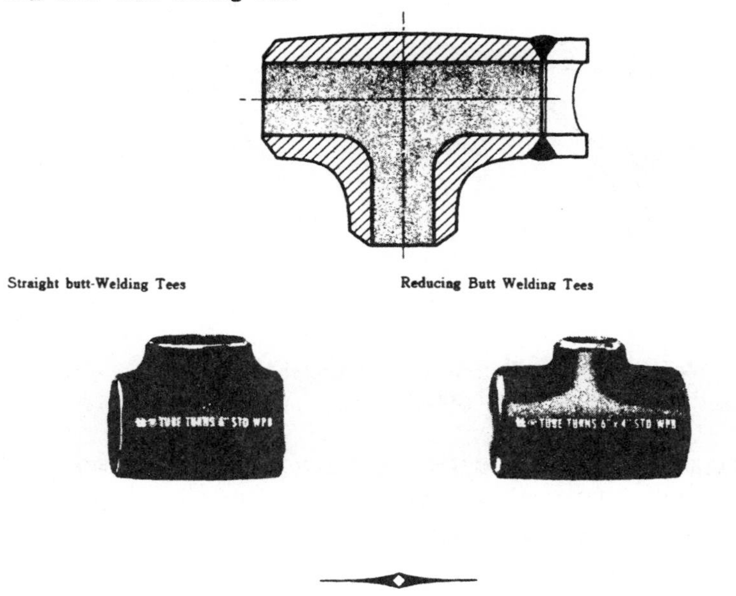

이 4가지의 Fitting은 또 다른 방법으로 主管을 연결하는 방법이고 보강재가 필요없다. 이것들은 主管의 곡률에 따라 미리 모양을 만든다.

Weldolet/Weldolet은 직선파이프에서 90° 각도의 같은 크기 또는 Reducing 되는 지선을 만들때 使用된다. Tee를 사용하는 것보다 더 짧게 할 수 있다. Flat-Type Weldolet는 Pipe Cap이나 Vessel Head를 연결하는데 사용한다.

그림 2.13 Weldolet

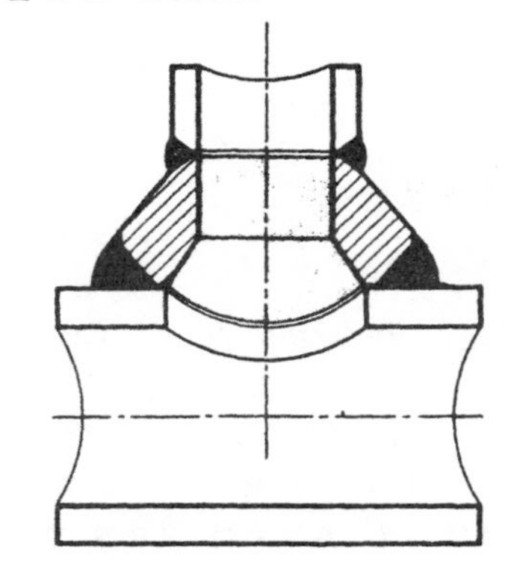

맞대기 용접 **Type Elbolet** 이 枝線 連結方法은 大半徑과 小半徑의 Elbow 에 接線方向의 口徑枝線을 만드는데 使用한다.

그림 2.14 **Elbolet** 그림 2.15 **Butt-Welding Latrolet**

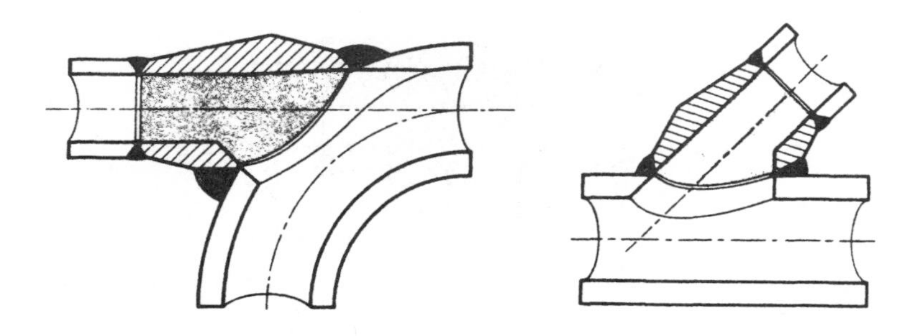

Butt Welding Latrolet/Butt Welding Latrolet 는 直線 Pipe에서 45° 角度의 小口徑 枝線을 만드는데 使用한다.

Sweepolet/Sweepolet 은 배선의 主管에서 90° 小口徑지선을 만들때 사용한다. 본래는 기름과 가스용 배관에서 고수율 파이프용으로 개발 되었다. 이 연결을 하면 유동의 흐름 형태가 좋고 응력을 적절하게 분포시킬 수 있다.

그림 2.16 **Sweepolet**

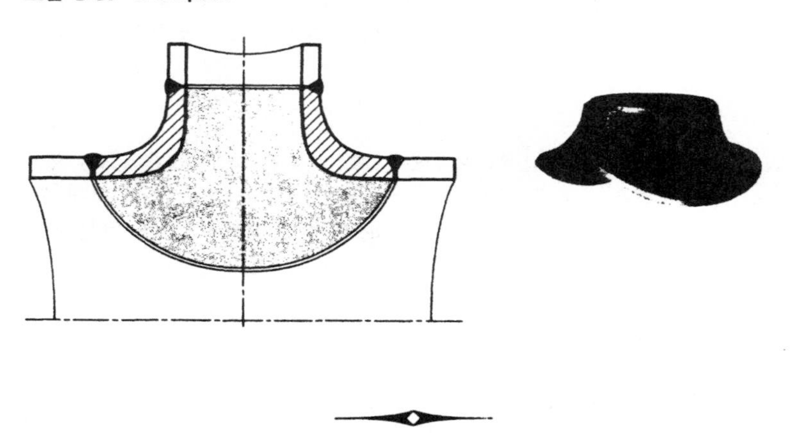

다음의 세가지 Fitting 은 특별히 설계하여 사용한다.

Strainght Cross, 直線型 또는 Cross Straight Reducing straight Cross 연결이 보통 쓰이는 품목이다. Reducing cross는 연결방법이 쉽지 않다.
물품 사양서 중 여러 품목에서 경제성이나, 유용성을 최소화를 고려하면, Cross법 보다 tee를 사용하는 것이 좋다. 그러나 해양 배관이나 Revamp Work와 같은 공간이 제한되는 경우에는 예외이다. 보강재는 필요가 없다.

그림 2.17 **Butt-Welding Cross**

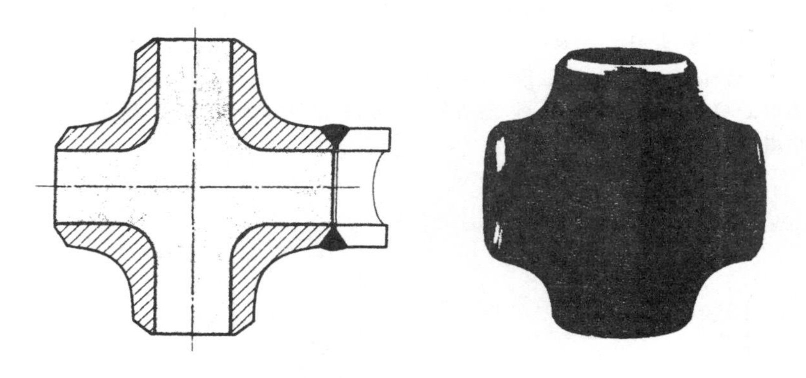

Lateral Straight Type Reducing 측면 연결법은 유동에 미치는 낮은 저항이 중요한 부분의 主管에 특별한 각을 이루는 입구를 연결하는데 사용한다. 主管의 지름 크기와 지선의 지름 크기가 같은 경우인 직선 측면 연결은 STD 와 XS Weight 의 파이프를 사용하는 것이 좋다. 45° 각 이 외의 각으로 연결할 때 사용하는 축소 측면 연결 Fitting 과 Reducing Fitting 은 보통 특별 주문을 해서 사용한다. 파이프의 전체 강도에 따라 연결 강도를 유지하려는 부분에는 보강재를 使用한다. Lateral Fitting 은 맞대기 용접 Tee 와 같이 주문하나 주관과 지관 사이의 각이 지정되는 경우는 예외로 한다.

그림 2.18 **Lateral**

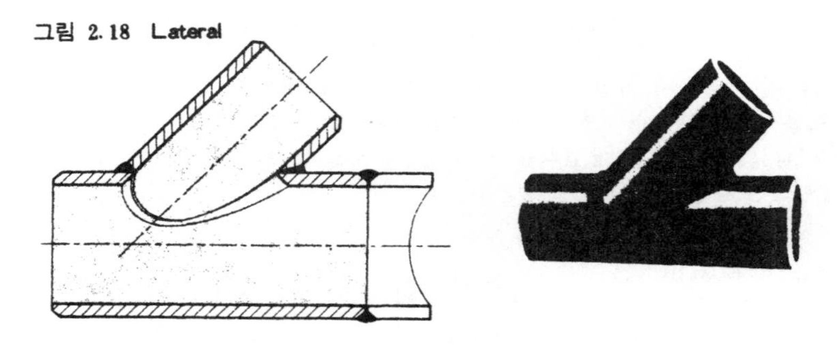

Shaped Nipple 현재는 많이 使用하지 않지만, 90° 각도와, 45° 각도의 품목에서 얻을 수 있고, 편심을 포함하는 크기나, 각도는 특별 주문에 의해 얻을 수 있다. 主管은 Template 로 Nipple 을 사용하여 현장에서 절단한다. 연결부분의 강도를 파이프의 전체 강도까지 끌어 올리는 것이 필요하면 보강재를 설치한다.

그림 2.19 **Shaped Nipple**

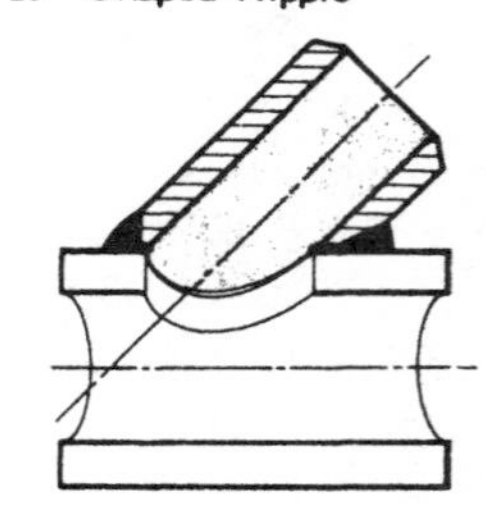

2.3.3 Closure

Cap/Cap 은 파이프 끝 맺음할 때 使用한다. [그림 2.20(a)참조]

Flat Closures/Flat Closure 는 보통 Pipe 作業者에 의해 圖面에 따라 특별히 製作한다.

그림 2.20 세가지 용접끝맺음

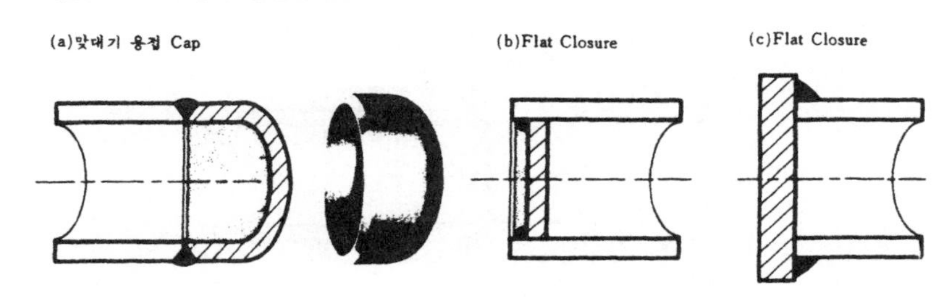

타원형 또는 접시형 HEAD 大口徑의 파이프를 막을때 使用되며, Vessel 이나 건축용으로 使用하는 것과 비슷하다.

2.4 Socket Welding 한 배관 시스템용 Coupling

사 용 처 : 누설이 되어서는 않되는 가연성 물질, 유독성 물질 또는 고가의 물질을 운반 할때 사용한다.
300 psi 에서 600 psi 의 증기용으로 使用되며 150 psi 용으로使用하기도 한다. 부식이 우려되면 '부식'란을 고려해야 한다.

장 점 : (1) 小口徑 配管 配烈에는 맞대기 용접할 때보다 더 쉽다.
(2) 용접용 금속이 관내로 침입 할 위험이 없다.
(3) 연결이 잘 된 상태에서는 연결 부위에서의 누설이 없다.

단 점 : (2) 1/16 in 의 연결 부위에 액체가 들어간다.
(2) ANSI B 31.1.0 규정에 따라 침식이 심하거나 균열 부식이 생길 염려가 있으면 사용할 수가 없다.

연결방법 : 파이프의 끝단은 도표2.2에 나타나 있듯이 Flat 로 끝맺음 한다. Fitting, 밸브, 플랜지등에 사용한다. 연결 부위 둘레에는 연속해서 필렛 용접을 한다.

도표 2.2 **Soket Welding Pipe** **CHART 2.2**

도표 2.2에는 함께 組立하여 같이 사용하는 파이프, Fitting 과 밸브의 규격을 나타내었다. 이 도표는 Guide 로만 使用하고 Project 로는 使用하지 말기 바란다.

SOCKET 용접하는 配管 표 2.2

炭素鋼 鋼管 및 鍛造鋼 이음쇠

파이프의 끝처리와 이음쇠, 플랜지, 밸브 또는 장치의 연결방법			용접 / 1/16" 틈새 / 평면끝 / 지름 Sch. 40 또는 Sch 160 / 파이프 / 커플링, 기기, 밸브 등과 같은 소켇 용접 품목	
소켇용접용 최대 배선크기			1½ in (2½ in 해양배관)	
一般鍛造鋼 소켇용접 이음쇠의 사용범위			1/8 in 에서 4 in	
파이프 중력과 이음쇠 비교 정격 압력	비음	Sch. No.	SCH 40	SCH 80	SCH 160
		제작자의 Weight	STD	XS	—
	이음	이음쇠 정격 압력	3000 PSI	3000 PSI	6000 PSI
		이음쇠 Bore	SCH 40	SCH 40	SCH 160

일반적인 결합 : 재료의 선택 또는 중-weight 파이프와 FITTING의 선택은 압력에 따라서 한다. 온도와 부식에 대한 여유를 둔다. 1½in의 파이프와 이보다 작은 것은 보통 ASTM 사양 A-106에 준하여 주문한다. 2.1.4절에서 설명하였다.

밸 브

최소 압력 Ratng	제어밸브 (플랜시 사용)	보통 300 (3.1.10 참조)
	제어밸브 외의 밸브	600 (ANSI) 800 (API)

*ANSI B16.11에 의해서 1/16 in 틈새는 열응력에 의한 용접부에 금이 가는 것을 막아준다.
†SOCKET ENDED FITTING은 3000PSI와 600PSI 압력에 의한다(ANSI B16.11).

2.4.1 Socket 용접 시스템에서의 Fitting 과 플랜지

Fitting 과 Flange 의 치수는 表 F −8과 D −8에 있다.

Full-Coupling (보통'커플링'이라함) Coupling 은 파이프와 파이프, 파이프와 Nipple 또는 파이프와 Swage 를 연결할 때 사용한다.

그림 2.21 Full Coulping

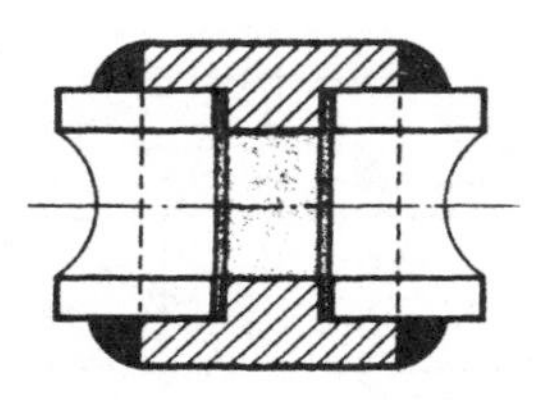

Reducer/Reducer 는 서로 다른 口徑의 파이프를 연결할 때 사용한다.

그림 2.22 Reducer

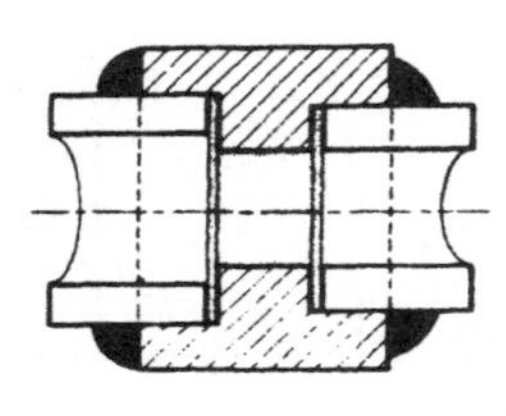

Reducer Insert Reducing Fitting 은 小口徑 파이프와 大口徑 파이프를 연결할 때 사용한다. Socket Welding 으로 Reducing Insert Fitting 제작회사에 의해 어떤 크기의 축소도 가능하다.

그림 2.23 3가지의 Reducing Insert

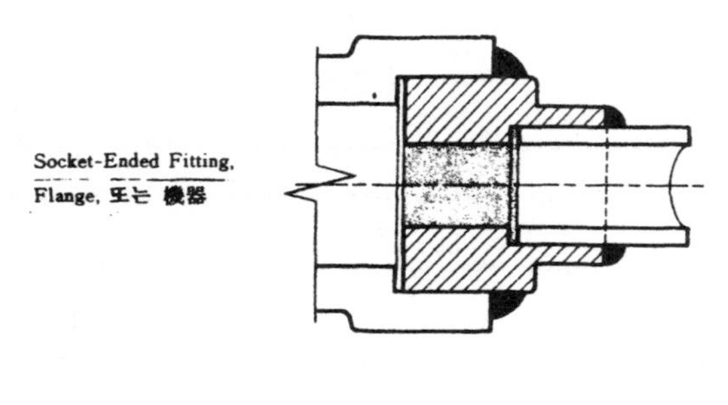

Union/Union 은 처음에는 파이프의 유지와 설치 목적으로 使用되었다. 이것은 Socket Welding Pipe 시스템에 사용하기 위해 설계된 나사체결로 연결하는 것이다. 2.5.1절에 '나사체결 Union '의 사용 설명을 참조한다. Union 은 끝 부분이 용접되기 전에 지지대의 휨을 최소화 시키기 위해 나사를 견고하게 결합하여야 한다.

그림 2.24 Socket Welding Type Union

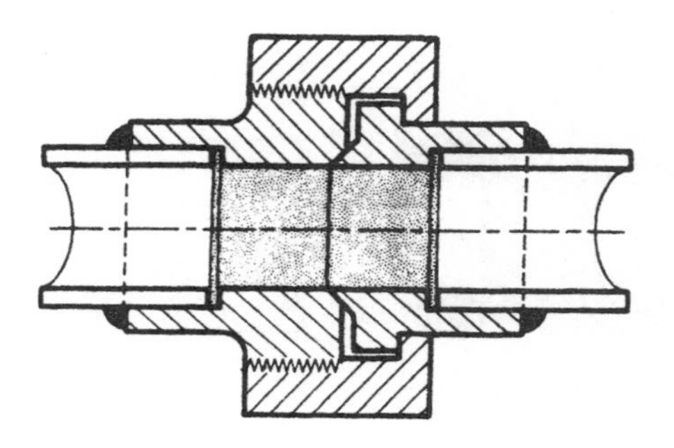

Swaged Nipple 형태에 따라 연결법을 결정한다. (1) 서로 다른 크기의 Socket Ended −이런 Swaged Nipple 형태는 Socket Ended 삽입용으로 양쪽끝이 평면(PBE)으로 되어 있다. (2) 大口徑 맞대기 용접 파이프 또는 Fitting 용 Socket Ended Item −이 Swaged Nipple 형태는 Socket 끝 맺음에 삽입용으로 Large End Bevel (BLE)과 Smaller End Plain (PSE)로 되어 있다. Swage Nipple 은 단지 ' Swage '라고도 하고 도면에서는 ' SWG '나 ' SWG NIPP '의 약자로 쓰인다. 이런 Swaged Nipple 을 연결하려는 파이프의 사양을 지정해 주어야 한다. 예를 들어, 2"(Shc. 40)×1"(Sch. 80) 사양서에 기입된 다른 식의 끝 맺음의 보기는 다음과 같다.

표 2.3 소켙용접 Swage의 사양과 크기, 끝 처리
소켙용접 Tee의 사양과 크기

연결용 Swage 큰 파이프+작은 파이프		도면상의 보기
SW 품목	SW ITEM	SWG 1½" x 1" PBE
BW 이음쇠 또는 파이프	SW ITEM	SWG 2" x 1" BLE−PSE
약 어	SW = Socket 용접 PBE = 양면을 평면처리 PSE = 작은 쪽을 평면 처리	BW = 맞대기 용접 PLE = 큰쪽을 평면 처리 BLE = 큰 쪽을 Bevel 처리

그림 2.25 Swage (PBE)

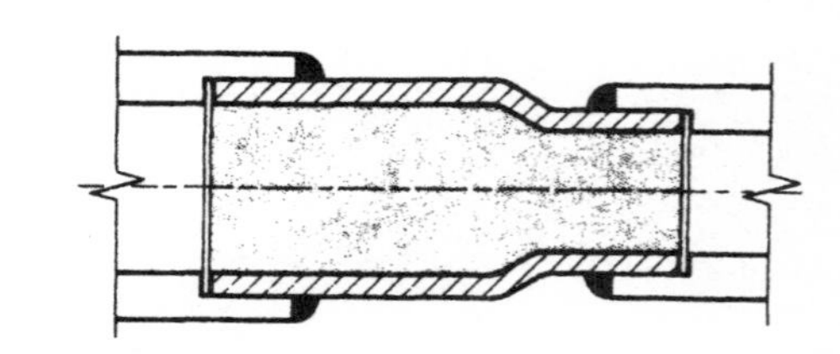

Elbows/Elbow는 파이프의 진행 방향을 90° 각도 또는 45° 각도로 바꾸어 준다.

그림 2.26 **Socket-Welding Elbows**

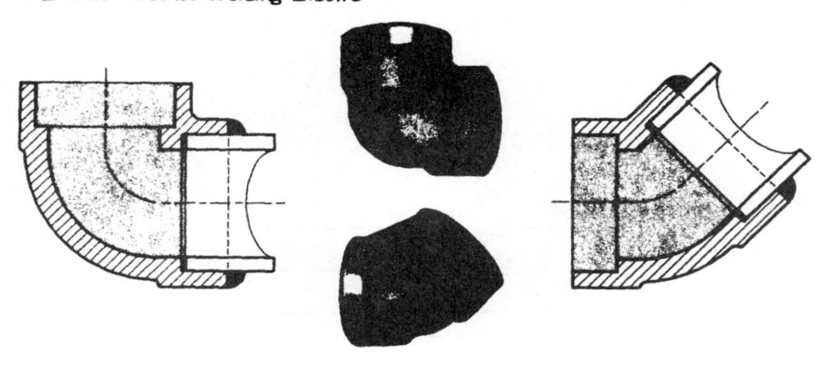

Socket-Welding Flange 모든 配管 부속품 중에서도 이것이 제일 많이 使用된다. 축소 형태는 주문에 의해서 사용 가능하다. 예를 들어, 1 in 파이프를 $1^1/_2$ in 관 크기의 150 psi 서어비스 配管用 플랜지에 연결할 때, Reducing Flange는 다음과 같이 표시된다. RED FLG 1"× 5″ OD 150# SW

그림 2.27 소켈용접 플랜지

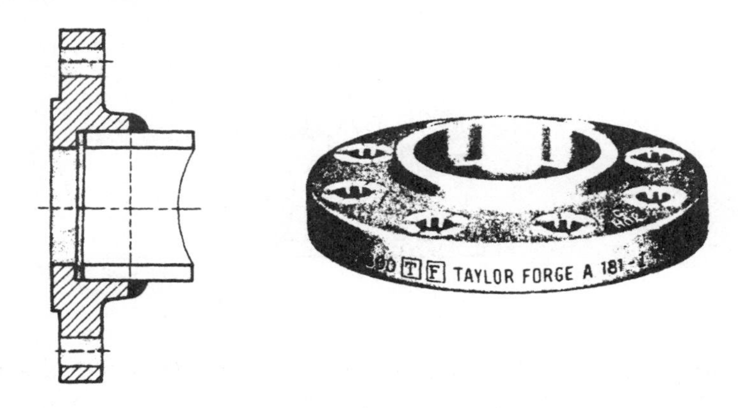

2.4.2 소켈 용접 시스템으로 부터 지선 사이의 이음쇠

소켈 용접 진행 관에서의 지선 이음

T型, 직선형 또는 **축소형**은 주 진행관에서 90° 각도의 지선을 製作하는데 使用한다.

소켈용접 Tee의 사양과 크기

TEE의 분류	입 구	출 구	지 선	보 기
지선축 소비율	$1\frac{1}{2}$"	$1\frac{1}{2}$"	1"	RED TEE 1½" x 1½" x 1"
주 진행관 축소비 (특별 적용 예)	$1\frac{1}{2}$"	1"	$1\frac{1}{2}$"	RED TEE 1½" x 1" x 1½"

그림 2.28 소켈용접 Tee

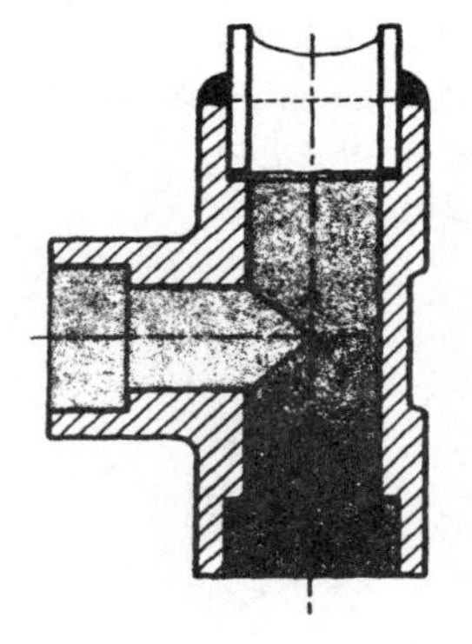

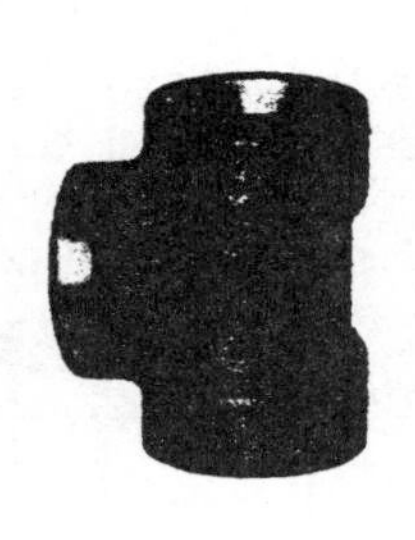

側面接層(Lateral) 측면 이음은 주 진행관에서 45° 각도의 지선을 만들때 사용한다.

그림 2.29 소켈용접 측면 이음

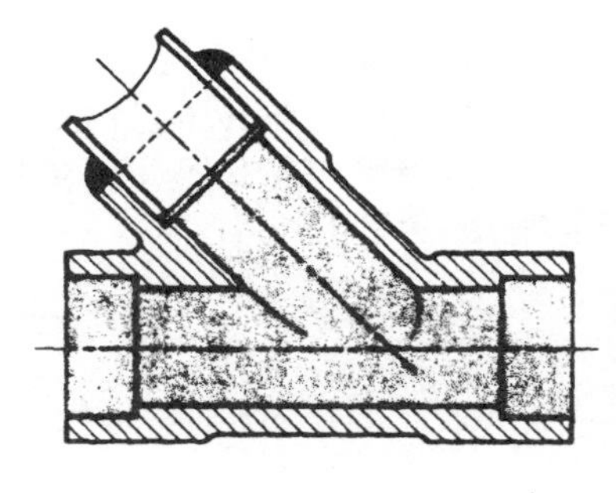

십자 이음(Cross) 맞대기 용접 십자 이음에 대한 적용 예는 2.3.2절을 참조한다.

그림 2.30 소켈용접 십자 이음

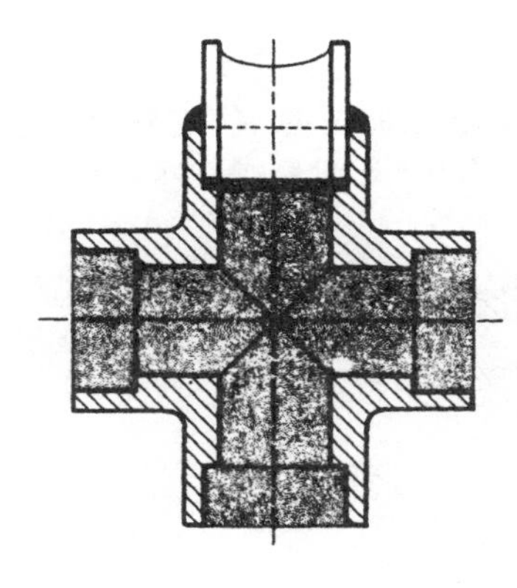

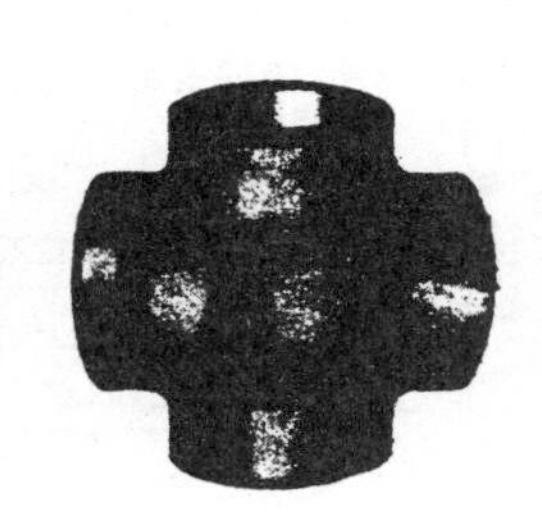

2.4.3 Vessel 나 맞대기 용접 주 진행관에서 소켈 용접 지선 연결용 Fitting

Half-Coupling/Half-Coupling 은 full Coupling 에 비해 같은 길이를 갖으면서 더 튼튼하기 때문에 지선이나 Vessel 연결용으로 Full Coupling 보다 Half Coupling 을 사용하는게 좋다. Half Coupling 은 더 큰 파이프나 Vessel 벽에 90° 각도의 입구를 製作하는데 사용한다.
Socket 은 Coupling 이 필요한 곳에 더 많이 使用된다.

그림 2.31 Socker-Welding Half-Coupling

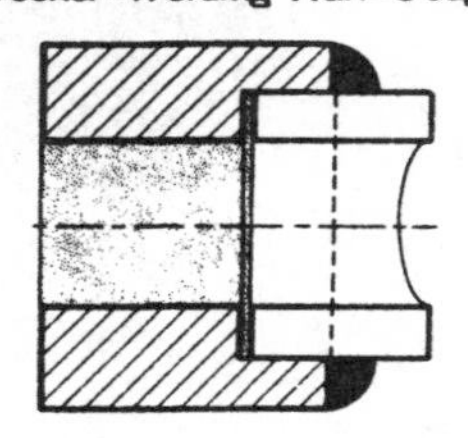

다음의 4가지 Fitting 은 단조나 주물로 만든 것으로 주 진행 파이프에서 다른 방향의 출입구를 製作하는 방법이다. 이 Fitting 의 장점은 턱 이음 용접 끝 부분 진행 파이프의 곡선에 따라 형태를 만들 수 있다. 맞대기 용접 배관이나 Vessel 에는 보강재가 필요 없다.

Sockolet/Sockolet 은 직선 파이프에 같은 크기나 Reducing Type 으로 90° 각도의 지선을 만드는데 사용한다. 기초 평면 小型 Socket 은 파이프 Cap 과 Vessel Head 에서의 지선 연결등으로 使用된다.

그림 2.32 Sockolet

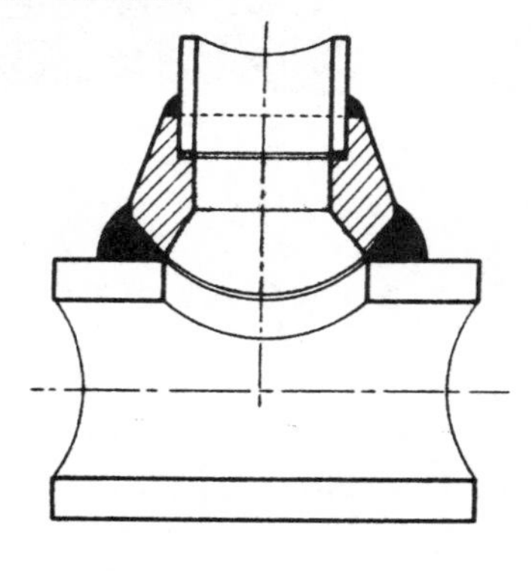

Socket-Welding Elbolet/Socket-Welding Elbolet 은 長半徑과 短半徑 Elbow 에서 接線방향 Reducing Type 지선을 만들 때 사용한다.

그림 2.33 Socket-Welding Elbolet

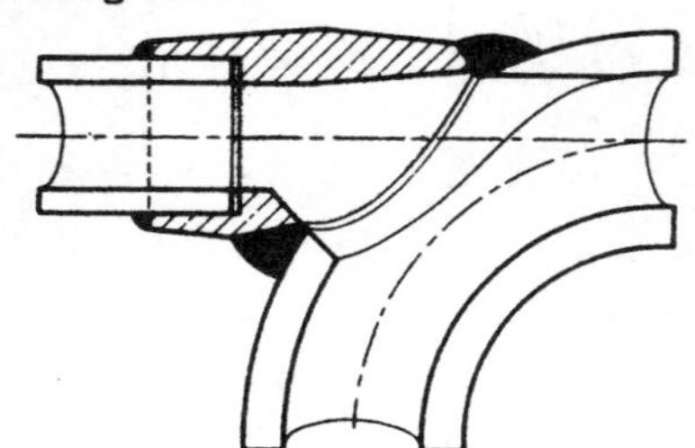

Socket-Welding Latrolet 이것은 직선 파이프에 45° 각도의 小型 지선을 만드는데 사용한다.

그림 2.34 Socket-Welding Latroret

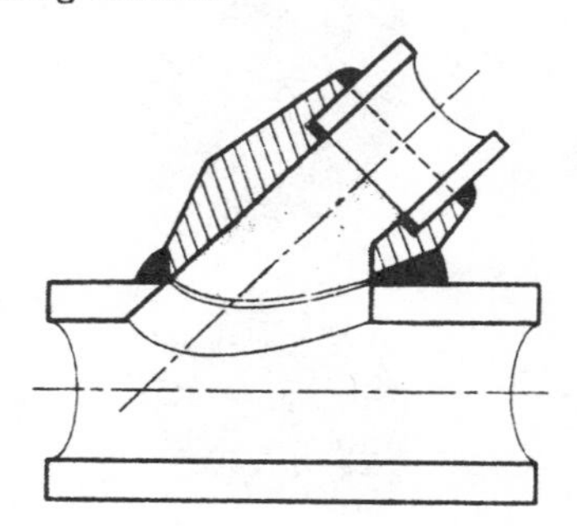

Nipolet/Nipolet 은 小型 socket 의 다른 형태. 처음에는 小型 밸브 연결용으로 개발되었다.

그림 2.35 니포렐(Nipolet)

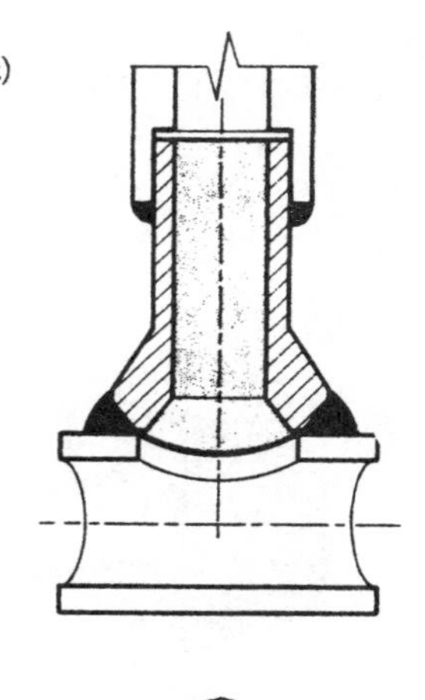

Stub-in/Stbu in 은 2.3.2절의 說明 參照. 熔接 金屬이 Pipe 內를 침입하거나 流動 防害할 위험이 존재하기 때문에 2 in 內의 配線에서는 使用하지 않는 것이 좋다.

2.4.4 Closure

Socket-Welding Cap/Socket-Welding Cap은 평면 끝맺음 파이프의 기밀 유지에 사용한다.

그림 2.36 Socket-Welding Cap

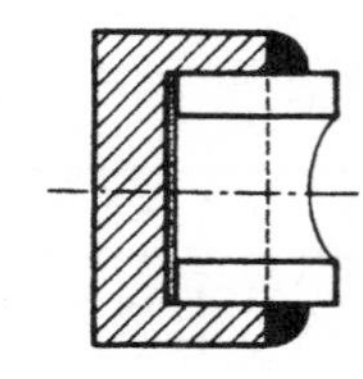

2.5 나사 체결 배관 시스템용 구성장치

사용처 : 써어비스 운반 배관과 小型 Process Piping 에 사용한다.

장　점 : (1) 현장에서 파이프와 Fitting 에 의해 쉽게 만들 수 있다.
(2) 가연성 가스나 액체가 존재하는 배관 설비 부분의 화재 위험을 최소화 시킨다.

단　점 : (1)* 부식이 많고 균열 부식, 충격이나 진동이 염려되면 ANSI B 31.1.0에 의거하여 사용하면 좋지않다
(2) 연결 부분에 누설의 가능성이 있다.
(3) 용접을 하여 기밀을 유지해야한다. — 도표 2.3의 各註 參照
(4) 두께를 감소 시키면서 나사산을 만들면 파이프의 강도가 감소한다.

2.5.1 나사 체결 시스템용 Fitting 과 Flange

나사체결 Fitting 은 특별한 목적과 건물의 관련 부설용으로 많은 제작자에 의해 개발되어 사용 범위가 넓다. 이런 이음쇠는 압력과 온도의 Rating 에 알맞다 하더라도 Processing Pipe 에는 사용하지 않는다.

식수와 공기 배선용으로 사용하는 아연 도금한 150 psi 와 300 psi 압력의 전성철 이음쇠와 유사한 밸브는 Sch 40 파이프와 함께 사용한다. 전체적인 경제성은 가능한 적은 수의 서로 다른 나사 체결 이음쇠를 어떻게 사용하는냐에 달려있다. 사양서, 도면, 검사, 구매와 창고 보관을 단순화한다. 전성철 이음쇠의 치수는 표 D −9에 나타내었다.

나사 체결로 된 단조품 이음쇠는 주철과 전성철 이음쇠보다 더 비싸게 쓰이는데 그 이유는 기계적 강도가 더 크기 때문이다. 단조품 나사 체결 이음쇠의 치수 설정은 표 D −10에 나와 있다.

Full-Coupling (흔히 '커플링'이라고 함) Coupling 은 양 끝면을 나사로 만든 파이프나 제품을 연결한다.

그림 2.37 Full-Ccoupling　　　　그림 2.37

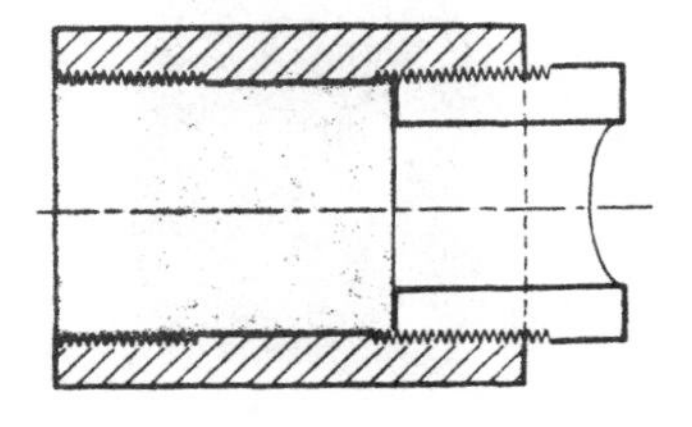

2.3 나사 配管

도표 2.3에는 흔히 결합되거나 함께 쓰이는 파이프와 Fitting, 밸브의 Rating 을 나타 내었다. 이 안내서는 오직 안내서로 쓰이고 계획사양서로 대처해서는 않된다.

나사 配管　　도표 2.3

炭素鋼 鋼管 및 鍛造鋼 이음쇠

파이프 끝 처리와 이음쇠, 플랜지, 밸브 또는 기기의 연결방법		나사부위 / 파이프 / NPT / 선택적인 기밀용용접 / 밸브, 커플링, 기기 등과 같은 나사이음 품목		
나사이음의 최대 배선 크기		1½-INCH		
단조강 나사이음쇠 사용범위		1/8 ~ 4-INCH		
파이프의 Weight와 이음쇠, 비교 정격압력	파이프 Sch. No.	SCH 40	SCH 80	—
	파이프 제작자 Weight	STD	XS	XXS
	이음쇠 정격압력	2000 PSI	3000 PSI	6000 PSI

일반적인 결함 : 기계적 강도가 3000PSI일 때 승인된 FITTING 의 최저 RATING 재료의 선택 또는 중 weight 파이프와 FITTING의 선택은 압력에 따라서 한다. 온도와 부식에 대한 여유를 둔다. 1½ in 파이프와 이 보다 더 작은 파이프는 보통 ANSI 사양 A-106 Gr. B에 준하여 주문한다. 2.1.4절에서 설명한다.

밸　브

최저 정격압력	제어밸브 (플랜지 사용)	보통 300(3.1.10 참조)
	제어밸브 이외의 밸브	600 (ANSI) 800 (API)

*ANSI B 31.1.0에 의하면 기밀용접은 연결강도를 위해 꼭 필요한 사항은 아니다.

기밀 용접 적용 장소

도면표시 : 일련의 장치 한계내에서 공기나 불활성가스 또는 물 등을 운반하는 배관을 제외한 모든 나사체결 연결부분.

도면에 표시안함 : 탄화수소 공급배선과, 위험한 독성이 있고 부식성이 있고 또한 값이 비싼 유체의 운송용 나사체결배선

Reducing Coupling, 또는 Reducer 이것들은 서로 다른 크기의 나사가 만들어져 있는 파이프와 파이프 연결에 使用된다. 보오링과 탭핑 제작에 따라서는 어떤 Reducer 도 만들 수 있다.

그림 2.38 **Reducing Coupling**

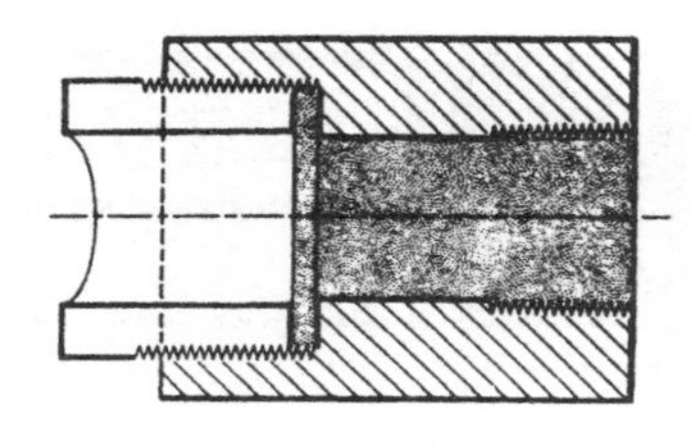

Nipples/Nipple 은 Union, Valve, 연마기, Fitting 등을 연결하는데 사용한다. 근본적으로 짧은 길이의 파이프에는 전체 양단에 나사를 만들거나 Nipple 인접 부분의 양단에만 나사를 만들거나 한쪽은 평면으로 하고 다른 한쪽은 나사를 만든다. 다양한 길이에 대해 이용이 가능하다. - 표 D-9와 D-10참조. Nipple 은 한쪽 끝에 홈을 사용하여 얻을 수 있다.

그림 2.39 나사 품목용 니플

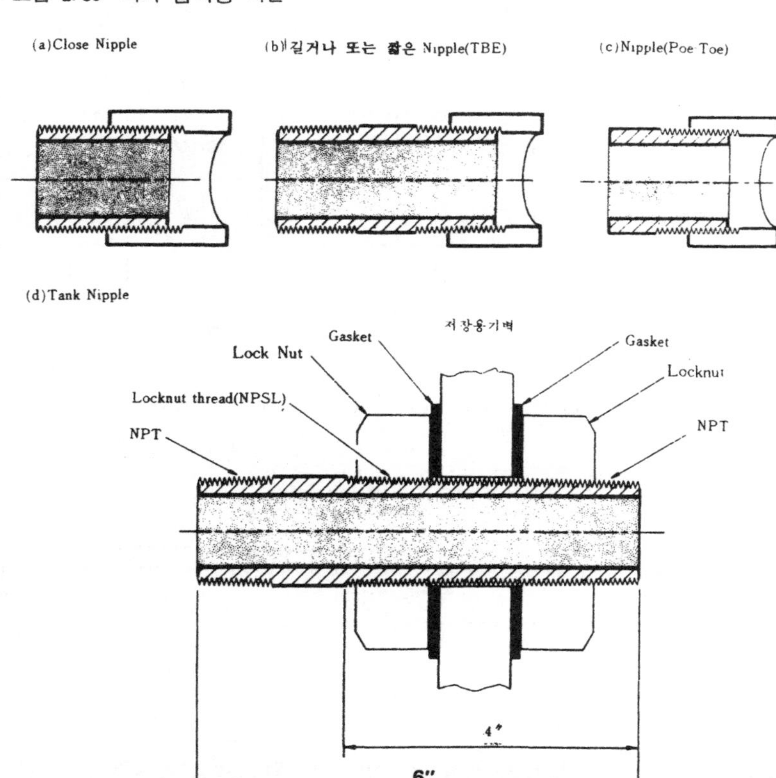

Tank nipple/Tanknipple은 낮은 압력 써어비스 배선의 무압력 용기 또는 탱크를 나사로 연결해 주는데 使用된다. 양단에 나사 가공한 표준 테이퍼 파이프의 전체 길이는 6 in 이다. 한쪽 끝에서만 테이퍼인 파이프의 나사산은 ANSI 규격 잠금 너트 나사산과 일치한다.

Union/Union은 배관 시스템에서 파이프 길이, 밸브, 용기의 손 쉬운 설치, 제거, 대체를 가능하게 하는 연결 방법이다. 예를 들면, 밸브를 제거하기 위해서는 적어도 한개의 Union 은 있어야 하고 나사 연결한 저장용기로 부터 배선을 제거 하려면 압력 용기의 각 출구로 부터 밸브와 압력용기 사이에 한개의 Union 은 있어야 한다. 다르게 면처리한 것도 쓸 수 있지만 수평면 연결 장치가 더 유리하다.

그림 2.40 **Pipe와 Tube의 연결 장치**

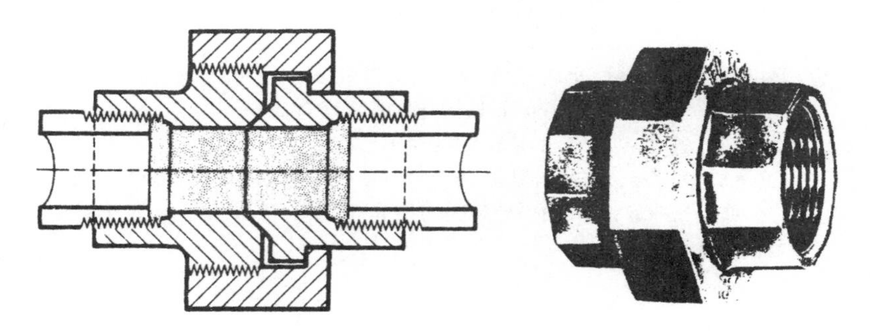

파이프와 Tube 의 連結裝置 이 裝置는 나사加工한 Pipe 와 Tube 를 連結하는데 使用된다. 그림 2.41은 特別히 아래가 넓은 Tube 를 連結하는 裝置이다. 때에 따라서는 여러가지 Type 의 形態도 使用된다.

그림 2.41 파이프와 Tube의 연결장치

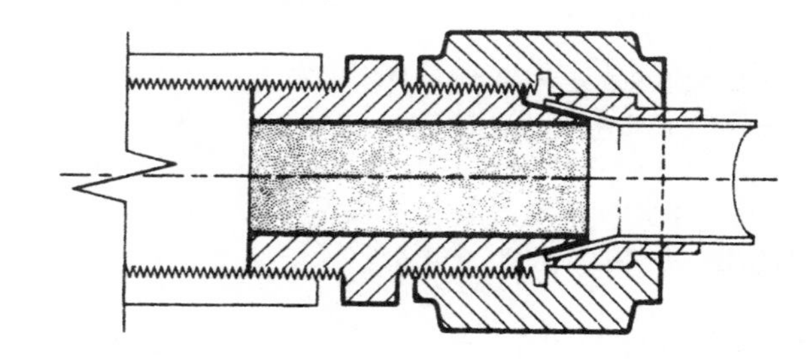

육각머리 부싱(Haxagon Bushing)/육각머리 Bushing 은 작은 파이프를 더 큰 나사 체결 Fitting 과 Nozzle 의 연결용으로 쓰이는 . Reducing Fitting이다. 계기 연결 방법으로 적용을 한다. 보링과 태핑 Standard 에 의해 어떤 축소형도 가능하다. 보통 높은 압력의 써비스 배선용으로는 사용할 수 없다.

그림 2.42 육각머리 부싱(Hexagon Bushing)

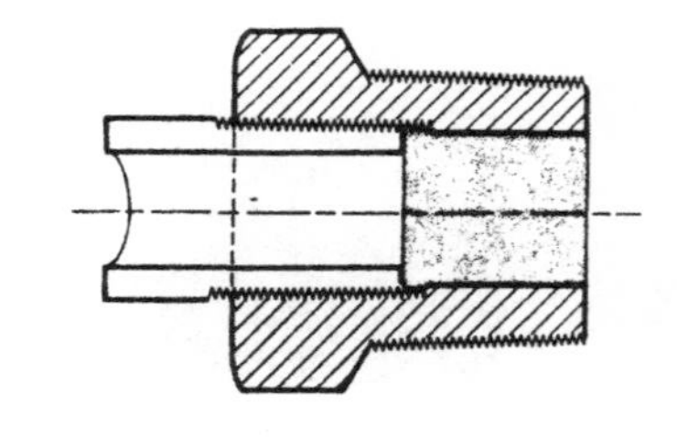

Swaged Nipple 이것은 大 口徑 파이프를 연결할 때 使用하는 Reducing Type Fitting이다. 또한 'Swage'이라고도 부르며 도면에서는 'SWG'이나 'SWG NIPP'와 같은 약어로 쓰인다. Swage을 주문할 때에는 연결 할 파이프의 사양을 명시한다. 예를 들어, 2"(Sch. 40)×1"(Sch. 80). swage는 다음과 같은 연결용으로 쓰인다. (1)나사 체결 배관과, 나사체결 배관. (2)나사체결 배관과, 맞대기 용접 배관. (3)맞대기 용접 배관과, 나사 체결 저장 용기 Nozzle. 위와 같은 사항은 끝에 요구하는 배관 도면상에 명시해야 한다.

표 2.4 나사체결 Swage의 사양과 끝 처리

연결용 Swage 큰 파이프+작은 파이프		도면상의 보기
SCRD 품목 BW 품목 또는 파이프	SCRD ITEM SCRD ITEM BW ITEM*	SWG 1½" x 1" TBE SWG 2" x 1" BLE–TSE SWG 3" x 2" TLE–BSE
*이 보기는 일반적인 것은 아니지만 압력용기에서 맞대기용접 배관과 나사체결 Nozzle을 연결할 때 사용한다.		
약 어	BW = 맞대기 용접 TBE = 양면을 나사 처리 TSE = 작은 쪽을 나사 처리 BLE = 큰 쪽을 Bevel 처리	SCRD = 나사 처리 TLE = 큰쪽을 나사 처리 BSE = 작은 쪽을 Bevel 처리

그림 2.43 Swaged Nipple, TBE와 BLE-TSE

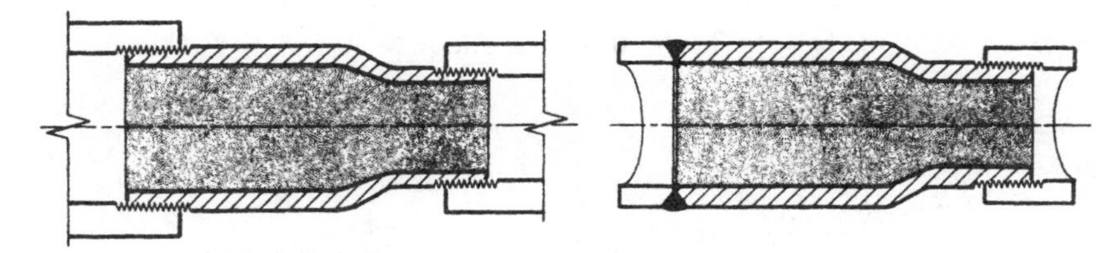

Elbows/Elbow는 진행관의 방향을 90° 각도 또는 45° 각도로 바꿔 주는데 사용한다. 한쪽 끝에 완전한 Nipple을 가공한 Street Elbow를 使用하는데 유리하다. (표 D-9 참조)

그림 2.44 나사체결 Elbow, 40° 각도와 90° 각도

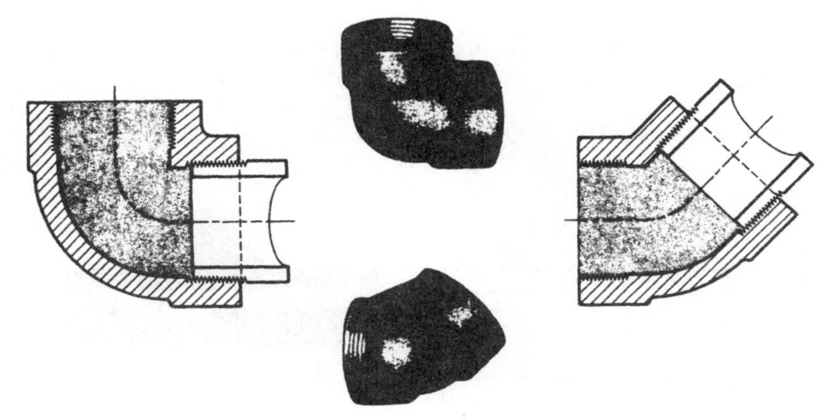

나사 체결 플랜지/나사체결 플랜지는 나사체결 파이프와 플랜지를 연결하는 데 사용한다. 일반적인 형태와 축소 형태는 물품 사양서에서 찾아 사용한다. 예를 들어 150 psi 압력의 써어비스 배선용 1 in 파이프와 $1^1/_2$ in 의 파이프 크기를 갖는 플랜지를 연결하는 Reducing Type 플랜지는 다음과 같이 명시한다.

RED FLG 1"×5" OD 150# SCRD

그림 2.45 나사체결 플랜지

2.4.2 나사 체결 시스템에서의 지선용 Fitting

나사 체결한 주 배선에서의 지선 설치

Tee, 직선형 또는 축소형 이것들은 90° 각도의 지선을 만드는데 사용한다. Reducing Type Tee는 丸棒과 태핑 표준 규격에 따라 만든다.

나사체결 축소형 Tee의 사양

TEE의 분류	입 구	출 구	지 선	보 기
지선 축소 비율	$1\frac{1}{2}$"	$1\frac{1}{2}$"	1"	RED TEE 1½" x 1½" x 1"
주 진행관 축소 비 (특별 적용 예)	$1\frac{1}{2}$"	1"	$1\frac{1}{2}$"	RED TEE 1½" x 1" x 1½"

그림 2.46 나사체결 Tee 직선형과 Reducing Type

직선형 Tee

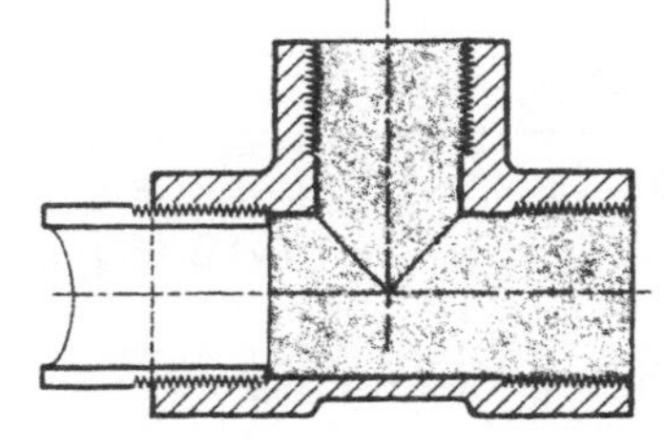

Reducing Type Tee

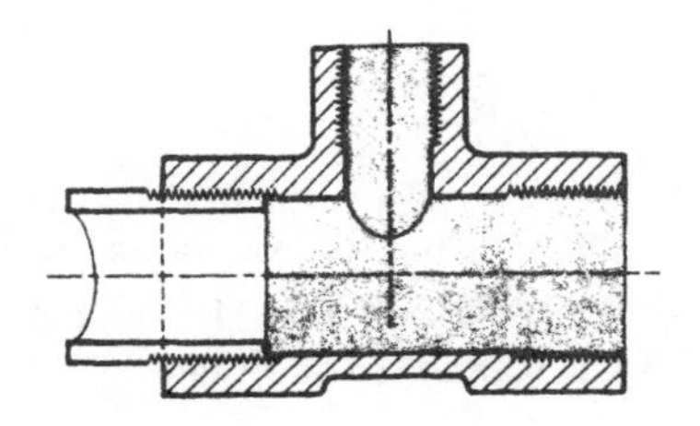

Lateral 이것은 주 진행관에서 45° 각도의 진행관과 같은 크기의 지선을 만들 때 사용한다.

그림 2.47 나사 가공된 측면 Fitting

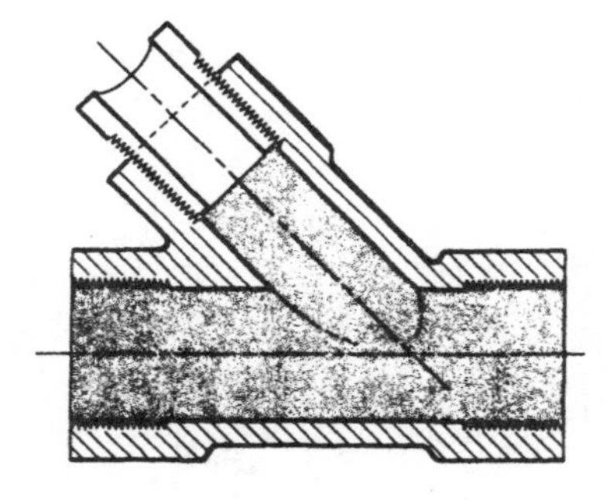

십자 이음(Cross) 맞대기 용접 십자 이음에서의 적용과 같다(2,3,2절 참조). 축소형 십자 이음은 보링과 태핑 표준 규격 사양서에 따라 가공한다.

그림 2.48 나사 가공된 십자 Fitting

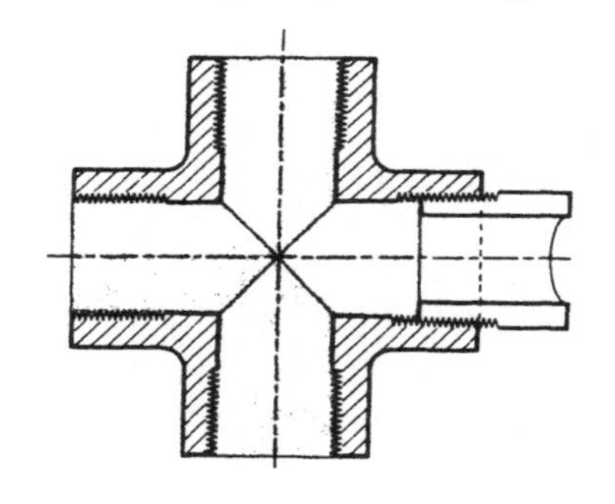

2.5.3 저장 용기 또는 맞대기 용접 주 진행관에서의 나사체결 지선용 Fitting

Half Coupling/Half Coupling 은 기계 계측기용 파이프나, 저장 용기용 파이프를 90° 각도로 나사 체결 연결하는데 사용한다. 용접시에 발생하는 열이 이와 같이 짧은 Fitting 의 나사산을 마멸하기 쉽게 만드므로 형태를 미리 고정해야 한다.

그림 2.49 나사체결 Half-Coupling 또는 Full Coupling

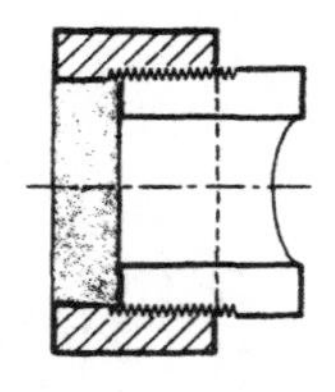
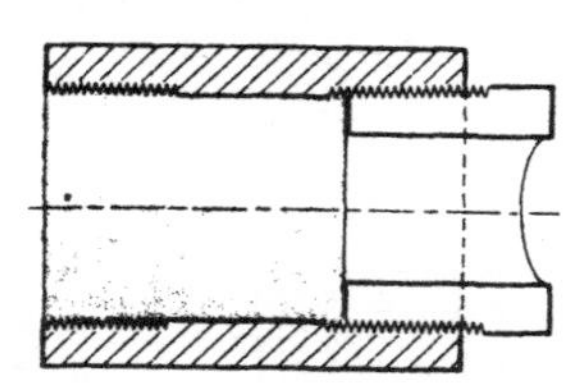

Full-Coupling/Half-Coupling 보다 더 좋은 방법이다. 파이프 연결용으로 사용할 때는 형태를 미리 고정한다.

Tank Nipple Tnak Nipple 은 2.5.1절과 그림2.29(D) 참조

다음에 설명하는 4가지 지선용 Fitting 은 나사 체결 배관과 용접관 사이의 연결 수단으로 使用되고, 계기의 연결에도 사용한다. 이 방식의 장점은 용접한 끝 부분에 보강재가 필요 없고 진행관과 곡선을 이루게 연결 할수도 있다.

Thredolet/Thredolet 은 직선 배선상에 같은 크기의 지선 또는 축소형 지선을 90° 각도로 만들 때 사용한다. 平面 기초면의 Thredolet 은 파이프 Cap과 저장 용기의 Head 를 연결할 때 사용하는 것이 좋다.

그림 2.50 쓰레도렛(Thredolet)

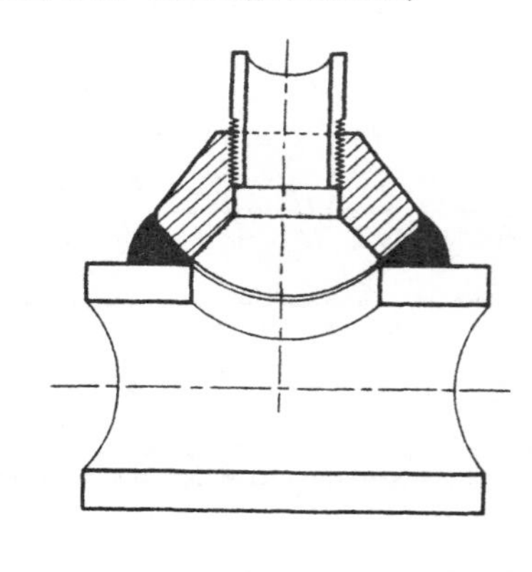

나사 체결 Elbowlet/나사체결 Elbowlet 은 大 口徑(長方向)의 Elbow 와 小 口徑의 Elbow 에 축소형 점선 방향 Elbow를 만들때 사용한다.

그림 2.51 나사체결 Elbowlet

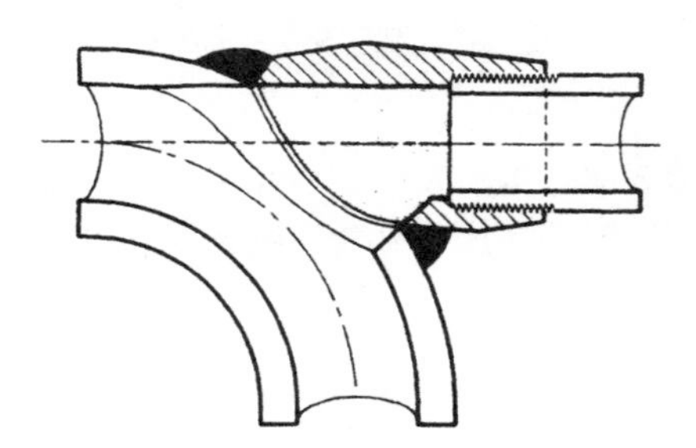

나사 체결 측면 렡(Latrolet) 직선 배선에 45° 각도의 축소형 지선을 만들때 사용한다.

그림 2.52 나사체결 측면 렡

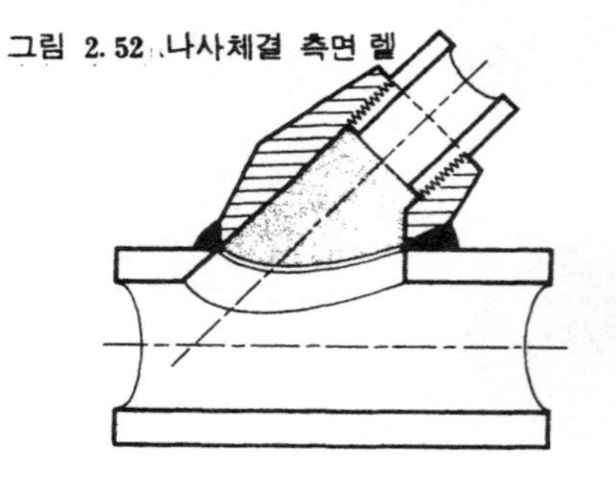

나사 체결 Nipolet 완전히 나사 가공한 Thredolet의 일종이다. 처음에는 小型 밸브의 연결용으로 제작하였다.(그림 6.47 참조)

그림 2.53 나사체결 Nipolet

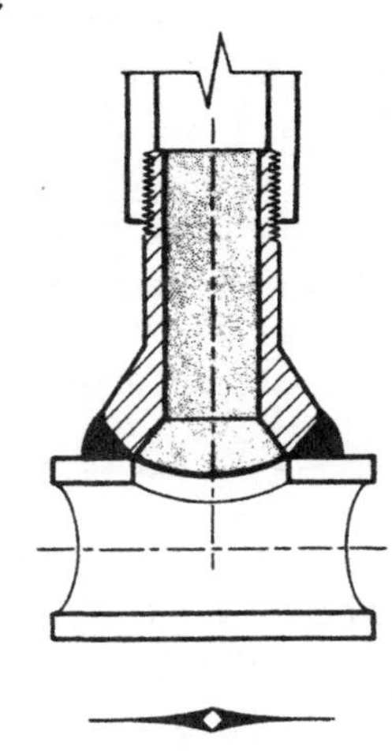

Stub-in 2,3,2절의 설명 참조. 용접 금속이 유동을 제한하므로 2in 보다 작은 파이프에서의 지선 연결용으로는 使用하지 말기 바란다.

2.5.4 마감(Closure)

Cap/Cap은 파이프의 나사 가공 부분을 밀봉할 때 사용한다.

그림 2.54 나사체결 Cap

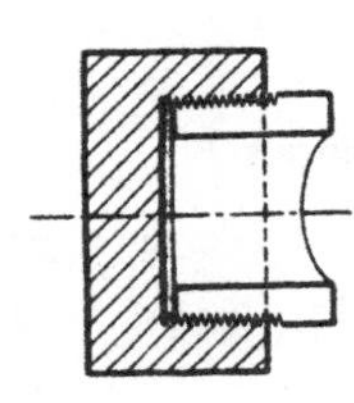

Barstock Plug(In Tee) 이음쇠 끝의 나사이음 부분을 밀봉할 때 사용한다. 또한 '둥근머리 Plug'라고도 한다.

그림 2.55 Barstock Plug(Tee 이음 했을 때)

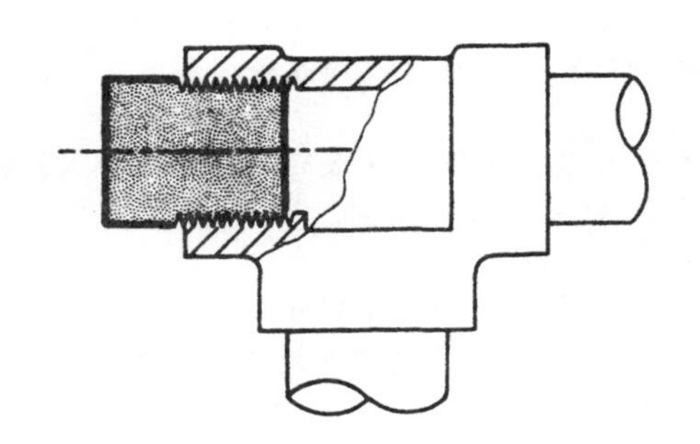

2.5.5 파이프의 나사산(pipe thread)

나사이음 이음쇠와 이음 파이프로 만들어진 전체 가공 길이를 결정하여야 한다. D-9와 D-10에 나사이용 이음쇠의 치수 설정을 나타내었다. 이 표에 의해 가공 길이를 계산할 때 나사 맞물림 허용 여유각을 만들어야 한다.(표에 나타냄)

표준 규격 ANSI B12.1에 파이프(이음쇠 등)용 테이퍼 나사산과 직선 나사산에 대한 규정이 되어 있다. ANSI 테이퍼 나사산은 보통 나사이음 배관용으로 사용한다. 테이퍼 나사산은 진행 길이 1in당 1/16″만큼 직경이 줄어든다.

같은 공칭 파이프 크기에서 ANSI B2.1에 준하여 직선 나사산과 테이퍼 나사산의 나사산 수는 같다. 테이퍼 나사산과 직선 나사산은 짝을 이룬다. 테이퍼 대 테이퍼 연결과, 테이퍼 대 직선 나사산의 연결은 파이프 塗料와 플라스틱 테이프를 사용하여 자체 밀봉이 가능하다. 직선 대 직선, 나사산 나사이음 연결 장치는, Gasket과 잠금 나사를 사용하여 밀봉을 해주어야 한다.

ANSI B2.1 : 파이프 나사산(Dry-seal은 제외)

테이퍼 파이프 나사산 .... NPT
파이프 커플링의 직선 파이프 나사산 .... NPSC
기계적 연결 장치용 직선 파이프 나사산 .... NPSM
細 나사와 細 나사 파이프 나사산용 직선 파이프 나사산 .... NPSL
Hose Coupling과 Nipple용 직선 Pipe 나사산 .... NPSH

ANSI B2.2 : Dry Seal 파이프 나사산

Dry-Seal 테이퍼 파이프(필요에 따라 윤활) .... NPTF
Dry-Seal 직선 파이프 나사산(필요에 따라 윤활) .... NPSF
Dry-Seal 내부 직선 파이프 나사산 .... NPSI

2.6 플랜지면 모양, 볼트와 Gaskets

2.6.1 플랜지 모양과 加工(Flange Facings & Finishes)

플랜지 제작들은 한 쌍을 이루어 사용하는 '14個물림' 같은 다양한 형태의 플랜지용, 많은 면 모양을 한 것도 있다. 그러나 단지 4가지만 널리 쓰이고 이 4가지 형태는 그림 2.56에 나타내었다.

Raised Face 은 전체 플랜지의 약 80%가 이에 해당한다. 둥근 단면 또는 8각 단면의 Gasket 와 함께 사용하는 Ring Joint Face 는 석유 화학 산업에서만 사용한다.

그림 2.56 많이 사용하는 플랜지면 모양

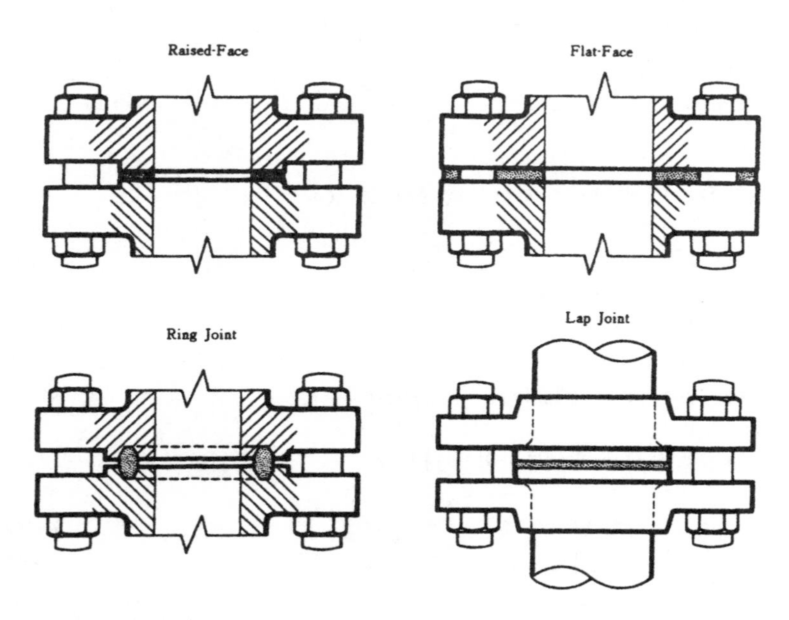

Raised Face/Raised Face 는 150 psi 와 300 psi 플랜지용은 접합면에서 1/16 in 가 더 높고, 다른 모든 압력 범위에서는 1/4 in 가 더 높다. 250 psi 압력의 주철 플랜지와 플랜지 이음쇠도 1/16 in 가 더 높여져 있다.

> 제작자의 목록을 보면 150 psi 압력과 300 psi 압력에는 1/16 in Raised Face 를 포함한 '허브의 길이' 치수 설정이 나와 있다. 그러나 400 psi 압력 보다 높은 경우의 플랜지용 1/4 in Raised Face 는 나와 있지 않다.

Flat Face/Flat Face 는 가장 일반적으로 펌프 몸체 등에 비철 플랜지와 같이 사용하고 150 psi 압력이 걸리는 주철 밸브와 Fitting 과 같이 사용한다. Flat Face 플랜지는 외경이 플랜지의 외경과 일치하는 Gasket 과 함께 사용하는데 조립이 너무 꽉조여 있을 때 주철 플랜지와 청동 플랜지와 플라스틱 플랜지에 금이 가는 위험을 줄일 수 있다.

Ring-Joint Facing 이것은 값이 비싼 면 형태로 높은 온도와 높은 압력의 서어비스 배선용으로 가장 효율이 좋은 것으로 알려져 있다. 한 쌍의 양 플랜지는 모양이 똑같다. Ring Joint Face 플랜지는 표면이 Gasket 의 움푹 들어간 곳과 접촉하여 작동 할때도 위험하지 않다. 속이 비어있는 금속 円型링이 화학 공정에서 밀봉용으로 그 이점이 인정된 것과 마찬가지로 Ring Joint Face 형태의 사용은 점점 증가할 것이다.

Lap Joint Flange 이것은 Stub 끝과 서로 조절할 수 있는 모양을 하고 있다. 플랜지와 Stub 끝의 조합은 Raised Face 플랜지와 기하학적인 상승을 이루고 굽힘 응력의 발생이 적은 장소에서 사용 할 수 있다. 이런 형태의 플랜지의 장점은 2.3.1절에서 설명하였다.

'마무리'란 용어는 Gasket 과 접촉하면서 기계 가공에 의해 생산한 플랜지면의 표면 구조 형태를 말한다. 현재는 톱니모양(Serrate)과 매끄러운(Smooth)이라고 말하는 두가지 중요한 마무리 형태를 사용한다.

플랜지면은 기계 가공에 의해 나선 둥근 모양 바닥홈(일반적이며 '품목 마무리'라고도 함)으로 제작하거나 'Serrate 마무리'라고 부르는 V자 나선 모양이나 동심원 홈 모양으로 제작한다. 홈의 피치는 12 in NPS 와 그 보다 더 작은 관 크기에 쓰는 철재 플랜지에 있어서는 1/32 in 이다.
'Smooth '加工은, 보통 특별 주문에 의해 가공하고, 이 두가지가 주로 많이 使用된다. 더 Smooth 加工은 '냉수 加工(Cold Water Finish)'라고 부른다. Standard 규격에 의해 加工된 제품('Smooth Face '이라고는 쓰지 않음)은 육안으로는 기계 가공된 흔적을 볼 수가 없다.

Serrate 加工은 석면과 다른 Gasket 과 함께 사용한다. 정상 규격 Smooth 加工은 단단한 재료로 만든 Gasket 과 나선 가공한 Gasket과 함께 사용한다. 냉수 加工은 보통 Gasket 없이 사용한다.

2.6.2 플랜지의 볼트 구멍(Bolt Holes in Flanges)

플랜지의 볼트 구멍은 등 간격으로 가공한다. 구멍의 수와 볼트 원의 직경과 볼트 구멍을 加工한 구멍 크기를 명시한다. 플랜지 당 볼트 구멍의 수는 표 F에 나타내었다. 볼트의 Saddle이 수직선과 수평선의 교차하는 중심선에 있도록 플랜지의 위치를 잡는다. 이것은 모든 플랜지 품목에서 일반적인 볼트 구멍의 위치이다.

2.6.3 플랜지 용 볼트(Bolt for Flanges)

2개의 나사를 使用하는 볼트와, 하나를 나사를 使用하는 기계 볼트의 2가지 형태를 사용한다. 두 두가지 형태의 볼트는 그림 2.57에 表示하였다. Stud 볼트의 나사산 길이와 직경은 표 F에 나타내었다.

Stud 볼트는 볼트 플랜지한 배관 연결용 규격 볼트로 대체 할 수 있다. Stud 볼트를 사용하면 다음의 3가지 장점이 있다.
(1) 부식이 되면 쉽게 제거가 가능하다.
(2) 같은 위치에서 다른 볼트와 혼돈 될 염려가 없다.
(3) 자주 사용하지 않는 Stud 볼트의 크기와 재료는 전체 품목 명세서에 의해 쉽게 제작 할 수 있다.

그림 2.57 Machine Bolt와 Nut, Stud Bolt와 Nut

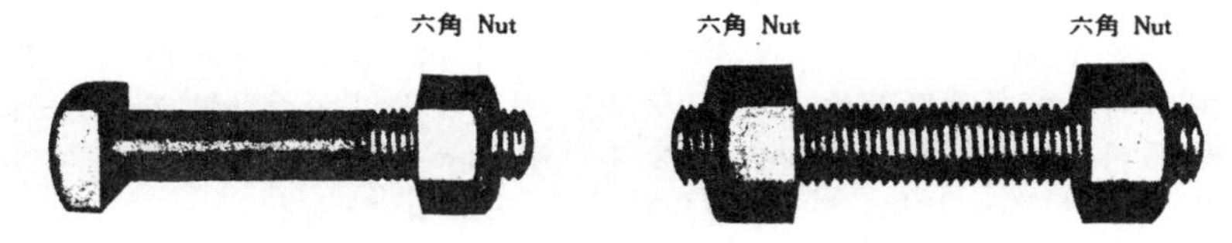

유니파이드 나사산(Unified Screw Threads) 보울트와 너트에 대한 유니파이드 스탠다드(Unified Standed)는 미국, 캐나다, 영국에서 사용되고 있다. 규격은 ANSI B 1.1에 기재되어 있으며, 미터 법으로의 전환은 3개의 유니파이드 나사산이 들어 있는 ANSI B 1.1 A 를 使用하면 된다. 이 유니파이드 나사산은 Unified Coarse (UNC), Unified Fine (UNF) Unified Selected(UNS)이다.

UNC (Class 2, Medium-fit Bolt and Nut)는 파이프를 연결하는데 使用하는 볼트와, Stud 볼트에 사용되고 있다. 산은 다음과 같이 지정되어 있다.

외경.. Inches
산.. UNC
산 밀도(Thread density)........................ Threads per inches
접합 등급 2
볼트.. A
너트.. B
(예) 볼트 : 1/2 UNC B－2 A
매팅 너트 : 1/2 UNC B 2－ B

2.6.4 Gasket

Gasket 은 두 표면 사이에서 유체가 누설되지 못 하도록 밀봉하는데 사용한다. 파이프 플랜지에서 평면과 凸면의 사용을 위해서, 일반적인 Gasket 種類는 전면에 하는 것과 Ring Type이 있다. 그림 2.56을 참조하라. Gasket에 사용되는 재료로 두께가 1/16 inch인 압축된 석면과, 두께가 0.175 inch인 나선 모양으로 감은 석면을 섞은 금속이 널리 사용된다. 석면을 섞은 금속 Gasket 은 플랜지를 반복적으로 분리하는 경우에 Gasket 을 깨끗하게 분리하고 종종 재 사용할 수 있도록 하기 위함이다. Gasket 의 선택은 다음에 따라 결정한다.

(1) 使用하고져 하는 유체의 온도, 압력, 부식성
(2) 수리나 조작을 위해서 반복적으로 組立을 풀어야 되는 경우
(3) 꼭 Standard Code에 맞도록 요구할 때
(4) 비용

ASME Code Section Ⅷ에 많은 Process 유체와 Process 공정과 관련된 Gasket 재료에 대한 사항을 표시하고 있다. 표2.5는 선택을 돕기위한 Gasket 의 특성을 보여 주고 있다.

서로 이웃한 부분은 서로 電氣的으로 절연 되어야 한다. 이것은 두 부분 사이의 절연 Gasket을 삽입해 넣어주면 효과적이 될 수 있다. 그림2.58에서 알수 있듯이 Gasket은 전기적으로 플랜지면, 슬리이드, 와셔, 한쌍의 플랜지를 연결하는 보울트로 절연한다.

표 2.5 Casket의 특성

GASKET 재료	사 용 예	최 고 온 도 (Deg·F)	최고 TP 인자 온도×압력 (°F×PSI)	使用한 두께 (inches)
합성 고무	물, 공기	250	15,000	1/32,1/16,3/32,1/8,1/4
식물성 섬유	기름	250	40,000	1/64,1/32,1/16,3/32,1/8
천을 삽입한 합성 고무	물, 공기	250	125,000	1/32,1/16,3/32,1/8,1/4
고체 테프론	화학약품	500	150,000	1/32,1/16,3/32,1/8
압축석면	대부분	750	250,000	1/64,1/32,1/16,1/8
탄소강	고압유체	750	1,600,000	링조인트 개스캣에 대한 2부의 표 R-1을 참조
스테인레스강	고압 또는 부식이 있는 유체	1200	3,000,000	
나선식으로 감은 SS/ 테프론 CS/ 석면 SS/ 석면 SS/ 세라믹	화학약품 대부분 부식물 고온개스	500 750 1200 1900	} 250,000+	나선식으로 감은 가스킷에 가장 많이사용되는 두께는 0.175″이다. 달리 택할 개스킷두께는 0.125″이다.

그림 2.58 절연 Gasket

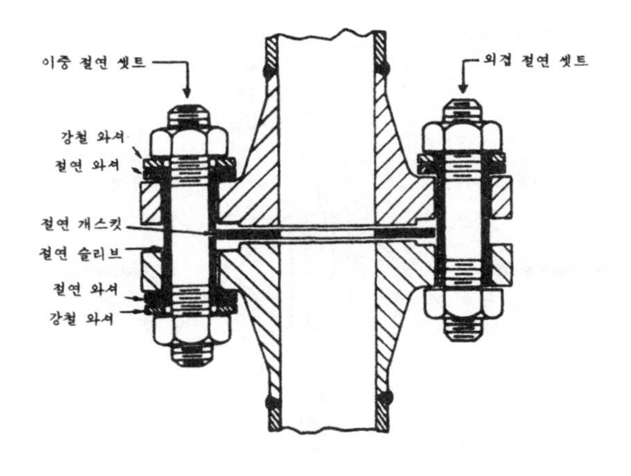

2.7 配管의 일시적 폐쇄

2.7.1 In Line 폐쇄장치

배관 시스템에서 配管의 유동을 폐쇄하는데 있어서 다음과 같은 경우에 완전한 누설 방지책이 필요하다.

(1) 官內를 흐르는 Process 物質의 양을 변화시키거나 부식을 적게 하기 위할 때
(2) 주기적인 보수가 실시되는 경우와 밸브에 위험한 가연성 또는 독성의 물질이 흐를 때

3.1절에서 기술한 밸브는, 누설을 확실하게 방지해주지 못한다. 따라서 일시적인 폐쇄를 위한 방법으로 Line Blind Valve, Line Blind (Ring Joint 플랜지를 사용하기 위해 특별한 형태를 가지고 있다.) Spectacle Plate, Double Block and Bleed, Blind Flange (제거할 수 있는 Spool로 대체된다.)가 있다. 이 폐쇄 장치들이 그림 2.59, 2.60, 2.61에 설명되어 있다.

그림 2.59 Spectacle plate와 Line Blind

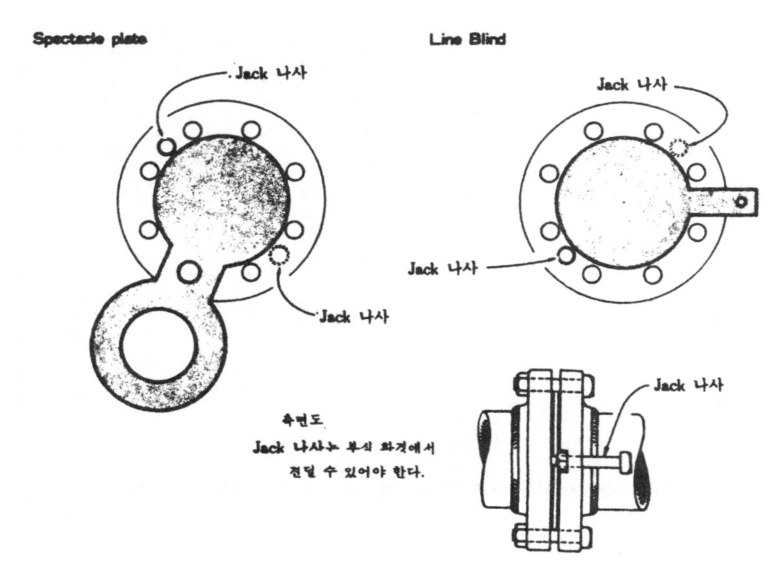

그림 2.60 二重 Block Bleed

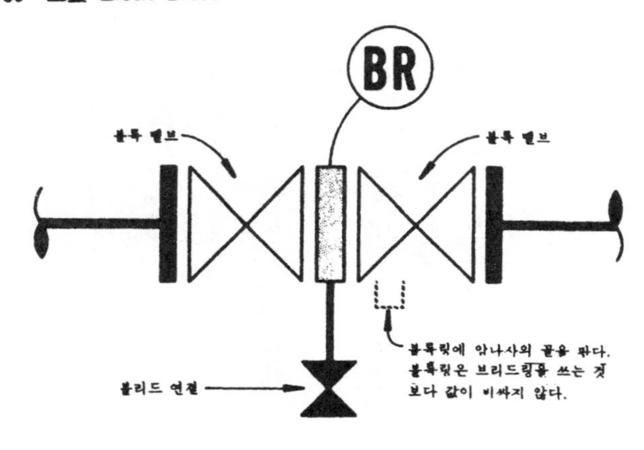

그림 2.61 제거할 수 있는 스풀

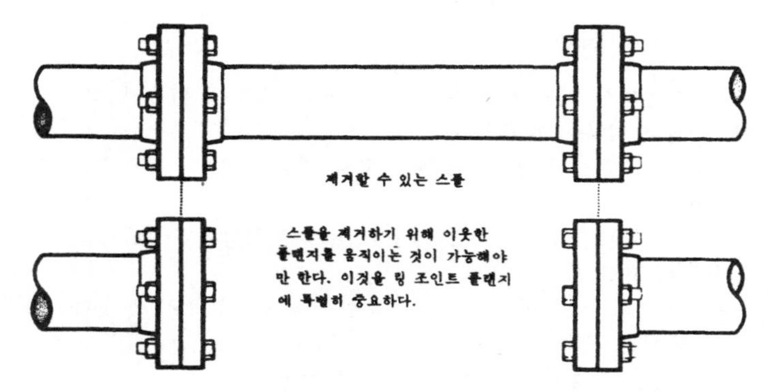

Line 이 두개의 밸브에 의해 닫혀 이중 Block Bleed 에 의해 폐쇄되면 밸브 사이의 유체는 Blind Valve 로 새어 나온다. 또한 두 밸브가 꼭 닫혀 있는지 확인하기 위해서 Blind Valve 를 열어 볼 수 있다. 그림 2.60은 Bleed Valve 에 연결되어 있는 Bleed Ring 을 보여주고 있다. (3.1.11을 참고하라) 더 경제적인 설비를 위해 Bleed Ring 보다 탭트 밸브의 사용이 고려되고 있으며, 보통 밸브 주문 時 추가물을 덧 붙임으로써 간단히 해결할 수 있다.

Line Blind 밸브는 구조가 복잡함으로 여기서는 설명을 생략한다. 이런 밸브 타입은 꼭 달라붙을 수 있는 두 개의 플랜지 사이에 삽입된 Spectacle 을 플랜지를 사이에 삽입한다. 일정 길이의 Line Blind 밸브는 운전 길이에 대한 ANSI 치수로 만들어졌으며 자주 사용 할 만하다.

표 2.6은 4가지의 In-Line Valve 의 일시적인 폐쇄장치에 대한 장단점을 비교해 놓았다.

표 2.6 In Line 폐쇄

폐쇄장치 / 기 준	Line Blind 밸 브	Spectacle plate 와 Line Blind	二重 Block Blind	제거할 수 있는 Spool
상대적 전체비용	가장 값싸다	중간 값. 전환;횟수에 의존한다		가장 값 비싸다
이중전환에 대한 인시	무시할 정도	1~3	무시할 정도	2~6
초기비용	꽤 높다	낮다	매우높다	높다
폐쇄의 확실성	완전하다	완전하다	확신을 못한다	완전하다
시각에 의해 확인 가능한가?	가능하다	가능하다	가능하지만 수상쩍다	가능하다
조작자는?	설비 조작자	파이프 설비 하는자	설비 조작자	파이프 설비 하는자

2.7.2 관 끝의 폐쇄 장치와 저장 용기의 개방

볼트로 채결하여 일시적인 폐쇄 장치로 平面한 Gasket 을 사용한 Blind Flange, T-Typ Bolt 폐쇄 장치, 볼트가 없는 Manhole 뚜껑을 가진, 즉 경첩을 달은 문을 설치하여 용접한 폐쇄 장치, 大 口徑 파이프에 사용 할수도 있는 Lanape Range 와 같이 원래 저장 용기를 목적으로 한 폐쇄 장치등이 있다. Blind Flange 는 배관 시스템의 장래에 확장, 청소, 檢査 等의 관점에서 가장 많이 사용할 수 있다. 경첩을 달은 폐쇄 장치는 종종 저장 용기에 설치하며, 파이프에 설치하는 일은 드물다.

2.8 急速 連結 裝置와 Coupling

2.8.1 急速 連結裝置(Quick Connecturs)

일시적인 사용을 위해 특별하게 설계된 연결 장치에는 두가지의 형태가 있다.

(1) 레버형태－스냅 조인트와 같이 조일수 있는 두개의 레버를 가지고 있다.

(2) 나사형태－Hose 연결장치에 使用되며, 고정된 너트를 가지고 있다.

급속 연결 장치는 자동차나 트럭 또는 Process 저장 용기에 일시적으로 부착되어 사용된다. 상호 노동 협정에 의거 기계 장치 운전자가 이런 볼트가 없는 연결 장치를 달거나 제거할 수 있다. 어떤 일시적인 연결 장치는 붙박이로 맞추어서 넣는 밸브를 가지고 있다. 예로 액체가 들어 있는 관을 연결하기 위해서 이층으로된 꼭지를 가진 연결 장치를 제작할 수 있으며, 공기가 들어있는 配管을 연결하기 위해서 밸브가 달린 연결 장치를 제작 할 수도 있다.

2.8.2 볼트를 使用한 急速 조작형 Coupling

이러한 형태의 연결 장치는, 연결법이나 Gasket 및 공급 상태에 따라 영구적인•사용과 일시적인 사용에도 적당하다. 배관에 이 연결 장치를 사용하면 빨리 成取을 할 수 있으며, 배관을 수리하거나 실험用 공장과 같이 짧은 작업 공정 장치를 건설하는 경우에도 사용한다. 특히 공정 변경에 매우 유리하다.

홈을 판 구성 요소와 파이프의 Coupling 홈을 판 끝과 파이프 끝에 용접을 하거나 시멘트로 만든 Victaulic Collor 을 가지고 있는 형태의 커플링도 있다. 파이프의 재료로 단조품, 주철, FRP 나 플라스틱을 사용하기도 한다.

Elbow, Tee (모든 Type), Lateral, Cross Reducer, 지름이 다른 Socket, Nipple, Cap 과 같이 특별한 부속품이 홈을 판 끝 단을 가지고 있으면 사용하기에도 아주 편리하다. 끝 단에 홈을 판 밸브와 밸브 유도관을 사용하면 또한 편리하다.

이 연결장치의 장점은

(1) 빨리 설치하거나 제거 할수 있고

(2) 접합 방법에 의해 관을 편향시키거나 확장시킬 수도 있으며

(3) Gasket 을 사용하여 용도를 다양화 할수 있다는 점등이다.

製作者들은 공기, 물, 윤활유를 使用하는 배선이 영구적인 기계 장치에 이 연결 장치를 많이 사용한다고 말한다.

압축 슬리브 커플링 이 커플링은 공기, 물, 기름, 가스를 취급하는 관에 여러곳에 사용한다. 이 연결 장치의 장점은 (1) 빨리 설치하거나 제거할 수 있고, (2) 접합방법에 의해 관을 편합시키거나 확장시킬 수 있으며, (3) 파이프의 끝단에 홈을 만들 필요가 없다는 것이다.

그림 2.62 압축 슬리브 커플링

2.9 확장 이음과 유연성 있는 배관(Expansion Joints & Flexible Piping)

2.9.1 Expansion Joints

배관에서 온도 변화에 따라 관이 융통성 있게 움직이도록 하기 위해 다음과 같이 한다.

(1) 관을 다시 돌리거나 다시 Spacing을 잡는다.

(2) Expansion Loops 을 사용한다—그림 6.1참조

(3) Anchors 를 계산해서 배치 한다.

(4) Cooling Spring 을 사용한다—그림 6.1 참조.

그러나 이런 장치로 감당하지 못한다면 그림 2.63에서 그림 2.66에 있는 장치를 利用하여 융통성 있게 움직 일수 있다. 또한 그림 2.63에 있는 벨로우즈 형태의 확장 이음은 진동을 흡수하므로 진동 방지 목적을 위해 사용할 수가 있다.

그림 2.63 간단한 벨로우즈

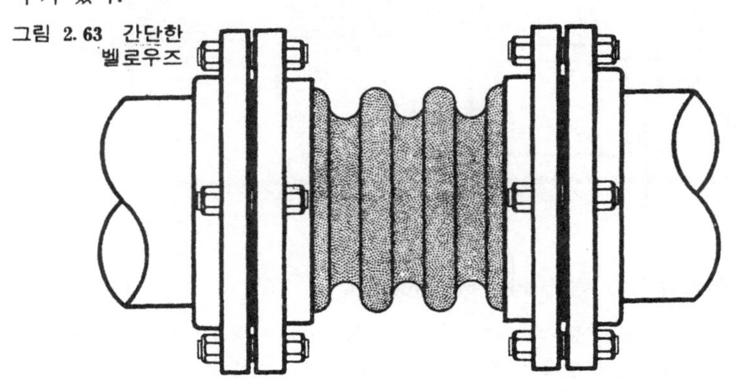

그림 2.64 관절로 이은 벨로우즈

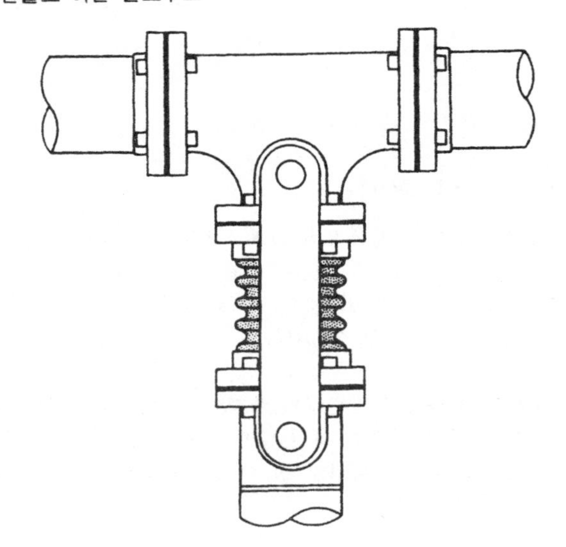

그림 2.65 관절로이은 쌍동이 벨로우즈의 조립

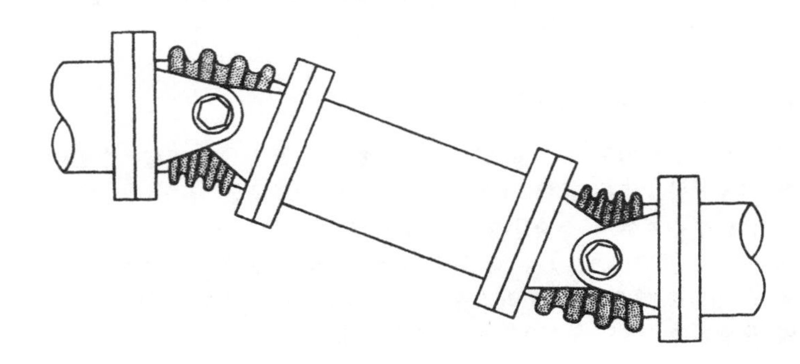

그림 2.59—2.65

表 2.6

그림 2.66 미끄럼 슬리브와 앵커지지

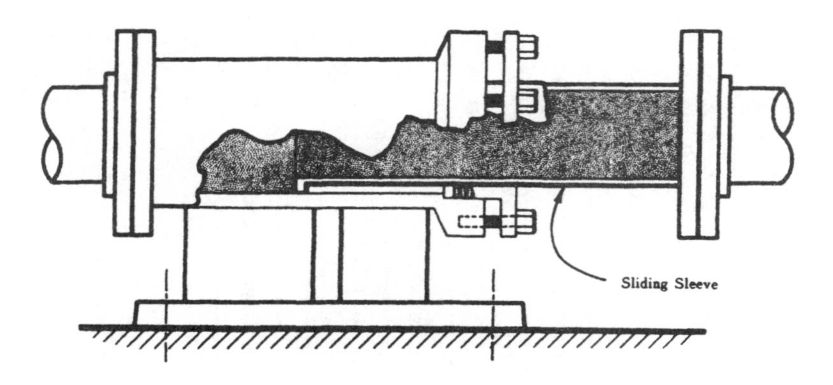

2.9.2 유연성 있는 배관(Flexible Piping)

유조차나 Tanker 등 파이프로 기름을 채우거나 비우기 위해서는 회전고리이음, 유니버셜 조인트인 볼(Ball)이음을 사용하여 관절로 연결된 배관을 설계하는 것이 필요하다. 유연성 있는 호스는 일시적으로 연결을 필요로 하는 곳 진동과 움직임이 일어나는 곳에 특히 많이 사용된다. 화학 물질에 저항성이 있고, 외장을 입힌 호스는 使用할 만하다. 그림6.39를 참조하라.

2.10 분리기, 여과기, Screen Dripleg

2.10.1 유동에 섞인 이물질 제거

공정이나 공급 배선에서 불필요한 고체, 액체의 물질을 분리하거나 제거하는 장치가 필요하다. 파이프의 Scale, 용접시 흘러 들어간 異物質 等이 반응할 수 없는 또는 분해될 수 없는 Process 물질, 침전물, 윤활유, 오일, 물등은 機器나 공정에 해가 될 수 있다.

배선에 설치하는 분리기의 일반적인 형태가 그림 2.67과 그림 2.68에 설명되어 있다. 3.3.3절에서 언급한 더 정교한 분리기도 또한 사용할 만하다. 그러나 이것은 공정장치의 하나라고 할 수 있으며, 일반적으로 Process 기사가 선택하여 사용하게 된다.

액체를 운송하는 배선에서 공기나 어떤 가스들은 일반적으로 파이프의 높은 지점이나 Header에서 먼 끝단에서 자연적으로 모이게 되는데 유출 밸브에 의해 빼 내어야 한다. 3.1.9절을 참조하라.

2.10.2 분리기(Separator)

계속해서 機器內를 흐르고 있는 가스 중에서 작은 물방울을 제거하기 위해서 사용한다. 예를 들어 압축 공기에서 기름 방울을 제거하기 위해서 사용하거나 수증기에서 응축수를 제거하기 위해 사용한다. 그림 2.67은 장벽에 갈짓자로 새긴 홈에 Gas 중에 섞여 있는 작은 물방울이 모아지게 하고, 작은 공간으로 배출되는 분리기를 보여 주고 있다. 모인 액체는 트랩을 통하여 유출되게 된다. 3.1.9와 6.10.7절을 참조하라.

2.10.3 여과기(Strainers)

여과기는 배선에 즉시 끼어 넣을 수 있으며, 감도가 좋은 장치이다. 근사적으로 고체 입자를 크기가 0.02－0.5 inch 인 범위에서 모을 수 있고 여과기의 Screen 을 고체 입자가 함유되어 있는 유체가 통과함으로 해서 분리시키게 된다. 전형적으로 여과기를 증기 시스템에서 Control Valve, 펌프, 터어빈 및 트랩 앞에 설치한다. 20Mesh 여과기는 증기, 물 또는 비중이 크거나 중간 정도의 오일을 여과 할때 사용하며, 40Mesh 는 증기, 공기, Gas 또는 비중이 가벼운 오일을 여과 할 때 적당하다.

가장 일반적으로 사용되는 Screen 은 실린더 모양이고, 입자들이 그 안에 모이는 Y자 모양의 형태이며, 이와같은 형태의 여과기는 분해하기가 쉽다. 어느 여과기는 배선을 폐쇄하지 않고 모인 물질을 쉽게 제거하기 위해 밸브를 달고 연결한다. 그림 6.9를 참조하라. 더불어 Cover 를 한 여과기도 사용할 만하다.

그림 2.67 분리기

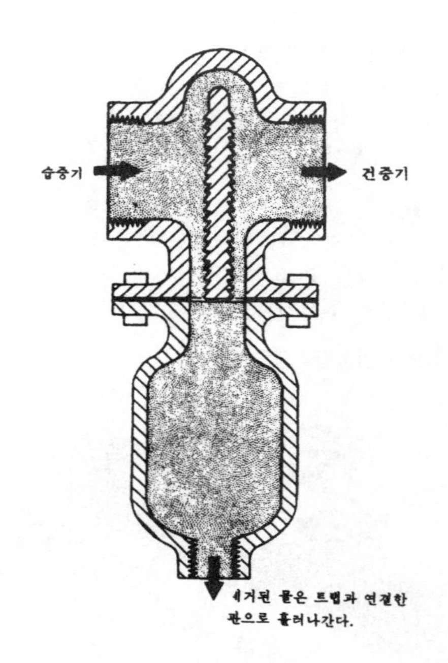

그림 2.68 여과기(strainer)

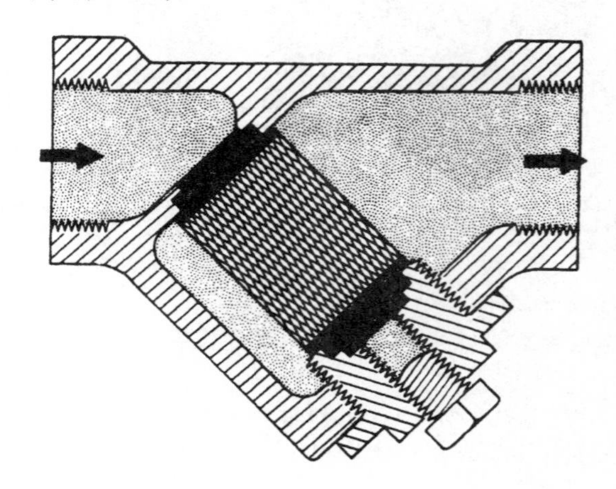

2.10.4 Screen

간단하며 일시적으로 사용되는 Screen은 구멍이 뚫린 박판 금속으로 만드는 데, 철사 또 그물은 펌프나 압축기의 흡입 쪽에 설치하여 開始 조작을 위해 사용한다. 특히 관 안에 우연하게 용접 찌꺼기나 異物質이 남아 있을 수 있으므로 각 설비의 한 세트 앞쪽에나, 설치한 배관의 길이가 긴 곳에 설치한다. 開始 조작후에 Screen은 보통 제거한다.

Screen을 조정하기 위해 제거 할 수 있는 작은 Spool을 준비하는 것이 좋다. 또한 흡입관에서 Screen이 유동을 막지 않게 하는 것이 중요하다. 그러기 위해 원추 형태의 Screen이나, 실린더 형태의 Screen이 더 좋다. 그러나 낮은 흡입 양정(Low-Suction Head)에서는 평판한 Screen이 더 좋다.

그림 2.69 Flange 사이에 설치된 Screen

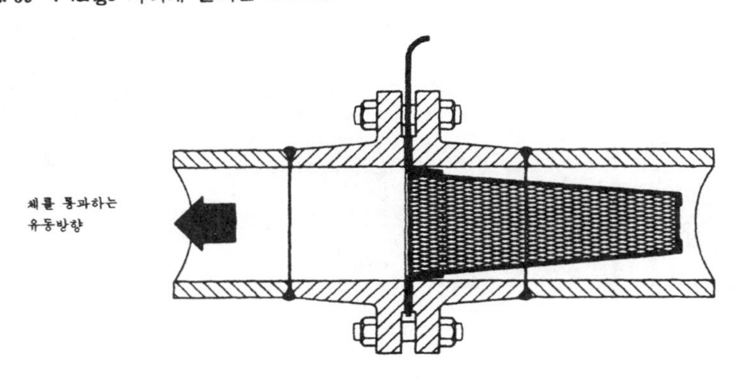

그림 2.70 Dripleg의 구조

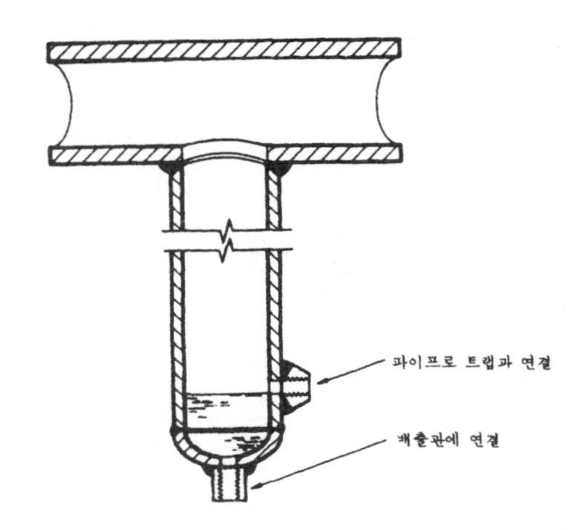

2.10.5 드립레그(Dripleg)

종종 파이프나 조립품으로 만드는 드립레그는 비용이 적게 들며 응축수를 모으는데 使用되는 장치이다. 그림 2.70은 수평관에 연결한 드립레그의 한 예이다. 증기 배선에서 응축수를 제거하는 방법은 6.10절에서 언급 될 것이다. 드립레그의 추천할 만한 길이는 표 6.10에 表示되어 있다.

2.11 補强材(Reinforcements)

지선 연결

보강이란 파이프나 저장 용기 벽에 설치하는 지류 연결 장치에 강도상 같은 재질의 금속으로 덧 붙이는 것을 말하며, 덧 붙이는 금속은 강도상 구조적 결함을 보충해 준다.

Stub-In은 그림 2.71에서 보여주는 바와 같이 레귤러(Regular) 또는 래퍼라운드(Wraparound) 새들(Saddle)로 보강하여 줄 수 있다. 판금으로 만들어진 링은 측면에 용접해서 만들거나 저장 용기에 맞대기 용접에 의해서 만든 지관을 보강 하는데 사용한다. 용접하여 만들어진 연결 부위가 작을 때는 연결부에 여분의 용접 금속을 덧붙여서 보강하여 주어도 된다.

보통 용접에 의해 생긴 가스를 빼내기 위하여 보강재에 작은 구멍을 뚫는다. 그래서 개스가 이 구멍을 통해 외부로 배출되게 된다. 이 구멍은 연결 부분에서 유체가 누설되는지를 지시해 준다. 이 Hole에다 비누물로 檢査를 해서 누수를 확인한다.

직선관 보강

직선관의 두 끝단을 맞대기 용접으로 연결할 경우 그 파이프에 외부'응력이 작용하면 그림 2.71(B)의 아래부분과 같은 슬리이브를 덧붙여서 보강할 수 있다.

배관의 적당한 규격을 결정하기 위해 보강을 얼마나 해야 될지 요구 조건을 고려해야 한다. Backing Ring은 직선관 보강 재료는 적당하지 않다. 도표 2.1을 참조하라.

그림 2.71 보강 Saddle

(a) Requler saddle

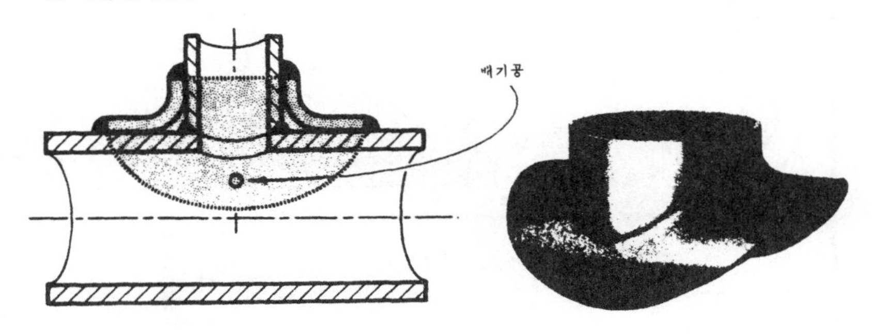

(b) Wraparound saddle

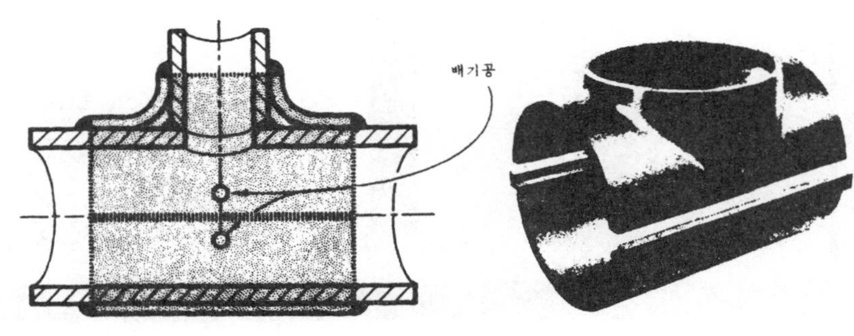

파이프 지지물

그림 2.72A

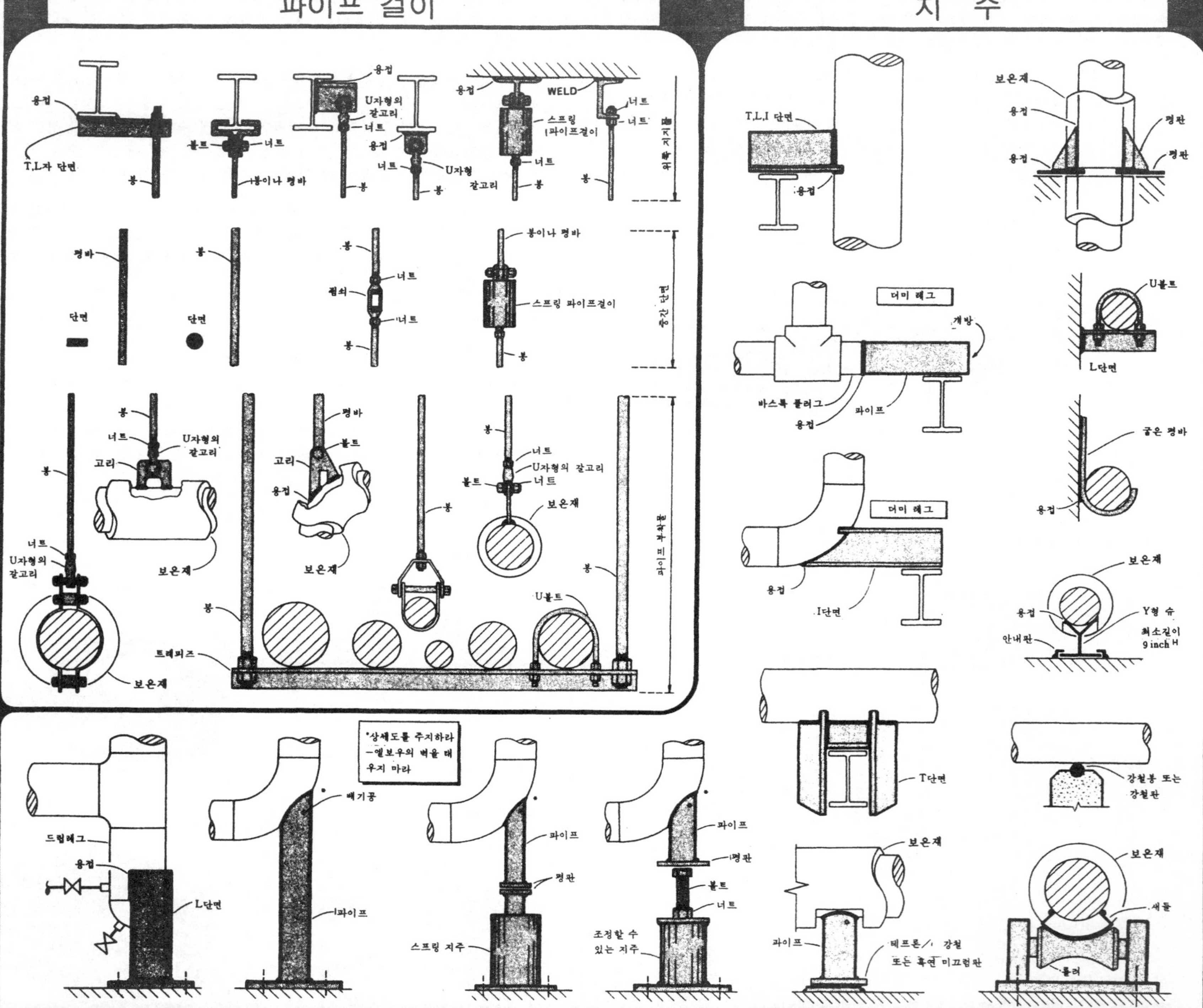

파이프 지지물

그림 2.72B

구조강에 결합한 지지 파이프

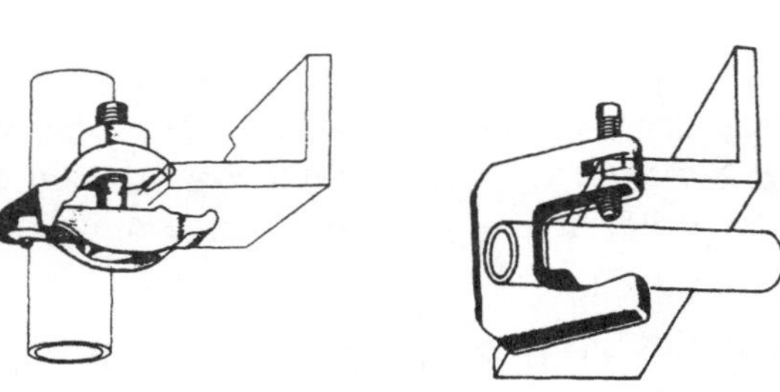

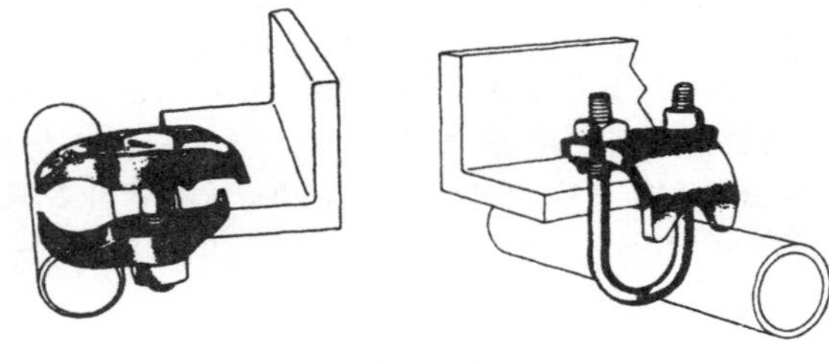

'킨도프 시스템

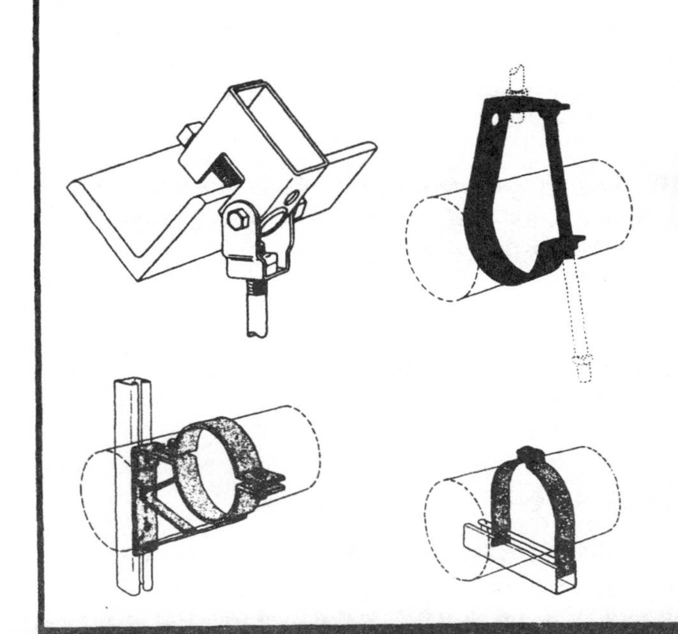

스프링 파이프 걸이

1. 일정 하중형

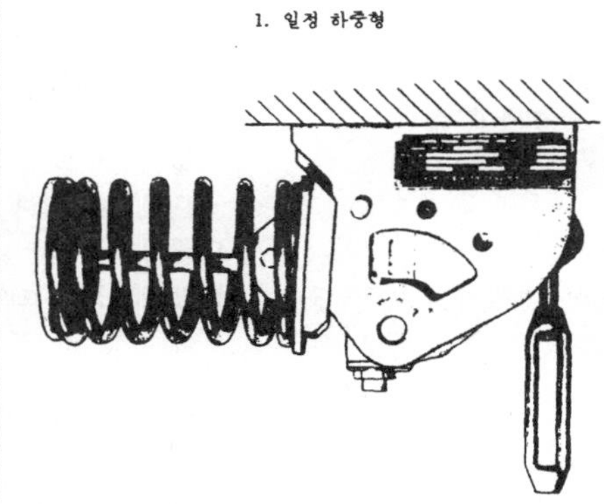

2. 가변 하중형

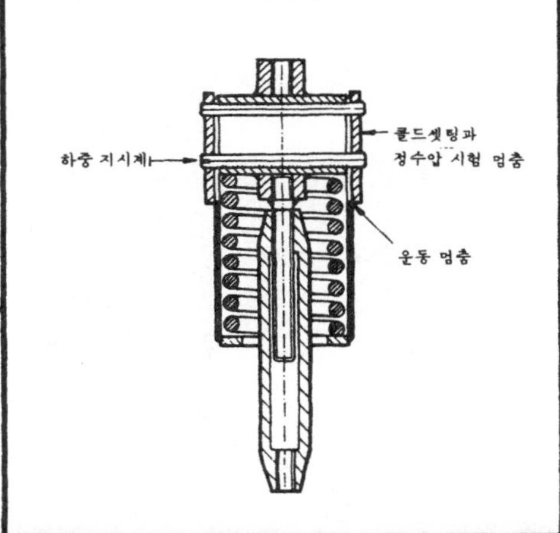

스프링 지주

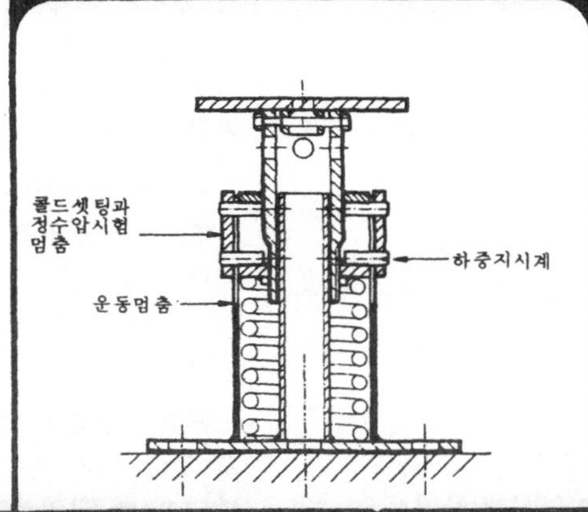

파이프가 자유롭게 움직일 수 있도록 한 지지물

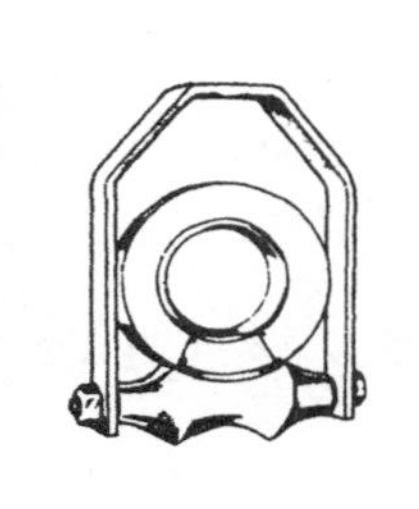

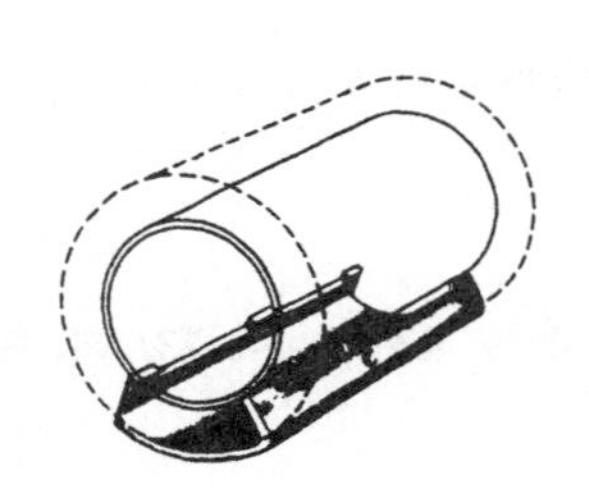

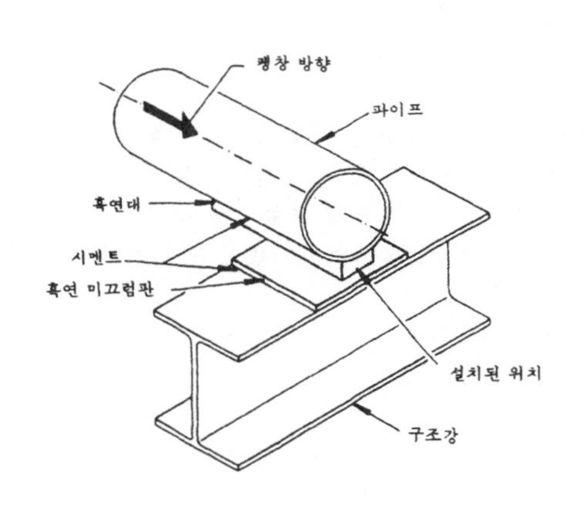

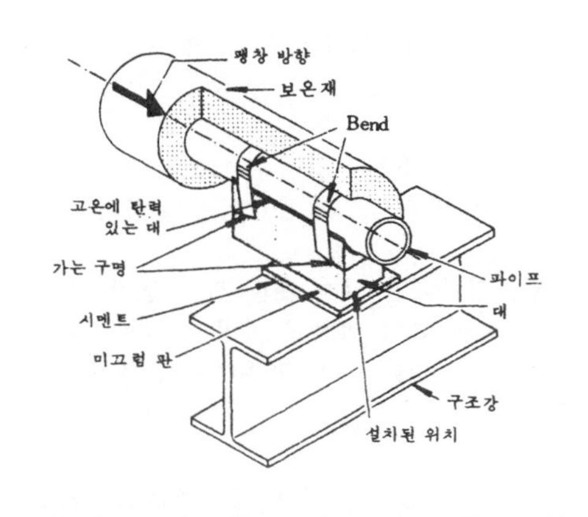

그림 2.72A&B

2.12 배관을 지지하기 위한 설비

여러 형태의 지지들 부호가 도표 5.7에 표시되어 있다. 支持 시스템을 계획하기 위해서는 6.2절을 참고하라.

2.12.1 파이프 지주

파이프 지지는 조건이 허용하는 한 간단해야 한다. Hanger 라는 지지물은 특별하게 윗 방향에서 파이프를 지지하는데 실용적으로 사용되고 있다. 파이프를 지지하기 위해 지주는 보통 型鋼이나 파이프 및 구조강으로 적당하게 만든다.

지지물에 관한 그림 2.72A 와 B 를 참고하여 필요한 설비를 선택하기 바란다.

2.12.2 지지 方法

지주(Support) 배관의 무게는 보통 구조강이나 강철 및 콘크리이트 구조물로 만들어 支持한다.

파이프 걸이(Hanger) 배관을 따라 움직이는 열, 진동이 전달되는 것을 막기 위해 설치하는 고체 지주이며, 강판, Bracket, 플랜지, 棒등으로 만든다. Anchor 로 파이프 둘레를 감싸고 모든 둘레를 용접하여 부착시킨다. 따라서 파이프 벽의 응력을 더 균일하게 분포시킬 수 있다.

버팀 목(Tie) 파이프의 움직임을 막기위해 설치하는 하나 또는 여러개의 棒이나 막대기를 말한다.

더미레그(Dummyleg) 배선을 지지하기 위해 Elbow 에 용접하여 만든 부가물이다. 그림 2.72 A와 표 6.3을 참조하라

다음의 설비는 기계 역학적 또는 熱 流動이 문제가 되는 곳에 사용하는 장치이다.

안내판(Guide) 배선의 길이 방향으로 파이프가 움직일 수 있게 한 설비이다. 그러나 옆 방향으로는 움직이지 못한다.

슈(Shee) 지지하고 있는 鐵板 위에 놓여 있으며 파이프 밑에 부착시킨 금속편이다. 원래 관의 流動에 따라 미끄럼으로 인한 마모를 줄이기 위해 사용하는 것이다. 슈를 부착 했다해도 단열재를 파이프에 붙일 수 있도록 해야 한다.

새들(Saddle) 保温이나 온도 변화로 인한 길이 방향의 움직임이나 파도타기와 같은 움직임이 필요한 경우 파이프에 용접하여 붙이는 부착물이다. 새들은 6.28절에서 보여주는 것과 같이 안내판과 같이 사용할 수도 있다.

미끄럼 판(Slide Plate) 그림 2.72 A 에 미끄럼판 지지를 보여 주고 있다. 그림 2.72 B는 흑연 미끄럼 판의 적용을 보여 주고 있다. 지지하는데 사용하는 두개의 판을 기계역학적인 응력과 온도 변화에 잘 견딜 수 있도록 마찰이 적은 물질을 반반하게 깍아서 만들며, 보통 흑연 토막으로 만든다. 미끄럼 면은 테프론(Teflon)을 부착시킨 강판을 使用하며, 鐵板을 용접하여 사용 할 수도 있다.

스프링 걸이나 지주는 온도 변화에 따라 파이프의 길이 방향으로의 변화를 허용하며 종종 수직관에 사용된다. 6.2.5절의 그림 6.16을 참조하라. Spring Hanger 지지는 다음과 같은 두가지 형태가 있다.

일정 하중 파이프걸이(Constant Load's Hanger) 이 장치는 틀(Housing)안에 장착된 코일 스프링과 레버장치로 구성되어 있다. 어느 한도내에서는 파이프의 流動은 그것을 잡고 있는 스프링의 힘을 변화시키지 못할 것이다. 그래서 어떠한 부가된 힘도 배관 시스템에 끼어 들지 못할 것이다.

가변 스프링 파이프 걸이와 지주 이것은 틀안에 코일 스프링을 갖고 있으며, 압축되어 있는 스프링이 배관의 무게를 지탱하고 있다. 따라서 스프링은 열로 인한 움직임을 한정된 한도내에서 허용한다. 수직관을 잡고 있는 가변 스프링 파이프 걸이는 관이 스프링 쪽으로 팽창함에 따라 들어 올리는 힘이 줄어들 것이다. 또한 가변 스프링 지지는 관이 팽창함에 따라 스프링이 밀어 올리는 힘이 증가될 것이다. 이 두 장치는 배관 시스템에 하중이 놓여 있으므로, 이것이 바람직하지 못한 곳에서는 이것 대신에 일정하중 파이프 걸이를 사용하는 것이 좋다.

수압 제동기(Hydraulic Dampner), 완충기(Shock Snubber), 동요 억압 장치(Sway Suppressor) 기계 장치의 한쪽은 관에 연결하고 다른 한쪽은 구조강이나 콘크리이트에 부착시킨다. 따라서 관의 小 流動을 전달하기 위해 팽창하거나 축소된다. 그러나 빠른 움직임을 대처할 수 없으므로 기계 장치에 수압 제동기, 완충기, 동요 억압 장치등을 부착시켜 이를 완화시킨다.

流動지주 또는 流動 제어장치(Sway Arrestor) 이 장치는 파이프와 구조물 사이에 설치되며, 틀안에 헬리컬 스프링이 들어 있다. 따라서 진동이나 流動을 제어하여 감쇠시키는 기능을 가지고 있다.

2.12.3 파이프 용접

규격이 적절하다면 Lug 를 파이프에 용접하여 사용할 수도 있다. 그림 2.72A는 Lug를 용접하여 사용하는 일반적인 예를 보여주고 있다. 귓불은

(1) 구조강에 Hanger 를 고정하거나
(2) 파이프에 부착하거나
(3) 파이프를 지지할 때 사용한다.

배관을 設置한 다음에 지주를 용접하면 배관을 손상시킬 수 있다. 그러므로 Lug 등은 배관하기 전에 용접하여 연결한다. 또한 잔류 응력 없이 지주나 Lug 를 파이프 또는 저장 용기에 용접하기 위해서는 열처리 전에 수행해야 한다.

제 3 장
밸 브
펌프, 압축기 및 工程設備

3.1 밸브

3.1.1 밸브의 機能

표 3.1은 機能에 따른 밸브를 分類法을 나타낸다.

표 3.1 밸브의 使用

밸브의 機能	설 명	관 련 단 원
개폐(ON/OFF)	유동을 개시 또는 멈춤	3.1.4, 3.1.6
조절	유동율을 조절함	3.1.5, 3.1.6, 3.1.10
유동방향 고정	유동을 한방향으로 흐르게 함	3.1.7
변경	다른 경로를 따라 유동을 변화시킴	3.1.8
방출	한 시스템으로부터 유체를 방출시킴	3.1.9

개폐 기능과 조절 기능에 적합한 밸브의 형은 도표 3.2에 나타나 있다. 요구하는 목적을 위한 밸브의 적합성은 밸브의 구조에 의존한다. 이것은 3.1.3에서 설명한다.

3.1.2 밸브의 구성

밸브 제조 업체의 품목은 매우 다양한 밸브 형태를 갖고 있다. 그러나 밸브를 구성하는 기초적인 부분을 고려함으로써 밸브를 분류할 수 있다.

(1) Disc 와 Seat (직접적으로 흐름에 영향을 미친다.)
(2) Stem (Disc 을 움직인다－몇 몇 밸브에서는 압력을 받고 있는 유체가 Stem 의 역할을 한다).
(3) 몸체와 Bonnet (Stem 을 구성 한다)
(4) Operator (Stem 을 움직이거나 Squeeze 밸브 등에서는 유체에 압력을 가한다).

그림 3.1에서 3.3. 까지에서는 부착된 부분품을 가진 3가지 일반적인 형태를 나타낸다.

Disc, Seat 와 Port

원판(Disc), 자리(Seat), 포트(Port) 도표 3.1은 Disc와 Port 배열의 여러가지 형태와 유체의 멈춤 또는 조절에 사용하는 기계 장치 (Mechanism)를 보여 준다. 유체의 흐름에 직접적으로 영향을 미치게하는, 움직이는 부분의 형태에 관계 없이, 이것을 Disc 이라고 하며, Disc 를 받치고 있으면서 움직이지 않는 부분을 Seat 라고 한다. Port 란 유체가 지닐 수 있는 내부의 최대 열림을 말한다. 즉 밸브가 완전히 열렸을 때를 말한다. Disc 란 수송되는 유체에 의하여 움직여지거나 線型, 回轉型 및 나선형의 움직임을 갖는 Stem 에 의하여 움직여지게 된다. Stem 은 손으로 움직여질 수 있거나 또는 원격 조정이나 자동 조정하에 힘이 가해진 레버나 스프링에 의하여 유압, 공압, 전기 및 기계적으로 작동되게 된다.

밸브의 크기는 파이프등에 연결하는 밸브의 끝단의 크기에 의하여 결정한다. Port 의 크기는 그 보다는 작을 것이다.

Stem

나사로 된 Stem 은 두 가지 종류가 있다. 그림 3.1과 3.2에는 위로 올라가는 Stem 을 나타내며, 그림 3.3은 Stem 이 위로 올라가지 않고, 회전만 하는 Ring Stem 을 보여주고 있다.

Ring Stem (Gate, Globe) 밸브는 내측 나사(IS) 또는 외측나사(OS)로 만들어진다. 외측 나사(OS)의 형식은 Bonnet 위에 하나의 Yoke 로 되어 있다. 그리고, 그 組立體를 '외측 나사와 Yoke ' 간단히 줄여서 ' OS and Y '라고 말한다. 핸들 바퀴가 Stem 과 같이 위로 올라갈 수 있거나 Stem 이 핸들 바퀴를 통하여 위로 올라갈 수 있다.

表 3.1

기본 밸브 기계장치
유체조작 구성요소〔DISCS〕

도표 3.1

구성도에서 원단은 흰색, 자리는 진한색, 이송유체는 음영으로 나타냈다.

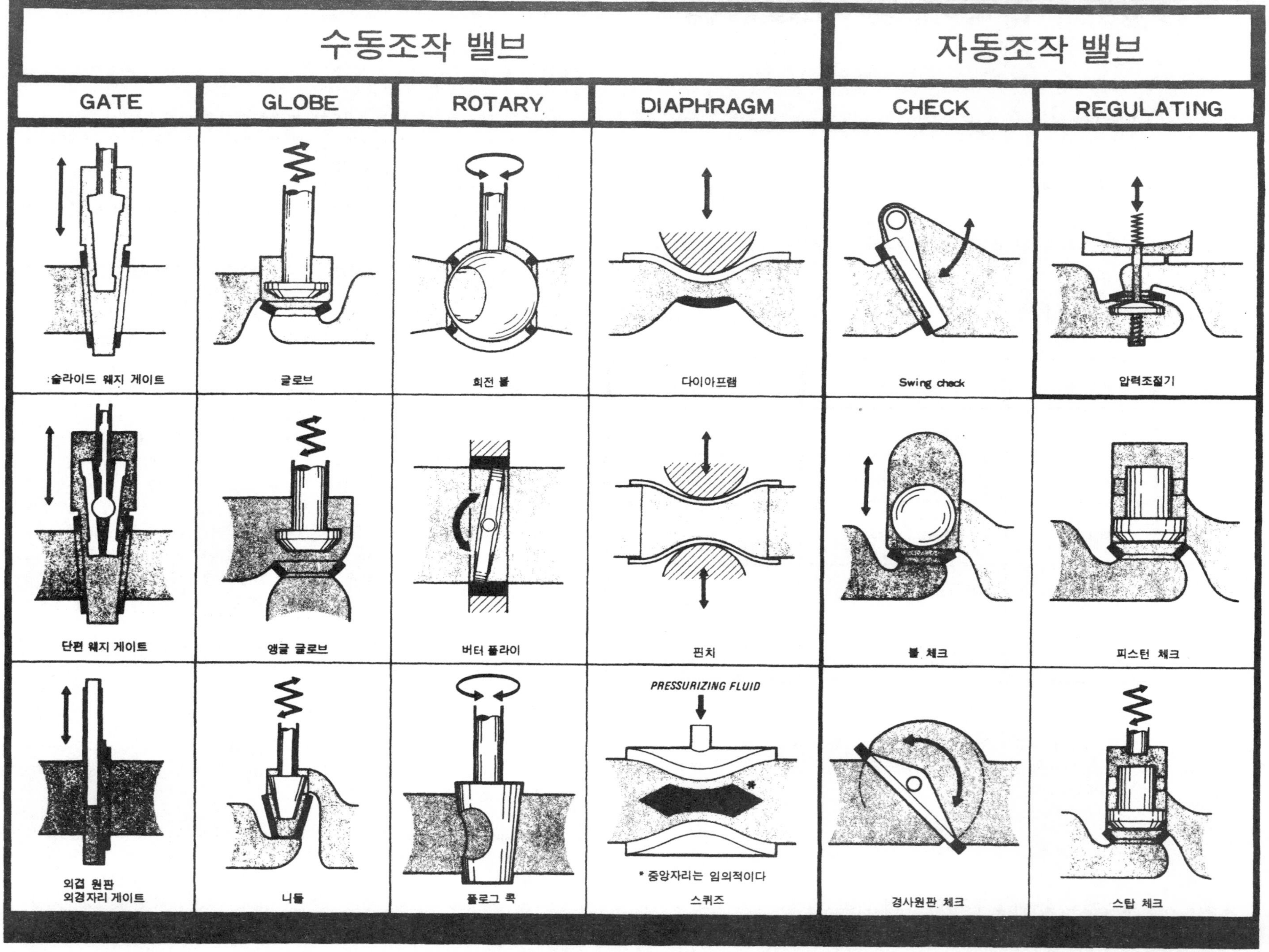

수동조작 밸브				자동조작 밸브	
GATE	GLOBE	ROTARY	DIAPHRAGM	CHECK	REGULATING
슬라이드 웨지 게이트	글로브	회전 볼	다이아프램	Swing check	압력조절기
단편 웨지 게이트	앵글 글로브	버터 플라이	핀치	볼 체크	피스턴 체크
외겹 원판 외겹자리 게이트	니들	플로그 콕	PRESSURIZING FLUID * 중앙자리는 임의적이다 스퀴즈	경사원판 체크	스탑 체크

비 상승 Stem Valve 들은 Gate 형식의 밸브이다. 손잡이와 Stem 은 밸브가 열렸든지 또는 닫혀 있든지 간에 같은 위치에 놓여 있다. 나사는 Bonnet 의 안쪽에 있으며, 이송되는 유체와 접촉한다.

'Floor Stand'는 Floor 나 Platform 을 통하여 밸브를 작동시킬 필요가 있는 곳에서 Stem 의 두가지 형식을 같이 사용하기 위한 Stem 을 연장시킨다. 만능 이음으로 연결한 막대는 밸브의 손잡이를 조작자가 미치는 곳에까지 번갈아 갖어오기 위해 사용한다.

필요한 밸브의 크기나 필요에 의해서 Stem 형식을 다음에 준하여 선택한다.

(1) 수송되는 유체가 나사산이 있는 베어링 표면에 접촉하는 것이 바람직하다.
(2) 노출된 나사가 부식의 원인이 되는 대기 먼지에 의하여 손상될 수 있는지?
(3) 밸브의 개폐 여부를 알아 볼 필요성이 있는가?

이와 아울러 앞서 설명된 Stem 의 형식에 Gate Valve 와 Globe Valve 를 사용하며, 대부분의 다른 밸브들은 간단한 회전형의Stem으로 되어 있다. 로타리 볼 밸브, 플러그 밸브, 그리고 버터 플라이 밸브는 영구적인 레버나 Stem 의 끝에 있는 장 방형의 축(Square Boss)에 맞는 공구에 의하여, 움직여지는 회전형의 Stem 을 가지고 있다.

Bonnet

밸브 Bonnet 은 나사식(일체형 포함), 볼트식, Breechlock 의 세 가지 기본적인 부착 방식이 있다.

나사로 연결한 Bonnet 은 때때로 밸브가 열렸을 때 달라 붙거나 회전할 수도 있다. 일체형 Bonnet 과 함께 달라 붙는 것은 약간의 문제이긴 하지만, 나사로 연결한 Bonnet 을 가진 밸브는 조작자에게는 아무 위험도 주지 않는 점에서는 가장 바람직하다. 일체형 Bonnet 은 간단한 나사식 보다 자주 해체를 필요로 하는 小型 밸브에 적당하다.

볼트로 연결한 Bonnet 은 주로 탄화 수소를 취급하기 위해 나사식과 일체형 Bonnet 대용으로 만든 것이다. U-Bolt 또는 Clamp-Type 은 종종 청소와 검사를 편리하게 하기 위하여 적당한 압력하에서 조작할 수 있는 小型 Gate Valve 를 設置하기도 한다.

'Pressure Seal'은 보통 OS와 Y (Outside Screw and Yoke) 형태로 구성한 고압용 밸브에 사용하며, 볼트로 연결한 Bonnet 의 한 變型이다. 이것은 몸체에 Gasket 과 안쪽의 금속 링을 Sealing 하거나 더 죄기 위하여 Line Pressure 를 利用하기도 한다.

Preechlock 式은 잘 사용되지 않으며, 나사식이나 볼트식 보다 더 무겁기는 하나 비싼 Type 이며 또한 고압용이다. 이 식은 몸체에 Bonnet 을 용접하여 Sealing 한 것이다.

그림 3.1

GATE Valve (OS & Y, 볼트로 연결한 bonnet, 상승하는 stem)

1	YOKE BUSHING NUT
2	IDENTIFICATION PLATE
3	HANDWHEEL
4	YOKE BUSHING
5	YOKE CAP BOLT & NUT
6	YOKE CAP
7	STEM
8	YOKE
9	GLAND EYE BOLT NUT
10	GLAND FLANGE
11	GLAND
12	GLAND EYE BOLT
13	GLAND LUG BOLT & NUT
14	PACKING
15	BONNET BUSHING
16	BONNET
17	BONNET BOLT & NUT
18	BONNET GASKET
19	STEM RING
20	WEDGE PIN
21	WEDGE FACE RING
22	SOLID WEDGE
23	SEAT RING
24	BODY

그림 3.2

GLOBE Valve (OS & Y, 볼트로 연결한 bonnet, 상승하는 stem)

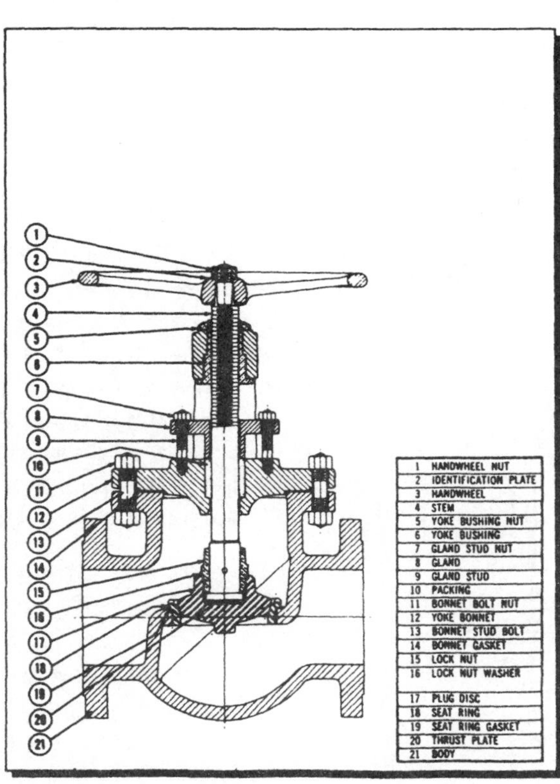

그림 3.3

GATE Valve (IS, 볼트로 연결한 bonnet, 상승하지 않는 stem)

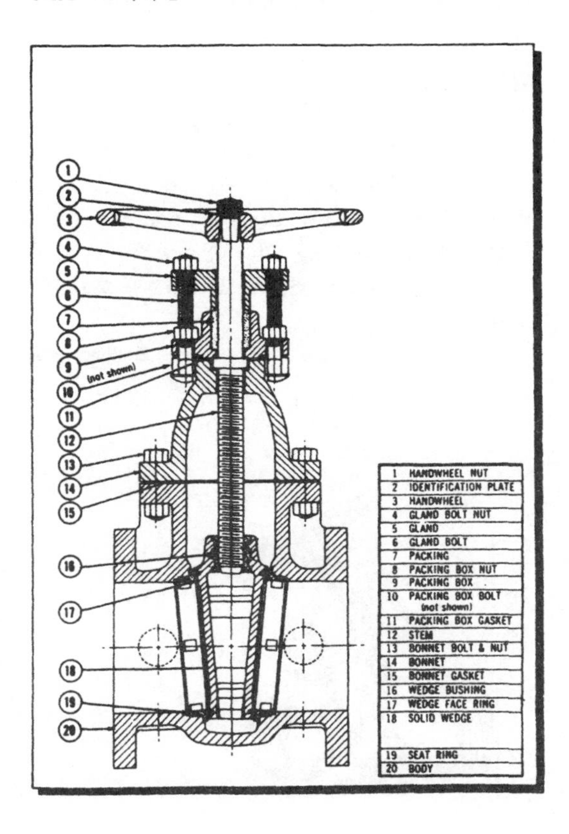

화학 공정에 사용하는 밸브의 중요한 因者는 Stem의 윤활이다. Packing 이나, Gland의 설계의 선택에 있어서나, 윤활제의 선택과 적용에 있어서 주의해야만 한다. Bonnet을 선택할 때 두가지 목적으로 사용하는 Lantern Ring을 끼울 수도 있다. 첫째, 어떤 위험스러운 누설 물질을 배출 시키기 위한 수집 장소로써 작용하며, 둘째 윤활제를 주입하는 장소로써도 利用되기도 한다.

LANTERN RING

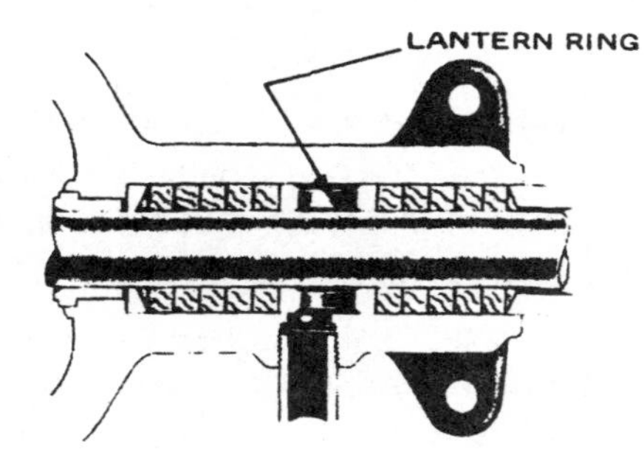

몸체(Body)

밸브 안쪽 몸체를 만들기 위한 재료의 선택은 화학공정에 사용하는 밸브에 있어서는 매우 중요하다. 몸체의 내장(Trin)에 대한 여러가지의 선택이 있으나, 어떤 밸브들은 부식에 강한 재료로 流體가 닿는 부분을 완전히 Lining 해서 使用하기도 한다.

밸브의 몸체 끝단을 파이프나 Fitting 또는 저장 용기등에 연결하는데 밸브 몸체의 끝은 Flange로 하거나 나사, 맞대기 용접 또는 끼워맞춤 용접 또는 호스를 연결하기에 적합하게 되어 있거나, Victaulic Coupling 등으로 되어 있다. 피복한 밸브도 역시 이용가능하다. 6.8.2절을 參照하기 바란다.

밀봉(Seal)

Stem으로 작동되는 밸브에 있어서 Stem이 회전운동 또는 선형 운동을 하든지간에 Packing과 Sealing 장치를 Stem과 Bonnet 사이에서 사용한다. 만일 고 진공 또는 부식성, 가연성 및 유독한 유체를 취급하는 경우에, 원판과 Stem은 금속 벨로우즈 또는 유연성이 있는 다이아플램(이것은 'Packing'없는 형식이라고도 한다.)으로 밀봉해야 한다. 또한 Gasket을 볼트로 연결한 Bonnet과 밸브 몸체 사이의 밀봉체로써 사용한다.

패킹없는 밸브

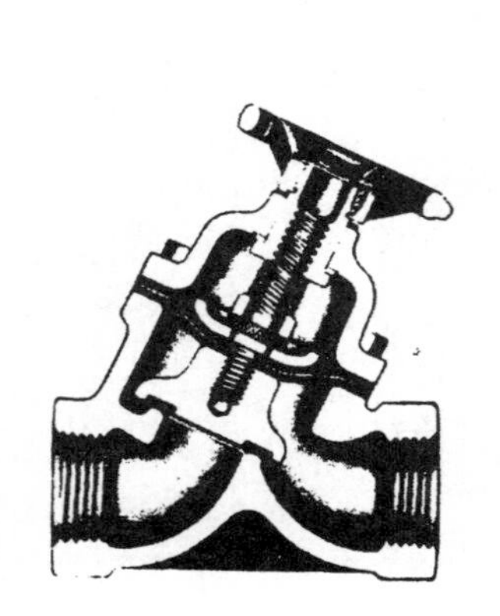

Bellows-Seal valve

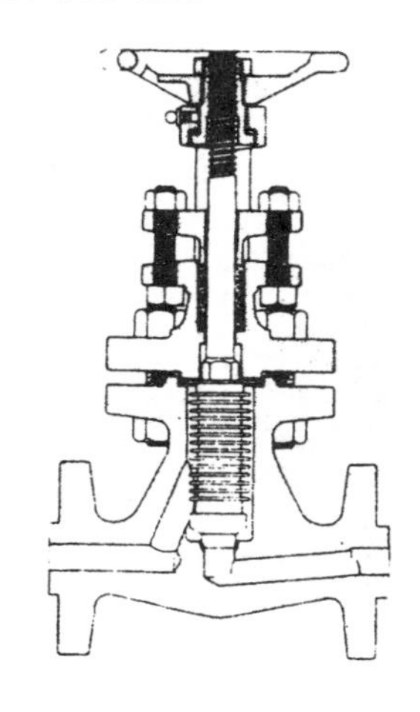

Flange로된 밸브는 Line Flange와의 Sealing을 위하여 Gasket을 사용한다. 또한, 버터 플라이 밸브는 Line Gasket과 같이 작용하기 위하여 탄력성 자리를 더 크게한다. Pressure Seal Bonnet Fitting은 수송되는 유체의 압력으로 Sealing 부위를 더 죄는데 유리하다. 이절의 Bonnet항의 Pressure Seal을 參照하기 바란다.

手動 조작

Hand Lever Hand Lever는 小型 버터 플라이 밸브, 회전 볼 밸브 및 小型 Cock을 작동시키기 위해 사용한다. 또한 Wrench는 Cocks나 小型 Plug 밸브에 사용된다.

小型 밸브에서의 Hand Lever

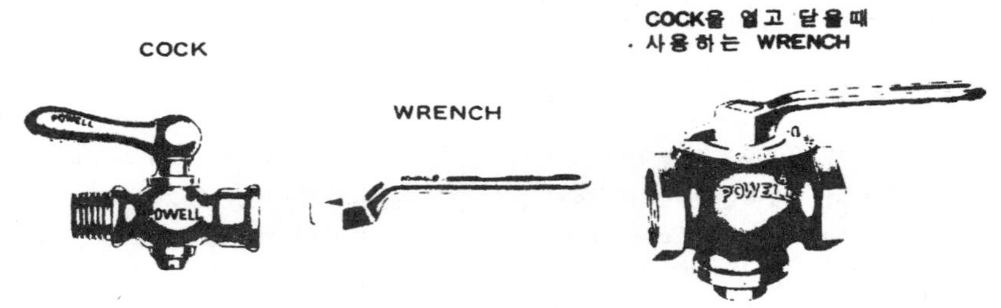

핸들 바퀴(Hand Wheel) Hand Wheel은 널리 사용되는 小型 Valve 즉, Gate Valve, Globe Valve, 다이아플램 밸브와 같은 밸브의 대다수에 있는 Stem을 회전시키는데 가장 일반적인 수단으로 사용된다. 만일 기어 장치가 필요없는 곳에서, 더 쉬운 조작을 필요로 하면, Gate Valve나 Globe Valve에 달린 조작 Torque를 보통의 핸들 바퀴 대신에 Hammer-Blow나 Hand Wheel을 사용한다.

Hammer-Blow Hand wheel

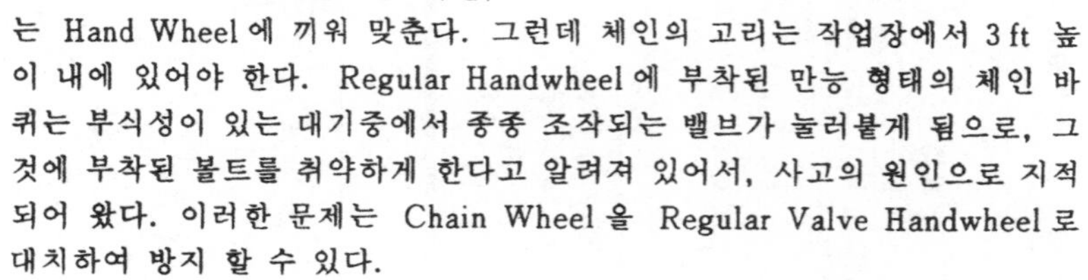

체인 Hand Wheel이 미치지 못하는 곳에서의 Stem을 작동시키기 위해 체인을 사용하며, Stem을 Wrench (Lever로 작동되는 밸브를 위한) 또는 Hand Wheel에 끼워 맞춘다. 그런데 체인의 고리는 작업장에서 3 ft 높이 내에 있어야 한다. Regular Handwheel에 부착된 만능 형태의 체인 바퀴는 부식성이 있는 대기중에서 종종 조작되는 밸브가 눌러붙게 됨으로, 그것에 부착된 볼트를 취약하게 한다고 알려져 있어서, 사고의 원인으로 지적되어 왔다. 이러한 문제는 Chain Wheel을 Regular Valve Handwheel로 대치하여 방지 할 수 있다.

齒車조작은 작동하는 Torque를 감소시키기 위하여 사용한다. 수동 조작에 있어서는 Valve Stem을 작동시키며 Hand Wheel로 작동하는 치차열 (Gear Train)로 구성되어 있다. 하나의 지침으로써 Gear 조작자는 다음과 같은 크기와 등급의 밸브를 고려해야 한다.

125, 150, 300 PSI (lbf / in^2) : 14 inch 이상
400, 600 PSI : 8 inch 이상 900, 1500 PSI : 6 inch 이상
2500 PSI : 4 inch 이상

Spur-Gear Operator　　　**Bevel-Gear Operator**

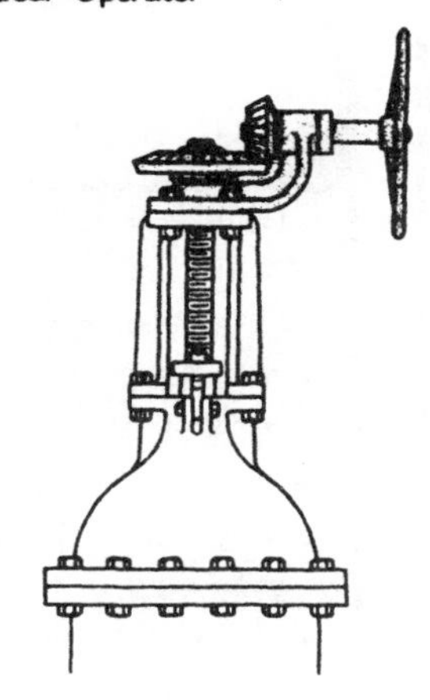

동력에 의한 조작

전기, 空壓 및 流壓에 의한 조작은 다음과 같은 경우에 사용한다.
(1) 밸브가 주 작업장에서 멀리 떨어진 곳에 있거나,
(2) 요구되어지는 작동 회전수가 사람의 힘으로는 불가능하다던가,
(3) 밸브의 조작을 긴급히 개폐를 要할 경우이다.

전기 Motor/電氣 Motor 는 Motor 내의 감속 Gear 를 통하여 Valve Stem 을 작동시켜 밸브를 개폐시킨다.

솔레노이드(Solenoid) Solenoid 는 신속하게 작동하는 Check Valve 와 같이 사용할 수 있으며, 또한 낮은 효율의 기계 장치에 사용한 개폐(on / off)밸브와 함께 사용하기도 한다.

전기 Motor에 의한 조작　　　**空圧에 의한 조작**

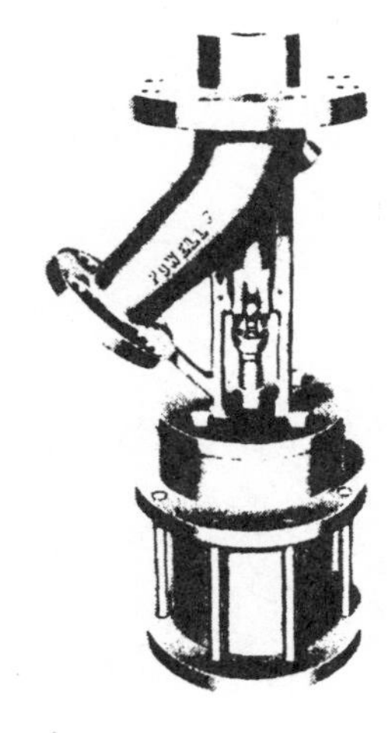

공압 및 유압 조작 그림 電氣 Motor 에 依한 Operator 空壓에 依한 Operator 空壓 및 流壓에 依한 조작은 가연성의 증기가 발생 할 가능성이 있는 곳에서 사용한다. 공압 및 유압 작동에는 다음과 같은 형태가 있다.
(1) 보통 Stem 을 직접 작동시키는 공기, 기름, 또는 다른 액체에 의하여 작동되는 복동식 피스턴이 있는 실린더.
(2) 기억 장치를 통하여 Stem 을 작동하는 공기식 Motor. — 이러한 Motor 는 보통 피스턴 실린더가 방사형으로 되어 있다.
(3) Stem 을 직접적으로 작동시키면서, 분할 Casing 내에서 한정된 회전 운동을 하는 왕복식 날개의 형태.
(4) 오른쪽 Squeeze 형태('Squeeze 밸브'를 參照하라)

비 회전 밸브에 대한 급속 작용 조작(수동 조작)

급속 작용 조작은 Gate Valve 나 Globe Valve 에 사용하는데 다음과 같은 두가지의 Stem 운동을 채택한다.
(1) Lever 에 의하여 Stem 이 회전하는 회전운동
(2) Sliding Stem 운동에 따라서 Stem 은 Lever 에 의하여 위로 올라가거나, 아래로 미끄러진다.

밸브에서의 급속조작 레버
(1) Globe valve의 회전 Stem　　　(2) Gate valve의 미끄럼 Stem

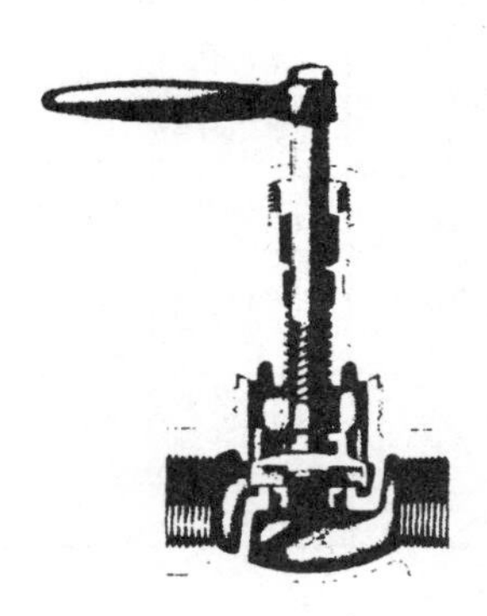

증기와 공기의 "삐"하는 소리는 Globe Valve 에 사용하는 급속작용 조작인 Siding-Stem 의 사용 예이다.

3.1.3 Valve 의 개폐(on / off)선택과 조절 Valve

특별한 목적에 맞는 밸브의 타당성(Suitability)은 밸브의 기계적인 설계뿐만 아니라 수송되는 유체와의 관계에 있어서 밸브 구조의 재료에 설계 뿐만 아니라 수송되는 유체와의 관계에 있어서 밸브 구조의 재료에 의하여 결정되어진다. 3.1.2에서의 서술을 참조하면 선택에 있어서의 단계를 다음과 같이 선정한다.

(1) 구조의 재료, (2) Stem 의 형태, (3) 원판의 형태, (4) Stem 을 작동시키는 수단, (5) Bonnet 의 형태, (6) 몸체의 끝 부분의 형태 — 용접, 플랜지등, (7) 개폐 조작 시간, (8) 가격, (9) 주어진 상태에서의 수행 능력의 보증

도표 3.2는 밸브 선정에 대한 하나의 자료이고, 주어진 목적에 따라 선택할 밸브를 지시한다. 이 도표는 왼쪽부터 오른쪽으로 읽어야 한다. 첫번째로, 밸브에 의해 취급되는 유체가 액체인지, 기체인지 또는 분말인지를 확실히 알아야 한다. 다음에는 수송되어지는 유체의 성질을 고려한다. 즉 유체가 위생적으로 처리해야 할 음식물이나 의약품인지 그리고 부식성이 있는 화학 약품인지 또는 유체가 본질적으로 중성인지, 내 부식성인지를 고려한다.

이제 밸브가 단순히 개폐 조작(on / off)만을 하는가, 또는 밸브가 제어나 혹은 일정량의 분량 만큼의 수송을 위해 조절되어지는가하는 밸브의 기능에 대해 고려해 보아야 한다. 이러한 요인들을 결정하면 주어진 목적은 만족스럽게 수행할 수 있는 밸브의 형식을 3.2의 도표에다 나타냈다.

밸브 선택 지침 도표 3.2

이송유체	유체 성질 (위의 주서 (2)참조)	밸브기능	원판의 형태	특별한 형상 […]는 한계표시고 (…)는 선택을 표시한다.
액 체	중 성 (물, 기름 등)	개폐(ON/OFF)	게이트 회전볼 플러그 다이어플램 버터플라이 플러그게이트	무 무 [오일 일 때 : 천연고무가 아니다] 무 무 무
		조 절	글로브 버터플라이 플러그게이트 다이아플램 니들	무 무 무 [오일 일 때 : 천연고무가 아니다] 무, [적은 유동]
	부 식 성 (알칼리성액, 산성액 등)	개폐(ON/OFF)	게이트 플러그게이트 회전볼 플러그 다이아플램 플러그게이트	내부식성*, (OS & Y), (Bellows seal) 내부식성*, (OS & Y) 내부식성*, (줄친) 내부식성*, (윤활된), (줄친) 내부식성*, (줄친) 내부식성*, (줄친)
		조 절	글로브 다이아플램 버터플라이 플러그게이트	내부식성*, (OS & Y), (다이아플램 또는 Bellows seal) 내부식성*, (줄친) 내부식성(줄친) 내부식성*, (OS & Y)
	위생상의 성질 (음료수, 식품, 약품 등)	개폐(ON/OFF)	버터플라이 다이아플램	특수원판†, White seal† 위생배관†, 화이트다이아플램†
		조 절	버터플라이 다이아플램 스퀴즈 핀치	특수원판†, White seal† 위생배관, 화이트다이아프램† 화이트 유성성 튜브† 화이트 유성성 튜브†
	슬러리	개폐(ON/OFF)	회전볼 버터플라이 다이아플램 플러그 핀치 스퀴즈	내마멸성 배선 내마멸성 원판, 탄력 있는 자리 내마멸성 배선 윤활된, (줄친) 무 Central seat
		조 절	버터플라이 다이아프램 스퀴즈 핀치 게이트	내마멸성 원판, 탄력 있는 자리 줄친* 무 무 Single seat, Notched Disc
	섬유성 부유물	개폐(ON/OFF) & 조절	게이트 다이아플램 스퀴즈 핀치	Single seat, 칼날끝 같은 Disc, Notched disc 무 무 무
기 체	중 성 (공기, 증기 등)	개폐(ON/OFF)	게이트 글로브 회전볼 플러그 다이아플램	무 (합성 Dise), (Plug Type Dise) 무 무, [증기공급에는 부적당] 무, [증기공급에는 부적당]
		조 절	글로브 니들 버터플라이 다이아플램 게이트	무 무, [적은 유동] 무 무, [증기공급에는 부적당] 외결자리
	부 식 물 (산성 증기, 염소 등)	개폐(ON/OFF)	버터플라이 회전볼 다이아플램 플러그	내부식성* 내식식성* 내부식성* 내부식성*
		조 절	버터플라이 글로브 니들 다이아플램	내부식성*, 내부식성*, (OS & Y) 내부 성*, [적은 유동] 내부식성*,
	진공	개폐(ON/OFF)	게이트 글로브 회전볼 버터플라이	Bellows seat 다이아프램 또는 Bellows seat 무 탄력있는 seat
고 체	연마제 분말 (실리카 등)	개폐(ON/OFF) & 조절	핀치 스퀴즈 스파이럴 속	무 (중앙 자리) 무
	윤활제 분말 (흑연, 활석 등)	개폐(ON/OFF) & 조절	핀치 게이트 스퀴즈 스파이럴 속	무 외겹자리 (중앙자리) 무

* 접촉하는 유체의 큰 변화에 맞는 적당한 구성 재료를 쓰는 것은 매우 어렵다. 일반적인 참고도서는 Chemical Eng'ys Hand Book을 참조하기 바란다. 핸드북이다 [8].

† 스테인레스강과 같은 위생 재료로 만든 Disc는 볼트나 구석진 곳이 없이 부드럽게 하고 또한 '화이트' 플라스틱이나 고무재료로 Lining 해야 한다. '화이트'는 독소가 있는 물질을 포함하지 않고 생산품을 더럽히지 않는 재료로 의미한다.

밸브 선택 지침에 대한 案

(1) 이송유체의 형태가 액체, 기체, 슬러리 또는 분말인지를 결정한다.

(2) 유체의 성질을 결정한다.

- 대체적으로 중성 – 여러 가지의 油類, 음료수, 질소, 기체, 공기 등과 같이 진한 산성이나 알카리성이 아닌 유체
- 부식성 – 강한 산성이나 알카리성 또는 화학 반응 물질
- 위생상의 성질 – 식품, 약품, 화장품 또는 다른 공산품에 사용하는 물질.
- 슬러리 – 액체에 함유되어 있는 고체 입자의 부유물은 밸브 등을 깎아내는 결과를 갖어 올 수도 있으며, 목재 펄프와 같은 연마제가 함유되어 있지 않은 슬러리는 밸브나 기계장치를 막히게 할 수 있다.

(3) 조작방법을 결정한다.

- 개폐 (on / off) – 전 개방 또는 전 폐쇄
- 조절 – 정밀한 조절(교축)포함

(4) 선택에 영향을 주는 또는 다른 인자를 고려한다.

- 이송 유체에 압력과 온도
- Stem 조작 방법 – 폐쇄 시간을 고려한다.
- 비용
- 유용성
- 특별한 설비 문제 – Line상의 밸브를 용접할 경우 용접열은 때때로 몸체를 變型시키거나 小型 밸브의 Seal에 영향을 주기도 한다.

3.1.4 주로 개폐(on/off)조작용으로 使用되는 Valve

공장 배관에서, 유동의 개폐 제어는 Gate Valve를 사용하는 것이 가장 좋은 효과를 얻는다. 대부분의 Gate Valve Type은 조절에 부적합하며 열린 상태에서 Disc의 진동(열림)으로 인해 Seat와 Disc에 부식이 일어 난다. 어떤 유체는 완전히 폐쇄시켜야 함으로 개폐 동작을 위해 Globe Valve를 사용하는 것이 더 바람직할 수도 있지만 이 Valve의 기본 기능은 조절 작용이다. 3.1.5절에 기술되어 있다.

Solid Wedge Type Gate Valve 이 밸브는 고체 또는 Flexible Wedge Disc를 갖고 있으며, 보통 6inch나 좀 더 큰 형태로 개폐 작동과 더불어 조절에 사용할 수 있다. 그러나 Disc의 이동로를 따라 완전히 Guide되지 않으면 떨림이 생길 것이다. 증기, 물, 기름, 공기, 가스등을 포함한 대부분의 유체에 적합하다. 고온에서 냉각되면 끈적거리는 것을 방지하기 위해서, 그리고 조작 Torque를 극소화하기 위해 Flexible Wedge를 개발하게 되었다. 이것에 대한 그림은 넣지 않았지만 매우 짧은 축에 고정된 두바퀴에 연결되어 있다.

Solid Wedge Type Gate Valve

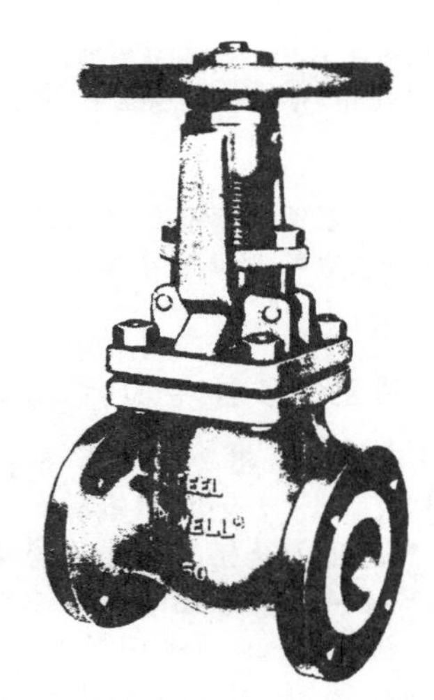

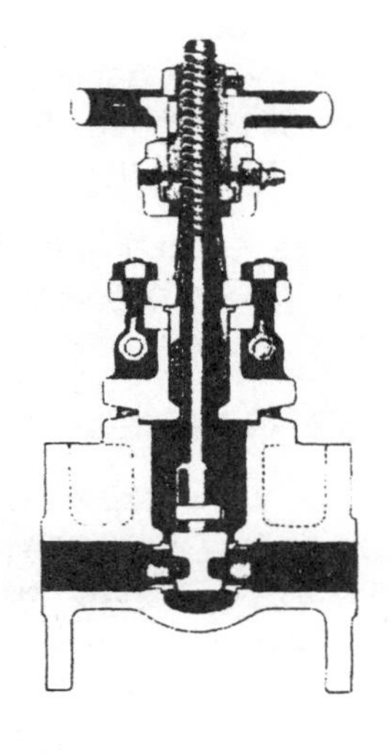

二重 Disc판 및 平行 Seat Type Gate Valve 이 Valve는 폐쇄시 'Spreader'에 의해 평행 Seat에 힘을 가하는 두개의 평행 Disc로 되어 있다. 常温에서의 액체와 가스에 사용되는 조절용으로는 부 적합하다. 미끄럼 방지를 위해 보통 Handle을 위쪽으로 하여 수직으로 설치한다.

二重 Disc板(단편 Wedge) Wedge Type Gate Valve Disc판은 Spreader 없이 경사진 Seat에 끼운다. 이중 Disc 평행 Seat Type Gate Valve에 대한 부 적합성이 있기도 하지만, 증기 공급을 위해 좀 더 小型 Valve가 필요하기도 하다. 종종 마모가 균일하게 되도록 Disc가 회전할 수 있는 구조로 만들기도 한다.

Single Disc Single Seat Type Gate Valve 또는 Slide Valve 이 Valve는 종이섬유 슬러리와 다른 섬유성의 부유물 또한 낮은 압력의 가스를 취급하는데 사용한다. Seat쪽으로의 유동에는 작용이 적당하지 않으나 완전한 폐쇄를 필요로 하지 않을 경우 유량조절에 적합하다.

Single-Disc Parallel Seat Type Gate Valve Single Seat Slide Valve와 다르게 어느 방향이든지 유동을 폐쇄 할 수 있으며, Stem과 Bonnet와의 응력은 Wedge Gate Valve보다 더 小型이다. 원래 액체 탄화 수소와 가스에 사용하던 것이다.

Single Dise Parallel Seat Gate Valve　　Plug Gate Valve

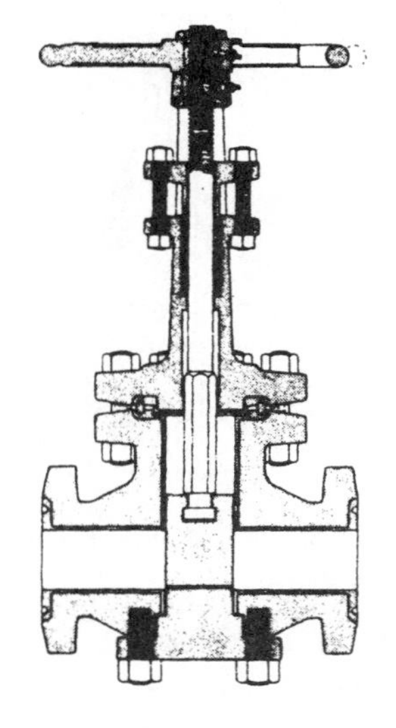

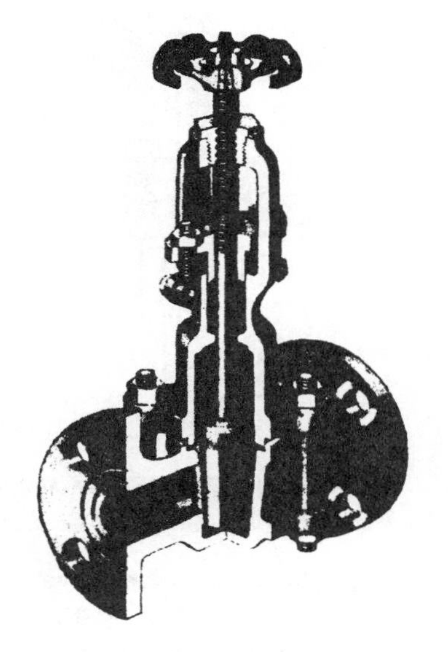

Plyg Type Gate Valve 위 아래로 움직이는 원형의 경사진 Disc으로 되어 있으며 적당한 조절이나 전 유동에 적합하다. 그러나 단지 소형에만 적합하다.

Plurg Valve 이 기계 장치를 도표 3.1에 표시한 것과 같이 Disc를 경사진 실린더와 같이 만든다. 그러므로 유돌이가 없고 Stem이 90° 각도 회전한다는 장점이 있으나 경사진 Plurg는 움직이지 않으려는 경향이 있으며, 높은 조작 Torque를 필요로 한다. 이것은 테프론과 같은 마찰이 적은 Seat를 사용하거나 윤활제를 사용하여 어느정도 극복할 수 있다. 그러나 후자의 경우 이송 유체를 오염시킨다는 결점이 있다. 마찰 문제는 Stem이 회전하기 전에 Seat에서 Disc이 올라가는 기계 장치에서와 설계에 전기 장치를 사용하는 경우에도 발생한다. 물, 流類, 슬러리, 기체등에 주요하게 사용된다.

Line-Blind Type Valve 이것은 기본적으로 Spectacle-Plate 또는 Blind에 끼어 넣은 Flange로 연결한 조립품으로 구성된 완전한 폐쇄장치이며, 2.71에서 다른 폐쇄 밸브와 비교하여 기술되어 있다.

3.1.5 주로 조절용으로만 使用하는 밸브

Globe Valve, 직선형과 Angle Type 이것은 조절용으로 가장 많이 사용하는 Valve이며, 6inch 이상의 배관에서는 유량 제어용 밸브로 알맞은 Gate 또는 Butterfly Valve를 선택하는 것이 좋다. 더 알맞은 Valve로서는 流體의 폐쇄를 돕고 적당한 조절 위치에서 Disc가 Seat에서 떨리는 현상을 막기 위해 Stem에서 Seat로 흐르게 한다. 다음과 같은 경우에는 유동을 Seat에서 Stem쪽으로 흐르게 하는 것이 좋다. (1) Stem으로부터 떨어진 Disc에 의하여 밸브가 막히는 위험이 있을 경우, (2) 합성 Disc를 사용한 경우, 따라서 이 유동 방향에서는 마모가 더 적다.

Angle Valve 이 Valve는 90° 각도의 Elbow를 사용하는 것을 절약하기 위해, 몸체의 오른쪽 끝단을 각 지게 한 Globe Valve이다. 또한 각 진 배관은 직선관(Straight Runs)보다 높은 응력을 받기 쉬워지므로, 이러한 형태의 밸브를 고려해야 한다.

Globe Valve

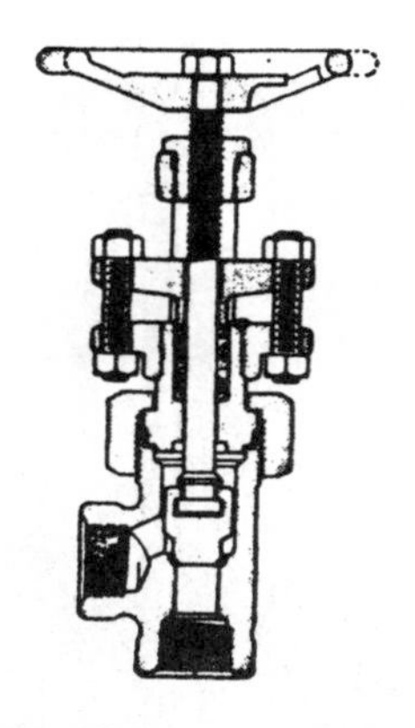

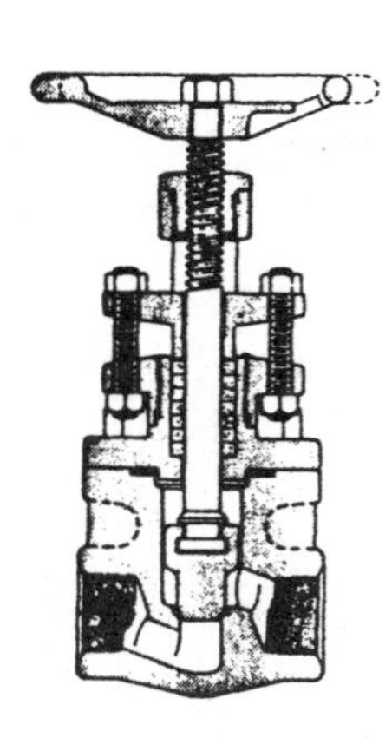

Regular-Disc Type Globe Valve Disc와 Seat가 협소한 線(거의 선) 접촉을 갖는 것과 같이 정밀한 조절에는 부적합하다.

Plug Type Disc Globe Valve 보일러 급수와 같은 모래투성이의 액체를 다루는 어려운 조절용과 방출용으로 사용한다. Regular Seat Valve보다 정밀한 조절하에서 마모가 덜된다.

Y자 몸체 Globe Valve In-Line Port와 약 45도 각도로 기울어진 Stem을 가지고 있다. 그래서 Y자형이라고 한다. 유동 특성이 더 부드러우므로 부식성 유체에도 좋게 사용할 수 있다.

Y자몸체 Globe Valve(통합한 합성 Disc)

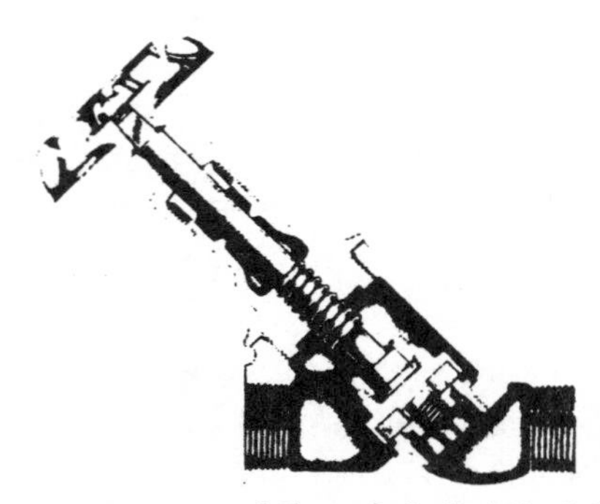

합성 Disc Type Globe Valve 거친 조절과 확실한 폐쇄에 적합하며, 교환이 可能한 합성 Disc 구조는 수도 꼭지와 비슷하다. 왕모래로 인한 Seat의 손상을 막고, 폐쇄가 좋게 되도록 부드러운 Disc안에 끼게 한다. 그러나 정밀한 조절에서는 Seat를 빨리 마모시킨다.

이중 Disc Type Globe Valve 분리된 Seat 위에 하나의 축에 분리된 공간을 찾이하고 있는 두 개의 Disc 베어링을 갖고 있는 특징을 갖고 있다. 그래서 이송된 유체가 Valve로 流入되면서 생기는 응력에 의해 조작자가 힘 들지 않게 쉽게 조작을 할 수 있다. 제어 밸브나 증기나 다른 가스에 이용하는 압력 조절기로도 사용하기도 한다. 그러나 확실한 폐쇄를 기대할 수는 없다.

Needle Valve 流體의 유동을 제어하거나, 액체 또는 기체를 다루는 경우에 사용하는 小型 Valve이다. 상대적으로 큰 Seat 면적은 정확하게 유동 저항을 제어하게 되며, Stem의 정교한 나사산으로 유동을 조정하게 된다.

Needle Valve

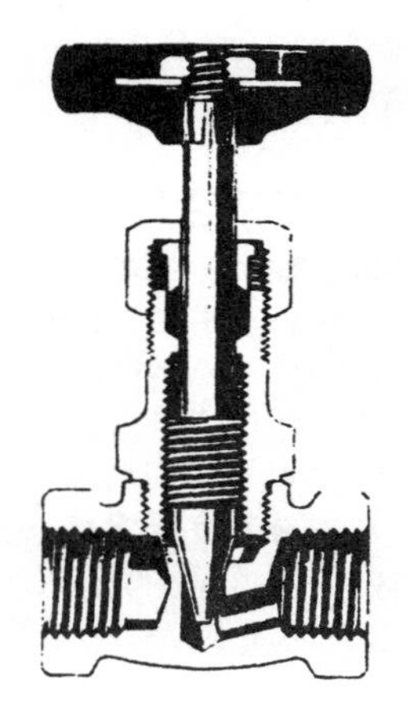

스퀴즈 밸브(Squeeze Valve) 수송하기 힘든 액체나 슬러리 및 분말의 유동을 조절 하는데 적합하다. 최대의 폐쇄도가 약 80%인데, Central Core (Seat)로 된 형태의 Valve의 변형물을 사용하지 않으면 완전 폐쇄를 요구하는 조절 범위가 한정된다.

Pinch Valve 수송하기 힘든 액체, 슬러리, 분말의 유동을 조절하는데 적합하다. 이 Valve는 완전 폐쇄가 가능하나 특별히 설계하여 사용하지 않으면 매끈한 Tube가 빨리 마모된다.

3.16 일정한 유체를 조절함과 同時 개·폐 動作을 할 수 있는 Valve

Rotary Ball Valve 장점은 다음과 같다 (1) 작은 힘으로 쉽게 조작할 수 있다. (2) 大 口徑에도 使用이 可能하다. (3) 조작이 복잡하지 않다. (4) 자루를 90도만 움직여도 된다. (5) 마모된 부분을 In-Line 상태에서 교환이 可能하다. 단점은 유체가 몸체 내에나 폐쇄시에 disc 內에 수송物이 고이는 것과 마모를 보충해 주기 위해서는 단지 Seat 뒤에 탄력 있는 재료를 Linging을 해 주어야 한다는 것이다. Seat 뒤에 탄력있는 재료를 Lining하는 대신에 Single Seat 중심 판을 이용할 수 있으며, 폐쇄시에 Seat를 죄어 주기 위해서 Ball을 한번 열었다 닫는다. 물, 油類, 스러리, 가스, 진공을 취급하는 관에 主로 많이 사용한다.

Rotary-Ball valve

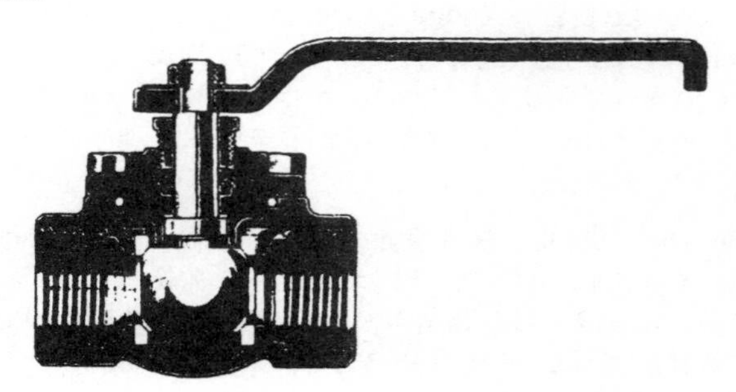

Butterfly Valve 이 Valve는 Handle을 90도 회전시켜 작동시키며 간단해서 Pocket이 없다는 장점을 갖고 있다. Valve의 크기가 다양하고 내 화학성이 있으며 위생적이다. 이 Valve는 가스, 액체, 슬러리, 분말, 진공등을 취급하는 관에 설치한다. 보통 탄력있는 플라스틱 Seat는 고온에서 사용할 수가 없어 고온에서 확실한 폐쇄를 원한다면 어떠한 형태의 Flange든지 Flange 사이에 설치해도 좋다. 끼우고 나사로 죄는 Flange는 Valve의 웨이퍼(Wafer) 형상을 가진 독특한 Seal 장치를 않해도 된다.

Butterfly Valve
(Wafer Type)

3.1.7 역유동 방지용 Valve

역 유동방지를 위해 사용하는 Valve는 한 방향으로 액체나 가스를 흐르도록 해주며, 유동이 역으로 흐르면 닫혀지게 만든 것이다.

Swing Check Valve 보통의 Swing Check Valve는 流體의 유동이, 종종 역으로 흘러갈 경우 원판이 Seat를 탕탕 쳐서 충격을 줌으로 해서 마모가 되므로 부 적당하다. 모래가 섞인 액체를 使用 할때는 충격을 줄일 수 있는 합성 Disc가 추천 할만 하다. 또 유체가 윗 방향으로 수직으로 흐르거나 수평으로 流動할 수 있게 설치하는데, 수직으로 上方向으로 흐르는 Valve는 유동 속도가 천천히 변할 때, 열려져 있는 상태로 유지하려는 경향이 있다. 그래서 Lever 바깥 부분의 추로 Disc를 닫은 상태로 유지시켜 주거나 Disc를 평형시켜 주며 낮은 압력의 유체에 의해서도 열릴 수 있도록 해주고 있다.

Swing Check Valve

Swing check valve
바깥 Lever

Tilting valve 자주 유동이 바뀌는 경우에 적당하며, Swing Check Valve보다 더 좋은 상태의 폐쇄로 빨리 닫게 되며, Seat에 충격이 적게 된다. 이 형태는 Swing Check Valve와 비슷하다. 유동·속도가 클 때는 압력 강하가 크며, 속도가 작을 때는 비교적 Swing Check Valve 보다 압력 강하가 작다. 유동이 윗 방향으로 흐르도록 수직으로나 또는 수평으로 설치할 수 있다. Disc의 움직임은 구성 요소로서의 Dashport나 Snubber로서 조절할 수 있다.

Lift-Check Valve Piston-Check Valve와 비슷하며, Disc는 Guide 되어 있으나, Dashport는 없다. 스프링으로 힘을 주는 Valve는 어떤 일정한 방향으로 조작될 수 있으나, 스프링이 없는 Valve는 Disc가 중력에 의해 닫일 수 있도록 설계되어야 한다. 합성 Disc Valve는 모래가 조금 섞인 액체를 취급하는데도 使用이 可能하다.

Piston Check Valve Dishport가 있어 유동이 맥동하여, Seat를 탕탕쳐도 유동 방향의 변화가 자주 바뀌는 곳에 적당하다. 스프링으로 힘을 주는 형태는 어떤 방향에서도 작동할 수 있다. 그러나 스프링이 없는 Valve는 중력으로 폐쇄가 되도록 방향을 지정해야 한다. 모래가 섞인 액체의 취급에는 使用하지 않는 것이 좋다.

Piston-Check Valve

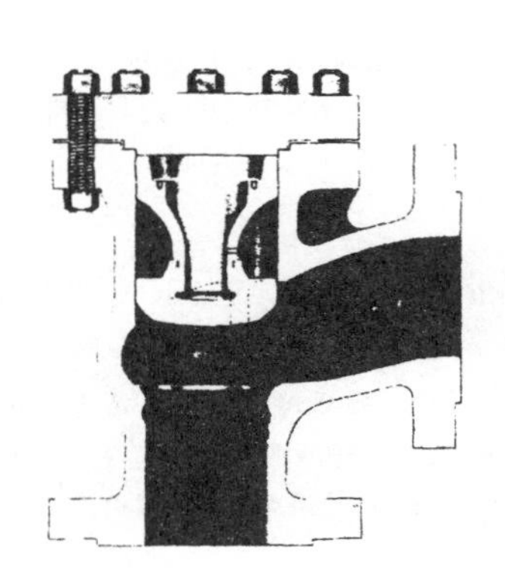

Stop check valve

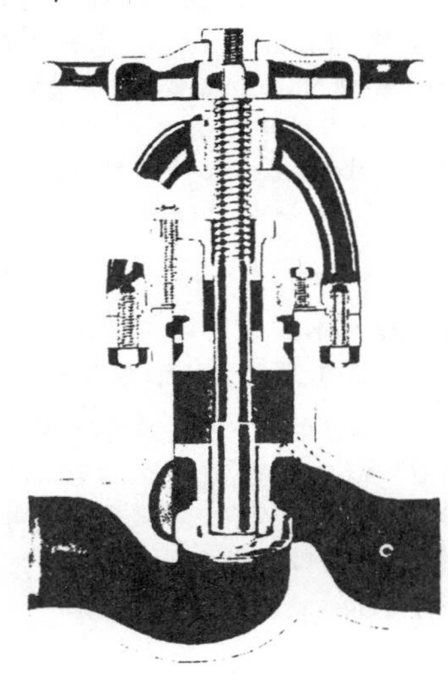

Stip Check Valve 주 사용 예는 복식 보일러를 이용한 증기 발전이며, 각 보일러와 수증기 Header사이에 設置되어 있다. 기본적으로 이 Check Valve는 자동적으로, 또는 손으로 폐쇄시킬 수도 있다.

Ball Check Valve 이 Valve는 가장 원활한 공급을 위해 적당하며, 접착성의 침전물을 포함하여 가스, 증기, 액체등을 취급할 수 있다. Ball은 중력 또는 Back Pressure에 의해 Seat에 놓이며, 회전이 자유롭다. 그러므로 Ball의 마모가 균일하여 접착면을 깨끗하게 유지시켜 준다.

Wafer Check Valve Flange 사이에 설치하는 Ring 모양의 몸체 안에, 中央의 지주에 경첩으로 두개의 반 원형의 '문'으로 폐쇄하는 Valve이다. 깨끗한 액체에 자주 사용하며, 간단하고 상대적으로 비용이 적게 든다. 또한 Disc 한 개로된 형태도 使用 可能하다.

Foot Valve 전형적으로 오수 펌프의 흡입쪽의 수면을 일정하게 유지시켜 주기위해 사용한다. Valve는 기본적으로 여과기를 가진 Lift-Check Valve이다.

3.1.8 유동 방향을 변경시킬 수 있는 Valve

Multiport Valve 수압과 공압 조작 회로에서 많이 사용하며, 때때로 직접 공정 배관에 연결하여 사용한다. 이 Valve는 유동 방향을 바꿀 수 있게 설치한다. 그러나 하나 또는 여러개의 Port와 Rotary Ball 또는 Plug 형태의 Disc로 되어 있다.

Diverting Valve 두 가지 형태가 있으며 관의 유동 방향을 두개의 배출구 중의 하나로 變更시켜주기 위해 사용한다. 한 형태는 두개의 배출구 중의 하나를 폐쇄하는 교차점에 경첩으로 닫은 Disc를 가진 Y형 형태의 Valve이며 분말이나 고체를 취급하는데 使用된다. 다른 한 형태는 단지 액체를 취급하는데 使用되며 유동部가 없다. 유동은 두개의 공압 조작에 의해 變更되며, 6 inch 口徑이 많이 使用되고 있다.

3.1.9 Discharge valve

이 Valve는 大氣壓 보다 낮은 低壓 配管, 배수관 또는 다른 배관계나 용기 등으로 유체를 배수하기 위해 사용하며, 조작은 자동적으로 작동 한다. Relief Valve, Safety Valve, Steam Trap Rupture Disc 등이 부속품이다. 압력 Relief Valve는 스프링에 압력을 받게 되어 열리게 된다. 또한 Lever로 쉽게 Valve를 열어 압력을 낮출 수가 있다. 그러므로 압력에 의한 파손을 방지하기 위해 수직으로 設置하여 파이프나 용기에 보통 직접 설치한다. Hand Lever와 같이 외부에서 들어 올리는 장치와 이 Valve에 적용되는 Code는 각 나라의 적용 Code를 보고 적용하기 바란다.

Safety Valve 공기나 다른 가스가 어떤 압력 이상으로 Valve에 미해지면 빨리 열어 壓力강하로 인하여 설비 장치를 보호하게 된다.

Relief Valve 충만된 액체가 잘 배출되지 않아 액체의 압력이 계속해서 올라갈 때, 초과된 압력을 경감하기 위해 Relief Valve를 사용한다. 그러나 작은 틈새로 적은 양의 액체가 빠져 나오면 빨리 압력이 강하된다. 그림 6.4를 참조하라

Safety Valve

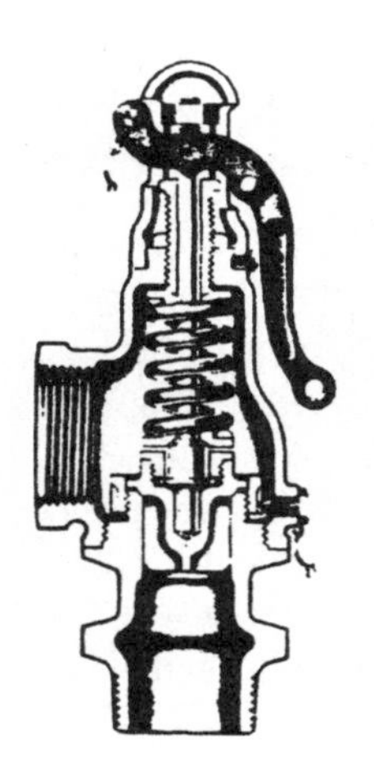

Relief Valve

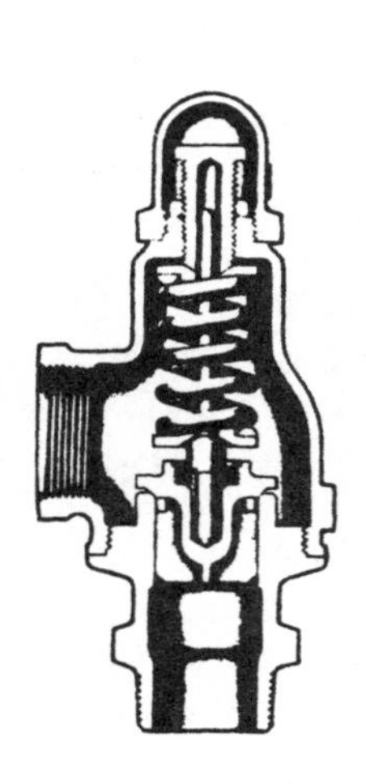

Safety-Relief Valve 액체를 담은 용기 안에서 화학 반응으로 인하여 급속 열 상승으로 인하여 액체가 증기로 바뀔 수 있는 Gas나 액체의 증가된 압력을 경감시키기 위해 사용한다. 그림6.4를 참조하라.

Ball Float Valve 이 자동 Valve는 다음과 같은 경우에 사용한다. (1) 공기를 수송하는 시스템에서 파이프 속의 물을 제거하거나, (2) 액체를 다루는 시스템에서 공기를 제거할 때, 이때에는 진공 Breaker나 Breather Valve와 같이 작동한다. (3) 탱크의 액체 수면을 조절한다. 이 Valve는 응축물을 제거하지 못한다.

Ball Float Valve
(始初使用)

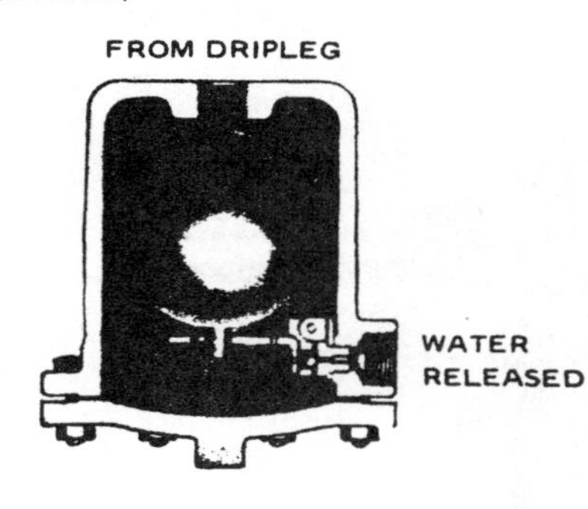

분출밸브(Blowoff Valve)

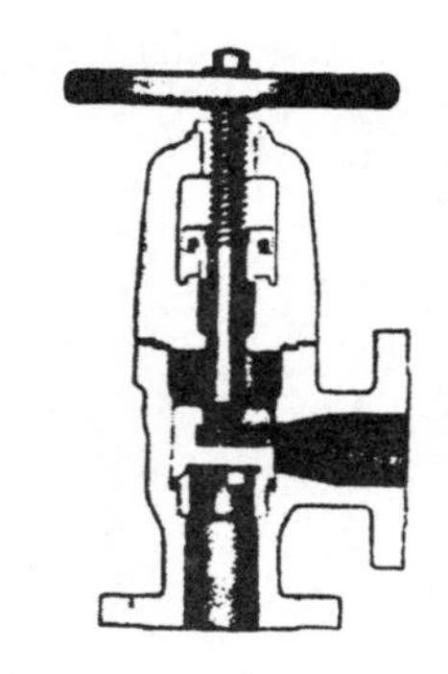

분출밸브(Blowoff Valve) Globe valve는 보일러 규격에 적합하게 변화시킨 것으로, 특별히 보일러의 분출을 위해 설계한 것이다. 때때로 배출을 위해서도 사용된다. Y형과 Angle형을 종종 사용하기도 하며, 보일러에서 공기나 다른 Gas를 제거하기 위해 사용되며 손으로 조작한다.

Flush-Bottom Tank Valve 주머니 모양으로 소형으로 설계한 Globe Type의 Valve로, 원래는 탱크의 밑바닥에서 액체를 배출하기 편리하게 만든것이다.

Flush-Bottom Tank Valve(Globe Type)

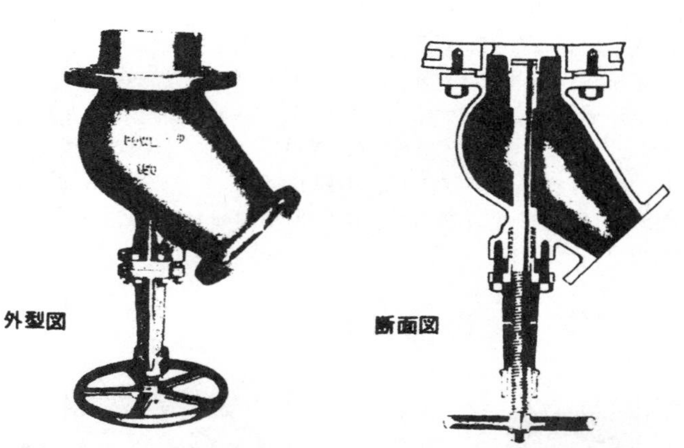

파열Disc 어떤 지정된 圧力 以上으로 圧力이 上昇되면 파열되도록 설계한 안전 장치로 빨리 시스템으로부터 Gas나 액체를 배출시킨다. 보통 Flange 사이에 붙어 있는 교환할 수 있는 금속판의 형태로 만든다. 또한 이 Disc는 파열된 가장 낮은 압력에서 열리도록 흑연이나 플라스틱 필름으로 만든다.

Sampling Valve 보통 Needle이나 Globe 형태의 Valve로 지관을 통하여 공정 물질의 Sample을 뽑아야 할 경우에는 두 개의 Valve로된 저장 용기를 사용하는 것이 가장 좋다. 고온의 관에서 뽑아낼 때는 냉각 장치를 필요로 한다.

Trap 다음과 같은 목적을 위한 하나의 자동 Valve이다. (1)증기배선(Steam line)으로부터 증기의 누설없이 응축 또는 공기 그리고 Gas를 배출한다. (2)공기배선으로부터 공기의 누설 없이 물을 방출시킨다.- 이 절에 있는 Ball-Float Valve를 參照하기 바란다.

역물받이 트랩(Inverted-Bucket Trap)

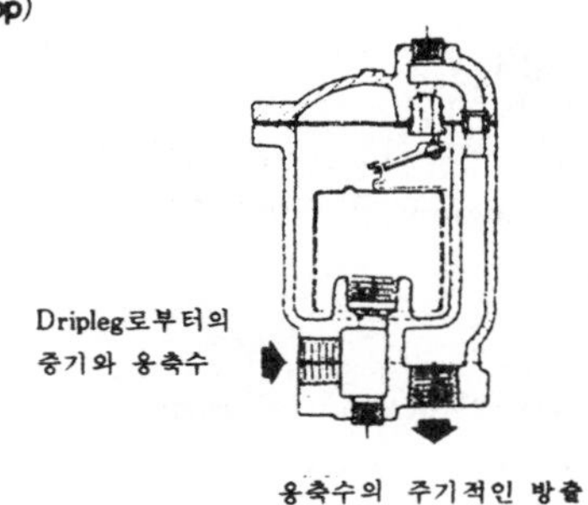

3.1.10 제어 Valve와 압력 조절기

제어밸브(Control valve)

Control Valve는 자동적으로 압력과 (또는) 유동률을 조절한다. 그리고 어떠한 압력에서도 使用 가능하다. 만약에 서로 다른 압력이 한 설비내에 30PSIG 되거나 그 이상의 압력이 존재한다면, 주어진 Control Valve 는 상호 호환성을 위해 300PSI까지 단계적으로 조정되어질 것이다. 그러나 어떠한 시스템의 압력도 150PSIG를 초과하지 않는다면 이것이 필요하지 않다. Control Valve는 Seat의 계속적으로 빠른 마모와 급속 축소를 피하기 위해 수송로의 크기가 더 적게 될 수 있도록 보통 선정한다.

Globe Type Valve들은 공식적으로 제어를 위하여 사용한다. 그리고 Valve의 끝부분은 보통 유지보수가 편리하도록 하기 위하여 Flange로 한다. 이 Valve의 Disc는 유압, 공압, 電気的 또는 기계적인 Operator에 의하여 움직인다.

그림 3.4는 배선내에서 Control Valve를 어떻게 流動率을 제어하여 사용할 수 있는가를 구조적으로 보여주고 있다. 유동률은 감지요소 (이 경우에만 하나의 Orifice Plate-6.7.5를 보라)를 가로지른 압력강화와 관계된다. 이 제어기(Controller)는 압력신호를 받아서 요구되는 유동과 다르면 Contol Valve는 유동성을 증가 또는 감소하게 한다.

그림 3.4에 비교할 만한 배치는 여러 가지의 공정변수를 제어하기 위하여 수정할 수 있다. 이러한 공정변수들은 온도, 압력, 水位 그리고 유동율 등이 있는데 이러한 것은 가장 일반적인 変数들이다.

제어밸브는 자동으로 작동할 수도 있어서 감지요소 등과 같은 제어기를 필요로하지 않을 수도 있다. 압력조절기는 이러한 Valve 형식의 일반적인 예이며, 도표 3.1은 압력조절기의 작동원리를 보여준다.

압력조절기(Pressure Regulator) 압력조절기는 액체 또는 가스(증기와 수증기를 포함한다)의 低圧을 요구하는 더 낮은 低圧으로 조절하는 Globe 형식의 Control Valve이다.

배압 조절기(Back-Pressurer Regulator) 시스템내에서 高圧을 유지하기 위해 사용하는 Control Valve이다.

그림 3.4 CONTROL VALVE 설비 구성도

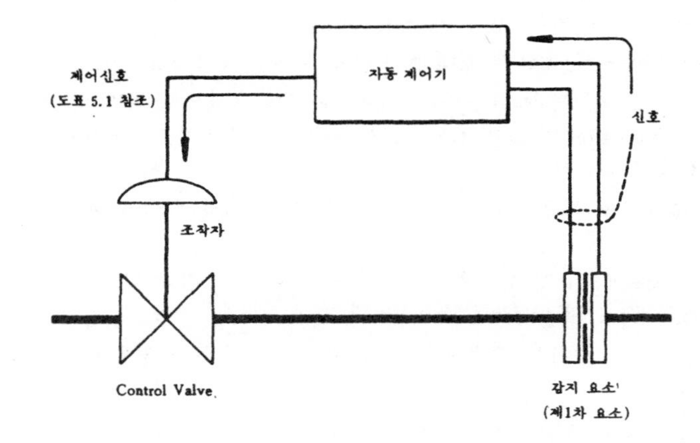

3.1.11 분류되지 않은 Valve와 用語

소수의 예외가 있긴 하지만 다음에 나오는 것 들은, 앞에서 논의된 것과 다른 특별한 Valve의 형식은 아니다. 그러나 용도나 기능에 의하여 Valve를 서술하기 위하여 사용하는 용어들이다.

Barstock Valve
Barstock으로 가공한 몸체를 갖는 Valve이다. 보통 Needle이나 Globe Type이다.

Bibb 꼭지 처럼 접어 젖힌 끝을 가진 小型 Valve이다.

Bleed 유체를 뽑아내는데 사용하는 小型 Valve이다.

Block Valve Gate Valve의 一種이며, 管 內部에 設置한다. Block Valve 一거의 Gate Valve의 一種이며, Battery Limit內의 配管 Line에 設置한다.

Blowdown Valve 보통 보일러의 Drum, Vessel, Dripleg 등의 일부분으로부터 찌꺼기나, 앙금 물질의 제거를 위해 사용하는 Plug-Type Disc Globe Valve에 속한다.

Breather Valve 약간의 내압의 증가(1/ 2~3 ounes/in²의 범위 내에서)에 달한 수증기 또는 Gas를 방출시키기 위하여 저장탱크에 설치한 자동으로 작동하는 특별한 Valve이다.

Bypass Valve 다른 Valve 또는 機器의 주위에 設置된 By-pass內에 설치하는 Valve이다. -6.13절과 그림 6.6에서부터 6.11을 보라.

Diaphragm Valve 다이아플램의 유동을 차단하는 실제의 예가 도표 3.1에 표시되었다. 이러한 Valve의 형태는 Slurry와 부식성이 있는 유체나 진공의 유동을 조절하는데 보편적으로 사용한다. 'Diamphragm Valve'란 용어는 몸체와 Stem 사이의 다이아플램 Seal을 가지고 있는 Valve에 사용한다. 그러나 'Packing이 없는' 또는 '다이아플램 Seal'로도 사용한다. Seal 부분의 3.1.2절을 보라.

Drain Valve 配管이나 저장 용기로 부터 액체를 배출시킬 목적으로 사용하는 Valve이다. 이 Drain Valve의 선정 및 設置 位置는 排水하는 물질이 접촉되지 않는 곳에 두어야 한다. 냉각 중에 응고나 중합 및 분해하기 쉬운 액체나 슬러리에 있어서는 중요하다.

Drip Valve 배출시키기 위해 Dripleg의 밑바닥에 설치한 Drain Valve이다.

그림
3.4

Flap Valve 低壓 配管에 사용하는 Hinge로 된 Disc 또는 고무나 가죽으로 만든 Flap을 갖고 있는 비 순환 Valve이다.

Header Valve Header에 연결한 지관에 설치한 isolating Valve이다.

Hose Valve 미국에서 사용하는 Hose 나사산 규격으로 외면 끝 단에 하나의 나사 Threader가 있는 Gate 또는 Globe Valve이다. 용액이나 소방수의 연결에 사용된다.

Isolating Valve 배관으로부터 장치나 공정의 한쪽을 막는 개폐式 Valve이다.

Knife-Edge Valve 칼날 같은 날이 있는 Disc를 가지고 있는 Single-Disc, Single Seat, Slipe Gate Valve이다.

Mixing Valve 주어진 流出量을 얻기 위하여 두개의 유입율을 조절하는 Valve이다.

비 순환 Valve (Non-Return Valve) Stop Check Valve의 한 형태이다. 3.1.7절을 보라.

Paper-Stock Valve 종이나 섬유성의 슬러리의 유동을 조절하기 위해 사용하는 칼날 같은 날이나, 톱니 모양의 Disc를 가진 Single-Disc, Single Seat, Slide Gate Valve이다.

Primary Valve 이 절에 있는 Root Valve를 보라

Control Valve 流體를 조절하기 위한 Valve이다.

Root Valve (1) 管이나 Vessel로부터 압력 요소 또는 압력 기구를 유지시키기 위해 사용하는 Valve이며, (2) Header부터 지관이 분리되는 곳에 설치하는 Valve이다.

Sampling Valve 유체를 뽑아내기 위해 만든 小型 Valve이다. 3.1.9절을 보라.

Shutoff Valve 配管이나 機器로부터 유동을 멈추게 하거나 흐르게 할 목적으로 관에 설치한 개폐 Valve이다.

Slurry Valve 잘 닦이지 않는 슬러리의 유동을 조절하기 위해 사용하는 Knife-Edge Valve이다.

Spiral-Sock Valve 뒤틀일 수 있는 직물관이나 속(Sock)에 의하여 분말의 흐름을 조절하는 Valve이다.

Stop Valve 개폐 Valve이며, 보통 Globe Valve의 일종이다.

Throttling Valve 적정하게 열린 상태에서 정량 유동을 조절하기 위해 사용하는 Valve이다.

Vacuum Breaker 특별히 자동으로 작동하는 Valve이다. 진공에 공기를 공급하는데 적합하며, 손으로 또는 자동으로 조작된다. Gas나 보통 대기의 공기를 진공 또는 낮은 압력의 공간으로 끌어 들이기 위해 설치한다. 또한 배출시키거나 때때로 Siphon에서 흘러 나오는 것을 막기 위해 파이프나 Vessel의 높은 지점에 설치한다.

무 부하(Unloading) Valve 무 부하 상태에 대한 3.2.2절과 그림 6.23을 참조하라

作動을 빨리 할수 있는 Valve (Quick-Acting Valve) Hand Lever로, 스프링, 피스톤, Solenoid를 밑으로 내리면서 Valve를 조작하는 추에 비가용성의 Link가 달린 Lever에 의해 빨리 작동할 수 있는 개폐 Valve이다. 가연성의 유체를 운반하는 관에 적당하나, 일반적으로 충격으로부터 파이프를 보호하기 위해 수압 완충장치, Pulsation Pot 및 Stand Pipe와 같은 환충장치 없이는 물이나 다른 액체 공급에는 부적당하다.

3.2 펌프와 압축기

3.2.1 펌프

동력 전달 장치

일반적으로 전기 Motor를 많이 使用하며, 용량이 큰 펌프는 증기나 가스, Diesel Engine 및 터어빈으로 구동시킨다.

그림 3.5 | 펌프+배관에서의 수두(Heads)

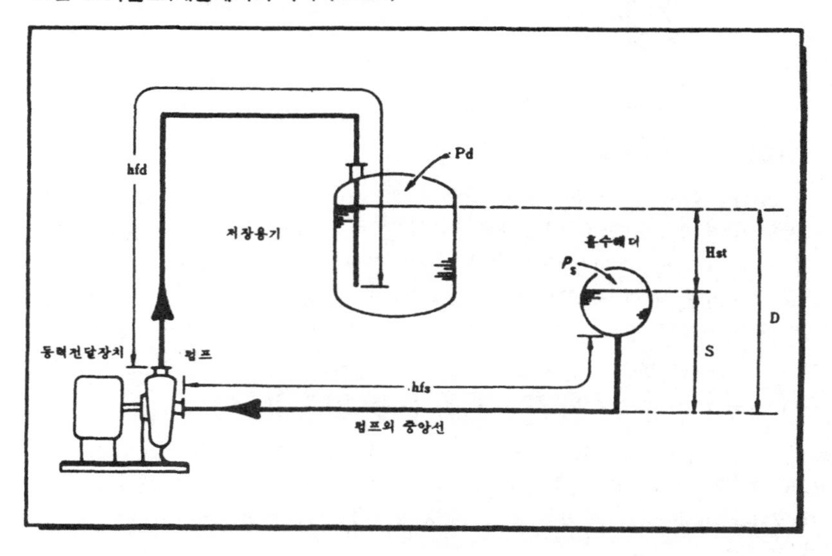

그림 3.5의 설비에서 펌프에 의해 공급해야만 하는 feet단위의 총수두 H는—

$$H = hd - hs = Hst + hfd + hfs + (Pd \cdot Ps)(144/d)$$

여기서 모든 h항은 feet 단위의 수두이며, P항은 PSIA 또는 PSIG 단위의 압력이다. 그리고, d는 lb/ft^3 단위의 펌프로 공급하는 액체의 밀도이다. 각 항은 다음과 같다.

hd=총 배출 수두
hs=총 흡입 수두
Hst=정적 수두=D−S(feet)
hfd=배출관에서의 마찰손실과 액체가 용기로의 배출로 인한 출구 손실 및 펌프 출구손실로 인한 수두
hfs=흡입관에서의 마찰손실과 액체가 본관에서 흡입관으로 유입함으로 인한 입구손실 및 펌프 입구손실로 인한 수두
Pd=배출 용기나 본관에 있는 액체 표면위의 공간에 작용하는 대기압력이며, 단위는 PSIA,PSIG이다.
Ps=흡입본관이나 탱크 등에 있는 액체표면上의 공간에 작용하는 대기압력이며, 단위는 Pd와 같이 PSIA,PSIG를 쓴다.

정양의 흡입수두(Net Positive Suction Head : NPSH)

정양의 흡입수두는 다음으로 정의한다.

$$NPSH = S - hf + (Ps - Pvp)(144/d)$$

Pvp=흡입 Header나 탱크에서 펌프로 공급하는 액체의 그 온도상에서의 증기압력
Ps=흡입 Header나 탱크등에 있는 액체 표면上의 공간에 작용하는 대기압력
여기서 Pvp, Ps의 단위는 PSIA이다

*Table F-10 gives entrance loss, exit loss, flow resistance of reducers and swages, etc., expressed in equivalent lengths of pipe.

펌프 선택의 지침 　　도표 3.3

기계장치 분류	I. 임펠러			II. 챔버-크랭크 열		III. 챔버-휠 열			IV. 왕　복		V. 이중혼합	
기본펌프 형태	원심식	프로펠러식	터어빈식	깃	뉴테이터	스퍼기어	베렌	나사	피스톤	다이아프램	모 이 노	페리스탈릭
펌프형태에 관련한것	볼류트 디퓨저		축방향 유동 터어빈	캠 피스톤, 서큘룰록 휘젓는 것	끄덕이는 원판	기어 스타, 크레센트		세부분으로 된 나사	회전경사판 성형 램		하나의 나사	
기계장치 기본구조 : 외형적으로 보여 주고 있다 (유동은 좌측에서 우측으로 흐른다)												
일정 구동속력에서의 유동율	총 수두가 변하지 않으면 일정하다			어느정도 변화	일정한 구동 속력에서 일정				어느 상태에서나 맥동		일 정	거의 일정
배출압력	저~중			저~고	저~중	중	저~고	중	저~고	저~고	저~중	저
특유한 구조로 진행적인 유체취급: 깨끗한 액체	●	●	●	●	●	●	●	●	●	●	●	●
기름	●	●	●	●	●	●	●	●	●	●	●	●
점성액체	●	●	×	●	●	●	●	●	●	●	●	●
슬러리	●	●	×	×	×	×	×	×	×	●	●	●
유체	●	●	●	●	●	●	●	●	●	●	●	●
반죽	×	×	×	×	×	×	●	●	×	×	●	●
덩어리	×	×	×	●	×	×	●	×	×	×	●	×
분말	×	×	×	×	×	×	×	×	×	×	●	×

●－적당한 기계장치, ×－적당하지 않거나 택할 수 없는 기계장치　　"배관 지침서"

펌프 형태

펌프는 파이프나 Channel室을 통하여 유체를 한 곳에서 다른 곳으로 옮겨주는 장치이다. 그림 3.3은 펌프 선택의 지침인데, 作動 원리에 기초하여 펌프의 여러 형태를 공업상 5가지로 분류했다. 일반적으로 Centrifugal, Rotary, Scrow와 Reciprocating을 사용한다. 도표 3.3은 포괄적이 아니며, 다른 원리를 활용한 펌프도 사용할 수 있다. 공업에 사용하고 있는 10가지 펌프 중, 9가지는 Centrifugal의 형태이다.

다음은 용도에 따라 요구되는 총 수두, 펌프규격, 용량, 마력등의 산정이 가능하도록 하였다. 본 지침서는 수력 계통에서 펌프의 요구 조건을 평가할 수 있도록 했다.

펌프'총 수두'(Total head)

펌프는 토출된 액체에 에너지를 공급하는데, 이 에너지는 액체를 어떤 높이 또는 '수두'로 올려줄 수 있다. 펌프의 총 수두[단위 : ft]는 펌프에 의하여, 각 파운드당의 액체에 공급된 에너지[단위 : ft-lb]이다. 배관 시스템에서 총 수두의 일부는 마찰을 막는데 사용되며, 결과적으로 압력 강하(또는 수두 손실)가 생긴다.

원심 펌프에 있어, 그 총 수두는 필수적으로 점성을 가진 모든 액체를 수송하고 액체의 밀도와는 무관하며, 필요한 구동 마력은 밀도와 더불어 증가한다. 그림 3.3은 펌프 계통도에서 펌프의 총 수두와 수두 손실과의 관계를 表示한 것이다.

압력과 '수두'(Pressure & Head)

보통 단위에서 압력(P)[단위 : PSI]는 수두(h)[단위 : ft]와 관계되는데 즉, P [PSI] = (d)(h) / (144) = (S.G.)(h) / (2.31)이며, d는 액체밀도[lb / ft^3], S.G는 비중이다. 해수면을 기초한 대기압은 14.7 PSIA 이며 34 ft 높이의 水柱를 나타내는 압력이다.

속도수두(Velocity Head)

대개 펌프로 吐出 시킨 유체는 흡입되기 전에 정지 해 있으며, 어느 정도의 동력으로 유체를 가속 시키는데 필요하다. 이것은 작은 속도수두 손실(대개 1 ft 내외)의 원인이 되며, 만일 속도 수두를 유체와 관련한 Feet 단위로 읽으면, 어떤 밀도의 유체에서 적용 가능한 3.2에서 속도를 찾을 수 있을 것이다.

표 3.2 속도와 속도수두

속도 (Ft/Sec)	4	5	6	7	8	9	10	12	15
속도수두 (Ft)	0.25	0.39	0.56	0.76	0.99	1.26	1.55	2.24	3.50

유량, 액체 속도 및 단면적(흐름이 직각방향)은 다음의 공식으로 表示할 수 있다.

유량(ft^3 / sec)(V)(a)(144)
유량(US gallons / min.) = (3.1169)(V)(a)

여기서 V : 유체속도(ft / sec)
　　　a : 단위면적(in^2)[表 P －1]

동력 계산

S.G. = 펌프로부터 吐出된 液體의 比重, H = 그 액체의 feet 單位의 총수두, P = PSI 單位 압력 강하라고 하면 마력은 다음과 같다.

$$수마력 = \frac{(GPM)(H)(S.G)}{3960} = \frac{(GPM)(P)}{1714}$$

3 .1.11 .2.1
章 3.3
그림 3.5
表 3.2

펌프의 기계 효율(e)는 수 마력(펌프로 吐出된 액체로 전달된 동력)을 제동 마력(펌프의 구동축에 작용한 동력)으로 나눈 값으로 정의된다.

만일 기계 효율이 $e\,m$ 인 전기 모타로 펌프를 구동한다면 전기 사용량은 다음과 같다.

$$\text{Kilowatt (KW)} = \frac{(GPM)(H)(S.G.)}{(5310)(e)(em)} = \frac{(GPM)(P)}{(2299)(e)(em)}$$

종종 제동 마력이나 전기사용량 등의 계산은 효율에 대한 특유의 지식이 없어도 되며, 계산을 하기 위해 원심펌프는 60%, 전기 모타는 80%로 기계효율을 가정해도 된다.

3.2.2 압축기, 송풍기 및 Fan

참고문헌

'Compressed air and gas handbook'. Compressed Air Gas Institute (New York)

'Compressor installation manual'. Atlas-Copco AB.

압축기는 공장에 필요한 고압 공기를 공급할 때, 냉방시스템의 냉매 증기를 압입할 때 또는 Gas를 액화할 때 사용한다. 압축기를 최고 산출 압력과 지정된 속력과 동력으로 다루는 가스의 ft^3/ minute 수로 분류하며, 60 °F 와 14.7 PSIA (압축한 체적이 아니다)의 상태를 표준 상태라 한다. 또한 60 °F 는 가스 업계에서 통용되는 표준 온도이다.

'압축기'를 폐쇄 시스템에서 고압으로 상승 시키는데 필요한 기계로 또한 '송풍기' 및 'Fan'을 개방 시스템에서 정압력으로 작동하는 기계라 한다.

표 3.3 압축기의 압력범위

기 계	배출 압력 범위
압 축 기	15~20,000PSIG 이상
송 풍 기	1 ~15 PSIG
팬	~1 PSIG (약 30in. 물)

압축 段數

가스(공기 포함)는 단(Stage)으로 일컫는 하나 또는 그 이상의 작동으로 압축할 수 있는데, 각 단은 가스를 냉각시키게 하는 압축으로 인한여 온도가 증가하기 이전에, 압력을 실제적으로 증가시킬 수 있다. 또한 기체를 각 단 사이에 설치한 중간 냉각기로 통과 시켜 냉각시킬 수도 있다. 그러므로 단의 설치는 고압력 吐出, 더 낮은 吐出은 압축기의 응력감소라는 잇점을 얻을 수 있다.

壓縮機의 形態(Type of Compressor)

왕복식 압축기(Reciprocating Compressor) 공기 또는 다른 가스들은 왕복하는 피스톤으로 실린더 안에서 압축한다. 압축기를 윤활유를 使用하면 이 기름으로 인하여 유출 액체를 오염시킨다. 따라서 기름에 오염되지 않은 유출액체를 필요로 한다면 흑연 또는 테프론 피스톤링으로 피스톤에 꼭 맞게 끼워야 한다. 유동은 맥동 현상을 나타낸다.

회전 나사 압축기(Rotary Screw Compressor) 매팅 로터(Mating Rotor)와 케이싱 벽 사이에 형성된 공간 (Pocket)으로 공기 또는 다른 기체가 들어가면 이 공간은 입구로부터 먼 쪽으로 회전하여 배출구 쪽으로 기체를 갖어 간다. 이때 Rotor는 케이싱 벽이나 또는 다른 Rotor와 접촉되지 않는다. 외부의 Timing Gear를 통하여 두 개의 Rotor와 접촉되지 않는다. 외부의 Timing Gear를 통하여 두개의 Rotor에 동력을 전달하는 '건식형' 기계는 유출 액체가 오염되지 않는다. 그러나 '습식형'은 하나의 Rotor에 동력이 전달되어 기름막에 의해 두개의 Rotor가 분리되므로 이 기름막이 유출 액체를 오염시킨다. 유출 액체의 유동은 일정하다.

회전깃 압축기(Rotary Vane Compressor) 이것의 형상은 도표 3.3에 나타난 회전 깃 펌프와 유사하다. 인접한 깃(Vane)들에 의하여 둘러 쌓여진 체적의 변화는, 깃들이 회전할 때 압축을 일으킨다. 윤활을 많이 해야하므로 유출 액체를 오염시킬 수 있다. 유동은 일정하다.

회전 로브 압축기(Rotary Lobe Compressor) 도표 3.3(Spur gear 형태)의 펌프에서 나타낸 것과 같이 케이싱 두개의 돌출부로 된 Rotor가 함께 회전하며, 이 Rotor들은 각 Rotor끼리 또는 케이싱에 접촉되지 않게 만들어져 있다. 케이싱안의 윤활유는 필요 없으므로 유출 액체를 오염시키지 않는다. 유동은 일정하며, 종종 송풍기라고도 한다.

다이나믹 압축기(Dynamic Compressor) 역으로 작동하는 가스 터어빈과 비슷하며, 축 방향 유동식 기계와, 반경 방향 유동을 갖는 원심식 기계 모두 사용한다. 원심식 압축기는 보통 하나, 또는 두개의 단을 갖는다. 축 방향식 압축기는 최소한 두개의 단을 갖고 있으나, 16단 이상은 거의가 없다. 유출 액체는 오염되지 않으며 유동은 일정하다.

액체 링 압축기(Liquid Ring Compressor) 이 형태의 압축기는 단면이 타원형의 단면에 가까운 케이싱 안에서 회전하는 단 하나의, 많은 날개가 달린 Rotor로 구성되어 있다. 케이싱 안에 적절한 체적의 액체가 깃들의 회전으로 케이싱 벽에 부닥치며, 이 액체를 압축하기 위해 그리고 Sealing 하기 위해 모두 작동 한다. 중심 부분에 위치한 입구와 출구는 날개와 유체 링 사이에 형성된 공간과 통해 있다. 이 압축기는 다른 압축기가 다루기 곤란한 탄화 수소를 포함하여 습한 기체나 액체를 압축할 수 있다는 특별한 장점을 가지고 있다. 냉각을 거의 필요로 하지 않는다. 응축될 수 있는 증기는 링에 그와 비슷한 유제를 사용하여 회복시킬 수 있다. 유동은 일정하다.

압축기에 필요한 機器

중간 냉각기(Intercooler) 각 단 사이의 압축된 기체를 냉각하는데 사용하는 열 교환기이다. 습기는 윤활을 방해하고 다음 단에서 마모를 일으키므로 공기를 冷却點 以下로(더 높은 압력에서) 냉각할 필요는 없다.

Aftercoder 압축이 완전히 이루어진 다음 기체를 냉각 시키는데 사용하는 열 교환기이다. 공기가 압축된 상태로 있다면 냉각은 습기의 많은 부분을 제거한다.

Dampener 또는 Snubber Volume Bottle 또는 Surge Drum 왕복 압축기는 가스 또는 공기내에서 압축기나 Valve를 손상시킬 수도 있고, 방출

그리고(또는) 흡입 배관에 공명이 생기게 하는 원인이 될수도 있는 맥동을 일으킨다. Dampener 또는 Snubber 는 유동 중의 맥동을 부드럽게 하는 조절 용기이다. Volume Bottle 또는 Surge Drum 은 같은 목적으로 使用되나, 조절이 잘 않된다. 이러한 機器는 일반적으로 압축기 부분품이 아니며, 압축기 생산 업자가 필요하다 하면 別途로 設置할 수 있다. 아마도 큰 압축기는 ' Choke Tube ' 와 Bottle 와 같은 機器가 필요 할 것이다.
이것은 이론적인 설계에 따르며, 압축기 출구에 가까운 즉 After Cooler 上段에 位置하도록 設置한다. 다음 4개의 機器 위치는 그림 6.23에 나타나 있다.

Separator (일반적으로 공기 압축기에만 쓰인다) 물 분리기는 종종 After-cooler 다음에나 때에 따라서는 긴 출입관내에서 물이 고일 것 같으면 압축기의 입구에 설치한다. 각 분리기는 계속적으로 물을 방출하게 하는 배출구와 같이 설치한다.

Receiver 이 절의 '방출(공급) Line '과 '압축공기의 저장'을 참조하라.

소음기(Silencer) 공기 흡입구에서 방사되어 나오는 불쾌한 소리를 제거하기 위해 사용된다.

필터(Filter) 특별한 물질을 모으기 위해 공기 압축기에 연결한 흡입관에 설치한다.

다음의 자료는 Engineering 을 하기 위한 지침으로 使用된다.

공기 흡입과 분배를 위한 배관크기

흡입관과 Manifold 는 공기 공급의 부족과 과다한 소음을 방지하기 위해서는 충분히 커야 한다. 만일 첫번째 압축단이 왕복 과정이면, 흡입관은 유동 속도가 10~23 ft/sec 로 되게 해야 한다. 또한 단일단(Single-Stage) 왕복 압축기를 사용하면 흡입 유동속도가 20 ft/sec 보다 빨라서는 않된다. 다이나믹 압축기는 흡입 속도가 더 빠른 상태에서 작동 할수 있지만 최대값은 40 ft/sec 이다. 이 압축기의 입구 Reducer 는 입구 노즐과 가깝게 배치시켜야 한다.

방출(공급)관 평균 유동이 150%에서 174% 크기인데 어떤 시간에 사용중인 출구의 수에 따른다. 지관에서의 압력 손실은 3 PSI 로 제한해야 하며 호스의 압력 강하는 5 PSI 以上으로 해서는 않된다. 또한 압축기로부터 시스템의 가장 먼 부분까지도 포함하는 分配 管에서의 압력강하는 5 PSI 를 초과해서는 안된다.(호스는 제외)

압력강하는 표 3.5로 Line 크기를 선택하는데 사용 할 수도 있다. 크기가 정해진 관에서 요구된 scfm 유동으로부터 가까운 더 높은 유동을 표에서 찾는다. 100 feet 당 압력 강하(PSI)를 얻기 위해 관에서 고려한 압력 강하를 100으로 곱하고, Feet 단위의 관 길이로 나눈다. 그리고 표에서 이것과 비슷하거나 더 낮은 숫자를 찾는다. 마지막으로 요구된 관 크기를 선택한다.

단 기간 공기를 높은 비율로 보내는 장치는 최고 사용점에 가까운 Receiver를 사용하여 가장 잘 공급하게 한다. 그러면 관을 평균 수요량의 크기에 따라 만들 수 있다. 간헐적인 수요에 따라 사용하는 scf 의 두배 크기인 최소 Receiver 는 사용 기간의 끝에서 압력 강하를 가장 나쁜 순간에서 약 20%로 제한해야 하며, 다른 때에는 10%로 유지해야 한다.

표 3.4 압축기 특성

압축기 형태	최고 배출 압력 (PSIG)	배출에서의 오염물질	유입유동	경제적 범위 (유입유동 CFM)
			100PSIG 배출을 위한 Data	
왕복형 윤활형 비 윤활 형	35,000 700	기 름 무	4 to 7	10,000
다이나믹형 원심형 축 방향형	4,000 90	무 무	4 4½	500에서110,000 5,000에서13,000,000
회전 깃	125	기름	4	150에서6,000
회전 로브	30	무		50,000
회전나사 (비윤활 / 윤활)	125	무 / 기름	4	30에서150
액체링	75*	물 또는 다른 것	1.6 to 2.2	20에서5,000

*이단 압축에 적용한다.

표 3.5 압축 공기의 유동

100Ft 파이프에서의 압력강하:
100PSIG 상태로 공기유입*
(Ingersoll-Rand에서 발간한 데이타 적용)

자유 공기 유입 (SCFM)	공칭 파이프 크기(inch) - 40파이프에 기재한다							
	¾	1	1½	2	2½	3	4	6
40	1.24	0.37						
70	3.77	1.05	0.12					
90	6.00	1.69	0.19					
100	7.53	2.09	0.24					
400		32.2	3.59	0.98	0.41	0.13		
700			10.8	2.92	1.19	0.38	0.10	
900			17.9	4.78	1.97	0.62	0.15	
1,000			22.0	5.90	2.43	0.76	0.19	
4,000						11.9	2.90	0.35
7,000							8.77	1.06
9,000							14.6	1.75
10,000							18.0	2.13
40,000								33.8

(표 안 주기: 압력강하는 0.1PSI/100ft 보다 작다. / 압력강화는 35PSI/100ft 보다 크다.)

*압력강하는 유입공기의 절대압력에 반비례로 변한다.

所要動力

서로 다른 형태에 따라 압축기의 동력 소비는 특성적이다. 표 3.4는 100 PSIG 산출 압력에서 요구하는 마력을 나타냈다. CFM 당의 소요동력은 산출 압력의 증가에 따라 증가한다.(Fan 운전을 포하하여) 기체의 냉각은 3~5%의 동력 소비를 더 시킨다. 압축기의 '평균' 동력 소비에 대한 ' Fad ' 동력 소비수가 주어 진다. 여기서 ' Fad '는 'ASME PTC 9, BC 1571 또는 DIN 1945에서 측정한 표준 ft^3/ min (SCFM) 또는 리터/ min 에 따라 운반된 Free Air '를 표시한다.

특수한 동력 소비(FAD)

PSIG		50	75	100	125
HP/100 CFM 유입유동	일 단	14	18	22	24
	이 단	13	16	18	21

냉각수의 필요량

냉각수를 필요로 할 경우 보통 製作者의 P&ID 또는 Data Sheet에 나타 낸다. 대부분의 물 소요는 After cooler에 필요하다.(이단 압축기에서는 Inter cooler) 또한 Jacket과 Lube oil에도 냉각이 필요할 수 있다. Code에 따라 압축기에 공급한 각 마력당 8 US Gallons/hour가 필요하며 최종 압력이 100 PSIG이면 물 소요량은 보통 각 SCFM 유입 당 2 US GPH가 필요하다. 이 근사적인 소요량은 냉각수의 증가 온도를 40°F로 하고 있으며, 냉각수 소요량은 흡입하는 공기의 상대 습도에 따라 약간 증가한다.

압축 공기로부터 응축된 습기량

Atlas Copco Manual을 참고로 한 다음의 계산은 이단 압축기에 사용하며, 아래 표에서 주어진 습기 함유량에 기초한다.

Data : 압축기 용량=2225 SCFM
흡입 공기 온도=86°F
흡입 공기 상대 습도=75%

Inter cooler : 공기 압력=25.3 PSIG 또는 40 PSIA
물 분리 효율=80%
출구 온도=86°F

After cooler : 공기압력=100 PSIG 115 PSIA
물 분리 효율=90%
출구 공기 온도=86°F

계산 :

(1) 표에서 2225 SCFM, 86°F 및 75%의 상대 습도인 공기안에 있는 수증기의 무게
=(0.00189)(2225)(0.75)=3.15 lb/min

(2) Trap을 통하여 중간 냉각기로부터 제거되는 응축수 비율
=(0.8)[3.15−1.28−(0.00189)(2225)(14.7)/(40)]=1.28 lb/min
또는 (1.28)(60)/(8.33)=9.2 US GPH

(3) Trap을 통하여 Affer cooler로부터 제거되는 응축수 비율
=(0.9)[3.15−1.28−(0.00189)(2225)(14.7)/(115)]=1.20 lb/min 또는 (1.20)(60)/(8.33)=8.6 US GPH

(4) 두 냉각기로부터 제거되는 물의 총 비율=9.2+8.6=17.8 US GPH

100% RH공기에 포함된 습기

온 도 (°F)	14	32	50	68	86	104	122
습 기 (10^{-4} lb/ft^3)	1.35	3.02	5.87	10.9	18.9	31.6	51.3

무 부하(Positive) 一變位 壓縮機

'무 부하'란 작동하는 압축기로 부터 압축 부하를 제거 할것을 말하는데, 시동시와 가스의 수요량이 떨어지는 단 기간동안 무 부하 상태에 놓이게 된다. 만일 큰 압축이 갑자기 작용하면 결과적으로 압축기의 구동 Motor를 손상시킨다.

製作者가 압축기를 무부하시키는 방법을 알려주지 않으면, 수동 또는 자동 By−Pass관을 흡입관과 배출관 사이에 설치한다.(어떤 Isolating Valve의 압축기 쪽에)−그림 6.23을 보라.

배출 압력이 압축기 또는 구동기를 손상시키는 어느 값 이상으로 올라갈 수 없도록 설비를 해야 한다. 자동 무부하 장치는 확실하게 이 일을 수행한다. 표 3.6은 제어 동작을 목록으로 나타내었다.

표 3.6 압축기에서의 자동 무부하 裝置

압 축 기	배 출 압 력	자 동 제 어 장 치
비 운 전	저−더 낮은 규정값에 도달한다.	무부하 상태의 압축기로 가동한후 보통 속도로 가속한다. 그리고 부하를 건다.
운 전	고−더 높은 규정값에 도달한다	Preset 기간 동안 압축기를 무부하상태로 유지한다.
공 전	저−공전기간이 끝나기전에 '재'장전 압력에 도달한다.	압축기에 다시 부하를 건다
	중−재'장전'압력에 도달하기 전에 공전기간이 끝난다.	압축기를 멈춘다.

압축공기 저장

압축공기 또는 다른 가스의 대략적인 양은 Receiver에 저장할 수 있다. 압축기의 배출관에 설치한 하나 또는 더 많은 Receiver는 냉각을 돕고 습기를 뽑으며, 공급뿐만 아니라 수요로 기인한 파동을 압축 시키는데 도움이 된다. 공기나 다른 기체를 저장하는 Receiver를 압력 용기와 같이 분류한다−6.5.1을 참조하라.

Receiver의 구조 대개 구조는 Saddle로 지지하고 접시머리로 한 긴 수직 실리더 형태이다. 물은 밑에 모이며, 수동적으로 배출시키기 위해 Valve가 달린 배출구를 설치한다. 그런데 모인 물은 추운 날씨에 얼 수도 있으므로 Receiver 밑에 따뜻한 공기나 다른 가스를 공급해서 동결을 방지해야 한다. 그러나 물이 얼어서 입구를 막히게 하지 않도록 입구를 설계해야 만 한다.

필요 용량 Total Receiver 부피를 결정하는데 간단한 방법은 ft^{3}단위의 Receiver 부피를 얻기 위해 SCFM 단위인 압축기 비율을 10으로 나눈 것이다. 예를 들면, 분당 5500 ft^{3}을 요구하는 압축기를 설계한다면 Receiver 체적을 550 ft^{3}으로 하는 것이 적당하며, 이 방법은 약 125 PSIG까지의 유출 압력에 적합하다. 연속 작동하는 압축기는 그 이상에서는 자동 Valve에 의해 무 부하상태가 된다.−위의 무 부하를 보라. 압축 공기나 다른 기체를 분리하기 위해 키운 배관 시스템에서는 Receiver 용량을 충분하게 키워야 한다.

3.3 Process 機器

공정 機器는 공정 재료로 하나 또는 더 많은 기본적인 조작을 수행하기 위해 사용하는 여러 형태의 설비를 보호하기 위해 사용하는 장치이다.

(1) 화학 반응
(2) 혼 합
(3) 분 리
(4) 입자 크기의 변화
(5) 열 전달

機器 製作者들은 機器와 배관에 필요한 모든 자료를 제공한다.

이 조합은 공정 작업에서 사용하는 어떤 機器 품목의 기능에 대한 빠른 이해가 될 것이다. 표 3.7에서는 장치의 기능을 혼합된 공정 재료의 상(고체, 액체 또는 기체)의 항목으로 나타낸다.

예 : (1) 혼합기는 두가지의 분말을 혼합시킬 수 있다. 그러면 이것의 기능을 "S + S"로 표시한다. (2) 교반기는 한 액체와 다른 액체를 뒤 섞기 위해 사용할 수 있다. 이것의 기능은 "L + L"로 표시한다. 또한 여러가지로 대 분류할 수 있으며 표 3.8은 그 기능을 표시하는 비슷한 방법을 사용하고 있다.

3.3.1 화학 반응

화학 반응은 반응기, Autoclave, 爐등으로 말하는 특수한 여러 機器에서 수행되며 액체, 부유물, 때때로 기체에서 일어나는 반응은 종종 '반응용기' 내에서 수행된다. 자주 용기의 내용물을 가열하거나 냉각해야 함으로 Jacket으로 만들거나 내부 시스템에 코일을 배열시킨다. 만약 반응이 어떤 압력하에서 일어난다면 ASME 보일러와 압력 용기 규격에 따라 용기를 선택해야 한다. 또한 6.5.1의 '압력 용기' 그리고 표 7.13의 규격을 참조하라.

3.3.2 혼합

혼합에 필요한 장치는 여러가지가 있다. 표 3.7은 機器의 주요한 형태를 나타낸다.

표 3.7 혼합장치

기 계	혼합된 상
교 반 기	S + L, L + L
혼합기(컵형)	S + S, S + L
믹서(리본, 두루마리 또는 다른형)	L + L, L + G, G + G
비율을 맞출수 있는 펌프	L + L
비율을 맞출 수 있는 Valve	L + L

(G-기체, L-액체, S-고체)

3.3.3 분리 장치

분리용 장치는 더 다양하다. 입자 크기 또는 비중을 기초로 하여 고체를 분리하는 장치는 일반적으로 분류기라 한다. 넓은 범위의 분리기가 상(고체, 액체, 기체)을 분리한다. 아래 표는 사용하는 여러 형태의 분리기를 목록으로 표시하고 있다.

표 3.8 분리장치

장 치	공급 물질	보유 물질	유출 물질
원심 분리기	S + L	S	L
연속 원심 분리기	L(1) + L(2)	무	L(1), L(2), †
사이클론	S + G	무	G, S †
Deaerator	L + G	L	G
거품분리기	L + G	L	G
증류탑	L(1) + L(2)	L(1)	L(2) *
건조기	S + L	S	L *
건조 스크린	S(1) + S(2)	S(1)	S(2)
증발기	L + S L(1) + L(2)	L + S L(1)	L * L(2) *
필터 프레스	S + L	S	L
부유 탱크	S + L	S	L
분류탑	L(1) + L(2) + L(3) + 등	무	L(1), L(2), L(3), 등 †
가스 세정기	S + G	S	G
침전 탱크	S + L	S	L
STRIPPER	L(1) + L(2)	L(1)	L(2)

† 분리유동 *증기로서 제거됨

(G-기체, L-고체, S-액체, S(1), S(2), L(1), L(2)등-다른 고체나 액체)

3.3.4 입자 크기의 변화

보통 조작으로는 입자의 크기가 감소하는 것을 '마모'라 한다. 사용하는 機器로는 분쇄기, 로드밀, 볼밀, 햄머 밀 그리고 더 고운 분말을 얻기 위해 압력 공기를 불어 넣는 에너지 밀 등이 있다. 액체 안에 액체가 뿌려진 유제('크림 또는 밀크')를 균질기로 안정 시키며 전형적으로 지방질 소구체의 크기를 분쇄시키기 위해 밀크에 사용한다. 그래서 크림이 분리되는 것을 막는다.

때때로 산출물의 입자나 덩어리의 크기가 커지면 응집 장치를 사용해야 한다. 예 : 정제, 角 설탕, 분말 음료, 음식물등

3.3.5 열전달 과정

열의 공급과 제거는 화학 공정에서 중요한 부분을 찾이한다. 공정 물질의 가열과 냉각은 열 교환기, Jacket로된 Vessel 및 다른 열 전달 장치로 이룰 수 있다. Project 팀은 배관하는 그룹과 機器 장치등으로 분류한다. 그러나 상세한 설계는 일반적으로 製作者가 한다.

화학 공정에서 '열 교환기'는 분리된 사이에서 열을 교환하는 불연성 용

表 3.6–3.8

기이다. 가장 일반적인 열 교환기 형태는 'Shell & Tube '형이며 'Shell '(용기 부분) 안쪽에 설치한 Tube 와 Tube sheet 로 구성되어 있다. 한 유체가 Tube 안으로 흐르고 다른 유체는 Tube 와 Shell 사이의 공간으로 흐른다. 따라서 열 교환은 Tube 벽을 통하여 이루어진다. 6.8('적절한 온도에서 공정물질 보관')과 Shell & Tube 열 교환기 배관에 관한 6.6을 참조하라.

공정 물질의 열 교환은 응축기, 증발기, 가열기, 냉각기 등과 같은 다른 여러가지의 장치에서 이루어 질수 있다.

3.3.6 多機能 機器

때때로 3.3의 처음에서 나타낸 하나의 기능보다 더 많은 기능을 수행할 수 있게 장치를 설계한다.

혼합과 가열(또는 냉각)은 가열(또는 냉각) 유체를 운반하는 Internal Channel 과 날개 달린 믹서 안에서 동시에 수행된다.

분리와 마모는 단독 밀로 수행할 수 있는데, 이들이 요구된 입자로 나오도록 설계해야 한다. 이런 과정 중에 너무 거친 입자는 재 순환시켜 다시 가공한다.

제4장

組 織

業務責任, 設計·事務機器 및 節次

4.1 配管 Group

플렌트 설계는 여러 분야로 나누어지며, 각 설계팀이 그 책임을 분담한다. 도표 4.1(a)는 주 그룹의 플렌트 설계 업무와 협조 관계를 나타내고 있으며 計劃이나, 응력 해석, Pipe Support 등을 다른 팀들과도 어떤 단계에서 설계에 포함시킨다.

기술부의 기계 설계 그룹이 배관 설계에 대하여 개인적 책임을 지거나, 각 부서로서 역활을 담당한다. 요약하면 이러한 설계 그룹을 배관 그룹으로 간주한다면 全 조직과의 관계나, 기본 활동은 도표 4.1(a)에 나타나있다.

도표 4.1(c)는 설계 그룹의 組織을 表示하였다.

4.1.1 설계 그룹의 책임

설계 그룹은 機器 장치나 배관을 나타내는 도면대신에 모델의 형태로 설계한다.

플랜트 설계 시 배관 팀은 다음을 제출한다.

(1) 機器 配置圖, 일반적으로 Plot Plan 이라고 부른다.
(2) 배관 설계(도면 또는 모델)
(3) 제작과 건설을 위한 배관 상세
(4) 배관 재료를 구입하기 위한 청구서

4.1.2 업무 기능

설계 사무실에 근무하게 되면 새로운 사원은 명령 계통과 책임을 알아야 한다. 이것은 특히 새로운 정보가 요구될 때와 잘못을 막는데 필요하다. 회사마다 업무 분담과 업무 항목이 다르다. 도표 4.2는 두가지 대표적인 명령 계통을 나타낸다.

업무	기능
설계 감독자 주 : 때때로 큰 설계 그룹에서는 설계자 책임자를 둔다	(1) 고용인을 포함하여 그룹에 속해 있는 모든 사람을 감독함. (2) 다른 그룹들(그리고 고객)을 조정함. (3) 그룹의 일을 전체적으로 계획하고 감독함. (4) 프로젝트 기술자와 협조.
그룹—책임자 주 : 조그만 프로젝트에서는 설계감독자의 임무에 해당된다.	(1) 설계 감독자가 해당 분야에서 설계하고, 설계를 감독함. (2) 설계자와 제도자에게 업무를 할당해줌. (3) 계략적인 계획, 플렌트 설계, 제출, 제도의 완결을 책임짐. (4) 다른 그룹들과 기계, 구조, 전기 그리고 토목 상세를 조정함. (5) 製作者의 제도를 檢討하고 檢圖하고 검사함. (6) 그 그룹의 구성원들에 관련된 정보를 수집함. (7) 각 업무에 필요한 도면 번호를 제정. (8) 각 도면에 표제를 정해 주고, 제도 통제 또는 製圖 기록부, 도표, 그래프 그리고 각 프로젝트에 대한 Sketch 를 관리함. (9) 모든 受發 서류에 대한 설계 그룹 화일링(서류) 시스템을 확립 (10) 현행 Manhour (일인당 한시간 노동량) 계획을 기록하고 작업한 Manhour 를 기록함. (11) 구매부를 통한 모든 배관재료의 청구
검사자	(1) 설계자와 제도자의 설계 및 상세의 치수정확 여부를 검사하고, 명세서 배관 및 機器 裝置圖와 Vendor (製作者)의 도면등과의 일치 여부를 검사함. (2) 설계자 또는 그룹 책임자와 의견이 일치하면 그 설계에 대하여 개선 및 변경을 할 수 있다.
설계자	(1) 경제적이고 안전하며 시공가능하고 쉽게 관리할 수 있는 배관 및 기기장치를 연구하고 설계함. (2) 설계에 필요한 부수적인 계산을 함. 최소한의 책임은 다음과 같다.
제도자	(1) 설계자 또는 그룹 책임자의 계획이나 Sketch 를 받아 상세한 도면을 作成함. (2) 부수적인 설계 작업. (3) 프로젝트에 관련된 회사의 업무와 자료 도면, 기록등에 익숙해 지도록 해야함.

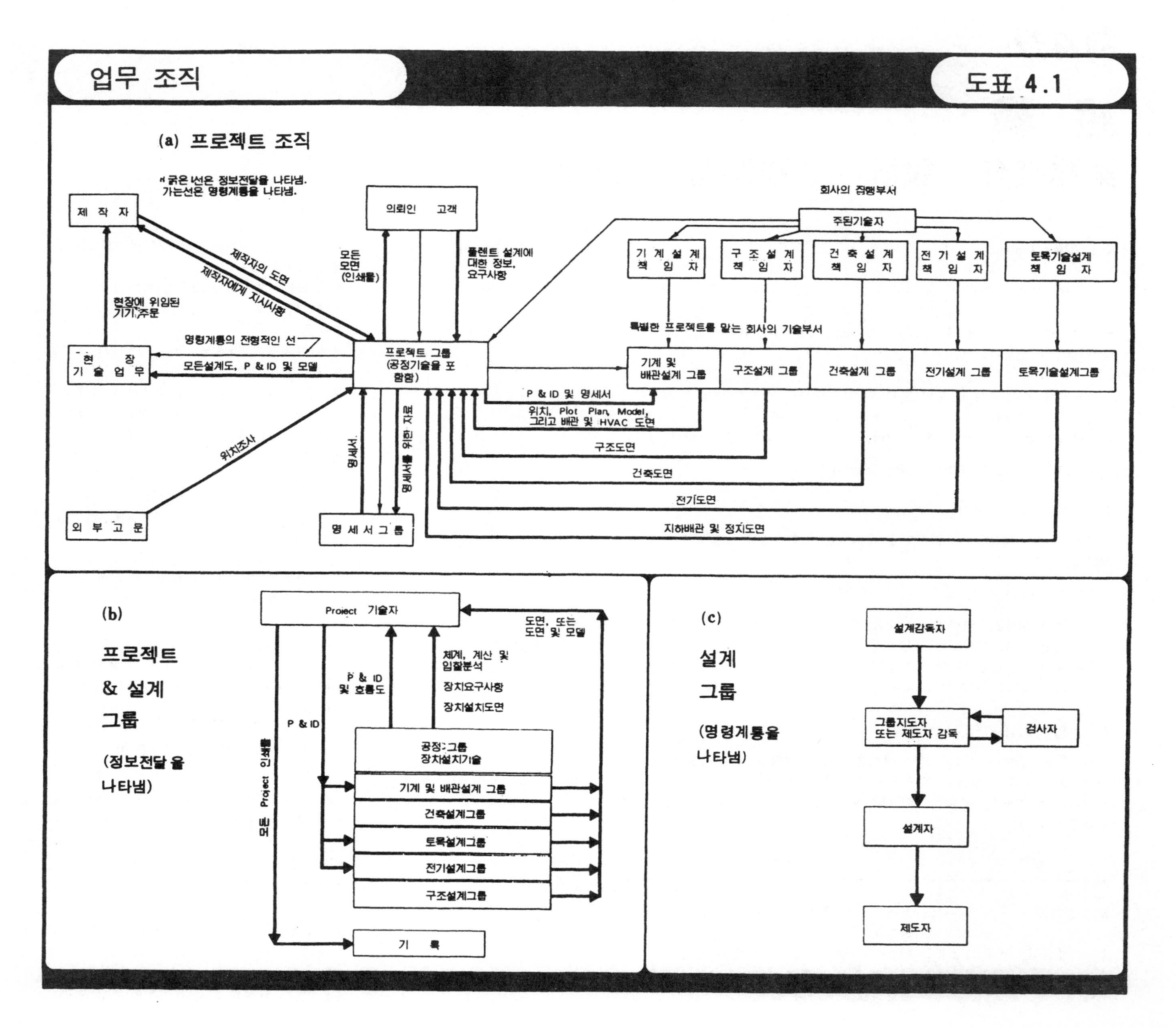

업무 조직
도표 4.1
(a) 프로젝트 조직
굵은 선은 정보전달을 나타냄.
가는선은 명령계통을 나타냄.
제 작 자
의뢰인 고객
회사의 집행부서
주된기술자
기 계 설 계 책 임 자
구 조 설 계 책 임 자
건 축 설 계 책 임 자
전 기 설 계 책 임 자
토목기술설계 책 임 자
제작자의 도면
제작자에게 지시사항
모든 도면 (인쇄물)
플렌트 설계에 대한 정보, 요구사항
현장에 위임된 기기 주문
명령계통의 전형적인 선
특별한 프로젝트를 맡는 회사의 기술부서
현 장 기 술 업 무
모든설계도, P & ID 및 모델
프로젝트 그룹 (공정기술을 포함함)
기계 및 배관설계 그룹
구조설계 그룹
건축설계 그룹
전기설계 그룹
토목기술설계그룹
P & ID 및 명세서
위치, Plot Plan, Model, 그리고 배관 및 HVAC 도면
구조도면
건축도면
전기도면
지하배관 및 정지도면
위치조사
명세서
명세서를 위한 자료
외 부 고 문
명 세 서 그 룹
(b)
프로젝트 & 설계 그룹
(정보전달을 나타냄)
Project 기술자
도면, 또는 도면 및 모델
체계, 계산 및 입찰분석
장치요구사항
장치설치도면
P & ID 및 흐름도
P & ID
모든 Project 인쇄물
공정 그룹 장치설치기술
기계 및 배관설계 그룹
건축설계그룹
토목설계그룹
전기설계그룹
구조설계그룹
기 록
(c)
설계 그룹
(명령계통을 나타냄)
설계감독자
그룹지도자 또는 제도자 감독
검사자
설계자
제도자

4.2 배관 그룹의 설계 정보

배관그룹은 아래의 자료를 필요로 한다.

프로젝트 그룹으로부터
(1) 설계 Sketch와 Diagram을 비교하는데 사용하는 절차를 규정하는 '업무 · 영역'을 기록
(2) 배관 및 機器 설치는 (P&ID －5.2.4참조)
(3) 主 機器 목록(機器 색인), 특수 機器 및 材料 List.
(4) Line No.의 지정을 포함한 Line 設計 Sheet나 표－4.2.3 및 5.2.5를 참조하시오.
(5) 배관 시스템에 사용하는 자재 명세서
(6) 완성 날짜 계획(새로운 Feed Back Information)
(7) 업무를 촉진시키기 위한 Control (작업 방법 등)

다른 그룹이나 공급자로부터
(8) 도면－5.2.7를 참조하시오.

Vendor의 각종 제출 서류－5.2.7을 참조하시오.

4.2.1 사양서

이것들은 플렌트설계, 배관자재, 지지물, 조립, 보온, 용접, 건설, 착색, 檢査를 위한 여러 사양서로 구성된다. 배관설계자는 플랜트 설계와 자재사양서에 가장 관심이 많은데 이것들은 특별한 프로젝트에 사용하는 파이프, 플렌지, Fitting, Valve등의 설계에 필요한 상세와 자재를 取扱하게 된다. 배관 자재 사양서는 보통 여러 가지 써비스와 공정에 대한 색인을 해야 한다. 특별 업무를 다루는 일부 사양서는 배관 설계 Line No. 또는 P&ID Line No.(5.2.4의 'Flow Line' 참조)와 일치해야 한다. 모든 배관 사양서들은 그것들이 프로젝트 그룹이 제공한 자료에 의하여 편집되었기 때문에 엄격하게 시행되어야 한다. 지침서에 나타나 있는 Fitting등은 가장 빈번히 사용되어지는 것들이지만, 그것들이 모든 배관 사양서에 나타나 있는 것은 아니다.

사양서가 없는 일부 프로젝트들(Revamp 작업처럼)은 설계자가 배관 자재를 선택할 책임이 있으며, 이 모든 자재들은 사양서에 맞도록 설계자에게 충분히 가르쳐 주어야 한다. 특수 製作 明細書에서 뽑은 특수 모델 사양서 또는 Item No.에 의하여 Standard가 아닌 항목들이라도 記入되어야 한다.

4.2.2 機器 List 또는 機器 Index

이것은 각 Item의 機器에 대하여 機器 No. 機器 名, 현재 진행사항 등(즉 그 Item의 승인 및 주문 여부, 또한 Vendor의 보증서, 인수 여부)을 기록한다.

4.2.3 Line Designation Sheet 및 Table

이 Sheet는 파이프 크기, 자재 사양서, 설계 및 운전 조건등에 관한 자료들을 表示해야 한다. 流動 순서에 따라 Line No.를 지정하며, 별도 Sheet에도 각각의 수송 물질을 나타내 주어야 한다－5.2.5를 참조하시요.

4.2.4 제도통제(기록부) [Drawing Control (Register)]

도면 번호는 Project에 관련됨으로 Project(또는 Job) No. Plant 位置, 그리고 기본 그룹(기계공학 등에서는 M으로 표시)과 같은 정보를 가르킨다. 그림 5－15는 일부의 배관 시스템을 지시해 주는 번호를 나타낸다.

제도 통제는 도면 번호, 명칭, 진행 사항을 나타낸다. 또한 개정 상태와 발행을 나타낸다－5.4.3을 참조하시요, 그룹 책임자가 제도통제를 맡는다.

도표 4.2 설계그룹－두 가지 대표적인 명령계통

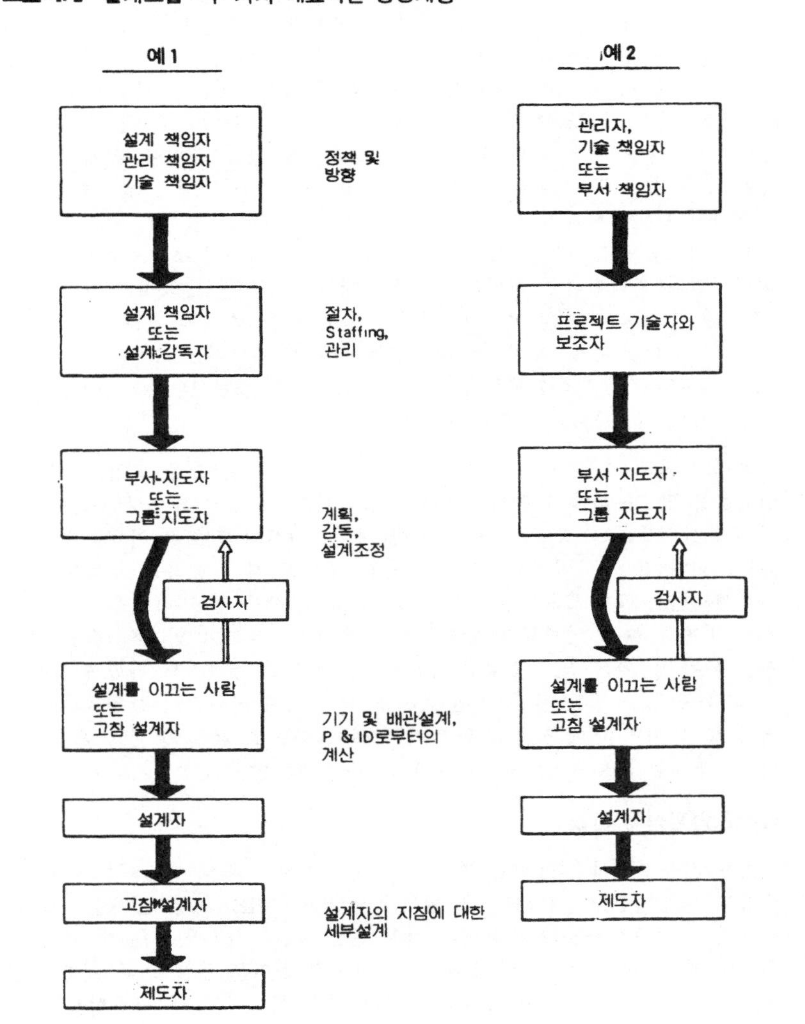

4.3 도면철

철해야 할 도면에는 두가지 형태가 있다—그 그룹이 만든 도면 및 그 그룹이 받은 도면 전자는 제도 사무실에 있는 '막대기 화일'이나 서랍속에 묶음 또는 한장씩 번호대로 철한다. 후자(외부에서 받은 서류)의 화일 링은 조정 볼 완전하게 이루어져 시간을 낭비하게 만들며 자료를 잃어버리게 한다. 모든 정보를 화일에 있는 機器 항목에 연결시켜 보관하는 機器 Index No. 에 의하여 보통 이러한 서류들을 철한다.

이러한 외부에서 입수된 서류들을 철하는 방법이 도표 4.3에 表示되어 있다. 이러한 방법은 공정, 기능, 位置를 基本 도면 Group과 관련시켰고, 또한 Vessel이나 機器등과 연관시켰다. Project와 설계 그룹, 고객. Vendor 현장 사이의 모든 통신은 도표에 나타나 있는 것처럼 'Zero'에 철한다.

4.4 設計 實用 자재와 도구

4.4.1 종이(用紙)

Tracing Paper Tracing紙는 모든 제도에 사용한다. 이 종이는 복사기로 복사될 수 있어야 한다. 사용되고 있는 가장 값싼 종이는 Rag Vellum이다. Linen은 값이 비싸지만 여전히 중요한 작업이 사용되고 있는데 매우 질긴 Mylar紙와 같은 플레스틱 필름에 의하여 대부분 대체 되고 있다. 종이에는 테두리와 제목란이 인쇄되어져 있고 뒷면에 엷게 가로로 줄이 그려진 것을 사용한다. 엷은 30° 경사의 크기가 같은 낱장들을 제도에 사용한다. 트레이싱 작업은 Crumpling, 쉽게 줄음이지거나, 구멍이 뚫리거나, 쉽게 찢어지거나, 쉽게 지워짐을 막기 위하여 조심스럽게 하여야 한다. 만약 찢어졌다면 찢어진 부분은 '매직 테입' 또는 그것과 유사한 것(인쇄물에 쓰이는 흔한 스카치 테입이 아니라)을 붙여야 한다. ANSI Y 14.1은 아래의 제도 용지 크기를 규정한다.(인치단위로): (A) $8^1/_2$×11 또는 9×12(B) 11×17 또는 12×18 (C) 17×22, 또는 18×24 (D) 22×34 또는 24×36 (E) 34×44 또는 36×48

복사기 용지 Check 하고 Issu하고 그리고 철 하는 것을 목적으로 하는 인쇄물을 만드는데에 감광지를 사용한다. '세피아' 사진 복사지(Ozalid 회사 등)는 연필이나 잉크로 수정이 可能하며, 갈색의 양호한 인쇄물에 使用된다. 이 원본을 다이아조기계에서 사진 복사할 때 사용하는 교정본이 된다. 세피아는 또한 Ducting이나 Pipe Support 같은 다른 작업을 제도하기 위한 희미한 배경 인쇄물을 만드는데 이용한다. 세피아 인쇄의 질은 좋은 것이 못된다. 좋은 질의 확실한 사진복사는 선명한 플라스틱 필름을 사용하여 얻을 수 있으며, 이것은 진한 복사를 얻기 위해 연속적인 감광유제를 쓰거나 또는 희미한 배경 인쇄를 얻기 위해 그라프로 된 감광지를 쓸 수 있다.(감광지는 되도록이면 물이 제거되도록 해야 한다).

4.4.2 연필심과 연필

제도 사무실에서 사용하는 연필심은 가장 연한 것부터 시작되는 아래 등급으로 나누어진다. B(명암을 넣는데 사용함) HB(보통 글자를 쓰는데 사용함) F(제도하는데 사용하는 가장 연한 등급) H(제도하는데 가장 흔히 사용하는 등급) 2H(크기선과 같이 비교적 두꺼운 선을 그리는 데 사용함) 3H와 4H(윤곽이나 배경을 그리기 위한 희미한 선에 사용함). 연한

도표 4.3 서류철 체계

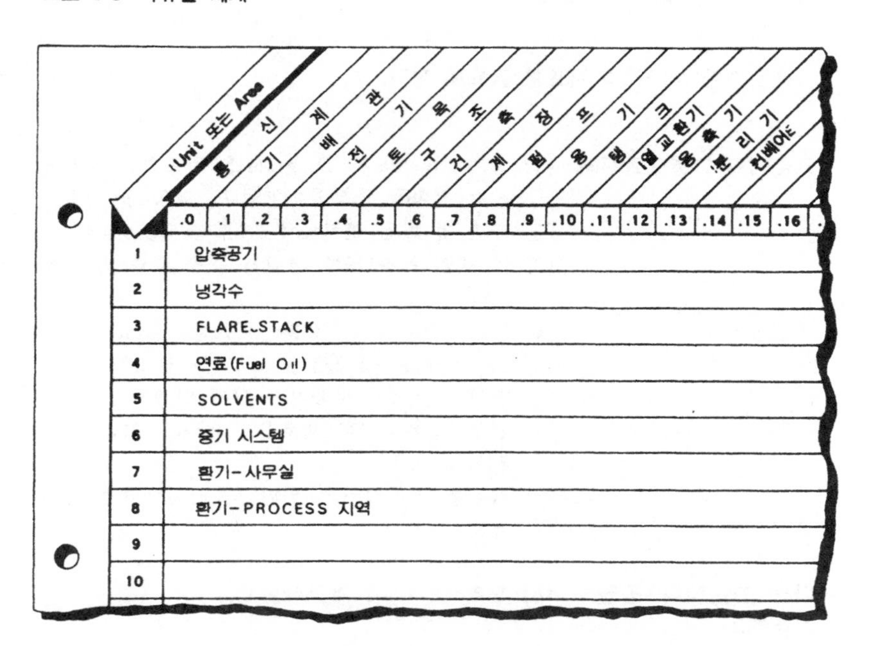

이러한 체계에 따라 분류된 서류는 숫자대로 Standard Divider에 끼워져서 서류함에 보관됨

서류함의 표준디바이더

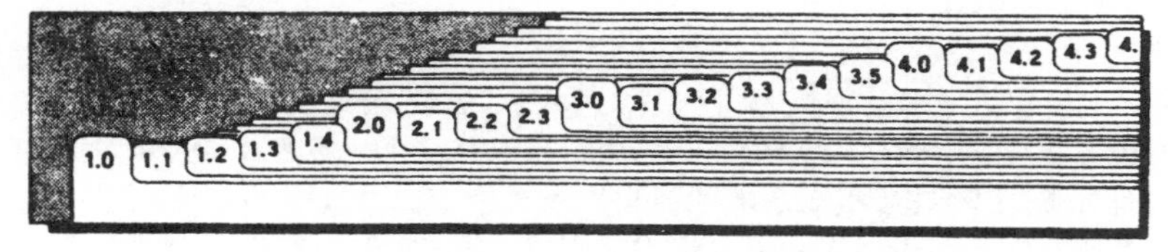

연필은 제도 작업중에 더럽히기 쉽다. 3H보다 굵은 등급은 종이를 찢어지게 하므로 선을 지우기가 어렵다. 플래스틱 제도 필름에 대해서는 특수 연필을 사용하며 이러한 필림에 대해서는 HB나 H 연필심보다 낮다. 보통 연필심은 직경이 2 mm 이며, 자주 연필심을 뾰쪽하게 갈라야 한다. 0.5 mm와 0.3 mm 연필심은 Repointing이 필요없기 때문에 작업이 빨라진다. 또한 약0.5 mm ×2 mm 인 사각형 연필심을 사용하기도 한다. 흔히 사용되는 Clutch 연필(Holder)은 금속척이 연필심을 잡게 되어 있다. 비교적 두꺼운 0.5 mm 와 0.3 mm Holder는 Push-Button을 누르면 연필심이 나온다.

4.4.3 三角 Scale

어느 製圖이건 三角 Scale을 使用한다. 보통 1/100m, 1/200m, 1/300m, 1/400m, 1/500m, 1/600m으로 축척된 눈금으로 되어 있으며, 축척의 척도가 되어 圖面作成에 매우 편리하게 使用되고 있다. 또 Feet에 대한 축척도 된 Scale도 구라파에서는 많이 使用된다.

4.4.4 지우개 및 지우개 板

여러 형태의 지우개와 지우板이 利用되어 지고 있다. 사용 요령은 표 4.1에 나타나 있다 : 천연고우 지우개는 부드러운 연필과 연필 얼룩을 지우는데 사용하며, 단단한 고무는 굳은 연필과 잉크를 지우는데 사용한다. '플라스틱'은 흑연을 빨아들이는 성질이 적으므로 세제용이다. '매직러브'는 플래스틱 필름 위에 쓴 글자를 지우는데 사용한다. 요즘은 電動 지우개를 使用하기도 한다. 그러나 우리나라의 지우개가 질이 좋아서 무엇이든 잘 지워진다. 外產을 利用하지 않아도 된다. 그리고 Mylar 紙나 Plastic Film을 使用 할때는 지우개에 물을 조금 묻혀서 使用하면 된다.

지우개 보호판은 여러가지 형상과 크기의 구멍을 가지고 있는 얇은 금속판으로서 지우려 하지 않는 부분을 보호 할 수 있다. 단 이 板이 얇을 수록 좋다. 材料서는 스테인레스板이나 Film板이 많이 使用된다.

표 4.1 지움 지침서

물 질 \ 매개체	연한 연필	단단한 연필	인디안 잉크	사진 배경
트레이싱 종이 또는 린넨	SRE	HRE 또는 SRE	IHRE	——
세피아(오잘리드) 또는 사진복사 종이	SRE	HRE 또는 SRE	풀잎 또는 IHRE	표백제*
플라스틱 필름	습식 PE	습식 PE	습식 PE 또는 풀잎	습식 PE 또는 표백제*

키이 : E-지우개, SR-부드러운 고무, HR-단단한 고무, I-잉크, P-플라스틱,
* 검은 사진은 침전물을 없애는 화학 표백제

4.4.5 클리닝 파우더(분말)

고운 고무 분말이 'Salt-Shaker'(흔들 뿌리개) 통에 들어 있다. 제도 용지에 뿌리면 이러한 분말은 작업중에 얼룩진 연필선(때)을 없앤다. 클리닝 파우더는 특히 Teesquare를 사용할 때 편리하다. 파우더는 사용후에 솔로 없앤다.

4.4.6 글자 板

도면상의 Title Block, Note 그리고 Subtitle은 大文字로 써야 한다. 똑바로 세워쓰건 기울어 쓰건 대문자가 보다 낫다. 보통 연필로 글자를 쓴다. 사진, Chart, 보고서 등으로 도면에 잉크 작업이 필요한 경우에는 잉크 철필을 Stylus 글자 쓰기 작업(그리고 선을 제도하는 경우 줄을 긋는 펜을 대신하여)에 사용한다. 또한 Leroy 이 기구도 잉크로 글자를 쓰는데 이용 한다. Skeleton 글자 쓰기 형판(본 뜨는 자)은 Section Key를 쓰는데 사용 한다. 평행선 Spacer는 글자를 쓰기 위하여 줄을 긋는 안내선을 그리는데 유용하고 작고 값싼 도구이다.

일반적인 팬 대신 Varityper(활자를 바꿔 낄 수 있는 타자기의 일종) 같은 특수 타자기를 사용하면 직접 제도지에 인쇄 할 수 있고 또한 나중에 제도지에 붙여지는 후면 밀착 투명 피막 위에 인쇄 할 수 있다. 접착성 또는 바꿀 수 있는 글자나 숫자를 종이에 인쇄하여 사용하며 특수 도안과 Panel을 Title Block이나 Detail, Symbole, 약어, 특별 주거용으로 순서적으로 표시하기 위하여 사용할 수 있다. 밀착 테입은 사용이 약간 제한되나 Panel 판, 챠트, 특수 보고서와 같은 사진 복사용 제도를 使用 하는데는 매우 유리하다(4.4.3의 "사진 설계도" 참조)

4.4.7 Template (본 뜨는 자, 型板)

원형 및 직사각형 구멍이 있는 Template를 흔히 많이들 사용한다. 직각 및 ISO 제도 Template는 공정 배관 도면과 흐름도를 그리는데 사용한다. 이러한 Pipe 用 Template는 ANSI Valve, Flange, Feet 당 3/8인치 또는 Feet 당 1/4인치의 Pipe 직경과 Fitting에 대한 윤곽을 만들때 사용된다.

4.4.8 제도기(Machine)

아래 제도기 중 맨 앞의 두 가지 기계는 느린 Teesquare를 대신하여 제도 사무실에서 흔히 사용된다. Drafting Machine : 관절이 있는 막대는 직각으로 되어 있는 한쌍의 자를 평행 이동 시킬 수 있다. 자들은 각도기에 붙어 있으며 그것들의 각은 제도판 위에서 바꾸어 질 수 있다. 각도기에는 15개의 Stoper와 360°에 대한 눈금이 되어 있다.

평형자 또는 Slider 단지 긴 수평선을 긋는데 사용하여 고정 또는 이동 가능한 삼각자와 함께 사용한다. Planimeter(면적계) 면적을 재는 휴대용 기구이다. 제도 척도를 고정하면 Planimeter는 어떤 현상의 면적도 측정할 수 있다.

축도기(Pantograph) 관절을 가진 막대로 구성된 시스템이며, 손으로 도면을 줄이거나 확대시킬 수 있다. 그러나 사용이 제한되어 있다.

4.4.9 조명상장(Light Box)

Light Box에는 아래쪽에 전구가 붙어있는 투명 유리나 Plastic 복사할 도면은 조명面 위에 놓는다.

4.4.10 철하는 방법

원도는 두께가 얇은 서랍속의 평면으로 주로 보관(도면함)한다. 제도 사무실에서 철하는 인쇄물은 보통 여러장을 죄기 위한 일종의 쥠쇠인 'Stick(막대)'에 보존된다. 이 막대들은 특수 선반이나 Cabinet에 보관한다.

원도들은 Scrap하는 것은 좋지 않기 때문에 결국 보관 문제가 생겨난다. 이러한 도면들은 보관소로 보내지 않는다면 약 2~3년이 지난후에 서류 정리를 위하여 그것들을 사진 찍어서 단지 필름만 보존한다. 이러한 필름을 보기위해 장비들을 사용하며, 커다란 사진 인쇄물을 만들 수 있다.

4.4.11 복사 과정

'Diazo' 또는 'Dyeline'법은 양화 복사 또는 인쇄로서 원도와 똑 같은 크기로 재생시킨다. Bruning과 Ozalid 기계를 종종 이용한다. 도면을 복사 할때는 브레이 색종이, Linen 또는 필름 위에 하며 복사는 감광지나 감광 필름에 의하여 이루어 진다. 主로 第二原紙를 만들때 이 方法을 많이 使用한다.

4.4.12 축소된 Plant Model

Plant Model은 많은 배관으로 된, 큰 설비(또는 機器)을 설계하는 데 이용한다. Plant 설계가 끝나면, 그 Model은 많은 사람들이 볼 수 있는 곳에 내부까지 볼 수 있게끔 하여 보관된다.(전시효과) 일부 엔지니어링 회사는 Model Part까지 설치하여 운영하고 있다. 이런 Model Part를 운영하려면 훈련된 사람을 보유하여야 한다. 이런 축척된 Model 배관들은 광범위하게 크게 이용된다. 이런 Model들은 색깔로 表示하여 機器 區分을 한 눈에 알아볼 수 있게 한다.

배관	노랑, 빨강 또는 청색
장비	회색
기구	오렌지색
전기	초록색

장 점

- 배관方法과 수송물區分을 쉽게 알 수 있다.
- 쉽게 간섭을 배제할 수 있다.
- Piping Plan이나 Elevation圖가 필요없다. 다만 Model, Plot Plan, P&ID, 配管 製作圖(ISO DWG)만은 필요하다..
- 모델을 사진으로 만들 수 있다–4.4.13을 참조하시요. Wire와 Disc로 설치하면 그 크기로 Pipe Size를 區分할 수 있어서 사진 촬영하여도 쉽게 Size 區分을 할 수 있다.
- 회의나 건설시기, 그리고 플랜트 운전요원을 훈련시키는 데에 보다 낳은 시각적 도움을 준다.

단 점

- Model 제작은 추가 자금이 소요된다.
- Model은 이동이나 취급이 어렵고 운반 중에 손상되기 쉽다.
- Model 자체의 變更이나 기록은 되지 않는다.

4.4.13 사진

Model 圖

축척된 Plant Model은 운반이 매우 어렵기 때문에 그것을 사진 찍음으로서 일부분 단점을 보완 할 수 있다. 이렇게 할 수 있도록 Model은 쉽게 분해 할 수 있도록 설계해야 한다. 사진을 정규 계획, 位置가 表示된 측면도 그리고 Isometric Projection에 비슷하게 일치시키기 위해서는 촛점 길이가 긴 렌즈를 가지고 40피드 또는 그 이상 떨어져서 Model 사진을 찍는다–사진에서 '보이지 않는 點들(수령선들)'을 효과적으로 없앨 수 있다.

원화는 접촉 스크린을 통하여 투영되어지며 인쇄물을 '재생' 필름 위에서 나타난다. Diazo Process에 의하여 인쇄할 수 있는 재생 필름 위에 크기와 특색을 가한다–4.4.11을 참조하시요. 이러한 인쇄물은 도면을 作成하는데 이용하며 이런 자료가 필요한 곳에 보내지게 된다.

Plant에 대한 수선작업

Polaroid Camera는 Plant의 모습을 설계 사무실에 내보는데 이용된다. Plant에 관한 도면은 항상 변경을 要하는 것을 아니며, 사진은 기록되지않은 변화를 보여준다.

Plant 단면의 도면과 관련되어 있다. 이렇게 하기 위해서 보다 넓은 각도, 렌즈(보다 넓은 배경을 찍기 위하여)가 부착된 사진기를 사용하여 사진을 찍는다.

투명 플라스틱 도면으로 뒤 쪽에 붙어 있는 스크린 양화 필림 위에서 원판을 인쇄한다. 배관 시스템의 변경은 사진과 연결되는 플라스틱 Sheet의 전면에서 뽑는다. 이런 합성 도면의 재싱은 Diazo Process에 의한 일반적인 방법으로 재생한다.

결론적으로 양화는 현장에 보내는 작은 變更과 지시를 직접적으로 나타낸다.

사진설계

다음 기술들은 機器 外型圖를 만들며 특히 방법 연구나 연구보고서가 필요한 분야에 利用된다.

첫째 機器 윤곽이 일상적인 방법이나 Xerography(전자 사진술)에 의하여 사진 필름 위에 나타난다. 다음에 도면 크기의 투명 필름 시트를 수정된 크기의 Laid를 가진 하얀 배경 시트위에 놓는다.

건물 윤곽과 다른 모양들을 다양한 투명 인쇄 Tap과 전사술을 이용하여 필름위에 놓을 수 있다. 機器 윤곽을 가진 필름 조각을 투영 Tap으로 고정하여, 이어서 도면의 다른 부분도 완성시켜 나간다. 이러한 방법으로 빠르게 설계 변경을 할수 있다. 필름 설계는 복사기에 넣기 전에 Acetate(초산염)나 다른 보호막에 넣어서 보관하거나 發送되어야 한다.

사진에 의한 축소

보고서 등에 재생한 그림이나 도면을 넣을 필요가 흔히 있다. 보통 크기의 인쇄물이나 상세는 읽기 어려운 정도로 적으므로 절반 이하로 줄이는 사진 축소는 좋지 못하다. 축소 도면의 크기는 줄이고자 하는 도면의 크기를 고려해야 한다–도표 5.8을 참조하시요.

제5장

製 図(Drafting)

工程 및 配管図面(Process & Piping Drawings) 〔내용, 기호, 그리고 치수〕

5.1 배관 기호(Piping Symbols)

참고문헌 :

기계 공학 약어, 부호, 및 기호 사전.

5.1.1 配管圖 上의 Pipe 表示와 Joint

대부분의 회사들은 지금 배관을 단 하나의 선으로서 배관을 표시한다. 파이프와 Flange는 때때로 틈새로 나타내기 위하여 부분적으로 '이중선'으로 그려진다.

이중선 제도에 있어서 밸브들은 5,6절에 있는 기호로서 표시된다. ('Valve 제도'에서 Panel을 참조하시요).

이중선 표시는 제도 시간이 많이 걸리며, 이해하기가 어렵고, 기술적으로 적당하지 않기 때문에 전체 배관 배열에서는 사용되지 않는다.

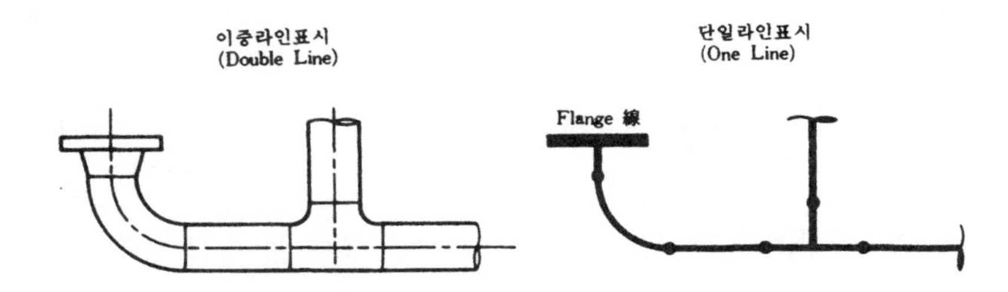

배관 제도상 배관을 단일선으로 표시 할 경우는, 굵은 선으로 단지 파이프의 중심선만 그리며 그 선의 크기를 써준다. Flange는 Flange의 측정된 外徑을 기준으로 굵은 선으로 표시한다. Valve는 크기를 특수 기호로 표시한다. 펌프는 그것이 놓여 있는 받침대와 그것의 노즐을 그려서 나타낸다. 그림6.21은 이러한 단순화 된 표시를 나타낸다. 機器와 Vessel은 그것의 노즐, Outline, 그리고 지지대를 그려서 표시한다. 배관 사양서가 있으면 애매모호함을 없애기 위한 경우를 제외하고는 — 예를 들면 Tee와 Stub-in을 구별하기 위하여 용접했거나 나사로 연결된 이음매를 표시해 줄 필요가 없다. 대부분의 현행 관례에 있어서, 나사로 고정시킨 Fitting과 Socket Welding에 대한 기호는 보통 제외하며, 맞대기 용접은 종종 표시한다.

표준 ANSI Z 32.2.3으로 區分지워 이음매를 표시하는 방법은 현행 제도와는 거리가 멀다. 표 5.1에 나타나 있는 것과 같은 표준 맞대기 용접 기호는 지금 현장에서 만들어지는(현장용접) 맞대기 용접을 가르키는 데 이용된다. 그 표준은 'Y'시리즈로써 다시 번호를 表示할 것이다.

표 5.1 Elbow와 Flange의 연결표시

	맞대기용접	소켓 용접	나사 연결
단순화된 표시법*			
전통적인 표시법			
ANSI Z 32.2.3 (현재사용 하지 않음)			

TABL 5.1

5.1.2 모든 도면에 사용되는 라인의 기호

도표 5.1에는 여러 라인을 그리는 흔히 쓰이는 방법이 나타나 있다. 많은 선 기호가 고안되었으나, 이것들 대부분이 쉽게 인정되는 것은 아니며 특히 공정 흐름도 및 P&ID'S상에 관한 특수 선들의 기능은 말로 진술하는 것이 낫다. 설계자나 제도자는 현행 Standard의 기호를 사용해야 한다.

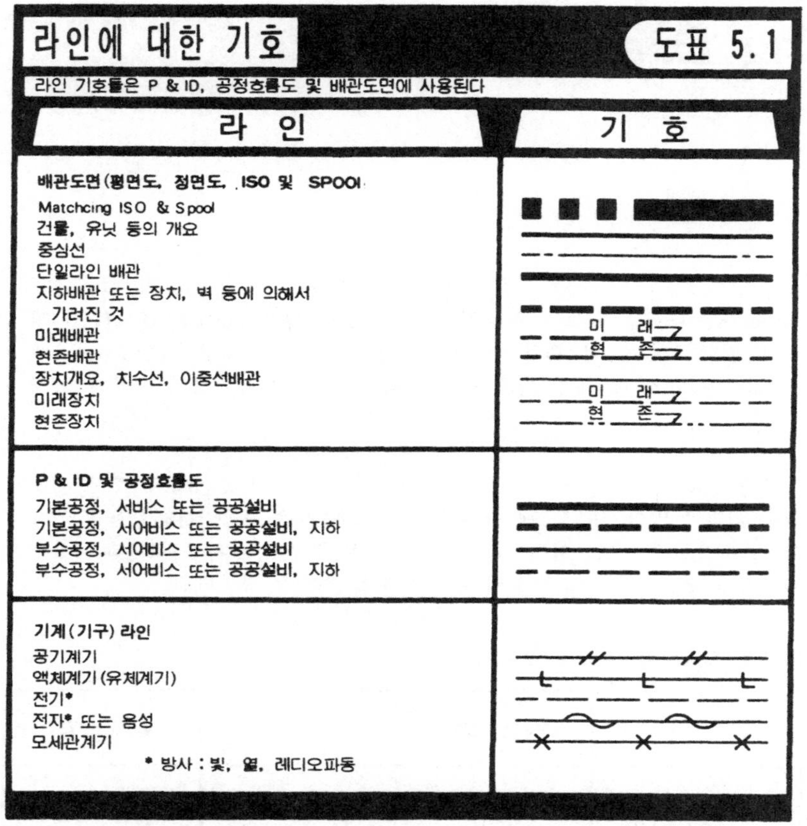

라인에 대한 기호 **도표 5.1**

라인 기호들은 P & ID, 공정흐름도 및 배관도면에 사용된다

라 인	기 호
배관도면(평면도, 정면도, ISO 및 SPOOl	
Matchcing ISO & Spool	
건물, 유닛 등의 개요	
중심선	
단일라인 배관	
지하배관 또는 장치, 벽 등에 의해서 가려진 것	
미래배관	미 래
현존배관	현 존
장치개요, 치수선, 이중선배관	
미래장치	미 래
현존장치	현 존
P & ID 및 공정흐름도	
기본공정, 서비스 또는 공공설비	
기본공정, 서어비스 또는 공공설비, 지하	
부수공정, 서어비스 또는 공공설비	
부수공정, 서어비스 또는 공공설비, 지하	
기계(기구) 라인	
공기계기	
액체계기(유체계기)	
전기*	
전자* 또는 음성	
모세관계기	
* 방사 : 빛, 열, 레디오파동	

5.1.3 P&ID 나 Process Flow Diagram에 나타난 Valve나 機器

기호를 표시하는 관례는 일정하지 않다. 도표 5.2는 ANSI Y 32.11를 근거로 한 것이며, P&ID 및 Process Flow Diagram에 적용한다.

5.1.4 배관圖에서의 배관 표시

도표 5.3—5.6은 맞대기 용접, 나사체결, 및 Socket용접 System에 사용하는 기호를 나타내고 있다. Fitting이나 Valve등 다양한 양상이 나타나 있다. 이러한 기호들은 'Pipe, Fitting, Valve 및 배관에 대한 그림 기호'라고 일컬어지는 ANSI 표준 Z 32.2.3 보다는 일반적인 관례에 근거를 두고 있다.

5.1.5. 배관圖에서의 Valve 표시

도표5.6에는 축 Handwheel 및 다른 運転機를 포함하여 Valve를 표시하는 방법이 나타나 있다. 그 기호들은 ANSI Z 32.2.3에 근거를 두고 있으나 보다 많은 Valve 형태가 누락되어 있으며, 그 표시는 새롭게 바뀌지고 있다. Valve의 Handwheel은 충분히 긴 Valve Stem과 같은 축척으로 그려야 한다.

5.1.6 배관圖의 여러가지 기호

모든 시스템에서 유사한 방법으로 표시된 기호들은 도표 5.7에 있다.

5.1.7 일반적인 Engineering Symbol

도표 5.8에는 배관 도면에서 일반적으로 사용하며, 흔히 使用되는 기호나 부호 등이 나타나 있다.

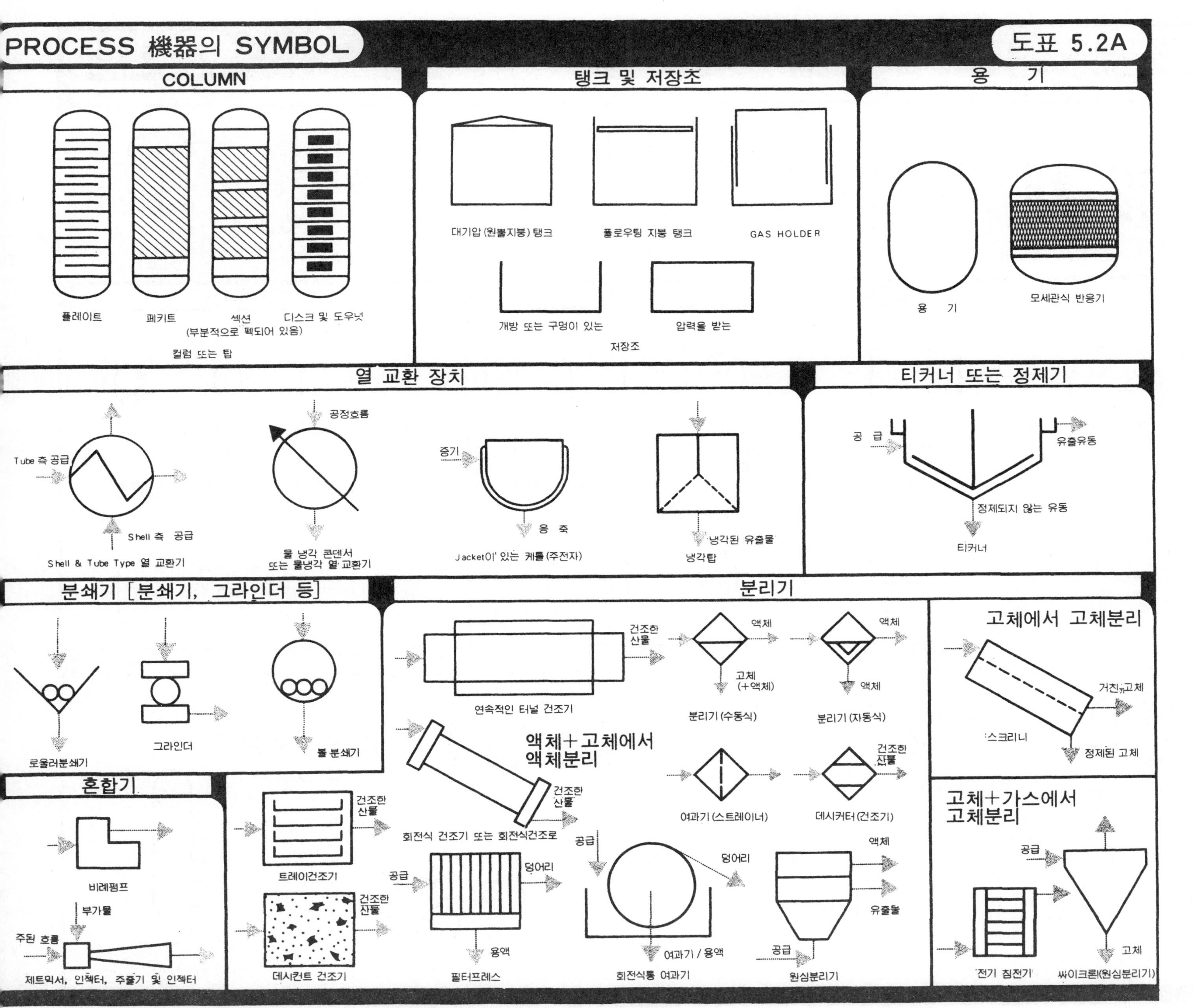

PROCESS 機器의 SYMBOL
도표 5.2A
COLUMN
플레이트
페키트
섹션
(부분적으로 펙되어 있음)
디스크 및 도우넛
컬럼 또는 탑
탱크 및 저장조
대기압(원뿔지붕) 탱크
플로우팅 지붕 탱크
GAS HOLDER
개방 또는 구멍이 있는
압력을 받는
저장조
용 기
용 기
모세관식 반응기
열 교환 장치
Tube 측 공급
Shell 측 공급
Shell & Tube Type 열 교환기
공정흐름
물 냉각 콘덴서
또는 물냉각 열 교환기
증기
응 축
Jacket이 있는 케틀(주전자)
냉각된 유출물
냉각탑
티커너 또는 정제기
공 급
유출유동
정제되지 않는 유동
티커너
분쇄기 [분쇄기, 그라인더 등]
로울러분쇄기
그라인더
볼 분쇄기
분리기
건조한 산물
연속적인 터널 건조기
액체
고체 (+액체)
분리기(수동식)
액체
액체
분리기(자동식)
액체+고체에서 액체분리
회전식 건조기 또는 회전식건조로
건조한 산물
여과기(스트레이너)
건조한 산물
데시커터(건조기)
고체에서 고체분리
거친고체
스크리니
정제된 고체
혼합기
비례펌프
부가물
주된 흐름
제트믹서, 인젝터, 주출기 및 인젝터
건조한 산물
트레이건조기
건조한 산물
데시컨트 건조기
공급
덩어리
용액
필터프레스
공급
덩어리
여과기 / 용액
회전식통 여과기
액체
유출물
공급
원심분리기
고체+가스에서 고체분리
공급
전기 침전기
고체
싸이크론(원심분리기)

章
5.1 & 5.2A

공정장치의 기호

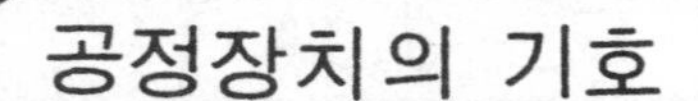

도표 5.2B

밸브

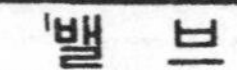

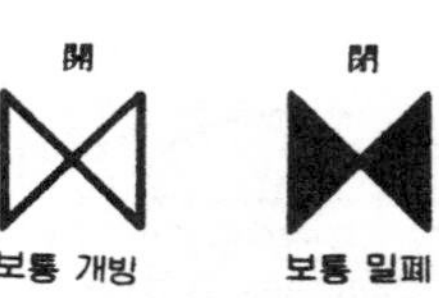

보통 개방　보통 밀폐　제어

밸브(일반적인)

특수형태의 밸브는 도표 5.6에 나타나 있다

밸브 작동기

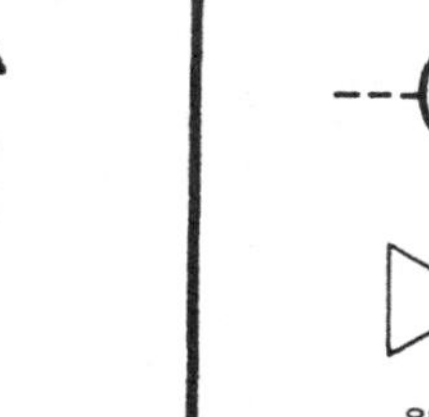

원심모터
(전기제거)

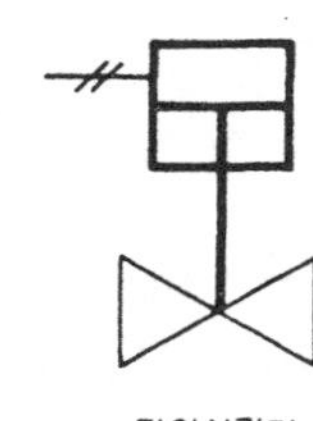

단일실린더

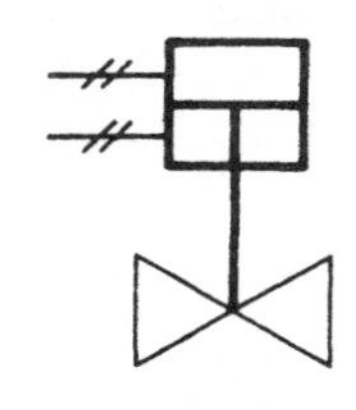

이중실린더

솔레노이드

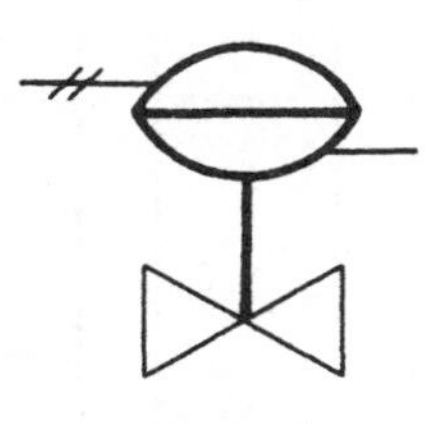

다이어프램
(압력균형)

펌프, 압축기, 송풍기, 그리고 휀

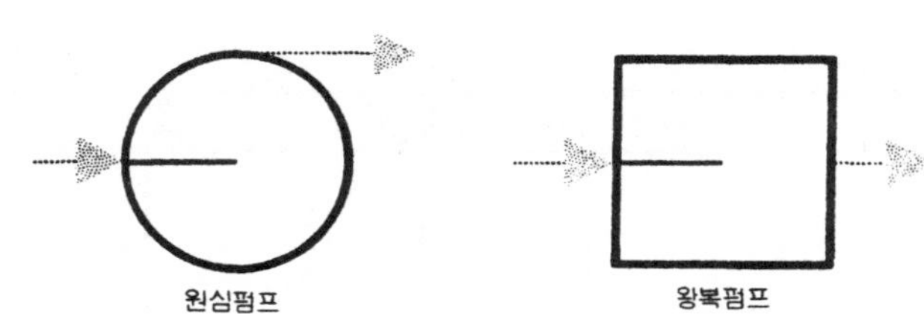

원심펌프　왕복펌프

섬프(기름통) 펌프 및 모터

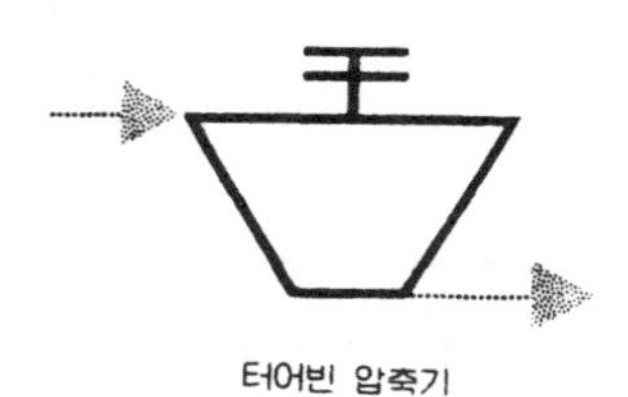

송풍기 또는 팬　터어빈 압축기

원심펌프

리시버

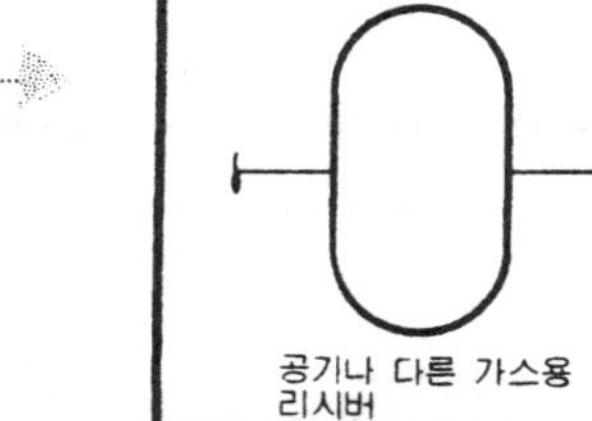

공기나 다른 가스용 리시버

배 수

가시적인 배수

어큐뮬레이터

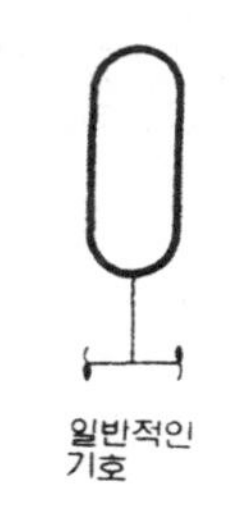

일반적인 기호

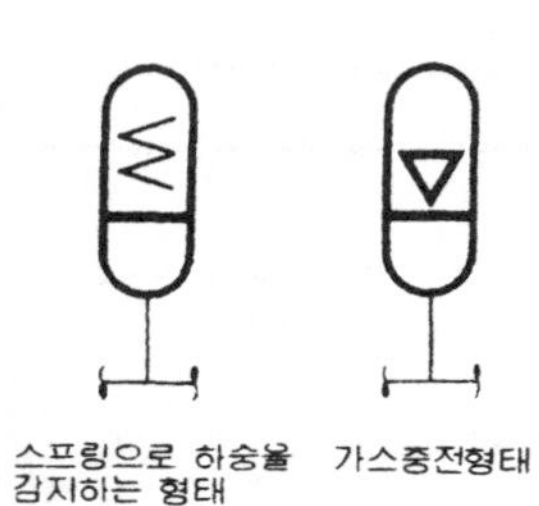

스프링으로 하중을 감지하는 형태　가스충전형태

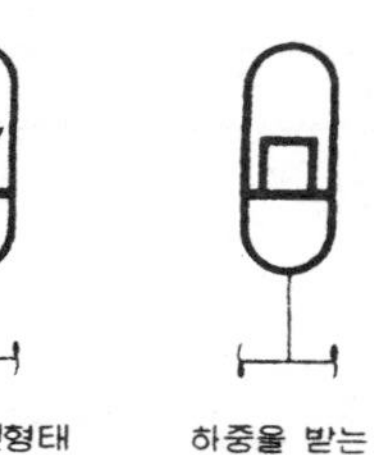

하중을 받는 형태

이러한 기호들은 유체압 및 공기압 어큐뮬레이터에 사용되며 펌프나 압축기의 진동을 완화시키고 가변하는 수요에 대응하는 저장조로써 사용된다.

구동기

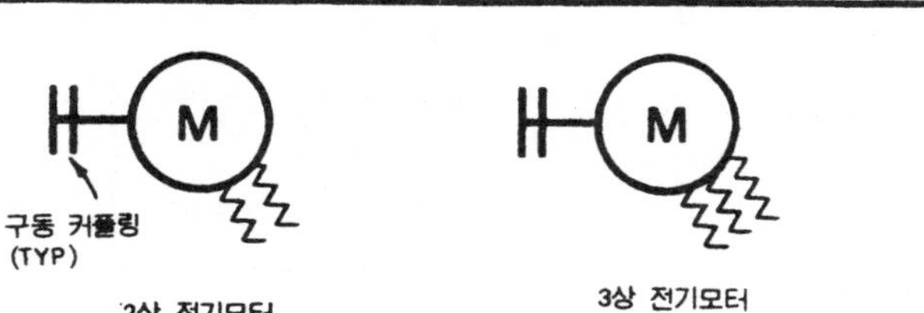

구동 커플링 (TYP)

2상 전기모터　3상 전기모터

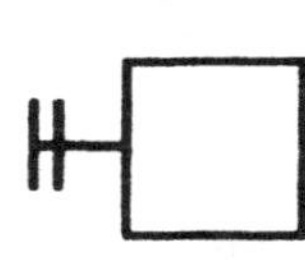

엔진 구동기

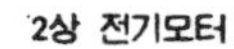

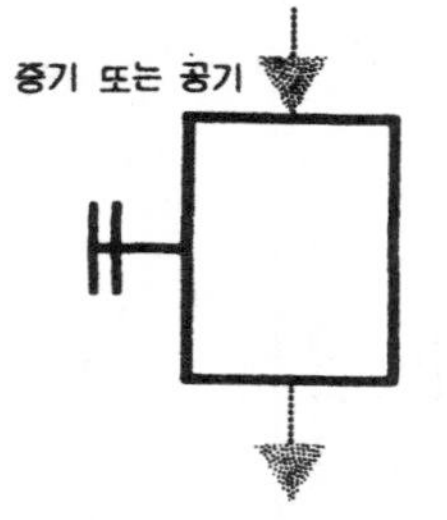

증기 또는 공기피스톤 구동기

터어빈 구동기

콘베이어

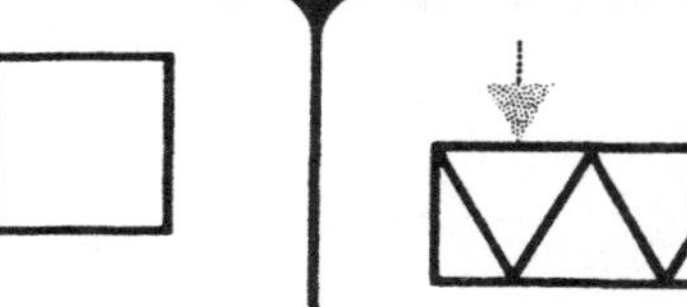

나사 콘베이어　로울러 콘베이어

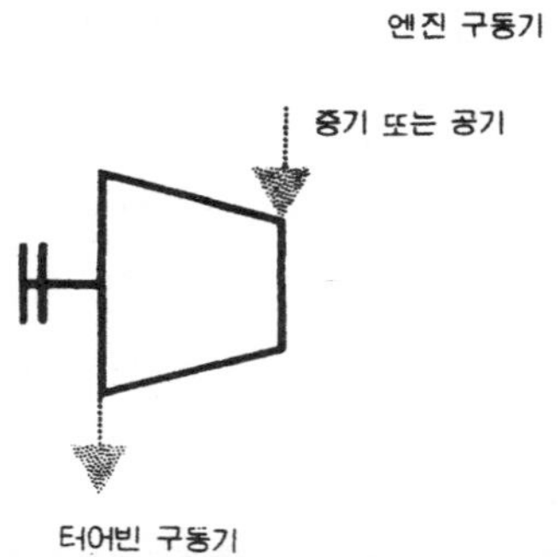

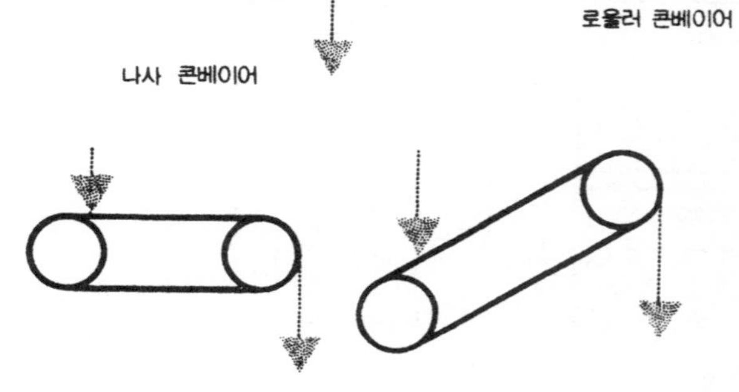

벨트 또는 세이커

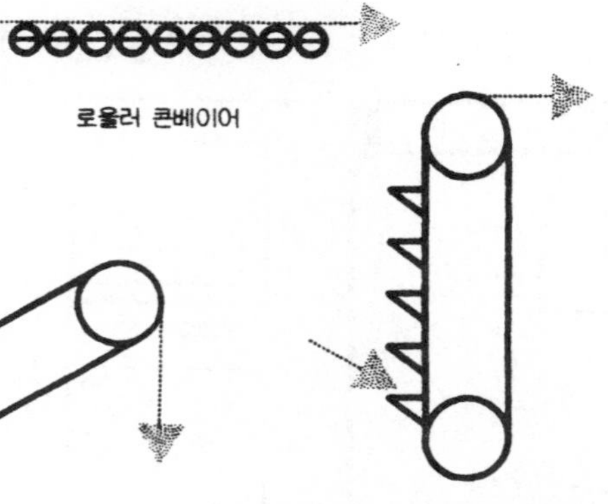

바켙 또는 플라이트·콘베이어

맞대기용접 시스템용 기호

도표 5.3

5

주 — 도표 5.3~5.5에 있는 기호들은 굵은 선으로 나타나 있다. 가느다란선은 연결관을 나타내며 그 기호로 전부가 해당된다

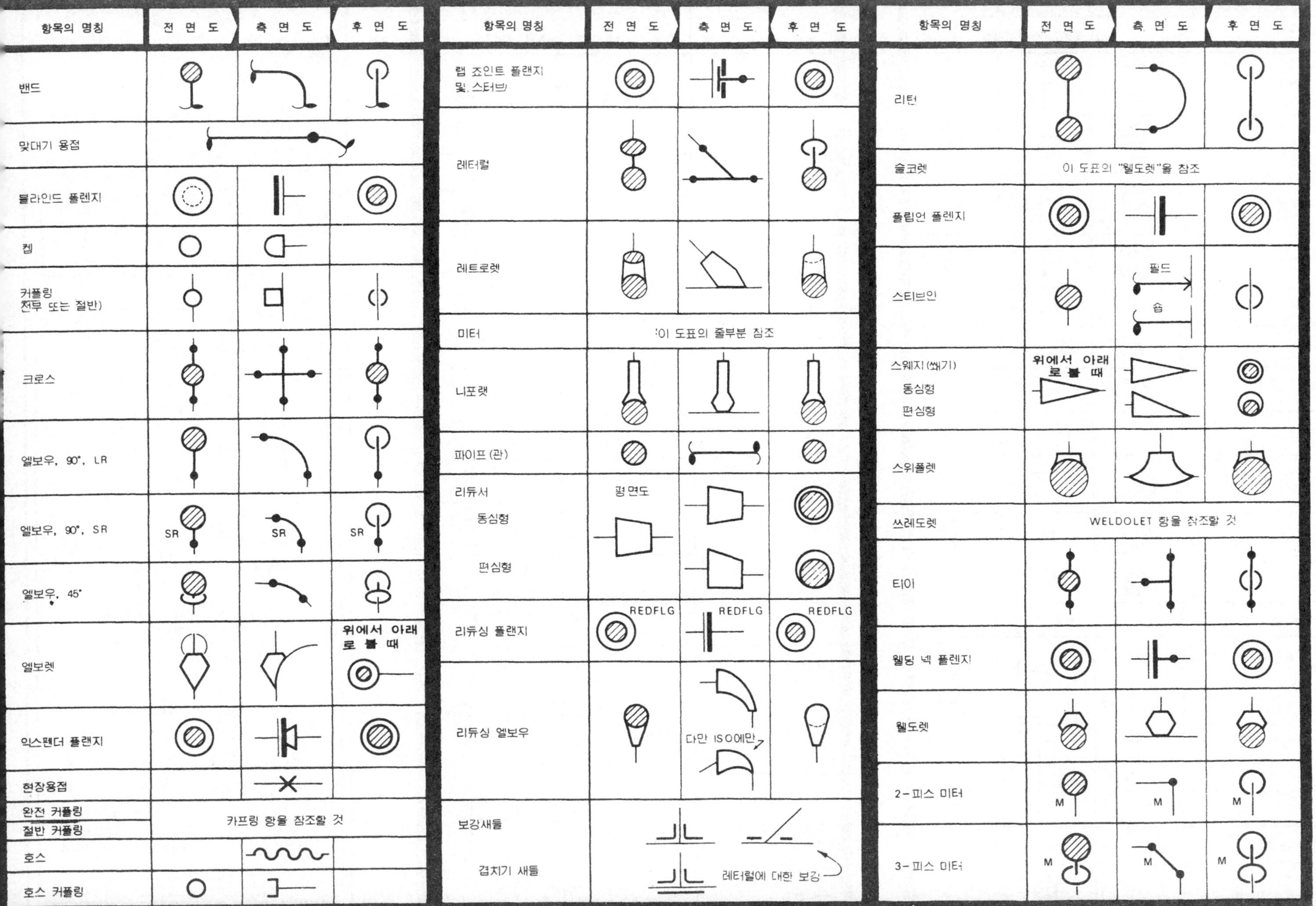

항목의 명칭	전면도	측면도	후면도
밴드			
맞대기 용접			
블라인드 플렌지			
캡			
커플링 (전부 또는 절반)			
크로스			
엘보우, 90°, LR			
엘보우, 90°, SR	SR	SR	SR
엘보우, 45°			
엘보렛			위에서 아래로 볼 때
익스팬더 플랜지			
현장용접			
완전 커플링 / 절반 커플링	카프링 항을 참조할 것		
호스			
호스 커플링			

항목의 명칭	전면도	측면도	후면도
랩 조인트 플랜지 및 스터브			
레터럴			
레트로렛			
미터	이 도표의 줄부분 참조		
니포랫			
파이프 (관)			
리듀서 동심형 / 편심형	평면도		
리듀싱 플랜지	REDFLG	REDFLG	REDFLG
리듀싱 엘보우		다만 ISO에만	
보강새들 / 겹치기 새들		레터럴에 대한 보강	

항목의 명칭	전면도	측면도	후면도
리턴			
솔코렛	이 도표의 "웰도렛"을 참조		
플립언 플렌지			
스티브인		필드 / 숍	
스웨지(쐐기) 동심형 / 편심형	위에서 아래로 볼 때		
스위폴렛			
쓰레도렛	WELDOLET 항을 참조할 것		
티이			
웰딩 넥 플렌지			
웰도렛			
2-피스 미터	M	M	M
3-피스 미터	M	M	M

章 5.2B & 5.3

나사연결 시스템용 기호

도표 5.4

항목의 명칭	전 면 도	측 면 도	후 면 도
캡			
커플링 (전부 및 절반)	도표 5.3의 "커플링"참조		
크로스			
엘보우, 90°			
엘보우, 45°			
플렌지			
호 스			
호스 연결			
관			
플러그			
리듀셔			
리턴			
밀봉용접	"밀봉용접" 참조		
스웨지(쐐기) 동심형 편심형	평면도		
티이 스트레이트 또는 리듀싱			
쓰레도렛	도표 5.3 WELDOLET을 참조		
유니언			

소켙용접 시스템용 기호

도표 5.5

항목의 명칭	전 면 도	측 면 도	후 면 도
캡			
커플링 (전부 및 절반)	도표 5.3의 "커플링" 참조		
크로스			
엘보렛	도표 5.3에 있는 엘보렛" 참조)		
엘보우, 90°			
엘보우, 45°			
플랜지			
호스			
관			
리듀서			
리턴	소켙용접 단조강 조립은 사용할 수 없다. 180°리턴이 필요할 경우는 버트용접 리턴이나 두개의소켙용접 엘보우 (니플이 있는)를 사용한다.		
슉코렛	도표 5.3 WELDOLET 참조		
스웨지(쐐기) 동심형 편심형	평면도		
티이 스트레이트 또는 리듀싱			
유니언			

밸브제도

도표 5.6은 밸브에 대한 기본적인 기호를 나타낸다. 이러한 기본 기호들은 아래와 같이 사용된다.

P & ID

밸브의 형태를 나타내기 위해서는 적절한 밸브 기호를 사용하시오. 대부분의 기호는 1/4인치 길이로 그리시오. 작동요령은 나타나 있지 않다.

배관도면

중요한 경우 작동기를 나타내 준다.

(1) 나사연결 밸브

기본밸브 기호를 사용하시요. 밸브의 길이를 축척으로 그리시요.

(2) 소켙 엔디드 밸브

프로젝트에 배관사약서가 있으며, 기본밸브 기호를 사용하고, 없다면, 밸브에 소켙 엔드를 나타내시요.

밸 브	양쪽에 엔드가 있는 소켙	한쪽에 엔드가 있는 소켙
기호예	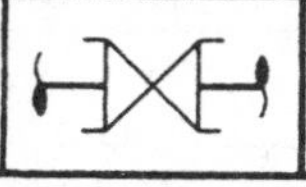	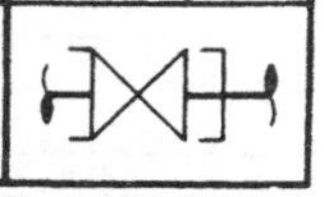

소켙 엔드 위에 기본 밸브 기호를 축척된 길이로 그리시요.

(3) 플렌지가 있는 밸브

작동기와 함께 기본 밸브 기호를 사용하여 아래와같이 자세하게 플랜지를 그리시요.

단일 라인	이중 라인

1. 기호 그리기

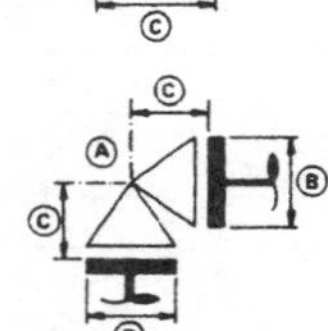
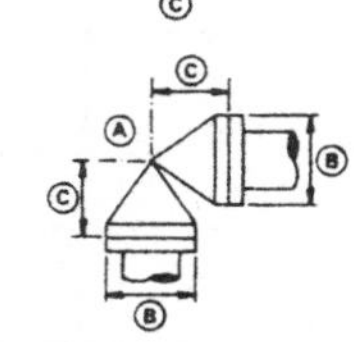

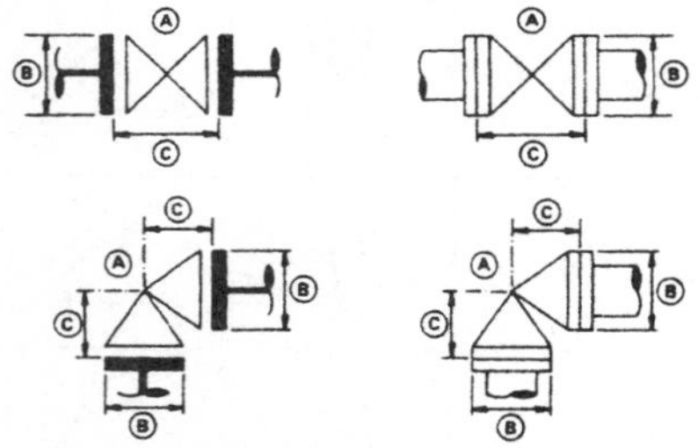

(A) 플렌지 사이에 기본 밸브 기호를 그리시요.
(B) 척도로써 플렌지 OB를 그리시요.
(C) 밸브에 대한 플렌지 전면에서 플렌지 전면의 길이나 중심에서 플렌지 전면 길이를 구하시오.

2. 비표준 밸브 치수 기입

5.3.3의 밸브의 치수기입을 참조하시요.

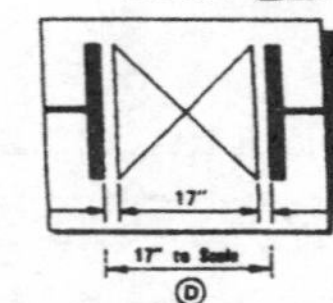

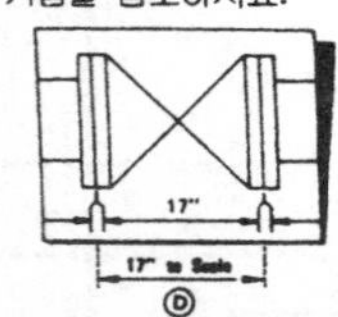

(D) 이러한 길이를 척도로써 그리고 (개스킷을제외하는 전체길이) 위에 나타난 바와 같이 화살표표하시오.
[1] 라인은 수정길이로 그린다.
[2] 조립자는 개스킷을 설치하는 것에 주의한다.

밸브 및 밸브작동기용 기호

도표 5.6

밸브의 형태	측면도	평면도
앵글 글로우브		
볼, 로우터리		
버터플라이		
체크(스윙)		
콕	PLUG VALVE항 참조	
제어		
다이어프램		
플러쉬버팀 탱크 밸브		
게이트		
글로우브		

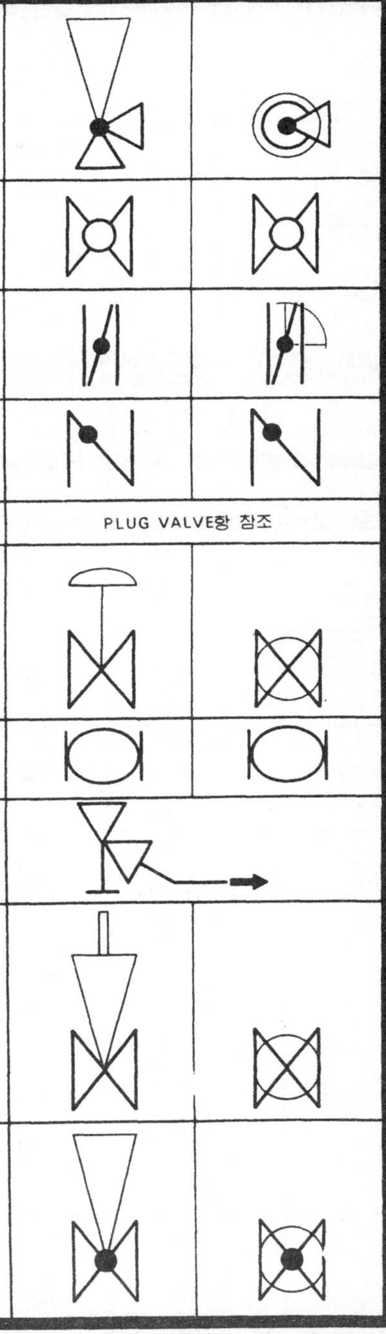

밸브의 형태	측면도	평면도
(a) 라인 블라인드 밸브 (b) 라인 블라인드	(a)	(b)
니들		
핀치	"스퀴즈밸브" 기호 사용	
플러그		
"퀵오프닝"		
릴리프		
세이프티		
세이프티-릴리프		
스톱체크		
스퀴즈		
트렙		

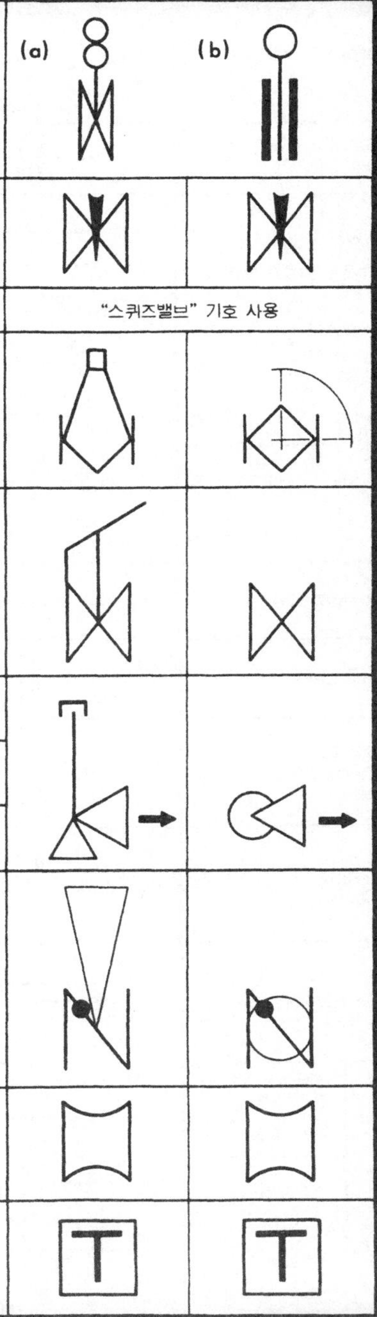

밸브의 형태	측면도	평면도
진공 브레이커 (또는 공기공급장치)		
Y자형 글로우브		
3-방향		
4-방향		

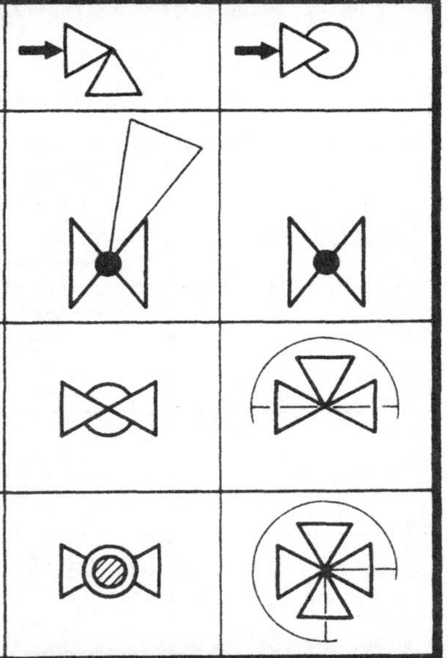

작동기	측면도	끝면도	평면도
스퍼이기어			
베벨 기어			
체인 휠			
체인 렌치			

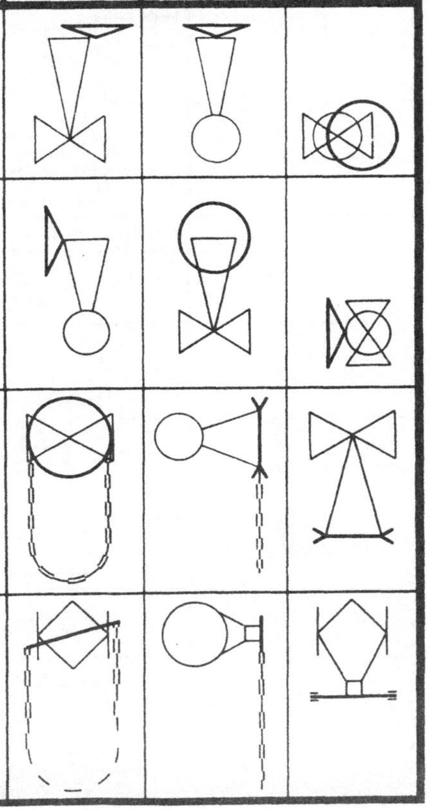

이 도표는 P & ID 및 흐름도에 사용되는 기본 밸브 기호를 나타낸다.
배관도면에서의 기호의 선택은 위의 도표에 설명되어 있다.

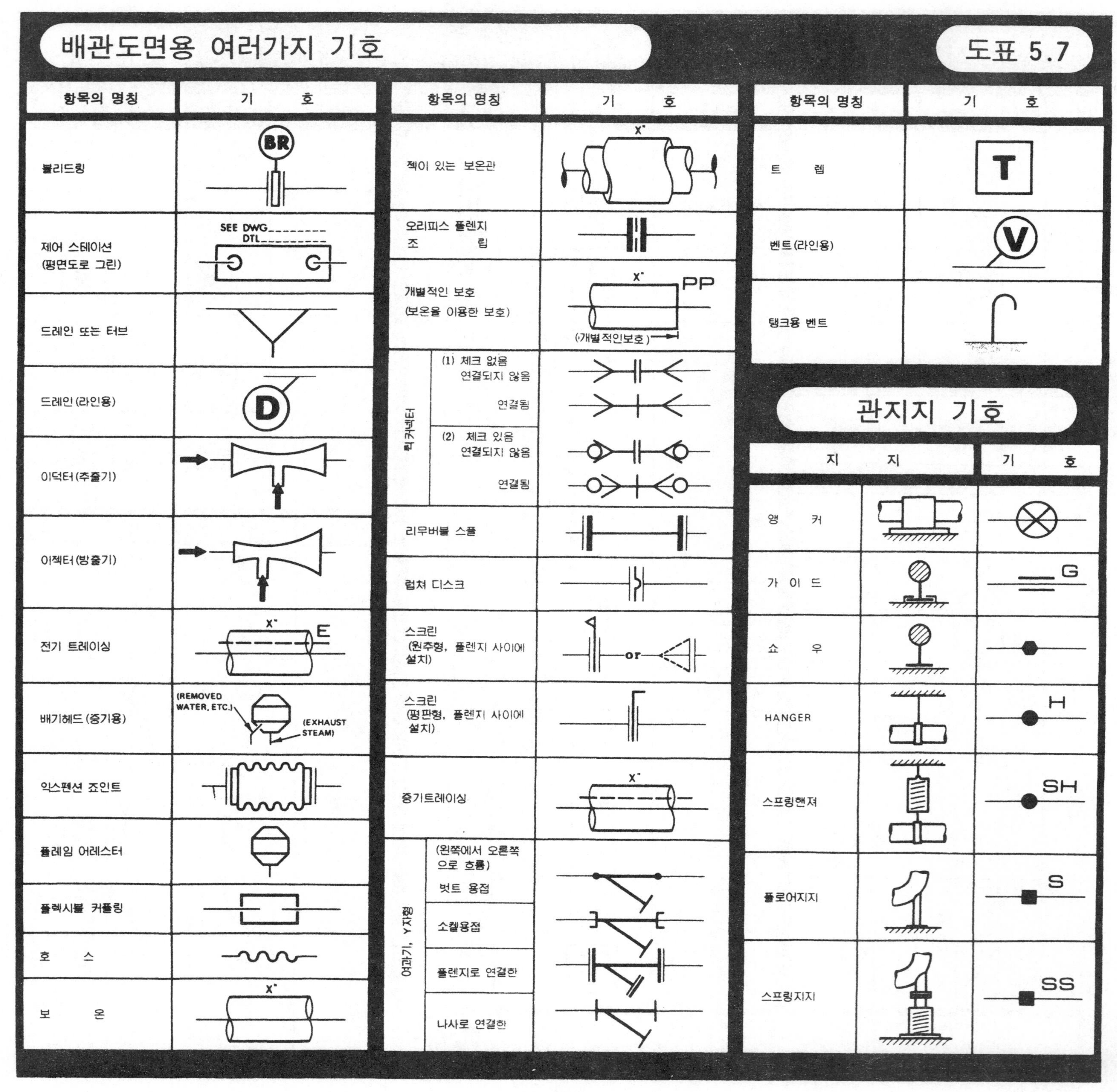

배관도면용 여러가지 기호

도표 5.7

항목의 명칭	기 호
블리드링	BR
제어 스테이션 (평면도로 그린)	SEE DWG_________ DTL_________
드레인 또는 터브	
드레인(라인용)	D
이덕터(추출기)	
이젝터(방출기)	
전기 트레이싱	X" E
배기헤드(증기용)	(REMOVED WATER, ETC.) (EXHAUST STEAM)
익스펜션 죠인트	
플레임 어레스터	
플렉시블 커플링	
호 스	
보 온	X"

항목의 명칭		기 호
젝이 있는 보온관		X"
오리피스 플렌지 조 립		
개별적인 보호 (보온을 이용한 보호)		X" PP (개별적인보호)
퀵커넥터	(1) 체크 없음 연결되지 않음	
	연결됨	
	(2) 체크 있음 연결되지 않음	
	연결됨	
리무버블 스풀		
럽쳐 디스크		
스크린 (원추형, 플렌지 사이에 설치)		or
스크린 (평판형, 플렌지 사이에 설치)		
증기트레이싱		X"
여과기, Y자형	(왼쪽에서 오른쪽으로 흐름) 벗트 용접	
	소켙용접	
	플렌지로 연결한	
	나사로 연결한	

항목의 명칭	기 호
트 렙	T
벤트(라인용)	V
탱크용 벤트	

관지지 기호

지 지		기 호
앵 커		
가 이 드		G
쇼 우		
HANGER		H
스프링행져		SH
플로어지지		S
스프링지지		SS

기술도면용 일반기호

도표 5.8

기호	특징
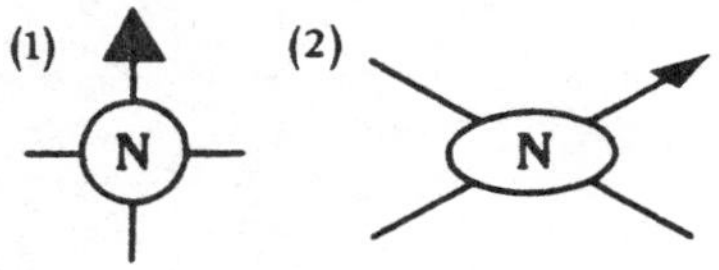 (1) N (2) N	북쪽 화살표 (1) 평면도 및 정면도용 (2) ISO 도면용
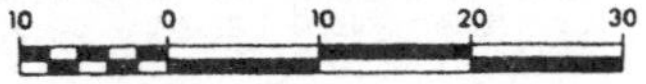 10 0 10 20 30	보고서 등에 필요한 사진의 크기를 변화시키는 도면에 필요한 사진 척도
	기준축을 정해주는 기호 세로좌표의 교차점
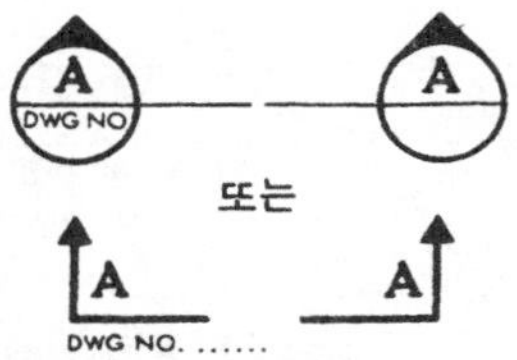 A DWG NO A 또는 A DWG NO. ...... A	대표적인 단면 지시계. 문자 'I'와 'O'는 숫 자 '1' 및 '0'와 혼돈되기 때문에 사용해서는 안되나 24 단면 이상 필요한 경우는 문자와 숫자를 조합하여 사용하시요. 단면이 나타나는 도면 번호를 써주시요.
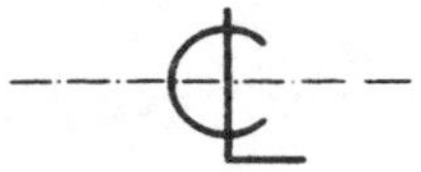	중심선 기호
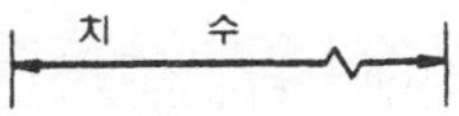 치 수	척도가 없는 치수를 나타낼 때 사용하는 치수선 기호
	'조립 구성' 기호 (5.3.3의 '조립구성'을 참조하시요)
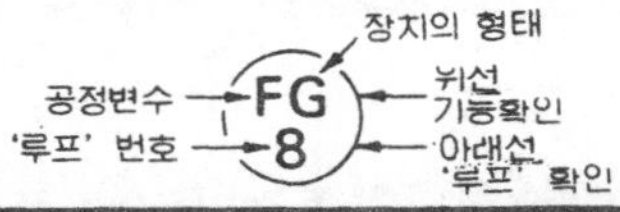 장치의 형태 / 공정변수 FG 8 '루프' 번호 / 윗선 기능확인 / 아랫선 '루프' 확인	P & ID 및 배관도면에 직경 7/16 인치로 그리는 계기 표시

기호	특징
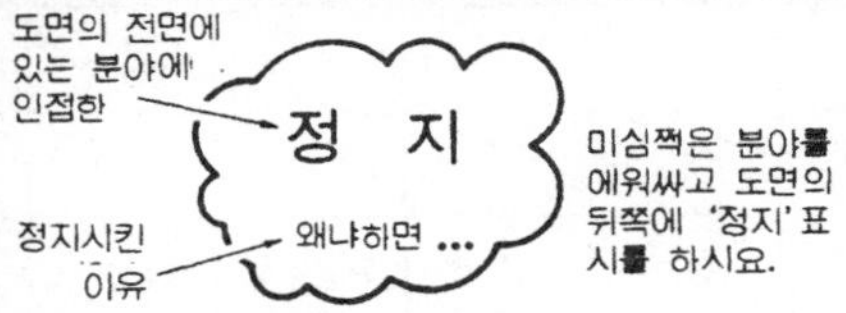 도면의 전면에 있는 분야에 인접한 정 지 / 정지시킨 이유 왜냐하면 ... / 미심쩍은 분야를 에워싸고 도면의 뒤쪽에 '정지' 표시를 하시요.	'건설중지' 표시. 그 설계 부분은 끝내기 위한 충분한 정보를 이용할 수 없을 때, 도급자에게 일을 시작하기 전에 그 도면의 나중 교정판을기다리라고 알려주기 위해 '정지' 표시를 사용한다.
 도면의 전면에 개정된 분야에 인접하게 삼각형을 그리시요 4 도면의 후면에 개정 삼각형을 포함하여 바뀐 분야를 구름마크를 할것	개정 삼각형. 도면의 가장 최근의 개정번호를 도면의 후면에 에워싸져 있는 삼각형내에 나타 낸다. 모든 개정 삼각형은 도면에 남기며 지워진 이전의 삼각형은 에워싸 준다.
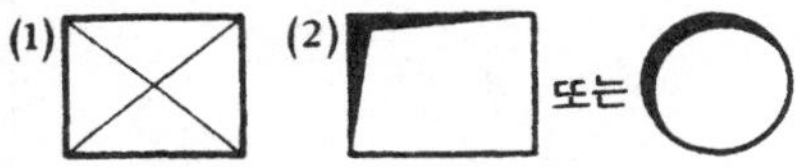 (1) (2) 또는	열림 (1) 열림은 커버를 가진다. (2) 구멍
 (1) (2) (3)	구조용 강 단면 (1) 앵글 (2) 채널 (3) H 비임
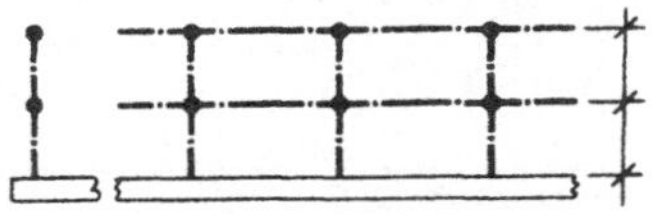	레일용 정면도 기호
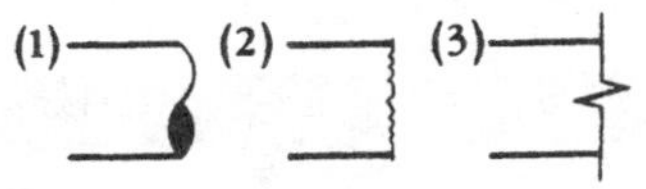 (1) (2) (3)	불연속 투상도 (1) 관 봉근축 등 (2) 슬라브 각목 등 (3) 용기, 장치 등
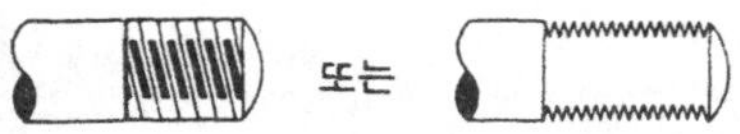 또는	나사산 기호
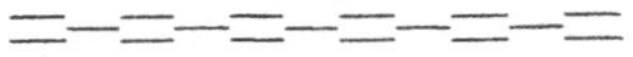	체인 기호

명 암 법

이러한 명암법은 고체의 재질이나 단면을 나타 내는데 쓰인다

흙	단단한 재료	강	콘크리트	벽돌 및 석조건축	나무	체커 플레이트	격자
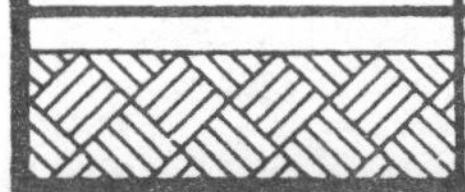	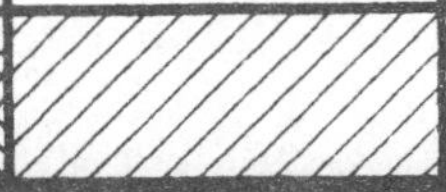	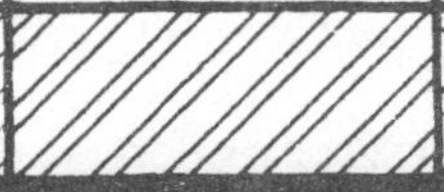					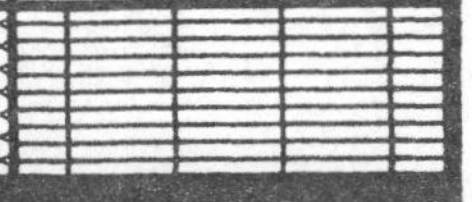

章 5.7 & 5.8

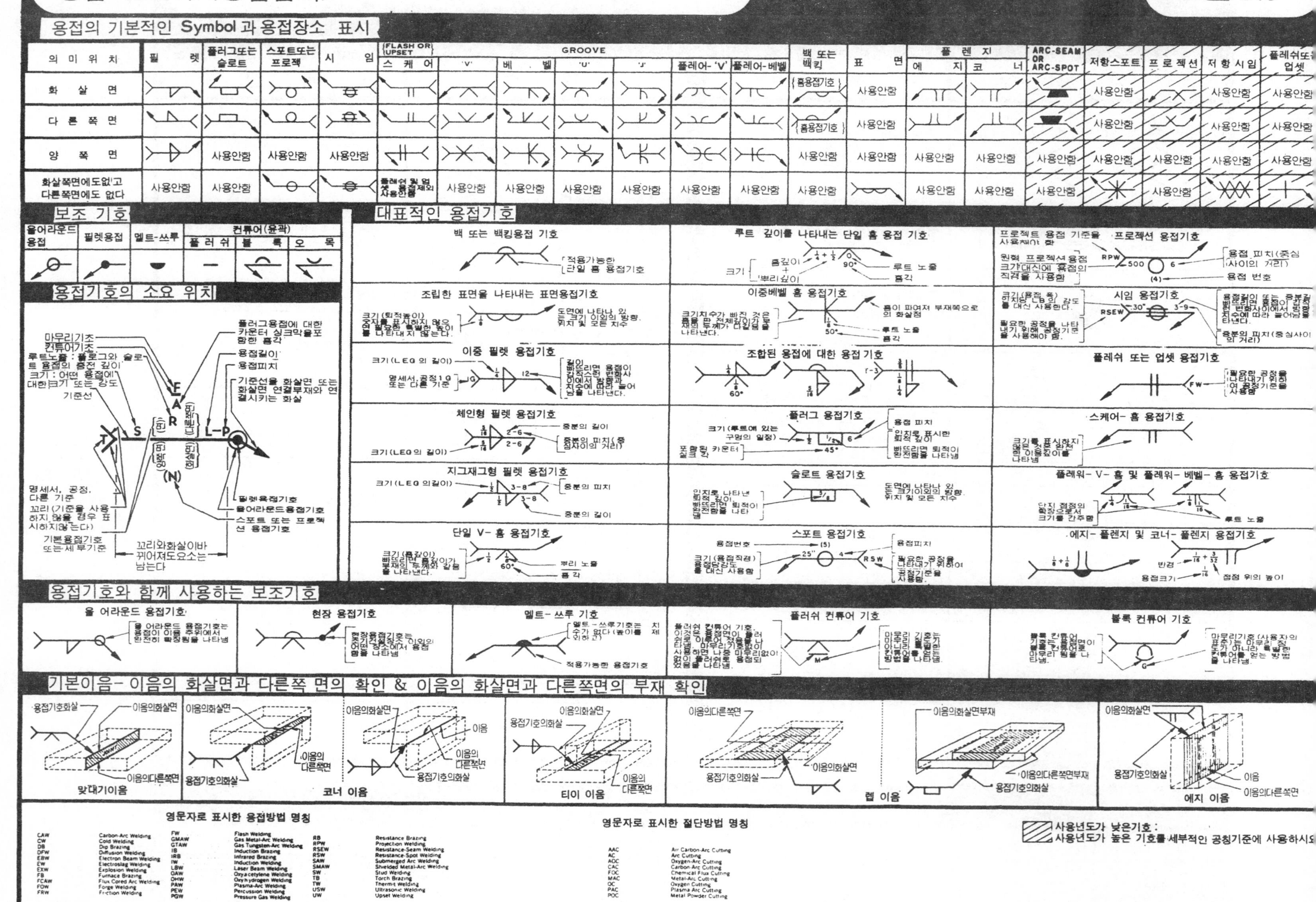

용접기호〔미국용접협회〕
도표 5.9
용접의 기본적인 Symbol과 용접장소 표시
의 미 위 치
필 렛
플러그또는 슬로트
스포트또는 프로잭
시 임
FLASH OR UPSET
GROOVE
스 케 어
'V'
베 벨
'U'
'J'
플레어-'V'
플레어-베벨
백 또는 백킹
표 면
플 렌 지
에 지
코 너
ARC-SEAM OR ARC-SPOT
저항스포트
프 로 젝 션
저 항 시 임
플래쉬또는 업셋
화 살 면
다 른 쪽 면
양 쪽 면
화살쪽면에도없고 다른쪽면에도 없다
사용안함
용융접기호
보조 기호
올어라운드 용접
필렛용접
멜트-쓰루
컨투어(윤곽)
플 러 쉬
볼 록
오 목
용접기호의 소요 위치
마무리기초
컨투어기초
루트노출 : 플러그와 슬로트 용접의 충전 깊이
크기 : 어떤 용접에 대한 크기 또는 강도
기준선
플러그용접에 대한 카운터 싱크각을포함한 홈각
용접길이
용접피치
기준선을 화살면 또는 화살면 연결부재와 연결시키는 화살
명세서, 공정, 다른 기준
꼬리 (기준을 사용하지 않을 경우 표시하지 않는다)
기본용접기호 또는 세부기준
꼬리와화살이바뀌어져도요소는 남는다
필렛용접기호
올어라운드용접기호
스포트 또는 프로젝션 용접기호
대표적인 용접기호
백 또는 백킹용접 기호
적용가능한 단일 홈 용접기호
루트 깊이를 나타내는 단일 홈 용접 기호
프로젝션 용접 기호
조립한 표면을 나타내는 표면용접기호
이중베벨 홈 용접기호
시임 용접기호
이중 필렛 용접기호
조합된 용접에 대한 용접 기호
플레쉬 또는 업셋 용접기호
체인형 필렛 용접기호
플러그 용접기호
스퀘어- 홈 용접기호
지그재그형 필렛 용접기호
슬로트 용접기호
플레워- V- 홈 및 플레워- 베벨- 홈 용접기호
단일 V- 홈 용접기호
스포트 용접기호
에지- 플렌지 및 코너- 플렌지 용접기호
용접기호와 함께 사용하는 보조기호
올 어라운드 용접기호
현장 용접기호
멜트- 쓰루 기호
플러쉬 컨튜어 기호
볼록 컨튜어 기호
기본이음- 이음의 화살면과 다른쪽 면의 확인 & 이음의 화살면과 다른쪽면의 부재 확인
용접기호화살
이음의화살면
이음의다른쪽면
맞대기이음
코너 이음
티이 이음
렙 이음
에지 이음
영문자로 표시한 용접방법 명칭
영문자로 표시한 절단방법 명칭
사용년도가 낮은기호 :
사용년도가 높은 기호를 세부적인 공정기준에 사용하시오

5.1.8 용접 상세에 대한 기호

표준 용접 기호들은 미국 용접 협회에 의하여 제정되었다. 이러한 기호들은 부속품, Vessel (機器), 배관 지지물 등의 상세에 반드시 사용하여야 한다. 도면에 '철저히 용접하도록' 또는 '완벽하게 용접하도록'이라는 지시를 쓰는 관례는 모든 부속품과 연결품에 대한 설계 책임을 설계자로부터 용접공에게 전달하는 것인데, 협회는 이것을 위험하고 비 경제적인 관례로 간주한다. 미국 용접 협회에 의하여 고안된 '용접 기호'는 8가지 요소를 가지고 있다. 이러한 요소 모두가 배관 설계자에게 반드시 필요한 것은 아니다. 용접공에게 모든 필요한 가르침을 주는 완벽한 용접 기호와 그러한 요소의 위치가 도표 5.9에 나타나 있다.

그 요소들은

- 기준선
- 화살표
- 기본 용접기호
- 크기 및 다른 Data
- 끝 맺음 기호
- Tail
- 상세서, 공정 또는 다른 기준이다.

완전한 현행 상세는 미국 용접 협회에서 편찬한 '표준 용접 기호'에 나타나 있다.

기본 용접 기호

기준선 및 화살표 : 기호는 용접할 곳을 지정해주는 기준선과 화살표에서 시작한다. 기준선은 두면을 갖는다. : 다른쪽면(선위쪽)과 '화살면(선 아래쪽)' — 아래 例다 도표 5.9를 참조하시요

그림 5.1 기본 용접화살

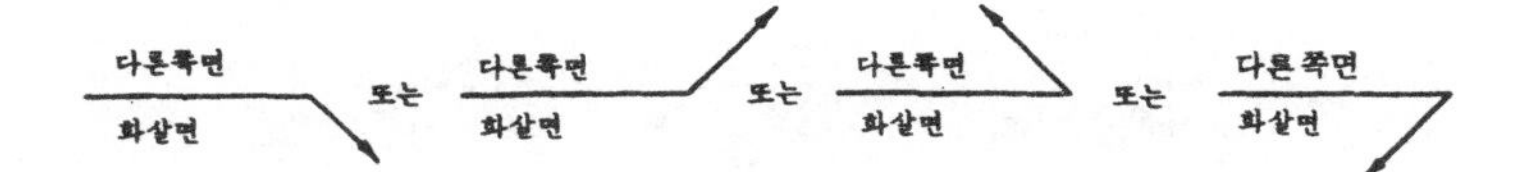

기본 용접 기호

(a)용접기호

필렛	백 또는 백킹	플러그 또는 슬로트	스포트 또는 프로젝션	시임	에지 플랜지	코너 플랜지

(b)홈 기호

스퀘어	'V'	베벨	'U'	'J'	플레어'V'	플레어 베벨

Fillet 용접 기호의 예

연속적인 Fillet 용접이 필요할 경우

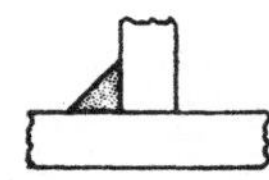

Fillet 용접 기호를 기준선의 '화살면'에 그린다.

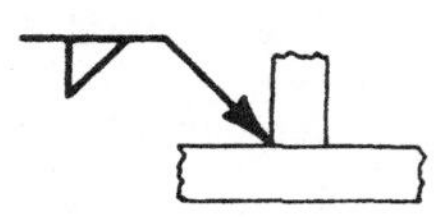

화살면으로 부터 뒷면에서 용접이 필요할 경우

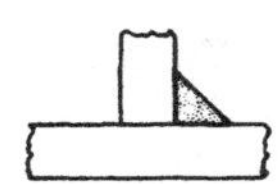

용접 기호를 기준선의 '다른쪽 면'에 그린다.

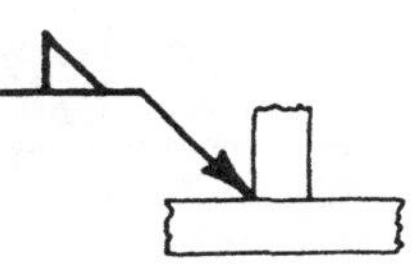

이음매의 양쪽면에서 연속적인 Fillet 용접이 필요할 경우

기준선의 양쪽면에 Fillet 용접 기호를 그린다.

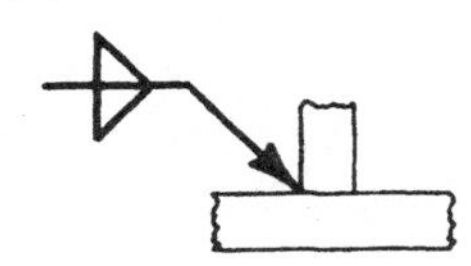

경사홈 파기 기호의 사용예

이처럼 경사홈이 필요한 경우 :

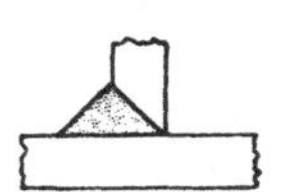

경사용 홈 기호는 Fillet 용접 기호와 함께 표시하며, 경사를 만들 소재쪽으로 화살면에 틈을 만든다.

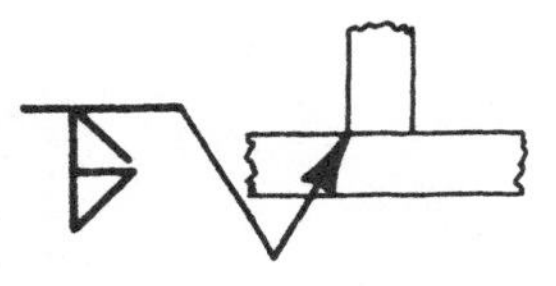

단지 경사와 'J' 홈 기호만이 화살면에 틈을 만든다—도표 5.9참조

용접 단면의 치수 표시

크기가 $^1/_4$인치되게 용접해야 한다면 경사는 길이가 $^3/_{16}$인치 되게 해야 한다.

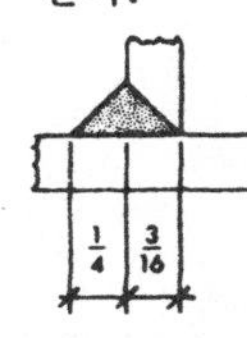

이러한 치수는 용접 기호의 왼쪽에 나타낸다.

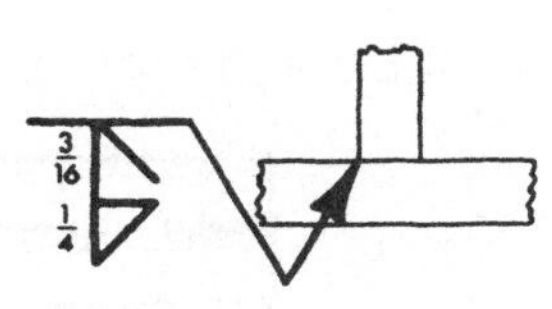

다른 방법으로 나타내면 경사는 원호의 각도로서 표시 할수 있다.

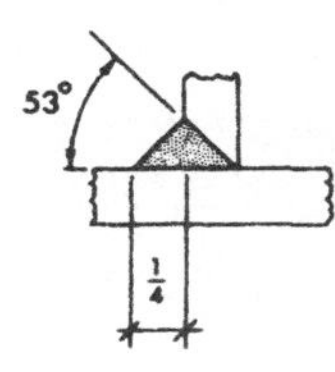

그리고 다음과 같은 기호로 써 표시한다.

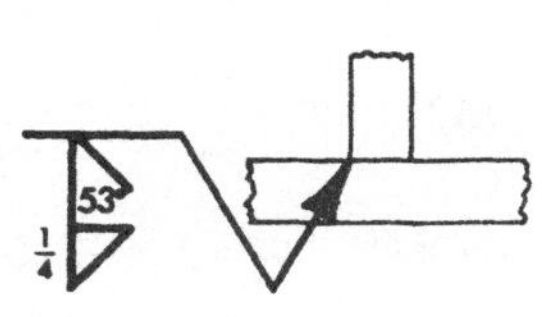

밑 틈새가 필요하면

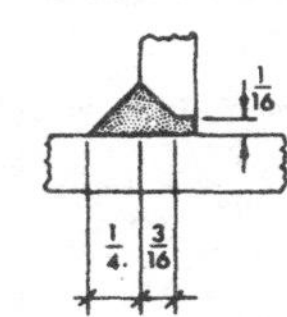

그 기호는~이다

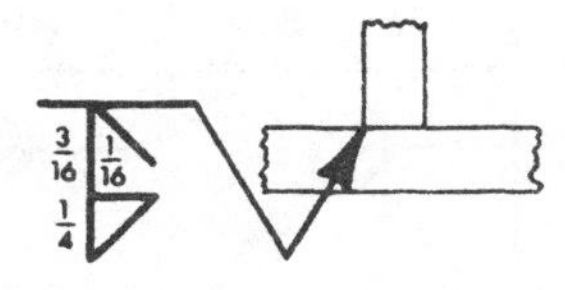

용접 길이의 치수

경사 없는 Fillet 용접 이음으로 되돌아가서 이처럼 크기가 $^{1}/_{4}$인치 그리고 길이가 6인치되게 용접을 해야 한다면 :

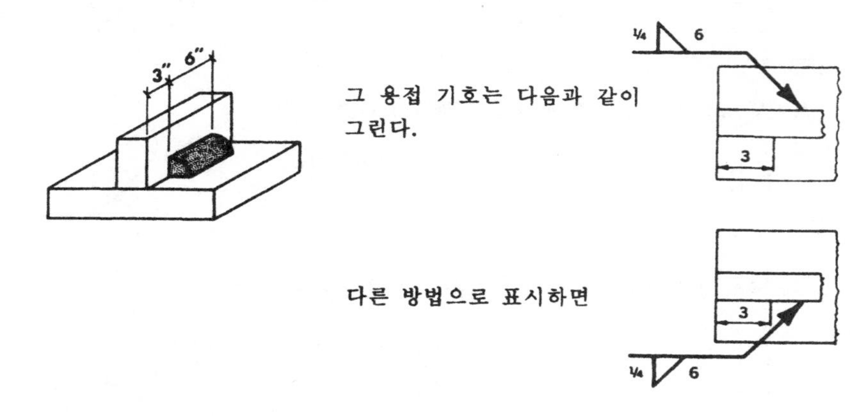

길이 6인치의 용접이 용접들 사이에 틈을 두고서 연속적으로 용접해야 할 '경우는(즉 용접 위치가 12인치이다) :

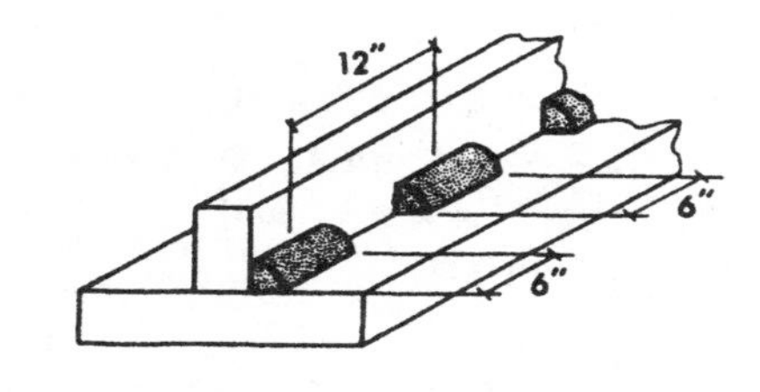

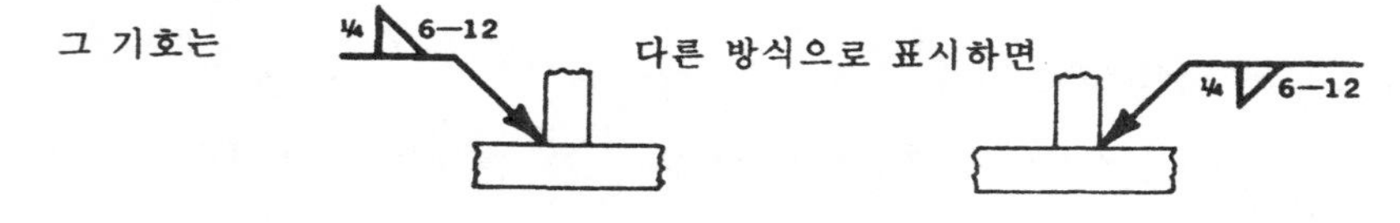

양쪽면에서 엇물리게 용접해야 할 경우 :

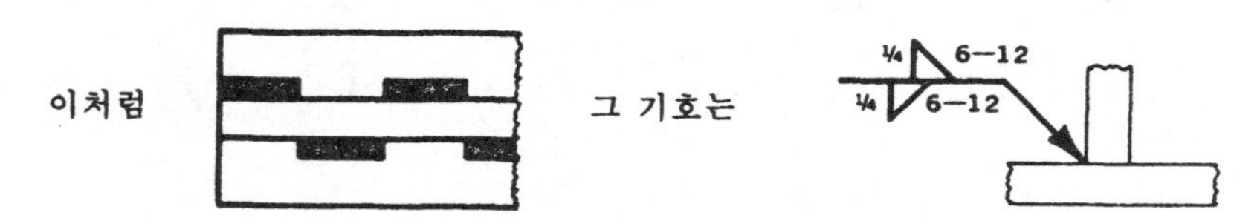

보조 기호

이러한 기호들은 용접하는 지침을 가르쳐 주며, 필요한 윤곽을 규정한다.

전부용접	현장용접	멜트-쓰루	컨튜어		
			플러쉬	볼록	오목

단순 Fillet 용접의 예로 되돌아가서, 소재를 全 周位를 전부 용접해야 한다면

이처럼 또는 이처럼

그것은 이러한 방식으로 나타낸다.

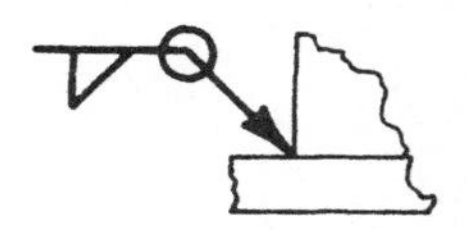

이와 똑같은 '전주'용접을 현장에서 해야 한다면, 그것은 아래와 같이 나타낸다.

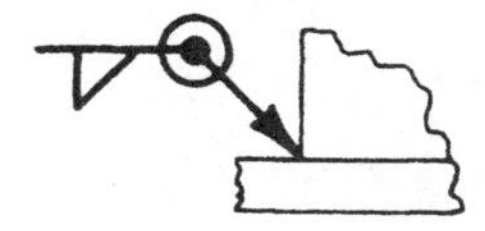

용접 기호 상 윤곽 기호가 용접의 윤곽을 나타낸다.

FLUSH CONTOUR / CONVEX CONTOUR / CONCAVE CONTOUR

이처럼 이처럼 이처럼

윤곽 용접을 끝 맺음하는 방법은 끝 맺음 표시 글자를 써서 나타낸다. finish

여기서 M은 기계가공, G는 Grinder가공, C는 Chipping 가공을 표시한다.

전주 용접 기호

때때로 용접 기호에 다른 지시를 적는 것이 필요하다. 그 기호는 도표 5.9에 있는 '용접 기호 요소 위치'에 나타나 있는 바와 같이 이것을 위하여 정교하게 그린다. 미국 용접 협회가 인정하여 다시 만든 도표 5.9는 이 분야에 대하여 요약 설명하고 있다.

5.2 도 면

5.2도면 배관 시스템을 건설하는데 필요한 모든 자료는, 사양서에는 나타나 있지 않으나 도면에 나타나 있으며, Model과 사진의 사용 여부도 도면에 나타나 있다.

도면의 주요 목적은 간단하며 명백한 방법으로 자료 설계자의 의사를 전달하는데 있다.

5.2.1 Schematic Diagram에서의 Process 및 配管圖

Process 배관을 설계하기 위하여 공정 기술자가 준비한 계통도로부터 세가지 형태의 제도가 연속해서 개발되었다. 개발된 순서로 쓰면 이러한 세가지 형태의 제도는 아래와 같다.

(1) 흐름도(공정 또는 써어비스)
(2) 배관 및 계장 Diagram(또는 P&ID)
(3) 配管圖

Diagram의 例

그림 5.2는 간단한 계통도를 나타낸다. 용제회수 시스템이 예로써 사용되었다. 그림 5.2의 계통도에 근거한 발전된 공정 흐름도가 그림 5.3에 나타나 있다. 이러한 흐름도로 부터 P&ID를 그린다. 실제적으로 물질은 왼쪽에서 오른쪽으로 흘러야 한다. 들어오는 유체는 화살표를 받는 방향으로 표시하며 도면의 왼쪽 가장자리에 표시한다. 그리고 나가는 유체는 화살표가 나가는 방향으로 표시하며, 제목 블록 위에 공간으로 돌출되지 않도록 하면서 도면의 오른쪽에 표시한다. 공정 도면에 표시된 일반적인 자료는, 5.22에서 5.2.4에 자세히 기록되어 있다. 각각의 흐름도와 P&ID는 자신의 기능을 가지며, 5.2.3과 5.2.4에서 시작한 것과 같이 그것들의 기능과 관계있는 자료만을 나타내야 한다. 배관 구조 및 기계적이나 注記와 같은 관계없는 자료는 공정에 필수적인 것이 아니므로 설명한다. 여기서는 表示하지 않고, 別途의 사양서에 明記하여 설명한다.

보 안

국가나 기업의 보안상의 산업 일 경우 도면에 표시는 자료를 제한할 수 있다. 화학 약품이라 부르는 대신에 '달콤한 물' '소금 물' '여과한 산' '화학 B'와 같은 용어가 사용되어진다. 온도, 압력, 그리고 유동율과 같은 반응에 중요한 Data(기록)는 "숨겨도 좋다. 때때로 어떤 중요한 도면들을 사용하지 않을 때는 자물쇠를 채워 보관한다. 흔히 '계통도'라고 불리어지는 이러한 그림은 단선을 사용하여 유동 경로를 표시하여 직사각형 또는 원과 같은 간단한 그림을 사용하여 조작 또는 공정 장치를 표시한다. 흔히 공정에 대한 注記를 표시해 준다. 그 그림은 축척은 없으나 공정에 대한 機器와 배관 사이의 관계들은 나타내준다. 機器 또는 배관의 공간상 배열은 광범위하게 나타 낼 수 있다. 일반적으로 계통도는 초기 계획단계 이후에는 사용하지 않으나, 기본적인 참고가 되는 공정 흐름도를 만드는 데에 기여한다.

5.2.3 흐름도(Flow Diagram)

이것은 공정을 나타내는 축척이 없는 도면이다. 또한 그것을 'Flow Sheet'라고 부른다.

그것은 배관, Conveyor 등이 운반하는 물질을 다루어야 하며 유동율 및 온도, 압력과 같은 관심있는 다른 자료를 분류해야 한다. 이러한 정보를흐름도를 표시하거나 분리된 Plane에 표로 만든다–그림 5.3의 왼쪽 아래에 이러한 圖表가 나타나 있다.

Flow Diagram의 外型

이 Flow Diagram을 Elevation이 表示된 도면으로 할 것인가의 판단은 P & ID를 어떻게 표시하였느냐에 달려 있다. 두 도면을 쉽게 연결시키기위해서는 둘다 같은 도면으로 표시해야 한다. Elevation이 表示된 도면은 수직으로 배열되어 있는 간단한 시스템에 적당하다. 옆으로 긴 면적을 차지하는 장치는 평면도에서 가장 잘 나타난다.

일반적으로 분리된 흐름도는 각각의 Plant 공정을 위한 것이다. 만일 도면이 너무 복잡하면, 둘 또는 그 이상의 도면을 사용한다. 간단한 공정에 대해서는 한 도면 위의 하나 또는 그 이상을 나타낸다. 공정 라인은 유동율 및 유동 방향 그리고 알려진 다른 Data를 표시해야 한다. 주요 공정 흐름은 도면의 왼쪽에서 오른쪽으로 가면서 완전하게 나타나야 한다. 공정에 필수적인 Vessel이나 다른 항목들의 임계 내부 부분을 표시해야 한다.

모든 요소를 고려할 때 도면의 위쪽 근처 또는 아래쪽 근처(기기 기호의 바로 위 또는 아래)에 기기 이름을 적는 것이 좋다. 때때로 만든 펌프들은 도면 상위 下段에다 그리는 것이 좋은 데 이런 관계는 도면을 복잡하게 보이게 만들 염려가 있다. 특히 흐름도에서 표시를 간단하게 하는 것이 매우 중요하다.

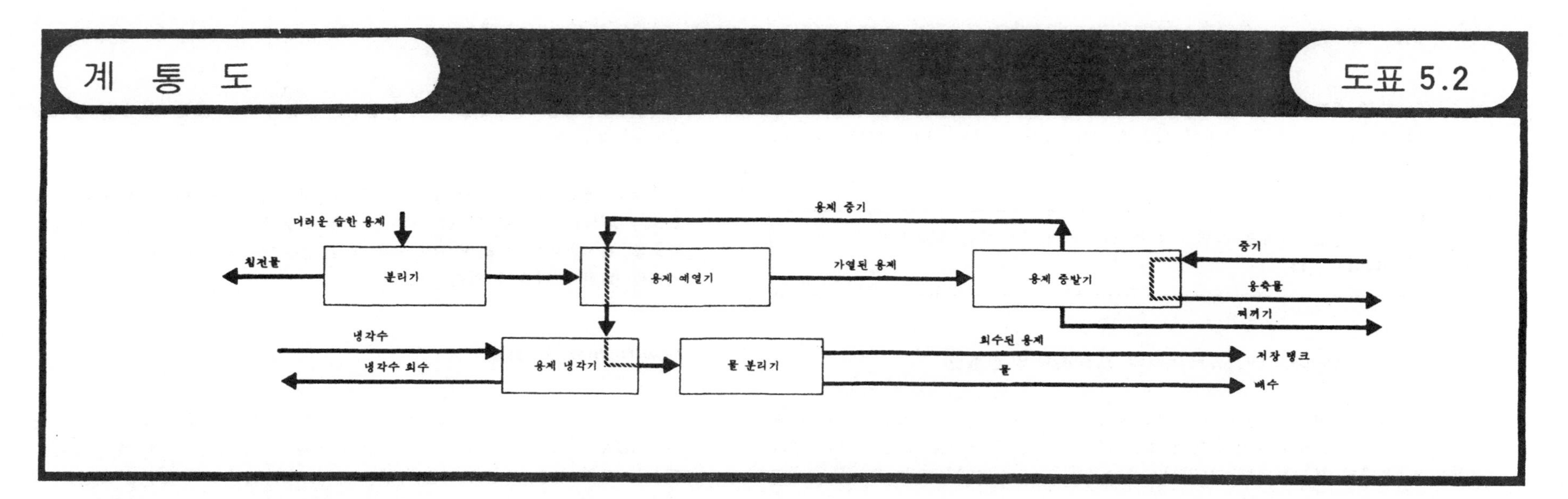

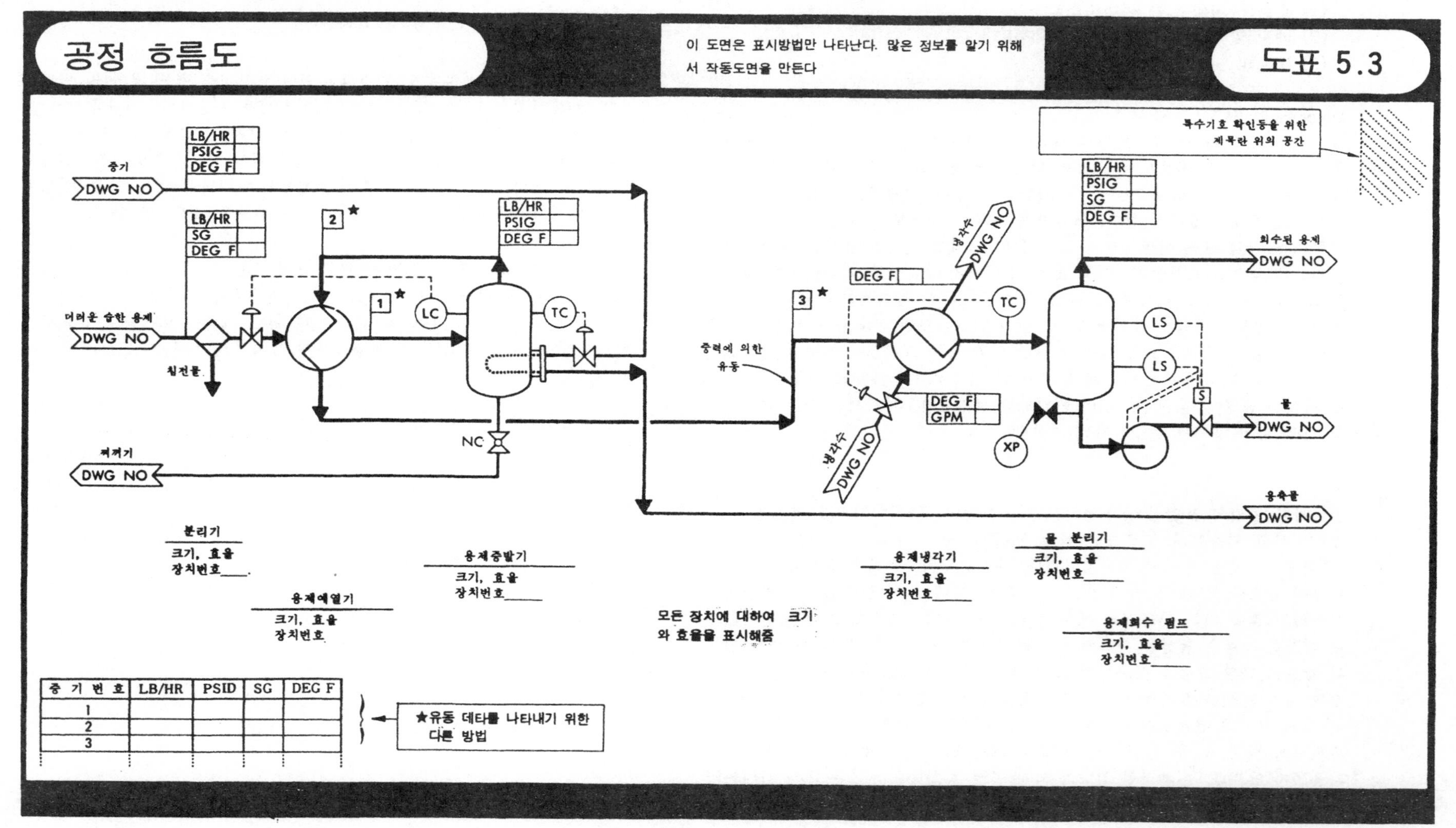

증 기 번 호	LB/HR	PSID	SG	DEG F
1				
2				
3				

유동 라인(Flow Lines)

그림에서 유동 방향은 굵은 화살表로써 표시한다. 모든 연결부의 끝에서 화살表를 사용하는 것은 그림을 빨리 이해하도록 만든다. 잘 배치하면 겹치는 숫자를 최소로 줄일 수 있다. 도표 5.1에는 충분한 크기로 적당한 선 굵기가 나타나 있다. 사진 축소를 위해서는 라인과 라인 사이를 3/8인치 이상 간격으로 그려야 한다. 속이 빈 큰 화살表로 흐름도로 들어오거나 흐름도를 떠나는 유선 및 공정을 나타내는데 그것은 그림 5.3에 표시된 것처럼 수송유체와 화살表 내에 있는 관련 도면 번호를 표시한다.

유동상의 화살

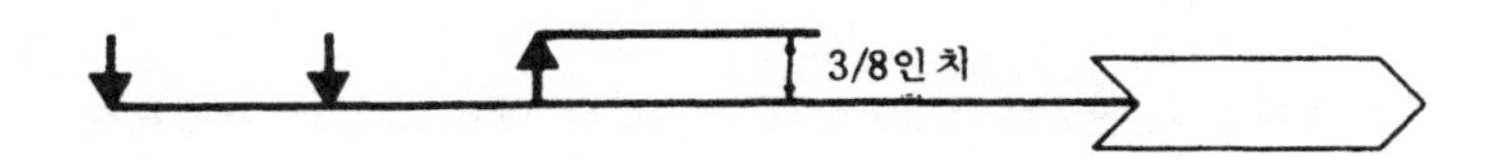

Flow Diagram 상의 Valve 表示

공정에 필요한 계장 Controll 이나 손으로 조작하는 Valve 들이 있다. 국가 규격이나 일반 例에 의해 필요로 할때, 또는 공정에 필수할 때 다음과 같은 Valve 들이 使用 된다. 청소나 증기 배출을 위한 Valve 로는 Isolating, Bypassing, Venting, drain, Sampling Valve 등이 있으며, 가스나 액체에 일정 압력 이상으로 올라가는 것을 방지하기 위한 Valve 로는 Breather Valve 나 Vacuum Breaker 가 있다.

특수 Fitting 의 表示

배관 Fitting, Strainer, 그리고 Flame Arrestor 는 공정 上에 특별히 중요하지 않는 한 표시하지 않는다.

필수적인 計裝(Essential Instrumentation)

機器의 용량은 반드시 표시 한다. 機器 기호를 사용하여 체계적으로 그려야 하며, 기기의 실제 크기에 비례하여 적당하게 그려야 한다. 기기 기호는 도면을 너무 많이 차지해서는 않되며 또한 분명히 이해 할 수 있도록 너무 작아서도 않된다.

機器 DATA

機器의 용량은 반드시 표시한다. 機器 기호를 사용하여 체계적으로 그려야 하며 機器의 실체 크기에 비례하여 적당하게 그려야 한다. 機器 기호는 도면을 너무 많이 차지해서는 안 되며 또한 분명히 이해할 수 있도록 너무 작아서도 안 된다.

예비 및 병행 機器(Standby & Paralleled Equipment)

예비 기기는 보통 나타내지 않는다. 기기의 동일한 Unit 들이 병행 운전을 하고 있다면, 보통 한 Unit 만을 나타낸다. 기기의 Item No. 와 기능을 알려주어 범행 또는 예비 Unit 를 표시해 주어야 한다.('예비' 또는 '병행 운전') 작동하는 기기를 사이클적으로 그리는 것이 좋다. 예를 들면, 병행으로 운전하는 Filter Press 에 대하여 하나는 나타내주고 다른 하나의 Press 는 대체 운전으로 취급한다.

機器에 대한 Process Data

機器의 주된 항목들을 설계하고 조작하기 위하여, 필요한 기본적인 공정 자료는 알려져야 한다. 이러한 자료는 기기의 제목 바로 아래에 써주는 것이 가장 좋다.

機器의 Item No. 分類

분류 글자로 기기의 다른 형태들을 나타낸다. 일반적으로 인정되어지는 Code 는 없다—어떤 표준화가 이루어지면 개개 회사는 그들만의 체계를 만든다. 어떤 글자로 분류한 기기는 1에서부터 차례로 숫자를 매긴다. 새로운 기기의 번호를 부여하는 방법은 Plant 에 대한 이전의 관례를 따른다. 또한 Plant 別로 나누어서 필요에 따라서는 그 장소의 일부를 개개의 Code 번호를 갖는 Area 別로 하는 것이 좋다. Area 번호는 기기 번호의 맨 앞에 적는다. 예를 들면 열 교환기가 Area 1에 위치하고, 분류 글자 'E'에 속하며 기기의 53번째이면 그 열교환기의 기기번호는 1-E-53이다. 5.2.7'을 참조하시오. 기기의 개개의 항목은 모든 도면, 그림, 기록에서 같은 숫자를 갖게 된다. 똑같은 기기 Item No. 의 글자와 숫자에 A,B,C 등과 같은 글자를 덧 붙임으로써 예비 또는 동일 기기임을 확인 할 수 있다. 예를 들면 열 교환기와 그것의 예비品인 1-E-53 A 와 1-E-53 B 로 지정한다.

Process Flow Diagram 의 써비스

서비스를 제공하기 위한 시스템들은 나타내지 않아야 한다. 그러나 서비스의 형태, 유동 비율, 온도 및 압력은 물질 균형에 대응하는 소비율로써 알려져야 한다—보통 Line 에 있는 'Flange'가 알려준다(그림 5.3참조)

폐기물의 처리

모든 폐기물에 대한 처리 경로를 나타내야 한다. 예를 들면, 화살표나 배출 기호는 '화학 약품의 하수구'나 '재생 시스템으로 보냄'과 같이 목적지(용도)에 따라 표지를 붙인다. 어떤 경우에는 폐기물 처리 시설을 하나 또는 그 이상의 분리된 도면으로 자세하게 해 주어야 한다. 폐기물에 대해서는 6.13을 보시오.

Material Balance

공정 물질 균형을 $8^1/_2$×11인치 도면이나 Process flow Diagram 밑 부분에 표로 만들 수 있다.

그림
5.2 & 5.3

5.2.4 배관 및 計裝 Diagram (Piping & Instrumentation Diagram)

이러한 도면을 흔히 P&ID 라고 부른다. 그것은 모든 공정과 서비스 Line, 계장이나 Control 장치, 그리고 설계 그룹이 필요한 Data를 지정해 주는 것이 목적이다. Process Flow Diagram은 P&ID를 그리기 위한 자료의 기본이다. P&ID에 적당한 기호들이 도표 5.1에서 5.7에 나타나 있다.

P&ID는 가격 책정과 공정의 부수적인 설계, 건설, 운전 및 보다 정확한 배관 및 계장품들을 규정해야 한다. Material Balance Data, 유동비, 온도, 압력 등 그리고 배관 Fitting 상세는 나타내지 않으며 Elbow, Fitting Union 같은 기계적인 배관 상세들은 P&ID에 표시하지 않는다.

P & ID 연결

이러한 도면은 건물과 Unit 사이의 공정이나 서비스 Line을 나타내며 개개의 공정, Unit 또는 건물에 P & ID를 관련시켜 준다. 어떤 P & ID 와 마찬가지로 그 도면은 축척과는 무관하다. 그것은 Line 크기와 Header 로부터 분기점을 정해주며, 配管 Line을 정해주는 위치 선정 계획의 설계와 유사하다.

P&ID 설계

P&ID의 설계는 가능한 Process Flow Diagram 설계와 틀려야 한다. 기기의 공정 관계는 정확히 일치해야 한다. 수직적으로 비례하게 기기를 그려서 여백을 줄이고, 기기들 사이의 Flow Line에 대한 여백을 두기 위하여 치수는 줄이는 것이 좋다. 복잡한 자료는 흔히 있는 제도상의 잘못이다. 공백을 여유있게 두는 것이 좋다. Code 또는 일층 位置를 나타내는 기초선은 P&ID 정면도에 표시한다. 그리고 基本 높이를 나타내 준다. 수정 할 목적이라면 Grid System으로 된 제도 용지에 P&ID를 作成하는 것이 좋다. 이것은 한 경계선을 따라 글자가 쓰여져 있고, 인접한 경계선을 따라 번호가 있는 용지이다. 그러므로 'A 6' 'B 5'등과 같은 기준들을 변경되는 area에 표시 해 줄 수 있다. (Grid System은 그림 5.4의 간단한 예 보다 복잡한 P&ID에 적절하다)

P&ID에 대한 가이드 라인(희미한 윤곽선)제도

- 도표 5.1에 충분한 크기로 적당한 선 굵기에 나타나 있다.
- 선들은 교차되게 그리지 마시요. 단지 한 방향으로 가는 선들만 그리시요.
- 평행선들은 적어도 $^3/_8$인치 떨어지게 그려라
- 되도록이면 모든 Valve들은 똑 같은 크기로 그려라 — $^1/_4$인치 길이가 적당하다 — 이것은 축소 Copy 할 때 읽기 어렵게 만들 우려가 있기 때문이다. 계장의 Isolating Valve와 Drain Valve는 필요에 따라 적게 그려도 된다.
- 계장들은 직경이 $^7/_{16}$인치 되게 그려라 — 5.5참조
- Trap 기호는 $^3/_8$ inch 크기로 그려라.

P & ID에 대한 Flow Line

모든 유동선과 연결부는 P&ID에 나타내야 한다. 모든 line은 유동방향을 표시해 주어야 하며 Project area, 수송되는 유체, Line 크기 배관材質 또는 사양서 Code No. (회사 Code), 그리고 Line No.를 알려주기 위한 Label (꼬리표)을 붙여야 한다. 이러한 자료는 ' Line No '에 나타나 있다.

Line No.의 例 : 74 BZ 6 412 23 은 Area 74에 있는 23번째 Line을 표시하며, 회사 사양서 412의 6인치 파이프를 나타낸다. ' BZ '는 관에 흐르는 유체를 나타낸다. 확인할 수 있으면 Flow Line에 대한 이런 형태의 지시는 필요 없다. 배관 도면들은 P&ID 상의 Line No.를 이용하며, 아래의 요점은 P&ID 뿐만 아니라 배관 도면에도 적용된다.

- 같은 유체를 운반하는 Line들의 시스템에 대해 각각의 시스템에 대해 '1'부터 시작하는 연속적인 번호를 지정해 주시요.
- 연속되는 Line에 대해서는 같은 번호를 쓰시요(예에 있는 23번처럼), 왜냐하면 Valve, 小型 Filter, Trap, 환기장치, Orifice Flange와 小型 機器를 통해 Line이 형성되기 때문이다. Line의 크기가 變更 시키지 않는다면,
- 主 機器인 Tank Vessel 혼합기 등에 연결되는 Line No.는 이 연결되는 機器 사이의 No.로 終結시켜라
- 분기점에 대해서는 새로운 번호를 지정해 주시요.

Process Flow Diagram에서 처럼 모든 연결 부분 및 방향 변화가 거의 함께 일어나는 곳을 제외한, 모든 표시하는 굵은 화살표로써 도면에서의 유동 방향을 나타내준다. 모서리는 2개의 화살표를 표시한다. 교차되는 숫자는 잘 배열 하므로써 최소로 되게 한다. 화살 머리와 그것 안에 있는 연속적인 도면 번호 위에 쓰여진 수송 유체의 이름을 가진 속이 빈 화살들로써 공정으로 들어오거나 나가는 서비스 유동 및 공정을 나타낸다. 일반적으로 P&ID에는 Process Flow Data는 표시하지 않는다.

P & ID상의 유동라인

Line에 대한 주의

설계를 위한 특별한 요점과 운전절차를 알수있다 — 예를 들면 중력에 이해 흐르도록 기울게 한 Line과, 시운전 前에 깨끗하게 청소해야 할 Line 등.

P&ID의 모든 機器와 특별한 Item의 表示

P&ID는 모든 주된 기기 및 기기 이름, 기기의 번호, 기기의 규격, 등급, 용량, 기기의 역활, 그리고 계장품 같은 공정에 관련되는 자료를 나타내 주어야 한다. 모든 연결된 Line들을 비롯하여 예비품 및 병행를 나타낸다. 기기 번호와 서비스 기능('예비' 또는 '병행 운전')을 표시해 준다. 미래에 기기들을 도와야 할 기기와 더불어 '미래 기기'는 점선으로 나타내며 Label을 붙인다. 미래 배관을 수용하기 위한 Blind-Flange 구역은 本管과 분기점을 나타 내주어야 한다. '미래'라는 것은 보통 5년 이내를 예상한다. 압력등급이 배관 시스템과 다르면 기기의 압력 등급을 표시해 준다. 같은 써비스에서 동일한 기기의 많은 부품들을 설명해 주기 위해 '대표적인' 노우트를 사용하나 모든 기기 번호들을 부여해 주어야 한다.

폐 쇄

공정 운전 또는 개별적 보호를 위한 동시 폐쇄는 나타나 있다.

SEPARATORS, SCREENS & STRAINERS

Separator, Screen, Strainer 이러한 항목들은 보호해야 할 기기와 공정을 위에 있도록 나타내 주어야 하며 2.10에 나타나 있다.

P&ID 上의 Stem Trap

트렙의 위치를 안다면 그것을 표시해 주어야 한다. 예를 들면, 증기 터어빈이 있는 압력 감소 장치를 위에 놓는데, 필요한 Trap을 나타내 주어야 한다. 한편 증기 배관상의 증기 트랩은 나타내지 않는데, 이러한 트렙 위치들은 배관 도면을 만들때 결정하기 때문이다. 배관 도면을 완성한 후에 원한다면 나중에 P&ID에 그들을 표시해 준다.

드립레그(Dripleg)

드립레그들은 나타내주지 않는다.

Vent와 Drain

유체 정역학적 시험에 이용되어지는 Line의 높고 낮은 점에서의 Vent와 Drain은 나타내 주지 않는데, 이것은 배관 배치도에서 그것들을 정해주기 때문이다. Process上의 Vent와 Drain은 나타내 준다.

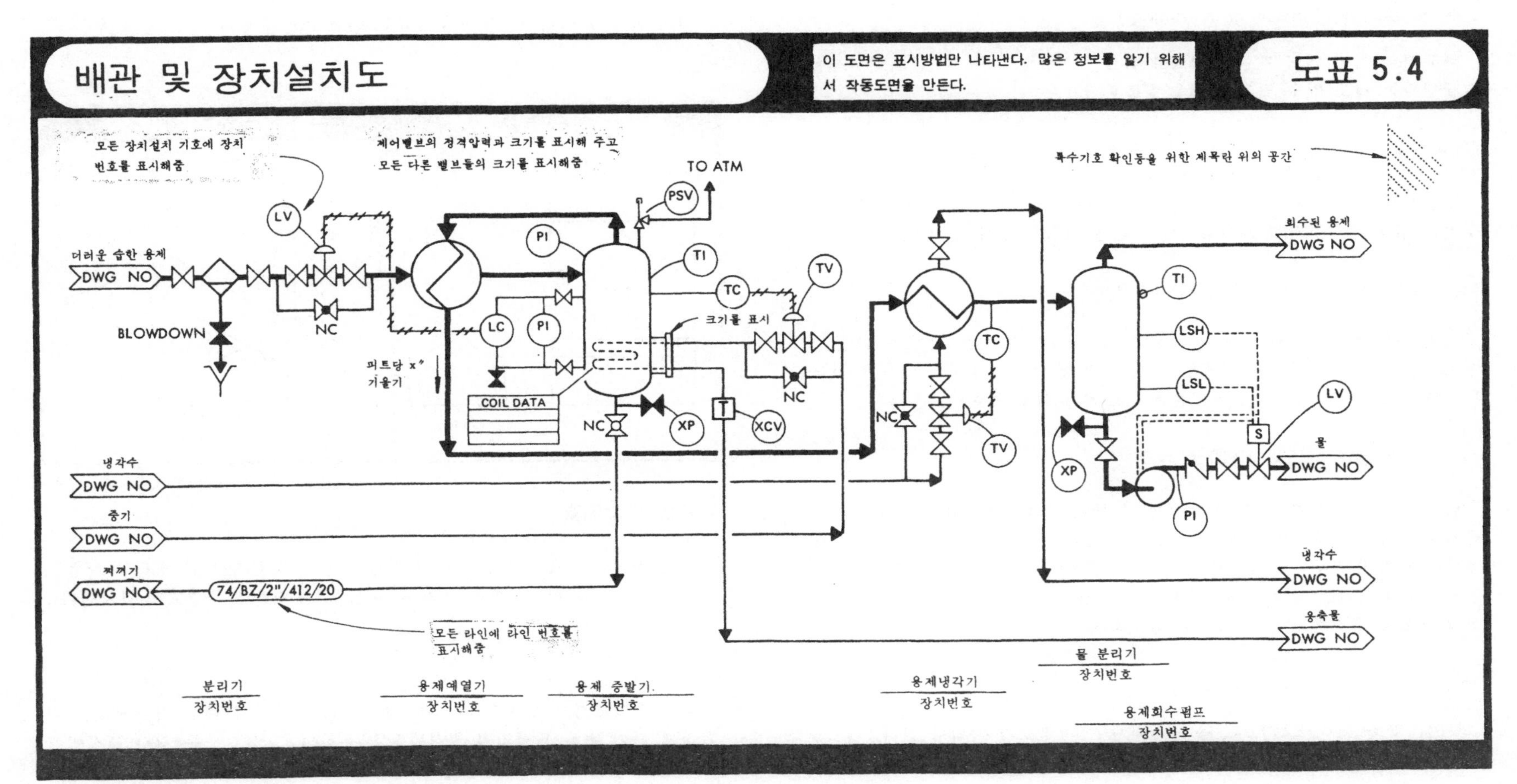

그림 5.4

P&ID의 Valve

- 가능하면 공정 및 서비스 Valve 들을 크기에 따라 표시 해 주고 확인 번호를 붙여 주시요, 압력 등급이 Line 사양과 다르면, 표시해 주시요.
- 열어서 잠그거나, 닫아서 잠그는 Valve 는 가르켜 주시요
- 유경험자가 운전 할 수 있도록 표시해 줄 것.

P&ID 상의 계장품의 표시

도표 5.1에 나타나 있는 Signal lead 제도기를 사용할 것이며, 계장품을 지정하기 위한 ISA 체계를 5.5에 나타낼 것이다. 계장 배관과 도관의 상세는 보통 분리된 계장품 도면에 나타낸다.

- P&ID 상에 다음과 같은 항목들을 포함하여 모든 계장품을 표시하시요 : Element 또는 감지기, Signal Lead, Orifice Flange 組立品, Transmitter, 제어기, Vacuum Breaker Flame Arrestor, Level Gage, Sight Glass, 유동 지시기, Relief Valve, 파열한 안전 밸브, 끝의 세가지 항목은 압력 Set 를 붙인다.

- 기호로서 부분적인 또는 전체적인 계장품을 나타내시요—5.5.4에 있는 lebel 를 참조하시요.

보온 및 트레이싱(insulation & tracing)

배관과 기기에 대한 보온을 필요로 하는 두께로써 나타낸다. 트레이싱을 요구한다는 것도 알수 있다. 6.8을 참조하시요.

Control Stations

6.1.4에서 제어 장소를 거론할 것이다. 제어 Valve 는 번호와 크기를 통일시킨 압력 등급으로 나타낸다—예를 들면 그림 5.15를 보시요.

P&ID 에는 폐기물 처리 방법이 나타나 있다.

폐기물을 처리하는 배출구, 통기공, relif valve 와 다른 기기는, P&ID 상에 나타낸다. 광범위한 시스템 또는 폐기물 처리 시설이 있다면 따로 P&ID 상에 표시해야 한다. 폐기물은 6.13에서 다룰 것이다.

서비스 시스템은 別途로 P&ID 을 作成한다

난방에 필요한 증기, 냉방에 필요한 물 또는 냉매, 산소를 공급하기 위한 공기등과 같은 여러가지 서비스를 공정 기기에 공급된다. 이러한 서비스를 제공하는 설비 또는 장치는 따로 '서비스 P&ID'에 나타내어 준다. 공정 P&ID 로 들어가는 증기 Line 같은 서비스 Line 은 서비스 P&ID 에 속이 빈 화살표로 표시한다. 그림 5.4를 참조하시요.

사용 물질 저장소(Utility Stations)

증기, 압축 공기, 그리고 물을 공급해주는 저장소가 나타나 있다. 6.1.5을 참조하시요.

5.2.5 Line 명칭 Sheet 또는 표

이러한 Sheet 들은 Line 들의 목록과, 그들에 대한 정보를 수록하고 있다. Line 들의 번호는 보통 sheet 의 오른쪽에 기입한다. Line 크기, 건축재료(회사의 사양 코드를 이용한), 수송 유체, 압력, 온도, 유동을 시험 압력, 보온 또는 Jacketing (필요하다면), 그리고 연결 Line 들(보통 분기점에 있지만)들은 다른 컬럼에 기입한다. 모든 정보를 P&ID 에서 얻는 프로젝트 그룹이 그 Sheet 들을 만들고 수정한다. 배관 그룹이 참고 할 수 있도록 복사본을 만들어 준다. 단지 소수의 Line 이 있는 작은 규모의 프로젝트에는, Line Sheet 가 필요 없다. P&ID Note 에 사용한 최종 라인과 최종 밸브의 번호를 나타내 주면 좋다.

5.2.6 배관 도면에 사용하는 투상법

두가지 종류의 투상법이 사용된다.

(1) 직각 투영법(三角法)—평면도(平面圖)와 입면도(立面圖)
(2) 立體 투영법— ISO 투상도와 경사 투상도

그림 5.5.에 이런 두 가지 투상법으로 건물을 나타냈다.

그림 5.5 배관도면에 사용하는 표시

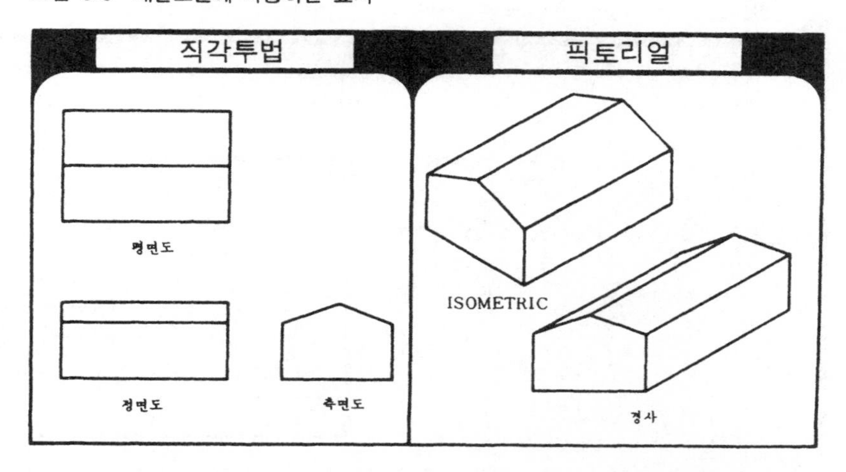

平面圖 및 立面圖

평면 투상법이 立面 투상법 보다 일반적이다. 배관 설계는 평면 투상법으로 하고, 필요하다면 명확히 하기 위해 立面 투상법과 단면도를 첨가한다.

Pictorial 투상법

직각 투영법으로 도면을 잘 나타 낼 수 없는 복잡한 배관 시스템들은 명확하게 하기 위해 픽토리얼 투상법을 사용한다. ISO 또는 경사 투상법에서는 도면에 수직하지 않고, 평행하지도 않은 Line 들은 보통 수평선에 30

도 각도로 그린다. 경사 투상법은 자주 사용하지 않으나 도식적인 작업에 使用된다. 그림 5.6은 다른 각도로 투영된 원통을 35° 타원 Template을 이용하여 투영 시키는 것을 나타내고 있다. Isometric Template는 Valve 등을 그릴 때 使用하며, Neat 도면을 신속히 만들 수 있다. 직각 투영 및 ISO Template는 경사 투상도를 作成하는데 사용할 수 있다.

그림 5.6 원형단면의 Isometric 표시

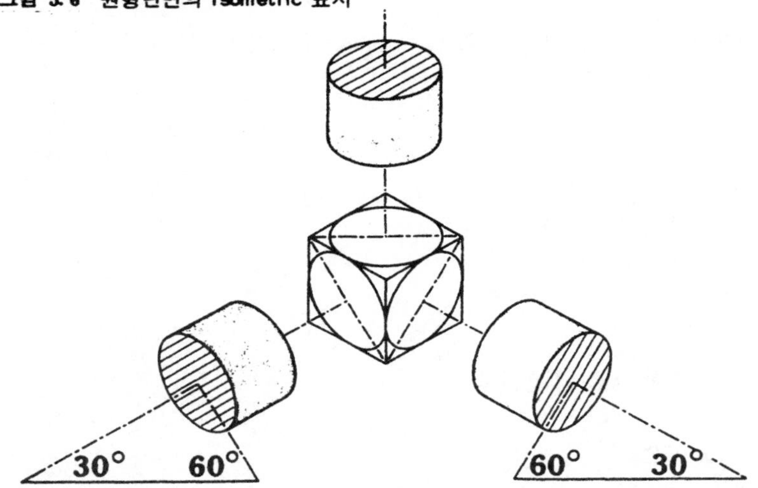

그림 5.7 다른 표시법에 의한 배관 배열

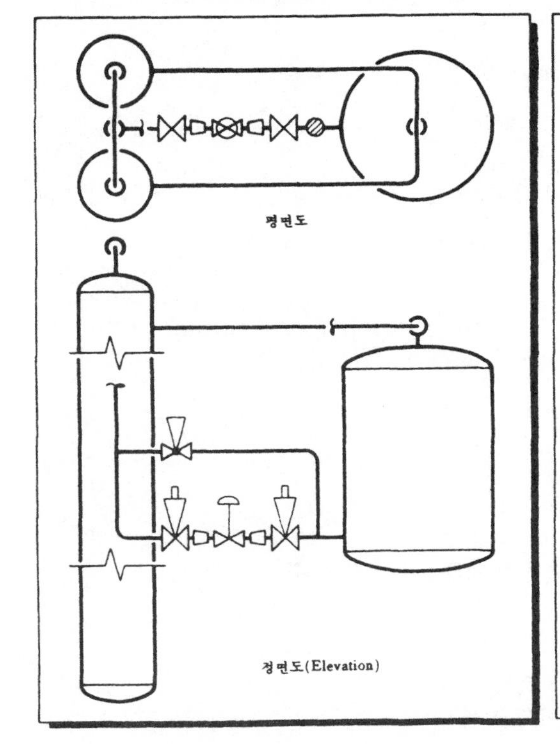

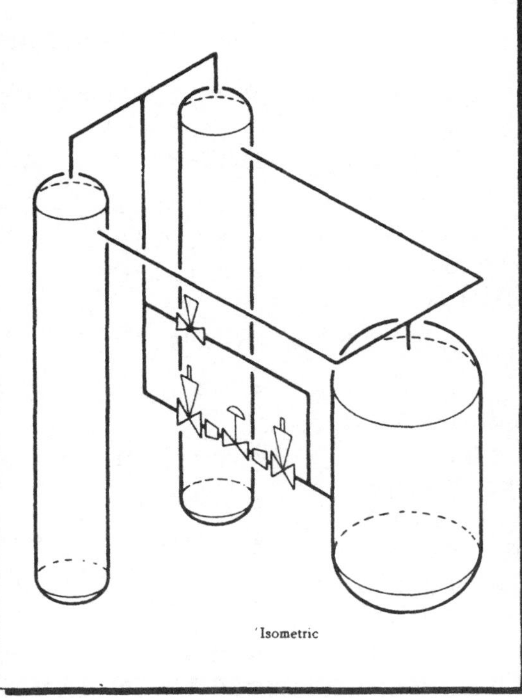

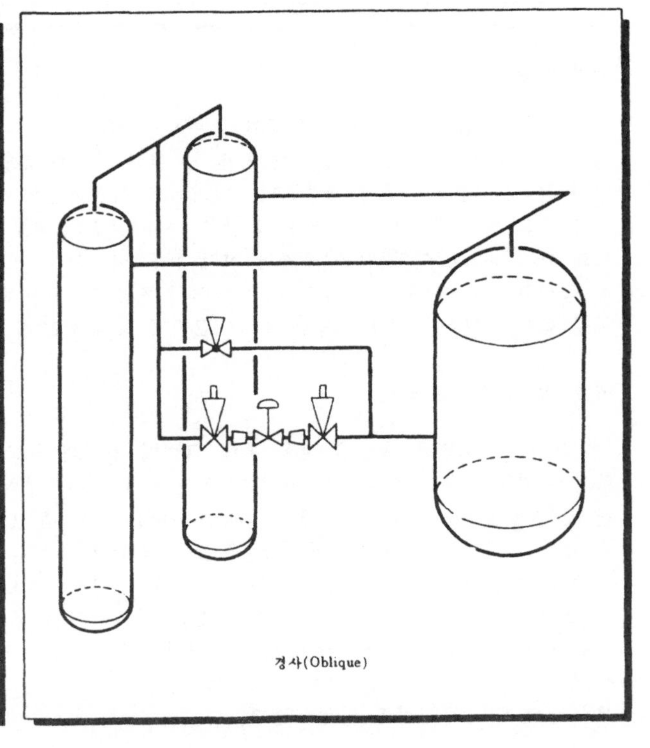

배관 시스템의 평면도 평면도 立面圖, ISO 및 경사 투상도

그림 5.7은 제도에서 사용하는 도면을 나타내고 있다. ISO 및 경사 도면은 명확히 배관을 나타내지만 평면도는 Bypass Loop와 Valve를 나타내지 못하기 때문에 보조 立面圖가 필요하다.

5.2.7 다른 도면에 근거한 배관도면

배관도면의 목적은 Plant를 건설 할 수 있도록 자세한 정보를 제공해 주는 것이다. 배관 도면은 만들기 전에 부지 계획 도면 및 기기 배열도면을 준비하여 이러한 두가지 도면들로 부터 개략 계획이 나온다. 이러한 세가지 도면은 배관 도면을 만들기 위한 기본 자료로 이용한다.

부지 계획(Site Plan)

배관 그룹은 조그만 크기(예를 들면, 1 in/30 ft 또는 1 in/100 ft)로 부지 계획도를 만든다. 부지 계획도는 철책선, 도로, 철도, 포장 도로, 건물, 공정 설비지역, 커다란 구조물, 저장 지역, 연못, 폐기물 처리장, 선착장 등의 전체 위치를 나타낸다. 부지 계획도는 '지리적인' 그리고 '가상의' 또는 'Plant' 북쪽을 나타내주며 그것들의 각 분할을 나타낸다—그림 5.11을 보시요.

5 .2.4 .2.7
그림 5.5–5.7

핵심 계획(Key Plan)

어떤 장소의 면적을 키이 문자와 번호가 주어진 조그만 면적으로 나누는 위치 계획도를 만든 후에 '핵심 계획도'를 만든다. 작고 단순화된 지도인 핵심 계획도에 개략 계획도를 첨가하고, 아울러 참고하기 위하여 배관 도면 및 다른 도면을 덧붙인다. 특수한 도면의 주요한 지역은 그림 5.8처럼 Hatching 을 하거나 음영 부분으로 한다.

그림 5.8 핵심 계획도와 분할선을 나타내는 도면

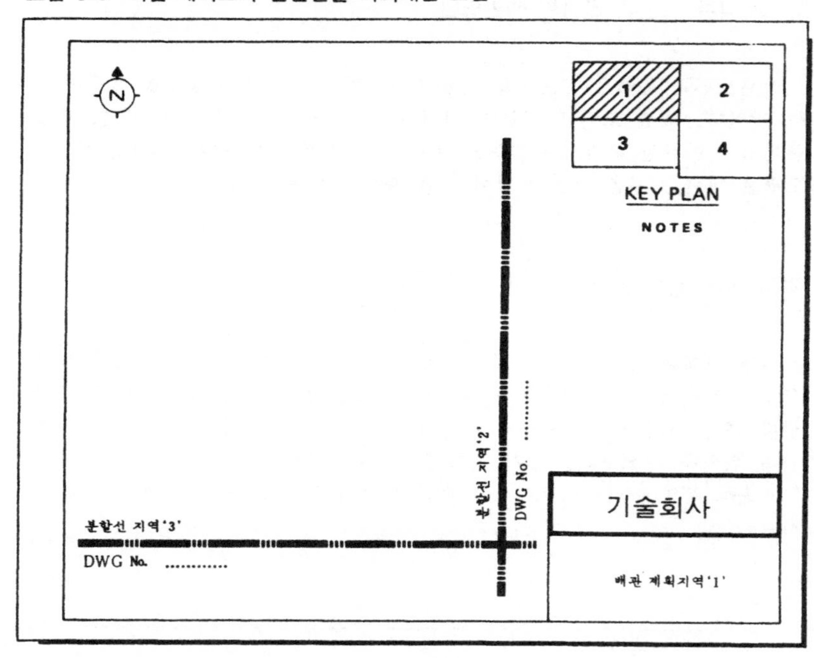

機器 配置圖

Project 그룹의 감독 아래서 배관 그룹은 공정 요구에 맞는 최적 설계를 이루도록 여러가지 Vessel 들을 배치한다. 이런 기기를 배열하기 위해 때때로 기본적인 배관 연구가 필요하다. 기기들을 배열하는데 있어서 설계상의 도움을 그 지역의 평면도에 있는 복잡한 서류로 부터 척도가 있는 기기 개요를 준비하는 것이다(같은 종류의 여러 장을 사용할 수 있으며 기기 개요를 복사하는 것이 좋을 것이다.) 방법 연구 또는 조사 보고서가 필요한 지역에 유용한 다른 방법은 '사진 설계' 밑에 있는 4.4.13에 나타나 있다.

Plot Plan (개략 계획)

기기 배열 도면은 승인을 받은 후에 그것에 기기와 구조물의 모든 주요 항목을 지정해 주기 위한 크기와 방향을 덧붙임으로써 개략 계획도로 이어진다. 건물들의 동서 방향과 철골 작업이나 다른 건축물 건설의 중심 선들을 개략 계획도상의 그 설치물의 서쪽 및 남쪽끝에 그려야 한다. 계획도의 북쪽과 진짜 북쪽 둘다 나타내야 한다. —그림 5.11을 보시요. 기기의 방향은 보통 중심선에 표시한다. 펌프의 방향은 펌프축의 중심선에, 또한 펌프 기초의 전면에 또는 배출구의 중심선에 나타낸다. 위의 도면의 최신 복사본을 설계에 참고하고 있는 토목, 구조 및 전기, 또는 다른 그룹들에게 보내서 그들에게 요구사항을 기입해준다.

Vessel 도면

기기 배열이 승인되고 배관 배열을 결정한 후에 Nozzle 및 그것의 방향, Manhole, 사닥 다리등을 나타내기 위해 Vessel 도면을 축소시켜 作成한다.(도면 크기 $8^1/_2$×11인치 또는 11×17인치) 이러한 도면들은 製作者에게 넘기며 나중에 Project 엔지니어에 의해 승인을 받은 후에, 검사 최종 승인을 위해 배관 그룹에게 보낸다. 공정 Vessel 도면은 척도를 명시해야 한다.(그림 5.14는 공정 Vessel 도면의 예이다).

다른 Source 의 도면

배관 도면은 다른 설계 그룹 및 Vendor 의 도면과 관련되어져야 한다. Check 해야 할 점들 :

건축 도면

- 벽이나 판벽 Indicating의 두께에 대한 外型
- 계단, 승강기관 배출구의 높이
- 문 및 창문의 위치

토목 도면

- 기초, 지하 배관, 배수구등

철구조물 도면

- 위층 바닥면을 지지하는 철 구조의 위치
- 천정 기중기, 단선 철도, 난간 또는 보등의 지지구조물
- 관이 벽을 통과하는 곳의 벽 버팀대

난방, 환기 및 공기조화(Hvac)도면

- 관, Plenum Heater 등의 통로

전기 도면

- 모터 제어소, 스위치 기어, 연결 박스 및 통제 페널의 위치
- 주요 전기선
- 조명등의 위치

계장 도면

- 계장 판넬 및 완충 位置

Vendor 의 도면

- 기기의 치수
- Nozzle Flange 유형 및 정격 압력, 계장 등의 위치

기계 도면

- 콘 베어, 자동 기계 장치등의 기계 장치의 위치 및 치수
- 기계 장치에 필요한 파이프 서비스

5.2.8 배관 도면(Piping Drawings)

공정 기기 및 배관 시스템은 우선 순위가 있다. 앞 페이지에 表示한 도면들은 수정된 배관 설계에 맞도록 반드시 재 검토하여야 한다.

이들 도면들로부터의 적절한 배경 상세도(희미하게 그려진 것)는 너무 인접하지 않도록 피해야 한다. 배관 도면에 있어서 그러한 상세도의 생략은 파이프가 계단, 문, 기호, Duct, 기계 장비, 모터 제어센터, 소방 장비등이 지나가는 것에, 너무 인접하거나 걸릴 수가 있다.

이러한 부분의 작업을 別途로 하지 않는다면 완성된 배관 도면은 또한 Spool No. 를 갖게 된다－5.2.9절 참조. 전기 케이블은 배관 도면에 그리지 않는다. 그러나 케이블을 지탱하는 받침대는 表示되어야 한다－예, 그림 6.3(8)번 항목 참조

배관 도면이 정확하게 배관 및 계장 설치도의 논리적 배열을 따르는 것이 항상 좋은 것은 아니다. 때때로 配管 Line (管路)들은 다른 연결 순서로 정해야만 하고, Line No. 도 바꿀 수 있다. 임시 배관 연구에서 절약과 실질적인 개선을 발견 할 수 있고, 배관 및 계장 설치도는 이러한 것들을 고려하기 위해 수정 할 수 있다. 그러나 배관 및 계장 설치도를 변경하는 방법을 찾는 것은 배관 설계자의 작업이 아니다. 그러나 때에 따라서는 서로의 인접으로 설치가 곤란한 것은 찾아내어야 하며 개선을 시켜주어야 할 도리이다.

축척(Scale)

배관은 일반적으로 $^3/_8$ $^{in}/_{ft}$ 축척으로 평면도에 그린다.

제도 용지의 공간 분배

- 도면 번호를 정하고 제도 용지의 오른쪽 아래 부분의 제목란에 그 번호를 기입한다.

그림 5.9 제도용지의 공간 분배

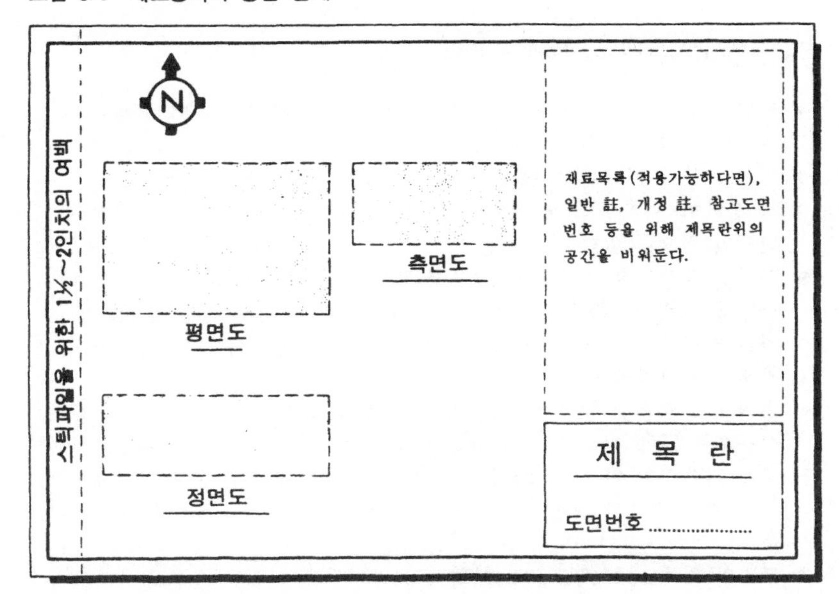

- 규격 용지가 아닐 경우에는 용지의 왼쪽 가장 자리에 $^1/_2$~2인치의 철을 위한 여백을 남긴다. 규격 용지는 보통 이러한 여백이 있다.
- 평면도를 나타내는 도면 위에는 Plant 상의 북쪽을 表示하기 위해 용지의 왼쪽 위 구석에 북쪽을 지시하는 화살표를 그린다.
- 제목란 위의 공간에는 그림을 그리지 않는다. 이 공간은 자재 목록, 일반 註, 변경 사항, 관련 참고 도면의 제목과 번호에 할당한다.
- 평면도와 입면도가 같은 도면 위에 들어갈 만큼 충분히 축척이 되었다면 그림 5.9에 나타난 바와 같이 상단 왼편에 평면도를 그리고 그 오른편과 하단에 입면도를 그린다.

배경 상세도

- 5.2.8절의 '배관도면'에서 논의한 바와 같이 배경상세도를 나타낸다. 제도용지의 뒷면에 윤곽을 그리는 것이 때때로 편리하다.
- 배경 상세도를 결정한 후 배관하는 펌프와 용기등의 노즐을 빨간색 연필로 표시할 수 있도록 그 위에 그리는것이 가장 좋다. 또한 Utility Station도 설치할 수 있다. 이것은 배관의 Header를 위한 가장 편리한 장소와, 주요한 용도를 表示할 수 있다. 뒷면에 배경 상세도를 삽입하는 것은, 앞면의 配管 Line을 그리다가 수정할 때 배경 상세도 線이 지워지지 않으므로 편리하다.

配管図上의 PROCESS와 SERVICE LINE

- 배관 및 계장 설치도로부터 Line No. 를 부여한다. Line No. 를 정하는 정보를 얻기 위해 5.2.4절의 '배관 및 기기 설치도 위의 유동 라인'을 참고한다. 유동의 방향을 나타내는 화살표와 모든 측면에서 Line No 를 부여시킨다.
- 이중 Line 으로 그리도록 특별한 지시를 주지 않는 한 모든 배관은 'Single Line'으로 그린다. Chart 5.1은 Line의 두께를 나타낸다. (실물 크기의 축척으로)
- Line No. 는 다음과 같이 Line을 배경으로 하여 나타낸다.

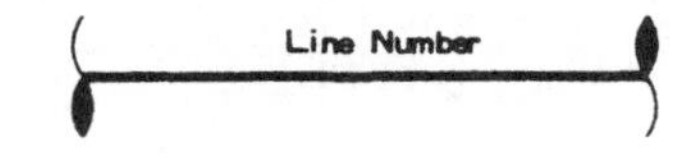

- 다른 도면上에 계속되는 Line은 분할선까지 갖어간다. 그리고 이들 Code 들은 Line No. 로만 한다. 분할선 위에 연속 도면번호를 表示한다. －그림 5.8참조
- Line 재질 사양서에서 변경이 있는 곳을 나타낸다. 그 변경은 일반적으로 Valve 또는 기기의 Flange 아래쪽에 表示한다.

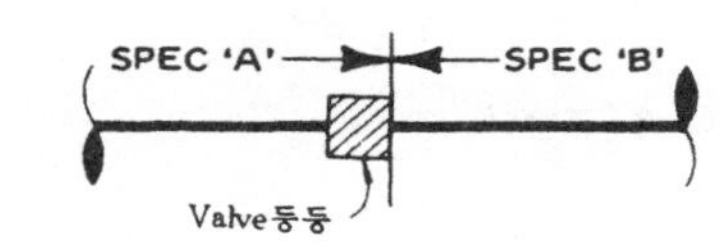

- 다른 Line 뒤를 가로지르는 Line에 있어서는 뚜렷한 단락을 나타낸다. －본장의 평면 배관 도면上의 Rolled Ell 이음을 참조

그림 5.8 & 5.9

● 바닥을 통과하는 파이프 Sleeve 가 필요하면 어디서 필요한지를 表示하고 관련된 그룹에 이 정보를 알려주기 위해 그룹 Leader 에게 알려야 한다.

● 保温材도 表示하고 그리고 Line 에 전기가 통해야 하는지 또는 증기를 통과시켜 보온을 해야 하는지를 表示해야 한다. — Chart 5.7 참조.

배관도면上의 部品 Flange, Valve, Pump

● 다음 품목들은 오직 한 견지에서 분류하여야 한다. 45° Roll Type Tee 와 Ell, 小口徑의 Ell, Reducing Ell, 편심 Reducer, 편심 Swage, 비 규격 또는 Companion Flange, Reducing Tee, 특수 재질의 특별한 품목 시스템의 압력과 다른 정격 압력 기호 사용을 위해 Chart 5.3, 5.4, 5.5를 참고한다.

● Flange 는 외경을 축척으로 그린다.

● P&ID 으로부터 Valve 의 호칭 번호를 나타낸다.

● Control Valve 에는 다음을 나타내도록 Label 을 붙인다. 크기, 정격 압력, Flange 의 치수, P&ID 으로부터 계장 Valve No. —그림 5.15참조

  ● 완전히 확정된 Valve System 은 축척에 맞도록 Valve 손잡이를 그린다.

  ● 밸브를 체인으로 구동시킨다면 구동 表面으로부터의 체인의 거리를 유의하여야 한다. 안전을 위해 약 3피트 정도 되어야 한다.

  ● 펌프에 대해서는 펌프 설치 기초 부분과 노즐을 나타낸다.

Dripleg 와 Steam Trap

Dripleg 는 관련된 배관도면의 평면도에 表示한다. 도면이 일치하지 않으면 별 개의 상세도를 각 Dripleg 에 대해 그려야 한다. 트랩은 기호에 의해 Dripleg 배관 위에 表示한다. 그리고 별개의 트랩 상세도와 Data 용지에 다 언급한다. 트랩 상세도면은 필요한 모든 Valve 와 Strainer, Union 등을 나타내야 한다. —그림 6.43, 6.44 참조

Dripleg 상세도에 나타난 배관은 응축수가 재 使用을 위해 배관 Header 로 향하는지 폐기 되는지를 表示해야 한다. 6.10.5절에서의 설계주의사항은 응축수가 계속적으로 생성되는 Steam Line 에 대한 Dripleg 상세도를 논한다. 6.10.9절을 또한 참고한다.

Vents & Drains

6.11절과 그림6.47을 참고한다.

파이프 지지대(Pipe Support)

부호를 위해 6.2.2절과 Chart 5.7을 참고 한다.

배관 평면도(Plan View Piping Drawings)

● plant 의 각 층에 대해 평면도를 그린다. 이들 도면은 위에서 아래로 보았을 때와 측면에서 보았을 때, 인접한 층들 사이에서 그 배관 Line 에 어떻게 보이는 가를 나타내야 한다.
● 평면도가 하나의 용지위에 그려질 수 없다면 이들 도면을 연결 시키기 위해서 분할선을 사용하여 두장 이상의 용지에 그려야 한다. 그림 5.8을 참조
● 평면도가 나타난 아래의 입면도를 주의해야 한다. —예를 들어 입면도의 15피트0인치 하단의 평면도에서 명확하게 하기 위해 두개의 입면도 모두를 다음과 같이 언급할 수 있다. 30피트0인치 및 15피트0인치 입면도 사이의 평면도
● Tee 와 Elbow 가 45° 각도로 되어 있다면 그림에 나타난 바와 같이 도면상의 어디에서 구부러졌는가를 주의 하여야 한다.

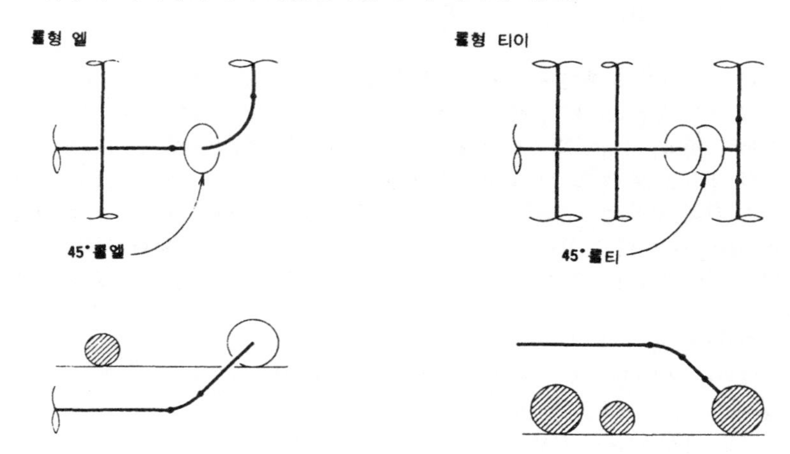

● 그림 5.10은 다른 측면에서의 그림 없이 충분한 정보를 주기 위해 어떻게 Line 를 분리할 수 있는가를 나타낸다.

● 필요한 현장 용접을 表示한다.

입면도와 상세도(Elevations & Details)

● 평면도에서 복잡한 배관 또는 가려진 배관을 명확하게 하기 위해 입면도와 상세도를 그린다.
● 註에 의해서 기술할 수 있는 상세도는 그리지 않는다.
● 꼭 필요한 수 만큼의 部分圖를 作成한다. 한 부분이 평면도의 완전한 절단면일 필요는 없다.
● 완전한 상세도를 필요로 하는 부분은 보다 큰 축척을 하여 전부 다 나타나도록 그린다. 확대된 상세도는 되도록이면 입면도 상단의 이용할 수 있는 지면에 그린다. 그리고 적용할 수 있는 상세도와 도면 번호에 의해 전후 참조하여야 한다.
● 평면도에 表示된 부분은 註記 文句로 해서 확인하고(Chart 5.8 참조) 상세도는 圖面 번호에 의해 확인한다. I 과 O 字는 숫자와 혼동되기 때문에 사용하지 않는다. 24개 이상의 절단 부분이 필요하다면 문자에 의한 분류는 다음과 같이 한다 : A1—A1, A2—A2, B4—B4 기타등등.
● 도면의 밑에 있는 평면도는 분할하지 않는다.

● 그림 5.10은 다른 측면에서의 상세圖 없이 충분한 정보를 주도록 Line을 끝맺음 하는 것을 나타낸다.

그림 5.10 배관도 위에서의 가리워진 선을 나타내는 방법

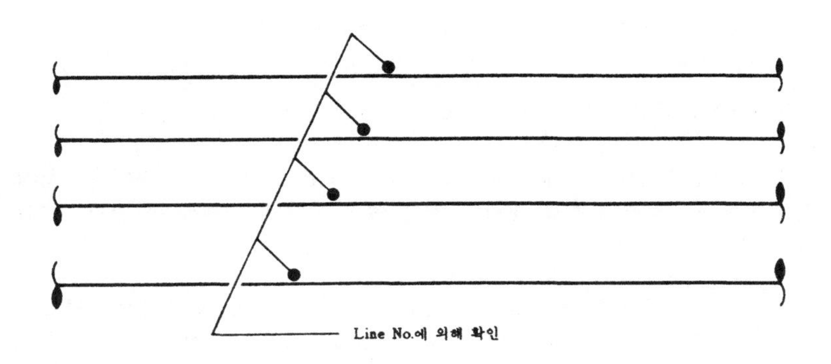

평면도(또는 입면도)

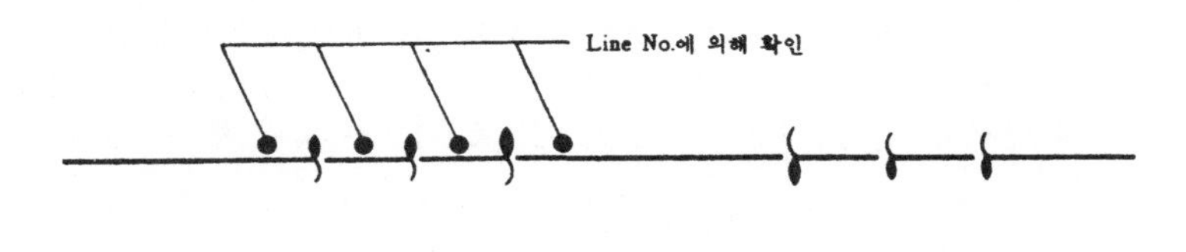

상용하는 입면도(또는 평면도)

5.2.9 배관 製作 圖面—'Iso' 및 Spool

Plant에 대한 배관 설계를 하는 가장 일반적인 두가지 방법은, 평면도와 입면도를 그리는 것과, 축소된 Model을 만드는 것이다. 배관의 용접 製作을 위해 평면도와 입면도를 製作 業者에게 직접 보낸다. Model을 사용한다면 Isometric 도면을, 그 대신 보낸다. Iso 도면은 Butt-Welding 된 배관 시스템의 配管 조립 부분에서 많이 사용한다. 配管이 조립된 배관을 나타내는 Iso 圖面은 工場製作者에게 보낸다. 그림 5.15는 그러한 Iso DWG의 한 예이다.

배관 시스템에 있어서 미리 조립하는 부분을 'Spool'이라 말한다. 배관 그룹은 필요한 Spool을 나타내는 Iso Model을 製作하거나 또는 평면도와 입면도에 Spool하는 배관을 표시하며, 이는(Chart 5.10에서 나타난 바와 같이) Model을 사용하든가, 또는 사용하지 않든가에 의존한다. 이러한 도면들로부터 하청업자는 'Spool Sheet'라고 말하는 상세 도면을 그린다. 그림 5.17은 Spool Sheet의 예이다.

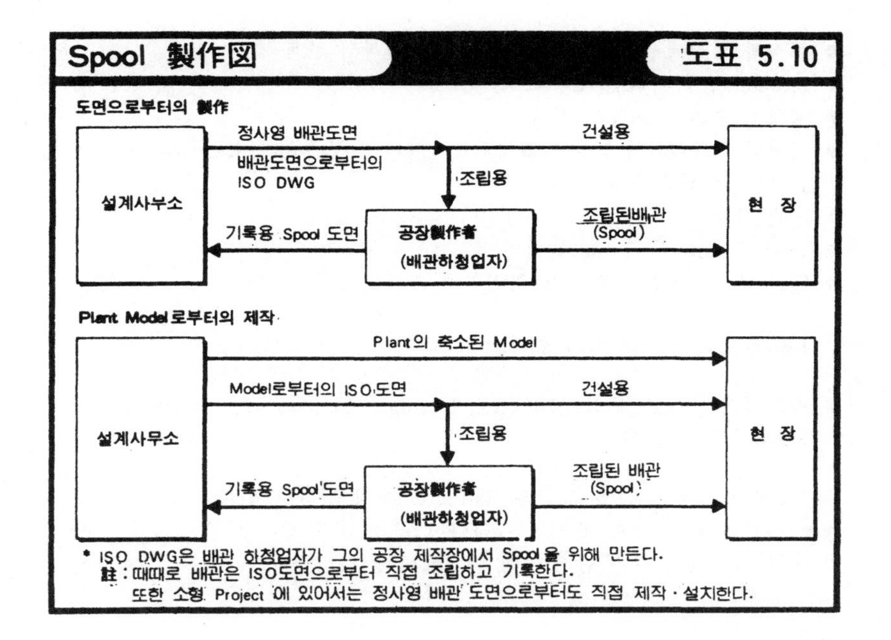

Isometric 도면 또는 'Iso 도면'

Iso 도면은 기기의 한 부품으로부터 다른 부품까지의 모든 Line을 나타낸다. —그림 5.15참조 이것은 배관의 제작과 설치에 필요한 모든 정보를 제공한다.

Isometric Dwg은 보통 Freehand로 그린다. 파이프와 Fitting 그리고 Valve등 설비 부속품들은, 이해하기 쉽게 그려야 한다. 이에 관련된 도면이 필요하다면 Flange(Orifice Flange는 제외) 및 Fitting의 용접부와 같은 현장용접을 해서 설치를 해야 하는 것과 분리해야 한다.

하나의 Iso 도면에 나타나는 정보와 품목

- 方向(Plant 상의 북쪽)
- 치수와 각도
- Iso 도면을 만드는 평면도, Line No, 유동 방향, 보온, 피복의 참고 번호
- 이해 가능한 기호를 사용하여 모든 품목들을 확인하고 필요하다면 그것에 관해 기술한다.
- Flange가 연결된 배관에 대한 사양서와 다르다면, 연결된 기기의 Flange로된 Nozzle의 상세도를 그려야 한다.
- 모든 Valve의 크기와 형태
- Control Valve의 크기와 정격 압력, 계장 No.
- 각 계장품의 연결 部位와 方向, 수량

● 공장과 현장에서의 용접, 공장과 현장 제작의 한계 지시
● Iso Sheet 에 나타난 No.
● 설치와 수리를 요하는 Union
● 나사나 Socket 용접하여 組立되는 키이나, Valve 의 Handwheel 위치는 나타낼 필요가 없다.
● 建設 자재
● Vent, Drain 및 Trap 의 위치
● Pipe Support No. 에 의해 확인하는 Support 의 위치

다음 정보도 또한 주어야 한다.

● 응력제거, Seal 용접, Pickling Lining, Coating 또는 Line 의 독특한 처리를 해야 하는것.

전형적인 도면은 그림 5.15의 Iso 도면 예에 나타나 있다. 이것은 앞의 지적 사항을 보여 주며 표면에 나타나지 않은 註와 같은 다른 것도 나타낸다. 하나의 Iso 도면은 한개 이상의 Spool 을 나타낸다.

Spools

Spool 이란 미리 조립할 수 있는 Fitting Flange 및 파이프의 제작품이다. Bolt, Gasket, Valve, 계장품등은 Spool 에 포함시키지 않는다. 일반적으로 공장에서 직접 생산된 20피트 이상의 파이프도, Spool 에 포함시키지 않는다. 시스템에 있어서 이러한 길이는 용접해서 만들 수 있다.(Iso 도면에서는 이것들의 길이를 주의하고 '현장'이라는 말을 언급함으로써 表示할 수 있다.)

Spool 의 크기는 製作者가 운송에 별 어려움이 생기지 않는 한도에서 결정되어야 한다. 그리고 Spool 은 보통 40피트×10피트×8피트의 안에 들어가야 하며, 최대 허용 치수는 제작자가 결정한다.

현장 製作 Spool

보통 2인치 이하의 탄소강 배관은 반드시 현장에서 제작하도록 업자들 간에 협정이 되어 있다. 이러한 규정은 때때로 2인치 보다 큰 배관에도 자주 적용한다.

공장 제작 Spool

모든 합금 Spool 과 3인치(때로는 4인치) 이상의 탄소강 파이프로 만든 3개 이상의 용접부로 된 Spool 은, 보통 공장에서 제작한다. 이것은 제작자의 공장에서 제작하는 것이다. 용접부가 얼마 않되는 Spool 은 일반적으로 현장에서 만든다.
大 口徑 배관은 다루기가 매우 힘들며, 자주 Jig 와 형판을 필요로 한다. 따라서 공장에서 제작하는 것이 더욱 경제적이다.

Spool 圖面

Spool 도면은 정면도와 입면도 또는 Iso 도면으로 부터 배관 계약자가 만든 Spool 의 정사영 도면이다. -5.10참조

각 Spool 도면은 오직 한 형태의 Spool 및 다음 사항을 나타낸다.

(1) Spool 을 제작하기 위한 용접을 表示한다.
(2) Spool 을 만들기 위해 필요한 Flange 및 Fitting 파이프의 절단길이.
(3) 건설자재와 배관의 특별한 끝 처리의 表示
(4) 같은 형태의 Spool 이 몇 개 필요 한지를 表示한다.

Iso 도면, Spool 도면 및 Spool No. 규정

Spool No. 는 배관 그룹이 정하고, 모든 배관 도면에다 나타낸다. 쉽게 확인을 할 수 있는 번호를 정하는 것은 여러 방법을 사용할 수 있다. 제안된 방법은 다음과 같다.

Iso 도면은 나타난 배관의 Line No. 에 의해 확인할 수 있으며, 연속적인 번호가 뒤따른다. 예를 들어 Line No. 74/BZ/6/412/23인 Spool 의 4번째 Iso 도면은 다음과 같이 확인할 수 있다. : 74/BZ/6/412/23-4

Spool 과 Spool 도면 둘다 Iso 도면 번호를 접두어로 사용하는 숫자나, 문자에 의해 확인할 수 있다. 예를 들어 Iso 도면 번호 74/BZ/6/412/23-4에 관계되는 Spool 도면의 번호 설정은 다음과 같이 할 수 있다.

74/BZ/6/412/23-4-1, 74/BZ/6/412/23-4-2 ...... 등등
또는 74/BZ/6/412/23-4-A, 74/BZ/6/412/23-4-B..... 등등

만일 짧은 번호가 확인을 위해 충분하다면, 전체 Line No. 를 다 사용할 필요는 없다.

Spool No. 는 또한 '표시 번호'라고도 하며 그것들을 Iso 도면이나 다음 사항에 나타난다.

(1) Spool 도면-도면 번호로서
(2) 제작된 Spool-도면이나 Iso 도면에 관련 될 수 있다.
(3) 배관 도면-평면도 및 정면도

5.3 치수 설정(Dimensioning)

5.3.1 기준점으로부터의 치수 설정

수평 기준선

주어진 Plant 위치를 조사할 때 지리적인 기준점을 경계, 도로, 건물, 탱크 등까지의 측정이 가능한 기준점을 기준하여야 한다. 선택된 지리적 기준점은 보통 공식적으로 설정한 것이다.

지리적 기준점을 정의하는 경선과 위선은 'Plant 상의 북쪽'을 설정할 때까지는 사용하지 않는다. 진북에 가장 가까운 방향을 Plant 상의 북쪽으로 선택한다.

그림 5.11에서 Plant의 남서쪽 모서리의 좌표는 ' Plant '상의 북쪽을 기준삼아 N 100.00과 E 200.00이다.

때때로 위와 같은 좌표계는 N 1+10, E 2+00으로 쓸 수 있다. 첫번째 좌표는 '100플러스 10피트 북쪽'이라고 읽으며, 두번째 좌표는 '200플러스 0피트 동쪽'이라고 읽는다. 이것은 횡단 조사를 위해 사용하는 시스템이며, 고속도로 및 철도등에 더욱 올바르게 적용시킬 수 있다.

좌표계는 Tank, Vessel, 주요 기기 및 철 구조물의 위치를 정하기 위해 사용한다. 막히지 않은 곳에서는 이것들은 지리적 기준점에 관하여 직접적으로 위치를 정하며, 건물이나 구조물내에서는 건물 철골로부터 치수를 정한다.

그림 5.11 수평 기준선

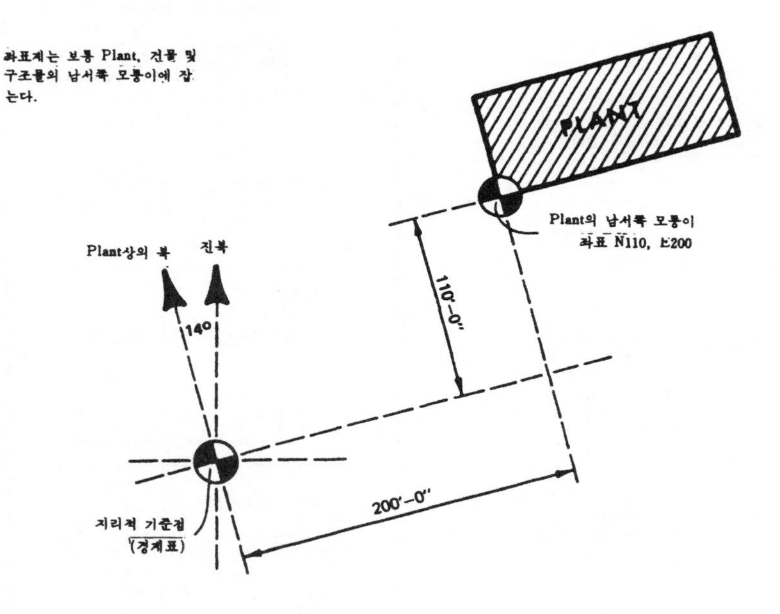

미국 상무성의 해안 측량 조사는, 경선과 위선에 대한 그리고 해발을 나타내기 위한 많은 기준선을 설정했다. 이것들을 '측량 조절 측점'이라 명명한다.

수평기준선에 대한 측량 조절 측점을 '삼각점' 또는 '횡단점'이라고 명명한다. 또 수직 기준선에 대한 측량 조절 측점은 '수준 기표'라고 명명한다. 경선과 위선을 모든 수준 기표에 대해 설정치는 않는다.

측량 조절 측점은 그 설정일과 그 지점임을 확인시켜 주는 금속 원판으로 표시한다. 이 원판을 보관하기 위한 안정된 장소를 확보하기 위해 그것들은 건물이나 다리와 같은 고체 구조물에 부착시키거나, 확실하게 땅에 박힌 커다란 옥석 또는 평평한 바위에 구멍을 뚫고 얹혀둔 경계표의 꼭대기에 설치한다.

이들 측점의 지리적 위치는 Rockville, Maryland 20852에 위치한 해안 측량 조사국으로부터 얻을 수 있다.

수직 기준선

건축물을 시공하기 전, 그 부지는 지면 이동 장비로 고도 등급을 매긴다. 지표는 가능한한 평평하게 만들고 등급을 매긴 땅은 종결(終結)水平面이라 명명한다.

가장 높게 등급된 위치를 종결 수평면의 가장 높은 점(HPFG)이라 명명한다. 그것을 통해 지나가는 수평면은 Plant 고도를 정해주는 수직 기준선 또는 자료를 만든다. 그림 5.12는 이러한 수평 기준선이 보통 100 ft 인 보조 또는 공칭고도로 주어지고 평균 해수면(높이)은 참고하지 않은 것을 나타낸다.

100 ft 의 공칭 고도는 건물의 기초나 지하실, 지하 매설 할 파이프 및 탱크등이, 양의 고도(해수면 보다 높은 위치)를 갖도록 확실하게 만든다. 음의 고도(해수면 보다 낮은 위치)는 난처한 문제를 야기시키므로 이와 같은 방법으로는 使用하지 않는다.

큰 Plant 는 여러 구역을 포함 할 수 있으며 각 구역은 각기 종결 수평면의 가장 높은 점을 갖는다. 공칭 고도는 그림 5.12에서 설명한 것처럼 수준 기표로 부터 측정한다.

그림 5.12 수직 기준선

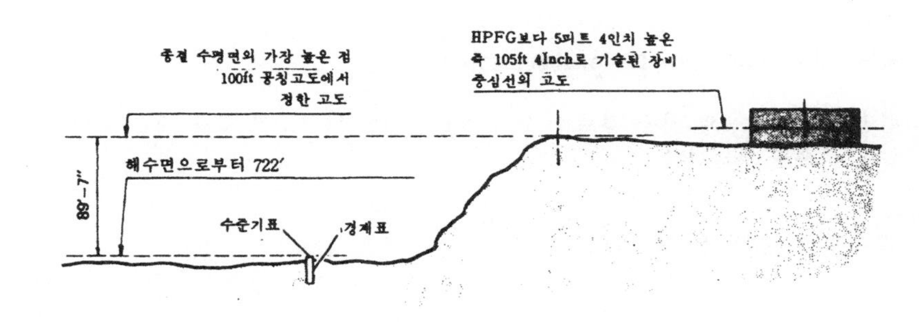

5.3.2 배관 도면의 치수 설정

도면 치수와 배관 작업시의 공차

계획 구역내 : 배관도上의 치수는 ±1/16인치 한계내에서 작성한다. 치수의 허용 공차는 製作者와 設置 業者가 결정한다.

계획 구역외 : 시공자는 가능한한 실행 가능하게 치수를 작성한다.

어떤 치수를 나타내야 하는가?

기기의 위치 선정과 Spool 의 製作, 그리고 배관을 하기 위한 충분한 치수를 주어야 한다. 다른 측면에서의 이중 치수는 피해야 한다. 왜냐하면, 이것은 변경을 해야 할 경우 쉽게 실수를 유발시킬 수 있기 때문이다.
基本的으로 나타내는 치수는 다음과 같다.

그림 5.11 & 5.12

기본적으로 나타내는 치수는 다음과 같다.

	치 수 의 형 태	보 기
1	기준선*으로 부터 중심선까지	용기 펌프 기기 Line
2	중심선에서 중심선	Line Standard Valve
3	중심선에서 플랜지면†	용기 펌프 기기 } 위의 Nozzle
4	Flange면에서 Flange면†	Valve 機器 측정기기 계장 } 비규격

* 기준선은 세로좌표(경선 또는 위선)이거나 철구조물의 중심선일 수도 있다.

† (어떤 공인된 표준규에 의해 정의된) 표준치수들이 부족한 품목에 대해서 이러한 치수를 나타내는 것은 필요한 일이다.

그림 5.13은 이러한 형태의 치수 사용을 설명한다.

평면 치수(Plan View Dimensions)

평면도는 대부분의 치수 정보를 갖고 있는, 또한 입면도가 없을 때는 입면도의 치수도 나타낸다.

그림 5.13 평면도를 위한 치수기입 예

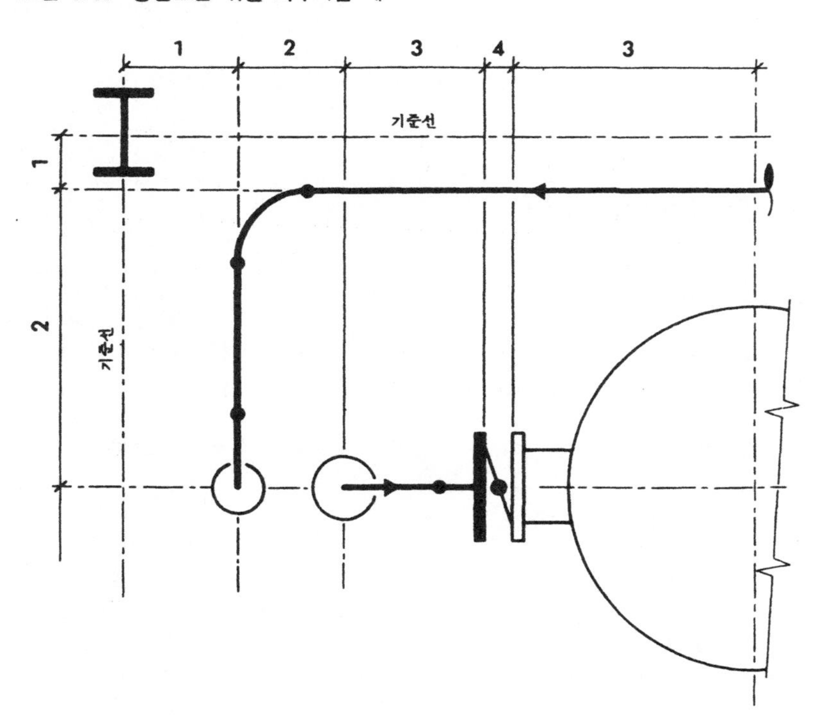

수직 입면도와 치수

배관 도면에 있어서 입면도는 표 5.2에서와 같이 주어졌다.

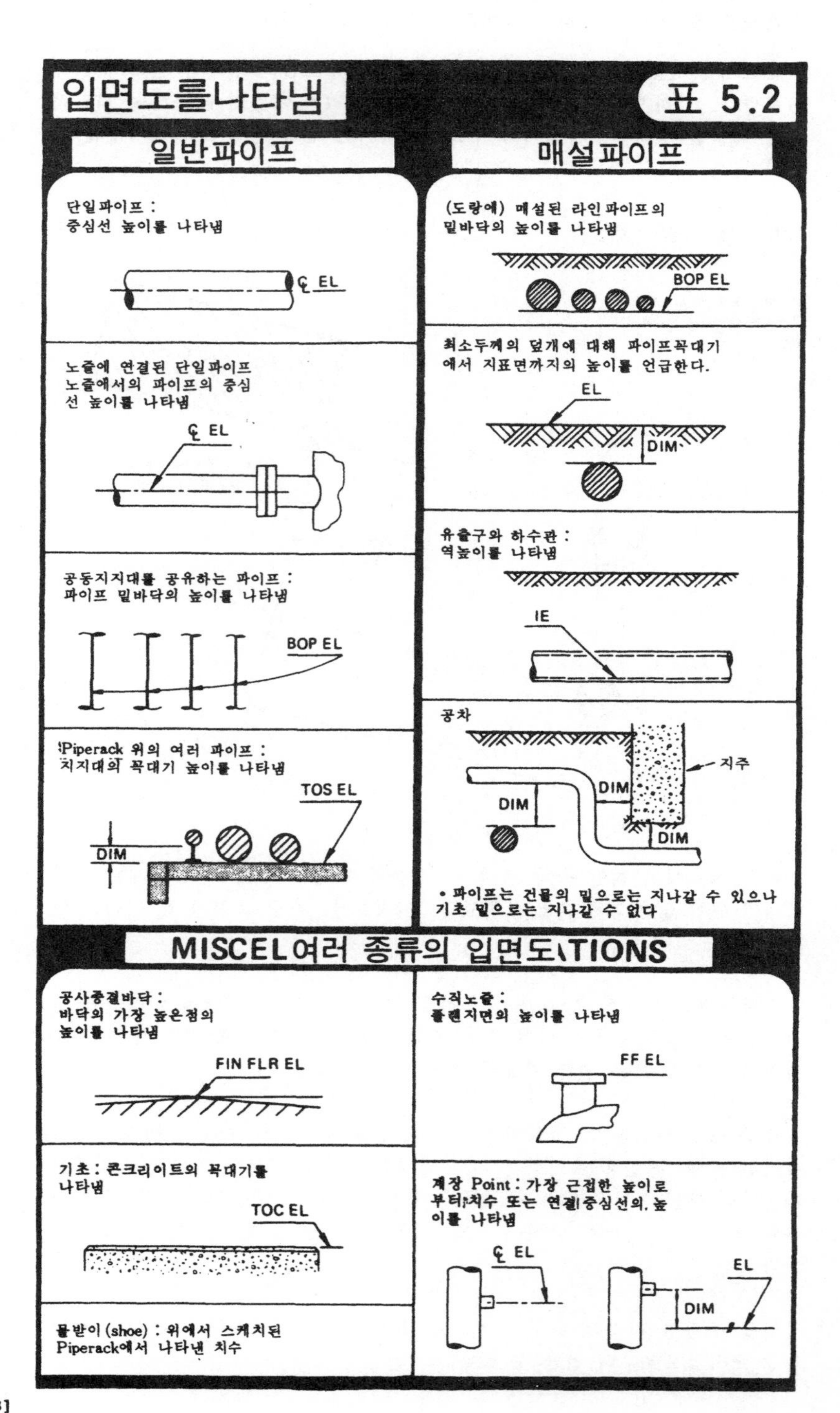

5.3.3 모든 배관도에 치수를 넣기 위한 지시선

- 높이와 좌표(계)를 포함해 모든 중요한 치수를 나타낸다.
- 가능한 한 그려진 도면의 바깥쪽 치수도 나타낸다. —그림을 분산해서는 않된다.
- 치수선은 끊어지지 않게 잘 그린다. 수평선 바로위에 치수를 기입한다. 일반적으로 치수선 끝은 화살표로 나타내며, 이러한 것은 Iso 도면에 바람직하다. 특히 치수가 치수선 위에서 가득 찬다면 화살표 대신 사선을 사용하고, 평면도와 입면도에 적당하며, 이것은 작업을 더욱 빠르게 한다.

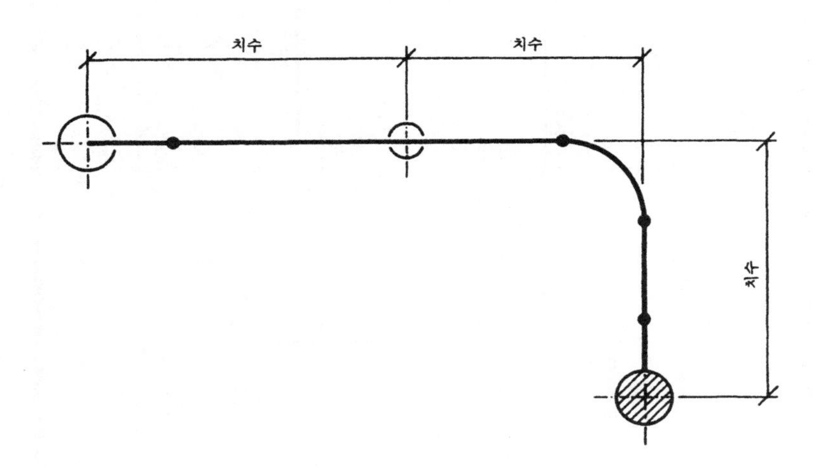

- 연속된 치수를 나타낼 경우에는 그 치수들을 그림에 나타난 바와 같이 한줄로 나열한다. (기계 제도에서와 같이 공통 기준선으로 부터 치수 기입을 해서는 않된다)

기계제도에서의 치수기입

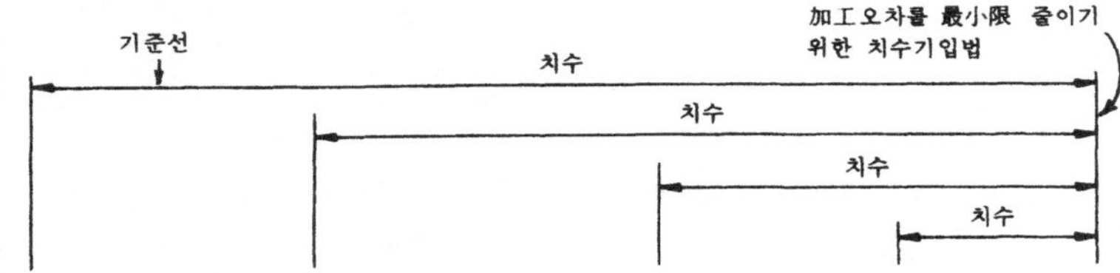

배관도면에서의 치수기입

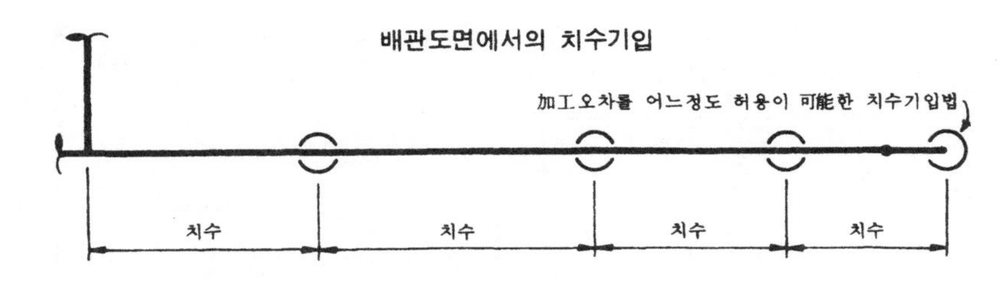

- Fitting 구조 이외에는 비록 그 치수를 쉽게 계산할 수 있을지라도 치수를 생략해서는 않된다. —본장의 'Fitting 구조' 참조

- 2인치 이하의 대부분의 배관은, 나사 가공이나 소켓 용접으로 이루어지고 현장에서 조립한다. 따라서 배관이 기기와 장애물을 피해가기 위해 필요한 안전 위치나 접근로가 공정에 중요한 품목들의 위치를 정해주기 위해서는 필요한 치수만을 기입한다.
- 대부분의 길이는 1인치의 $^{1}/_{10}$정도까지 언급한다. 이러한 정밀도까지 언급할 필요가 없거나 언급할 수 없는 치수는, ±기호로 나타낸다. 8피트—7인치±, 15피트—3인치± 기타 등등.
- 2피트 이하의 치수는 보통 인치로 나타내며, 2피트 이상의 치수는 피트와 인치로 나타낸다. 몇몇 회사들은 1피트 이상의 모든 치수를 피트와 인치로 나타낸다. 동양은 主로 mm 單位를 기준한다.
- 별로 주요하지 않는 치수는 피트와 인치로 완전하게 나타내도록 시도한다. 이런 정확도를 필요로 하는 치수에 대해서는 인치를 분수로 나타낸다.

평면도와 입면도—일반적인 치수 기입 법

- 평면도에 대해서는 수평 치수를 설정한다.
- 축척에서 벗어난 모든 치수는 밑줄을 긋거나 또는 Chart 5.8에서와 같이 나타낸다.
- 어떠한 배관 배열이 같은 도면 위에 반복 된다면 하나의 배관에 만 치수를 기입하고, 다른 것들에는 'Typ.'라고 註를 단다. 이러한 경우는 유사한 펌프들이 공통의 Header에 연결되었을 때 발생 한다. 또 다른 예로써 그림 6.17의 펌프 기초를 참조한다.
- 이중 치수는 다른 측면에서 치수를 반복 기입하지 않는다.

Joint의 치수 설정(Diamensioning to Joints)

- 용접 또는 나사 가공 연결 부위에서, 치수설정을 끝내지 않는다.
- 필요하지 않는 한 Union과 동일선에 있는 Coupling, 또는 배관 작업에 결정적이지 못한 다른 품목들에는 치수를 설정하지 않는다.
- Flange가 만나는 곳에서는 Gasket을 表示하기 위해 치수선 사이의 작은 틈을 나타내는 것이 일반적이다. Gasket은 배관 사양에서 그 형태와 두께를 언급한다. Chart 5.6에 나오는 Panel "Drafting Valve"를 참조한다.

그림 5.13

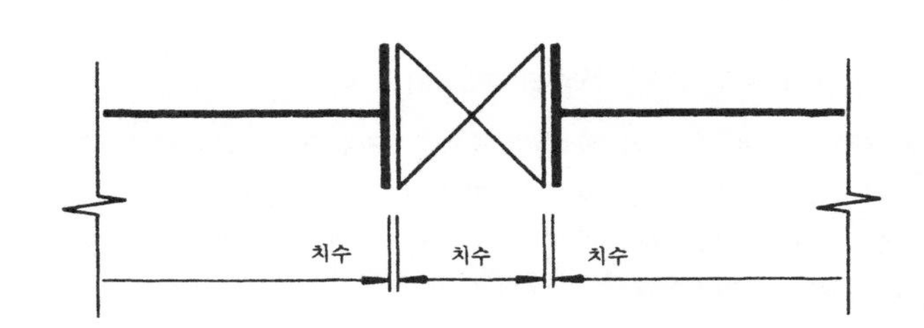

- 모든 Flange가 달린 연결부는 Gasket이 필요함으로 시간을 절약하는 절차 또는 Gasket이 없는 Flange가 달린 연결부에 주의하는 것이다. (예 3.1.6절의 Butterfly Valve 참조) 제작자와 설치자는 모든 배관 도면에 있는 일반적인 註에 의해서 Gasket의 필요성에 주의를 환기시키게 된다. 표시된 GASKET 사양은 NOTE란을 참조.

表 5.2

Fitting 구조(Fitting Makeup)

규격 치수의 품목들로 되어 있을 때에는 제작자가 규격 부품과 기기의 크기를 알고 있으므로, 각 품목들의 치수를 기입하는 것은 불 필요하다. 그러나 특별한 Cross Symbol 에 의해서 또는 가능하다면 전체 치수를 기입함으로써 전체 치수가 Fitting 구조라는 것을 表示하는 것은 필요하다. 규격 품목 사이에 삽입된 비 규격 품목은, 반드시 치수 기입을 하여야 한다.

Fitting類의 組立된 한 例

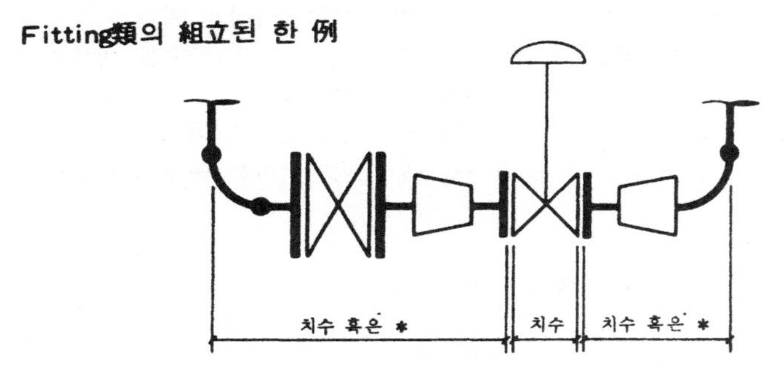

밸브의 치수 설정(Dimensioning To Valves)

- Flange 달린 Valve 와 용접 이음하는 Valve 는 그들의 중심에 치수를 기입함으로써 ANSI 규격치수로 위치를 잡는다. 대부분의 Gate Valve 와 Globe Valve 는 규격품이다. 참조표 V －1
- Chart 5.6의 반대쪽 Panel 에서 나타난 바와 같이 비 규격 Flange Type Valve 는 치수를 기입한다. Control Valve 는 규격품이 있지만, 그것이 비 규격 크기로도 생산되므로 면과 면 사이의 치수 기입은 일반적으로 한다.
- 표준 규격의 Flange 달린 Check Valve 는 치수를 기입할 필요가 없다. 그러나 그 위치가 중요하다면 Flange 면에 치수를 기입한다.

Vessel 과 기기의 Nozzle 에 대한 치수 기입

- 평면도에 있어서 Nozzle 은 그 Nozzle 이 있는 기기의 중심선으로 부터 Nozzle 앞면까지 치수를 기입한다.
- 立面圖에 있어서는 Nozzle 중심선을 그 자신의 立面図에 주거나 또는 또 다른 기준선으로 부터 치수를 기입한다. 立面圖가 없을 경우에는 Nozzle 立面圖를 평면도에 나타낼 수 있다.

5.3.4 Iso 도면의 치수 기입(Dimensioning Isos)

모든 치수를 명확하게 하기 위해서 배관을 볼수있는 가장 좋은 측면을 결정해야 한다. 고려함이 없이 배관을 펼치고 자유스럽게 line 을 연장하는 것이 Iso 를 나타내는데 있어 상당히 도움이 된다. 5.3.2절과 5.3.3절에서 정해진 기본 치수와 5.2.9절의 지시선이 적용된다.

그림 5.15는 Iso 도면의 주요 필요성을 설명하며, 치수 기입된 편심을 포함 한다. 그림 5.16은 다른 편심들을 어떻게 치수기입 하는가를 나타낸다.

- 평면도 및 立面圖와 같은 방법으로 치수를 기입 한다.
- 제작자로 하여금 Spool 도면을 작성 할 수 있게끔 충분한 치수를 기입한다. －참조 그림5.17

그림 5.14 Vendor가 필요로 하는 치수를 나타내는 Vessel 도면의 예(5.2.7절 참조)

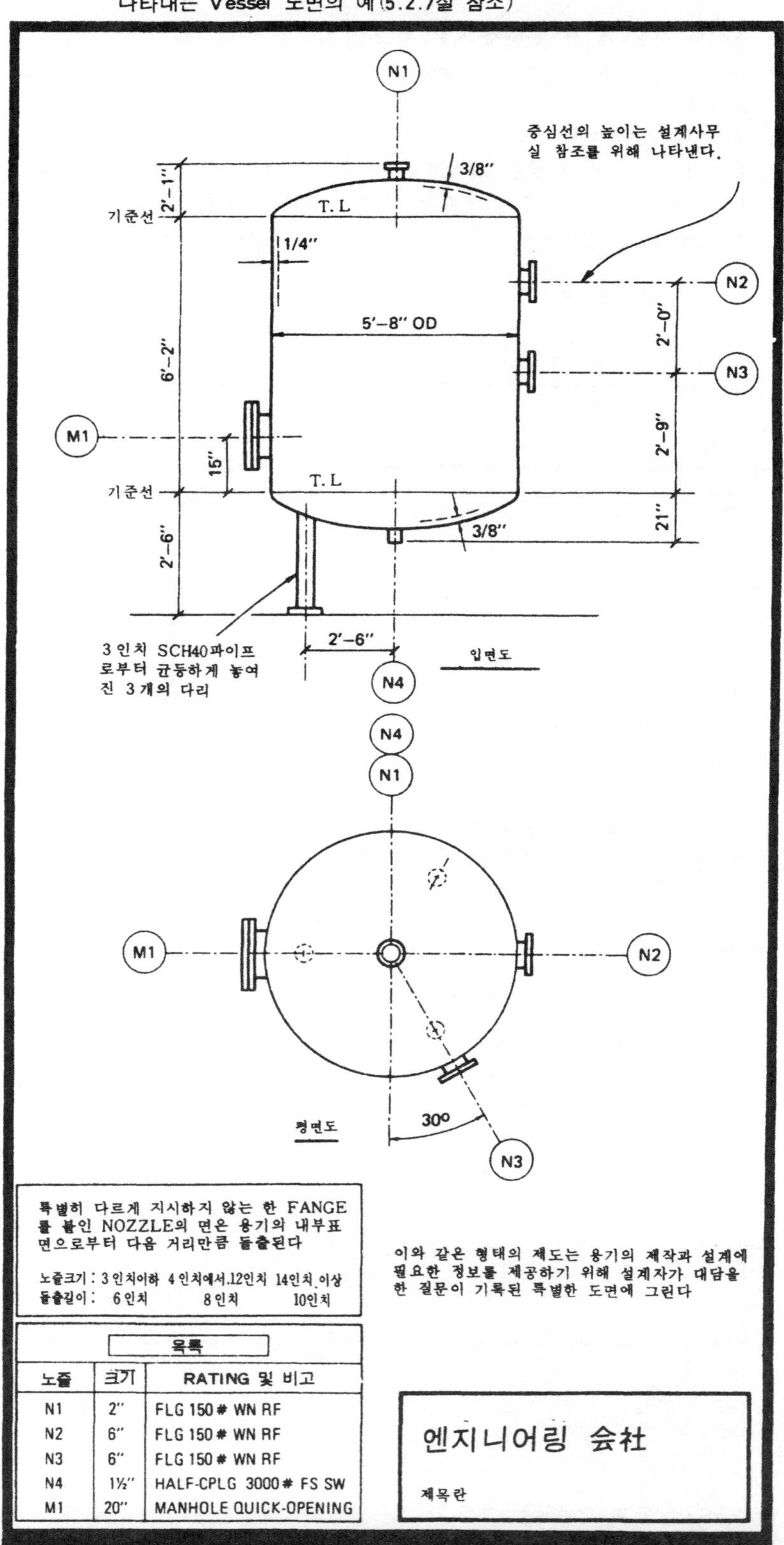

노즐	크기	RATING 및 비고
N1	2"	FLG 150# WN RF
N2	6"	FLG 150# WN RF
N3	6"	FLG 150# WN RF
N4	1½"	HALF-CPLG 3000# FS SW
M1	20"	MANHOLE QUICK-OPENING

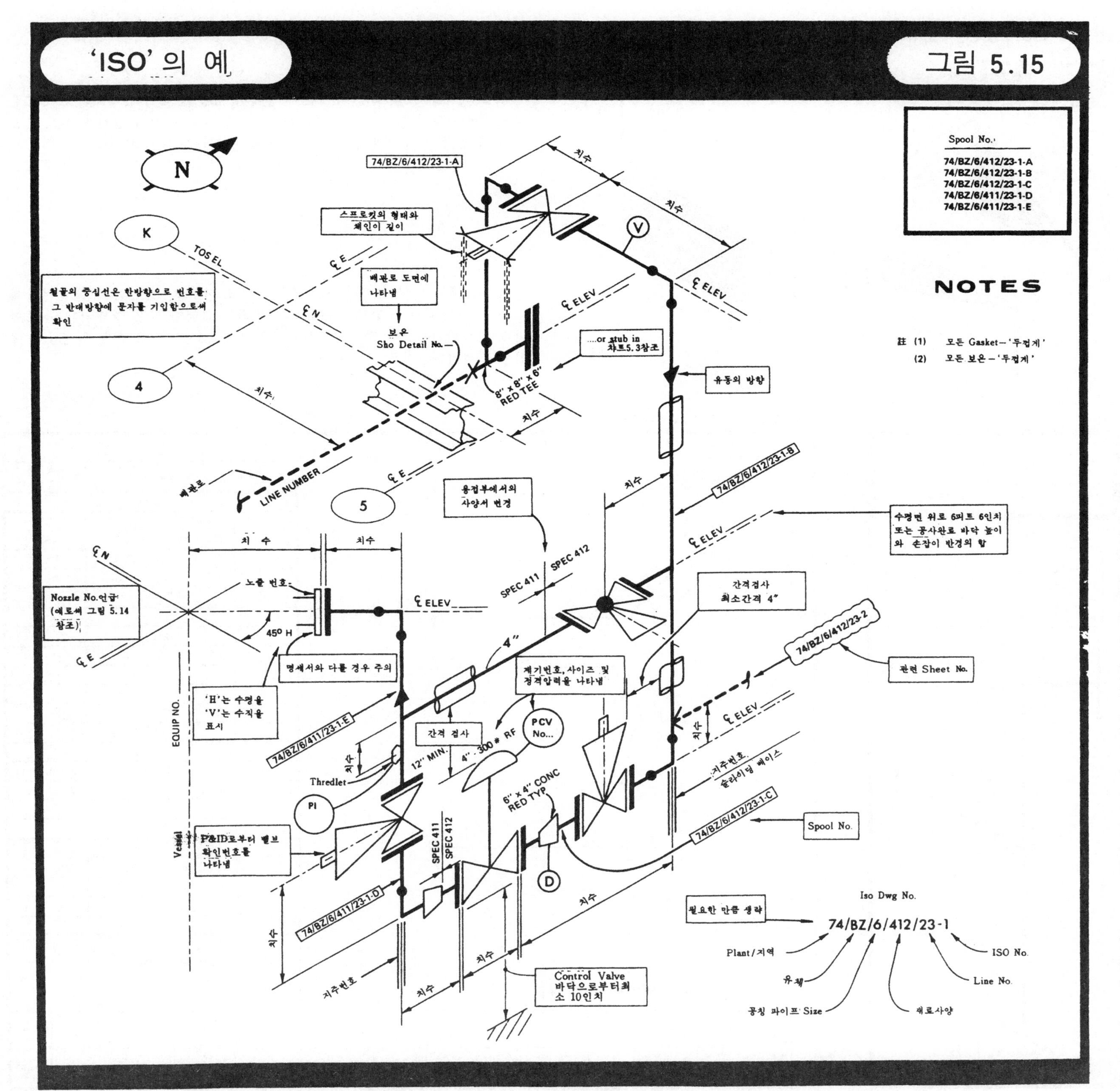
'ISO'의 예
그림 5.15
N
Spool No.
74/BZ/6/412/23-1-A
74/BZ/6/412/23-1-B
74/BZ/6/412/23-1-C
74/BZ/6/411/23-1-D
74/BZ/6/411/23-1-E
NOTES
註 (1) 모든 Gasket—'두껍게'
(2) 모든 보온—'두껍게'
K
TOS EL
철골의 중심선은 한방향으로 번호를 그 반대방향에 문자를 기입함으로써 확인
4
5
스프로킷의 형태와 체인이 길이
배관로 도면에 나타냄
보온
Sho Detail No.
....or stub in 차트5.3참조
8" x 8" x 6" RED TEE
유동의 방향
배관로
LINE NUMBER
용접부에서의 사양서 변경
SPEC 411
SPEC 412
수평면 위로 6피트 6인치 또는 공사완료 바닥 높이와 손잡이 반경의 합
간격검사 최소간격 4"
74/BZ/6/412/23-2
관련 Sheet No.
Nozzle No.언급 (예로써 그림 5.14 참조)
노즐 번호
45° H
명세서와 다를 경우 주의
'H'는 수평을 'V'는 수직을 표시
EQUIP NO.
Vessel
계기번호, 사이즈 및 정격압력을 나타냄
간격 검사
12" MIN.
4"-300# RF
PCV No...
PI
Thredlet
6" x 4" CONC RED TYP
P&ID로부터 밸브 확인번호를 나타냄
지주번호
슬라이딩 베이스
Spool No.
Control Valve 바닥으로부터 최소 10인치
치수
필요한 만큼 생략
Iso Dwg No.
74/BZ/6/412/23-1
Plant/지역
유체
공칭 파이프 Size
재료사양
Line No.
ISO No.

그림 5.14 & 5.15

그림 5.16 ISO 도면에 편차를 나타내는 방법

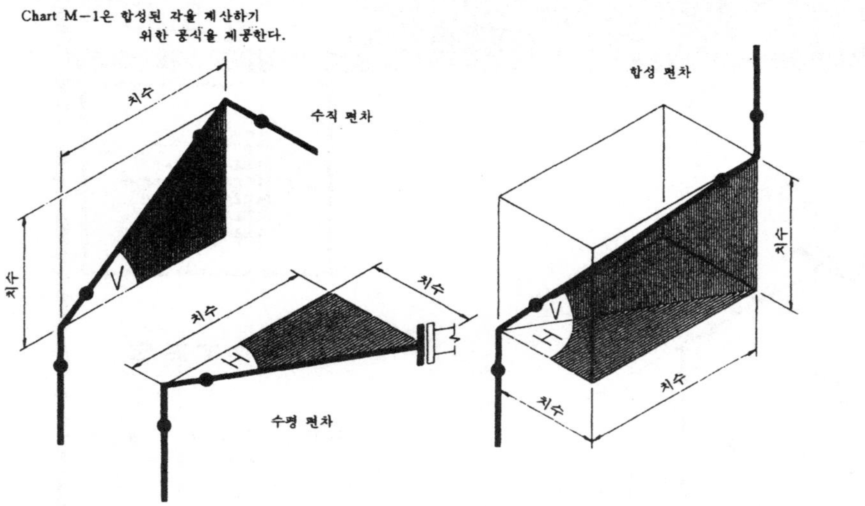

Chart M-1은 합성된 각을 계산하기 위한 공식을 제공한다.
치수
수직 편차
치수
V
치수
H
치수
수평 편차
합성 편차
치수
V
H
치수
치수

5.3.5 Spool의 치수 설정(용접 조립시)

용접 부위를 위한 치수 공차는 공장에서 정할 문제이며, 제작 도면 또는 상세도를 만듬에 있어서 고려해서는 않된다. 파이프 제작 협회에서는 각 요소 부품의 공칭 치수의 합인 전체 치수를 나타내도록 추천 한다.

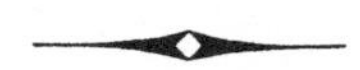

Spool 도면은 단 하나의 Spool 설계만을 다루고, 완전한 치수 상세도를 나타내며, Spool을 만드는 재료를 열거하고 그러한 같은 형태의 Spool이 몇개 필요한가를 언급한다. 그림5.17은 그림5.15로 부터 어떻게 Spool에 치수를 설정하는가를 보여준다.

그림 5.17 SPOOL DWG 예

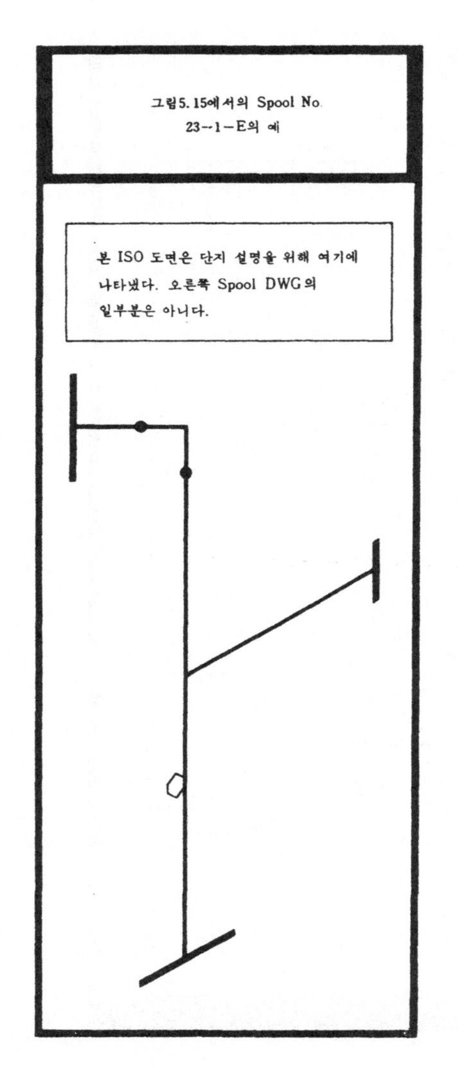

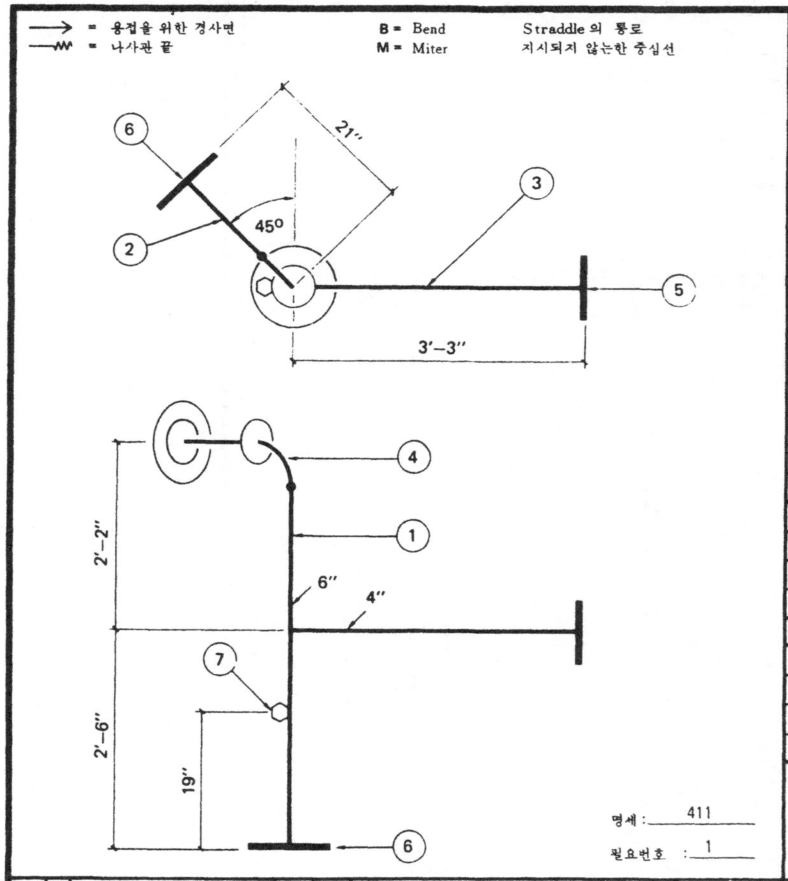

그림5.15에서의 Spool No. 23-1-E의 예
본 ISO 도면은 단지 설명을 위해 여기에 나타냈다. 오른쪽 Spool DWG의 일부분은 아니다.

= 용접을 위한 경사면
= 나사관 끝
B = Bend
M = Miter
Straddle의 통로
지시되지 않는한 중심선
6
21"
3
45°
2
5
3'-3"
4
1
2'-2"
6"
4"
7
2'-6"
19"
6
명세 : 411
필요번호 : 1

자재목록			
품목	갯수	명세서	재료 또는 신청번호
		파이프	
1	1	6" x 3'-10 5/8" SCH 40	A-53B
2	1	6" x 11 5/8" SCH 40	A-53B
3	1	4" x 3'-0 3/16" SCH 40	A-53B
		Fitting	
4	1	LR ELL 6" STD BW	A-234
		Flanges	
5	1	4" 300# SO	A-181 GR I
6	2	6" 150# SO	A-181 GR I
		기타	
7	1	THREDOLET 3/4" 3000#	A-105 GR II

엔지니어링 会社

수정					
3		참조도면 (Spool을 나타내는 평면도 번호)	작업번호	참조번호	Spool No.	발행번호
2		제도자 / 검사자 / 승인	날짜	74/BZ/6/412/23-1	23-1-E	0
1						
0	계약을 위한 발행					

5.4 도면의 檢圖 및 出圖

5.4.1 책임(Responsibilities)

P&ID 의 공정계통도의 Line 설계 Sheet 는 Project Grup 의 기술자가 檢圖한다.

Spool 도면을 제외한 모든 배관 도면은 배관 그룹이 檢圖한다.

배관 製作者가 제작한 매우 어려운 Spool 도면은, 일반적으로 해외 선적을 위한 Spool 이나, 복잡한 Spool 과 같은 중요한 Spool 을 제외하고는 배관 그룹이 檢圖하지 않는다.

일반적으로 배관 그룹내의 경험이 많은 설계자가 檢圖 작업을 맡는다. 몇몇 회사는 설계 檢圖官으로 특별히 사람을 고용한다.

檢圖官의 책임은 4.1.2절에 나와 있다.

5.4.2 배관 檢圖

檢圖는 색 연필로 표시를 함으로써 수정 작업 및 檢圖를 한다. 일반적으로 도면 위에서 수정하는 부분은 圖面上에 빨간색으로 표시를 하며, 올바른 部位와 치수는 노란색으로 표시를 한다. 그러나 회사마다 색깔 선택은 틀리게 할 수 있다.

檢圖를 한 후 변경해야 할 도면은 가능한한 그 때마다 수정을 위해 圖面作成者에게 보내야 한다. 새로운 도면은 再 檢圖를 위해 원래의 표시된 도면과 함께 檢圖官에게 보내야 한다.

5.4.3 圖面 出圖(Issuing Drawings)

보다 많은 정보와 결정을 기다리는 설계 部位는, 그 뒷면에 명확하게 구름表示를 하고 '보류(Hold)'라고 써 넣는다. — Chart 5.8 참조(뒷면에 매끄러운 面을 갖는 필름에 대해서는 청색, 빨간색, 또는 노란색 유리용 색연필이 적당하다)

변경과 수정은 그 수정 구역에 있는 작은 삼각형에 의해 도면의 앞면에 지시한다. 수정 번호는 삼각형 안에 표시하며, 제목란 위에(또는 할당된 판에) 변경사항 및 필요한 내용 그리고 날짜와 함께 表示한다. 수정번호는 도면번호의 일부분이며, 도면 번호를 따르기도 한다(선택적 방법—그림 5.17 참조) 처음 발행한 도면은 수정 번호가 '영'이다.

도면은 삼단계 또는 더 以上으로도 出圖할 수 있다. 첫번째 出圖는 Owner 또는 Owner 경영진의 승인을 위한 것이고, For Approval 두번째 발행은 기기 견적이나, 현장작업자가 보기위한 것이다. 세번째 발행은 모든 구매를 위한 발주와, Owner 와의 계약조건을 충족시키는 공사용이다. 중대한 변경을 해야 할 경우엔 도면은 각 단계마다 재 出圖 하여야 한다. 사소한 변경은(작업의 영역 및 비용에 대한 동의에 따라) 삼단계 후에 행한다. 그러나 큰 변경은 發行의 삼단계를 다 포함한다.

5.4.4 配管 檢圖
(평면도, 입면도, ISO 도면)

모든 배관 도면에서 檢圖해야 할 것들은 다음과 같다.

- 도면의 제목
- 출도 번호 및 수정 번호
- 방위 : Plot Plan 에 있어서 북쪽
- 사진 축척(도면이 사진에 의해 축소되었을 경우)
- 배관 도면에서의 기기 No. 와 그 외관.
- 모든 도면에서의 배선의 일치성
- 배관 재질 사양서의 배경
- 사양서와의 일치성과, 관련 도면들과의 일치성
- 도면이 관련 상대 도면에 대한 참고 번호와, 제목을 포함하고 있는가?
- 모든 치수가 올바른가?
- 치수, Nozzle 위치, Manhole, 사다리에 대한 지정된 제작자의 도면과 일치하는가?
- 면과 면사이의 치수 및 압력 Rating 이 모든 비 표준 규격 Flange 품목에 나타나 있는가?
- 계장 연결부의 위치와 일치성
  - 배관, 배기공, 배출구, Trap, 保温피복의 준비, 水壓 시험에 대해 배기공은 모두 높은 위치에, 배출구는 모든 낮은 위치에 있는가를 檢討해야 한다. Dripleg 는 상세하게 表示한다. Trap 은 그 용도를 확인한다.
- 다음 항목들은 오직 한 측면에서 그 이름을 써 넣어야 한다 : 45° 角의 Tee 와 Elbow (5.2.8절의 예 참조) 小 口徑 Elbow, Reducing Ell, 편심 Reducer 의 편심 Swage (상층 평면인지 바닥평면인지를 알기 위해 평면도에 Note 를 表示를 해야 한다) 同心 Reducer, 同心 Swage, 비표준 또는 Companion Flange, Reducing Tee, 특수 재질의 품목 System 의 압력 Rating 과 다른 압력의 품목, 기타 등등, 기호 사용을 위해 Chart 5.3, 5.4, 5.5 참조
- 保温은 P&ID 에서 필요로 하는대로 나타냈는가?
- 파이프 지주를 지주 번호대로 위치시켰는가?
- 모든 기초와 가설물 및 용접된 지지대를 나타냈는가?
- 알맞는 축척이 되었는가?
- Plot Plan 과 일치하는가?
- P&ID 의 요구 조건을 배경으로 한 배관이 되었는가?
- 불가능한 요인은 없는가?
- 鐵材類, 문, 창문, 支柱, Ductwork, 기기 및 제어 Box, 모터제어 중앙통제부로부터의 케이블을 포함한 주요 전기 장치 그리고 소방장비로부터의 배관 간격의 타당성 및 운전과 정비에 대한 난이도를 檢討한다.
- 바닥과 벽의 깊이를 올바르게 나타냈는가?
- 운전과 정비에 대한 난이도, 그리고 적당한 Manhole, Hatch, Cover, Dropout 및 취급 영역을 잘 선택하였는가?
- 제작자가 만드는 기기 기초 도면의 요구 조건을 충분히 반영하였는가?
- 재질의 사양서, 사양서에 오른 품목은 평면도나 입면도에서 한번은 확인하여야 한다.
- 단락 표시 글자가 평면도에 표시된 단락과 일치하는가?

그림 5.16 & 5.17

- 도면이 필요한 분할선 정보가 반영되었는가?
- 필요한 관련 도면 번호
- Spool No 를 올바르게 나타냈는가?
- 필요한 서명의 유무.

Iso 도면에서는 다음 사항을 더 檢圖하여야 한다.

- Model 과의 일치성

Spool 도면에서는 다음 사항들을 더 檢討하여야 한다.

- 재료를 누락 없이 표에 작성하고 기술하였는가?
- 동일 형태의 Spool 의 필요한 수량을 주지시켰는가?

5.5 계장(P&ID 上에서 나타낸 것)

여기서는 여러 計器의 목적을 짧게 기술하고, P&ID 上에서 어떻게 계기를 읽을 수 있는지를 설명한다. 배관 도면은 또한 Pipe 와 Vessel 에서의 접속부(Coupling 등등)를 나타낸 것이다. 그러나 배관 도면은 배관과 Vessel 에 연결된(또는 위치한) 계기만을 나타냈다. 배관도면에 계기 사용을 첨부한 오직 한가지 목적은 배관내 또는 위에 설치한 접속부, Orifice Plate 나 機器를 확인하고 배관 도면을 P&ID 와 연관시키는 것이다.

5.5.1 계기 기능만을 나타냄

계기 사용은 공정도와 배관 도면에 기호에 의해 나타낸다. 계기의 기능이 나타나고 계기는 나타나지 않는다. 배관에 설치한 機器(Orifice Plate 나 Control Valve) 또는 Vessel 이나 Pipe 의 주된 접속부만을 배관 도면에 表示한다.

적어도 대기업사이에서는 계기사용을 나타내는 방법에 있어서 어떤 균일성이 있다. 미국 계기 협회의 추천을 채택하는 경향이 있으나, 그것을 고수하는 것이 완전한 것은 아니다. 미국 계기 협회는 '계기 사용 기호 및 용도'라고 명명한 규격 S 5.1을 表示 하였다.

미국 계기 협회의 기획에 따라가는 것이 어느 정도는 국제적으로 인정되고 있다. 이것은 도면을 한 국가로부터 다른 국가로 보낼 때 계기 사용을 이해하는데 있어 어려움이 없는 이점이 있다.

5.5.2 計器 기능

계기는 여러 목적으로 사용하지만 그들의 기본 기능은 몇 가지 않된다.

(1) 공정 재료의 '상태' 주로 그의 압력, 온도, 유량이나 수준을 감지. 이러한 상태를 공정 변수라 한다. 감지 작업을 하는 기기의 부품을 '주요 요소' ' Sensor ' 또는 감지기라 명명한다.

(2) 주요 요소로 부터 공정 변수의 측정을 전달

(3) 다이알과 바늘, 펜과 페어퍼를 또는 디지탈 표시기에 의해 측정된 값을 나타냄으로써 Plant 운전자에게 공정 변수의 측정을 지시 또 다른 형태의 지시계로는 온도와 같은 변수가 위험한 또는 바람직하지 못한 값에 접근했을 때 소리 또는 시각적인 경고를 주는 경보 장치도 있다.

(4) 공정변수의 측정을 기록, 대부분의 기록계는 전기적으로 작동되고 어떤 시간 간격에 걸친 평균값 또는 순간값을 기록하는 펜과 페이퍼들 형태이다.

(5) 공정 변수를 제어, 이러한 기능을 담당하는 기기를 '제어기'라 명명한다. 제어기는 '최종 제어 요소'(이 요소는 배관 공정에 있어서 보통 Valve)를 작동시킴으로써 공정 변수의 값을 변화시키거나 유지시킨다.

많은 계기가 이러한 다섯가지 기능중 둘 이상의 기능을 겸비하고 있고 통합된 기계 부분을 또한 갖고 있다. —이것의 가장 일반적인 예는 일체 완비는 Control Valve이다. (3.3.10절의 압력 조절기와 Chart 3.1 참조)

5.5.3 계기 확인 방법

가장 많이 사용되는 계기는 압력계기(지시계)와 온도 계기(지시계)이며, 그림 5.18의 (a)(b)에서 처럼 나타낸다. 계기 확인 번호(또는 꼬리표 번호)의 예가 그림 5.18의 (c)에 나타나 있다. 번호의 동그라미는 보통 7/16 인치 직경으로 그린다.

그림 5.18 기계 확인번호

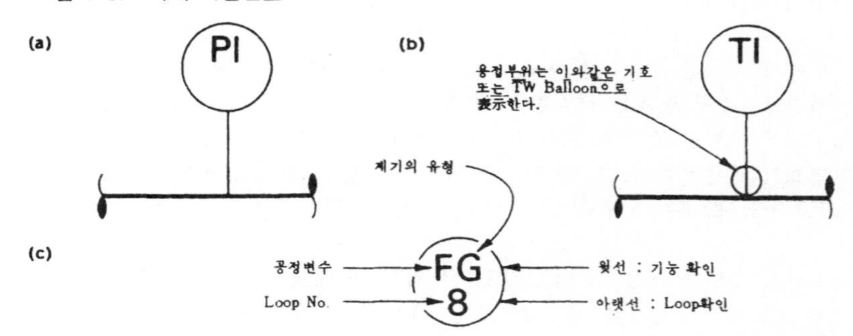

그림 5.18에서 ' P ',' T ' 및 ' F '는 각각 압력, 온도, 유동의 공정 변수를 가리킨다. ' I '와 ' G '는 계기의 유형을 나타내며, 각각 지시계와 계이지를 나타낸다. 표5.3은 공정 변수와 계기의 유형등 공정 변수를 나타내는 다른 문자를 보여준다. Loop 번호라고 명칭된 번호 8은 계기 기술자가 할당한 연속 번호의 예이다.

5.5.4 계기 설치와 다 기능 계기

미국 계기협회의 Balloon 내의 수평선은 계기가 제어 Box 위에 설치된 것을 나타내며 이러한 선이 없는 것은 배관 및 용기 안이나 근처에 '국부 설치'된 것을 나타낸다.

臺板設置	現場設置
TI / 88	TI 88

미국 계기 협회의 기획은 계기가 아니라, 계기의 기능을 보여준다. 그러나 다기능 계기는 원들을 서로 접촉시켜 개별적인 기능을 보여 주는 Balloon 을 그려줌으로써 지시할 수 있다.

때때로 다 기능 계기는 온도 기록 제어기인 ' TRC '와 같이 그 기능을 확인시켜 주는 문자를 갖는 Balloon 기호에 의해 지시할 수 있다. 그러나 이러한 경우는 바람직하지 못하며, 분리된 ' TR '과 ' TC ' Balloon 을 접촉시켜 그리는 것이 더 좋다.

5.5.5 상호 연결된 계기(Loop 선)

ISA 표준 규격은 '루프'라는 말을 상호 연결된 계기의 그룹을 기술하기 위해 사용하며, 이것은 반드시 닫힌 루프 배열일 필요는 없다. 즉, Feed-back (Feed Forward) 배열에서 사용하는 계기이다.

몇몇 계기가 상호 연결되었다면 그것들은 모두 다 '루프' 확인을 위해 같은 번호에 활당시킬 수 있다. 그림 5.19는 Process Line 을 보여주며, 한 그룹의 계기(루프 번호 73)는 온도를 감지, 전달, 지시하기 위해 사용하고, 두번째 그룹(루프 번호 74)은 유량을 감지 전달, 지시, 기록, 제어하기 위해 사용한다.

그림 5.19 계기'루프선'의 예

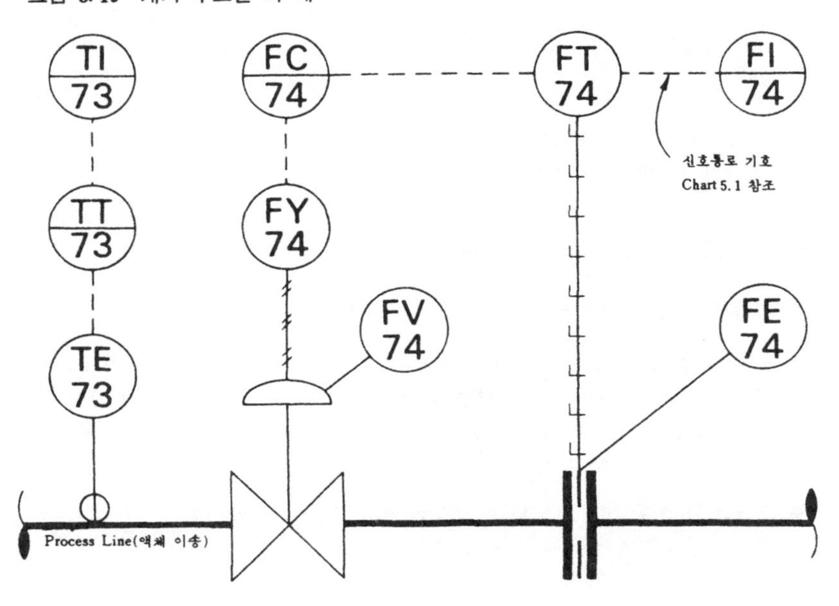

5.5.6 신호 통로(Signal Leap)

각 요소, 전달자, 기록계, 지시계와 제어기는 신호 통로에 의해 서로가 연락을 취한다.－이 신호 통로는 도면에서 선으로 나타낸다. 신호는 전압 또는 유체의 압력등이 될 수가 있다.－이러한 것들은 가장 일반적인 신호이다.

계기 신호 통로에 대한 기호는 Chart 5.1에 주어졌다.

표 5.3 기계사용 약호 : ISA약호

공정 변수	기계의 유형
분석(Analysis) ……A	경보(Alarm) ……A
화학합성(Chemical composition) ……A	사용자의 선택(User' s choice) ……B
버너의 화염(Bubner flame) ……B	제어기(Controller) ……C
전기전도성(Electrical conductivity) …C	제어밸브(Control valve) ……C V
밀도(Density) ……D	트랩(Trap) ……C V
비중(Specific gravity) ……D	주요요소(감지기, Primary element) …E
유량(Flow rate) ……F	유리(Sigle gless) ……G
길이(두께 등등 Length) ……G	지시계(Indicator) ……I
전류〔Current(Electric)〕……I	제어부(Control station) ……K
수두(Level) ……L	표시등(Pilot light) ……L
습도(Humidity) ……M	사용자의 선택(User' s choice) ……N
습기(Moisture) ……M	오리피스(Orifice) ……O
사용자의 선택(User' s choice) ……N	시험점(Test point) ……P
사용자의 선택(User' s choice) ……O	기록계(Recorder) ……R
압력(Pressure) ……P	스위치(Switch) ……S
진공(Vacuum) ……P	회송자(Transmitter) ……T
방사능(Radioactivity) ……R	다기능(Multifunction) ……U
속도(또는 진동수)(Speed Frequency)	밸브(Valve) ……V
온도(Temperature) ……T	댐퍼(Damper) ……V
다변수(Multivariable) ……U	파열관(Rupture disc) ……V
점성(Viscosity) ……V	우물(Well) ……W
힘(Force) ……W	비분류(Unclassified) ……Y
무게(Weight) ……W	릴레이(Relay) ……Z
비분류(Unclassified) ……X	드라이버(Driver) ……Z
사용자의 선택(User' s choice) ……Y	발동기(Actuator) ……Z

"공정변수"를 나타내는 문자뒤의 지정된 문자

	지정된 문자는 다음 사항에 사용된다 :
구별(Differential) ……D	공정변수의 두 가지 값 사이의 차이가 포함되었을 경우
전체값(Total) ……Q	공정변수를 어떤 기간에 걸쳐 합했을 때, 예를 들면 유량은 전체체적을 구하기 위하여 더해질 수 있다.
비율(Ratio) ……F	공정변수의 두 값의 비가 포함됐을 경우
안전품목(Safety item) …S	Relief Valve 또는 Rupture Disc와 같은 품목를 나타낼 경우
'수동(Hand)' ……H	수동조작 또는 수동시동의 품목을 나타낼 경우

"기계유형"을 나타내는 문자뒤의 지정된 문자

고(High) ……H	공정변수의 높은 값에서 작동하는 계기를 나타낼 경우
중(Intermediate) ……M	공정변수의 중간 값에서 작동하는 계기를 나타낼 경우
저(Low) ……L	공정변수의 낮은 값에서 작동하는 계기를 나타낼 경우

5.6 圖面上의 配管材料의 List

공장 건설 산업에 있어서 배관 요소들에 대해 배관 사양서에 나타나는 약호 번호를 주는 것은 일반적인 것이다. Plant 건설에 크게 참여하지 않는 회사들에 있어서는, 재료는 도면上에 자주 List를 作成 해 준다.

5.6.1 목록의 다른 형태(Different Forms of List)

이러한 목록은 철재류의 품목을 열거하며 보통 '재료 목록'이라 한다. 또한 '부품 목록'과 '재료 사양서'라고도 한다.

여러 도면 上에 재료에 대한 개별적인 목록을 만들수도 있고 각 도면이 특별한 도면 上의 품목에 대한 목록을 포함할 수도 있다. 도면 上의 목록은 제목란 상단의 빈 공간에 기입한다. 목록을 위해 사용하는 표제란은 다음과 같다.

재 료 목 록			
품 목 번 호	수 량	기 술	비고, 청구번호 또는 회사약호

5.6.2 목록기획(Suggested Listing Scheme)

용기(Vessls), 펌프, 기계류와 계기류는 일반적으로 배관 철재류로부터 분리하여 목록을 만든다. 그러나 작은 프로젝트나 개조 공사에서는 도면 上에 모든 재료 목록을 만드는 것도 흔히 있는 일이다.

도표 5.11 배관요소들에 대한 분류

등급	유체에 대한 기계적인 기능		기계적인 예
I	이송 : 유동을 위한 통로를 제공		파이프와 그 부속품, 일반Flange와 Bolt, Gasket Set
II	유량조절 : 유량 또는 유체의 압력변화를 야기	(A) 동력	In-line Valve, Orifice plate, Venturi
		(B) 동력	펌프, 방충기
III	분리 : 기계적 수단에 의해 유체로부터 재료를 제거		증기트랩, 배기밸브, 안전밸브 또는 Relief valve, Screen, 여과기
IV	가열 또는 냉각 : 열을 더하거나 제거함으로써 유체의 온도를 변화		보온 이중 파이프, (Tracer)
V	측정 : 유량, 온도, 압력, 밀도, 점성, 혼탁한 정도 색깔 등과 같은 유체의 변수들을 측정		온도계, 유량계, 비중계 (써모웰 thermowell)과 같은) 센서하우징 계기를 위한 다른 특수부속품
VI	아무것도 없음 : 보조하드웨어		보온, 보강, 행어, 지지

품목의 목록을 되는대로 만들면 참조하는데 있어 어려움이 있다. Chart 5.11에서 제안된 기획은, 하드웨어의 기능에 기본을 두고 있고 필요하다면 장비의 목록도 만들 수 있다. 높은 壓力 Rating과, 큰 Size의 품목은 각 등급 안에서 먼저 목록을 만들 수 있다.

5.6.3 특수 품목의 목록화

'특징'이라는 항목 아래에는 일반적으로 품목의 크기를 먼저 언급한다. 전형적인 차례는 인치로 나타낸 크기, Rating (압력, 예정 번호등) 품목의 이름, 재료(ASTM 또는 다른 재료 사양서) 및 그림(설계 그림)

사양서는 품목의 이름, 크기, Rating, 특징과 재료의 순서로 기술하는 것이 가장 좋다. 재료 목록은 정보 처리 기계로 다루며, 품목의 이름에 의해 사양서를 기술하는 것은 정보를 다루는데 있어서 도움이 된다. 파이프에 대한 기술은 상세하다.

파이프에 대한 목록의 예

- 이름 : '파이프'라고 쓴다.
- : 공칭 파이프 크기를 지정한다. 2.1.3절과 표 P-1을 참조
- Rating : 사양서 번호와 製作者의 중요도에 따라 파이프 벽 두께를 지정한다. 표 P-1을 참조. SCH-예정 ST'D-표준, XS-특수강도, XXS-이중 특수강도, L-조명, API-미국 정유 협회
- 특징 : 프로젝트에 대한 파이프 사양서가 취급하지 않으면 설계 특징을 지정한다.

  파이프는 이음이 없이도 사용하고, 용접으로 이어 사용하기도 한다. - 명칭의 예는 다음과 같다 : SMLS = 이음이 없는. FBW = Furnace -Butt 용접 ERW = 전기 저항 용접, GALV = 아연 도금, 선단을 기술. T&C = 나사산 가공 및 Coupling, BE = 경사 線斷, PE=평면 線斷
- 재료 : 탄소강 파이프는 ASTM A 53 또는 A 106, 등급 A 또는 B로 배열한다. 모든 사양서는 표7.4와 2.1에 나와있다.

5.6.4 목록을 만들때 검사해야 할 점

- 목록내의 모든 품목이 연속적인 품목 번호를 가지고 있는가?
- 배관 도면에 나타나는 품목에 대해 목록으로부터 품목번호를 부여해준다. 도면 上의 품목을 표시하는 화살표 또는 가는 선을 갖는 원안에 품목 번호를 기입한다. 재료 목록 안의 각 품목은 평면 또는 입면 배관도 上에 한번만 이와 같은 방법으로 表示한다.
- 목록上의 모든 data가 다음 사항과 일치하는가를 확인한다 :
  (1) 배관도면에서 정해진 필요 조건
  (2) 제작자가 카다록 상에서 이용 가능한 하드웨어

제6장

설 계

배열, 지지, 보온, 난방, 환기와 배관 시스템의 배출용기와 機器

6.1 파이프 배열(Arranging Piping)

6.1.1 지침과 주의점(Guideines & Notes)

단순한 배열과 짧은 배관이 압력 저하를 최소화하고 펌프 비용을 절감시킨다.

배열이 '유연성'이되도록 파이프를 설계하면 기계적 혹은 열 운동으로 인한 응력을 감소시킨다. 그림 6.1과 이 Section 의 '파이프'에 가해지는 '응력'을 참조.

건물 내부에 있어서 배관은 일반적으로 그 지지 구조를 단순화 시키고 미관을 좋게 하기 위해 건물의 鐵構造物과 평행하도록 배열 한다.

옥외의 배관은 다음과 같이 배열 할 수 있다. (1) Piperack (2) 목재 위의 수평면 근처에 (3) 도랑 내부에 (4) 철구조 혹은 大型 Item 의 기기에 수직으로

배관 배열(Piping Arrangement)

- 가능한 곳이면 어디든 사용 가능한 표준 기기를 사용한다.
- 別途의 지시가 없는限. mm 와 Inch 하나 때에 따라서는 이 두가지를 병행 기입할 수 있다.
- 기초 하부에는 배관을 하지 않도록 한다. (파이프는 Grade Beam 밑으로 지나갈 수 있다.)
- 배관은 콘크리트 바닥이나, 벽을 통해 지나갈 수도 있다. 이러한 관통 지점들을 가능한한 조기에 확인하고, 관계그룹(건축이나 토목)에 미리 준비한 보강용 막대를 제고하지 않도록 주지시킨다.
- 되도록이면 앞으로의 도로나 현장건설이 예정되어 있지 않은 한, 외부저장, 중량물 및 수용 설비로 나가는 배관을 파이프 슬리퍼(Sleeper)의 경사지게 놓도록 한다. (그림 6.3을 참조)
- 응축수를 모으는 어려움 때문에 증기 Line 을 그 움푹한 곳에 묻어서는 않된다. 증기 Line 은 덮개 혹은(짧은 선이라면) Sleeve 에 씌어져 도랑을 경사지게하여 하부로 지나갈 수 있게끔 한다.
- 일반적으로 매설되는 배관은 배출구와 물 혹은 가스를 운반하는 Line 을 포함 한다. 춥고 긴 겨울로 땅을 얼리는 곳에서는 땅이 어는 곳 그 아래로 배관을 매설함으로써 물과 용제가 어는 것을 피할 수 있으며, 긴 수평배관을 보온 피복할 비용을 절약 할 수 있다.
- 특히 펌프나 터빈 그리고 분해 검사를 위해 제거해야 할 다른 기기등에 수리를 쉽게 하기 위해서 제거할 수 있는 Flange 달린 Spool 을 포함시킨다.
- 응축수(있을 경우) 혹은 회전 기기를 손상시킬 우려가 있는 침전물을 제거할 회수를 줄이는 것이 필요한 Header 윗 부분으로 가스와 수증기의 지선을 한다.
- 움푹 파인 배선을 피하라—배관이 기기로 다시 흘러들어 가도록 혹은 배출구로 빠져나올 수 있도록 배관을 배열한다.
- Vent 는 모두 높은 곳에 다 Drain 은 모두 낮은 位置에다 設置 하도록 한다. —그림 6.47을 참조, Chart 5.7의 기호 表示는 Vent 와 Drain 을 나타낸다. 조심스럽게 다루어야 할 Drain 과 Valve 달린 Vent 는 사용하지 않는 기간 중, 배관이 쉽게 배수될 수 있도록, 혹은 정화시킬 수 있도록 한다. 이것은 특히 차가운 기후에서는 중요하며, 반한 장치 비용을 절감시킬 수 있다.

지지를 위한 배열(Arrange For Supporting)

- 실현 가능한 곳에 배관로의 배선을 배열
- 바닥 밑에서 보다는 천정으로 부터 배관을 지지
- Platform 의 위 보다는 아래쪽에 배관을 설치한다.

기기의 제거와 Line 의 세척

- 필요하다면 Union 나 Flange 설치 위치를 선정하고, 그 외에 고형화될 수 있는 재료를 제거하기 위해 Elbow 대신 Cross 를 사용한다.

간격 및 접근로(Clearnces & Access)

- 기기의 수리와 제거를 위해 적당한 간격을 둘 수 있도록 파이프의 순서를 정하라
- 주기적인 검사 혹은 운전을 해야할 모든 기기를 손이 쉽게 닿을 수 있는 곳에 혹은 접근 가능하도록 위치를 선정하라—특별한 Valve 감압 밸브, 트랩, 여과기 및 기구등에 관하여
- 접근로(출입구, 비상구, 트럭 전용 도로, 인도, 기중벽 등등)에는 방해물이 없도록 하라.
- 기기를 유지 보수를 위해 적절한 간격을 주도록 하라. 자주 채택하는 간격은 표 6.1에 주어져 있다. 몇몇 경우에 이들 간격은 부적당한데—예를 들어서 Shell & Tube Type 열 교환기에서는 Tube를 Shell로 부터 제거시키기 위해 공간을 두어야 한다.

간격과 치수* **표 6.1**

최소간격	
수평간격 : 기기주위의 작업공간†	2피트 6인치
최단거리 장애물에 대한 철로의	
중심선; (1) 직선선로	8피트 6인치
(2) 곡선선로	9피트 6인치
난간 또는 장애물에 대한 맨홀	3피트 0인치
수직간격 : 인도 플랫홈 또는 작업구역의 표면에	6피트 9인치
계단 표면에	7피트 0인치
공장도로의 고지점 위에;	
(1) 부속도로	17피트 0인치
(2) 주요도로	20피트 0인치
철로 위로부터 철로 표면에	22피트 6인치
최소한의 수평치수	
바닥 높이의 인도의 폭	3피트 0인치
상승된 인도 혹은 계단의 폭	2피트 6인치
고정식 사다리의 가로장의 폭 Chart P-2 참조	16인치
화물을 들어 올리는 기기의 도로 폭	8피트 0인치
수평규격	
난간, 바닥, 플랫홈 또는 계단의 꼭대기; (1) 하부철로	1피트 9인치
(2) 상부철로	3피트 6인치
바닥에 대한 맨홀	3피트 0인치
중심선; 표 6.2와 Chart P-2 참조	

* Plant를 설계하는데 있어서는 미국 노동성의 '직업안전 및 건강규격'(이것은 상기의 치수 보다 작은치수를 나타낼 수 있음)등의 표준 건물약호 및 다른나라에서의 요구조건도 참조하여야 한다. 탱크의 공간설정을 위해 표 6.11 NEPA의 '국립소방법' (권1등). LPG설치를 위해 API규격 2510 및 최소한의 공간설정을 위해 기름보험 협회의 규격 No. 63을 참조한다.

† 열교환기, 압축기 및 터어빈과 같은 기기는 더 넓은 간격을 필요로 한다. 특별한 필요 공간을 결정하기 위해 제작자의 도면을 檢討한다. 열 교환기의 공간을 결정하기 위해 그림 6.33 및 표 6.5를 참조한다.

- Duct 작업을 위해 충분하게 머리가 들어갈 수 있도록 천장과의 거리를 확보하고, 필수적인 전기선과 적어도 남-북과 동-서를 배관하는 파이프의 두 입면도를 作成해야 한다.(가장 큰 배관이나 철 구조물 Duct 작업 등등의 간격에 기초하여—그림 6.49를 참조)
- 배관의 입면도는 일반적으로 한데 모여있는 배관을 수평방향으로 변화시킬 때 또는 변화시키거나 直線 配管을 해야 할 공간을 만들어 놓아야 한다.
- Flange를 支持物로 부터 최소한 12인치 간격으로 서로 엇갈리게 한다.
- 현장용접과 그밖의 결합부를 지지할 鐵物, 건물벽, 또는 다른 장애물로 부터 적어도 3인치 떨어지게 한다.
- 파이프 응력에 관련하는 직원과 事前에 상의하여, 팽창을 극소화시키기 위해 Loop와 또 다른 파이프 배열을 할수 있는 공간을 두도록 해야 한다. 이러한 Loop 지지에 필요한 추가로 철 구조물을 구조 그룹에게 주지시킨다.

열 운동(Thermal Movement)

파이프 주행의 최대와 최소 길이는 이 Pipe에 흐르는 流體의 온도 한계치에 상응한다. 철 구조물의 온도변화 1°당 팽창 혹은 수축량(팽창계수)은 대략 동일하다.—즉, 40°F에서 41°F로의 상승은 132°F에서 133°F 혹은 179°F에서 180°F로의 팽창시와 유사하다. 표 6.1은 온도 변화 당 길이 변화를 나타낸다.

도표 6.1 탄소강 파이프의 팽창

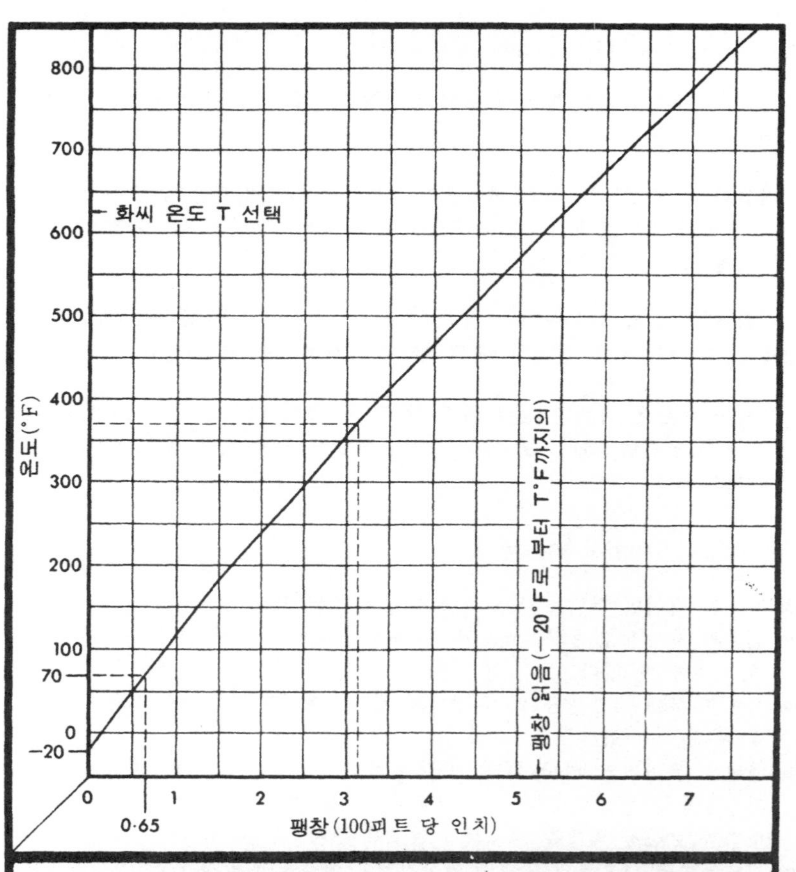

대략의 답을 구하기 위해 좌측에서 온도차이를 보고 아래쪽에서 파이프 100피트당 인치의 팽창 숫자를 읽어라. 예를 들면 온도 300°F 상승을 100피트당 2.5인치의 팽창을 한다(70°F에서 370°F로의 정확한 판독은 3.15−0.65=2.40 인치이다).

그림 6.1 탄력성

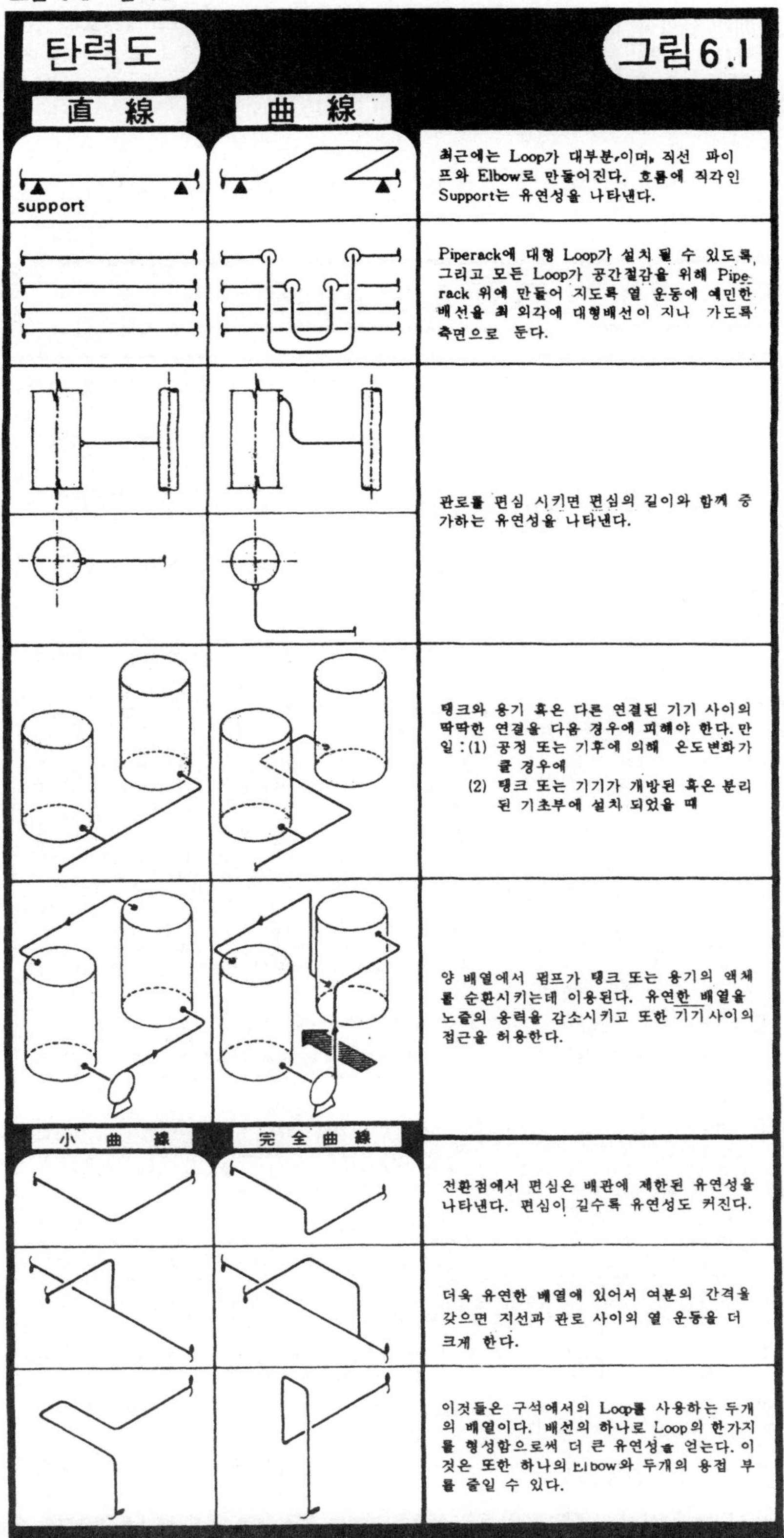

배관에 대한 응력(Stresses on Piping)

열 응력(Thermal Stresses)은 주위 환경의 온도 변화 혹은 전달되는 유체의 온도 변화로 인한 것이든, 파이프의 온도 변화는 파이프의 길이 변화를 갖어온다. 이러한 잇달은 팽창 혹은 수축은 배관, 지지물과 부착 기기의 변형을 야기시킨다.

침전 변형(Settlement Strains) 대형 탱크와 大型 機器의 기초는 시간이 지나면서 침하 혹은 약간 지울어 질수 있다. 일반적인 기초 위에 있지 않은 연결된 배관과 기기는 변위에 따라 응력을 받는다. [12. p.188] 및 [33, p.247]의 참조에는 운전 압력과 응력 그리고 파이프의 강도를 계산하는 방법이 있다.

배관의 탄력성(Flexibility in Piping)

심한 열 운동에 의한 배관의 변형을 감소 시키기 위해 탄력성 있는 팽창 포인트를 사용 할 수 있다. 그러나 이러한 Fitting 사용은 그림 6.1에 설명한 것처럼 탄력있는 방법으로 배관을 배열함으로써 최소화시킬 수 있다. 파이프는 길이에 수직 방향으로 휠수 있으며, 그리하여 편선이 길수록 혹은 Loop 선이 길수록 더 큰 탄력성을 얻을 수 있다.

Cold Spring

배관의 Cold Spring은 교대 방법을 사용하면 피할 수 있다. 배선은 열 팽창으로 부터의 운동량을 감소시키거나 차례대로 수축시켜 주면 이것이 바로 Cold Spring이 된다. (a)연결부에 응력을 감소 시키는 것. (b)방해를 피하는 것.

그림 6.2는 양 목적을 위해 Cold Spring의 사용을 설명하고 있다. (a)의 예에서 Cold Spring은 차갑고 뜨거운 지점 사이에 열 운동을 분할하는 지시된 차가운 위치에서 분지함으로써 이루어진다. (b)의 예에서는 Cold Spring을 열 운동에 동등하게 만든다.

그림 6.2 COLD SPRINGING

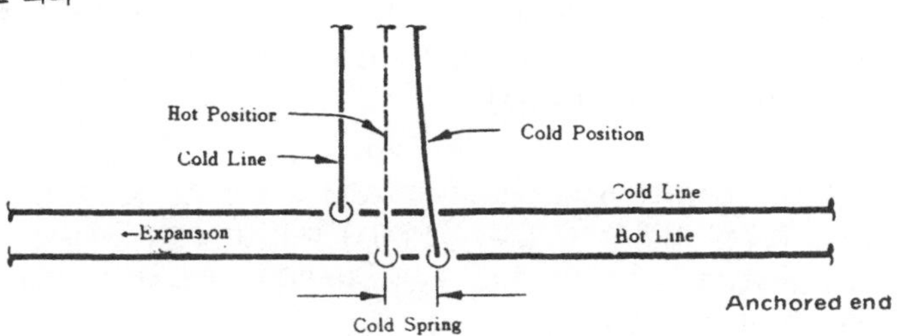

다음의 예에서 Cold Spring은 단지 응력을 감소시키기 위해 이용한다. 90° Elbow와 Flange로 Nozzle에 연결되는 긴 배관을 가열하면, 주어진 荷重 以上으로 Nozzle에 하중이 걸리게 될수 있게 됨으로 이때의 Nozzle의 배관은, 상온에서 설치되어 있고 뜨거운 물질이 파이프를 통과할 때 노즐에 측방 하중 600lb를 가하면서 0.75인치 팽창된다고 가정한다.

만일 파이프가 設置 前에 0.375인치의 길이로 움직였다면 Nozzle의 실온 측방하중은 약 300 lb (0대신에) 일것이고, 고온 하중은 약 300 lb로 감소될 것이다.

취할 수 있는 팽창 부분은 다양할 수 있다. 절대치 온도 사이의 50%의 팽창시 Cold Spring은 응력 감소에 있어 가장 유리하다. Cold Spring은 만일 대체 용액을 사용할 수 있다면 추천할 필요가 없다 ANSI B 31.1-압력 배관을 위한 규격의 3장 또는 ANSI B 31.1.를 참조

배관의 유동 저항성

모든 배관은 유동에 저항을 가진다. 유동 단면이 작을수록 그리고 유동 방향의 변화가 심할 수록 저항 및 압력의 손실이 커진다. 특별히 배관크기에 대해 저항은 파이프의 길이에 비례하고, Fitting 및 Valve등의 저항은, 유동에 같은 크기의 저항을 갖는 파이프의 길이로 표현하기도 한다. 표 F-10은 Fitting과 Valve 등등의 파이프의 적정 길이를 예시하였다.

표 F-11은 SCH 40 파이프를 다양한 속도로 통과하는 물의 압력감소를 나타냈다. 배관의 경제적 크기(NPS)를 결정하는 Chart는 화학 공학도를 위한 핸드북에 나타나 있다.

유동 문제의 계산척

유동 저항성의 문제점은 PO BOX 987. Louisville, KY 40201의 Chemetrom 회상의 Tube Turns Division에서 구할 수 있는 계산척 계산기의 도움으로 쉽게 해결할 수 있다.

6.1.2 Pipe Rack

管路는 여러개의 평행한 인접 Pipe의 선로에 배당된 공간이다. Pipe Rack은 파이프 운반시의 관로의 支持 구조물이며, 일반적으로 鐵材 혹은 콘크리이트와 철 구조로 만들거나 파이프가 얹혀지는 'Bent'라 불리는 모양의 연결된 틀로 그림 6.3은 건축의 이 형태를 사용하는 두 Pipe Rack을 나타내는데 그 하나는 '이중 갑판'이다. 오직 2개나 3개의 파이프를 위한 Pipe Rack은 'Tee-Head 支持台'라 부른 'T型 강'으로 만든다.

Pipe Rack은 비싸나, 주요 공정과 공장부지 주위의 공급 배선의 배열에 있어 필요하다. 이것들은 2차적인 방법으로도 선용되어 주로 보조 기기의 방호 장소를 제공 하는데 이용한다.

펌프, 多枝管(Utility Stations Manifold), 소방용 및 응급처치 장소는 Pipe Rack 하부에 설치할 수 있다. 조명이나 다른 고정물은 기둥에 설치할 수 있다. 空冷式 열 교환기는 Pipe Rack 위에라도 設置할 수 있으나, 보통은 Pipe Rack에는 설치하지 않는다.

別途 지지없이 Pipe Rack 위를 지나가는 파이프의 최소 크기는 보통 2인치이다. 이것은 제시된 小 口徑을 2인치 파이프로 교환하거나 혹은 別途 지지없이 이것들은 4인치 또는 그 이상의 배관으로 부터 매 단다면 더욱 경제적일 수 있다.

수직배관의 간격을 위한 응력과 지지는 표 S-1과 S-2에 있다.

그림 6.3의 설명

(1) 이중 Deck를 사용할 때 Pipe Rack의 상부에 설치하거나, 공급 배관을 설치하는 것이 관례이다.

(2) 배관을 기둥 바로 위로 지나가게 해서는 안된다(또 하나의 Deck 설치를 방해하기 때문)

(3) Bent의 수평부에서 응력을 감소시키기 위해 기둥근처에 액체로 찬 大口徑管을 설치해서는 안 된다. 액체로 찬 무거운 파이프(12인치 또는 그 以上)는 수평면에서 더욱 경제적으로 흐른다. -註(12)를 참조.

(4) 앞으로 설치할 파이프를 위한 공간 배분을 한다(즉, 최종 幅의 20%-표 4-1 참조).

(5) Hot Line은 보온을 하고, Shoes위에 설치한다.

(6) Hot Header의 높이는 그림의 원점 및 Pipe를 탱크로 배수하는데 필요한 경사등을 고려하여 정한다.

(7) Relief Header의 높이는 그림의 원점 및 Pipe를 탱크로 배수하는데 필요한 경사등을 고려하여 정한다.

(8) 전기 및 계장 Tray(Conduct 및 Cable을 위한)는 관로를 벗어나는 Pipe에 관한 문제를 최소로 하기 위해 그림에 보인 것처럼 Outrigger 혹은 Bracket에 잘 설치한다. 임시적으로 Tray를 기둥에 설치할 수 있다.

(9) 수평 Line의 방향 변경시에 입면도(上方 혹은 下方)를 변경시키는 것이 가장 좋다. 이것은 앞으로 설치할 Line의 공간을 마련할 수 있다. 全 Line을 90°로 變更시키고져 할 때의 배관 순서를 변화시킬 수 있는 기회를 제공한다. 만일 Deck는 중간 입면도에 나타나 있다.

(10) 가끔 계약작업의 분기점을 규정하기 위해 접촉 영역을 확장한다(한 계약자의 배관이 다른 것과 연결시키기 위해서). 접촉 영역은 연결을 가능하도록 하기 위해 벽이나 측면, Process Unit 혹은 Storage Unit로부터 충분히 멀리 설치할 수 있는 가상 평면이다.

(11) 파이프는 공간이 허용하면 만일 Deck에 設置되어야 한다.

(12) 배관은 만일 후일에 도로나 인도 등이 배관로에 필요하지 않다면 같은 수평면에서 Sleeper로 지지해야 한다. 같은 수평면에서의 배관은 수평면 위로 12인치 또는 그 이상이다.

(13) 최근의 관례는 Bent 사이에 20~25피이드 공간을 둔다. 이 공간은 小口徑 Pipe의 허용가능한 변형과 Pipe Rack에 요구되는 경제적인 Beam 단편과의 절충을 고려한 것이다. Pipe Rack은 보통 폭이 25피이트 이상 넘지 않는다. 만일 더 큰 공간이 필요하면 Pipe Rack은, 이중 또는 삼중 Deck가 될 수 있다.

(14) Pipe Rack 下部의 최소 간격은 표 6.1에 정한대로 따라야 한다. 그러나 접촉 영역에서는 때때로 Plant 하청 업자가 파이프의 입면도를 정하기 때문에 반드시 그것을 고수할 필요는 없다. 만약 이러한 상황이 발생한다면 배관그룹은, 배관 하청 업자가 일해야만 하는 최대 및 최소 입면도를 확정하여야 한다. -이것은 다음에 일어날 수도 있는 문제들을 피하기 위함이다. Pipe Rack이 어떤 기기나 또는 Plant 입구를 지나가는 접근로를 위해 필요한 최소 높이를 檢討한다.

(15) Pipe Rack의 입면도를 정할 때, Pipe의 Pocket가 생기지 않도록 하여야 한다. 이들 Line은 기기나 또는 Drain Line으로 배출시킬 수 있어야 한다.

(16) 지지를 쉽게 하기 위해 Pipe Rack의 한쪽 면에서 팽창 Loop를 필요로 하는 Hot Line은 한데 묶어서 한다.

(17) Utility Station, Control (Valve) Station 소방 호스 등은 Pipe Pack 기둥에 바싹 붙여서 설치하도록 할 것.

(18) Pipe Rack와 인접한 건물 또는 구조물 사이에 펌프 등을 위한 공간을 남겨야한다.

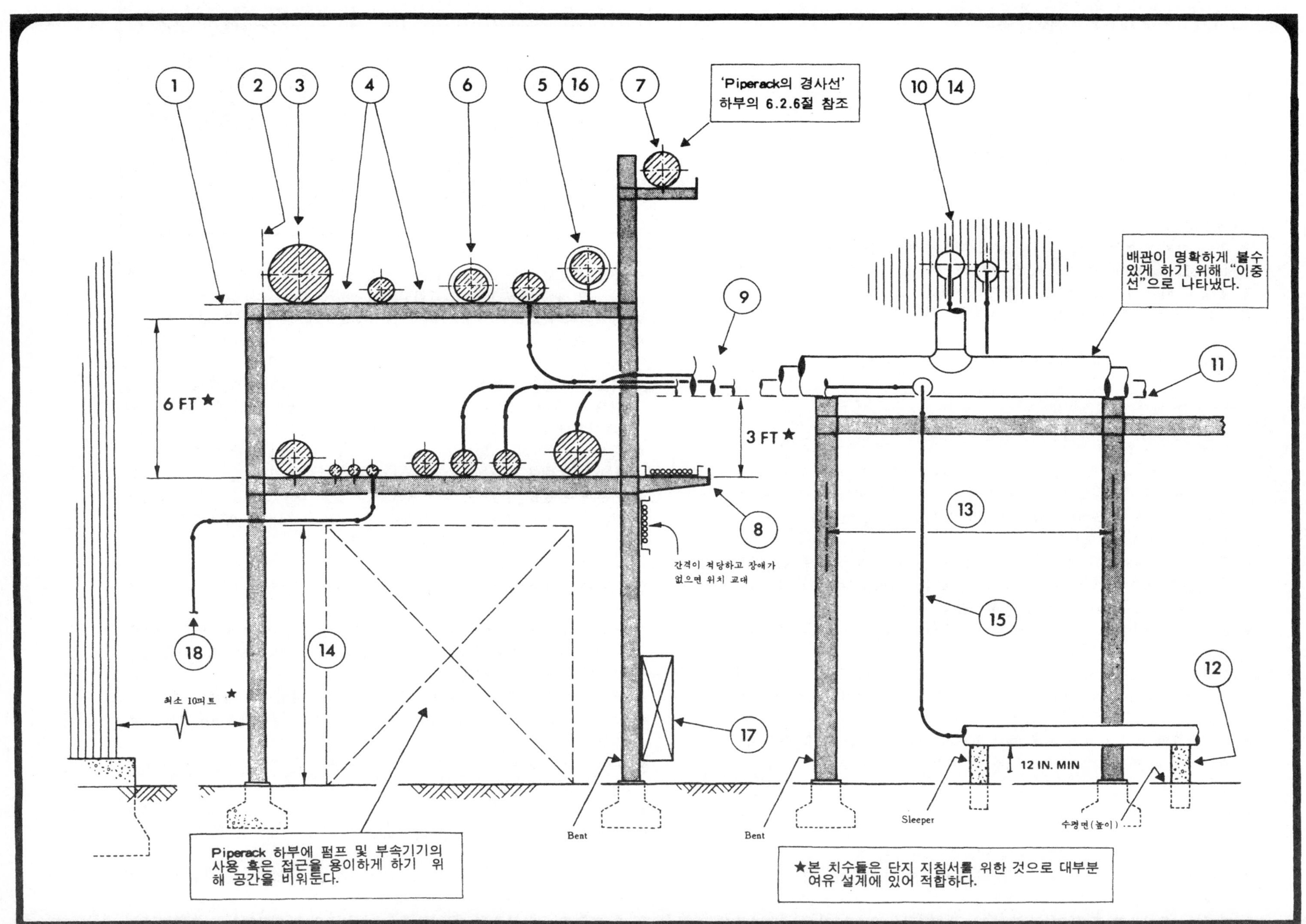

'Piperack의 경사선' 하부의 6.2.6절 참조
배관이 명확하게 볼수 있게 하기 위해 "이중선"으로 나타냈다.
6 FT ★
3 FT ★
간격이 적당하고 장애가 없으면 위치 교대
최소 10피트 ★
12 IN. MIN
Bent
Bent
Sleeper
수평면(높이)
Piperack 하부에 펌프 및 부속기기의 사용 혹은 접근을 용이하게 하기 위해 공간을 비워둔다.
★본 치수들은 단지 지침서를 위한 것으로 대부분 여유 설계에 있어 적합하다.

6.1.3 배관 설계에 있어서의 Valve

Valve 는 다음 목적으로 사용한다.

(1) 작동 중 공정 조절
(2) Utility 의 증기, 물, 공기 Gas, Oil 등의 조절 Sorvice
(3) 정비를 위한 장비 혹은 계장품들 분리
(4) 가스, 증기 혹은 액체를 배출
(5) 조업중 지시 배관과 장비의 배수
(6) 공장의 재난 또는 화재시 비상차단

Valve Size 결정

거의 모든 Valve 는 배관 크기와 같다. ―하나의 예외는 Control Valve 인데 일반적으로 배관 크기 보다 하나 또는 두 Size 작다 : 결코 크지 않음.

Control Station 및 펌프에서는 배관 크기의 Isolating Valve 를 使用하는 것이 거의 전통적이다. 그러나 몇몇 회사에서는 현재 Control Station 에서 Isolating Valve 를 Control Valve 와 같은 크기로 使用하고 펌프에서는 흡입과 배출 Nozzle 의 Size 와 같은 Isolating Valve 를 使用하고 있다. 그 선택은 일반적으로 설계자의 의견에 따라 경제적인 것을 사용한다.

Control Station 에서 Bypass Valve 의 크기는 6.1.4절에 나타나 있다.

Valve 位置 선정

펌프의 Valve 조절을 위한 6.3.1절의 펌프 고정 설치와 연결을 참조.

- 되도록이면 Valve 를 Piperack 의 Header 로부터 수직보다는 수평으로 놓아, 밸브를 폐쇄시킬 때 배관이 배수될 수 있도록 한다.(한대 기후 지방의 水配管은 Pipe 를 동파 시킬수도 있다 : 그러한 배관은 보온을 해야 한다. ―6.8.2절 참조)
- 불 필요한 파이프의 길이에 대한 Spool 작업을 피하기 위해, 만일 Flange 의 정격 압력이 정확하다면 Valve 를 Flange 달린 기기에 직접 설치한다. 6.5.1절의 'nozzle 부하' 참조
- Header 로 배출되는 Relief Valve 는 배수될 수 있도록 Header 에 설치하도록 한다.
- 적당한 지지점 근처에 大型 Valve 를 설치한다. Flange 는 설치시 방해가 되지 않도록 가장 가까운 지지에서 12인치 이상 떨어지도록 해야 한다.
- 가능하다면 외관상 보기 좋게 하기 위해서 Valve 의 중심선을 바닥위의 같은 높이에 평면도에서는 In-Line 에 설치하도록 한다.

Valve 운전 조작

- 수동 조작 Valve 의 위치는, 조작 빈도를 고려해야 한다.
- 조작 빈도가 높은 Valve 는, 같은 수평면 또는 조작자가 난간으로부터 쉽게 접근할 수 있는 위치에다 설치한다. 이보다 더 높거나 20피트 以下까지는, 체인조작 혹은 가설 Stem 을 사용한다. 20피트 이상의 난간일 때는 원격 조작을 고려한다.

표 6.2 Valve 조작높이

Valve 위치 선택 순서	수평 Valve에 대한 Stem 중심선 높이		수직 Valve에 대한 손잡이(직접, 잠근상태)	경사 Valve에 대한 손잡이테의 최소높이 (천장 손잡이)	
	작 동	정 비		수직으로부터의 스템의 각도	최소높이
첫째 †	3′-6″ 에서 4′-6″	3′-6″에서 4′-6″	3′-9″ 에서 4′-3″		
둘째 †	2′-0″에서 3′-6″	1′-0″ 에서 3′-6″	2′-0″에서 3′-6″		
셋째 † (머리위험)	4′-6″에서 6′-6″+ ½ 손잡이직경	4′-6″에서 7′-9″		30°	5′-0″
				45°	5′-6″
				60°	6′-0″
1인치 이하 Valve의 수락성	0′-6″에서 2′-0″ 그리고 6′-9″에서 7′-6″				

* 교부에서 Chart P-2 참조
† Valve가 두번째와 세번째 높이선택에 위치한다면 인명에 대한 위험은 최소화하기 위해 도보쪽으로 스템을 향하는 것을 피해야 한다. Valve는 벽 또는 눈에 잘 보이는 큰 제품 가까이에 설치 하도록 한다.

- 자주 사용안하는 Valve 는, 사다리를 놓아서 조작할 수 있도록 해야 한다. 그러나 다른 방법도 고려되어야 한다.
- 불가피하지 않으면 Valve 를 Pipe Rack 위에 설치해서는 않된다.
- 자동 조작기를 사용하지 않는다면 손이 닿지 않는 Valve 는 난간을 사용하여 조작시킬 수 있도록, Valve 를 한곳에 모아야 한다.
- 체인이 수평으로 놓여진 Valve 에 이용된다면, Loop 의 바닥을 안전을 위해 층 높이의 3피트 이내로 하고, 체인을 그 밖에 두도록 근처에 고리를 설치한다. 3.1.2절의 '체인' 참조
- 나사 Type Valve 또는 $1^1/_2$인치 이하의 Valve 에는 체인 조작기를 사용하지 않는다.
- 위험한 물질을 취급하는 배관에서는 수평면, 바닥, 난간등 위의 적당히 낮은 수준에 Valve 를 설치시키는 것이 좋다. 이렇게 함으로써 조작자는 키 보다 높은 위치에 갈 필요가 없다.

위험 지역에 있는 Valve 조작

- 공장의 재난 또는 돌발 화재 등의 비상 사태에서 손 쉽게 접근할 수 있도록 Isolating Valve 를 설치한다. 도보 또는 자동차로 Valve 에 쉽게 접근할 수 있는지 확인한다.
- 공장주위에다 수동조작 Valve 를 설치하거나 위험지역 밖에 둔다.
- 자동 조작者와 그 Control Line 이 화재로 부터 보호받을 수 있는지 확인한다.
- Valve Station 에 대한 방화 벽으로, 벽돌 또는 콘크리트 벽을 이용한다.
- 공장 내부에서 화재 위험성 있는 機器와 공정으로 가는 Line 의 공급을 중단시킬수 있도록, Isolating Valve 를 접근이 용이한 위치에 설치한다.
- 소방체계에 있어서 화재 혹은 온도 상승으로 조작되는 열 가용성 Link 및 연기 감지 장치 등등에 반응하여 물, 거품, 기타 소방제를 살포하는 자동 Valve 의 사용을 검토 한다. ―여러 조언은 보험회사와 소방서로부터 받을 수 있다.

간단한 정비

- 大型 Valve에 사용되는 이동성 기중기의 접근 통로를 만들어 주어야 한다.
- 접근이 제한 될 경우 다른 방법으로 조작이 어려운 大型 Valve에 대해서는, Lifting Davit 를 설치함을 검토한다.
- 가능한한 Valve의 Support는 이동성 Spool 위에다 설치를 해서는 않된다.

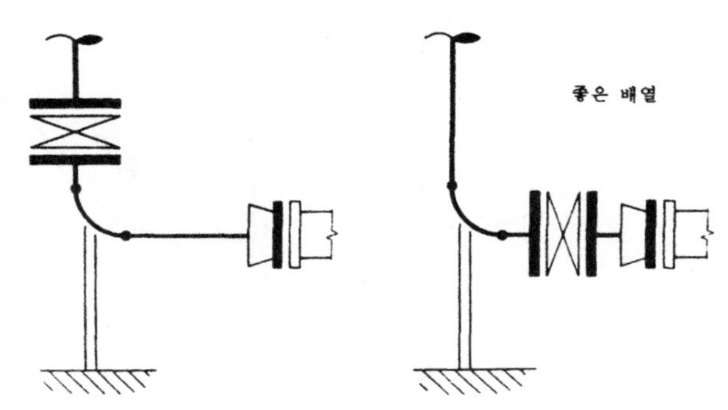

- 윤활을 요하는 Plug Valve는 자주 조작시키지 않더라도 쉽게 접근할 수 있는곳에 설치해야 한다.

안전한 정비

- 정비나 공정상의 필요성에 의해 차단을 필요로 하는 곳에, ' Double Block & Bleed '나 ' Spectacle Plate ' Line-Blind Valve를 설치한다. —2.7절 참조

Valve Stem

- Valve Stem을 인도나 차도, 사다리 난간등으로 향하지 않게 한다.
- 필요하지 않은 한 Stem은 下方으로 향하게 하고 Gate나 Globe Valve를 수평 이하의 어느 각도로도 설치해서는 안된다.

  (1) 침전물이 Gland Packing에 모아지면 Stem에는 자국을 낸다.
  (2) Projecting Stem은 사람에 해로울 수도 있다.

- 역으로 된 위치가 필요하다면, Dripshield (물받이)를 사용하는 것을 고려해야 한다.

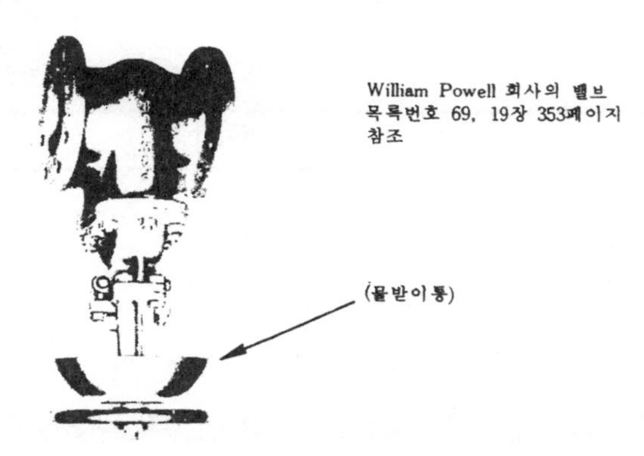

William Powell 회사의 밸브 목록번호 69, 19장 353페이지 참조

배관 폐쇄

조업 중단 혹은 대형 배관의 분출을 막을 때, Valve 차단 시간을 고려한다. Valve의 긴급한 차단은 배관의 파열 위험과 함께 액체의 운동 에너지의 빠른 분산을 요한다. 원거리의 파이프 배관은 이 문제의 예를 보여준다.

빨리 닫히는 Valve를 설치한 액체 배관은 액체의 운동에너지를 밸브에 가깝고 위로 흐르는 Stand-Pipe를 갖추어야 한다. Stand Pipe는 배관의 폐쇄된 수직부이다. 공기 또는 다른 가스는 공압 완충을 이루도록 하여야 한다.

P&ID가 없을 경우

- System이 水壓 검사에서 압력에 견딜 수 있는지 확인할 수 있는 그리고 System의 중단없이 정비를 위해 기기를 제거할 수 있는 Valve를 Header나 Pump 기타 기기등에 설치하도록 한다.
- Header로부터 갈라지는 모든 小 口徑 배관에 Isolating Valve를 설치한다.
- 운전 조건하에서 계기의 제거를 위해, 모든 계기 압력 지점에 Isolating Valve를 설치한다.
- 모든 탱크나 용기등 액체를 저장하거나 모으는 다른 기기에도 Valve 달린 배출구를 設置한다.
- 역류가 발생하는 곳에서는, 역류를 방지하는 급속 폐쇄 Check Valve를 이용하여 정밀한 기기를 보호한다.
- 위험이있거나 압력이 높은 액체를 함유하는 배관에는 Butt용접 또는 Ring Joint Flange가 취부된 Valve를 고려한다.
- 탄화 수소를 공급하는 배관에서는, Seal Welding 나사 조임 Valve를 고려한다. — Chart 2,3참조
- 유량을 완전히 조절할 수 있는 Valve를 設置한다.
- 수평면 이하에 설치된 Valve에는 Concrete Pit (보통4피트×4피트)를 갖추는 것을 고려한다.
- 차단을 위한 임시 폐쇄의 사용을 고려—2.7절을 참조
- 서어비스 Line으로부터 빼내는 기기가 필요하다면 우회로(Bypass)를 설치한다.
- 계속적으로 유동이 필요하다면 제어부 주위에 우회로(Bypass) Valve를 설치, 6.1.4절 및 그림 6.6 참조. Bypass는 적어도 제어 밸브 만큼 커야 하며, 일반적으로 Globe Type이다. 6인치 이상을 사용하지 않는다면 Gate Valve를 보통 사용한다.
- Isolating Valve를 열때 열이 급격히 상승돼서 파열될 위험이 있는 기기에는 小 口徑 Valve를 설치하고 Bypas 상승을 갖는 상향 Isolating Valve를 설치한다. 주물이나 유리종류로된 Lining 용기와 같은 물건의 파열 위험성을 감소시키기 위해 주로 증기 시스템에 사용한다.
- 대형 Gate Valve에서는 Valve를 열 때의 노고를 줄이기 위해 Disc (원판) 양쪽의 압력을 균등히 하는, Valve 달린 Bypass 설치를 고려한다.

表 6.2

- Valve 방향 설정은 3.1.9절을 참조한다.
- Safety Valve의 설치 위치를 안전을 위해, Roof나 Platform 上方 10 피트 以上의 대기로 배출할 수 있도록 높은 곳에다 설치한다. Valve에 변형을 주지 않도록 배기 파이프를 지지한다. 배출선을 상방으로 향하게 하면(그림 6.4), 수평 배열보다도 Valve가 배출시 적은 응력을 받게 된다.
- Safety Valve의 하류쪽이 문제가 생겨서는 않되며 최소한의 단관은 있어야 한다. Relief Valve 또는 Safety-relief Valve의 하류쪽은 Relief Header 혹은 Knockout Drum에 배관이 연결되어진다.
- 대기로 개스등을 방출 시키는 파이프는, 사각형으로 자르며 가격 측면에서 어떠한 실제 이익도 없기 때문에, 전과 같이 경사지게 있지는 않다.
- 보통 과격한 압력으로 부터 용기 또는 시스템을 보호하는 Pressure Relief Valve의 상류에는, Valve를 설치하지 않는다. 그러나 Isolating Valve는 압력 경감 Valve의 수리를 위해 사용한다면, Isolating Valve 항상 열린 상태(Locked Open)가 되어야 한다. -이것을 ' CSO '라고 말한다.
- 임계 적용시 Isolating Valve를 갖춘 두개의 압력 경감 Valve를 사용할 수 있다.

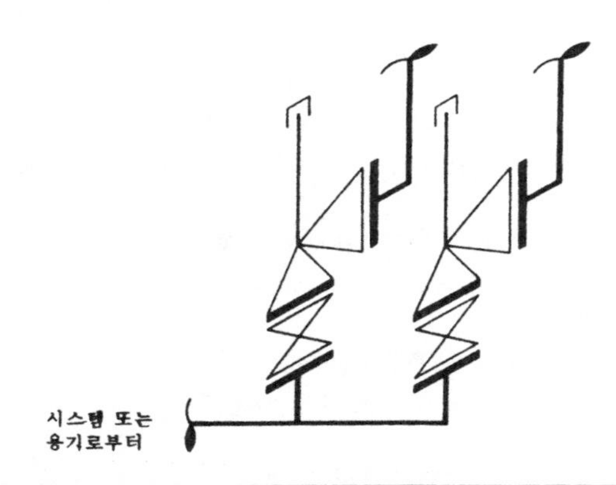

감압 Valve의 설치 및 그러한 기기쪽으로 그러고 기기로부터의 배선에서 분리 밸브의 사용은 압력배관, ANSI B31에 대한 규격 및 ASME 보일러와 압력 용기규격에 의해 규정받는다.

Butterfly Valve의 설치

- Valve를 설치할 때, Disc가 회전할 수 있는 공간을 두도록 확인한다. 왜냐하면 Disc는 배관에 열린 위치로 들어가기 때문이다.
- Welding Neck Flange 사이에 Gasket로 Sealing 한 후, Butterfly Valve를 설치한다. -3.1.6절의 ' Butterfly Valve ' 참조. Slip-On Flange에 용접하는 일반적인 방법은(그림2.7참조) 파이프가 Flange 면과 부드럽게 마무리되지 않는다면 적절한 밀봉이 되지 않는다.

그림 6.4 감압 밸브

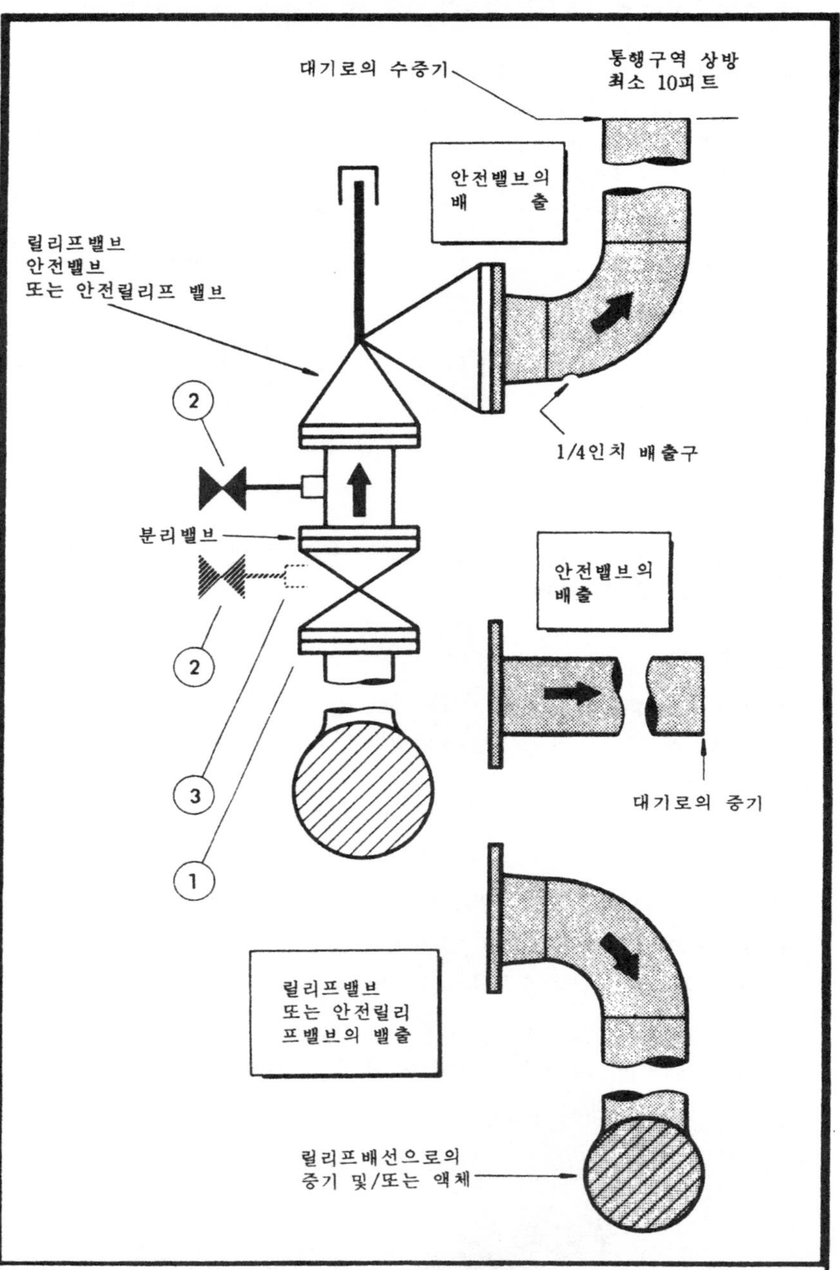

기호 풀이

(1) 이 위치에서 Isolating valve의 사용을 고려하는 6.1.3절의 "안전 valve 및 릴리프밸브"를 참조한다.
(2) Isolating valve가 갖추어 졌다면, Isolating valve와 감압 valve 사이에 (정비 목적으로)압력을 감소키 위해 Bleed valve를 설치하는 것이 또한 필요하다.
(3) 두개의 valev 사이에 Spool을 이용하지 않는다면 valve의 몸체에 꼭지를 달 수 있는 한 그림에 나타난 것처럼 Bleed valve를 설치할 수 있다.

6.1.4 Control (Valve) Station

Control Station 은 증기, Gas 또는 액체의 압력 및 유체량을 감소시키고 조절하는데 사용하는 Control Valve 가 위치한 배관의 배열이다.

Control Station 은 정비를 위해, Control Valve 가 분리, 또는 제거될 수 있도록 설계해야 한다. 이것을 위하여 Station 의 배관은, 상황이 허용하는 한 여유가 있어야 한다. 그림 6.5는 용접 또는 나사 시스템에서 제어 Valve 의 제거를 허용하는 방법을 보여 주고 있다. 그림 6.6은 Control Station 배관의 기본 배열을 보여 준다.

두개의 Isolating Valve 는, Control Valve 의 정비를 할 수 있게 한다. 비상용 bypass Valve 는, Control Valve 가 작동 안할 경우 수동 조작을 위해 사용된다.

bypass Valve 는 일반적으로 Control Valve 와 같은 규격 및 壓力 Rating인 Globe Valve 이다. 6인치이상 Line 의 수동조작을 위해서, Gate Valve 가 종종 Bypass 관에 대해 더욱 경제적으로 선택된다. −3.1.4절의 'Gate Valve '참조

그림6.7−11은 Control Station 배열이, 다른 방법을 보여준다. −이들 외의 많은 다른 설계도 가능하다. 이들 설명들은 모두 圖式的이며, 용접 시스템 및 나사 시스템 양쪽 모두에 적용시킬 수 있다.

설계 要點

- 최상의 제어를 위해 Control Station 에 설치되어 있는 기기에 근접하도록 위치를 정하고, 수평면 혹은 작업 난간 높이에다 설치한다.
- Station 에 있는 Valve 들의 하류에는 압력 Gage 연결부를 설치한다. Plant 의 운전에 따라 이 연결부는, 영구적 압력 Gage 를 고정시키거나, 또는(점검 목적의) 임시적 Gage 를 부착시키는 데 사용한다.
- 가능한 한 Valve 를 겹치지 말아라. Control Valve 를 제거하기 쉽게 Spool 을 철거할 수 있도록, 적어도 하나의 Isolating Valve 를 수직선상에 설치한다.
- 기기나 Station 의 배관 하류가 배관 상류보다 낮은 壓力 Rating 이라면, 하류 System 을 감압 Valve 로 보호하는 것이 필요하다.
- Control Valve 근처 및 상류에 Valve 달린 배출구를 설치한다. 공간을 절약하기 위해 배출구는, Reducer 위에 둔다. 배출 Valve 는 Isolating Valve 와 Control Valve 사이의 압력을 방출할 수 있도록 한다. Control Valve 가 열리지 않으면 한개의 배출구를 이용하고, Control Valve 가 닫히지 않으면, 두개의 배출구(Control Valve 양쪽에 하나씩)를 이용한다.
- Station 을 지지가 용이하도록 Bent 또는 기둥 옆의 수평면의 Pipe Rack 배관에 설치시킨다.

Station 의 설계

입면 상세도가 또 다른 도면 위에 나타난다면 평면도에서 Valve 등을 그리는 대신에 Station 은 'DETAIL ' "X" 참조, 또는 'DWG ' "Y" − DETAIL "X" 로 명칭이 달린 사각형으로 나타낼 수 있다. Chart 5.7 참조.

6.1.5 Utility Station

Utility Station 은 일반적으로 증기, 압축 공기, 물을 운송하는 세개의 공급선으로 이루어져 있다. 증기선은 보통 최소한 ³/₄인치이며, 나머지 두 공급선은 통상 1인치 배관으로 운송 한다. 이들 공급선은 국부설치나 기기의 세척과 바닥에 물을 뿌리는데 이용한다.(소방용수는 別途 Line 에서 물 공급을 받는다.)

증기배선은 Globe Valve 가 적합하며, 공기나 물배선은 Gate Valve 가 적합하다. 이들 배선은 모두 바닥 또는 수평면 상방 약 3¹/₂ 피트 위에, 호수와의 연결로 끝난다. Utility Station 은 통상 철주에다 지지 되도록 한다. 이것이 관여하는 모든 지역은 50피트 호스로 접근 가능해야 한다.

대부분의 회사들은 Utility Station 의 표준 설계로 되어 있다. 그림 6.12는 표준 Station 의 설계를 나타낸다. 이것은 참고를 위한 설계 도면의 하나로 복사할 수 있거나, 또는 필요한 배선을 설치하는 하청 업자에게 도면과 함께 보낼 수 있다. Station 과 필요한 서비스(공급)를 하기 위해 평면도에서 사용하는 표시법은 다음과 같다.

서비스(공급)	물, 공기, 증기	물, 공기	물, 증기	공기, 증기
스테이션기호	WAS	WA	WS	AS

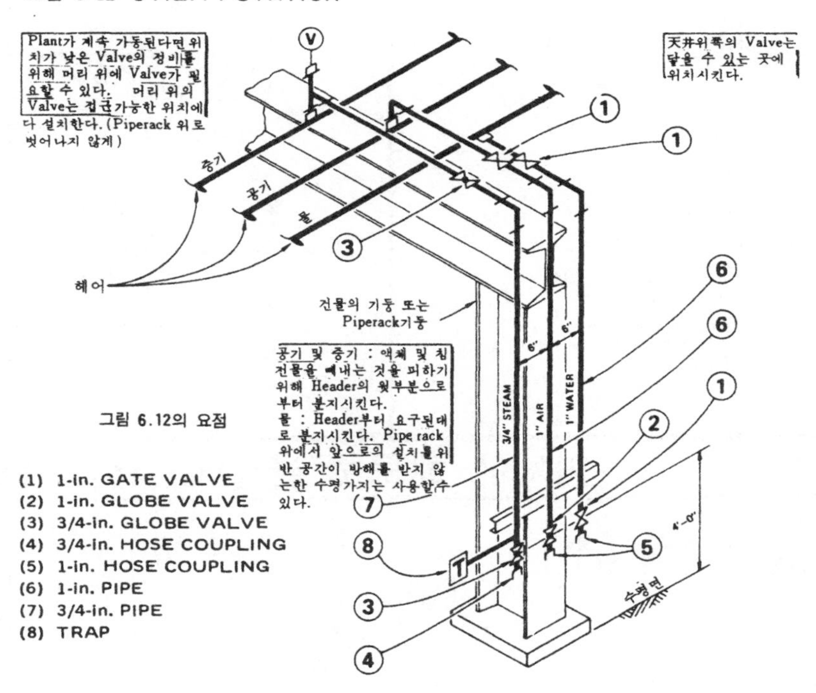

그림 6.12 UTILITY STATION

냉온 상태에서 노출이 되면 Utility Station 의 Steam Line 에는 보통 Steam Trap 을 설치한다. (그렇지 않다면 Trap 을 생략할 수 있다.) 물도 때때로 추운 기후에서는 추가로 Under Ground Cock 또는 가동을 위한 연장된 Key 가 달린 Plug Valve 및 높은 곳의 밑에다 Self - Drain Valve 를 달아서 지하로 흐르게 한다.

Control Station 배열 구성도

그림 6.5-6.11

Control valve 제거가 가능한 배관 Fitting

Flange 달린 Control Valve

나사로 된 Control Valve

그림 6.5

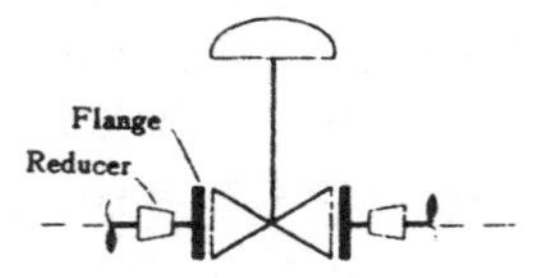

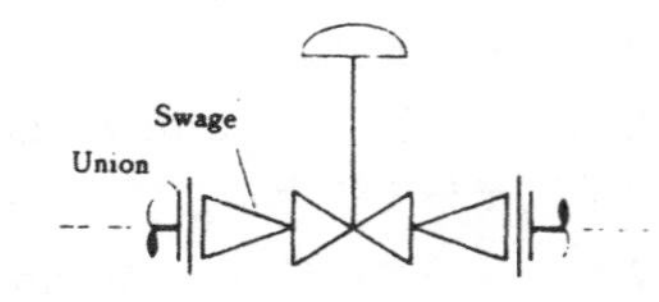

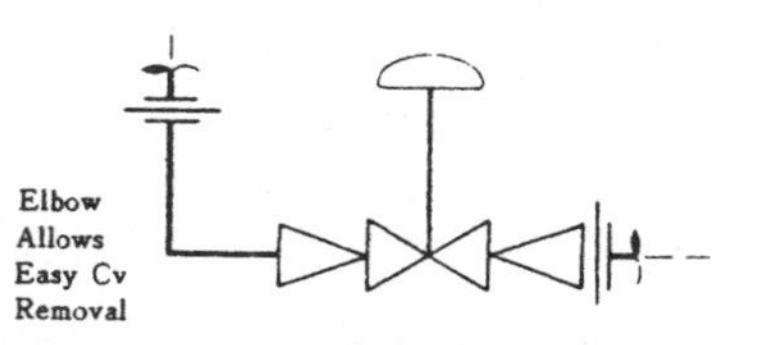

基本 配列

그림 6.6

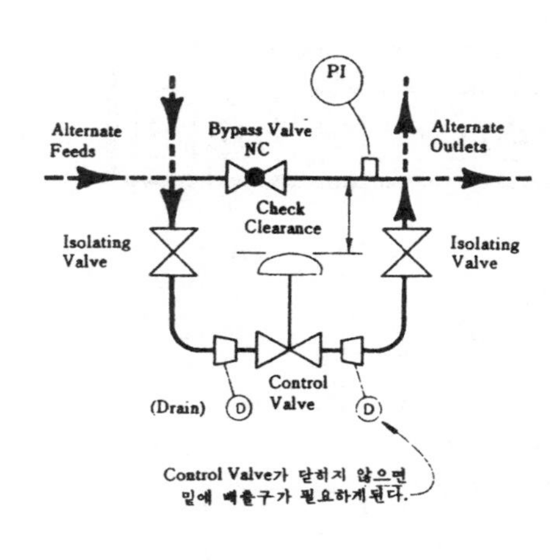

Isolating Valve는 Control Valve와 같은 크기일 수 있다.
6.1.3절의 어떤 크기의 Valve를 사용할 것인가? 참조

Angle Control Valve의 배열

그림 6.7

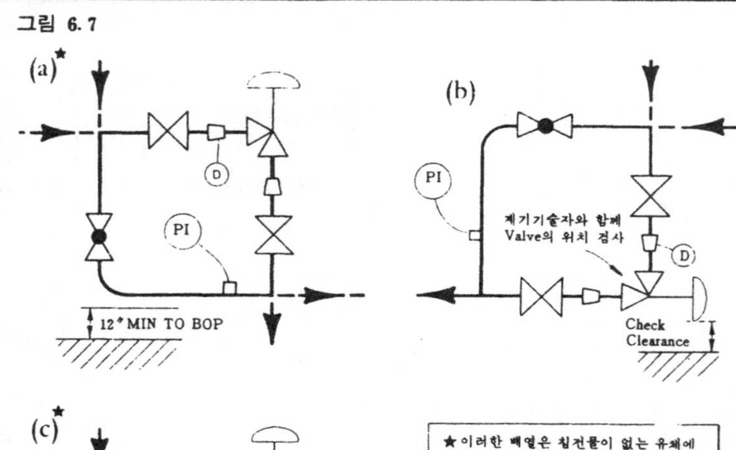

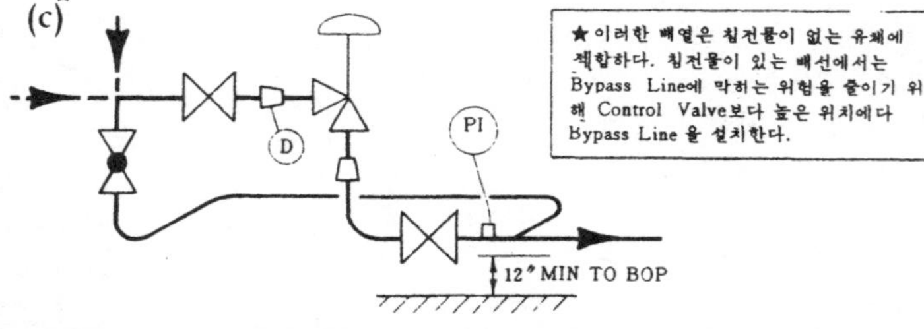

★이러한 배열은 침전물이 없는 유체에 적합하다. 침전물이 있는 배선에서는 Bypass Line에 막히는 위험을 줄이기 위해 Control Valve보다 높은 위치에다 Bypass Line을 설치한다.

인체에 해로운 물질에 대한 Station

그림 6.8

피부접촉의 기회를 줄이기 위해 수평면 또는 바닥에밸브를설치.

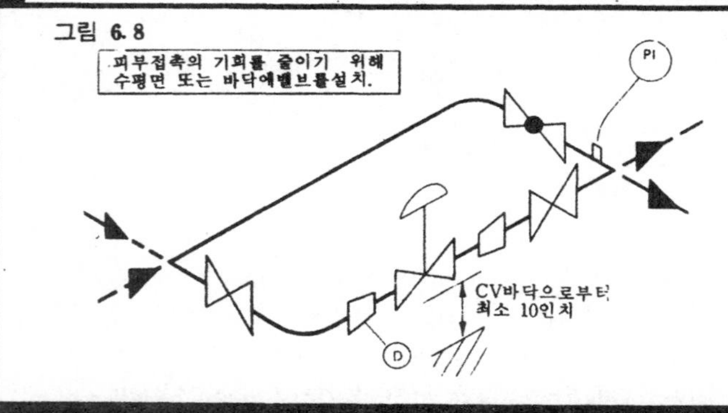

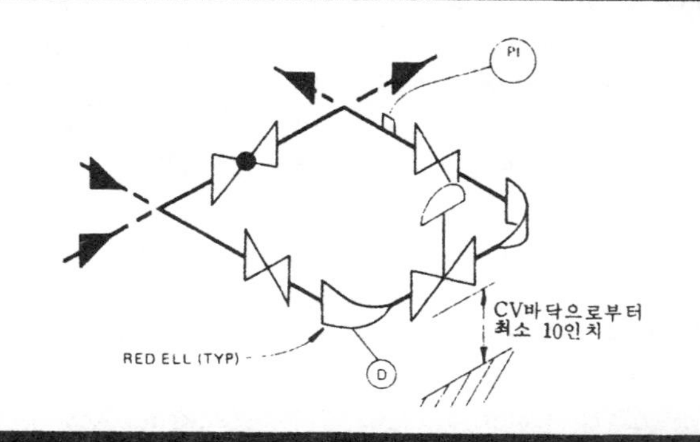

증기 Station

그림 6.9 터빈 및 다른 증기 사용처를 위한 Station

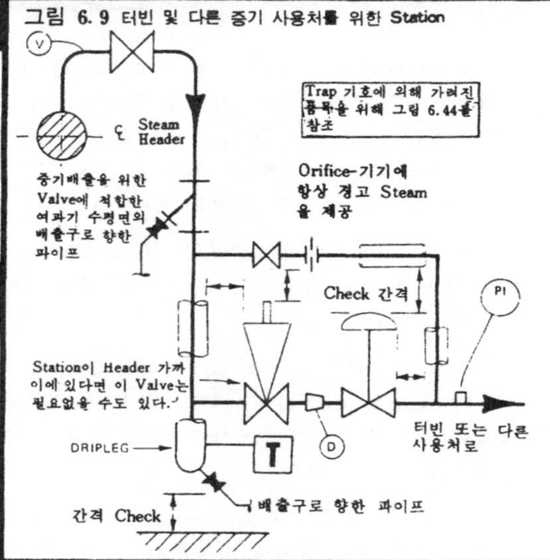

그림 6.10 결빙을 포함한 모든 조건에 적합한 연속 가동 Station

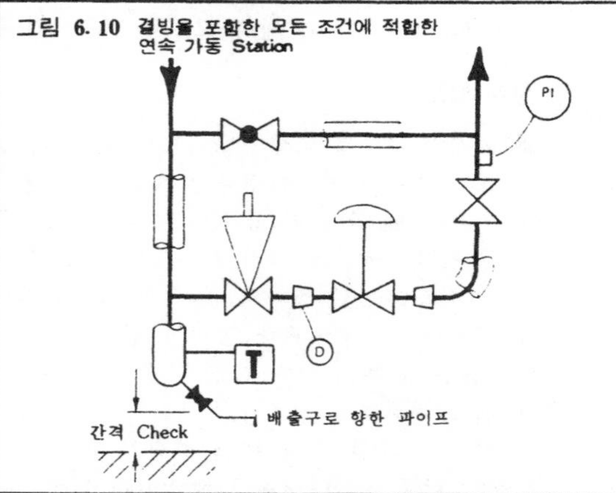

그림 6.11 한빙기후에서 외기의 사용에 적합한 간헐사용을 위한 Station

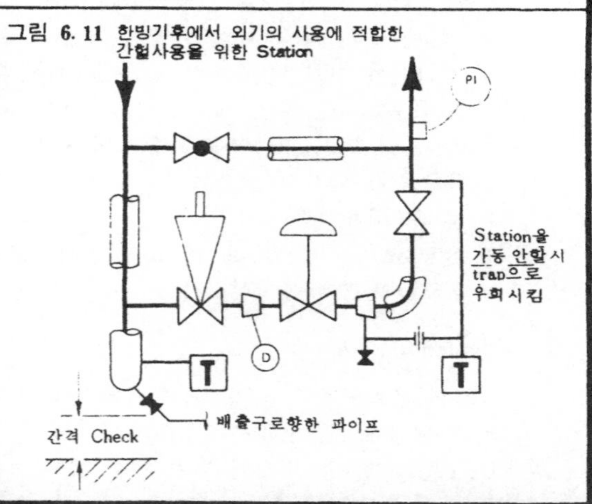

6.2 배관의 지지 배열

파이프는 파이프 걸이 혹은 파이프가 얹혀 있을 수 있는 다양한 형태의 지지물에 의해 위로부터 지탱된다. 2.12절의 Typical Hardware. 참조

옥외에서는 건물 또는 구조물에 고정 시킴으로써, 지지되도록 파이프를 설치한다. 옥외에서 여러개가 한 묶음으로 된 평행한 파이프는 보통 Pipe Rack 반에 지지된다. −6.1.2절 참조

건물 내부에 있는 배관은 일차적으로 공정 목적에 따라 정해지고, 이차적으로 현존하는 철 구조물 또는 보통으로 추가되는 철 구조물에 따라 정해진다. 건물내에서 파이프 지지 구조는 드물다.

6.2.1 지지 시스템의 기능(Functions of the System of Support)

배관 지지 시스템의 기계적 요구 조건은 다음과 같다.

(1) 물(또는 다른 액체)로 가득차거나 보온한(필요하다면) 配管에는 배관의 중량에 안전 여유를 많이 주어야 하며, 이를 지탱하기 위해 안전 계수(실제 하중에 대한 지지물, 또는 파이프 걸이의 실패를 야기시키는 하중의 비율)를 3으로 놓거나, 또는 Project 를 위해 세분된 안전 계수를 이용한다. 고려해야 할 외적인 하중 요소는 바람의 하중, 추운 기후에서 얼음 형성시의 중량 및 몇몇 지역에서의 지진에 의한 충격 하중 등이다.

(2) 파이프가 안전 범위 이상에서 응력을 받지 않도록 확인한다. 최대한의 인장응력은 지지대의 파이프 단면에서 발생한다. 표 S −1은 각각의 응력한계 4000 PSI 및 2000 PSI 에서 철 및 알루미늄 파이프의 지간을 나타낸다. Chart S −2는 3피트 Riser 가 지간(Span)에 포함될 경우 최대의 오버행을 나타낸다. 지지 시스템은 지지물에 대한 편심 하중으로 인한 배관에서의 뒤틀림 힘의 개입을 최소화시켜야 한다. 6.2.4절에 소개된 외 팔보 단면의 방법이 실질적으로 비틀림 힘을 제거한다.

(3) 배수를 허용, 액체의 정체는 지주 사이의 배관이 처짐으로 일어날 수 있다. 인접한 지주로 하여금 적당히 파이프 경사를 줌으로써 완전한 배수를 시킬 수 있다.

(4) 배관의 열팽창 및 수축을 허용−6.1.1의 '배관에 대한 응력' 참조

(5) 압축기, 펌프 등에 의해 파이프에 가해지는 진동에 의한 힘을 감쇄시키고 견디내도록 해야 한다.

6.2.2 배관 지지 그룹의 의무

대형 기업체는 일반적으로 지주를 설계, 배열하는 임무를 맡고 있는 배관 지지 전문가를 그룹을 두고 있다. 이 그룹은 배관 도면(최종작업)에 필요한 모든 지주를 주지 시키고 다른 특별한 상세도도 첨가한다.

배관 지지 그룹은 응력 분석 구룹과 협조하여 작업한다. −또는 두 그룹을 한 그룹으로 합칠 수도 있다. −합동으로 열 운동 및 진동 등으로 인한 응력 구역을 조사하며, 배관 그룹에 건의를 한다. 응력 그룹은 이러한 목적을 위해 배관 그룹으로부터 가능한 빨리 예비적인 설계에 대한 사전 정보를 받아야 한다.

2인치 이하의 배관이나 Line 을 Beam 으로 지지하는 배관 도면에 '현장 지지'라고 주지시킴으로써 종종 현장에서 배열하도록 한다.

지지물에 대한 하중(Loads on Supports)

파이프 1피트 당 중량과 함유한 물을 열거한 표 P −1을 참조. Fitting, Flange, Bolt 및 보온에 대한 중량이 표 W −1에 나타나 있다.

6.2.3 지지점의 배열(Arranging Points of Support)

배관 지지는 6.2.1절의 5가지 사항 모두를 염두에 두고 배열해야 한다. 건물 내부에선 현존하는 철 구조물과 비교하여 지주를 배열할 필요가 있고 이것은 지지점의 선택에 한계를 준다.

6.2.4절에 나와 있는 지지의 방법은, 이상적인 것이다. 실질적으로는 약간의 절충이 필요하다. 가설물의 사용과 철 구조물에 다 부분적인 첨가는 적당한 지지 배열을 얻는데 필요하다.

6.2.4 지지점 선택과 계산(Calculating Preferred Points of Support)

이상적인 각 지지점은 관련된 길이의 무게 중심에 있다. 전체 배관 시스템에 걸쳐 이 계획을 수행하면, 시스템에서 비틀림 힘을 상당히 제거하고, 지주는 수직으로만 응력을 받을 것이다. 단일 지지점에서 파이프의 균형을 잡는 방법은, 그림 6.13에서 파이프의 직선 배치를 위해 설명한다.

그림 6.13 파이프의 균형이룸

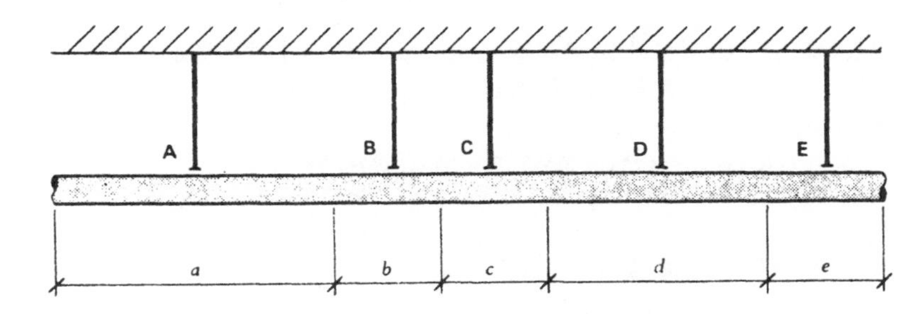

파이프의 길이와 관련된 파이프 걸이 B를 고려한다. 이 파이프의 길이는 균일한 파이프의 직선 길이의 중앙에 있는 무게 중심 위치에 있는, B 에 의해 지지된다. 파이프 걸이 A,C,D,E 는 마찬가지로 파이프 a,c,d,e 길이의 각각의 무게 중심에 위치한다. 파이프의 어느 길이가 짧아지더라도 배관의 나머지의 균형은 영향을 받지 않는다. 각각의 파이프 걸이는 관련배관의 하중을 적절히 지지하도록 설계돼야 한다. −6.2.1절의 (1)항 참조

배관에 있어서 무거운 Flange 나 Valve 등의 존재는 무게 중심을 관련 길이의 중심에서 멀리 떨어지도록 한다. 지지점과 하중의 계산은 간단한 수식을 이용하여 더 빠르게 할 수 있다. 그 답은 계산의 반복적 시행 착오로 얻어지나, 이것은 매우 지루한 일이다.

그림 6.5-6.11 & 6.13

배관 지지의 정확한 위치는 '힘의 Moment'를 이용해서 결정할 수 있다. 힘에 지지점으로 부터 작용선의 거리를 곱 함으로써, 그 점에 대한 힘의 Moment가 정해진다. 힘의 Moment는 Ib-ft(파운드 중량 곱하기 피트 거리)로 표현될 수 있다. 지지 계산에 관련된 힘은 지지나 Nozzle에서의 반작용하거나 또는 파이프, Fitting, Valve 등의 중량으로 인한 下向으로 작용하는 힘이다.

그림 6.14(a)에서 두 Flange의 지지점 주위의 Moment는 (30+20)(16)=800 Ib-ft(시계 반대 방향)이다. 지지점의 양쪽 파이프 길이는, 대략 동일하므로 Moment 방정식에서 생략할 수 있다. 이 문제는 Valve와 Flange의 균형에 있어 단순화시킬 수 있다.

그림 6.14 Moment의 사용

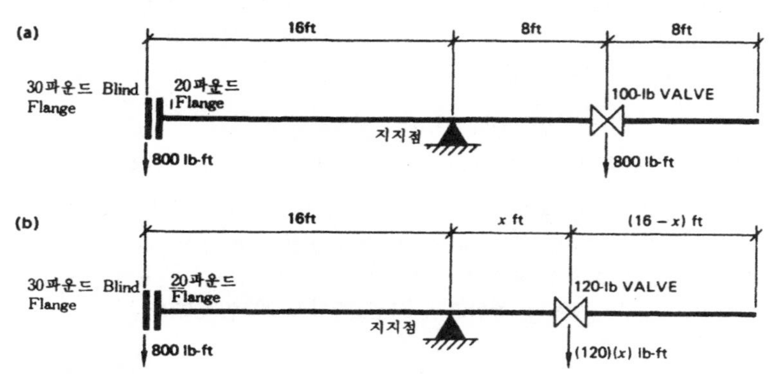

우측에서 120 Ib(파운드)의 Valve가 달린 배관의 길이 균형이 요구된다고 가정하자 — 120 Ib의 Valve를 어디에 두어야 하는가?

그림6.14(b)를 참고하면 x가 지지점으로부터 120 Ib의 Valve가 위치한 미지 거리를 나타낸다고 할때, 배관은 다음과 같을때 균형을 이룰 것이다.

즉, $(50)(16)=(120)\ (x)$

$x=(50)(16)/(120)=(800)/(120)=$6피트 8인치

더 관련된 예는 다음과 같다. :

그림6.15는 파이프 걸이 F,G,H와 지지점 J에 의해 유지되는 4인치 배관의 길이를 나타 낸다. 관련 배관의 길이는 분리선에 의해 나타난다. 파이프 Fitting의 중량은, 도면에 나타나 있다. 4인치 파이프는 길이 1피트 당 15 Ib 중량을 가지고 있으며, 용접된 Elbow나 Tee는 동일 중량이다.

먼저 파이프 걸이 F와 관련된 부분을 고려한다. 좌측 파이프 중량은 $(15)(20-x)$ Ib, 그리고 그 무게 중심은 $(20-x)/(Z)$ ft이며, 파이프 걸이에 대한 Moment는 $(15)(20-x)^2/(2)$ 16-ft이다. 重量이 큰 Valve와 Flange는 그 중량 중심이 5 ft 떨어져 있고, 그 Moment는 $(x-5)(360)$ Ib-ft이다. Valve에 의해 대체된 파이프는 무시하고, F 우측의 파이프 중량은 $(15)(x)$ Ib이며 F에 대한 Moment는 $(15)(x)(x)/(2)$ Ib-ft이다. 관련 길이가 균형을 취하게 되면 :

$$(15)(20-x)^2/(2)=(360)(x-5)+(15)(x^2)/(2)$$

$x=(80)/(11)$ 즉 약 7피트 3인치이다.

그림 6.15 파이프 지지점 계산

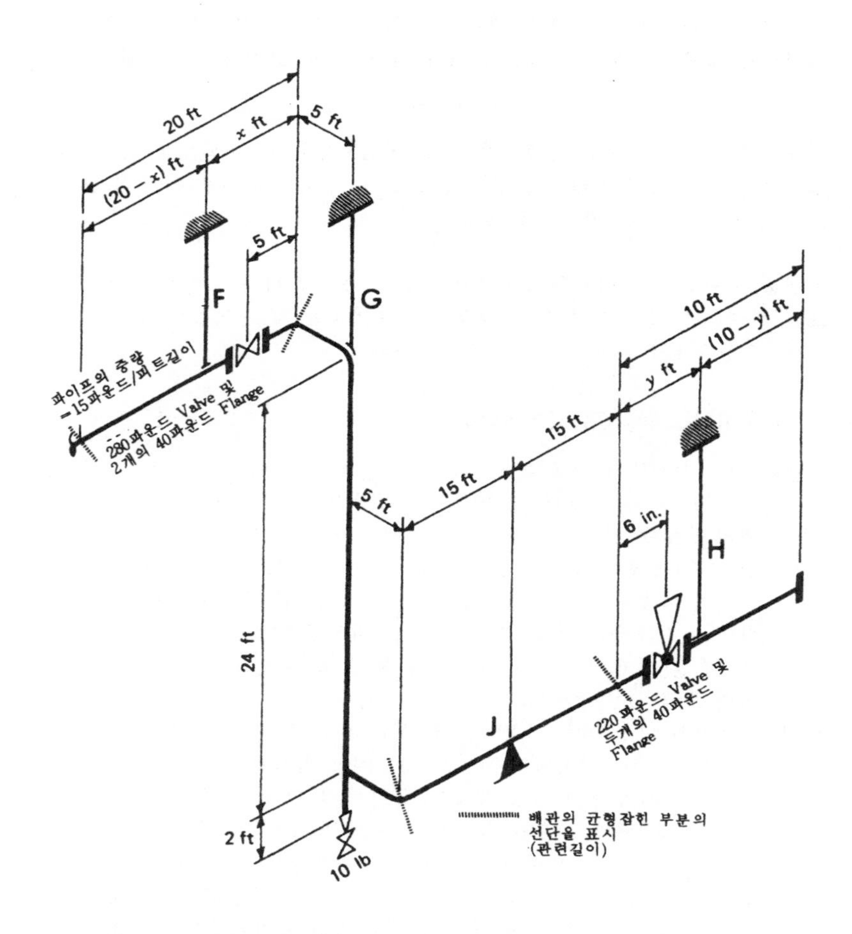

물리적으로 X에 대한 단 하나의 수치 만 있기 때문에, X^2항은 생략해야만 한다. 파이프 걸이 F에 걸리는 하중은 (20)(15)+(360), 즉 660 Ib이다.

지지점 J는 그림 6.15에서 이미 나타냈으므로 관련 길이의 중심에 있어야 하며 지지점에 걸리는 하중은 (30)(15), 즉 450 Ib이다.

파이프 걸이 G는 양측에 매달려 있는 4인치 파이프의 길이가 5피트 이므로 적절하게 위치했다는 것을 쉽게 알 수 있다. 단지 파이프 걸이에 대한 하중만을 계산하여야 하며, 이는 (5+5+24+2)(15)+(10), 즉 550 Ib이다.

파이프걸이 H의 위치는 파이프 걸이 F에서처럼 계산에 의해 찾아야 한다. 단 다른 점은 무거운 종단의 Flange도 또한 고려해야 한다는 것이다. 파운드-피트로 나타낸 Moment 等式은 다음과 같다 :

$$(300)(y-0.5)+(15)(y^2)=(15)(10-y)^2/(2)+(40)(10-y)$$

이로써 y는 약 3피트 8인치이다.

파이프 걸이 H에 걸리는 하중은 약 (220)+(3)(40)+(15)(10), 즉 490 Ib이다.

지지대 끝단의 문제(Broblem of the end)

배관의 한 쪽 끝에서 지지한 길이는 다른 쪽 길이와 마찬가지로 외탈보로 되어 있는데, 이것의 장점은 Pipeline이 Nozzle에서 끝날 경우 Nozzle에 걸리는 하중이 최소로 된다는 점이다. 그러나 배관의 끝에 지지대를 설치하거나 사용하는 것이 필요하다. Pipeline의 끝이 수직이라면 끝 지지는 수직 Line으로 운반 하도록 설계해야 한다. Pipeline의 끝이 수평일 경우 문제는 한층 복잡하다. Fitting이나 지지점의 위치는 이미 정의 하였으며, 문제는 끝 지지대에 대한 반 작용을 계산하고, 지지대가 그것에 대한 하중을 견디도록 설계하는 것이다. 끝 지지에 대한 하중을 계산할 때 하중이 아래로 작용하면 양이고, 음의 하중은 끝 지지대를 들어 올리려는 경향이 있으며 이러한 형태의 배열을 바꾸지 않으면 끝 지지는 배관을 고정시켜야 한다.

아래의 대략도는 수평 끝 배열을 나타낸다.
지지점 A에 대한 Moment를 lb-ft 단위로 계산하면

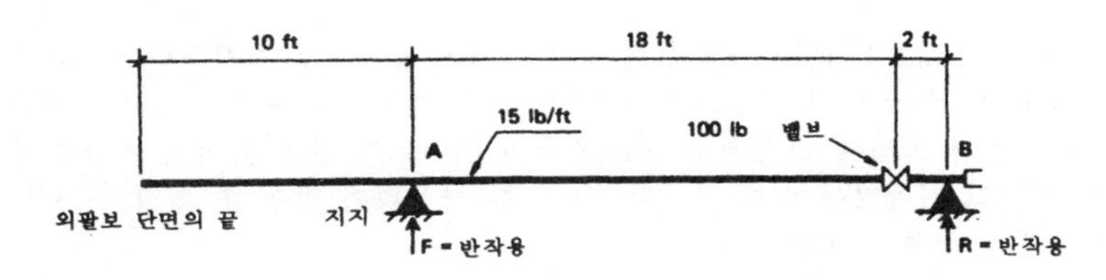

$(15)(10)(\frac{1}{2})(10)=(15)(18+2)(\frac{1}{2})(18+2)+(100)(18)-(R)(18+2)$이다.
여기서 R을 구하면 $R=202^{1}/_{2}$ lb 이다.

지지점 A에서의 반작용 힘 F는 지지점 B나 다른 축에 대한 Moment를 고려하여 계산하거나 또는 수직힘에 대한 방점식에서 간단히 계산할 수 있다. 수직힘 방정식은 $F+202.5=(15)(10+18+2)+100=500$이며, 여기서 F를 구하면 F는 $347^{1}/_{2}$ lb 이다.

Riser의 문제

방향이 바꿔지는 Line에 대한 지지는 외팔보 방법에 의하여 계산할 수 있다. 아래에 있는 대략도(a)는 배관의 수직 부분의 하중을 사용 지점들에 비례하여 두개의 외팔보 단면 사이에서 나눌 수 있다. 대략도(b)와 (c)는 왼쪽이나 오른쪽 외팔보 단면과 완전히 연결된 수직 배관으로 나타나 있다. 직접 지지가 불가능한 경우 가 지지대(Dummy Leg)에 의하여 배관을 지지한다.

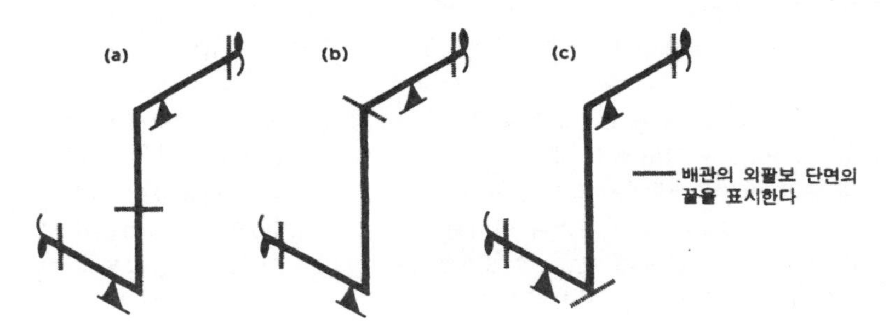

지지점 하중을 구하기 위한 도식적인 해법

아래의 도식적인 해법은 "corner" 배관 배열에서 Bearing 하중 계산을 쉽게 한다.

문제 : 다음과 같은 배관배열에서 지지점 E의 하중을 구하시오.

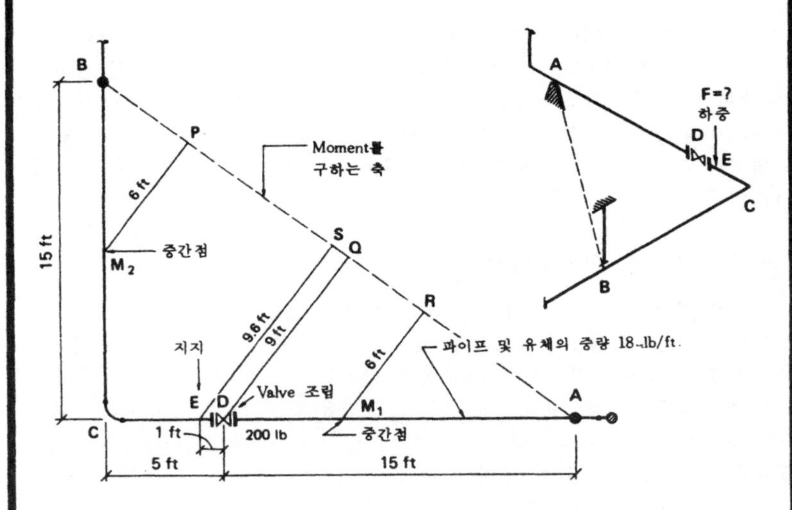

해 법

(1) 적당한 크기로 평면도를 그리시요.
(2) 축선 AB을 표시 하시요(이 선은 지지점을 통과해야 한다).
(3) Pipeline을 여러 부분으로 나눈다. 지지점 A와 B 사이의 배관은 세 부분으로 나누어 생각한다 :(1) Valve, (2)파이프 길이 BC, (3)파이프 길이 AC－Valve에 의하여 제외된 Line의 짧은 부분은 무시하며 또한 Elbow의 영향도 무시한다.
(4) 중간점 M_1과 M_2, Valve, 지지점 E에서 축선에 수직하게 선을 그리시요.
(5) 평면도에서 수직선 M_2P, ES, DQ와 M_1R을 측정하여 축선에 관한 Moment를 계산하면

파이프 길이 AC		파이프 길이 CB		Valve		지지하중
(20)(18)(6)	+	(15)(18)(6)	+	(200) (9)	=	(F) (9.6)이다.

위의 식에서 지지점 E의 하중을 계산하면 F＝581lb이다.

위의 방법의 확장

Corner에 있는 각도가 90°가 아닐 경우, 또는 배관에 수직 라인이 있을 경우에도 같은 방법을 사용할 수 있다.

주

(1) 축선은 지지점을 통과해야 한다. 축선이 수평이 아닐 경우에도 평면도에서 직접 수직길이를 측정할 수 있다.
(2) 이 방법은 파이프의 굽힘(Bending) 및 Torsion(비틀림)으로 인한 추가 moment는 고려하지 않는다. 그러나 파이프를 강체로 생각하여 지지하중을 계산 한다.

그림 6.14 & 6.15

관들을 하나의 Piperack 에서 다른 Piperack 으로 그림6.15에 나타난 바와 같이 높이를 변화시키면서 配管을 할 때 이러한 문제가 종종 일어난다. 너무 긴 Overhang 은 Bend 에 인접한 지지대 근처에서 안전 한계를 초과하여 파이프材에 응력을 부여하므로, 설계자는 허용 Overhang 을 알아야 한다. 배관재에서 나타난 응력은 Overhang 에 실제적인 한계를 준다. 그 문제는 지지대 사이에서 허용할 수 있는 직선관의 지간에 대한 문제와 유사하다. 응력에 대한 상태 한계를 기준으로 한 Overhang 은 도표 S－2에 나타나 있다.

6.2.5 열 팽창에 견디는 파이프 지지대

큰 온도 변화를 받는 배관을, 길이가 변하더라도 구부러지도록 한다. 그림 6.1을 참조하시요, 그러나 파이프 길이와 지지대는 길이의 이러한 변화를 허용해야 한다. 그림2. 72 A 와 B 는 움직임을 견디어 낼 수 있는 Piperack 과 지지대의 선택을 나타내고 있다. 막대나 Bar hanger 에 매달린 단일관에 대하여 파이프 길이는 원호 10도의 움직임을 만족하도록 충분히 길어야 한다.

스프링 지지대(Spring Supports)

스프링 지지대에는 두가지 기본적인 형태가 있다 : (1) 가변하중 (2) 일정하중－2.12.2를 참조하시요, 비용은 고려하지 않더라도 두가지 형태에서의 선택은 상황의 위험여부에 달려 있다. 예를들면, 마루 바닥면에 있는 철구조 지지대에 지지된 수직 Line 이 열 팽창을 받을 경우, Line 의 꼭대기에 있는 가변 스프링걸이나 지지대가 적합하다.－그림 6.16(a) & (b)를 참조하시요, Hot Line 이 용기나 기기와 연결된 Nozzle 로 부터 나올 경우, Nozzle 을 수직하중과 무관하게 하여야 하며 일정하중 걸이를 사용한다. －그림 6.16(c)를 참조하시요, 하중을 지지하는 값싼 다른 방법은 그림 6.16(d)에 나타나 있는 바와 같이 Pulley 위에 작용하는 Cable － held 지지 하중에 의해서나, 외팔보 하중에 의한다.

그림 6.16 가변 & 일정하중 파이프걸이와 지지

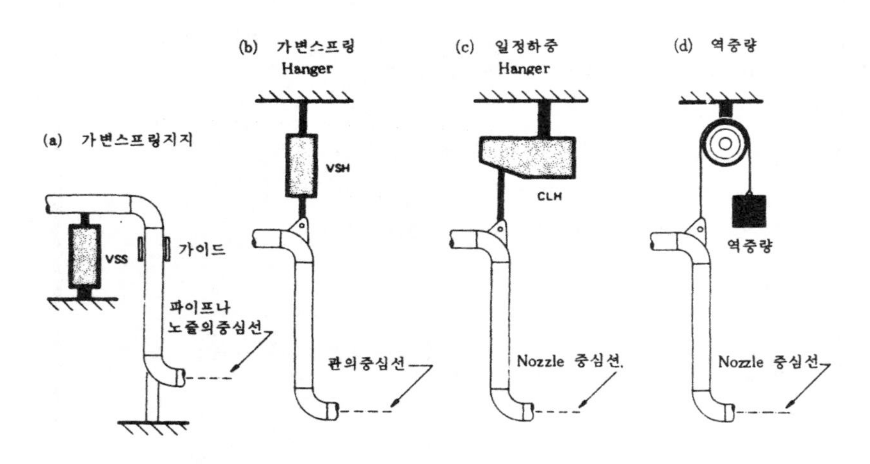

6.2.6 Pocketing 을 방지하고 배출을 돕는 경사 Line

파이프는 완전한 鋼體가 아니기 때문에 지지점들 사이에 휨(또는 처짐)이 일어난다. 대부분의 경우 휨은 허용할 수 있으나, 특별한 경우에는 반드시 제한해야 한다. 수송 물질과 공정의 성질 및 유동 요구 조건이 휨의 허용강도를 결정한다. 휨은 인접한 지지점 사이의 거리를 가깝게 함으로서 줄일 수 있다. 휨으로 인한 액체의 Pocketing 을 제거하는 방법은 인접한 지지점 사이의 높이 차이를 적어도 중간점에서의 처짐의 세배가 되도록 Line 을 기울게 해 준다. 이 기울어 지게 하는 Line 들은 배출 Header , 감압 Line , 그리고 일부 공정들, 응축수 및 공기 Line 등이다(공기 Line 은 6.2.3에서 다루며, 압축 공기 배출 Line 은 6.11.4에서 다룰 것이다.)

오염을 방지하기 위하여 Batch Processing 에 사용하는 Line 은 완전한 배출이 필요하다. 또한 Line 에 있는 산출물이 변질하거나 서로 혼합될 우려가 있는 Line 과, 고체들이 눌러 붙거나 문제를 야기할 수 있는 Line 들도 완전히 배출시켜야 한다.

동결 조건에 있어서 Trap 에서 배출구로 응축물을 운반하는 Line 들은 기울어져 있다. 유동물에 비례하여 응축수 Header 를 기울어지게 한다.

증기 Line 은 과거에는 깨끗한 응축수를 만드는데 도움이 되도록 기울어지게 하였으나 현재의 개선된 배출은 기울일 필요가 없다.

Piperack 상의 경사진 Line

경사진 Line 은 Piperack 에 붙어 있는 Bracket 으로 지지된다. (그림 6.3참조) 각 Bend 에서 요구되는 높이 차이를 얻기 위하여 Bracket 은 필요한 높이에다 붙인다 ; 환언하면 Bracket 의 시리즈는 같은 높이에 배열할 수 있으며, 그 기울기는 다른 크기의 Shoe 를 사용하여 얻을 수 있다. －이러한 방법은 건설 문제를 줄여준다.

등급이 있는 Shoe 는 Piperack 상에 小 口徑 Line 을 기울여 주는 가장 좋은 방법이다. 필요한 수직 틈새를 유지하지 않고 Piperack 선에 Line 을 매 다는 것은 바람직하지 못하며 이 경우는 특별한 경우이다.

건물에 있는 경사 Line

건물 내부에서 크고 작은 경사 Line 들은 鐵材 Bracket 상에서 끝나거나 파이프 걸이에 의하여 끝낼 수도 있다. 기울어져 있어야 하는 Line 상의 파이프 걸이에 Turnbuckle 로 된 Rod 를 사용한다. 한편 Drilling 이 되어 있는 평판 막대기를 사용한다. (조절할 수 있는 Bracket 은 鐵材 지지물의 Unistrut 와 Kindorf 범위로부터 구할 수 있다.)

6.2.7 Plastic 이나 유리로 만들어진 Pipe support

연성이나 강성 플레스틱으로 만든 파이프는 금속 파이프와 똑같은 지간하중을 견딜 수 없으므로 보다 많은 지지점이 필요하다.
支持台를 設置하는 方法은 Pipe 를 鐵材 Channel 이나, Angle 위에나, Pipe 를 半으로 절단하여 그 위에 길이 方向으로 또는 鐵材管에 Pipe 를 매다는 것이다.

Pipe hanger 는 국부적인 변형을 일으키지 않고 파이프를 균열시키지 않도록 PAD 를 댄 파이프를 지지하려면 유리공정 및 Drain Line 에 대해서는 鐵材 파이프용 파이프 걸이를 사용한다. 고무나 석면 補强板이 적합하다. 비중이 1.3보다 적은 가스나 액체를 포함한 크기가 1인치에서 6인치 사이의 보온되지 않은 수평 Line 은 8피트에서 10피트 간격으로 설치해야 한다. Coupling Fitting 은 지지점으로부터 대략 1피트에 있어야 한다.

6.2.8 설계 지침

세부적인 鐵材 지지물인 'Dummy leg' ' Anchor ' ' Shoe '등은 2.12.2에 설명되어 있다. 기호는 도표 5.7을 참조하시요.

일반

- 설치후에 조정을 할 수 있도록 $2^1/_2$인치와 보다 큰 파이프용 Hanger를 설계하시요.
- 배관이 기기나 Valve 등, 또는 유지 관리를 위하여 철거가 필요한 배관 組立品과 연결 된다면 임시지지가 필요 없도록 배관을 설치한다.
- 배관 운전 조건에서의 가변 스프링 및 일정하중 지지물에 대한 하중계산을 기초로 하시요.
- 필요하다면 4인치 이상의 파이프에 공칭크기 2인치 미만의 작은 파이프를 매 달으시요.

Dummy Legs

표 6.3은 Dummy Leg에 대한 크기들을 나타내고 있다. Elbow나 Dummy Leg가 붙어 있는 Line Pipe의 벽 허용 응력은 Leg에 대한 최대 길이로 한다. 배관 설치 그룹의 자문을 구한다.

표 6.3 Dummy Leg에 대한 근사 크기

배관의 NPS(인치)	2	3	4	6	8	10	12	14
파이프 프밍레그의 NPS(인치)	1½	2	3	4	6	8	8	10
W-플렌지의 크기(인치)					5	8	8	10

基礎(Anchors)

Anchor의 필요성은 다음에 언급된 것 처럼 두 가지이다. 그러나 배관설치그룹 및 배관 지지그룹의 자문을 구한다.

- 저장 용기나 기계류, 지선연결, 주철材 Valve 등의 Nozzle에 과도한 하중을 걸리게 만드는 열, 또는 기계적인 운동을 방지하기 위한 Anchor를 설치한다.
- 팽창 방향을 제어하기 위한 Anchor를 설치한다; 예를 들면, 운동이 파이프 걸이에 있는 배관에 전달되지 않도록 Battery Limit에, 그리고 기기에 연결되는 배관에 Anchor를 설치한다.

Shoes, Guides & Saddles

- 경사 목적을 제외하고는 보온되지 않은 관에 Shoe를 사용하지 마십시요. Line이 길고 운동을 받기 쉬운 곳에서 마찰을 줄이기 위하여 활자판(弓板)을 대용할 수 있다.-2.12.2를 참조하시요.
- Y형 Shoe를 사용하면 용접 전에 Shoe에 파이프를 설치할 수 있으며 쉽게 건설할 수 있다. -그림 2.72 A를 참조하시요.
- Shoe에 직접 파이프를 용접하는 것을 항상 허용되는 것을 아니다; 예를 들면 고무 Line관은 Bolt로 되어 있거나, 가죽으로 된 Shoe가 훨씬 적합하다.
- Project에 관련된 Code을 檢討하시요. 왜냐하면 그것을 지지물에 대한 '부분'용접(즉 관을 완전히 에워싸지 않는 용접)을 금지하고 있다.
- 관에 대한 보온을 보호하기 위하여 사용하는 가죽 끈이나 鐵系를 감을 수 있도록 Shoe에 홈을 만들어 두시요.
- 그림에서 처럼 Shoe를 案內하거나 파이프에 붙어 있는 배관 지지새들을 案內 함으로써, 열 팽창을 받는 긴 직선관에 Guide를 설치하시요.

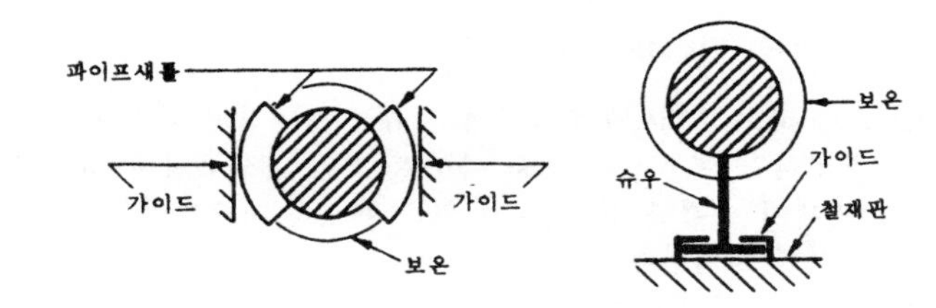

- 파이프 벽에서의 응력 분포를 좋게 하기 위하여 보통 배관 지지새들을 커다란 Line에 설치한다.

Valve 지지

- 가능한 大型 Valve에 가깝게 지지를 설치하시요, 그렇지 않으면 Valve가 지지를 설치 할 수 있는 적당한 점에 가깝게 있도록 설치하시요.
- 大型 Valve와 Grade에 있는 마이타같은 기기는 일반적으로 지지용 콘크리트 기초를 필요로 한다.

파이프 지지나 저장 용기등의 Plantform Bracket의 용접

- 製作者에게 응력 경감과 시험전에 압력 용기에 필요한 Bracket을 덧 붙이도록 가르쳐 주시요-한편, 재 시험과 증명서의 갱신이 필수적이다.
- 저장 용기의 강도를 떨어지게하지 않는다면 非壓力 容器에 용접하는 Bracket을 지정해 줄 수 있다.

Nozzle이 있는 파이프 지지

기계류, 압축기, 펌프, 터어빈등의 Nozzle이 파이프의 자중이나 압축, 팽창, 뒤틀림, 진동이나 Surging에서 생겨나는 파이프에서의 움직임으로 인하여, 배관이 전달하는 하중에 영향을 받지 않는지를 확인하시요. 기기 공급자는 때때로 Nozzle에서 허용 할 수 있는 최대 하중을 언급해 준다. 「기계류의 Nozzle에 작용하는 과격한 하중은 설치된 Nozzle에 힘을 가하여 손상을 일으킨다.」

펌프, 터어빈 등에 대한 배관을 적절히 지지 해야하나 기기를 옮길 수 있어야 한다. 이러한 배관에 대한 지지는 특히 열팽창이 일어나고 기기의 기초처럼 똑같은 수준에 있어야 할 경우, 콘크리트 기초와 일체로 만드는 것이 좋으며, 그렇게 함으로써 가열과 냉각시 지지물과 기기 사이에 수직으로 미소한 팽창과 압축이 최소로 된다.

6 .2.4 .2.8

그림 6.16

表 6.3

6.3 펌프 및 압축기에 대한 배관

6.3.1 펌프 설치 및 연결

원심 펌프에 대한 대표적인 배관

산업계에서 사용하는 펌프는 대부분 원심형이다. 그림 6.17 및 6.18은 시스템에서 펌프를 고정시키는데 필요한 Valve와 함께 원심 펌프에서 필요한 대표적인 배관이나 Fitting을 나타낸다.

Check Valve는 排出 Line에서의 유동 역류를 방지하기 위해 필요하다. Line에 있는 영구적인 여과기는 보통 나사로 조인 흡입배관에 사용하며, 임시 여과기는 맞대기 용접한 Flange가 있는 배관에 사용한다. 임시 여과기는 Flange 사이에 설치한다. -그림 2.69를 참조하시요. Spool은 보통 철거를 쉽게 하기 위하여 설치한다.

원심 펌프는 펌프의 全 定格容量에 대처하기에 충분한 흡입 단면적 및 방출 Port가 설치되어 있지만 유체가 많거나 긴 흡입 Line일 경우에는 Cavitation (공동현상)을 피하기 위하여 입구 Port보다 큰 크기의 입구 관을 사용할 필요가 있다. 공동 현상은 펌프가 유체내에 있는 증기를 끌어내므로 펌프 효율이 떨어지고, 소음이 발생하면 Impellor와 베어링의 손상을 갖어온다. 6.1.3의 '어떤 크기의 Valve를 사용할 것인가?'을 참조하시요.

대부분의 펌프는 밑에서 흡입을 하고, 위에서 방출을 한다. 공간상의 제약을 받을 때는, 뒤에서 흡입과 위에서 방출, 열 흡입과 열 방출등과 같은 배치를 한다. Nozzle 방향의 결정은 기기 설계와 배관 연구를 한 후에 한다.

보조, 내장, 또는 장치 배관

펌프, 압축기 및 터어빈은 베어링을 냉각시키고, 기계적인 밀봉을 유지하고, 대기로의 증기 방출을 줄이기 위한 물을 필요로 한다. 냉각수나 밀봉액체를 위한 배관은 보조, 내장, 또는 장치 배관에 나타나 있으며, 이러한 배관에 대한 요구 조건은 보통 배관 및 기기 설치도에 나타나 있다. 이러한 배관은 배관 도면상에 Isometric 圖面으로 나타나 있다.

원심 펌프의 Packing Cover나 밀봉을 냉각시키고, 적절한 밀봉을 유지하기 위하여 펌프가 방출한 물을 기기내에 있는 파이프를 통하여 공급하여 펌프의 케이싱에 연결된 파이프로 보낸다. Packing Cover는 파이프로 공급하는 물을 필요로 하는 냉각실이 갖춰져 있다. 펌프가 뜨겁거나 휘발성인 액체를 다룰 경우 외부의 Source에서 파이프를 통하여 밀봉 액체를 공급한다.

배출(Draining)

펌프마다 펌프의 중심선에서 펌프 기초 前方 약 6인치에 위치한 직경 4인치에서 6인치 사이의 배출 깔대기가 설치되어져 있다. 깔대기는 하수구나 배출 Line에 관으로 연결되어져 있다. -6.13을 참조하시요, 두개의 조그만 펌프가 같은 기초 위에 설치되어져 있으면, 그것들은 같은 깔대기를 갖는다. 대부분의 원심 펌프에는 펌프 누수를 받는 바닥판이 있다. 바닥판은 깔대기와 파이프로 연결된 나사 연결부가 있다. 폐기 밀봉수는 깔대기로 파이프를 통하여 흘러간다. -그림 6.19를 참조하시요.

- 한냉 기후인 지방에 屋外 設置를 할 경우 펌프의 Casing에 Valve가 있는 배출구를 설치하시요.
- 開閉 Valve와 Check Valve 사이에 배출 Line을 방출시키기 위한 $^3/_4$ 인치 배출구용 짧은 Spool을 설치 하시요. Valve가 충분히 클 경우 그림 6.17에 나타나 있는 것처럼 Check Valve상의 Boss에 구멍을 뚫어서 배출구를 만든다. Note (3)은 Spool이 필요 없는 경우이다.

설치(Installation)

- 관리가 어렵기 때문에 펌프위에 배관하지 마시요. 그림 6.17에 나타나 있는 것 처럼 배관을 펌프의 전방쪽으로 가져가는 편이 낫다.
- Servicing을 제거할 수 있도록 펌프위에 수직 틈새를 두시요. -다른 조작 계획이 없다면 적은 펌프를 제외한 모든 펌프에 대하여 이동 기중기가 다닐 수 있도록 충분한 Headroom (머리와 천장 사이의 공간)을 두시요.
- 공급 탱크 근처에 있는 펌프가 단독 기초위에 있을 경우 탱크가 시간이 경과함에 따라 고정될 수 있기 때문에 강체 배관 배열은 피하시요.
- 배관의 유연성을 고려하여 저장 탱크, 기름통 등에서 펌프하는 액체 Source에 가능한 가깝도록 펌프를 설치하시요.
- 혼잡에 의하여 Valve가 손상되지 않도록, Valve가 사람에게 해가 되지 않도록, 또한 조작하기 쉽도록 Valve를 설치하시요. -표6.2 및 도표 P-2를 참조하시요.
- 펌프 받침台를 지지하고 진동을 받아줄 수 있는 충분한 강성을 가진 물질로 기초를 만든다. 고체 바닥이나 콘크리트 슬라브 바닥에 세우는 콘크리트 기초가 일반적이다. 펌프의 설치 위치를 정하고 높이를 정한 후에 시멘트 모탈을 붓는다. 시멘트의 두께는 보통 1인치 이상이다. -그림 617을 참조하시요.
- 펌프를 설치하는 웅덩이는 배출구나 또는 배출하거나 뿜어 내보낼수 있는 저장조가 필요하다.
- 적어도 받침台만한 콘크리트 기초를 만들고 콘크리트가 각 Bolt로부터 3인치 이상 올라오도록 한다.

Valve

- Valve가 P&ID 上에 나타나 있지 않으면, 'Line Size'이다. 6.1.3의 "어떤 크기의 Valve를 사용할 것인가"를 참조하시요.
- 표준 Tilting Disc나 Swing Check Valve를 사용 하시요.
- 펌프에는 Globe Valve를 사용하지 마십시요. 흡입 및 배출 Line에는 보통 Gate Valve를 사용하며, 유동저항이 적은 다른 Valve들도 사용할 수 있다.

흡입 Line (Suction Line)

공동 현상을 막기 위하여 Pumping 되는 액체의 수위나 수두와 비교하여 적절한 높이에 펌프를 설치한다. 펌프 위치가 P&ID에 나타나 있지 않으면 관련 기술자에게 문의하시요.

동심 Reducer는 직경 2인치 이하의 Line에 사용한다. 편심 Reducer는 다음과 같은 사항을 맞도록 배열하며, $2^1/_2$인치 이상의 Line에 사용한다 ; (1)증기 공간을 만듬. (2) Pocket

위와 같은 조건들이 Reducer의 배치를 결정한다. —즉 Reducer를 '꼭대기平板'과 '바닥平板' 중에 어느 곳에 설치해야 하는 지의 여부.

원심 펌프의 Nozzle이 끝(구동축을 가진 Line에서)에 있다면 Nozzle에 Elbow를 직접 연결한다.

임펠라로 나누어져 흐르는 펌프의 흡입 Nozzle이 측면에 있다면, 직선로의 파이프를 Nozzle에 연결되는 3개에서 5개의 직경을 가진 흡입 Line 파이프와 같게 설치하시요, 바꾸어 말하면 흡입 Nozzle Elbow를 연결하되, 임펠러 양쪽면에 같은 유량이 흐르도록 구동축에 90도 각도인 면에 Elbow를 설치한다. Elbow를 펌프의 구동축과 같은 면에 설치해야 할 경우 고른 유동을 하도록 Turning Valve(회전 깃)을 사용한다. 고르지 못한 유동은 임펠러 및 베어링의 손상을 갖어온다.

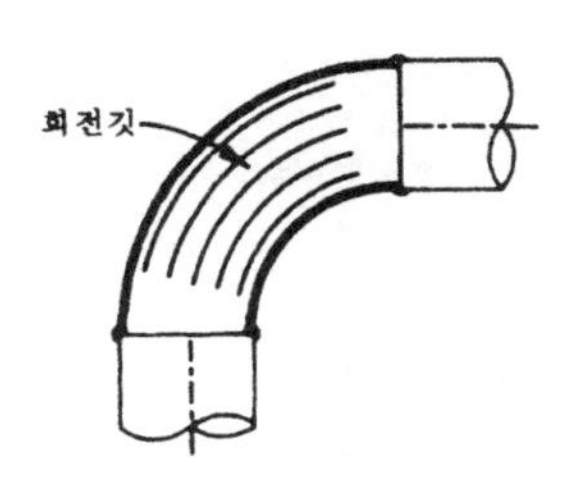

- 펌프를 비움으로서 케비테이션(공동현상)이 생겨나는 것을 막기 위하여 흡입 Line을 가능한 직선으로 하시요.
- 펌프가 낮은 위치의 저장소에서 액체를 빨아들일 경우 Combine Foot Valve 및 여과기를 설치하시요. 이러한 조건에서 작동하는 원심 펌프는 초기에 마중물이 필요하다. —이것을 위하여 입구 Port 근처에 Valve가 있는 지관을 설치하거나, 다른 방법을 이용한다.
- 흡입 Line에 여과기를 설치하시요. —그림 6.17에서 6.21을 참조하시요. 찌꺼기가 되돌아와 Valve 닫힘을 막기 때문에, Valve의 바로 아래에 임시 시동 스크린을 설치하지 마시요.

배출 Line (Discharge Line)

원심 및 다른 Non-Positive Displacement Pump의 출구 파이프는 Line에서의 속도 및 연속적인 압력 강하를 줄이기 위하여, 대부분 배출 Port보다 구멍이 크다. 동심 Reducer Reducing Elbow는 직경을 증가시키기 위하여 배출 Line에 사용한다. 흡입 Line에 Elbow의 위치에 대한 제한이 있기 때문에 배출 Line에는 제한이 없다.

- 압력 Line 연결을 펌프 출구에 가깝게, 배출 Line에 설치하시요. —그림 6.17에서 6.21을 참조하시요. 펌프 배출 Nozzle에 압력상태가 없으면 이러한 목적을 위하여 짧은 Spool을 설치한다.
- 배출 Line에서 배출구 연결 위치는 그림 6.17에서 6.21을 참조하시요.

나사 연결부가 있는 펌프

나사 연결부가 있는 펌프는 펌프를 떼어 낼 수 있도록, 흡입 및 배출 Line에 Union이 필요하다.

Positive Displacement Pump에 대한 배관

Positive Displacement 형태의 왕복동 및 원심 펌프는 배출 Line에서의 제약으로 인한 과 부하에 대해 보호 되어야 한다. 製作者가 Positive-Displancement Pump에 Relief Valve를 설치하지 않았다면, 펌프 배출 Nozzle과 배출 Line에 있는 첫번째 Valve 사이에 Relief Valve를 설치한다. Relief Valve의 배출구는 보통 흡입 Line에 있는 Isolating Valve와 펌프 사이에 연결한다.

Positive Displalement Pumping은 유동 속도를 크게 변화시키지 않기 때문에, 흡입 및 배출 Line에서 보통 Reducer와 Increaser가 필요없다. 그림6.20 및 6.21을 보시요, 맥동하면서 방출하는 Positive Displacement 펌프는, 배관을 진동시키므로 진동을 줄이기 위하여, Stand Pipe 같은 공기실(공기 저장소)을 배출 Valve 아래에 설치한다.

펌프에서의 물질응고 방지

특히 전원이 끊어진 경우, 수송 물질을 유체 상태로 유지하기 위하여 펌프의 흐름을 추적해 볼 필요가 있다. 이러한 문제는 높은 용해점을 갖는 공정 물질 또는 어느 조건에서 일어난다. 바꾸어 말하면 Jacket Pump를 사용할 수 있다.(Parks-Crame로 부터 사용할 수 있는 Poster Jacket Pump처럼)

그림 6.17에서 6.21은 다음 세 page에 있으며 이 한 그림에 대한 Key는 세번째 page에 있다.

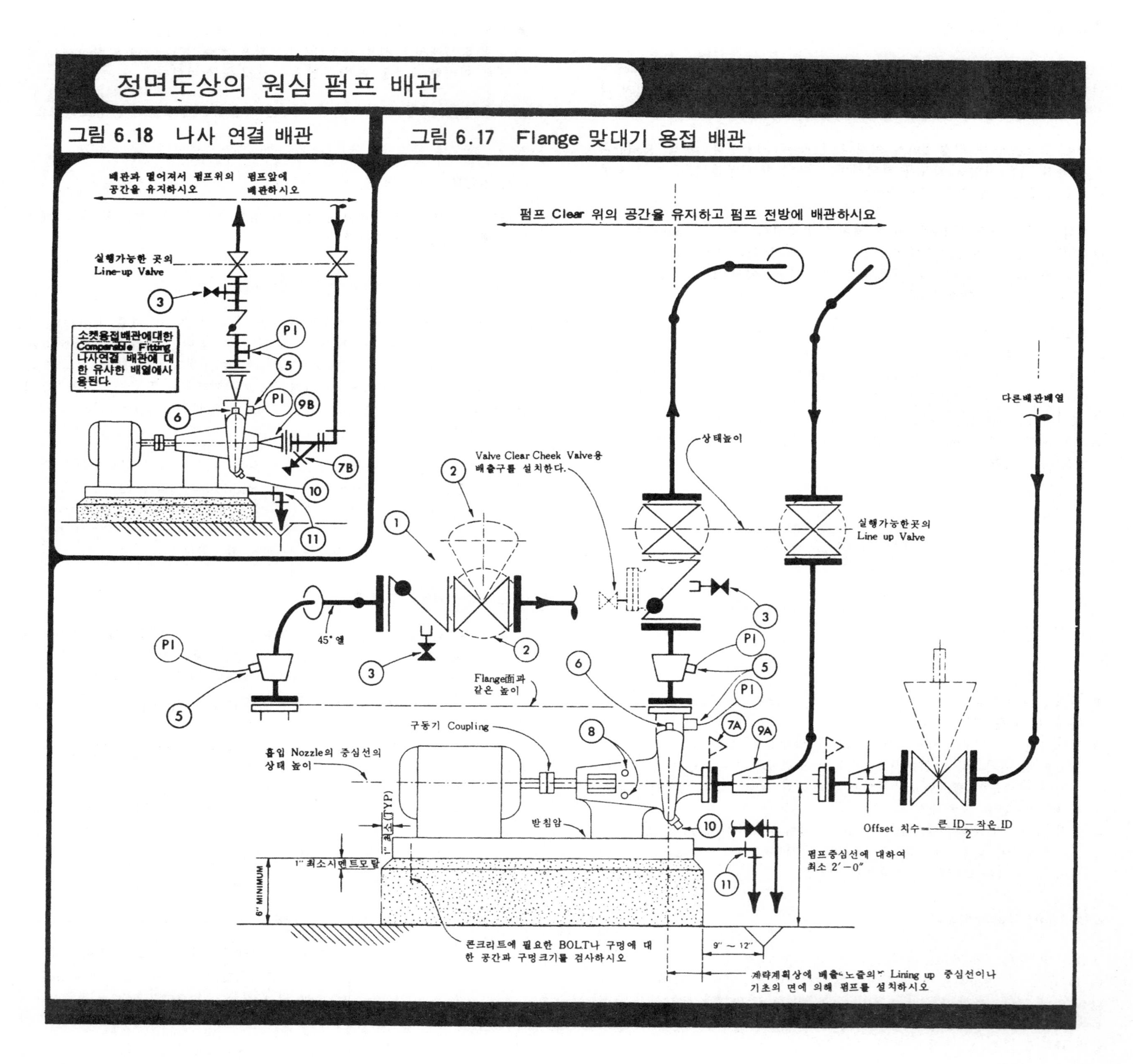
정면도상의 원심 펌프 배관
그림 6.18 나사 연결 배관
그림 6.17 Flange 맞대기 용접 배관
배관과 떨어져서 펌프위의 공간을 유지하시오
펌프앞에 배관하시오
실행가능한 곳의 Line-up Valve
소켓용접배관에대한 Comparable Fitting 나사연결 배관에 대한 유사한 배열에사용된다.
펌프 Clear 위의 공간을 유지하고 펌프 전방에 배관하시오
다른배관배열
상태높이
Valve Clear Cheek Valve용 배출구를 설치한다.
실행가능한곳의 Line up Valve
45° 엘
Flange面과 같은 높이
구동기 Coupling
흡입 Nozzle의 중심선의 상태 높이
반침암
1" 최소(TYP)
1" 최소시멘트모탈
6" MINIMUM
Offset 치수= 큰 ID− 작은 ID / 2
펌프중심선에 대하여 최소 2′−0″
콘크리트에 필요한 BOLT나 구멍에 대한 공간과 구멍크기를 검사하시오
9" ~ 12"
계략계획상에 배출"노즐의" Lining up 중심선이나 기초의 면에 의해 펌프를 설치하시오

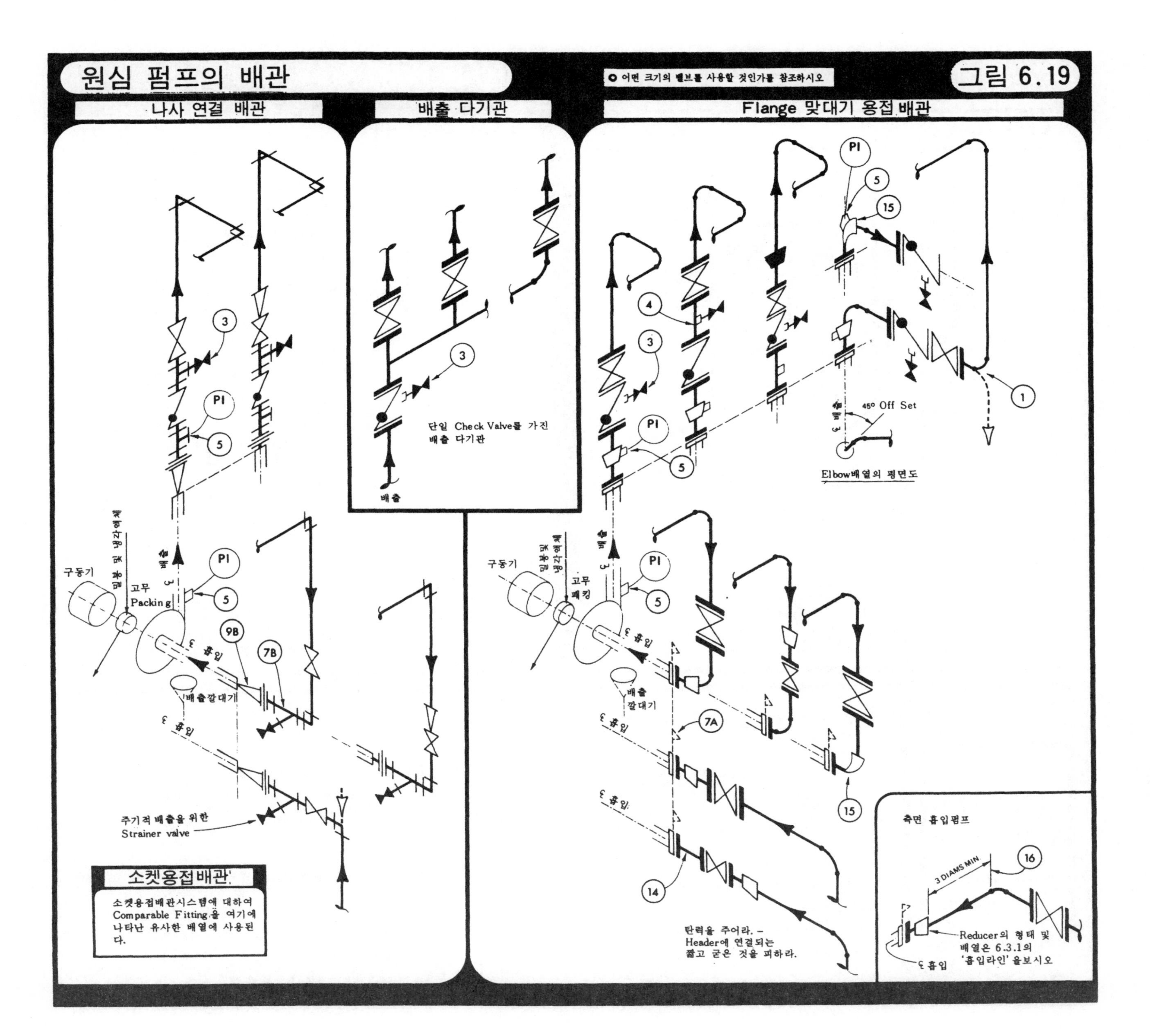
원심 펌프의 배관
어떤 크기의 밸브를 사용할 것인가를 참조하시오
그림 6.19
나사 연결 배관
배출 다기관
Flange 맞대기 용접 배관
단일 Check Valve를 가진
배출 다기관
배출
구동기
밀봉 및 냉각액체
고무
Packing
배출
흡입
배출깔대기
주기적 배출을 위한
Strainer valve
소켓용접배관
소켓용접배관시스템에 대하여 Comparable Fitting을 여기에 나타난 유사한 배열에 사용된다.
45° Off Set
Elbow배열의 평면도
고무
패킹
배출
깔대기
탄력을 주어라. - Header에 연결되는 짧고 굵은 것을 피하라.
측면 흡입펌프
3 DIAMS MIN
Reducer의 형태 및 배열은 6.3.1의 '흡입라인'을 보시오
흡입

POSITIVE-DISPLACEMENT PUMP에 대한 배관

맞대기 용접 배관 그림 6.20

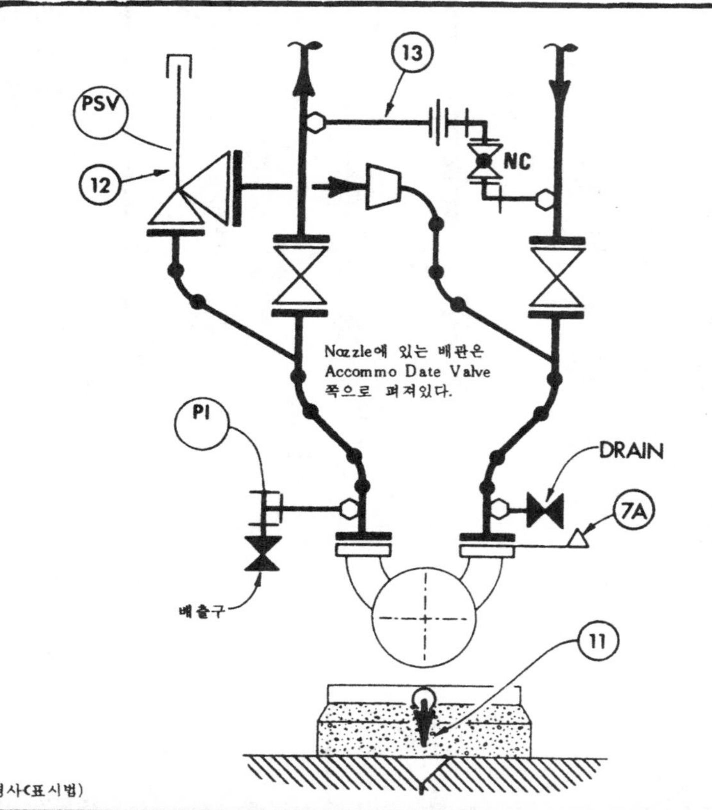

나사 연결 배관 그림 6.21

PSV
13
12
NC
PI
7B
배출구
예비배출구
11

소켓용접배관에대하여
Comparable Fitting은
나사연결배관에 대한
유사한배열에사용된다

(경사 표시법)

그림 6.17～6.21에 대한 그림 설명

(1) Line 편위나 Valve를 가진 교대 수평 배출-핸들바퀴를 수직위치에 놓을 수 없을 경우 또는 배출을 꾸불꾸불하게 할 필요가 있을 경우에 이것이 필요하다.

(2) 핸들 바퀴용 대체 위치

(3) Disc 위 Check valve에 1/2에서 3/4인치의 배출구를 설치하고(2인치 이상의 valve에 보통 배출점이나 Boss를 설치한다) 배출구 쪽으로 라인을 만든다. 한편 배출구를 Check valve와 Isoltaing valve 사이에 있는 spool 에 설치한다. 나사 및 소켓 용접 배관에서는 배출구 연결용 Tee를 설치한다.

(4) 배출구를 체크 밸브에 설치할 수 없는 경우의 배출점용 Spool

(5) Vendor가 펌프의 압력측정을 만들어 놓지 않을 경우의 배출배관상의 대체 압력 측정점

(6) 케이싱 배출공. 이것은 밀봉액체를 배출시키는데 사용한다.

(7A) 임시 시동 여과기

(7B) 나사 또는 소켓용접 배관용 영구 라인 여과기

(8) 냉각 액체(물) 또는 밀봉 액체(기름)용 연결

(9A) Reducer
(9B) Swage(Swaged Nipple)} 동심형 타입은 2인치 미만의 입구 포트를 가진 펌프에 사용한다.

(10) 케이싱 배출 Plug. 유체가 얼기 쉬우면 밸브 라인을 만든다.

(11) 배출깔대기와 연결된 펌프의 받침대. 각 펌프에 깔대기를 설치하시오. 깔대기를 적당한 배출구나 하수도에 관으로 연결한다. 두개의 펌프가 하나의 받침台을 공유하면 두개의 펌프는 똑같은 깔대기를 공유한다.

(12) 배출 밸브를 닫은 채 펌프를 운전할 경우. 우회로는 Positive-Displacement pump 및 구동기를 보호한다.

(13) 평행으로 운전하는 펌프용 우회로는 펌프에 전원공급이 중단됐을 경우 흡입라인에 있는 유동을 헤더로 흐르게 한다.

(14) 임시 여과기용 Spool

(15) Reducing Elbow는 일반적인 Elbow 및 Reducer 를 대신한다.

(16) 펌프가 임펠러에 대해 담겨진 유동을 가지는 측면흡입을 한다면, 그림에 나타나 있는 것처럼 직선 파이프 길이가 Dia의 3倍以上이 되도록 배관하시요. 그렇지 않으면 임펠러축에 90°인 면에 Elbow 를 설치하시오.

6.3.2 압축기 배관(Compressor Piping)

압축기와 부수장치에 대한 설명은 3.2.2를 참조하시요, 압축기는 압축된 공기나 가스를 공정에 다른 기기에 보내준다. 압축기는 일반적으로 냉각기를 포함하여 '團體機器'로 구매하며, 설계자는 압축기를 설치하여 보조물을 배관하는 것까지 책임진다. 이러한 여러가지 보조물들은 그림6.23에 나타나 있다.

압축기는 노출시키거나 또는 Plant나 압축기실에 설치한다. 압축기, 보조 장치 및 공급 Line의 배열은 그림6.22에 나타나 있다.(Atlas Copco의 설치를 본받았음)

압축기 실(Compressor House)

- 압축기가 공기보다 무거운 가스로 작동된다면, 압축기실에 있는 구멍을 없애서 질식이나 폭발의 위험을 없애시요.
- 압축기가 압축기실이나 다른 건물로부터 공기를 받는다면, 통풍창을 통하여 공기를 공급해 주시요.
- 이동 장치용의 이동 Rail이나 Access 등에는 수리 시설을 두시요. 수리하는 동안에 사용할 적당한 공간을 두시요. 기기를 설치하기 위하여 따로 Access가 필요한 경우가 있다.
- 압축기에 기초를 따로 따로해서 진동이 전달되는 것을 방지하시요.
- 소음 흡수材를 사용하는, 압축기실의 건설을 고려하시요.

아래의 설계 요점중에서 어떤 보조배관, Valve 및 기기 Cover를 압축기와 같이 설치할 수 있는가를 결정하기 위하여 Vendor의 도면을 검토해야 한다.

Compressor와 配管 外型図

- 압축기를 콘크리트台 또는 높은 구조물에 설치하시요, 종종 기초에는 말뚝을 박아야 할 필요성이 있다.
- Valve에 쉽게 접근할 수 있게하고 배관을 위한 공간을 주기 위하여 커다란 왕복동 압축기는 종종 높은 구조물에 설치한다. 이러한 설치물의 운전이나 수리 보수를 위하여 계단을 설치하시요.
- 왕복동 압축기의 실린더에 배관할 여유를 주고 Cylinder Head에 투여 공간(압축 공기가 빠져 나갈 공간)을 두시요.
- 단경 Elbow나 Miter (Joint의 일종)를 사용하지 말고, 長徑 Elbow Bend를 사용하시요.
- 압축기나 압력 가스를 물로 냉각시킬 때는 냉각수를 먼저 후방 냉각기에, 나중에 중간 냉각기(2단 기계에 대하여)에, 그리고 끝으로 Cylinder Jacket (다른 형태의 Jacket에서는 "Casing Jacket)에 순환시켜 준다.
- 물이 시스템으로부터 연속적으로 방출되도록 공기 압축기, 부수 장치 및 배관을 배열하시요.
- 각 압력단에 대하여 따로 배수관을 설치하시요. 어떤 방출물도 방출하고 있는 시스템의 압력보다 낮은(배출 장치와 그것의 부수 배관에서의 압력강하보다 낮은) 압력으로 유지하시요. 배출 장치에 있는 각 Check Valve를 통하여 다른 압력단이 관으로 흐르지 않도록 하시요.
- 유독성 가스나 다른 위험한 가스를 압축시킬때는 밀봉된 축에서의 누설은 가능한 흡입 Line으로 배출시킬 수 있는 구멍을 만들어서 압축기 주위에 위험한 대기가 생기는 것을 방지하시요.
- 압축기용 윤활유 및 밀봉기름 제어기에 필요한 공간을 고려하시요.
- 배관 배열은 배관 지지그룹과 상의하시요.

그림 6.22 공기 압축기 배관

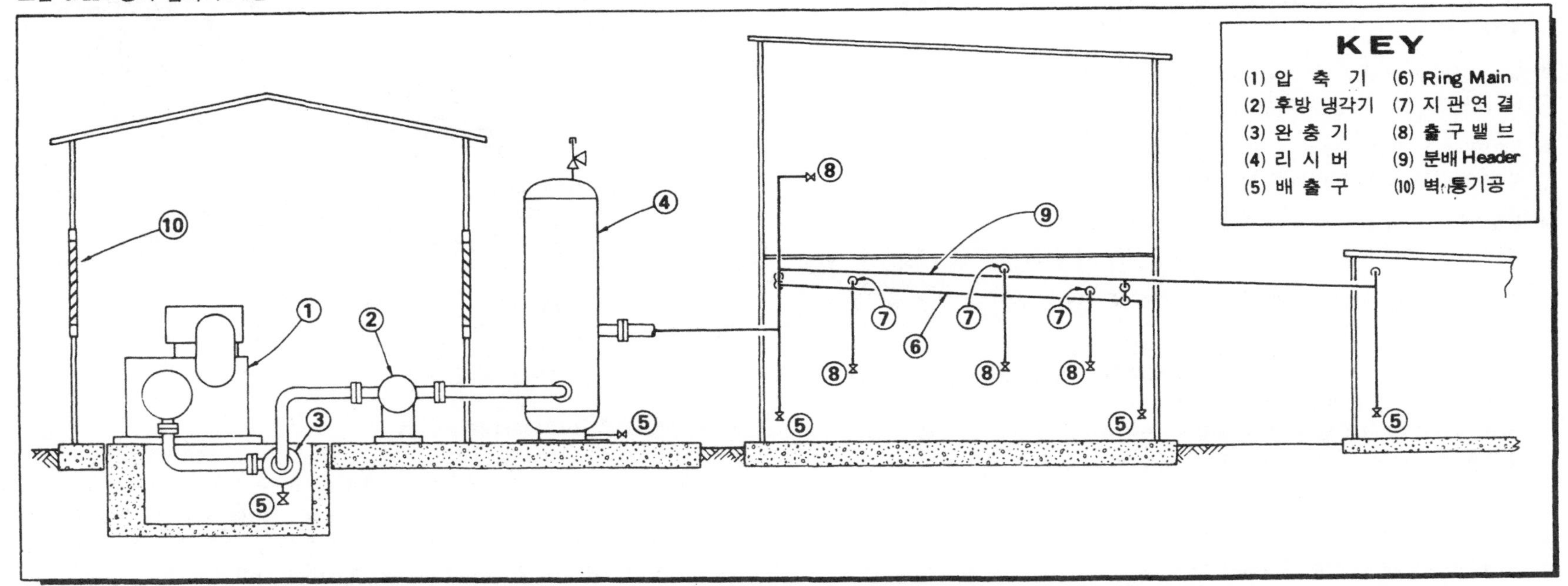

그림 6.23 압축공기 장치의 계통적인 배열

(a) 일단 압축기

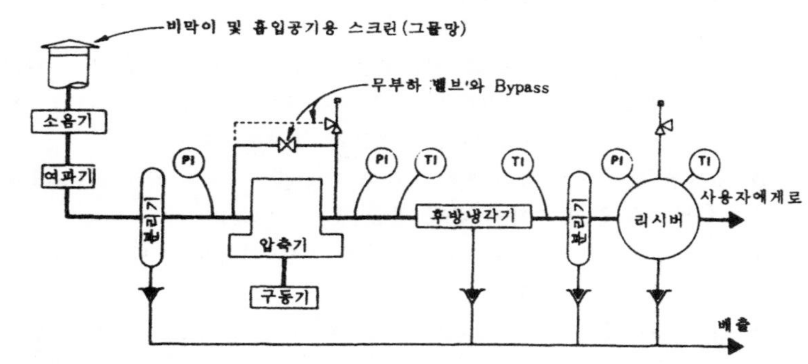

(b) 이단 압축기

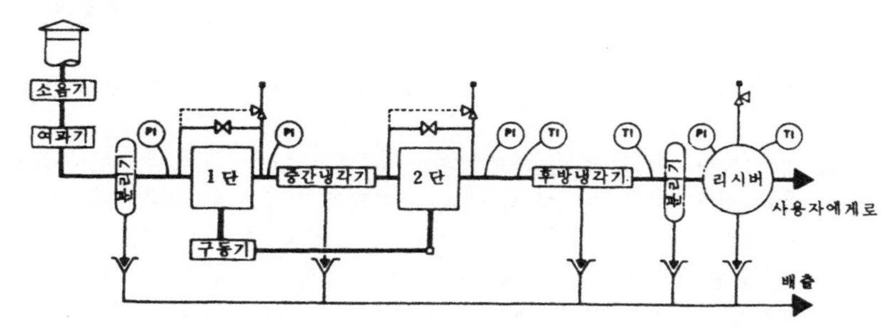

공기 압축기에 대한 흡입배관

- 압축기가 세척되거나 부식당하는 것을 방지하기 위하여 공급되는 공기는, 물이나 다른 이물질이 포함하지 않아야 한다.(공기 흡입구에 있는 물은 액체 Ring－공기 압축기의 운전에 영향을 미치지 않는다.) 공기 흡입구는 대기가 배기 가스에 의해 오염되지 않은 곳에 설치하는 것이 좋다.
- 공급 공기는 그림 6.24에 나타나 있는 것처럼 건물 간격을 유지하여 건물의 그늘진 면과 가장 차가운 Source에서 끌어내는 것이 효율이 좋다.
- 공기공급을 건물 외부에서 얻을 경우 흡입점을 지붕에 두며, 과도한 소음을 방지하기 위해 벽에서 떨어지게 하라.
- 흡입 배관은 가능한 짧게 하시요, Line이 불가피하게 길어서 응축이 일어날 경우 분리기를 압축기 공기 입구에 설치하시요.
- 비막이 챙과 스크린(일종의 여과 쇠 그물)을 그림 6.24에서 처럼 설치하시요.
- 작은(그리고 간혹 중간 크기의) 공기 압축기는 보통 건물내에서 공기를 공급 받는다. 큰 공기압축기는 압축기실 외부로 부터 공기를 얻는다.(그림 6.24참조) : 이것은 공기 입구에서 퍼져나가는 진동이 건물에 미치는 영향을 최소화한다. 항상 어느정도 남아 있는 먼지를 제거하기 위하여 크고 작은 압축기들은 필터가 필요하다.
- 필터는 많은 양의 불순물을 여과할 능력을 갖어야 하며, 왕복 압축기에서 생긴 진동을 충분히 이겨내야 한다.
- 필터와 압축기 사이에 압력 측정 연결부를 두어 청소나, 교환하려 할 경우 필터를 가로질러 생기는 압력강하를 고려하시요.
- 시동시 압축기 입구에 있는 임시 스크린을 사용하시요. －2.10.4를 참조하시요.
- 흡입 Line은 습기 및 이물질이 모일 수 있는 낮은 곳에 설치하지 마십시요.
- 흡입 Line을 Header에서 끌어낼 경우 습기나 침전물을 끌어 모으지 않도록 흡입 Line을 Header의 꼭대기에 두시요.
- 다른 압축기와 함께 쓰는 Header로부터 흡입 Line을 만들 경우에는 Line Isolating Valve가 필요하다.
- 녹이 생기는 것을 막고 녹을 압축기 속으로 끌어 들이지 못하도록 흡입 배관의 내부를 묽은 산 용액으로 닦거나 페인트 칠 한다.

그림 6.24 공기 압축기의 흡입 Line

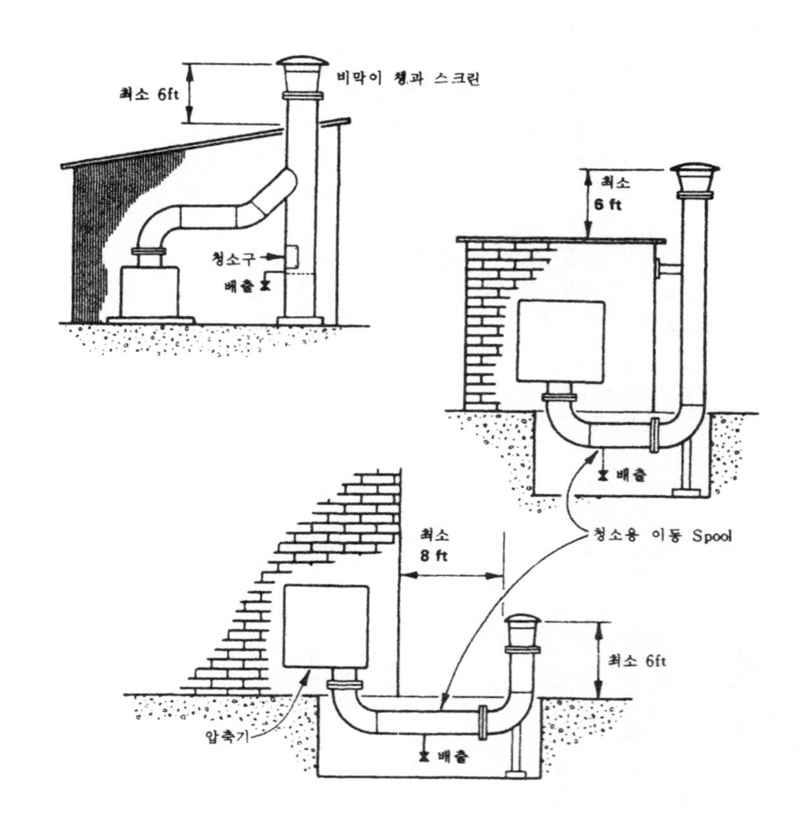

배출 배관(일반)(Discharge Piping)

배출 배관은 열 팽창을 허용하고, 배출을 할 수 있도록 설치해야 한다. 진동을 억제하기 위하여 Anchor 및 Brace를 설치해야 한다. 후방 냉각기에서 나오는 유출물은 보통 젖어 있기 때문에(흡입 공기에 있는 과도한 습기로 인하여) 이러한 물을 연속적으로 제거해야 한다.

- 배출 Line에 있는 Isolating Valve는 Line 크기와 같다.
- 배출 배관은 温度計 및 壓力計와 연결하여 설치하시요.
- 무 부하시 압축기를 흐르는 순환을 확실하게 하고, 압축기에 동일한 압력을 주기 위하여 배출 Isolating Valve의 상류 흐름 및 흡입 Isolating Valve 하류 흐름과 연결되는 무부하 Valve 및 Bypass 회로(우회 회로)를 설치하시요. 3.2.3에 있는 '무 부하'를 참조하시요.
- 보통 압축기 근처에 Receiver를 설치 한다.
- 압축 공기를 배출하기 위한 배출 Line을 알아 보려면, 6.11.4를 참조하시요

배출 Line에 있는 완충기 및 Volume Bottle의 사용은 3.2.2에 있는 '압축기용 기기'에 나타나 있다.

부하 및 진동(Loads & Vibration)

큰 압축기(특히 왕복동 압축기)에 대한 배관 지지 설계는 전문 지식을 필요로 한다. 일반적으로 배관 지지그룹 및 압축기 제조자와 공동 작업이 필요하다. 주된 문제점은 배관과 지지물을 적절히 배열하지 않으면, 압축기가 그것의 동력 전달부로 부터 불 필요한 힘을 받는 것이다.

디젤엔진 및 가솔린 엔진을 구동기로 사용할 경우, 엔진의 배기관을 Flexible 이음으로 하면 진동의 전달을 줄일 수 있으며, 배기 Nozzle을 보호할 수 있다. Flexible 이음은 배출 및 흡입 배관에 때때로 사용한다. 배출 Line 및 흡입 Line에서의 진동은 매우 적지만 全 배관을 진동시킬 우려가 있다. Elbow나 Tee 대신에 Bellows, 큰 Bend 및 Lateral을 사용함으로써 이러한 효과를 줄일 수 있다.

계장과 계기 연결

그림 6.23은 壓力計 및 温度計의 적절한 위치를 나타내고 있으나 압축기를 시동하고, 멈추고, 무부하로 작동하기 위한 계장은 나타내고 있지 않다. 압력 스위치를 사용한 간단한 압축기 제어 조절은 오랫 동안 사용되어 왔으나, 압축기를 빈번히 시동걸고 정지시키는 결과로, 기기에 불 필요한 파손을 일으킨다. 무 부하 Valve를 사용하는 자동 조절이 훨씬 좋다. 표3.6은 작동 요령을 나타낸다. —3.2.2의 '무 부하'를 참조하시요, 자세한 내용은 '압축기' 설치 Manual (Atlas-Copco)에 있다. 무 부하 Valve에 계기 번호를 지정해 준다.

압축기를 무부하로 하고, 시동걸고, 부하를 걸어주고, 정지시키기 위한 공기압 Signal (신호)은 진동을 받지 않아야 한다. Receiver를 연결하거나 Receiver의 미소한 전류로서 이러한 신호를 받는 것이 좋다.

계기를 연결하는 자세한 지침은 6.7에 나타나 있다. 계기 연결부는 Line 진동의 전달을 이겨내도록 계장台를 설치한다.

압축기용 Isolating Valve (Isolating Valves For Compressor)

평행으로 운전하는 압축기들은 Isolating Valve를 설치하여, 그 그룹에 있는 압축기 중 하나가 단락되거나 없어져도 운전 가능하도록 해야 한다. 배출 Line에 있는 Isolating Valve는 감압 Valve 및 Bypass Valve 연결부의 하류흐름에 설치해야 한다. 흡입 Line에 잇는 Isolating Valve는 Bypass Valve 연결부의 앞에 설치해야 한다. Isolating Valve는 단일 압축기 운전에는 필요 없다.

감압 Valve (Pressure-Relief Valves)

감압 Valve는 각 단 사이의 배관 및 압축기에서부터 첫번째 하류 흐름 Isolating Valve까지의 배출 Line에 설치해야 한다. 감압 Valve에는 흡입 Line으로 빼는 구멍이 만들어져 있다. —그림 6.23을 참조하시요, 각 감압 Valve는 전용량을 배출할 수 있어야 한다.

Check Valve

Check Valve가 압축기에 설치되어 있지 않을 경우, 저장된 압축 공기나 다른 가스의 역류를 방지하기 위하여 반드시 Check Valve를 설치한다.

압축공기의 분배(Distribution of Compressed Air)

2인치 이상의 Header들은 종종 맞대기 용접한다. 분배 Line은 나사로 연결되어 있으며, 2.5.1에 설명되어 있는 것처럼, 보통 가단 주철 이음으로 연결된다. 분배 배관에 사용하는 기기는 3.2.2에 나타나 있다.

압축 공기 배관 Line의 더욱 효율적인 설계는 수시로 과중 수요점에 가능한 가깝게 놓여지는 보조 Receiver를 갖는 Ring Main이다. 그 Loop는 사용자에게 두 갈래 공기 유동을 제공한다.

압축 공기의 사용(Compressed Air Usage)

Plant에 사용하기 위해 공급하는 압축공기는 '계기 공기', 'Plant 공기', 또는 '공정 공기'라 한다. 계기 공기는 깨끗하고 건조한 압축공기이며, 계기의 부식을 막기위해 사용한다. Plant 공기는 압축 공기이며, 보통 깨끗하지도 건조하지도 않은 공기이나, 대부분의 습기와 기름등은 압축기 근처에 있는 분리기에 의하여 제거되며, 특히 적당히 냉각시킬 수 있으면 제거가 잘 된다. Plant 공기는 동력 장치를 청소하고 저장 용기에 공기를 불어 넣어 주는데 사용한다. 단독적으로 공기 동력 장치에 사용한 경우, Filter / Lube 장치가 공기 Line에 설치되어 있을 경우에도 윤활을 좋게 한다.

공정 공기는 깨끗하고 건조한 압축공기이며, 산소를 공급하고 공정흐름을 Mixing해 주는데 사용한다. 또한 깨끗하고 건조한 공기를 일반공정 및 계기에 공급해 준다.

실제 사용하는 공정 및 계기 공기는 백만분의 십 이하의 기름을 포함해야 한다. 대부분의 기름 오염 물질은 매우 작은 물 방울(직경이 1마이크론 미만)로 존재하기 때문에 기계적인 여과 장치는 비효과적이다. 더 흡수 장치가 효과적으로 기름을 제거한다.

그림 6.23 & 6.24

6.4 증기 터어번에 대한 배관(Piping to Steam Turbines)

터어빈은 가스나 증기(보통 산업 Plant 에서 공기나 수증기)의 팽창에 의하여, 기계적 동력(회전하는 축)을 얻는 기계이다.

증기 터어번은 쉽게 이용할 수 있는 증기의 Source 가 있는 곳에서 사용하며, 또한 전기의 공급이 중단된 경우에 예비 공정 펌프를 운전하고 소방 펌프 및 발전기와 같은 비상 예비 장치를 운전하는데 사용한다.

그림 6.9는 자동 조작을 위한 계통적인 배관 배열을 나타낸다. 증기 터어번과 펌프 및 압축기 배관 사이에는 유사점이 있다. 그것들의 공통된 요구사항은 아래와 같다.

(1) 배관의 중량이나 열 팽창에 의하여 노즐에 걸리는 하중을 제한할 것.
(2) Access 나 Overhead에 틈새를 둘 것.
(3) 이 물질이 기계속으로 들어가지 못 하도록 할 것.

6.4.1 입구(증기 공급)

증기 터어빈의 손상을 방지하기 위하여 표6.4에 나타나 있는 것과 같은 보호 배관 배열이 필요하다.

표 6.4 터어빈에 증기를 공급하기 위한 보호배관

터어빈에 대한 위험	보호배관
증기공급에 있어서 이물질이나 불순물	공급라인에 있는 드립레그나 스트레이너, 또는 분리기(그림 6.9 참조)
너무 빠른 흐름이나 케이싱 파열을 일으키는 증기공급의 과도한 압력	공급라인에 맞는 압력 감압 밸브나 제어 밸브
시동시 너무 급속한 가열에 의한 열 쇼크	항상 적은 량의 증기를 터어빈에 공급해 주기 위한 오리피스 바이패스

6.4.2 배출(증기 배출)(Exhaust)

그림 6.25는 터어빈의 증기 배출을 처리하는 세 가지 방법을 나타내고 있다. 수시로 작동하는 터어빈으로 부터 나오는 증기는, 폐기물 처리장으로 흘러 보내므로, 가까운 바깥 벽이나 지붕으로 연결되는 간단한 관의 배열이 필요하다. 배출은 건물을 더럽히지 않고 인체에 해롭지 않도록 배열한다. 터어빈 배출구는 터어빈에서 생겨난 물과 기름방울을 모아서 배출한다. 이러한 목적에 적합한 장치는 그림 6.27에 나타나 있는 Swartwout 의 '배출 Head '이다. 한편 연속적으로 운전하는 터어빈에서 나오는 증기는, 저압단에서 사용한다.

그림 6.25 터어빈 배기 가열

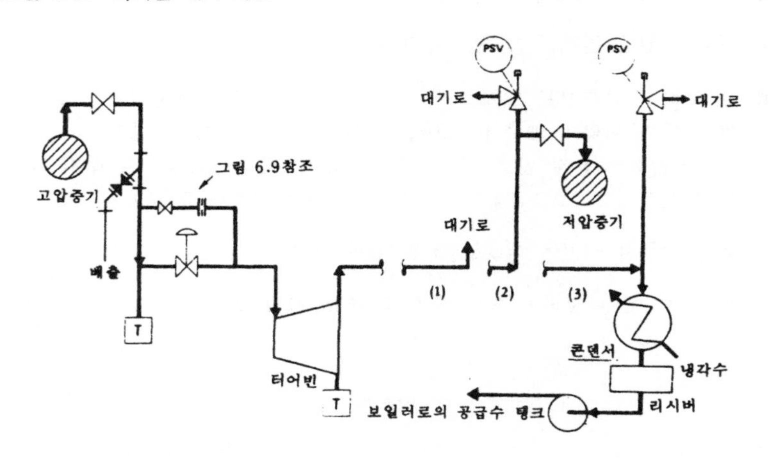

해 설

(1) 배기는 대기로 직접 방출한다. 작은 터어빈은 수시로 운전하는데 적합하다.
(2) 배기를 다른 곳에 사용하기 위하여 저압단 헤더 쪽으로 보낸다. 연속적으로 작동하는 터어빈은 증기를 버리지 않고 사용한다.
(3) 터어빈에서의 압력강하를 증가시키기 위하여 배기는 응축된다.

6.4.3 Bypass 증기나 터어빈에 대한 다른 배관

증가가 터어빈을 통해 흘러가는가를 확인하기 위한 'Bleed' Bypass 로서 Orifice Plate 가 사용된다. Orifice Plate 는 직선관 보다는 가변제한이 필요한 곳에 사용한다. Bypass 에 있는 Cracked-Open Valve 는 터어빈을 예열 하기위한 약간의 증기를 내 놓는다.

Trap 은 터어빈 케이싱에 고정되어 응축수를 제거한다. 밀봉 액체를 터어빈베어링에 공급하기 위한 배관을 한다. —6.3.1의 '보조, 내장, 또는 기기배관'을 참조하시요.

그림 6.26 Swartwour-Head

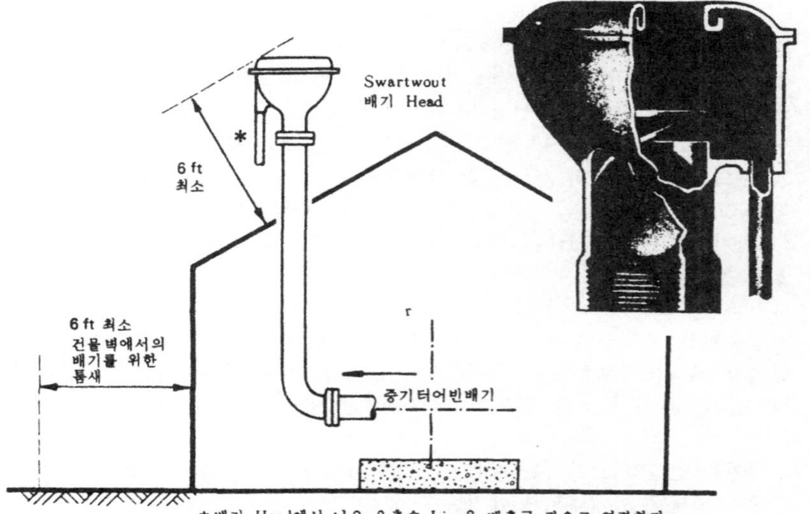

* 배기 Head에서 나온 응축수 Line을 배출구 관으로 연결한다.

6.5 저장 용기와 증류탑의 배관

6.5.1 저장 용기의 연결(Vessel Connections)

저장 용기는 보통 Coupling (小徑 Line) Nozzle 과 Flange-Nozzle 또는 용접 Nozzle 과 함께 연결하고, Flange 연결한 배관과 짝을 이루도록 설계한 Pad 는, Stud 에 의해 조립된다. Nozzle 출구는 용접 T 자 지선과 같은 모양으로 하여 분출 할 수 있게 만든다. 이렇게 함으로써 유동의 흐름은 좋게 해주나, 다 기관과 접시머리 Head 같은 품목을 늘 준비해야 하는 값 비싼 방법이다. Weldolet 와 Socketlet 과 Thredolet 은 저장 용기 연결용으로 적당하고, 접시머리 Head 탱크와 큰 저장 용기용으로는 平板이(Flat-Based) 적당하다.

거의 모든 형태의 연결은 저장용기에 입구를 만들거나 저장용기와 대기와 배출구를 만드나 압력용기에 대해서는 使用하지 낳으나 설계 Code 上에는 연결장치에 필요한 사항이 설명되어 있다(또한 가능한 補强材 說明—2,11절 참조)

압력용기(Pressure Vessel)

ASME 보일러와 압력용기 Code 8절에 예외 사항과 한계 사항이 설명되어 있다. 내부 또는 외부 운전 압력이 150 Psi 를 넘지 않으면 압력용기로 고려할 필요가 없다. 완전진공 또는 부분 진공하에서 운전하는 용기와 외부 압력이 150 Psi 보다 더 크지 않다면, Code 를 확인 할 필요가 없다.

저장 용기 圖面과 필요한 Nozzle

예비의 배관 설계는 적당한 Nozzle 의 배열을 결정하는데 사용한다. 저장 용기에 대한 모든 자료가 제시된 밑 그림은 저장 용기 제작자들에게 보내지고, 그들은 다시 상세한 도면을 만든다. 압력 용기 배관 설계용 예비조사는 파이프 지지 장소와 Platform (필요하면)의 위치를 나타낸다. 결국 압력 용기는 응력 제거를 해야하고, 제작자는 이런 용기에 Clip 이나 Bracket을 공급해 주어야 한다. — 6.2.8절의 '저장 용기용 등의 Welding Pipe Support 와 Platform Bracket ' 참조

그림 5.14는 저장용기 도면으로서 제작들에게 보내는 Sketch 는 엔지니어링 도면과 같다.

저장 용기에 필요한 Nozzle

- 무 압력 용기에 필요한 Nozzle 은 다음을 포함한다 : 입구, 출구, 배출구 (가스 또는 공기), Manhole , 배수관, 배수구, 교반기, 온도 측정 요소, 수위 측정기와 저장 용기, 청소용으로 접선 방향으로 배치된 '증기 배출' 연결 장치
- 압력 용기에 필요한 Nozzle 은 다음을 포함한다. 입구, 출구, Manhole , 배출관, 압력 보충, 교반기, 수위 계기, 압력 계기, 온도 측정 요소, 배출구와 위에 설명한 '증기 배출'
- 전기 Heater 용으로 Nozzle 이 필요한가, 또는 가열 및 냉각용 코일이 필요한가, 저장용기의 Water Jacket 이 필요한가를 검사한다. Water Jacket 은 배수관과 배출구가 필요하다.
- 평평한 바닥 탱크의 Valve (3.1.9를 보라)는 특별한 Nozzle 필요한가를 檢討한다.

Nozzle Pipe의 탄력성

- 별도로 되어 있는 基礎臺 위에 설치한 펌프와 다른 기기로 부터 저장 용기와 이어진 배선에는 추가로 탄력성이 있어야 한다(설치하기 쉽다면)
- Nozzle 사이에 견고하게 직선 연결을 하는 경우는 조심한다. 양 Item 의 기기가 같은 Support 台 위에 있고 보통 대기 온도의 변화보다 더 많은 영향을 받지 않는다면, 이와 같은 연결이 가능하다(그림 6.1 참조)

Nozzle 의 荷重

- 연결한 파이프에 의해 부여된 부하에 견딜 수 있는가를 확인한다. —6.2.8절의 ' Nozzle 의 지지 파이프' 참조, 제작자들은 그들의 표준 기기용 Nozzle 부하에 대한 Data 를 만들어서 Owner 에게 제공해 주어야 한다.
- 열 유동에 의한 응력을 알아보기 위해 모든 연결 부위를 확인하고 Pressure Relief Valve 의 입구로 부터의 충격 압력등을 조심해서 다룬다.

6.5.2 분류 증류탑 배관(Fractionation Column Piping)

증류탑과 관련 기기들은 공정의 필요에 따라 서로 다른 형태를 갖고 있다. 다음 각절의 내용은 증류탑의 운전과, 기본적인 설계 사항에 대한 설명이다.

증류탑의 작업(The Column's Job)

분류 증류탑은 증류의 한 형태이다. 간단한 증류기는 곡식등을 발효하여 얻은 알콜과 물과 같은 액체가 섞여서 운전하거나, 공급하는 알콜 보다 농축되는 알콜양이 몇 배 더 많은 분류기에서 산출한 알콜과 물과 같은 액체가 섞여서 운전된다. 석유화학 산업에서는 특별히 2가지 물질보다 더 많은 성분을 함께 다루는 혼합물을 사용한다. 원유는 분류 증류탑의 공급 액체로 전형적인 형태이고, 이 원유로 부터 증류탑은 왁스 증류액, 가스 기름, 가열 오일, 나프타와 연료 가스를 동시에 증류한다. 이러한 보류를 '분별 증류'라 한다.

증류탑 운전(Column Operation)

공급액은 증류탑에 주입되기 전에 가열(Furnace 또는 열·교환기)한다. 공급액이 증류탑내로 주입 될 때 증기의 양은 공급시의 추가 壓力에 의한 ' Flashing '이 된다.

증기가 증류탑을 따라 상승할 때 아래로 흐르는 액체와 밀접한 접촉을 한다. —그림 6.29 참조, 이런 접촉을 하는 동안 무거운 증기는 일부는 응축을 하고 下向하던 가벼운 액체는 증발한다. 이런 과정을 '역류(Refluxing)'라고 한다.

공급 물질의 조성이 일정하고 증류탑이 정상 상태이면, 증류탑내에 온도 분포가 이루어진다. 모든 Tray 에서의 온도는 Tray 에서의 액체의 비등적이다. '분류증류'는 모든 Tray 에서 이루어지지는 않는다. P&ID 를 보면 선택한 파이프가 Nozzle 이고 Line Blind 나 Valve 와 함께 공급하는 선발 운전용 Nozzle 의 양자 택일을 포함하여 만든 분류증류에 대해 알 수 있다.

6 .4 .5.2

그림 6.25 & 6.26

表 6.4

증류탑 배관

그림 5.27과 6.28

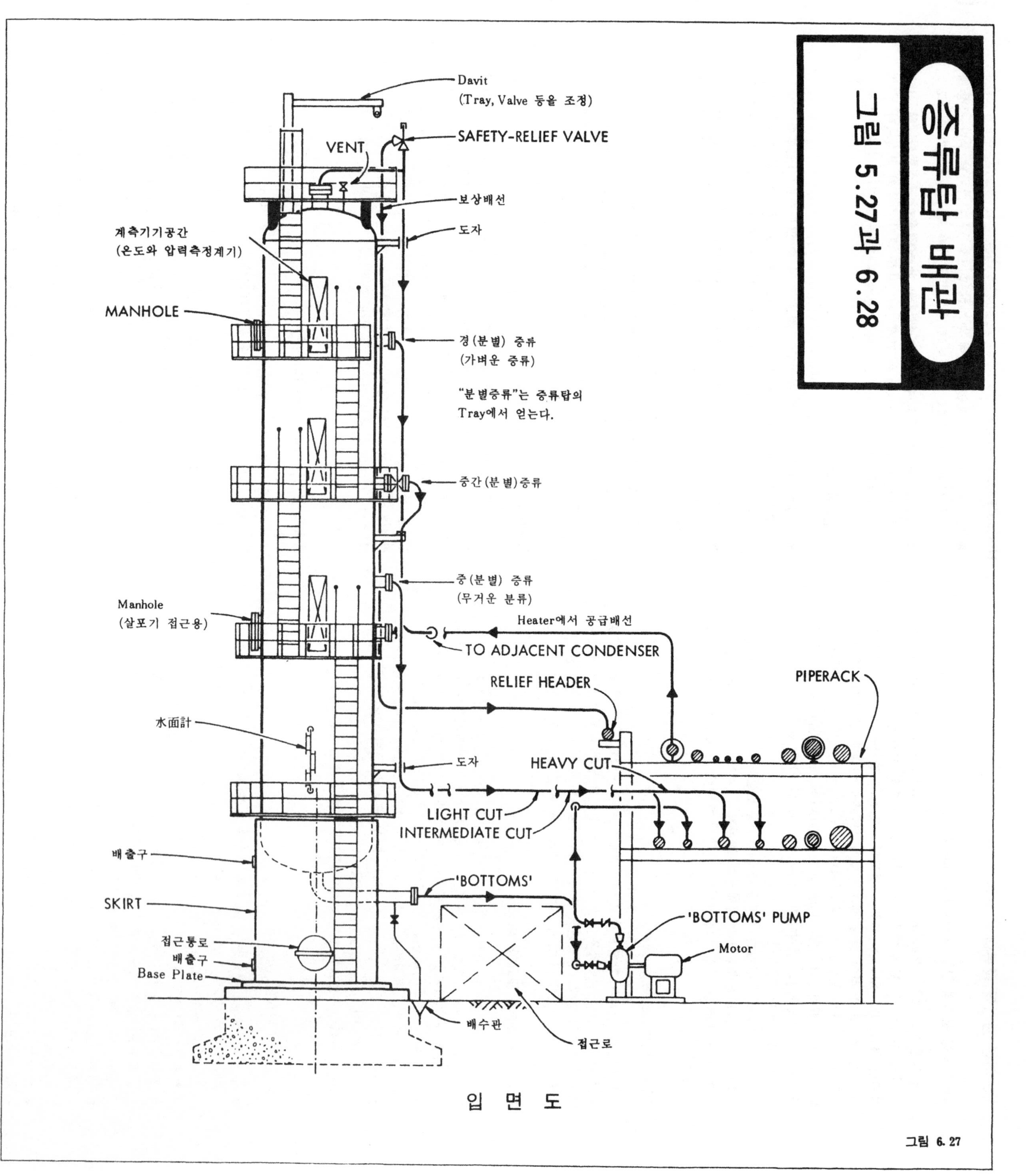

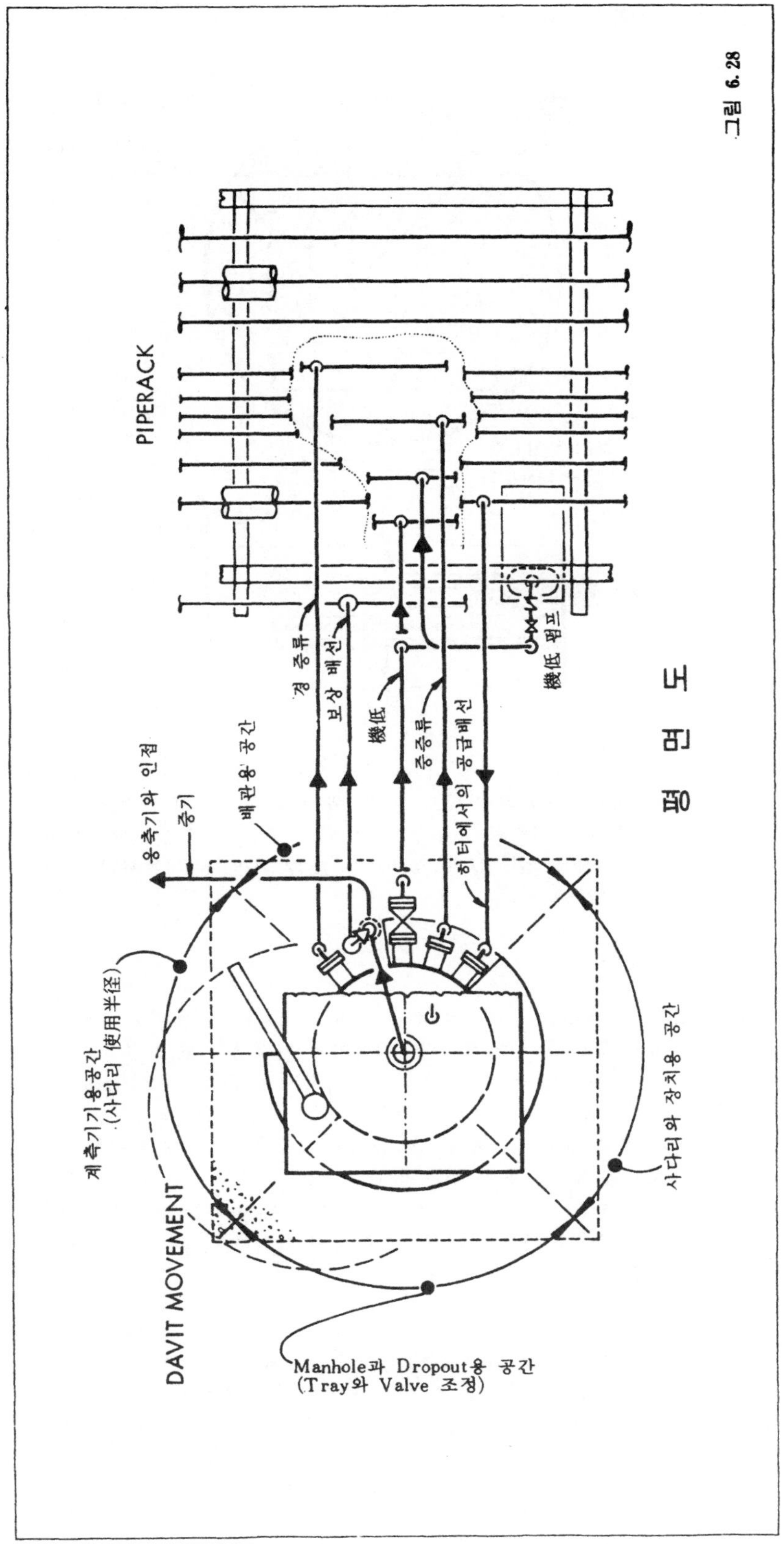

그림 6.28 평 면 도

Tray 에는 다양한 설계 형태가 있다. Tray 는 어떤 양의 액체를 모으는 역할을 하나, 증기도 Tray 를 통해 흐르게 함으로써 증기와 액체가 직접 접촉할 수 있게 한다(Bubble Cap)－ Tray 에 대한 그림 6.29참조－많은 종류의 Tray가 使用되고 있다.

그림 6.29 Trays와 Bubble Caps

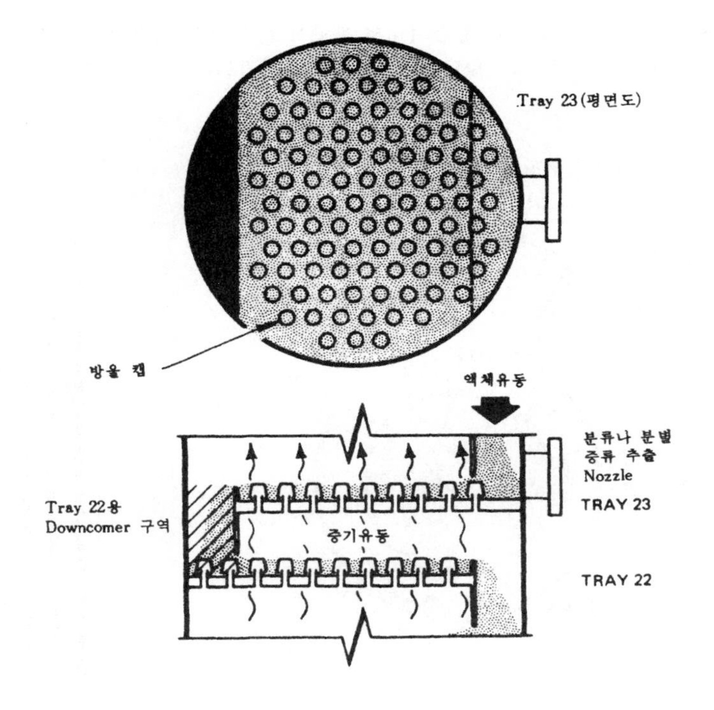

필요한 '분류증류'를 하려면 증류탑은, 정상상태의 온도 정상상태의 공급량과 정상상태의 생산품 제거상태하에서 운전된다. 냉각상태에서 시동한 후 정상상태에 도달하면 생성물을 얻을 수 있고, 증류탑은 연속적으로 운전된다.

모든 물질은 파이프를 통해 증류탑내로 유입 또는 유출되므로 증류탑은 파이프 지지대와 가까운 거리에 위치한다. 그림 6.27과 6.28에 이러한 배열을 나타나 있다. 증류탑에서의 생산은 파이프를 통해 수집 탱크('드럼', '축적기'등으로도 부름)로 흐르고 공정이 계속되거나 저장된다.

그림 6.27 & 6.29

증류탑 상부에서의 증기가 응축성이면 휘발성 액체 형태로 응축기로 들어간다. 응축기는 경사면에 설치하거나 때로는 증류탑의 측면에 설치한다.

증류탑 상부에서의 생성물은 냉각후에는 대기압의 가스 상태이다. 생산품을 적당한(중간정도) 압력하에서 액화하면 저장조에서는 압축상태로 저장된다.

상부 생성물용 응축기에 공급하여 설치한 ' Reboiler '라 불리우는 수증기 가열 열 교환기는 증류탑의 지정된 수위에서 추출한 물질의 가열에 사용된다. 가열된 물질은 증류탑으로 재 회수된다. Reboiler 는 높이가 큰 증류탑용으로 되어있고 또한 열 손실을 감지할 수 있는 높은 온도에서 작동하는 증류탑용으로 使用된다. 증류탑의 측면에 Reboiler 를 설치하면, 배관의 크기를 최소화 할 수 있다

증류탑 바닥에서의 물질은 펌프로 퍼 내야 한다(그림 6.27 참조) 이 물질은 증발이 되지 않았거나 미리 응축된 '高重量(고 분자량)' 액체로 되어 있으며, 공급 물질에 높은 점성물질과 고체를 섞어 주어야 한다.

증류탑 위치 설정과 필수품

Nozzle의 위치 설정과 증류기로의 배관배열은 동시에 하고 배관설계자는 Manhole과 Platform, 사다리와 Davit 등 계기의 위치를 결정한다.

그림 6.30 증류탑 위치설정

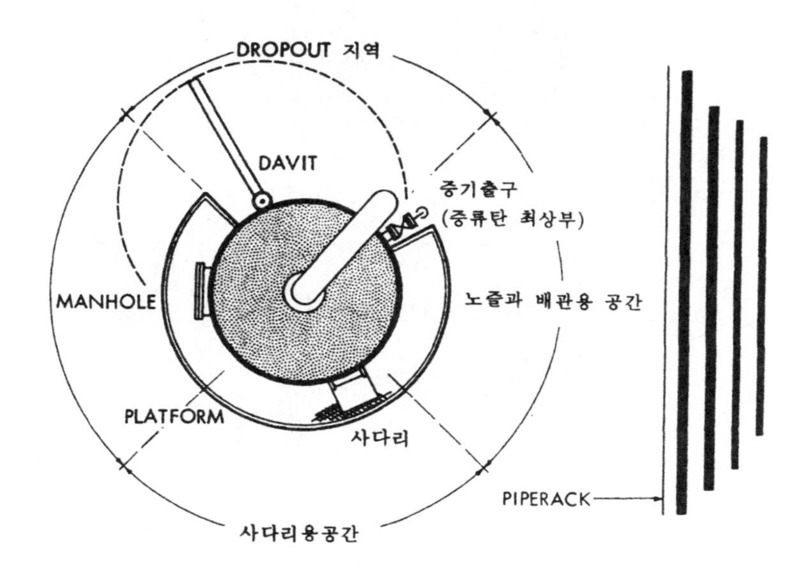

Manhole은 Tray를 설치하고, 제거하는데 필요하다.

Platform과 사다리는 작업자가 Nozzle의 Valve나 Manhole 또는 증류탑 계기에 접근하는데 필요하다.

Davit은 증류탑의 어느 부분을 올리거나 내릴 때 필요하고 Dropout 지역을 지정 보존해 준다.

Manhole과 Nozzle

특별한 계획용이나 증류탑용 Manhole은 같은 형태를 갖는 것이 좋다. 배관에서 멀리 떨어지게 설치하고 Davit 범위내에 들어가게 설치한다.

필요하다면 Manhole은 증류탑의 중심선에서 벗어나게 설치한다(평면도상에서) 살포기(Sparger) 그림 6.31참조 장치에서 사용하는 Manhole은 그 기기에서 쉽게 제거할 수 있어야 하며, 지정된 위치에서 공급배선, 연결기기와 각을 이룬다.

증류탑의 Nozzle 취부 부분인 Shell의 Hole方向은, Tray의 방향과 형태에 따라 결정한다(그림 6.29참조) Nozzle의 설치 높이는 증류탑 Data에서 얻는다(저장 용기 도면상에 나타냄)

그림 6.31 살포기 장치

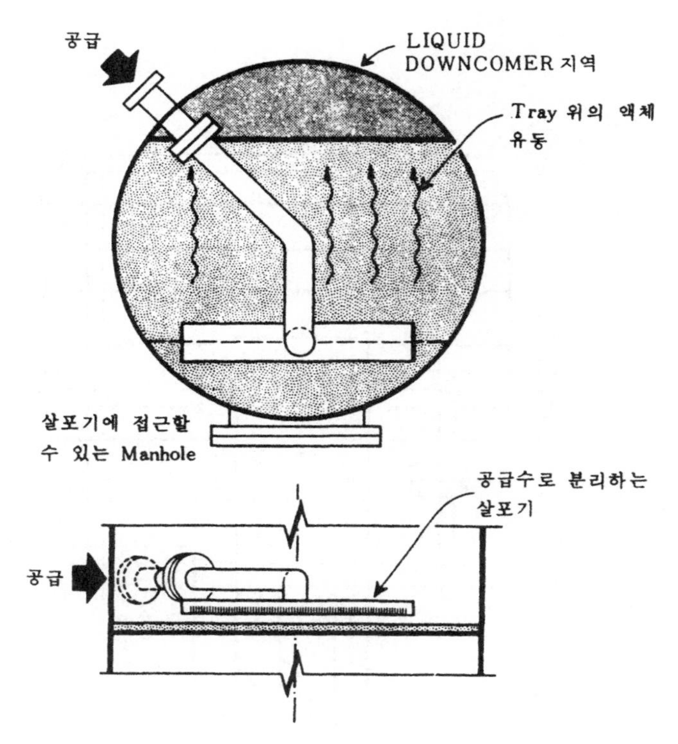

만약 분류증류를 짝수 숫자의 Tray서만 얻거나 홀수 숫자의 Tray에서만 얻으면, 모든 Nozzle은 파이프 지지대와 접한 증류탑의 측면에 설치한다. 만약 분류증류는 짝수와 홀수층 양쪽 모두 Tray에서 얻으면, 파이프 지지대로 향하게 모든 Nozzle를 설치하는 것은 거의 불 가능하다(이절의 '증류탑 배관 배열' 참조)

Platform과 사다리

Platform은 Manhole, Nozzle의 Valve, 液面計, 제어기와 Pressure relief Valve가 있는 곳에 필요하다. 증류탑은 여러개가 한 그룹을 이루고 증류탑끼리는 Platform에 의해 연결한다. 각각의 증류탑용 Platform은 그림6.30에 나타내었듯이 둥근 부채꼴 모양이다. 증류탑의 최상부에도 Davit를 설치하고 배출구를 폐쇄하고 Safety Relief Valve에 접근할 수 있도록 Platform을 설치한다. 최상부의 Platform은 사각형인 것도 있다. 같은 층에서 낮은 쪽의 Platform을 통해 이동할 때는 분리할 수 있는 사다리를 사용한다. 사다리는 Platform의 바로 옆에 설치하여, 작업자가 사다리를 바로 이용할 수 있게 한다.

Platform 사이의 사다리 길이는 30 ft로 제한한다. 특별히 큰 것이 요구될 때는 40 ft인데도 있다. 만약 작업하는 Platform이 사리가 도달할 수 있는 최고 높이에서도 더 떨어져 있으면, 중간에서 연결해주는 작은 Platform이 필요하다. 사다리와 Cage는 회사 표준규격에 따라야 하고, 미 노동성(OSHA)규격 1910(D)절 규정에 맞아야 한다. 이것은 Platform에서나 G.L에서 2200 mm 以上은 모두 Cage를 설치하여 안전 하도록 해 주어야 한다.

Davit

그림 6.30에 나타낸 Davit는 같은 수평면의 Platform과 Dropout 지역 사이의 Tray 부분과 배관과 Valve 등을 올리고 내릴 수 있도록 증류탑의 최상부에 설치한다.

증류탑 배관의 배열

배열을 단순화하고 잘하기 위해서 시행 오차 작업을 할 필요가 있다. 증류탑은 장치 중 가장 중요한 부분이므로 다른 배관 보다 선행하여 설치한다.

증류탑 벽 표면의 Nozzle에서 시작된 배선은 증류탑의 길이 방향을 따라 진행하고, 물질을 아래로 보내는 파이프(Downcomers)의 배관은 최 상부로 부터 시작 하여 증류탑을 따라 내려 가는 것이 적당하다.(밑에 있는 Nozzle을 미리 설치하고, 상부에서 내려 오는 배관에 필요한 공간이 미리 만들어져 있다면, 더 효율적인 배관 설비를 할 수 있다)

Tray 공간은 Manhole을 설치할 수 있도록 조금씩 증가시키는 경우도 있다. 증류탑 배관 배열의 어려움을 줄이기 위해 제한된 범위내에서, Tray의 회전이 가능해야 한다. Tray의 공간 변화와 배열은 공정 기술자와 저장용기 설계자에 의해서 규정된다.

- Platform을 통하여 배선이 통과하는 것을 막기 위해 밑에 있는 Nozzle로부터 수직 배선용 공간을 할당한다.
- 증류탑의 최 상부에서 나오는 배선은 다른 배선보다 더 커지는 경향이 있다. Platform과 증류탑 벽에서 약 12 in의 배선을 유지하기 위한 공간을 확보하여 지지를 쉽게하고, Valve와 계측 기기등으로의 접근을 가능하게 한다.
- 배관에 방해를 안주는 접근 경로용(Manhole, 사다리등에) 공간을 할당한다. 특별히 수직배선에 방해가 안되게 한다.
- 증류탑의 최 상부로 부터 아래쪽 기기에 이르는 공간을 확보 한다(유지 보수 등의 목적)
- 응축기와 Reboiler로 갈수 있게 하는 이동 승강 장치용 접근로를 만든다.
- 증류탑에서 밑에 있는 펌프로 이어지는 흡입배선의 아래 수평면에 여유(약 8 ft)를 준다.
- 냉각등에 의한 배선의 방해를 막기 위해 '바닥'에서 밑에 있는 Pump의 흡입구에 이르는 운송 배선에 낮은 점이 나타나지 않게 한다.

증류탑 배관을 배열하는데 필요한 사항

- 증류탑을 설치할 공간을 나타내는 Plot Plan을 작성하고 증류탑과 연결하는 기기들을 상술한다.
- Nozzle 연결 장치, 밑에 있는 펌프의 NPSH, 계측 기기, Line blind, Relief Valve 등에 사용하는 P&ID
- 증류탑의 Data Sheet와 Nozzle의 위치를 나타내는 증류탑의 Nozzle Orientation 및 Elevation 圖
- 열 유동을 계산하는데 사용하는 배관 유체의 온도를 얻기 위한 배관 설계 Sheet
- Tray와 증류탑의 다른 내부 장치의 상술
- 사다리의 제한 높이
- Plant용 운전 장비

Bottom Pump와 증류탑 높이(Bottoms Pump & Elevation of Column)

증류탑의 높이는 근본적으로 Bottom Pump에 의해 요구되는 NPSH에 의해 결정하고 흡입 Line에서 Bottom Pump까지의 접근로가 필요하다. 또한 열 흡수관 Reboiler를 사용하면, 그에 따른 기기에 따라 높이를 결정한다.

Valves

탑에 사용하는 Valve와 Blind는 Nozzle에 직접 연결하는 것이 경제적이다. 다른 Valve와 같이 배열할 때는 배선 자체에서 배수를 할 수 있도록 배열 한다.

Platform은 큰 Valve에 접근할 수 있도록 설치한다. 小型 Valve는 Platform의 한쪽 끝에 설치한다. Control Valve는 작업하는 Platform이나 수평면에서 접근할 수 있도록 설치한다.

Relief Line의 Pressure-Relief Valve는 배선에서 제일 높은 지점에 설치하고, 최 상부의 Platform에서 접근할 수 있어야 한다.

Valve를 증류탑의 Skirt 내에 설치하면 않된다.

계측 기기와 연결 장치

온도 측정 연결 장치는 Tray內의 액체와 통하게 연결하고 압력 측정 연결 장치는 Tray 아래의 증기와 통하게 설치한다. 서로 떨어져 있는 계기 사이의 왕래는 사다리로 한다.

계기와 계기 液面計는 Valve 작동시 육안으로 확인이 가능해야 하고, 유지 보수할 수 있도록 접근이 가능해야 한다. 계기와 다른 측정 기기는 Manhole과 사다리와 Platform으로 접근하는 통로에 방해 되지 않게 설치한다. 필요하다면 온도 측정기와 압력 측정기를 사다리에서 직접 읽을 수 있게 설치한다. 계기를 둥근 Platform의 한쪽끝에 설치하면, Platform의 공간이 좁아진다.

보온

증류탑 외부에서 大氣로 손실되는 열을 줄이기 위해, 보온이 필요하다. 보온은 필요한 열 분포를 유지하는데는 부 적합하고 열 분포를 유지하려는 경우는, Reboiler를 사용한다. 보온에 대해서는 6.8.1절에서 설명한다.

증류탑의 基礎

증류탑의 基礎 Ring은 대부분 철근을 삽입한 콘크리트로 한다. 基礎라고 부르는 이 구조물의 하부는 수평면(Grade) 아래에 위치하고, 평면도 상으로 보면 원형이나 사각형 모양이며, Skirt Ring은 Base 補强 鐵板으로 원형으로 되어 있다. 수평면 위의 투영길이는 약 6 in이다. 이 基礎 Ring은 보통 地上 200~400 mm로 한다.

그림 6.30 & 6.31

6.6 열 교환기용 배관

열 교환기에 대해서는 3.3.5절에서 설명한다.

6.6.1 열 교환기 배관 설계에 필요한 資料

배관연구에서 Nozzle 방향 결정은 매우 중요하다. 열 교환기의 자료는 배관그룹에 의해 미리 주어져야 한다. 열 교환기 배관을 하기전에 다음과 같은 자료가 필요하다.

공정 흐름도(Process Flow Diagram)이런 Sheet는 계획그룹에 의해 각 열 교환기 설계와 함께 편집한다. 배관그룹(전체설계도)은 Nozzle의 방향을 설정할 수 있는 基礎 그림을 제공한다(배관 연구에 의해서), Data Sheet는 열 교환기에 관련되는 성능, Code 조건, 재질, 치수 한계에 대한 자료를 제작자와 고객에게 제공한다.

TEMA Code에 依한 熱 交換器 形式

管型 열 교환기 제작협회(TEMA)에서는 문자 기호를 써서 교환기 형태를 나타내는 방법을 만들었다. 그림 6.23의 열 교환기는 AEW에 따른 기본 명칭을 사용하여 나타낸 것이다. 도표 4-1참조

6.6.2 설계 지침

기술적인 주의사항 :

- 內部壓力에 의해서 Sheet側의 압력이 과대해지는 것을 막기위한 Pressure-Relief Device를 設置해야 한다.
- Shell 보다 대체 비용이 싸고, 쉽게 세척할 수 있는 형태(U형태 제외)로서 Tube에 오염되고 또는 부식성 액체를 투입할 수 있는 Type을 선택하라
- 胴內의 熱 손실을 줄이기 위하여 Tube내에 뜨거운 액체를 넣는다.
- 수증기가 胴을 통해 흐르게 하여 열 교환기내의 액체를 가열하면 몇가지 이익이 있다. 예를 들어, 응축수는 胴측에서 다루는 것이 쉽다. 胴에 보온을 함으로써 작업자를 보호할 수 있고, 응축수의 생산율과 열 손실을 줄일 수 있다.
- 열교환기에 보온이 않되 있으면 경제적인 운전을 하기위해 Tube에 냉매와 냉각액체가 흐르게 한다.
- 두 액체 사이의 열 전달이 있다면, 역유 유동형태(countercurrent flow puttern)가 평행 유동형태(Paralled flow pattern)보다 전체 열 전달율이 더 높으므로 다른 요소에 대해서도 같은 결과를 나타낸다.
- 나선, Helical, U-Tube型 단일 Tube 열교환기(管 내에 수증기 공급)는 응축수가 유출할 수 있도록 설치한다.

Tube Bundle이 움직일 수 있는 型의 Shell과 Tube型 熱交換器

그림 6.32

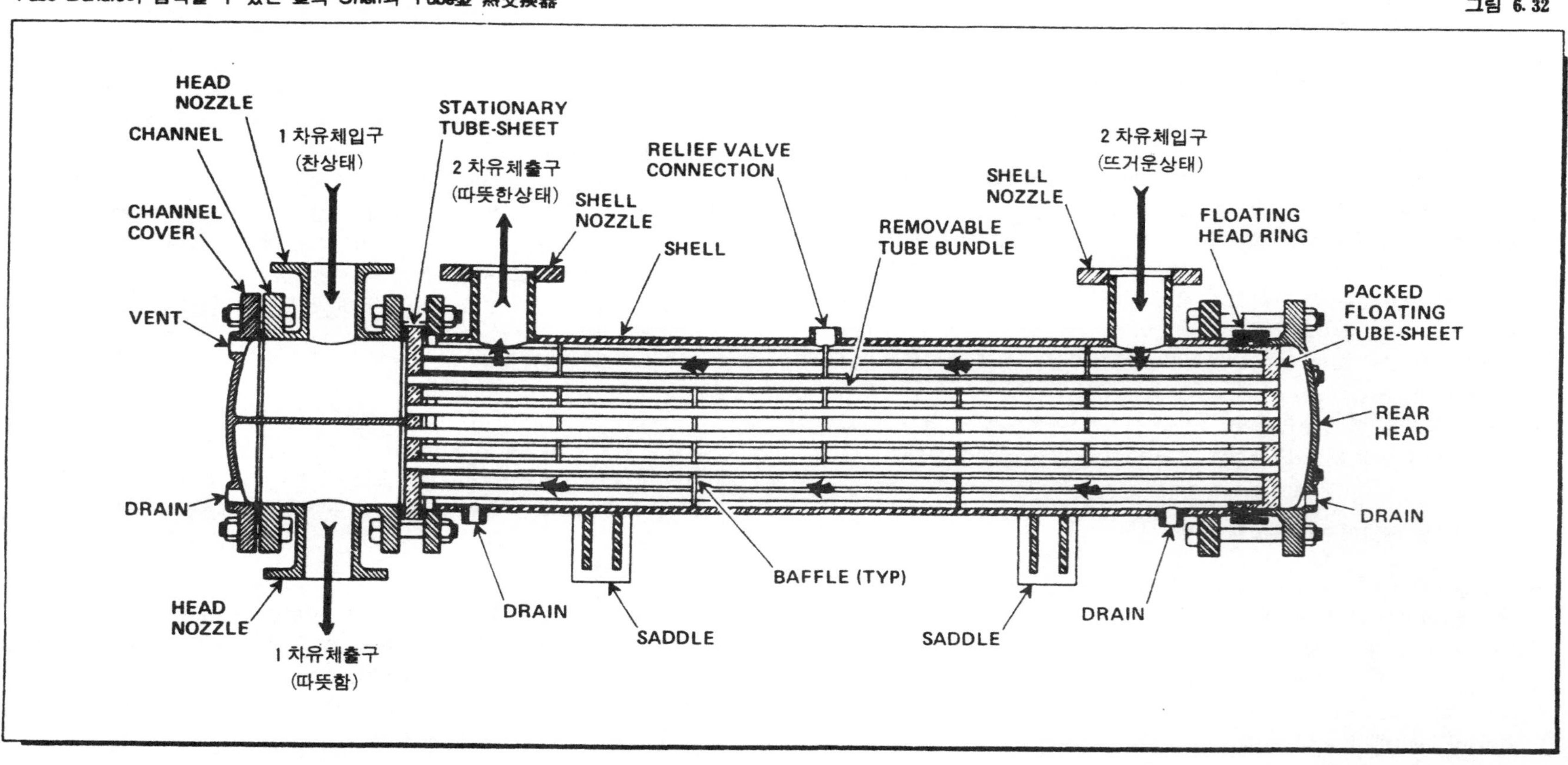

- Nozzle 위치(Nozzle Positions)
- Nozzle 은 최선의 배관 방식과 플랜트 설계에 맞게 배열한다. Nozzle 은 접선 방향식이나 Elbow 형식 또는 중심선에 수직 또는 수평하게 설치한다(처음에는 製作者가 제공) 접선 Elbow 나 Elbow Nozzle 은 값이 비싸지만 배관내에 다단 열 교환기에서는 경제성은 높일 수 있다.
- 하강하는 수증기에서 응축 증기를 만든다.
- 상승하는 수증기에서 증발액체를 만든다.

열 교환기 위치 설정

- 배관이 직접적이고 간단하게 열 교환기를 설치한다. 이러한 사항을 얻고 배관을 최소화 하기 위해 열 교환기를 옆으로 연속으로 배열하거나, 수직으로 배치시켜 역 유동같은 방법을 선택 사용한다.

- 배관이 밑 바닥이나 地上面에서 올라오지 않는 한, 열 교환기의 Nozzle 로 이어지는 배관은 수평면 또는 바닥 높이보다 위에 배열할 수 있게 열 교환기를 올리다.

- 열 교환기는 구조물, 공정 증류탑 : 다른 기기에 설치하는 필수품일 경우도 있다. 기기 유지와 Tube 를 조작할 수 있도록 특별한 배관을 한다.

그림 6. 33 열교환기용 Nozzle의 배관

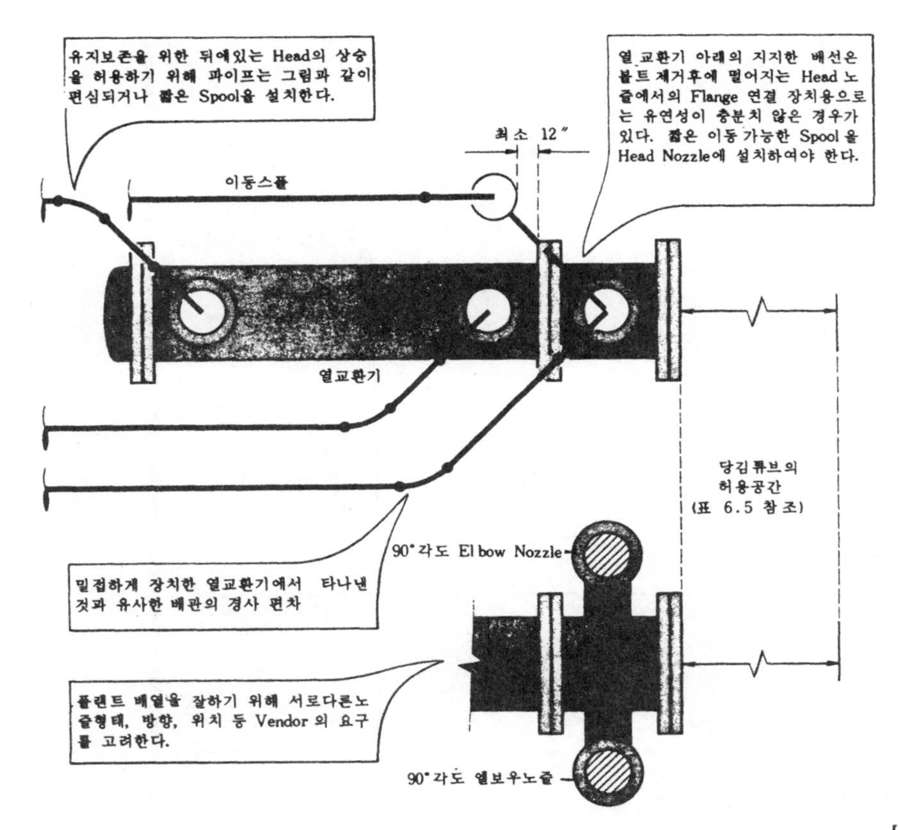

표 6.5 다단 열 교환기용 최소 공간과 여유 공간

(a) 열교환기는 2ft 6in 간격으로 배열. 배관 사이의 운전공간

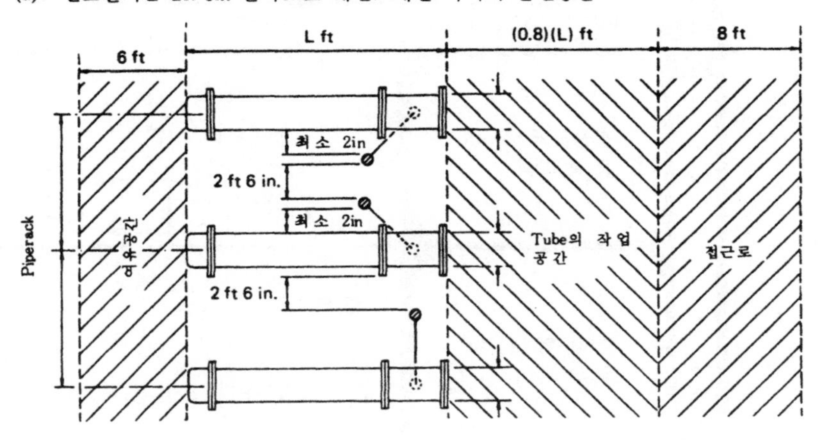

(b) 열교환기는 2ft 0in 간격으로 배열

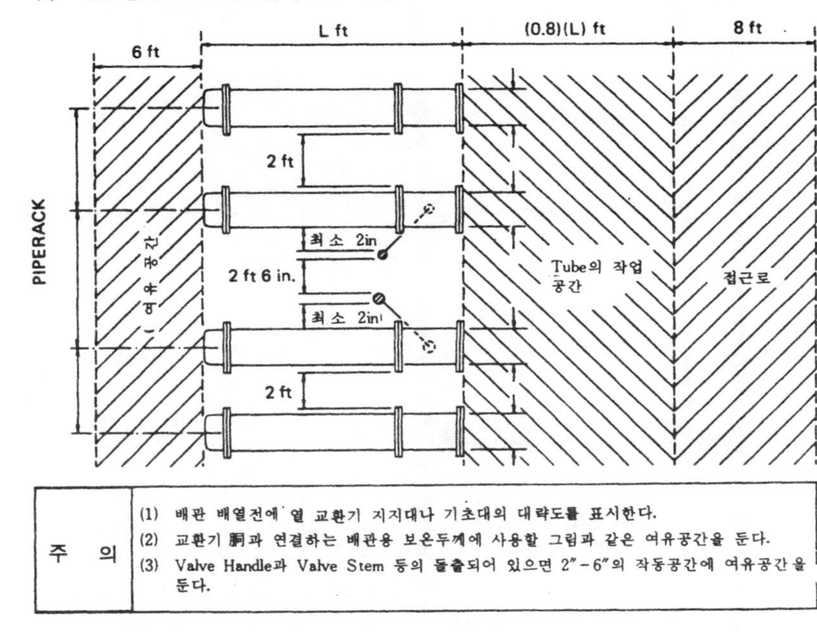

주 의	(1) 배관 배열전에 열 교환기 지지대나 기초대의 대략도를 표시한다. (2) 교환기 胴과 연결하는 배관용 보온두께에 사용할 그림과 같은 여유공간을 둔다. (3) Valve Handle과 Valve Stem 등의 돌출되어 있으면 2"-6"의 작동공간에 여유공간을 둔다.

조작과 유지 조건

- 조작 밸브와 계측기로의 접근로(한쪽이면 충분)
- Davit, 기중기둥의 운전 변경과 내려놓을 수 있는 공간
- 열 교환기로의 접근로 – Tube Bundle 제거, 세척, 열 교환기 볼트 끝단 (Channel Cover 와 Chanell Head), Channel 과 Shell 을 Bolt 로서 조립할 수 있는 공간을 주어라
- Tube Bundle 제거용 접근로는 제작자의 도면에 나타내고 그 길이는 Tube Bundle 길이의 약 $1^1/_2$배이다. 기동 승강기로의 접근과 Tube 를 조절하기 위하여, 열에서 제일 바깥측에 있는 마지막 열 교환기에서부터 15내지 20 ft 의 여유를 둔다.

그림 6.32 & 6.33

表 6.5

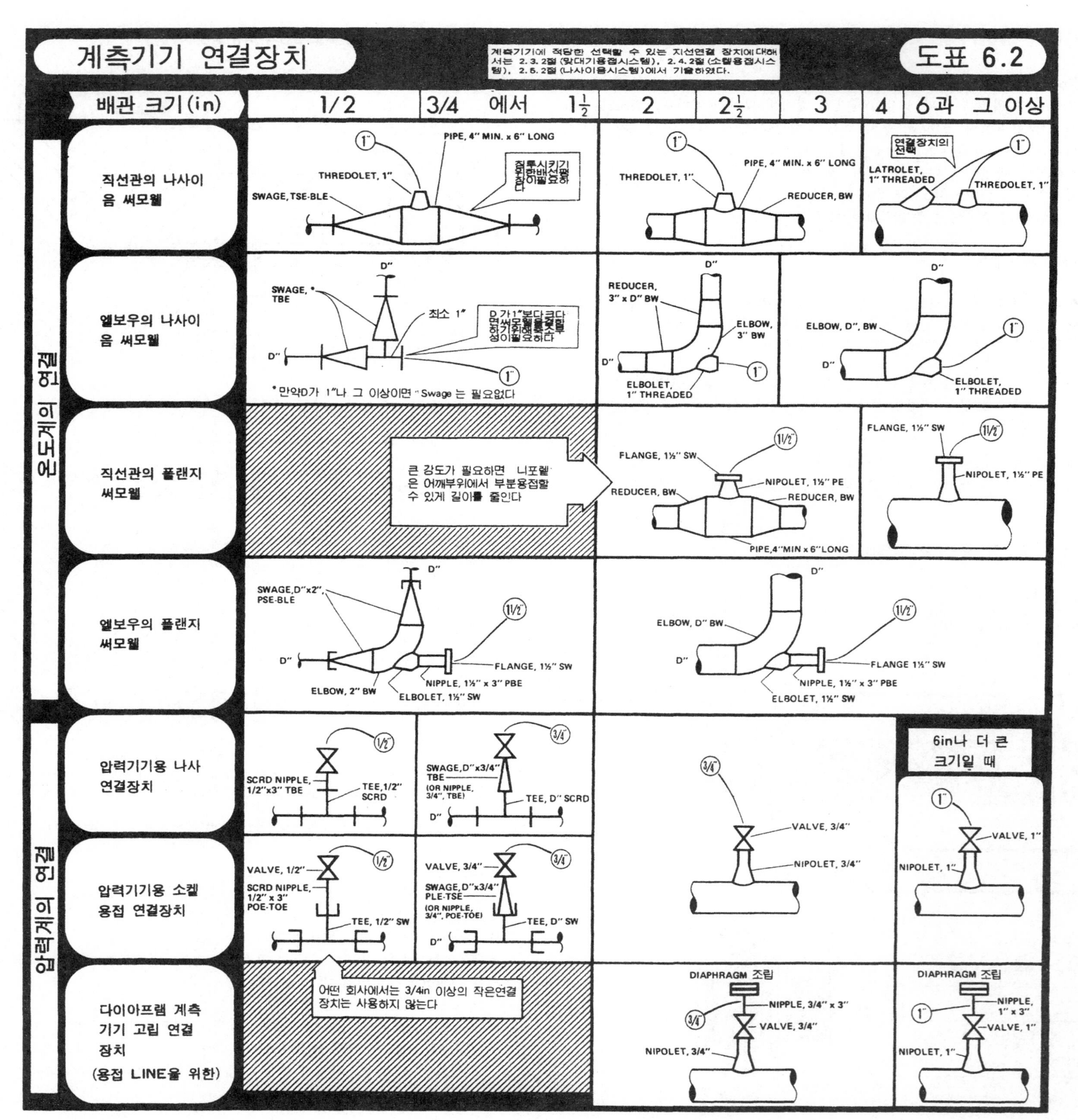

계측기기 연결장치
계측기기에 적당한 선택할 수 있는 지선연결 장치에 대해서는 2.3.2절 (맞대기용접시스템), 2.4.2절 (소켓용접시스템), 2.5.2절 (나사이음시스템)에서 기술하였다.
도표 6.2
배관 크기(in)
1/2
3/4 에서 1½
2
2½
3
4
6과 그 이상
온도계의 연결
직선관의 나사이음 써모웰
PIPE, 4" MIN. x 6" LONG
THREDOLET, 1"
SWAGE, TSE-BLE
1"
REDUCER, BW
연결장치의 선택
LATROLET, 1" THREADED
THREDOLET, 1"
엘보우의 나사이음 써모웰
D"
SWAGE, * TBE
최소 1"
* 만약D가 1"나 그 이상이면 "Swage 는 필요없다
REDUCER, 3" x D" BW
ELBOW, 3" BW
ELBOLET, 1" THREADED
ELBOW, D", BW
직선관의 플랜지 써모웰
큰 강도가 필요하면 니포렡은 어깨부위에서 부분용접할 수 있게 길이를 줄인다
FLANGE, 1½" SW
1½"
NIPOLET, 1½" PE
REDUCER, BW
PIPE,4"MIN x 6"LONG
엘보우의 플랜지 써모웰
SWAGE,D"x2", PSE-BLE
FLANGE, 1½" SW
NIPPLE, 1½" x 3" PBE
ELBOW, 2" BW
ELBOLET, 1½" SW
ELBOW, D" BW
FLANGE 1½" SW
압력계의 연결
압력기기용 나사 연결장치
1/2"
SCRD NIPPLE, 1/2"x3" TBE
TEE,1/2" SCRD
3/4"
SWAGE,D"x3/4" TBE
(OR NIPPLE, 3/4", TBE)
TEE, D" SCRD
VALVE, 3/4"
NIPOLET, 3/4"
6in나 더 큰 크기일 때
VALVE, 1"
NIPOLET, 1"
압력기기용 소켓 용접 연결장치
VALVE, 1/2"
SCRD NIPPLE, 1/2" x 3" POE-TOE
TEE, 1/2" SW
VALVE, 3/4"
SWAGE,D"x3/4" PLE-TSE
(OR NIPPLE, 3/4", POE-TOE)
TEE, D" SW
다이아프램 계측기기 고립 연결 장치 (용접 LINE을 위한)
어떤 회사에서는 3/4in 이상의 작은연결 장치는 사용하지 않는다
DIAPHRAGM 조립
NIPPLE, 3/4" x 3"
VALVE, 3/4"
NIPOLET, 3/4"
NIPPLE, 1" x 3"
VALVE, 1"
NIPOLET, 1"

6.7 계측 기기 연결

6.7.1 배선과 기기에서의 주요 연결

연결은 회사 표준 규격에 의해서 명시되거나 계획 사양서에 의해서 명시한다. 사양서가 없으면 Full-Coupling, Half coupling, Swage Nipple, Thredolet, Nipolet, Elbolet 등을 사용한다. 도표6.2에는 다양한 크기의 배선용으로 사용하는 계측 기기 연결장치에 대한 설명을 하였다. 도표 6.2에 나타낸 Fitting에 대해서는 2장에서 기술하였다. Orifice Flange 연결장치는 6.7.5에서 설명한다.

6.7.2 연결 方法

운송하는 액체를 저장 용기나 파이프로 침투하는 요소에 따라, 계측기기의 연결 方法을 결정한다. 계측 기기의 연결장치는 공정에 방해가 않되면서 계측기기의 공급 또는 대체를 할 수 있도록 설계한다. Plant를 운전하는 동안에 배관시스템의 시운전이나 보수, 수압시험하는 동안, Valve는 보수하기 위하여 계기와 격리한다. 이런 Valve는 도표 6.2에 나타 내었고 'Root'나 'Primary Valve'라고도 한다.

6.7.3 온도계나 압력계의 연결

도표 6.2에 온도계나 압력계를 연결하는 方法을 소개하였다. 도표 6.2의 아래쪽에 Diaphragm Flange組合(Diaphragm isolator)의 연결방법이 있다. 부식, 마멸, 점성이 높은 유체는 탄력성있는 Diaphragm의 한쪽에서 압축하고, 다른 한쪽의 중성유체(Glycol 등)는 압력을 전달한다.

만약 운송유체가 위험하거나 계기와 그것의 Isolating Valve 사이에 삽입한 Bleed Valve와 함께 연결한 지선에서의 압력이 높다면, 공급하기전에 압력을 떨어뜨리고 액체를 배수시킨다. Bleed Valve는 Sample로 사용하거나 비교 계기의 추가 설치용으로 사용한다.

- 계측 기기를 Valve와 함께 운전할 때 읽을 수 있도록 계측기기용 연결장치를 설치한다.
- 액체를 담은 저장 용기에 사용하는 압력 측정 연결 장치는 액체 수면위에 설치하는 것이 좋다.
- 온도 측정 요소는 'Thermowell'이라고 부르는 Metal Housing 내로 삽입한다. 액체와 접촉할 수 있도록 Thermowell을 설치하는데 교류가 증가하는 Elbow에 설치하면 좋다.

써모웰 구조(보기)

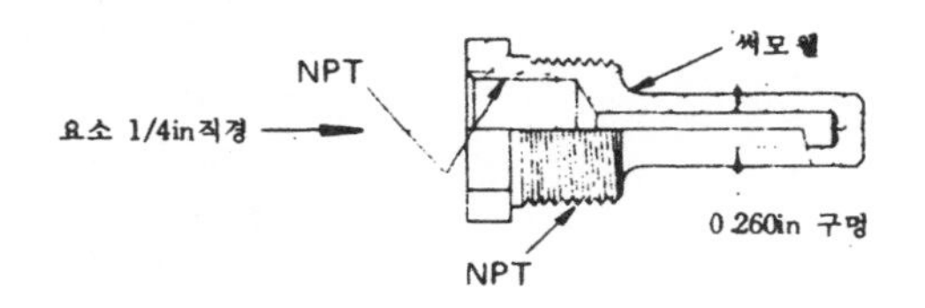

6.7.4 Level Gage의 연결장치(대표적인)

- Nozzle에 어떤 난류에도 방해를 받지 않게 액체 수면제어기(예를 들면 Float型)를 설치한다.
- 저장 용기에는 한개 이상의 液面計와 液面 Switch 등이 필요하다. 계측기기 연결을 하는 수평 저장용기에 'Strong Back'의 설치를 고려한다. ―그림 6.23(c)참조

그림 6.34 액면계 연결장치

(a) Level Gage 組立 (b) 유리관 연결장치

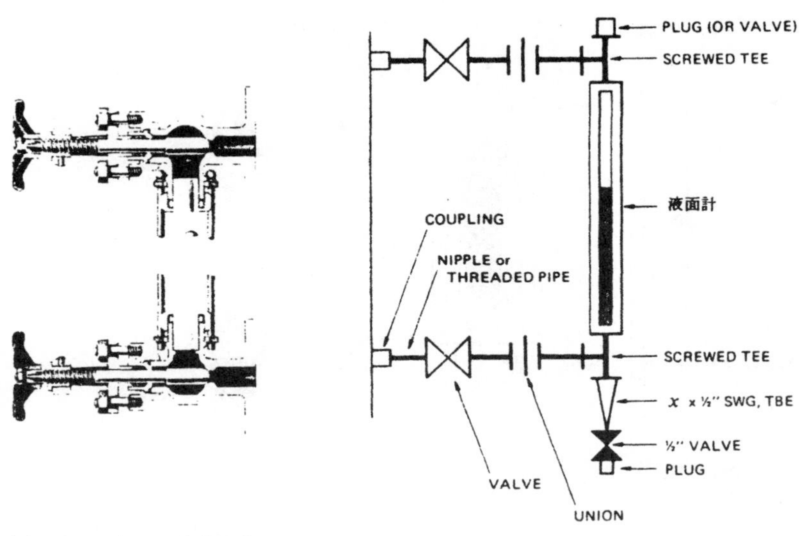

(c) Strongback 연결장치

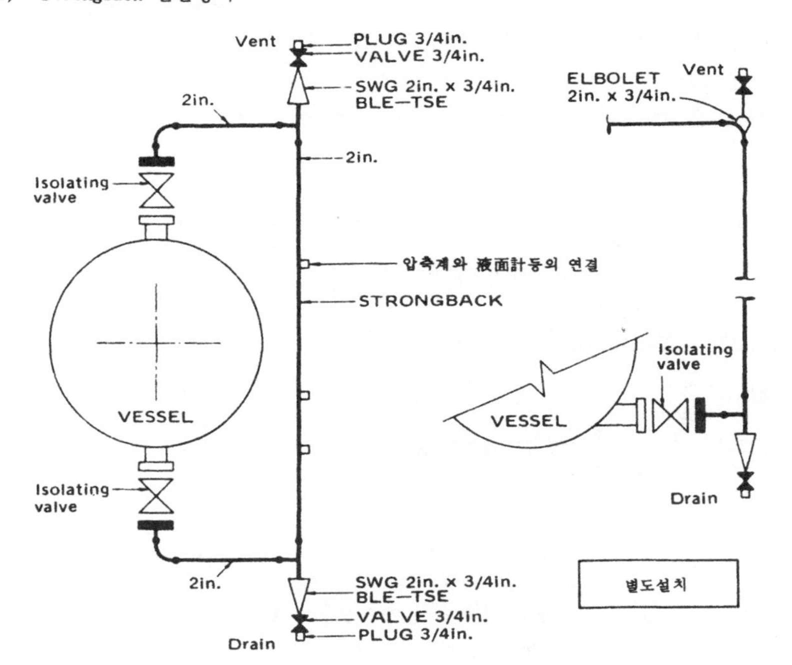

6.7.5 유량 측정— Rotameter와 Orifice 板

Rotameter 연결장치

Rotameter는 Taper지고 교정된 구멍이 있으며 수직으로 배열되어 옆쪽이 넓으며, 양쪽끝에 연결장치가 되어 있으면서 Casing이나 틀에 의해 교정된 투명한 유리 Tube로 이루어진다. 계기는 아래쪽에서 유입하여 위쪽으로 유출되도록 연결한다. Ball이나 Spinner는 Taper진 Tube내의 가스나 액체에 의해 상승하고 유량이 많아질수록 더 높이 상승한다. 그림 6.35에서와 같이 따로 분리한 Valve와 우회로가 있어야 한다.(그림 6.35參照)

그림 6.35 Rotameter

(a) Rotameter의 배관

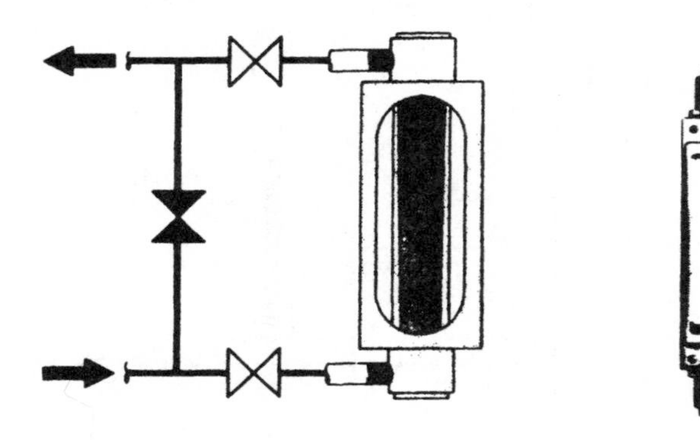

Orifice Plate의 조립

'Orifice Plate'는 중심부에 정밀한 구멍이 뚫린 평판이다. 배선내에 주입된 유동을 방해한다. —그림 6.36참조. Orifice에서 발생하는 저항에 의해 판 양쪽면의 유체에서 압력 차이가 발생함으로서 유량을 측정할 수 있다.

그림 6.36 Orifice plate 조립과 Gage(Manometer)

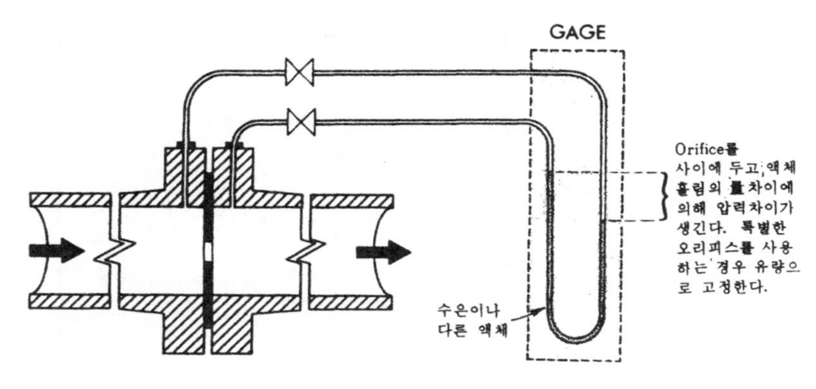

'Orifice Plate'는 '오리피스 나사'를 가진 특별한 Flange 사이에 고정된다. Orifice 나사는 Flange에 Taper진 구멍을 만든 것으로 그림 6.36과 같이 Tube와 압력계가 연결되어 있다. 압력계는 'Manometer'라고 한다. Orifice Plate와 함께 사용하는 Manometer는 제작자에 의해 압력 차이로 교정한다. 계기의 진행관(즉, Orifice Plate관을 설치한 배관)은 Orifice Plate을 교정하는데 사용하는 배관과 일치하여야 한다. 이 두 배관 배열에 변화가 심하면 측정값에 오차가 생긴다.

때로 Orifice 組立에는 枝線 배관을 포함하여 현장에서의 용접이 가능하게 한다. 그렇지 않다면 Orifice 구조의 상류(Up stream)와 하류(down stream)에 직선 파이프의 길이 설정, 용접의 불 필요성, 지선 또는 차단板 등을 마련하여야 한다.

표 6.6에는 믿을만한 측정 값을 얻기위해 액체내의 난류를 줄이기 위한 Orifice Flange(서로 다른 배관 배열용)의 상류와 하류에 요구되는 파이프 길이를 나타내었다.

Flange Tap의 배관(Piping to Flange Taps)

그림 6.37은 Orifice Tap에서의 Tapping과 Valve배열을 나타낸다. 수평관에서 Tap은 가스 배선, 수증기 배선, 증기 배선이 있는 Flange의 상부에 설치한다. 거의 근사적인 수평 위치로 하면 액체 배선에서 증기가 머물러 있는 것을 막을 수 있다. 침전물이 파이프와 Tube에서 몰아질 수 있도록 Tap은 아래 방향으로 돌출하면 안된다.

그림 6.37 Orifice Flange와 계측기 연결장치

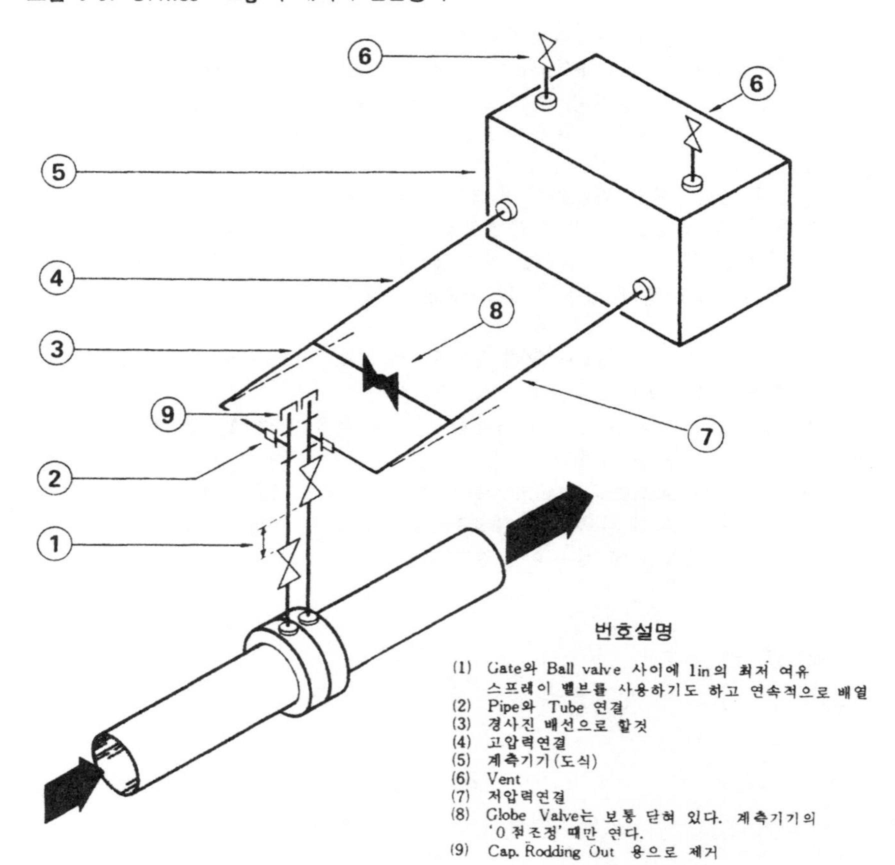

Orifice 로 진행하는 직선파이프(Straight Pipe Run to The Orifice)

Orifice 구조의 배열은 계측기 기술자와 의논하여 설치 한다. 보통 Orifice Plate 구조는 수평 배선에 설치하는 것이 좋다.

계측 기기를 교정할 때 사용하는 유동의 상태는 Orifice 의 상류와 하류의 파이프에 적당히 긴 직선부분을 만들어서 확인한다. 표 6.6에 액체용으로 적당한 파이프 길이가 나와 있다.

표 6.6 Orifice 구조에서의 상류 직선파이프와 하류 직선파이프

배관 배열 번호	U—상류 D—하류	Orifice Plate와 파이프의 내경 비율					
		1 : 8	1 : 4	3 : 8	1 : 2	5 : 8	3 : 4 *
		Orifice의 상류가 하류에 필요한 최소 직선파이프의 길이					
1	U	6	6	6	6¾	10	17
	D	2½	3	3¼	3¾	4	4½
2	U	13	13	13	15	20	31
	D	2½	3	3¼	3¾	4	4½
3	U	6	6	6	7½	10¼	13½
	D	2½	3	3¼	3¾	4	4½
4	U	5	5	5½	6½	8¼	11
	D	2½	3	3¼	3¾	4	4½
5	U	16½	18½	21½	25	32	44
	D	2½	3	3¼	3¾	4	4½
		예비계획에서는 이 줄의 값 사용 —↑					

KEY: 위의 진행 길이에서 사용하는 배관과 배열

번호	배관과 배열	도면
1	Ell 혹은 Tee	U, D, Flow →
2	Two 90° Ells	U, D
3	Reducer 혹은 Increaser	U, D
4	Gate Valve	U, D
5	Globe Valve	U, D

틈새(Clearances)

Orifice 구조 주위에 허용 공간을 남겨야 한다. 그림 6.38은 계측기기, Seal Port 등을 설치하는데 사용하고, 또한 유지보수하는데 필요한 최소 허용 여유를 나타낸다.

그림 6.38 Orifice 구조의 여유 공간

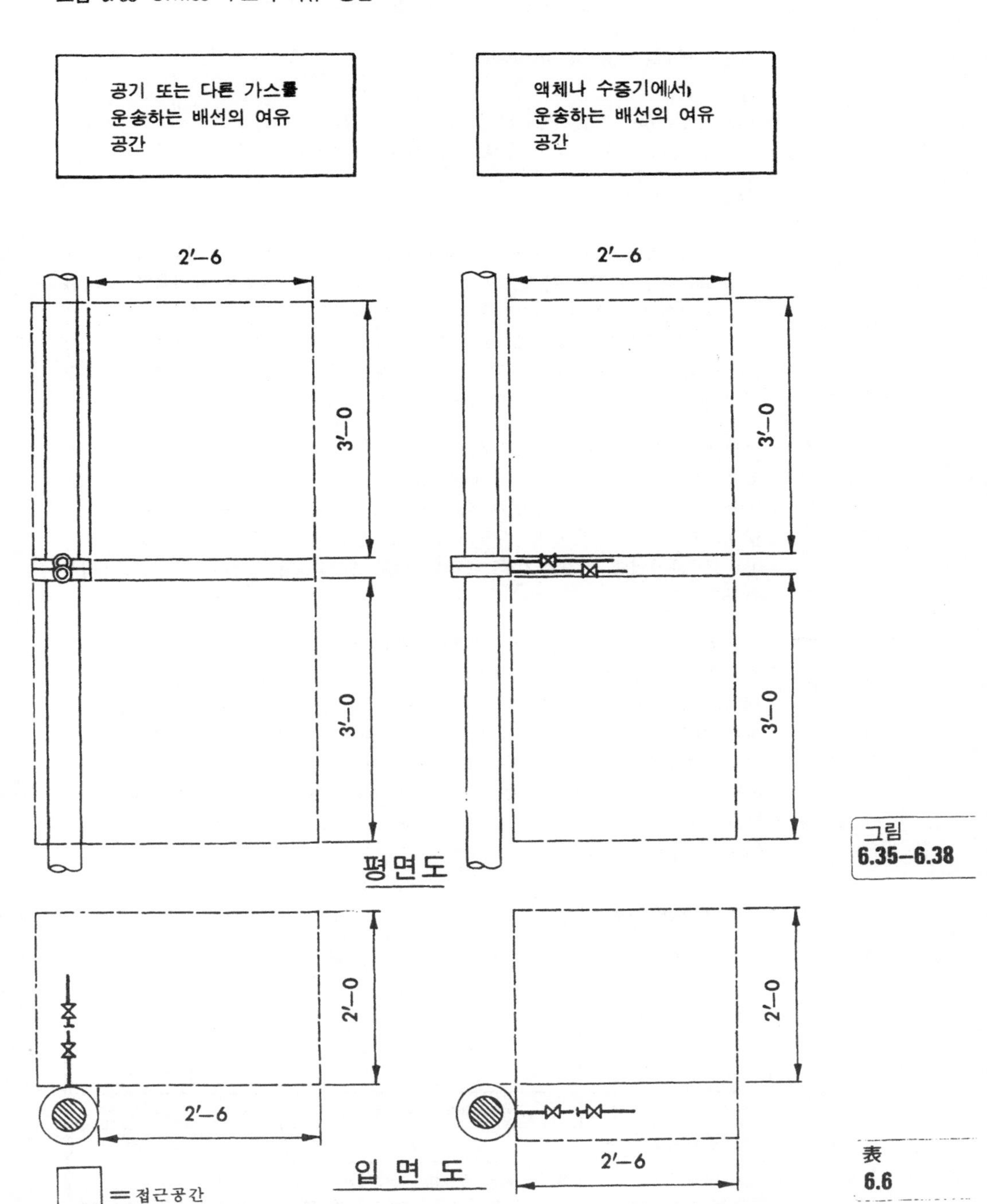

6.8 적당한 온도에서의 공정 물질 유지

Plant 운전을 연속적으로 하기 위해서 액체상태로 물질을 유지하기 위한 요구되는 온도 범위내에서 수송 물질의 분해나, 저온 상태에서 액체의 응결에 의한 손상을 막으면서 공정이나 서어비스, 설비 배선에 흐르는 것이 일정하게 유지되도록 해야 한다. 배관은 보온이나 보온한 배관에 열을 공급하여 따뜻하게 유지할 수 있다. －이러한 것을 'Jacketing' 또는 'Tracing' 이라고 하고 6.2.8절과 6.8.3절에서 설명한다.

6.8.1 保溫(Thermal Insulation)

참　고

'Keeping piping hot–Part I'. Chapman F.S. & Holland F.A. Chemical Engineering reprint. Chemical Engineering, Dec 20

保溫(Insulation)

'보온'은 파이프와 저장용기의 외부를 낮은 열전도율의 물질로 싸는 것을 말하고, 다음과 같은 목적으로 사용한다. (1) 공정 온도를 일정하게 유지하고, 응결을 막기위해 파이프와 저장 용기내의 온도를 유지시킨다. (2) 외부에서 배선이나 저장 용기로의 열 전달량을 최소화 한다. (3) 高溫 배선에서 작업자를 보호한다. 보온재의 선택을 보통 배관 사양서에다 나타낸다. 배관 도면상에 보온을 표시하는 방법은 도표 5.7에 나타내었다.

설치한 보온재는 보통 3부분으로 이루어진다. (1) 보온재료 (2) 보온재료를 보호하는 덮개 (3) 덮개를 조이는 금속. 대부분의 보온 재료는 Elbow 등에 설치할 수 있도록 토막 토막으로 공급된다. 규격형태의 덮개도 使用된다. 또한 보온시공 후에는 페인트 칠을 하고 외부에서 사용할 때는 페인트 하기전에 방수장치를 해준다. [43, 6.14에서 6.16 p]와 [27. 9장] 참조

온도가 주기적으로 변하는(가열과 냉각 기간이 반복됨) 부분의 보온재와 허용가능 최고 배선 온도 : 석면(1200 °F), 규산칼슘(1200 °F), 유리 섬유 [폼그라스](800 °F), 섬유질 실리카(1600 °F) 규조 실리카＋석면(1600 °F), 무기 섬유 (250～1200 °F 형태에 따라 다르다), 무기물(1200 °F), 마그네시아(600 °F), 폴리 우레탄(250 °F), 포말된(Foamed) 플라스틱은 열전도율이 매우 낮으며, －400 °F 정도로 低溫 보온 배선용으로 적당하다. 록코르크(무기 섬유로 접착함)는 －250 °F 까지 적당하고 무기물은 －150 °F 의 온도까지 적당하다.

보온 두께의 결정

Plant 에서의 보온재의 두께는 보통 2 in 를 넘지 않는다. 일반적으로 8 in 크기의 파이프에 필요한 보온두께에 대한 대략의 자료는 다음과 같다.

표 6.7 보온 두께에 대한 안내

적　　용	전형적인 보온재	보온의 두께
高溫배선(500°F까지)	석면, 규산염, 마그네시아	1 ～ 2 inches
低溫배선(－150°F까지)	무기물	1 ～ 3 inches
작업자 보호	석면, 규산염, 마그네시아	1 inch

작업자를 보호하는 보온 시공은 작업하는 위치에서 약 8 ft 높이까지 해야한다. 철망 보호막이 많이 사용된다. 다음의 표는 600 °F 까지는 85% 의 마그네시아를 기준으로 하고, 온도 600 °F 이상은 규산염 칼슘을 기준한 열 보존용 보온 두께를 상세히 나타내었다.

표 6.8 온도에 따른 파이프에 필요한 보온두께

파이프 공칭 크기	1 까지	1½	2	3	4	6	8	10	12	14	16	18	20	24
온도(화씨)	온도범위에 따른 보온두께													
below 400	1	1	1	1	1	1	1½	1½	1½	1½	2	2	2	2
400–549	1	1½	1½	1½	1½	1½	1½	1½	2	2	2	2	2	2
550–699	1½	1½	1½	1½	1½	1½	2	2	2	2	2	2	2	2
700–899	2	2	2	2½	2½	2½	2½	2½	2½	3	3	3	3	3
900–1049	2	2	2½	2½	2½	3	3	3	3	3	3½	3½	3½	3½
1050–1200	2½	2½	3	3	3½	3½	3½	4	4	4	4	4	4	4

6.8.2 Jacketing 과 Tracing

'Keeping piping hot–part II'. Chapman F.S. & Holland F.A. 1966. Chemical Engineering, Jan 17

'Winterizing chemical plants'. House F.F. 1967. Chemical Engineering, Sep 11

'Pipe tracing & insulation'. House F.F. 1968. Chemical Engineering, Jun 17

The common methods by which temperatures are maintained, other than by simple insulation, are jacketing and tracing (with insulation).

단순한 보온 이외에 온도를 일정하게 유지하는 방법은 Jacketing 과 Tracing 이다. (보온과 함께 사용)

Jacketing

일반적으로 'Jacketing'은 파이프, Valve, 저장 용기, Hose 등의 2(이중벽)구조를 말하고 高溫이나 低溫 액체가 벽 사이의 공간을 순환할 수 있게 설계한다. 물, 기름, 수증기, 또는 높은 비등점을 갖는 액체를 포함하는 (Therminol 같은) 냉각 매개물에는 물과 물 혼합물이나 여러가지 알콜등이 있다. Jacketing 한 파이프는 배관 제작자에 의해 만들어지나 전문 제작자로 부터 구입한 시스템이 더 믿을만하다. 인접한 Jacket 과 연결한 上位로 올라가는 배선을 통하여 가열, 또는 냉각 매개물이 흐르는데 전문 제작자에 의해 공장에서 만든 Jumpover 는 현장에서 만든것 보다 연결 장치가 적으며, 한개의 Jumpover 를 만들기 위해서는 9개의 나사 연결 장치가 필요하다. 필요한 Fitting 과 Valve, 기기등에 대한 상세한 설명과 鐵材 Jacket 배관 시스템의 제작 방법에 대해서는 목록 J 77을 보면 알 수 있다. 또 다른 형태의 Jacketing 은 요철(凹凸)금속 Sheet 에 따라 제작한 열 전달 장치인 '평판 코일(Plate Coil)을 가열(또는 냉각)하며, 유체가 흐르는 내부 수로를 만들기 위해 함께 결합된다. 'Jacketing 이란 二重釜'로서 열원인 증기나 물, 전기등이 使用되며 홈통, 또한 전기 Tracing 의 나선 감아 올리기를 말하기도 하고, 파이프, Valve 등, 주위의 유체 Tracing 배선을 말하기도 한다.

그림 6.39 Pipe나 Hose의 Jacket

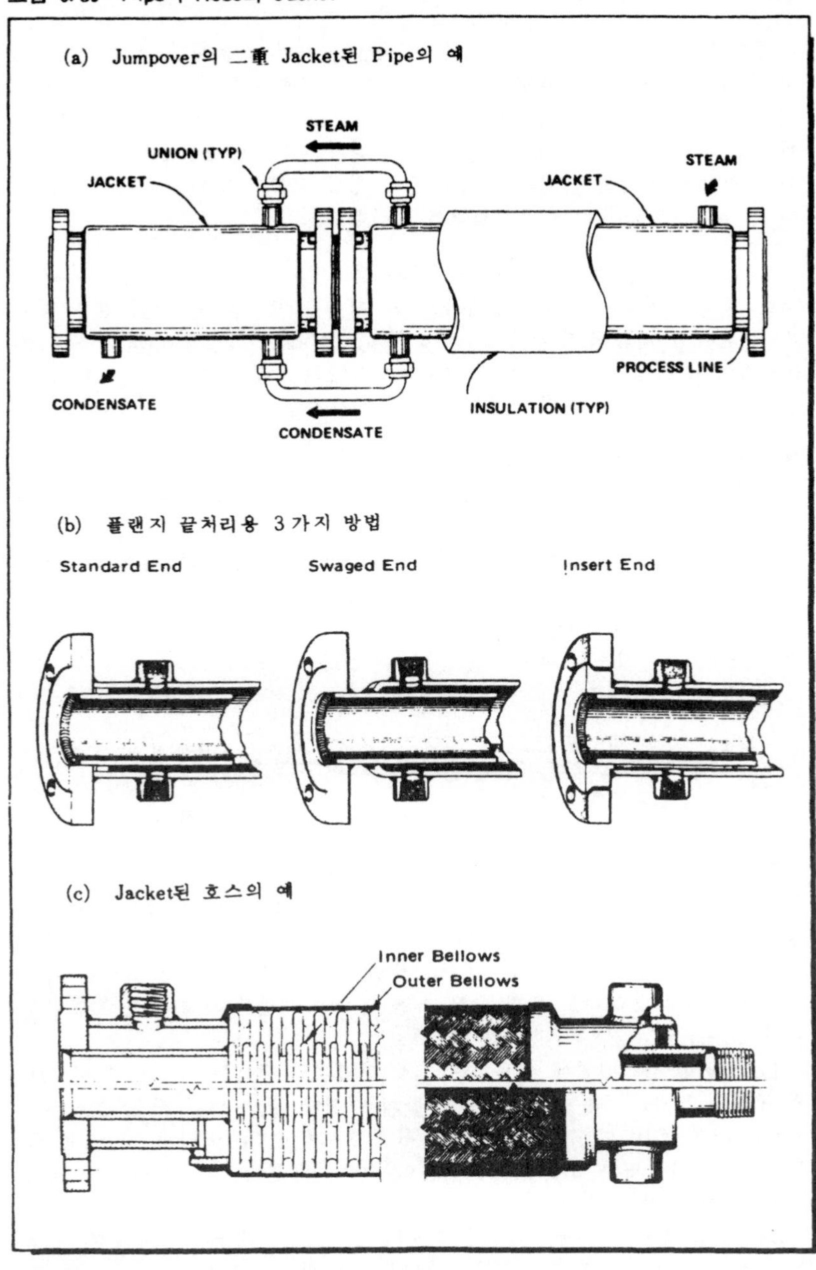

TRACING

외부 "Tracing"은 뜨거운 액체(보통 수증기)로 가득차 있는 Tube 이거나, 따뜻하게 유지하려는 파이프의 외표면과 접촉하는 전기 가열 Cable 이다. Tube나 Cable은 파이프와 평행하게 진행하거나, 파이프 주위를 나선으로 휘감는다. 파이프와 Tracer는 보온재로 많이 使用된다.

현재는 기밀 유지와 세척 문제로 거의 사용하지는 않지만, 선택할 수 있는 방법으로 가열한 배선안에 Tube를 설치하는 방법인 내부 Tracing이 있다. 이런 내부 Trace를 "Gutline"이라 한다. Unitrace는 완전한 생산품이고 Trace 파이프는 알루미늄에서 추출하고 열 전도율이 우수하다. Flange와 Jumpover Fitting을 사용하는 시스템과, 배선의 인접 Tracer 한 부분을 연결하는 Jacket한 시스템용으로 使用하는 것과 유사하다.

전기를 사용하는 Tracing은 정밀한 온도 제어가 가능하고, 수증기 가열보다 온도 범위가 넓다.

Process Line의 熱 供給(수증기用)

공정배선의 온도를 이용가능할 정도로 수증기온도로 올리려면, Jacketing을 하는 것이 좋은 방법이다. Barton과 Williams는 적당하다고 증명된 공정 배선에 직접적으로 수증기 트레이서(Tracer)를 용접하는 값싼 방법에 대해 설명하였다.(4) 이러한 잘 사용하지 않는 방법에서 용접은, 용접 부분을 통하여 전달되는 열량이 얼마인가에 따라 'Tack 용접하거나 연속 용접한다.'

2개의(그 이상은 잘 안씀) Tracer를 평행하게 사용하면, 높은 열전달율을 얻을 수 있다. 때로는 단일 Tracer가 파이프에 나선 모양으로 감겨 있으나, 나선형으로 감는 방식은 중력에 의해 응축수를 배수하는 수직 배선에서는 제한된다. 운송하는 流體의 온도를 정밀하게 유지를 할 때 Tracer를 감는 것은 부적당하나, 위험한 상태없이 증가된 열을 얻을 수 있는 것으로는 적당한 방법이다.

Tracer와 파이프 사이의 열 전달을 개선하기 위해서는, Bending에 의한 접촉을 압축하거나 일정 간격(1~4 ft)을 두고 함께 감거나, 'Thermon' 같은 열 전도체 시멘트를 사용한다. Tracer를 고정하지 않으면 굽힘에 의해 치밀하지는 않지만, Tracer의 확장을 가능하게 한다.
Bend에서 중요한 결점이 발생한다. 만약 이것이 공정배선에 나쁘다면 Tracer와 배선 사이에 얇은 석면 조각을 넣는다.

시스템 선택

시스템에 따라 장단점이 있다. 외부에 Tracer한 배관은 Tracing에 관한 고려없이 계획할 수 있다. 액체 二重釜 시스템은 Flange와 마지막 순간적인 변화는 지연을 초래한다. Jacketing을 하면 열 전달이 좋으며, 점성액체와 응고성 물질을 운송하는 공정 배선용으로의 Jacketing은 중요한 고려 사항이고, 항상 응결이 안되게 유지해야 하는 공급배선과, 이런 목적으로 Tracing이 적당한 장소에서도 역시 중요한 사항이다. 공정 물질을 低温상태로 유지하려면, 냉매 Jacket 시스템만이 실용 가능하다.
공정 배선용 모든 시스템 결정을 하기 전에 열 분포, 초기 비용, 장기간 운전 비용, 유지 비용등을 기준으로 하여 가치 평가한다.

Tracing과 Jacketing을 표시한 설계 도면

도표 5.7의 기초를 사용한 Tracing은 Plant 배관의 평면도와 입면도상에 나타내고, 유사한 Isometric 도면에 나타낸다. 또한 사용하는 모형에도 나타낸다. Tracing은 Plant 설계의 마지막 부분으로 수증기 Subheader는 배관 도면에 직접 나타내거나 Sepia 그림으로 나타내거나 Film Print에 나타낸다.

6 .8 .8.2
그림 6.39
表 6.7 & 6.8

6.8.3 수증기 트레이싱(Steam Tracing)

이 방식은 잉여 수증기를 사용하여 배선을 따뜻하게 유지시키는 방법으로 가장 널리 사용한다. 그림 6.40은 전형적인 Tracing 배열을 나타낸다. 수증기 Tracing 시스템은 수증기 공급 Header에서 분리하여 공급되어 Trace Line으로 구성되고 각 Tracer는 분리된 Trap에 의해 경계지어 진다. 수평 파이프는 일반적으로 단일 Tracer에 의해 밑바닥을 따라 Trace한다. 2개 이상의 Tracer를 사용하는 다단 Trace 파이프는 잘 쓰지 않는다.

트레이싱용 수증기 압력

10~200 PSIG 압력 범위의 수증기를 사용한다. 트레이싱 시스템에서는 압력이 적당할 때 수증기를 사용하고 이용하려는 수증기의 압력이 너무 높으면 제어(Valve)기기로 압력을 줄인다. —6.1.4절 참조. 만약 트레이서가 大氣壓으로 방출하는 트랩과 같이 고정되어 있으면, 낮은 증기 압력을 사용하는 것이 적당하다. 加壓 응축수 시스템을 사용하면 100~125 PSIG의 압력을 갖는 수증기를 사용하는 것이 좋다.

Header의 크기 설정(Sizing Headers)

몇 개의 Tracer에 공급하는 수증기 副Header나 응축의 Header의 크기를 정하는 가장 좋은 방법은, 모든 Tracer의 전체 내부단면적을 계산하는 것이며, 같은 유동면적에 대해서 Header의 크기를 선택한다.

표 6.9 Header 당 Tracer No.

HEADER SIZE(IN.)	TRACER의 규격(IN)				
	1/4	3/8	1/2	3/4	1
	TRACER의 수량				
¾	9	4	2	1	—
1	16	7	4	2	1
1½	36	16	9	4	2
2	64	28	16	7	4

TRACER의 최고 길이와 상승 높이

파이프와 접촉하는 Tracer의 길이는 응축수의 생성물과 배선을 흐르는 유체율로 결정한다. 최고 Tracer 길이를 결정하는 데는 많은 변수가 있다. 대부분의 회사는 자체대로 설계도를 보유하고(경험에 기초한 도면), 보통 파이프와 접촉하는 Tracer의 길이는 250 ft를 초과하지 않는다.

압력 1 PSI의 수증기는 응축수를 약 2.3 ft 정도 상승시킬 수 있으므로 낮은 응력의 증기가 쓰이지만 않으면 수직상승 높이에는 아무 영향을 주지 않는다. 회사에서는 상승 높이를 25~49 PSIG 수증기에 대해서는 6 ft로 제한하고, 500~100 PSIG 용으로는 10 ft로 제한한다. 대략적인 지침으로 ft 단위로 나타내는 한 Tracer가 상승하는 전체 높이는 PSIG로 나타내는 처음 수증기 압력의 $^1/_4$이다. 예를 들어, 처음 증기 압력이 100 PSI이면 Tracer 내의 전체 상승높이는 25 ft로 한정한다. 경사진 Trace의 상승높이는 Tracer의 경사진 부분의 끝사이의 높이에 의해 차이가 난다.

Tracer의 팽창과 고정

팽창은 Elbow에서의 Tracer를 Looping하여 조절하고, 또는 Tracer에 수평팽창 환상선(環狀線)을 만든다. 연직 하방향 팽창 Loop는 설계할 때 Loop 밑에 배수구를 만들지 않거나 Loop를 파괴할 접합관이 없으면 배수를 추운날씨에는 문제발생의 원인이 된다. 어느 방향이라도 견딜 수 있는 팽창양을 조절하기 위해 Tracer를 고정할 필요가 있다. 100 ft나 그 보다 긴 직선 Tracer는 중간지점에서 고정한다.

Loop 없이 과도한 Tracer의 변화가 생기면, 운동에 의해 보온 부분의 파손 유려가 있는 부분에서는 Elbow의 팽창을 제한한다. 이와 같은 경우의 Tracer는 처음의 팽창이 $^1/_2$에서 $^3/_4$ in로 제한되는 Elbow로 부터 10 ft ~25 ft 이상 떨어지지 않게 고정한다. Elbow로부터 고정되는 점까지의 길이는 주위 온도와 수증기 온도에 의해 계산하는 것이 좋다.

예 : 구리 Tube로 Tracer한 시스템

선팽창계수=0.000009 °F 수증기 압력=500PSIG(이때 증기온도=298 °F)

최저주위온도=50 °F, Anchor (고정점)는 Elbow에서 20 ft 떨어짐

이때의 최고 팽창은 (298−50)(0.000009)(20)(12)=0.53 in

그림 6.40에서 나타낸 것과 같이 Elbow용 Tracer를 설치한 小徑 배선에 대해서도 이 정도의 팽창량은 견딜 수 있다.

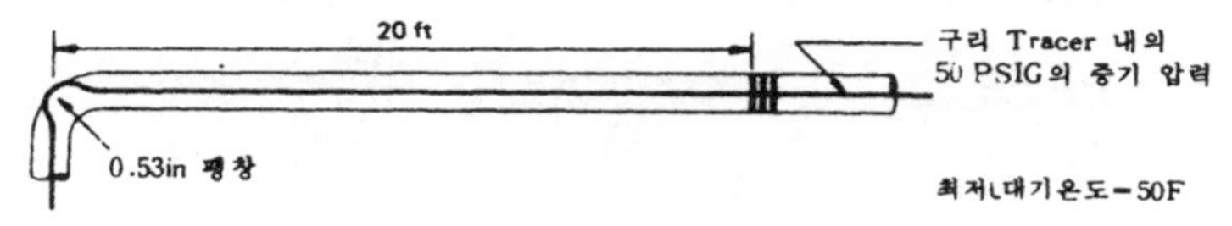

Tracing용 파이프. Tube, Fitting

Tracer는 SCH. 80의 탄소강 파이프 ; 또는 구리 또는 스테인레스강등을 사용한다. 재료의 선택은 수증기 압력과 필요한 Tracer 크기에 따라 선택한다. 실제로 Tracer의 크기는 $^1/_2$ in 또는 $^3/_8$ in 이고 크기가 작으면 과도한 압력강하를 초래하고 또한 너무 크면 현장에서 설치할 때 충분하게 굽힐 수가 없다.

Tracing한 직선배관에 사용하는 가장 경제적인 재료는 $^1/_2$ in 외경(OD)의 구리製 Tube이다. Valve 몸체 등의 주위에 굽힘 양이 적은 경우에는 $^3/_8$ in 외경(OD)의 구리재 Tube를 사용하는게 좋다. 구리제 Tube는 압력을 150PSIG(또는 370 °F)까지 높이는데 사용한다. 표 7−1에 구리제 Tube에 대한 자료가 나와있다.

Header에서 나오는 공급배선은 그때의 압력과 각 회사의 경험에 따라 소켙 용접 또는 나사이음 용접 또는 기밀용접을 한다. 파이프와 Tube 연결體로서는 강철 파이프와 Tracer Tube를 연결할 때 사용한다. 그림 2.4.1 참조

Tracing Valve와 機器

서로 다른 방식을 사용한다. 어떤 회사에서는 Tracer Tube제로 된 Valve가 필요하다. 또 다른 회사는 Valve 몸체를 따라서 또는 반대측의 수직 Loop에 단지 Tube만 지나가게 한다. 이 두 방식 어느 것에나 Flange-Bolt를 해체하기 위한 공간을 좌측에 마련하고, Valve와 기기를 분리할 수 있도록 Union (연결관)을 Tracer 內에 설치한다.

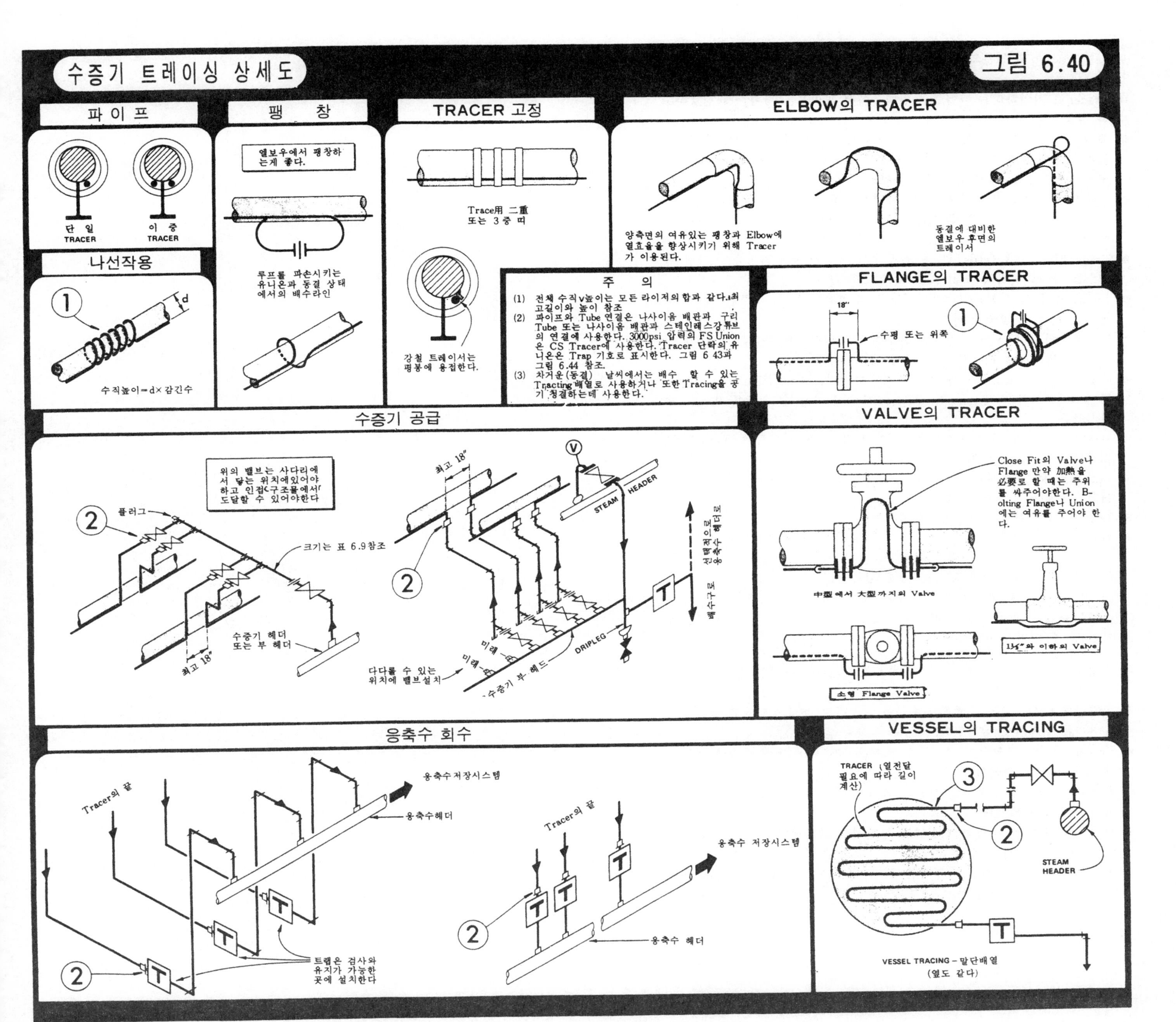

수증기 트레이싱 상세도
그림 6.40
파 이 프
단 일 TRACER
이 중 TRACER
나선작용
수직높이=d× 감긴수
팽 창
엘보우에서 팽창하는게 좋다.
루프를 파손시키는 유니온과 동결 상태에서의 배수라인
TRACER 고정
Trace用 二重 또는 3중 띠
강철 트레이서는 평봉에 용접한다.
ELBOW의 TRACER
양측면의 여유있는 팽창과 Elbow에 열효율을 향상시키기 위해 Tracer가 이용된다.
동결에 대비한 엘보우 후면의 트레이서
주 의
(1) 전체 수직v높이는 모든 라이저의 합과 같다.1최고길이와 높이 참조
(2) 파이프와 Tube 연결은 나사이음 배관과 구리 Tube 또는 나사이음 배관과 스테인레스강튜브의 연결에 사용한다. 3000psi 압력의 FS Union은 CS Tracer에 사용한다. Tracer 단락의 유니온은 Trap 기호로 표시한다. 그림 6 43과 그림 6.44 참조.
(3) 차거운(동결) 날씨에서는 배수 할 수 있는 Tracting 배열로 사용하거나 또한 Tracing을 공기 청결하는데 사용한다.
FLANGE의 TRACER
18"
수평 또는 위쪽
수증기 공급
위의 밸브는 사다리에서 닿는 위치에있어야하고 인접구조물에서도달할 수 있어야한다
플러그
크기는 표 6.9참조
수증기 헤더 또는 부 헤더
최고 18"
최고 18"
STEAM HEADER
DRIPLEG
다다를 수 있는 위치에 밸브설치
수증기 부 헤드
배수구로
VALVE의 TRACER
Close Fit의 Valve나 Flange 만약 加熱을 必要로 할 때는 주위를 싸주어야한다. Bolting Flange나 Union에는 여유를 주어야 한다.
中型에서 大型까지의 Valve
1½"와 이하의 Valve
소형 Flange Valve
응축수 회수
Tracer의 끝
응축수저장시스템
응축수헤더
트랩은 검사와 유지가 가능한 곳에 설치한다
Tracer의 끝
응축수 저장시스템
응축수 헤더
VESSEL의 TRACING
TRACER (열전달 필요에 따라 길이 계산)
STEAM HEADER
VESSEL TRACING - 말단배열 (열도 같다)

- Tracer는 가열하려는 파이프의 반대쪽에서 파이프와 평행하게 진행하도록 설치한다.
- 공정물질의 온도 한계가 Tracer에 공급하는 수증기에 의해서 무리하게 되지 않는가를 확인한다. 연결된 부분에서 중요한 결점이 생긴다. 6.8.2절의 '공정 Line에서의 열 취득' 참조
- 수증기의 압력을 직접 사용하거나 줄여서 사용할 수 있는 적당한 공급 수증기가 없다면, 수증기 副Header가 가장 편리한 수원지로부터 이어지게 설치한다.
- Tracer배관은 副Header의 최 상부에서 공급하여 중력작용에 의해 응축수를 Trap과 응축수 Header로 흐르게 한다.
- Tracer는 분리(지선)하지 않고, 다시 재 결합 시킨다. 수증기에서는 짧은 Limb가 그 역할을 한다.
- 되도록이면 Elbow에서 팽창을 흡수하도록 한다. 배선에서 Loop를 사용하면, 폐쇄시에 배수할 수 있도록 배열한다.
- Flange 주위의 Loop는 水平으로 설치하거나, 또는 Flange를 지나도록 하고 유지하고 Tracer가 Flange에서 분리될 수 있도록 Union을 설치한다.
- 가능하다면 그룹(전체 설계도)에 위치가 Trap을 표시하여 Trap을 地面이나, Platform 位置에 설치한다.
- Tracer의 低 地點에는 Trap을 설치하지 않으나(증기배선에서 실제적이다) Tracer의 끝에는 설치한다.
- Trap 하나에 한개의 Tracer만 설치한다.
- 열을 증가시키려면 :
  (1) 한개 이상의 Tracer를 사용한다.
  (2) 배선 주위에 나선으로 Tracer를 감는다.
  (3) Tracer와 배선에 열 전달이 좋은 세멘트를 사용한다.
  (4) Tracer는 용접을 해서 배선과 연결한다. -6.8.2절의 '공정 Line에서의 열 취득'에서 설명하였다.

- 중력유동에 의해 배수를 할 수 있는 수직배선에 사용하는 Tracer는 나선型으로 감은 상태로 둔다.
- 동결상태에서는 낮은 지점에 배수관을 설치하고 조업 중단동안 응축수가 모아지는 위치에도 설치한다.
- Tracer 배선이 결합되고 분리되는 保溫部分에 Tracer의 팽창을 조절할 수 있는 구멍을 뚫는다.
- 배선과 Tracer를 감싼 保溫材의 두께를 표시하고 Flange에 보온이 필요한 부분을 나타낸다.
- 작업자를 보호할 수 있는 보온材의 한계치를 나타낸다. -6.8.1절의 '保溫 두께의 결정'과 도표 5.7 참조
- 응고성 물질을 운송하는 가열배관 Line에서는 Elbow나 Flange 연결 대신에, 일정한 간격을 두고 십자이음을 하여 가열을 하지 않을 때 세척할 수 있도록 한다.

6.9 수증기 및 저압난방 매체

6.9.1 수증기에 대한 설명

수증기의 형성

수증기는 난방, 기계구동, 세척, 진공 등을 얻는데 필요한 손 쉬운 매체이다. 물이 끓는 점에 도달한 후에도 더욱 열을 가하면, 물은 증기상태로 바뀐다. 물이 끓는 동안 온도는 증가하지 않지만, 물이 증발하기 때문에 열이 소비된다. 이와같이 온도로 나타나지는 않지만, 증가한 열 에너지를 증발의 잠열이라 하며 압력에 따라 변한다.

대기압(14.5 Psia)에서 끓고 있는 1파운드(Ib)의 물은 970.3 BTU의 열량을 흡수한다. 만약 수증기가 물로 응축된다면 여전히 끓는점 온도이며 압력은 14.7 Psia에서 수증기는 증발시 흡수된 열 전달량 만큼 방출한다.

'포화증기'는 아래 도표에 나타나 있듯이 습증기 및 건증기를 포함하고 있다. 그리고 수증기표는 습증기 및 건증기에 적용하는 압력 및 온도 Data를 나타내고 있다. 공기, 탄소, 이산화 탄소등의 소량의 성분이 산업용 보일러의 수증기에 포함되어 있다.

도표 6.3 수증기/물/얼음

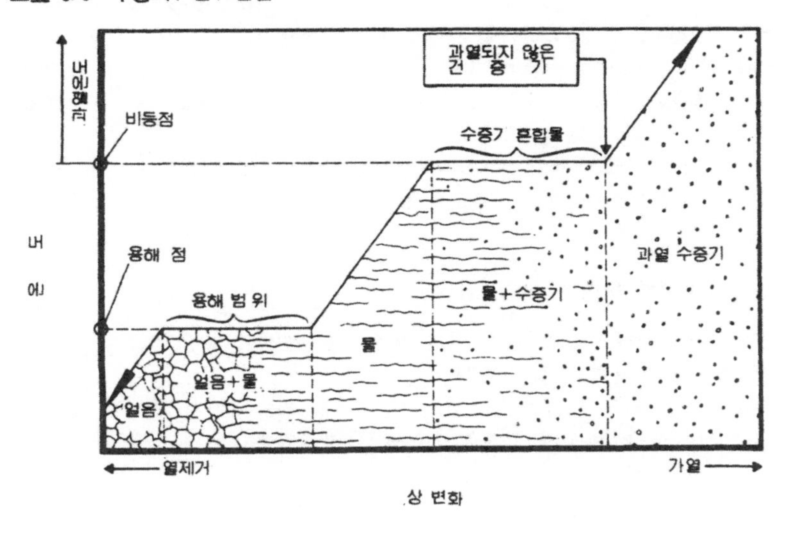

건 증기(Dry Steam)

건증기는 오직 수증기로만 이루어진 가스이며, 같은 온도의 물과 접촉하였을 때 건증기는 응축하지도 않고 또한 수증기가 증가하지도 않는다. 액체와 증기가 평형상태가 된다.

습 증기(Wet Steam)

습증기는 수증기와 같은 온도에 있는 물입자에 매달려 있는 수증기로 구성되어 있다. 난방능력은 혼합물(물입자는 증기화에 따른 잠열을 포함하지 않음)에서의 건증기의 백분율에 따라 변한다. 그리고 건증기와 같은 온도에서 습증기도 평형을 이룬다.

과열 증기(Superheated Steam)

열을 건증기에 가하면 증기의 온도가 상승하고 온도의 증가한 정도와 과열정도가 같다. 그러므로 과열 증기는 장열이며, 온도계로 측정한다.

압력변화 효과(Effect of Pressure Change)

보통 대기압(14.7 Psia)하에서 순수한 물은 212°F에서 끓는다. 그리고 물에 작용하는 압력의 감소는 끓는 점을 낮추며 압력의 증가는 끓는점을 상승시킨다. 수증기표는 각 압력에 대한 끓는점을 나타낸다.

플레쉬 수증기(Flash Steam)

물이 300 Psia (417°F)에서 끓는다고 할 때, 열원을 제거하면 끓는 것이 중단된다. 여기서 만약 압력이 감소하면, (즉 300 Psi에서 250 Psia로) 물은 온도가 401°F (250 Psia)로 떨어질 때까지 다른 외부의 열 공급이 없이 끓는다. 이와같이 압력감소에 따른 자발적인 끓음(비등)을 Flashing이라 하고, 그에 따라 발생하는 수증기를 플레쉬 수증기가 한다.

응축수—응축수의 정의 및 발생과정

배관에서 수증기는 파이프와 주위에 열을 전달하며, 점차적으로 습증기화 한다(온도변화 없음). 증기에서 액체로의 부분적인 상변하는 배관에서 온도 저하없이 열을 방출하여 그때 생성하는 물이 응축수이다. 만약 배관이 최초의 과열 증기를 포함하고 있다면, 파이프와 주위에 대한 열 손실은 수증기 온도가 배관압력에서의 건증기 온도로 떨어질 때까지 계속되며 수증기의 감열을 잃는다.

수증기에 있는 공기

건증기와 습증기를 포함한 상태에서 각 압력은 각 대응온도를 갖는다. 각 압력에 따른 수증기의 온도는 수증기 표에 나와있다. 만약 공기가 수증기와 혼합되면, 온도와 압력과의 관계는 지속되지 않으며, 공기가 많아 질수록 혼합물을 같은 압력에서의 수증기 온도 이하로 감소한다. 일단 혼합되면 응축없이 수증기에서 공기를 분해해낼 수 없다.

6.9.2 저압 난방 매개체

Dowtherm과 Therminol 같은 특수한 액체매체는 물처럼 끓으나 수증기와 똑 같은 증기온도를 저압에서 얻는다. 이와같은 액체를 사용한 난방 시스템은 수증기 시스템보다 복잡하며, 효율적인 장치를 설계하기 위하여 난방 시스템에 대한 경험이 필요하다. 그러나 수증기 난방 시스템의 기본원리를 적용한다.

6.10 수증기 배관(Steam Piping)

6.10.1 수증기 배관에서의 공기제거

수증기 배관에 있는 공기는 주어진 압력에서 온도를 감소시키며, 계산한 난방율과 일치하지 않는다. 6.9.1절의 '수증기에 있는 공기'를 참조. 수증기 배관에서 공기를 제거하기 위한 가장 경제적인 방법은 자동적으로 온도감지 Trap을 통과시키거나, 수증기 공급원으로부터 멀리 떨어진 곳에 위치한 온도감지 환기장치를 가진 Trap을 통과시키는 것이다. 완전한 배관 온도에 이르렀을때, 통기공 밸브가 완전히 닫힌다. 6.10.7절 '온도감지(자동온도 조절장치) Trap'을 참조

通氣孔을 먼 곳에 두는 이유

사용시 저온 배관은 공기로 충만된다. 공기를 원천지로부터 분출하는 수증기는 이 공기와 혼합되며, 공기를 각 배관의 멀리 떨어진 선단까지 밀어내는 Piston 역할을 한다.

6.10.2 응축수 제거 이유

약간 또는 전혀 과열하지 않은 수증기를 사용하는 난방 시스템에서 수증기는 응축되어 '응축수'라 불리우는 물이 되며, 이러한 응축수는 당연히 증류수이다. 응축수를 더운 물의 근원으로서 부분적으로 사용하든지, 또는 배출구로 보낼때, 만약 기름에 의해 오염되지 않았다면, 그리고 그와같은 재급수가 비경제적이지 않다면, 버리기에 아까우면, 보일러 급수로 재 사용하기 위해 응축수를 되돌려 보낸다.

응축수를 제거하지 않을 경우 :

- 작은 물방울을 포함한 수증기는 열 전달표면 위에 짙은 수막을 형성하여 난방을 방해한다.
- 응축수는 빠르게 움직이는 수증기(120 ft /sec. 또는 그 이상)에 의해 씻겨내려가며 물이 빠른 속도로 인한 충격등을 침식 또는 손상을 입힌다.

그림 6.41 사용 응축수

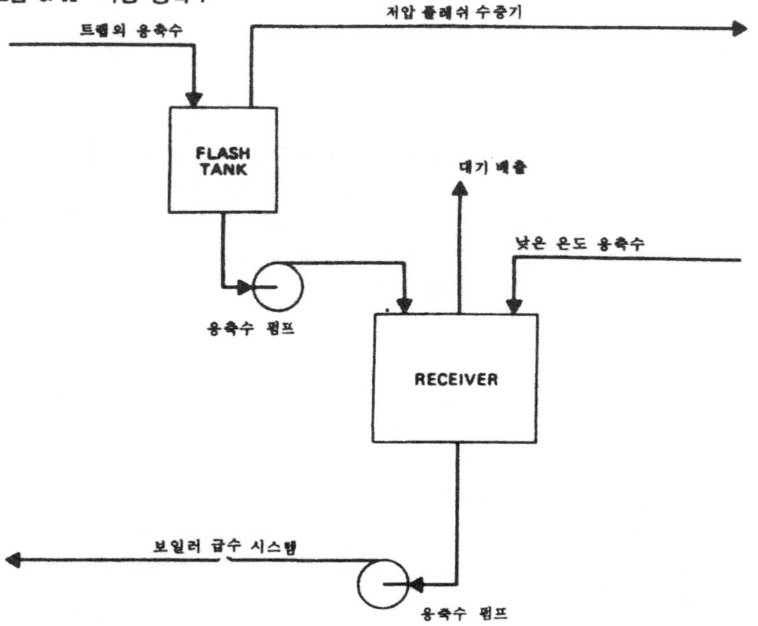

트랩의 응축수
저압 플래쉬 수증기
FLASH TANK
대기 배출
낮은 온도 응축수
응축수 펌프
RECEIVER
보일러 급수 시스템
응축수 펌프

초기의 수증기 시스템은 난방 코일등을 통과한 후에 수증기가 공기중으로 방출되면서 많은 양의 수증기와 응축수가 낭비된다. 후에 이와 같은 낭비성 때문에 응축된 수증기만을 제거하며, 보일러에 재 공급해주는 폐쇄 수증기 배관을 만들어야 한다. 대기압으로의 응축수 제거는 Trap(특수 자동배출 밸부)에 의해 영향을 받는다. -6.10.7절 참조

이것은 보다 유용한 시스템이지만 여전히 Flash 수증기를 낭비한다. Trap을 통과할 때 가압한 응축수는 끓으며, 저압 수증기를 발생시킨다. 현대의 시스템에서는 이 Flash 수증기를 사용하며, 나머지 응축수는 보일러로 되돌려 보낸다.

6.10.3 증기 분리기 또는 건조기

증기 분리기는 장치에, 보다 더 건조한 수증기를 공급해 주려는 배선에 있는 장치이다. 분리기는 그림 2.6.7에 나타나있다. 분리기는 하나 이상의 조절장치를 사용하여 파이프에 있는 응축수에서 뽑아낸 수증기에 포함되어 있는 작은 물방울을 분리시킨다(장치는 큰 압력강하를 일으킨다). 이렇게 모아진 액체는 Trap으로 보낸다.

6.10.4 수증기 Line 와 응축수 Line의 경사 및 배출

수증기 및 응축수 Line의 경사는 6.2.6절의 'Pocketing'을 방지하고 배출을 돕기위한 경사 Line에서 이미 설명하였다.

증기 분리기(때때로 '건조기'라 부름, 6.10.3절 참조)나 보다 값비싼 Dripleg (Drip Pocket, 아래 참조)를 사용하여 수증기 Line에서 응축수를 모은다.

이 응축수는 수증기 배선 보다 압력이 낮은 Header나 응축수 회수 라인으로 주기적인 배출을 하는 Trap을 통과한다.

6.10.5 응축수를 모으는 Dripleg

응축수를 효율적으로 모을 수 없기 때문에 큰 배선에 작은 Dripleg나 배수 Pocket을 설치하는 것이 좋다.

Dripleg는 파이프와 이음쇠로 만든다. 그림 6.42는 세가지 구조를 나타내며, 표 6-10은 Dripleg와 Valve 크기를 나타내었다.

그림 6.42 드립레그 구조

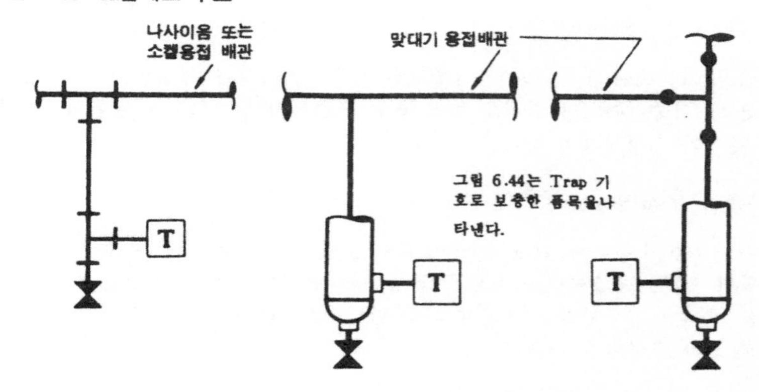

표 6.10 드립레그와 밸브의 크기

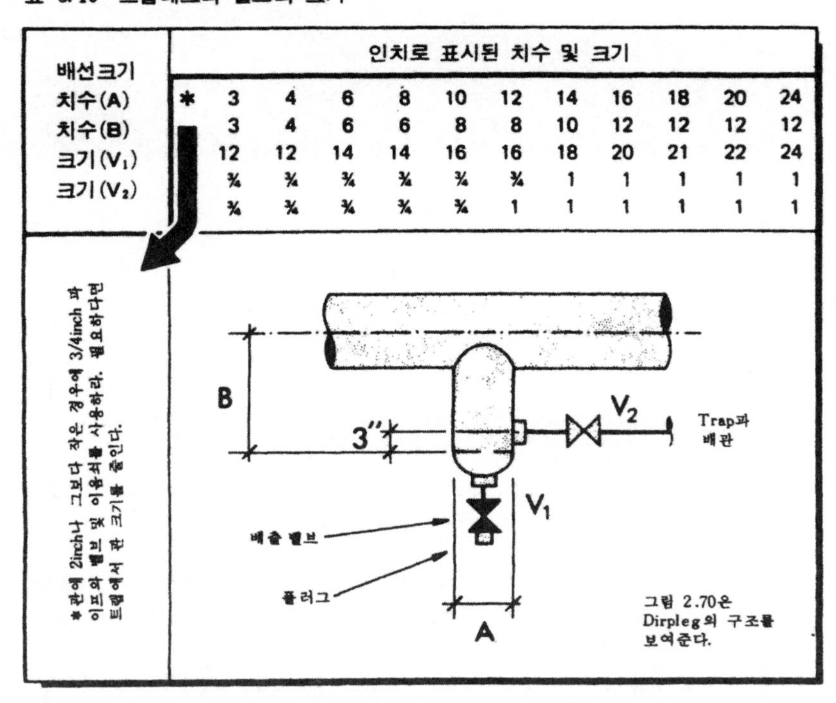

	인치로 표시된 치수 및 크기										
배선크기	* 3	4	6	8	10	12	14	16	18	20	24
치수(A)	3	4	6	6	8	8	10	12	12	12	12
치수(B)	12	12	14	14	16	16	18	20	21	22	24
크기(V_1)	¾	¾	¾	¾	¾	¾	1	1	1	1	1
크기(V_2)	¾	¾	¾	¾	¾	1	1	1	1	1	1

* 관에 2inch나 그보다 작은 경우에 3/4inch 파이프와 밸브 및 이음쇠를 사용하라. 필요하다면 트랩에서 관 크기를 줄인다.

그림 2.70은 Dirpleg의 구조를 보여준다.

6.10.6 응축물을 회수 시스템으로 보내는 증기압력

응축수를 회수하는 거의 모든 증기·열 시스템에서 응축된 응축수는 응축 Header (Condensate Header)로 끌어 올려져야 하고, 직접적이든 Receiver를 통해서든지 보일러 급수탱크로 보내 져야 한다. Trap 후미의 PSI 단위의 증기압력은 응축수를 수직으로 2 feet 가량 밀어 올릴 수 있다. 응축수를 밀어 올릴 수 있는 압력은 파이프, Valve, Fitting, Trap 등에서의 압력강하 만큼 모자라는 증기와 응축관 사이의 압력차이다.

6.10.7 증기 Trap (Steam Trap)

Trap을 증기배선에 연결하는 목적은 증기배선에서 응축수나 공기를 제거함으로해서 시스템이나 機器를 보다 빨리 가열하기 위해서이다. 첫째로 증기 Trap은 증기의 배출 없이 증기배선에서 응축수를 배출시킬 수 있는 Valve 장치이다. 두번째로 정지시에 관은 공기로 가득 채워져 있어서 증기에 의해 분출되어야 하므로, 시동시에 공기를 배출시킨다. 세번째로 연속적인 동작으로 보일러 급수에서 생긴 작은 공기와 응축할 수 없는 개수를 방출시킨다.

어떤 Trap은 오물이나 물 때로 인하여, 열린 상태에서 Trap이 막혀 작동이 않되는 것을 방지하기 위해, 여과기를 장착시킨 것도 있다. 또한 응축수의 역 흐름을 막기 위한 안전 장치로도 使用된다. 상세한 것은 제조자의 Catalog을 참조하라.

대부분의 설계에서, Trap을 최소의 유지로 작동할 수 있는 성능과 Trap의 설치비용에 기초하여 선택한다. 물품 명세서를 줄이고 유지를 돕기위해 공장설비에 최소의 Trap을 설치해야 한다. Trap의 형태나 크기를 선택하기 전에 제조업자들의 견본을 참고해야 한다.

증기 Trap은 온도, 압력, 밀도의 변화에 따라 작동할 수 있도록 설계해야 한다.

온도 감지(온도 조절장치의) Trap

두가지의 형태가 있는데 한 형태는 액체가 가득찬 Bellow에 의해 작동하며, 다른 형태는 Bimetal을 사용한다. 이 Trap들은 액체가 식거나 시동중에 배출 공기와 접촉하여 응축수가 생길 때 열린다. 증기는 폐쇄 Valve와 직접 접촉하고 있으며, 이들이 작동하기 위해서는 시간 지연이 있다. 그러므로 응축수가 식을 수 있도록 시간지연을 준 큰 Dripleg는 조작을 좋게 한다. 이 Trap들이 온도 차이에 의해서 작동하므로 6 PSIG 보다 큰 증기압력에서 작동시켜야 경제적이다. 그러나 Bellow의 온도정도와 수격작용에 의한 손상의 가능성을 고려해야 한다. 6.10.8절을 참조하라.

충격 Trap (Impulse Trap)

열 동력을 사용하는 통제된판이라고 불리며 Trap의 하류압력이 상류 압력보다 약 반 정도 낮은 곳에 사용하는 것이 가장 좋다. 수격작용은 조작에 영향을 미치지 못하며, 증기압력이 8 PSIG 이상인 관에 사용하는 것이 적합하다.

밀도감지 Trap (Density-Sensitive Traps)

부구(Float)와 물받이(Bucket)으로 구성되어 있다. 부구 Trap은 연속적으로 응축수를 배출시킬 수 있으나, 배출구의 온도 한계를 검사할 수 있는 온도감지 Vent (Temperature-sensitive vent)와 연결하여 사용하지 않으면, 공기를 배출시킬 수 없으며, 때때로 극심한 수격작용으로 작동이 불 가능하게 될 수도 있다. 역 물받이 Trap (Inverted Bucket Trap, 3.10 참조)은 가장 사용할만한 형태로 액체가 식을때 열린다. 그러나 물받이가 온도감지 Vent와 연결되지 않으면 시동중에 많은 공기를 배출시키지 못한다. 그러나 응축수를 배출시키는 작동은 빠르다. 따라서 상류 Valve가 열림에 따라 Trap이 분출물을 내보낸다면 증기가 배출될 것이다. 그림 6.43의 기호풀이(9)를 참조하라. 역 물받이 Trap은 $^1/_4$ PSIG 아래의 압력에서 작동한다.

6.10.8 Flashing

6.9.1를 참조하라. 압축되어 있는 뜨거운 응축수가 그 보다 낮은 압력의 복귀배선에 방출될 때 응축수는 즉시 끓게 된다. 이 현상을 Flashing이라 말하며, Flashing 증기에 의해 증기가 생성된다.

증기관이 뜨거우면 뜨거울수록 그리고 응축수 배출관이 차면 찰수록 더 많은 Flashing이 발생한다. 만일 응축수가 높은 압력의 증기로부터 보내진다면 상태는 더 극심하게 된다. 따라서 응축수의 일부는 증기로 된다. 그러지만 Header에 발생된 Flashing 증기의 量을 담기에 부 적당한 크기라면 배압이 생겨서 결과적으로 수격현상이 발생할 수 있다.

종종 Trap이 배수관으로 통한 곳에서는 많은 증기가 Trap을 통하여 지나가는 것으로 보인다. 그러나 이것은 보통 응축의 Flashing에 의해 생성된 것이다.

그림 6.41 & 6.42

6.10.9 과열증기 배선의 배수

과열 온도 보다 높은 온도의 증기배선에서는 동작중에 응축수를 생성할 수 없다. 그러나 냉각된 회로를 시동시킨 후에 Warming-up 기간동안, 배관중의 부피가 큰 금속은 과열시킨 열을 소모시켜서 많은 응축수를 생성시킨다.

表 6.10

증기-트랩 배관

모인 응축수의 배관 그림 6.43

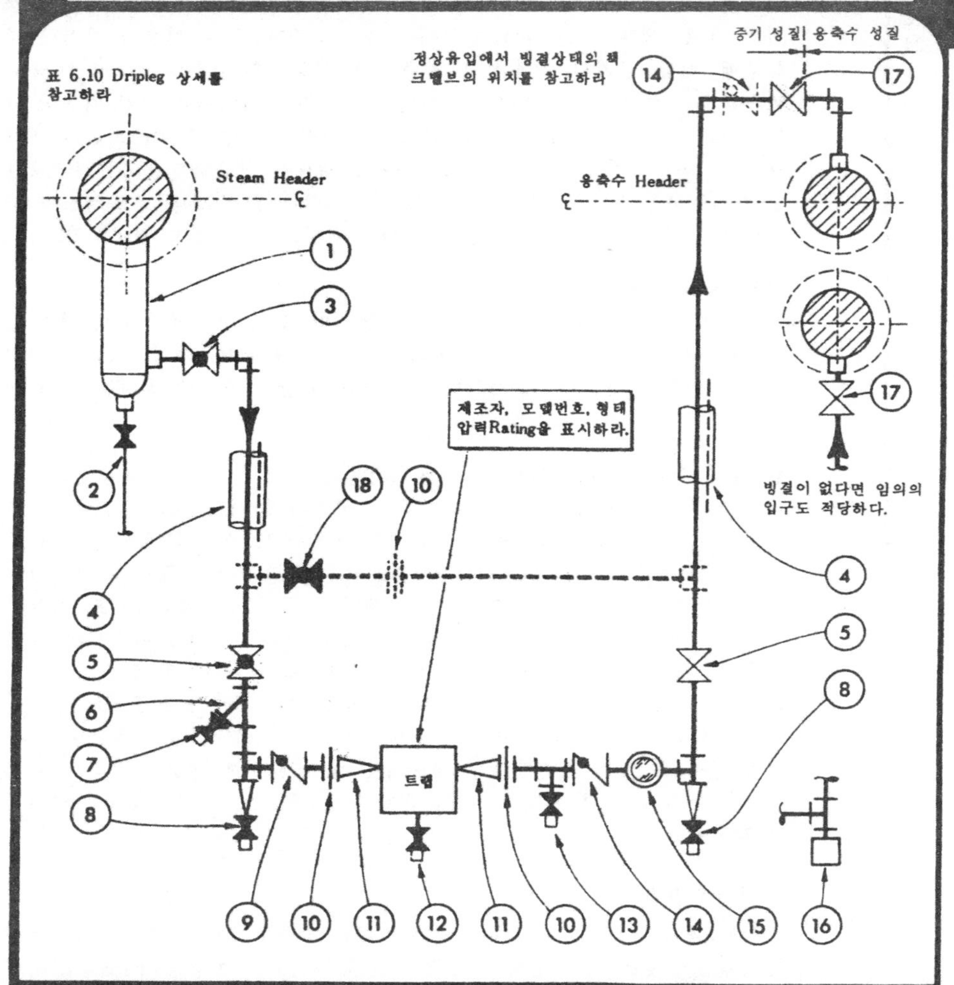

배출된 응축수의 배관 그림 6.44

증기배선이나 장치에서부터 Dripleg로 유입

빙결상태에서 배출을 돕기위해 관을 경사시킨다.

3 6 10 11

트랩

1 2 7 12

건물에 있는 배출구로 배관

배출구

기호

T

위의 기호로 그림 6.43, 6.44의 음영부분에 있는 파이프 이음쇠, 밸브를 도면에나 타낸다.

기호 설명

그림 6.43과 6.44는 TRAP 배관설비에서 사용할 수 있는 장치를 보여준다. 설계에 경제적이고 안전한 장치를 사용해야 한다. 다음 주기는 선택을 도울 것이다.

(1) 증기헤더에 부착시킨 Dripleg, 또한 機器나 증기 공급 장치에 관으로 연결한다.

(2) 주기적으로 침전물을 배출시키기 위해 설치한 Dripleg Valve, 안전을 위해 밸브는 배출구나 수평면 쪽으로 배관해야 한다.

(3) Dripleg 근처에 설치한 Isolting Valve.

(4)★ 保溫. 찬 주위 환경에서 폐쇄나 간헐적인 운전에 의하여 응축수가 얼 염려가 있을 경우에 필요하다. 혹한에서는 TRACING이 필요하며 증기를 정상적으로 트레이싱에 이용할 수 있는 경우에는 전기로 Traing을 해야한다. 'Y

(5)★ 고립 밸브, 밸브 (3) 및 (17)이 미치지 못할 경우나 "Bypass를 "사용할 경우에 필요하다- 주기 (18)참조.

(6) 여과기 침전물을 대기로 방출시키는 Valve. 안전용 Plug.

(8) 여과기, 보통 2inch 보다 작은 TRAP에 관으로 연결한다. 여기서는 TAPE에 부수적으로 구성시킬 수 있다.

(8)★ 트랩이 수평으로 위치해 있을 때 빙결상태에서 사용하기 위한 수동조작밸브-注記 16 참조.

(9)★ 체크밸브, 트랩상류의 관이나 여과기에서 분출로 인하여 트랩을 지나는 미소한 압력이 역전되는 경우 누수의 손실을 막기 위해 배선에 주로 물받이 트랩을 사용한다.

(10) 트랩제거용 유니온

(11)★ 관 크기에 따라 트랩을 조정하는 Swage.

(12)★ 여과기를 장착한 트랩에 사용하는 감속밸브 ((6)의 대안)

(13)★ 시험배브는 트랩이 불안전하여 증기를 통과시키고 있는지 확인할 수 있다. 보통트랩의 몸체는 이 밸브에 연결하여 사용하는 꼭지가 달린 포트를 가지고 있다.

(14)★ 응축수가 하나 이상의 트랩으로부터 헤더로 되돌아 가는 경우 체크밸브는 트랩을 통한 역 유동을 방지한다. 낮은 위치에서는 폐쇄를 돕고 물 밀봉을 하기 위해 밸브는 물기둥의 보조를 받는다. 몇 개의 트랩이 압력을 받고 있거나 받을 수도있는 하나의 헤더로 배출시키는 경우에 체크밸브가 필요하다.

(15)★ 시창구는 트랩이 압축된 응축수를 복귀배선으로 확실하게 배출시키고 있는지 시간적으로 검사할 수 있게 한다. 그러나 유리가 부식성이 있고 파열의 위험이 존재하기 때문에 거의 사용하지 않는다. 그래서 강화유리(压力에 견딜 수 있는 유리)를 많이 使用한다.

(16)★ 관을 비우게 하는 온도감지(자동)배출구, 주위가 추운 환경에서 파이프의 손상을 막는다 (注記(4)참조). 밸브(14)가 높은 곳에 위치해 있으면 자동배출구를 트랩에 연결할 수도 있으며 어떤 트랩은 몸체에 이와 같은 연결부위가 있다.

(17) 헤더에 설치한 고립 밸브

(18)★ 바이패스, 좌측이 열 수 있으므로 권장할 수가 없다. 예비트랩을 설비하는 것이 더 좋다.

□□□□□□□□□□

★는 임의적인 설비이며 기본적인 트랩 설계에 필수적인 것은 아니다.

시동조작이 드물며, 과열온도 보다 높은 온도를 가지고 연속적으로 작동하는 시스템에서는 Trap이 필요없다. 그래서 이러한 과열증기 배선은 오로지 Dripleg와 함께 작동시켜야 하며, 보통 시동 후에 응축수를 Dripleg로부터 수동에 의해 배출시킬 수 있도록 2개의 Valve를 가지고 있는 배출배선과 연결한다.

때때로 장치의 조작단에 단속적으로 공급된 과열증기의 온도가 응축수를 형성할 수 있는 점까지 강하하기 때문에 조작 Valve 앞에 직접적으로 Trap을 연결하여 응축수를 배출시킬 수 있도록 해야한다.

6.10.10 결빙으로부터 Trap 보호

몹시 추운 주위 환경에서는 Trap이나 배관을 保溫 또는 증기나 전기로 감싸 온도를 높여주어야 한다. 온도감지 Trap이나 충격 Trap을 정확히 설치하면, 결빙 문제가 별로 발생하지 않으므로 Trap을 응축수를 배출 시킬 수 있다. 물받이 Trap은 항상 물받이를 수직으로 설치해야 한다. 만일 자동 배출장치를 연결하여도 Trap을 비울 수 없다면 정상으로 유입되어 바닥으로 나가는 형태의 물받이 Trap을 선택해야 한다.

6.10.11 증기 Trap 배관에 대한 지침

- 그림 6.43에서 그림 6.45는 Dripleg, 배선, 저장 용기등에 Trap을 배관하는 지침을 보여주고 있다.
- 정돈된 배치를 위해 Trap을 조화시키도록 한다.
- 지시되지는 않았지만 파이프, Valve, Fitting은 Trap과 연결을 위해 꼭 같은 크기여야 하며, 보통 3/4 inch 보다 크다.
- Trap은 일반적으로 유체를 공급하는 장치나 Dripleg보다 낮은 위치에 설치하여 연결한다.
- 비록 보통의 증기압력이라도 증기를 분할하여 사용하는 각각의 설비에 Trap을 설치한다.
- Riser 앞쪽 낮은 부분이나 바닥에 또한 냉각된 시스템을 시동할 때 응축수가 모이는 Pocket과 또 다른 장소에는 Dripleg를 설치해야 한다(또한 과열이 적게 일어나거나 전혀 일어나지 않는 증기관에 Trap을 연결한다. 표 6.10은 Dripleg의 크기를 보여 주고 있다).
- Dripleg를 열교환기의 胴(Shell)이나 짧은 Header 등의 중앙점에 위치시킨다. 만일 이중의 Dripleg를 설치한다면 각 끝단 가까이에 위치시키는 것이 좋다.
- 응축수를 버리는 결빙 상태에서, 설비를 보호하기 위해 되도록이면 중력에 의해 방출시킬 수 있게 물을 가두지 않으며, 수직으로 설치할 수 있는 Trap을 선정한다. 그러나 제조자에 의한 자동 배출장치에 연결할 수 있는 Trap을 선택한다.
- 결빙 상태에서 얼음이 Trap으로부터 관 안으로 생성되므로 긴 수평의 배출관은 피한다. 응축수를 Header로 보내지 않는다면 배출관을 짧게 하고, 아래로 향하게 한다.
- 多量의 증기를 사용하는 열 교환기와 같은 機器를 효율적으로 작동시키기 위해 급송장치에 분리기 설치를 고려한다.

- Syphon에 의한 응축수 제거－예를 들어 응축수가 회전 Drum 안에서 생성되는 특수한 경우에는, 중력에 의해 응축수를 배출시키는 것은 불가능하다. 그래서 Syphon을 이용하게 되는데, Drum 안의 증기의 압력은 응축수를 배선이나 Trap으로 밀어내는데 사용한다. 그림 6.45는 이러한 장치를 보여주고 있다.

그림 6.45 회전드럼 트랩장치

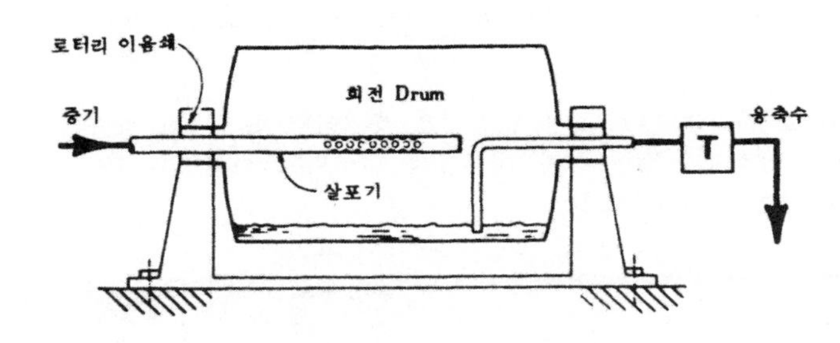

- 배출관을 내부에 설치하여 응축수를 계속적으로 열린 방출구로 배출된다면 사람의 위험과, 불쾌한 공기 오염이 발생된다. 이것을 막기위해 배출관은 대기로 방출하는 배기 굴뚝과 연결한다. 주 배출관의 연결은 그림 6.46과 같이 한다.

그림 6.46 응축수 배기굴뚝

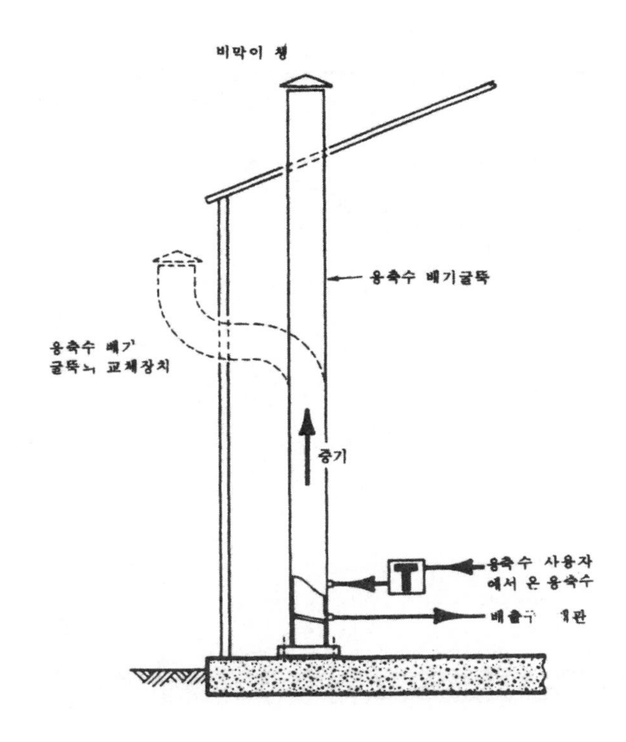

6.11 배선이나 저장 용기의 배기공(Vent)과 배출구(Drain)

6.11.1 배기공의 필요성

배선이나 저장용기가 냉각될 때 압력강하가 일어나 Syphon 으로 빨아올리거나, 또는 배출을 방해하는 부분적인 진공이 발생한다. 반대로 온도증가로 인해 저장탱크의 압력이 상승할 때, 초과된 압력을 떨어뜨릴 필요가 있다. 또한 액체를 탱크에 채울 수 있도록 공기를 배기시켜야 하고 밖으로 펌프로 퍼내거나 배출시킬 수 있도록 탱크로 공기를 공급해야 한다. 따라서 이러한 목적에서 Gas (보통공기)를 시스템안이나 밖으로 보낼 수 있는 배기공이 필요하다.

Burner 로 통하는 연료 관에서 공기를 제거하지 않는다면 결과적으로 불꽃이 꺼질 것이다. 또한 증기 배선에서는 공기로 인해 열 효율(Heating Efficiency)이 저하될 것이다.

6.11.2 水壓 檢査

배관을 설치한 후 누설이 있는지 알아보기 위해 시스템을 水壓 검사할 필요가 있다. 적절한 Code 에 依해서 물이나 다른 액체를 배선에 채워 관을 폐쇄시킨 후 시험 압력을 가압한다. 누설되는 곳을 찾는 동안, 정해진 시간내에 압력이 지속되는지 얼마나 떨어지는지 관찰한다.

시험압력이 운전압력 보다 높으므로 機器나 기구에 관련된 모든 Valve 를 폐쇄시켜 보호해야 한다. 보통 저장용기나 機器는 Code 에 依한 증명서와 같이 공급된다. 시험후에 배출구의 Valve 를 열고, 배선에 넣은 액체를 확실하게 배출시키기 위해 공기가 배관으로 들어갈 수 있도록 배기공 Plug 를 일시적으로 뽑아 놓는다.

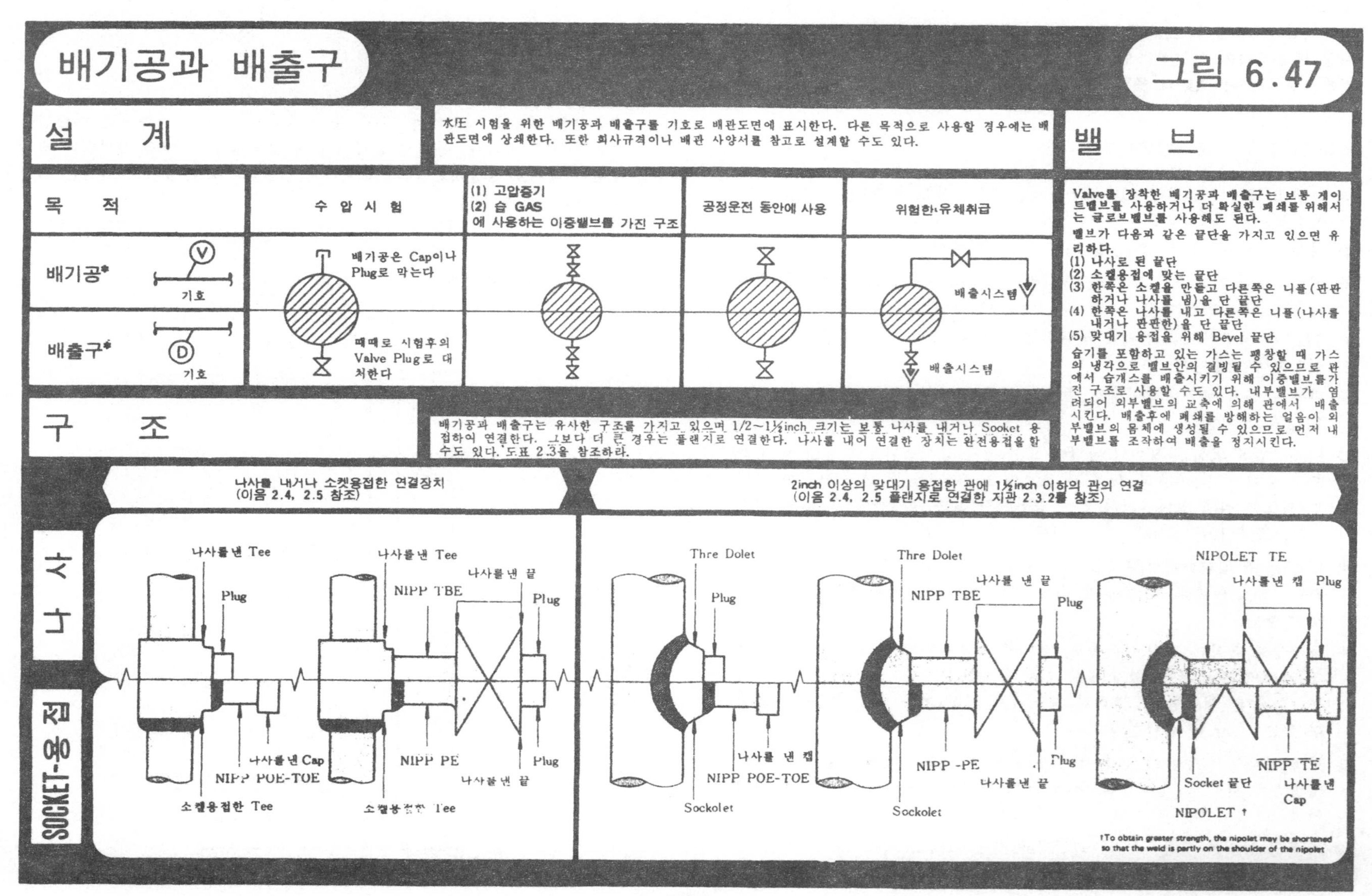

요구된 배기공과 배출구의 위치는 배관 도면에 따라 설치한다(배관 및 機器설치도 P&ID는 공기 배기공, 공정 배출구를 보여준다). 그림 6.47의 구조 상세도를 참고하라.

6.11.3 배기 가스

Gas를 빨리 배기시키기 위해 충분한 크기의 배기공이 필요하다. 안전 Valve와 안전 Relief Valve를 보통 배기 수단으로 사용한다. 압력 Relief 장치에 대해 기술한 3.1.9절과 안전 Valve와 Relief Valve의 배관에 관한 6.1.3절을 참조하라.

공기와 희석시킨 후에 어떤 위험이 없는 Gas는 직접적인 흡입이 일어나지 않으므로 대기로 배기시킬 수 있다. 만일에 Gas(연소성의)가 독소를 지니고 있고 악취를 내뿜는다면 소각로나 배출 Gas 연소탑에 관으로 연결하여 태워 없앤다.

6.11.4 압축공기 배선에서 액체 배출

공기는 압축단과 냉각단에서 부분적으로 운반되는 습기를 가지고 있다. 이 습기는 기름과 더불어 분리되는 경향을 가지고 있으며, 압축과정을 지나는 공기에 의해 흡수될 수도 있다.

분배 될 공기가 습기를 함유하고 있다면, 분배관을 사용한 접촉점으로 기울여 습기를 배출시켜야 한다. 건조된 공기를 운반하는 배선의 경사는 6.2.6에 언급되어 있다.

공급된 압축공기가 습기를 함유하고 있다면 다음과 같이 한다.

(1) 중간 냉각기, 후방 냉각기, 분리기와 같이 액체를 생성시키고 모으는 장치의 모든 배출구에 Trap을 설치한다.

(2) 분배 Header의 낮은 곳에 Trap과 Dripleg를 설치하고 끝단에 Trap이나 손으로 작동시키는 배출구를 설치한다.

그림 6.48 공기배선에서 액체제거

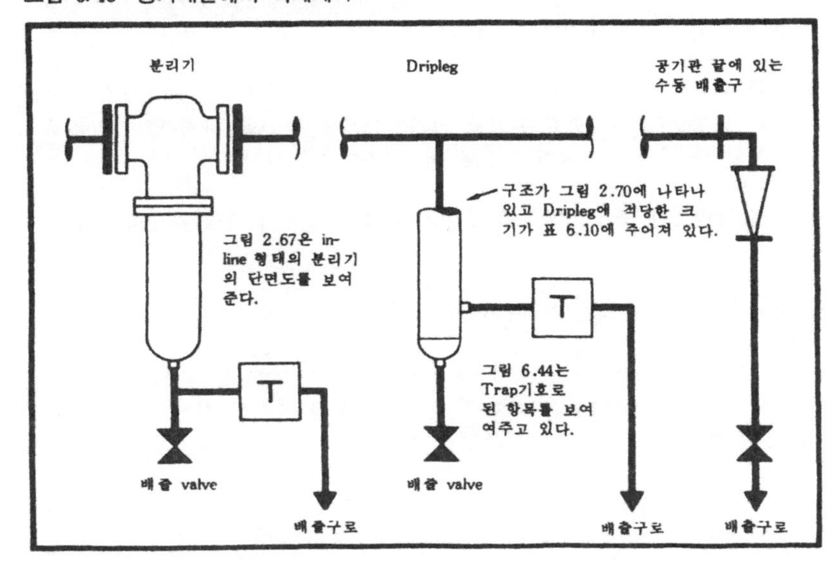

6.1.2 압력 경감—액체

작은量의 액체를 배출 시킴으로해서 액체의 압력 상승을 멈추게 한다. 큰 Port를 가진 경감장치는 불 필요하며, 3.1.9절에 있는 Relief Valve를 사용한다. 따라서 배관을 짧게 하여 배출구쪽에 연결한다. 안전 Valve와 Relief Valve의 배관에 관한 6.8.1을 참조하라.

배출된 액체가 위험성이 없으면, 하수도에 직접 배관하여 방출시킨다. 종종 그 액체는 간단하게 재생된다. 그러나 위험이 있다면 Knockout Drum이나 오수를 모으는 웅덩이, 또는 다른 회수 장치와 배관하여 연결한다. 배관 및 機器 설치도는 배출된 액체의 처리를 보여준다.

6.12.1 Relief Header

큰 재난이 발생하는 동안, 배출 될 수도 있는 많은 양의 증기와 액체를 충분하게 취급할 수 있는 Header를 만들어야 한다. Knockout drum Receiver, 소각로에 연결한 Relief Header는 보통 경사져 있다. Piperack에 설치된 Relief Header의 적당한 위치를 보여주고 있는 6.2.6절과 그림 6.3을 참조하라.

6.13 폐기물과 유출물

제조공정에서 다시 순환할 수 없으며 상업적으로도 전혀 가치가 없는 물질이 생성될 수 있는데 이 물질은 폐기물 또는 폐물이라고 말한다. 유출물은 機器로부터 주위로 유출되는 물질인데, 이는 환경을 오염시켜서는 않된다. 예를 들어 완전하게 처리된 폐수는 위험성이 없이 주위나 오수 처리장치로 배출될 수 있다.

강이나 하수도 및 대기로 방출되는 유출물의 量과 특성을 제한하므로 배출에 앞서 폐기물 처리를 꼭해야 한다. 그러므로 폐기물을 장치에서 처리하거나 다른 곳의 처리 장치로 운반하든지 해서 폐기물 처리는 점점 더 설비 설계의 중요한 인자가 되고 있다. 공장내에서 수행하는 처리를 위해 폐기물 처리장치가 배관 및 機器 설치도에 기술되어 있으며, (5.27 참조) 관련있는 地方관헌과 의논하여 설계해야 한다.

폐수를 특별한 배출 시스템으로 기계장치내에 모아야 하며 부식성이 있고 위험한 폐수를 취급할 경우에는 파이프, 이음쇠, 수로, 오수를 모으는 웅덩이, 탱크등 정확하게 선택하고 설계해야 한다. 물기 많은 폐기물은 산을 만들어 탄소강을 부식하므로 집적장치나 배수 파이프를 합금이나 플라스틱으로 만들어야 한다. 폐수에서 자주 발생되는 황산염은 점차적으로 콘크리트를 부식시킴으로 하수도, 수로, 오수를 모으는 웅덩이들은 특별한 콘크크트로 만들어야 한다.

폐기물은 공장부지에 상설적으로 수용될 수도 있고 고체 폐기물은 쓰레기 버리는 곳에 쌓아 놓을 수도 있다. 고체를 포함하고 있는 폐수는 인공적인 못이나 석호로 펌프로 퍼내어 고체를 가라앉힌다.

가연성의 폐물은 회수하거나 소각로 또는 배출가스 연소탑에서 태워버려야 한다. 가연성의 액체가 불용성이어서 부유한다면 그것에서 발생한 증기는 집적장치나 배출장치에서 극심한 폭발위험이 내포되고 있다.

그림
6.47 & 6.48

6.14 가연성 액체에 대한 안전지침

참 고 문 헌

'National Fire Codes'. National Fire Protection Association, Vol I, Flammable liquids. Vol. 2, Gases. Vol. 3, Combustible solids, dusts & explosives

'Flashpoint index of tradename liquids'. NFPA. 1964. No. 325A

'Fire protection for chemicals'. Bahme C.W. 1961. NFPA

'Fire protection in refineries'. American Petroleum Institute. 1959. RP 2001. 4th edn

'Protection against ignitions arising out of static, lightning & stray currents'. API. 1967. RP 2003. 2nd edn

'Welding or hot-tapping on equipment containing flammables'. API. 1963. PSD 2201 (Free)

'Guide for the safe [hot] storage & loading of heavy oil & asphalt'. API. 1966. PSD 2205 (Free)

표 6.11 탱크 간격(NFPA)

상 태	최소 탱크 간격
가연성 또는 연소성 액체 저장 탱크	어느 경우든 3 ft 以上 3 ft (이웃한 탱크의 지름의 합)/6 (작은 탱크의 지름)/2
원유 126,000 gal 최고 탱크 치수 혼잡하지 않는 장소	3 ft
원유 126,000 gal 최소한도 보다 큰 탱크 생산 지역	작은 탱크의 지름
불안정한 가연성 및 연소성 액체 저장 탱크	(이웃한 탱크의 지름의 합)/2
가연성 또는 연소성 액체저장 탱크로부터 용해된 석유가스 저장조	20 ft
가연성 또는 연소성 액체저장 탱크로 포함한 방호벽 지역 밖에 있는 용해된 석유 가스 저장조	방호벽의 중앙점에서 10ft 注記 : LPG CONTAINER가 125gal (US) 보다 적고 액체 저장 탱크가 550 gal 보다 적다면 예외로 한다
다른 탱크로 둘러쌓인 탱크	당국이 한계를 지정

재산이나 공동구역에서부터의 최소 간격은 Chapter Ⅱ, Vol. 1, of the atimal Fr e C des에서 충고를 구한다.

*For LPG tanks, the US Department of Labor gives clearances in tables H-23, H-33, etc. part 1910-110 of 'Occupational safety and health standards', 1971. These standards also give clearances for ammonia tanks, in part 1910-111.

지침

- NFPA, API, 또는 다른 자문단체의 안(Project)에 관한 추천물도 使用한다.
- 보증인의 필요 조건을 검사한다.
- 중요한 빌딩이나 장치를 위태롭게 하지 않도록 가연성의 액체설비를 고립시킨다. 주 빌딩 안에서는 방화문이나 창 또는 배출구가 설치되어 있는 방하 벽이나 내화성의 칸막이로 다른 지역과 고립 시킨다.
- 가연성 액체를 폐쇄된 저장용기나 장치 및 배관시스템 안에 국한 시킨다. 그러므로 (1) 액체로부터 억제되지 않은 증기가 새는 것을 막을 수 있게 (2) 우연히 액체가 누설될 경우 빨리 폐쇄시킬 수 있게 (3) 누설액체의 퍼짐이 가장 작은 사용지역에 한정되게 안전한 설계를 해야한다.
- 가연성의 물질을 담고 있는 탱크가 야외에 설치된다면 NFPA 규격(No. 395. Farm Storage of Flammable liquids)에서 記述한 최소 가격에 따라 탱크의 자리를 좋게 잡을 수 있다. 이 경우에 Tank 사이에 방호벽(dike)을 설치한다. 탱크화재를 막기위해 다음과 같은 부수적인 방법을 쓴다. (1) 탱크의 내용물을 다른 탱크로 이송한다 (2) 열을 받은 연료층이 형성되는 것을 막기위해 내용물을 뒤 섞는다.
- 재산이나 화재시에 긴급하게 사용할 Valve 를 설치한다. 6.1.3을 참조하라
- 긴급시에 사용하는 Valve 는 빨리 조작할 수 있는 형태여야 한다.
- 강한 햇볕이나 또한 고온의 주위 온도에 탱크가 노출되어 압력을 받고 있는 증기가 샐 수도 있므르로 가연성의 액체나 용해시키는 Gas 를 담고있는 탱크에, 압력 Relief 를 설치한다.
- 햇볕에 노출되어 있는 가연성의 액체를 담고 있는 탱크를 냉각 하기위해 물 분수를 해야한다.
- 증기의 온도가 인화 한계보다 아래에 있도록 하기위해, 빌딩안에 있는 모든 공정조작에 적절한 환기를 시켜야 한다. 환기를 하지 않고 공정을 조작할 수 없게 공정환기 설비를 서로 연결해야 한다.
- 폭발 압력이나 구조적 충격을 줄이기 위해 건물내에 폭발 판넬을 사용한다.
- 위험한 지역에서 직원을 보호하기 위해서 충격 판넬을 설치한다.
- 어떤 위험 요소는 Sprinkler 에 덧 붙여 거품, 이산화 탄소, 마른 화학제나 물 분무와 같은 특별한 소화 시스템을 필요로 하므로 지역을 책임지고 있는 소방소나 보증인에게서 조언을 받는다.

6.15 건물과 배관 사이의 관련

6.15.1 마루사이의 공간

간섭을 피하고 설계를 단순화 시키기 위하여 건물의 마루와 배관용 Plant, 전기 Tray, 그리고 필요하다면 공기 Duct 사이에 적절한 공간을 둔다. 그림 6.49는 수직 간격두기를 나타낸다.

그림 6.49 마루와 천장 사이의 수직 공간 배열

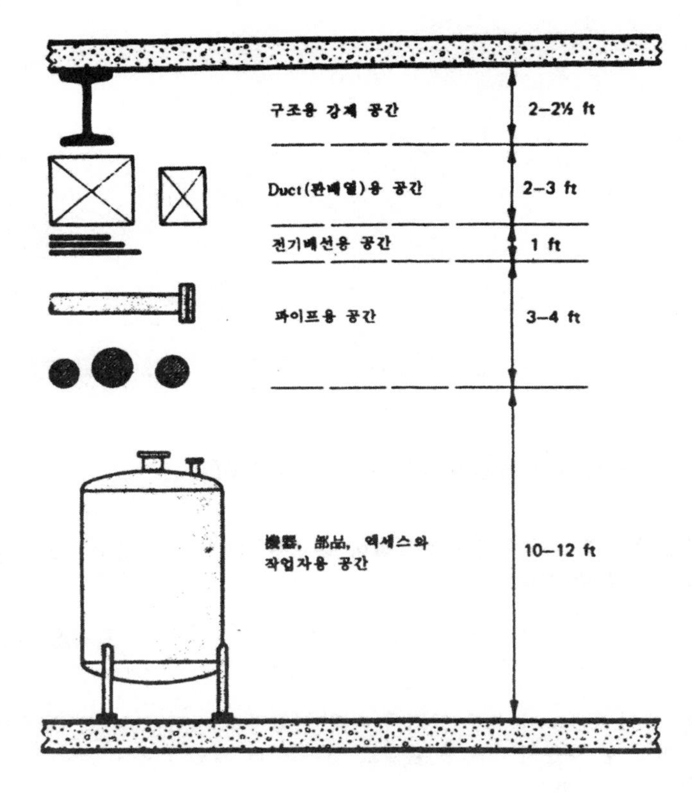

6.15.2 큰 Spool 및 機器의 설치

機器를 설치하기 위하여 벽, 마루 또는 건물의 지붕에 커다란 구멍이 필요하다. 벽 및 지붕구멍은 사용하지 않을 때는 덮여 있으나, 때때로 마루구멍은 영구적이며, 난간등에 의하여 보호된다.

6.15.3 건물 설계

공정과의 관계

다른 공정은 다른 형태의 건물을 필요로 한다. 한쪽 끝에서 시작하여 다른쪽 끝에서 끝나는 공정을 가진 단층 건물에 일부공정이 수용된다. 건물이나 구조물의 꼭대기에서 시작하여 경사면에서 끝나는 다른 공정들은 중력을 받는다.

SERVICE를 위한 건물의 안전

다층 건물에서 서비스 공간 또는 'Chase'의 공급은 Duct와 마루 사이를 연결하는 전기 케이블과 같은 수직 배관 배열을 크게 단순화 시킨다. 공기조화와 공정 수요를 위한 Fan room(공기 보급실)을 가진 서비스 및 승강기 공간의 계획적인 배열은 그림 6.50에 나타나 있다. 서비스 공간들은 공정에 적합한 어느 위치에 설치하며, 건물의 전체 높이로 확장할 필요가 없다.

그림 6.50 건물설계 예

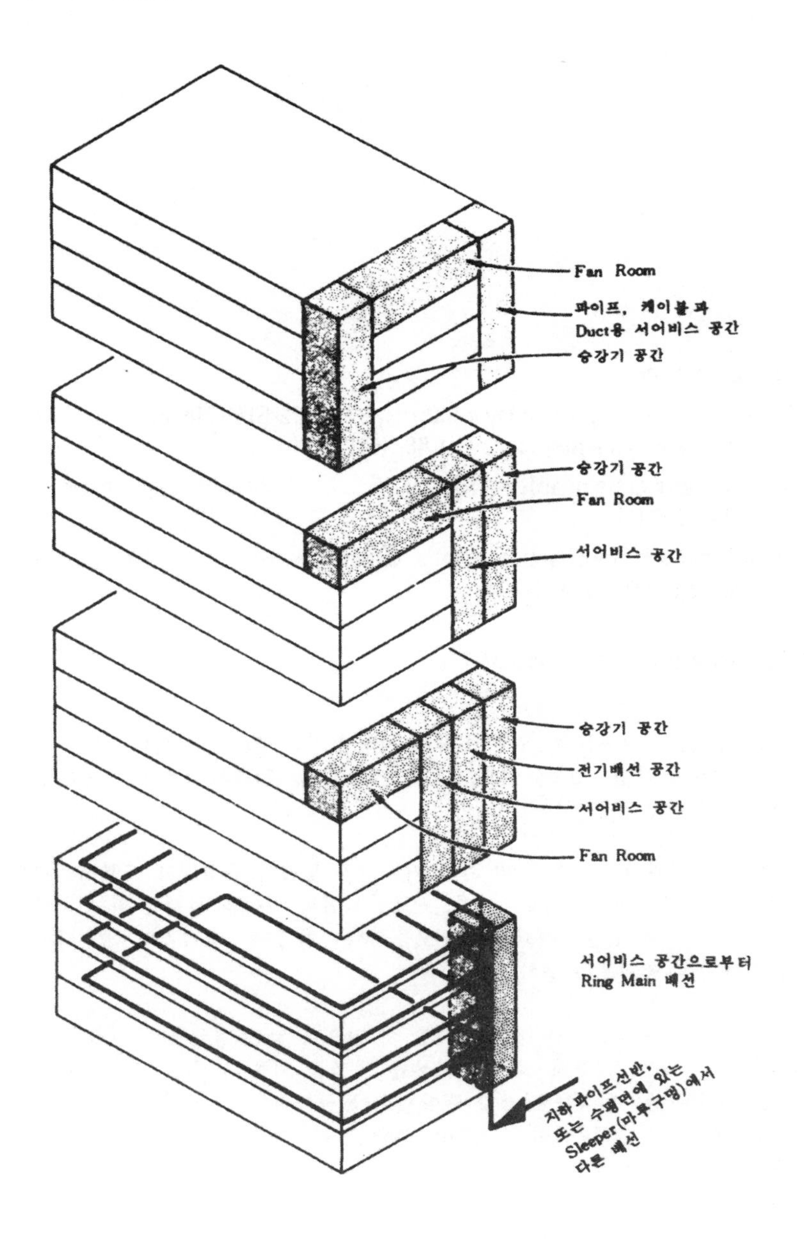

그림 6.49 & 6.50

表 6.11

STANDARDS 와 CODES:

배관 시스템, 심볼, 배관,배관지지,프랜지, 가스켓,Fitting펌프,밸브,증기트랩,저장용기, 열교환기 그리고 나사선

참 고 문 헌

'Codes & Standards for today's Industry'. ASME Staff Report. Mechanical Engineering, Jun. Vol 88. (6)

'Piping Codes & Standards'. Wright L. E. Chemical Engineering, Jun 17. 247-50

'Piping codes & the chemical plant'. Canham W. G. Chemical Engineering, Oct 10. 119-204

7.1 Standard 와 Code 란?

Standard 와 Code 는 모두 제작과 시험용으로 만든 문서이다. 이 문서는 그 구성원이 산업, 정부, 대학, 단체, 전문학회, 무역협회등의 위원회에 의해서 지켜지고 보존된다.

Standard 와 Code 로 부터 실제 기술적인 문제가 증명되고 배관시스템의 안전을 위하여 자재, 치수, 설계, 건축, 시험과 검사의 선택을 하는 최소한의 필요사항을 표준규격과 Code 로 구체화 하였다. 정기적인 개정판에다 산업에서의 발전을 반영하게 만든다.

표준 규격과 Code 는 서로 교체할 수 있으나 넓은 범위를 다루거나 정부의 허락이 있으며 법적 의무의 기본을 형성할 때는 문서는 Code 라고 한다. '권고사항' 문서는 실제로 권할만한 문서이다.

표준규격과 Code 에서의 사용어 '해야한다'는 필요사항과 의무를 나타내고 '하는 것이 좋다'는 권고를 의미한다.

7.2 표준 규격과 Code 를 사용하는 4가지 이유

(1) 표준 규격에 따라서 만든 하드웨어 품목은 교환이 가능하고, 그 치수와 특성을 알 수 있다.

(2) 관계되는 Code 나 표준 규격을 준수하여 성능, 신뢰성, 품질을 보증하고, 계약협상과 보증등을 얻는 기본이 된다.

(3) 시스템이 Code 나 표준 규격에 따라 기술적인 처리를 하고, 사용된다면 어느 한 부분의 시스템 손실로 인한 설비 재난에 따른 소송에서 징계판결을 덜 받는다.

(4) Code 는 종종 연방 정부, 주 정부, 지방 자치시의 안전규칙의 본질적인 요지는 제공한다. 그렇지만 미 연방 정부는 필요에 따라 자체의 규칙을 제정하는데 이것은 때때로 Code 의 형태를 갖는다.

7.3 누가 표준 규격을 제정하는가?

미국 표준 규격 협회는 1918년에 설립되었는데 5개의 주요 공학회에서 처음 시작한 국립 표준 규격에 대한 권한을 부여한다. 전에는 많은 학회와 무역협회가 때때로 중복하는 저마다의 표준규격을 제정하여 무질서한 상황이 생기었었다. 1967년에 ASA 의 명칭이 USA 표준규격 협회로 바뀌고 다시 1969년에 미국 표준협회로 이름이 바뀌었다. 이전의 표준규격은 'ASA'와 'USASI'의 접두어로 제정하였으나 현재의 접두사 'ANSI'이다.

모든 미국 표준 규격과 Code를 협회에서 직접 제정한 것은 아니다. 미국기계 공학 협회, 미국 계기 협회와 다른 몇개의 조직체에서 배관에 사용하는 표준규격과 Code를 제정하였다. 표 7.1에 주요한 출처를 나타내었다.

다른 국가에서도 역시 표준 규격을 제정한다. 한국의 표준 협회(KS), 일본의 표준 협회(JIS), 영국의 영국 표준 협회(BSI), 서독의 DIN과 스웨덴 국립조직(SIS)등에서 많은 표준규격을 제정하였다.

7.4 표준규격의 출처분류

표 7.5.6에 규격번호의 앞에 선행하는 표준규격을 제정한 단체의 머리글자를 나타내었다. 즉 'ASTM N28' 표 7.1에 표 7.3에서 표 7.15에 쓰이는 머리글자를 나타내었고, 각각의 전체 명칭을 수록하였다.(표 7.1이 포괄적인 목록은 아니다)

PRINCIPAL ORGANIZATIONS ISSUING STANDARDS 표 7.1

기 호	이 름
AIA	American Insurance Association *
ANSI	American National Standards Institute †
API	American Petroleum Institute
ASME	American Society of Mechanical Engineers
ASTM	American Society for Testing and Materials
AWS	American Welding Society
AWWA	American Waterworks Association
FCI	Fluid Controls Institute
GSA	General Service Administration
ISA	Instrument Society of America
MSS	Manufacturers' Standardization Society of the Valve and Fittings Industry
NFPA	National Fire Protection Association
PFI	Pipe Fabrication Institute
USDC	United States Department of Commerce

*Standards formerly issued by Underwriters' Laboratories Inc.
†Formerly, United States of America Standards Institute, and American Standards Association.

7.5 중요 설계와 관계된 규격

7.5.1 ANSI 규격 B 31

가장 중요한 지표기준 압력 배관 시스템에 사용하는 규격은 ANSI B 31이다. Plant 배관에 다양하게 사용하는 형태의 일부분을 표 7.2에 나타내었다.

표 7.2 압력배관에 대한 ANSI CODE B 31

정유 Plant 배관	B31.3–1966	Piping for refineries and petrochemical plants conveying petrochemicals, chemicals, water and steam.
발전소 배관	B31.1.0–1967*	Piping for industrial applications. State law may require adherence.
화학 Plant 배관	B31.6–?	Still in preparation. Usually chemical plant piping complies with the 'Power piping' code.
천연 Gas 배관	B31.2–1968	Piping for conveying and handling combustible hydrocarbon gases.
REFRIGERATION PIPING	B31.5–1966	Principal application is the piping of package units.
원자력발전소 배관	B31.7–1969	More stringent design and inspection requirements than other B31 codes. To be applied to pressure piping where escape of fluid from the system would incur a radiation hazard.

* B31.1–1955 is out of print. The 'Power piping' code will eventually be designated B31.1–1967

7.5.2 미국 석유 협회 규격 2510

이 제2표는 해양에서의 액화 석유가스의 설치와 배선의 터미날, 천연가스 공정설비, 정제장치, 저유 밀집지역의 설계와 건축에 대해서 다루었다.

다음의 두가지 규격은 직접적으로는 배관과 관련이 없으나 배관 설계자의 작업에 자주 사용된다.

7.5.3 API-ASME 不火性 압력저장용기 규격

이 규격은 석유화학 배선의 압력 저장용기에 부착하는 배관에 대한 규격이다. 만약 이 저장용기가 많은 이음쇠에 의해 조립된다면 건축은 전적으로 이 규격에 따라서 한다.

7.5.4 ASME 보일러와 압력 저장용기 규격

이 규격의 바탕은 '보일러 규격의 역사'(ASME : 1986)에 설명되어 있다. ASME 보일러와 압력 저장용기 규격은 설계, 자재 사양서, 조립과 건축물과 관련하여 많은 곳에서 의무사항이다. 미국과 카나다에서는 보험용으로 자격을 주기위해 승낙이 필요하다.

ASME 보일러와 압력 저장용기 규격
동력 보일러 1
자재사양 2
핵 발전소의 구성요소 3
난방 보일러 4
비 파괴시험 5
난방 보일러의 보호와 운전에 대한 사항 6
동력 보일러의 보호 명 추천 규율 7
압력 저장용기 8
유리섬유(Fiberglass) 보강한 플라스틱 압력 저장용기 10
핵 원자로 냉각 시스템의 운전중 검사법칙 11

7.5.5 해양 배관용 규격

상업과 해운의 저장용기에 대한 요구 사항에 대한 표준규격은 다음의 것들에 수록되어 있다.

(1) **미국 해운국** : '압력용기의 건축과 분류법칙'
(2) **로이드 해운 등기부** : '법칙'
(3) **미 해안 경비대** : '해양 기술규정과 자재 사양서'
(4) **미 해군, 선박부** : '해운 저장용기의 건축에 대한 일반사양' '일반기계 사양'

7.5.6 표준규격의 선택

다음의 표들은 포괄적인 것이 아니다 : 선택된 표준규격은 배관설계와 배관기술과 관련있는 것들이다. 이 표준규격들의 출처는 표7.1에서 찾을 수 있다.

표 7.3 SYMBOLS와 제도를 위한 Standard

배 관	Graphic symbols for pipe fittings, valves and piping	ANSI Z32.2.3
	Graphic symbols for plumbing	ANSI Y32.4
	Graphic symbols for fluid power diagrams	ANSI Y32.10
	Fluid power diagrams	ANSI Y14.17
Process Engineering	Graphic symbols for process flow diagrams in petroleum and chemical industries	ANSI Y32.11 ASME K40
	Operation and process flow charts	ASME No. 101
	Letter symbols for chemical engineering	ANSI Y10.12
	Letter symbols for hydraulics	ANSI Y10.2
	Letter symbols for petroleum reservoir engineering and electric logging	ANSI Y10.15
계 장	Instrumentation symbols and identification	ISA S5.1
용 접	Graphic symbols for welding	ANSI Y32.3
	Standard welding symbols and rules for their use	AWS A2.0
가열과 배기	Graphic symbols for heating, ventilating, and air conditioning	ANSI Z32.2.4
전 기	Electrical and electronics diagrams	ANSI Y14.15
제 도	Size and format	ANSI Y14.1
	Line conventions, sectioning and lettering	ANSI Y14.2
	Projections	ANSI Y14.3
	Pictorial drawing	ANSI Y14.4
	Dimensioning and tolerancing for engineering drawings	ANSI Y14.5
	Screw threads	ANSI Y14.6
	Nomenclature, definitions and letter symbols for screw threads	ANSI B1.7

표 7.4 배관을 위한 주 Standard

주물과 철	용접과 이음매 없는 배관의 사양서	ANSI B125.1 ASTM A53 ASME SA53
	Specification for seamless carbon-steel pipe for high-temperature service	ANSI B36.3 ASTM A106
	Specification for electric-fusion(arc)-welded steel-plate pipe (sizes 16 inch and over)	ANSI B36.4 ASTM A134
	Specification for electric-resistance-welded steel pipe	ANSI B125.3 ASTM A135 ASME SA135
	Wrought-steel and wrought-iron pipe	ANSI B36.10 ASME M31 ISO R64
	Stainless-steel pipe	ANSI B36.19
	Specification for seamless and welded austenitic stainless-steel pipe	ANSI B125.16 ASTM A312
	Specification for seamless ferritic alloy steel pipe for high-temperature service	ANSI B125.24 ASTM A335
	Threaded cast-iron pipe for drainage, vent, and waste services	ANSI A40.5 ASME M22
	Specification for line pipe	API 5L
	Specification for line pipe, high test	API 5LX
비철금속	Specification for aluminum alloy seamless pipe and seamless extruded tube	ANSI H38.7 ASTM B241
	Specification for general requirements for wrought seamless copper and copper-alloy tube	ANSI H23.4 ASTM B251
	Lead pipe	GSA WW-P-325
	Specification for nickel seamless pipe and tube *	ANSI H34.1 ASTM B161
프라스틱	Specification for polyethylene (PE) plastic pipe, SCH 40	ANSI B72.8 ASTM D2104
	Polyethylene pipe	USDC CS-197
	Specification for poly(vinyl chloride) (PVC) plastic pipe, SCH's 40, 80, & 120	ANSI B72.7 ASTM D1785
	Polyvinyl chloride pipe, dimensions and tolerances for	USDC CS-207
	Specification for acrylonitrile-butadiene-styrene (ABS) plastic pipe (SDR-PR & Class T)	ANSI B72.3 ASTM D2282
	Specification for acrylonitrile-butadiene-styrene (ABS) plastic pipe, SCH's 40 & 80	ANSI B72.5 ASTM D1527
	Specification for cellulose acetate butyrate (CAB) plastic pipe, SCH 40	ANSI B72.4 ASTM D1503

*Made to stainless-steel schedules, ANSI B36.19

STANDARDS FOR HANGERS & SUPPORTS 표 7.5

Application	Pipe hangers and supports—selection and application	MSS SP-69
Production	Pipe hangers and supports—material and design	MSS SP-58

표 7.6 배관용 표준규격(설계와 조립)

제 도	배관부품의 치수 결정법	PFI ES2
	용접한 노즐의 최소 길이와 간격	PFI ES7
조 립	파이프, 밸브, 플랜지와 이음쇠용 맞대기 용접	ANSI B16.25
	맞대기 용접용 끝마리와 기계 가공한 Packing Ring	PFI ES1
	불활성 가스 텅스텐 Arc-root Pass용접용 끝마무리	PFI ES21
	조립 허용치	PFI ES3
	용접면의 응력	PFI ES10
	鋼파이프 용접의 熱處理	PFI ES19
시 험	조립한 파이프의 공장 수압시험	PFI ES4
	현장 시험, 검사와 세척분류	PFI ES13
	이음매 없는 배관의 초음파 검사	PFI ES18

표 7.7 플랜지용 표준규격

강	강파이프와 플랜지 이음쇠	ANSI B16.5 ASME M15
	큰 직경의 탄소강제 플랜지	API 605
	MSS 강제 파이프 Line 플랜지	MSS SP-44
	고압력 화학산업 플랜지와 렌즈 GASKET과 함께 사용하는 나사가공 Stub	MSS SP-65
	불화성 압력용기 플랜지의 크기	ANSI B16.30 ASME J27
주 철	주철제 파이프 플랜지와 플랜지 이음쇠 압력 25, 125, 250, 800psi	ANSI B16.1 ASME J17
	MSS 압력 150PSI 부식에 강한 주철 플랜지와 플랜지 이음쇠	MSS SP-51
끝 처 리	철로 만든 밸브와 이음쇠의 연결부 말단 플랜지용 접촉면에 대한 끝처리	MSS SP-6

표 7.8 가스켓용 표준규격

금 속 성	강제 파이프 플랜지용 Ring Joint Gasket과 홈	ANSI B16.20 ASME L30
	정제 장치 배관용 금속 Gasket(이중 Jacket, 골진형, 나선 가공형)	API 601
비금속성	ANSI B16.5의 조건에 맞는 상승면 가스켓의 한계치수	MSS SP-47
	파이프 플랜지용 비금속 가스켓	ANSI B16.21 ASME L15

표 7.9 이음쇠용 표준규격

강 제	공장제조 강제 맞대기용접 이음쇠	ANSI B16.9 ISO R285
	강제 맞대기 용접한 단 반경 Elbow와 Return	ANSI B16.28 ASME M53
	파이프, 밸브, 플랜지와 이음쇠용 맞대기 용접 End	ANSI B16.25 ASME J13
	강제 맞대기 용접 이음쇠(26in와 더 큰 치수)	MSS SP-48
	고강도 강제 맞대기 이음쇠	MSS SP-63
	제철강제 이음쇠, 소켓용접과 나사산	ANSI B16.11 ASME M16
스테인레스 강제	스테인레스 강제 맞대기용접 이음쇠	MSS SP-43
주 철	주철제 나사 가공 이음쇠, 압력 125와 250 PSI	ANSI B16.4
	주철제 나사산 배수 이음쇠	ANSI B16.12 ASME J21
	가단성 주철제 나사가공 이음쇠, 압력 150과 300PSI	ANSI B16.3 ASME L5
合 金	파이프 나사산 合金 파이프 Plug, Bushing과 Lock Nut	ANSI B16.14 ASME J32
구리 합금제	구리와 구리 합금제 납연결 배수 이음쇠	ANSI B16.29 ASME N57
	나팔형 구리제 Tube용 주철제 청동제 이음쇠	ANSI B16.26 ASME J8
플라스틱제	유연 폴리에틸렌 파이프용 플라스틱 삽입 이음쇠	ANSI B16.27 ASME L37

표 7.10 펌프기계의 표준규격

원심펌프	원심펌프	ASME PTC8.2
	일반 정제 장치 배선용 원심펌프	API 610
양정펌프	양정펌프	ASME PTC7.1
	증기작동 왕복동 양정펌프	ASME PTC7
	압축기, 진공 펌프와 송풍기	ASME PTC9
압축기와 배출장치	먼지, Stock과 증기 제거 또는 운반용 송풍기와 배출장치의 설치	ANSI Z33.1 NFPA 91 AIA 91
	압축기와 배출장치	ASME PTC10
	분출기와 Booster	ASME PTC24
핵발전소	핵발전설비 구성 기기(ASME 보일러 규격 3 절)	ASME F3

표 7.11 밸브의 표준규격

강 제	정제장치에 사용하는 강제 Gate 밸브(Flange 달린 또는 맞대기 용접), 5판	API 600
	배선밸브의 사양(강제 Gate 밸브, Plug 밸브, Ball 밸브, Check 밸브)	API 6D
	정제장치용 치밀한 형 설계한 탄소강제 Gate Valve	API 602
	강제 맞대기용접 밸브의 온도와 압력율	MSS SP-66
주 철	주철제 배선밸브	MSS SP-52
	정제 장치에 사용하는 절상 플렌지달린 철제 Gate 밸브와 Plug 밸브, 2판	API 604
	정제장치에 사용하는 압력 150PSI 경두께 부식저항성	MSS SP-42
	Gate 밸브(1/2in에서 12in), 1판	API 603
合 金	合金製 밸브의 면대면 말단대 말단의 치수	ANSI B16.10
	합금제 밸브와 이음쇠의 연결부와 플렌지의 접촉면의 끝처리	MSS SP-6
청 동 제	MSS 압력 150PSI 청동제 Gate 밸브	MSS SP-37
Butterfly	Butterfly 밸브	MSS SP-67
Relief	배출전에 대기 또는 추가로 Back-pressure가 걸릴때의 안전밸브와 Relief 밸브	ASME PTC25.2
제 어	플렌지 가공한 제어밸브 몸체의 일정 면대면 치수	ISA RP4.1
	액체배선의 솔레노이드 밸브의 정격호름과 압력 특성에 대한 권고 절차	FCI 68-2
	가스 배선의 솔레노이드 밸브의 정격 흐름과 압력 특성의 권고 절차	FCI 68-1
	주철용 정격 압력 150PSI 크기 10in에서 16in와 강제용 정격압력 150PSI, 300PSI, 600PSI용 제어밸브의 면대면의 치수결정용 임의의 표준규격	FCI 65-2
	제어밸브 크기 결정용 임의 표준규격	
	제어밸브 크기 결정용	FCI 62-1
	조속기용량 정의	FCI 58-1
	동력 작동밸브의 표준규격 분류와, 전문용어	FCI 55.1

표 7.12 증기 트랩의 표준규격

Rating	증기 트랩의 표준 정격압력	FCI 69-1
	산업 증기 트랩의 정격용량 결정용 표준규격	FCI 65-3
시 험	균형압력 자동온도 조절장치 트랩요소에 쓰이는 동작주기 시험	FCI 68-3

표 7.13 불을 때지 않는 不火性 저장용기와 탱크의 표준규격

압력저장용기	압력저장용기(ASME 보일러 규격, 8절)	ASME F8A&B
저압탱크	많은 용접을 한 저압저장 탱크의 설계와 건축용 추천 법규	API 620
	기름 저장용 용접한 강제 탱크	API 650
	대기와의 환기와 저압 저장 탱크	API 2000
핵저항용기	고정핵발전 원자로용 설계와 조립에 관한 안전 규격과 강제 저장구조의 유지에 관한 안전규격	ANSI N6.2 ASME N42
	핵 발전설비 구성기계(ASME 보일러규격, 3절)	ASME F3

표 7.14 불화성 저장용기와 히터 또는 열교환기

열교환기	일반 정제 장치용 열교환기	API 660
	열 교환기용 Tube 치수	API 640
히 터	급수 Heater 給水加熱器	ASME PTC12.1

표 7.15 배관의 BOLT와 NUT의 나사산

일 반	유니파이 나선 나사산	ANSI B1.1 ASME M28
	유니파이 나선 나사산-미터법	ANSI B1.1a
	미터 나선 나사산	ASME N46
	나선 나사산의 전문용어, 정의, 문자기호	ANSI B1.7 ASME L11
파 이 프	파이프 나사산(드라이실 제외)	ANSI B2.1 ASME L18
	드라이실 파이프 나사산	ANSI B2.2 ASME M36
호 스	나선 나사산 소방호스	ANSI B26 ASME J34
	Hose用 Coupling의 나사산	ANSI B2.4 ASME K14
밸브, 이음쇠, 플렌지	수원(원천)지장비 사양	API 6-A
Bolt와 Nut	4각과 6각 Nut	ANSI B18.2.2 ASME M43 ISO R272
	4 사각과 6각 Nut와 나사	ANSI B18.2.1 ASME M44 ISO R272

배관도면과

화학 공업에 사용하는 약어

8.1 배관도면과 서류 등에 사용하는 약어

A

A	(1) 공기 (2) 절대치
ABS	절대값
AGA	미국 가스 협회
AISI	미국 철강 협회
ANSI	미국 표준규격 협회
API	미국 석유 협회
ASTM	미국 재료와 시험 협회
AWS	미국 용접 단체
AWWA	미국 수도 단체

B

BBL	Barrel
BC	Bolt 기초원
BLE	Beveled large end
BLK	검은색
BLVD	Beveled
BOP	파이프 바닥(바깥쪽), 파이프 지지대 설치 위치에 사용
BS	영국 표준 규격
BTU	영국 에너지 단위
BW	(1) 맞대기용접 (2) 맞대기 용접 가공

C

C	(1) cm 단위, ℃ (2) 용축수
CENT	cm 단위
CFM	ft^3/min (단위 분당 유량)
CHU	cm기준 열 단위
CI	주철
CM	cm
Cr	크롬
CS	(1) 탄소강 (2) 스프링
CSC	밀폐카실드 : 인접배관의 수거보다 모든 환경으로부터 밀폐되어 잠긴 밸브를 나타냄
COS	오픈카실드. CSC 참조
CTR	중심
CU	3승(체적)

D

DEG	각도(°)
DIA	지름
DIN	독일 표준 규격
DO	제도실
DRG	도면(잘 않쓰임)
DWG	도면

E

E	동쪽
ECN	기술 변경 번호
EFW	전기 용해 용접
ELL	엘보우
DRW	전기저항용접

F

F	F(온도단위) 화씨
F&D	면가공 드릴링
FAHR	화씨
FBW	맞대기용접
FCN	현장배경 번호
FD&SF	면가공, 드릴링, Spot가공
FE	플랜지 가공
EF	(1) 평판면(d) (2) 전면(Gasket 좌면) (3) 플랜지면 (치수)
FLG	플랜지
FLGD	플랜지 가공
FOB	(1) 평판바닥(편심 리듀서의 방향을 나타냄) (2) 본선 인도가격(명시된 가격에서 매각자의 화물 인도 위치를 나타냄) (3) 본선 적재인도(매각자의 화물 공급 위치를 나타냄)
FOT	상부평면(편심 리듀서의 위치를 나타냄)
FRP	(글라스) 파이프 보강용 섬유
FS	단조강
FW	현장용접

G

G	(1) 가스 (2) 등급 (3) 그램
GAL	갤 론
GALV	아연도금
GPH	단위 시간당 갈론
CPM	단위 분당 갈론

H

H	(1) 수평 (2) 시간
HEX	6각의
Hg	수은
HPT	호스 파이프 나사산
HR	시간

I

IE	전환입면도
ID	(1) 内面直徑 (2) 내경
IMP	영국갈론
IPS	주철제 Pipe의 크기
IS	내부나사(밸브축의)
ISO	ISO 도면
IS&Y	내부나사와 요크

K

K	킬로(1000배)
KG	킬로그램

L

L	액체
LB, Lb	파운드 중량
LT	얇은 파이프 두께
LR	장반경(엘보우)

M

M	(1) 미터 (2) 메가(1 000000배) 과거도면 x1000)
MACH	기계가공한
MATL	재료
MAWP	최대 허용 운전 압력
MAX	최대값
MCC	모터 제어센터
M/C	기계
MFR	제작자
MI	가단 주철
MIM	(1) 최저치 (2) 분 (시간)
MM	밀리미터(mm)
Mo	몰리브덴
MSS	밸브와 이음쇠 산업의 제작자 표준규격협회

N

N	북쪽
NC	일반밀폐
NEMA	국립전기 제작자 조합
Ni	니켈
NIC	비계약
NO	일반개폐
NPSC	2.5.5절
NPSF	2.5.5절
NPSH	(1) 순수흡입양정 〔3.2.1절〕 (2) 2.5.5절
NPSI	2.5.5절
NPSL	2.5.5절

表 7.11–7.15

NPSM	2.5.5절
NPT	국립 파이프나사
NPTF	2.5.5절
NRS	비 상승축(밸브)
O	
O	기름
OD	외경
OS	나사 외경(밸브축)
OS&Y	나사 외경과 요크(밸브축)
P	
P&ID	배관과 계장 흐름 도면
PBE	양측 말단 표시(SWAGE 등)
PE	말단 표시
PFI	파이프 제작협회
POE	한쪽 면말단(Nipple 등)
PS	(1) 파이프지지(기초, 가이드 또는 슈 또는 지지대 형성조합품목) (2) Pre-spring
PSI	면적당 파운드(중량) (압력)
PSIA	절대압력, 면적당 파운드(중량)
PSIG	게이지압력, 면적당 파운드(중량)
R	
RED	축소
RF	상승면
RJ	링조인트
RPM	회전수
RS	상승축(밸브의)
S	
S	(1) 남쪽 (2) 증기
SAE	자동차공학회
SCH	스케쥴(파이프의 두께)
SCRD	나사가공
SF	잘못된 面
SKT	Socket
SMLS	이음매 없는
Si	실리콘
SO	Slip-on
SP	(1) 표본 점 (2) 표준규격실행(Mssterm)
SR	단 반경
STT	스테인레스강제
ST	증기트랩
STM	증기
STD	표준규격
STR	직선관
SW	소켓용접
SWG	Swage
SWG NIPP	Swaged Nipple
SWP	증기운전압력
T	
T	(1) 온도 (2) 트랩
T&C	나사산과 커플가공한 (Pipe)
TEMA	다관형열 교환기 제작자조합
TGT	Tangent
TOE	한쪽끝 나사산가공(Nipple 또는 Swage)
TOS	지지대 상부
TPI	인치당 나사산
TSE	작은말단나사산
TYP	전형(비슷한 배열에서 재도안을 피하는데 사용)
U	
UNC	2.6.3절
UNF	2.6.3절
UNS	2.6.3절
V	
V	(1) 수직 (2) 바나듐
W	
W	(1) 서쪽 (2) 물
WGT	중량
WLD	용접
WOG	Welding Neck
WP	(1) 운전점 또는 기름점 (2) 강제에 사용하는 접미사표시이며 이음쇠 잔등파이프에 사용 "WPB"는 A181 2급 철제 이음쇠를 나타낼때 표시 ASME SA234 표1과 2에 설명
WT	중량
X	
XH	엑스트라중량(목차를 보라)
XS	엑스트라강도 특별경도
XXS	Double-Extra-Strong
OTHER	
℄	중심선
⏀	지름

화학 공업제품에 사용하는 약어

약어	화학제품명	사용처
A		
ADA	아세톤, dicarboxylic acid	약품
AEA	공기를 포함하는 촉매제	콘크리트
ANW	물내에 포함된 83%	질산암모늄
B		
BAP	Benzyl para-amino phenol	연료
BHA	Butylated hydroxyanisole	식량
BHC	Benzene hexachloride	일반
BHT	Butylated hydroxytoluene	식량
BOV	77~88% 황산 (황산의 팽창기름)	일반
BzH	Benzaldehyde	일반
BzOH	안신향산	일반
C		
CO	일산화탄소	
COV	95~96% 황산	일반
CO2	이산화탄소	일반
D		
DAP	인산암모늄	농업
DCO	Dehydrated castor oil	도료
DMC	Dimethylammonium dimethyl carbamate	정제장치
DMF	Dimethyl formamide	
DMU	Dimethylurea	
DNA	Dinonyladipate	플라스틱
DNM	Dinonyl maleate	플라스틱
DNP	Dinonyl phthalate	플라스틱
DNT	Dinitrotoluene	폭약
DOP	Dioctyl phthalate	플라스틱
DOV	96% 황산 (황산의 증류기름)	일반
DSP	Disodium phosphate	일반
DTBP	Ditertiary-butyl peroxide	플라스틱
DVB	Divinyl benzene	플라스틱
DPG	Diphenyl guanidine	고무
DOPA	3,4-dihydroxyphenylaniline	고무
E		
EA	Ethylidene aniline	고무
EDTA	Ethylene diamine tetra-acetic acid	식량

약어	뜻	사용처
F		
FA	Furfuryl alcohol	일반
FGAN	질산암모늄	농업
FPA	인산	
FREON	탄화수소에 염소 또는 fluoro-기가 첨가한 큰 숫자중의 하나	냉동 일반
H		
HCN	청산(시안화수소산), 수소 시안화물	청산
HET	Hexa-ethyl tetraphosphate	농업
HMDT	Hexamethylene 3 과산화물	–
HMT	Hexamethylene tetramine	스
HNM	육질산 Mannitol	폭약
HTP	100% 수소 과산화물 ("고시험 과산화물") 고 b. pt 지방족 알콜 지선	로켓공학 일반
H2O	물	
I		
IMS	공업용에틸 알콜	일반
IPA	Isophthalic acid	–
IPC	Isopropyl n-phenyl carbonate	–
IPS	Isopropyl alcohol (Shell Oil Co.)	일반
L		
LOX	액체산소	로켓공학
LPC	Lauryl 염화피거듐	비누
LPG	액화 석유가스, 주로 부탄과 프로판	일반
M		
MBMC	Monotertiary butyl-methyl-cresol	일반,
MEK	Methyl-ethyl-ketone	도료, 일반
MEP	2-methyl, 5-ethyl pyridine	–
MIBC	Methyl isobutyl carbinol	–
MIBK	Methyl-isobutyl-ketone	–
MNA	Methyl-nonyl acetaldehyde	–
MNPT	m-nitro p-toluidine	–
MNT	Mononitro toluene	폭약
MSG	Monosodium glutamate	식량
N		
NBA	n-브롬 아세톤	
NBS	n-브롬 호박산 아미드	
NCA	n-클로로 아세트 아미드	
NCS	n-염화 호박산 아미드	
NH powder	폭발성화학	
N2	질소	
O		
OMPA	Octamethyl pyrophosphoramide	농업
ONB	o-nitrobiphenyl	플라스틱
OPE	Octylphenoxyethanol	정제장치
O2	산소	일반
O3	오존	–
P		
PAS	p-aminosalicylic acid	약품
PB	Polybutene	플라스틱
PBNA	Phenyl beta-naphthylamine	고무
PDB	p-dichlorobenzene	농업
PE	Penta-erythritol	–
PETN	Penta-erythritol tetranitrate	폭약
PTFE	Polytetrafluorethylene	
PVA or PVAL	Polyvinyl alcohol	
PVAc	Polyvinyl acetate	
PVB	Polyvinyl butyrol	
PVC	Polyvinyl chloride	
PVM	Polyvinyl methyl-ether	
R		
RNV	황산(황산의 제정비)	일반
S		
S	황	일반
SAP	나트륨산 피로 인산염	–
SDA	특별 변질 알콜	일반
SO2	이산화 황	일반
T		
TCA	Sodium tetrachloracetate	농업
TCE	1,1,1-trichlorethane	드라이크리닝
TCP	Tricresyl phosphate	연료, 플라스틱
TEG	Triethylene glycol	정제
TEL	Tetraethyl lead	연료
TEP	Tetraethyl pyrophosphate	농업
TFA	Tetrahydrofurfuryl alcohol	
TNA	Trinitroaniline	폭약
TNB	Trinitrobenzene	폭약
TNG	Trinitroglycerine	폭약
TNM	Trinitromethane	
TNT	Trinitrotoluene	폭약
TNX	Trinitroxylene	폭약
TOF	Trioctyl phosphate	플라스틱
TPG	Triphenyl guanidine	고무
TSP	Trisodium o-phosphate Tetrasodium phosphate	
V		
VA	Vinyl acetate	
Z		
ZMA	아연 비산염	목재

찾아보기

: 플랜지용 Facing 2.6.1절 그림2.56
: 플랜지용 Gasket 2.6.4절 그림2.56 표2.5
: 플랜지용 Lap Joint 2.3.1절 그림2.10
: 플랜지용 Reducing 2.3.1절 그림2.8
: 플랜지용 나사가공 2.5.1절 그림2.45
: 플랜지용 Slip-on 2.3.1절 그림2.7
: 플랜지용 소켓용접 2.4.1절 그림2.27
: 플랜지용 Welding Neck 2.3.1절 그림2.6

Flap Valve 3.1.11절
Flarestack : 공정이 이루어지는 지역에서 멀리 떨어진 곳에 위치한 더미로 폐기 탄화수소나 다른 가연성기체를 소각하는데 사용하는 Relief Valve 밸브가 설치되어 있다. 6.11.3절
Flash steam(플래쉬증기) 6.9.1절
Flashing(불어서 청소하는 것)
: 증기 6.10.8절
: 건물건축(굴뚝의 지붕연결과 같은) 특별한 연결을 덮거나 보호할 때 사용하는 금속조각이나 다른 물질.
Flash point(인화점) : 가연성기체에 대한 용어. 증기의 양이 표면위의 공기와 함께 가연성 혼합물을 형성하기에 충분한 온도로 발화할 수 있는 근원이 적용되면 순간적인 인화가 발생한다. 위험한 액체일수록 낮은 인화점을 갖는다.
Flat Face(平面) 플랜지평면 2.6.1절
Flexibility(유연성) 그림6.1
Flexible piping(유연배관) 2.9.2절
: 팽창조인트 2.9.1절
Flotation tank(부유탱크) 표3.8
Floor stand 3.1.2절 '스템'참조
Flow Diagram(흐름도) 5.2.3절
Flow Line(유동라인)
: 흐름도상의 유동라인
: 배관 및 장치설치도의 유동라인
Fluid(유체) : 흐를 수 있는 모든 물질. 지침서에서 유체는 액체나 가스를 나타낼 때 사용한다. 분말도 유체로 생각할 수 있다.
Flush-Bottom Tank Valve 3.1.9절
Foot Valve 3.1.7절
Foreign Matter(이물질) : 외부에서 시스템으로 유입된 원하지 않는 모든 물질
Foreign Print(외부인쇄물) : 다른 조직, 다른 부서, 다른 회사에서 만든 도면 인쇄물
Fractionation Column(분류탑) 3.3.3절 표3.8
: 배관 6.5.2절
Frost Line(결빙라인) : 32F(0℃)까지 냉각된 지표의 최저깊이.
Full couping : Couping 참조

G

Gage(계기) : 압력, 온도등을 측정하거나 기록하는 장치
Gage Glass(水面計) : 액체의 수면을 보는데 사용하는 유리로 끝이 연결되어 있는 수직 튜브의 형태이다.
Galvaniging(아연도금) : 전기도금이나 뜨거운액에 넣어 아연과 함께 금속을 피복하는 도금법
Gasket 2.6.4절 표2.5 : 치수 5.3.3절의 '조인트의 치수'참조
Gate Valve
Girt : 건물의 측면을 형성하는 판넬이 부착되어 있는 건물의 수평부분
Gland : 축이나 축대에 고정되어 있는 Stuffing Box내의 일종의 슬리브로 축이나 축대가 회전할 때 생기는 누설을 막기위해 압력Packing으로 조여준다.
Glass pipe(유리관) 2.1.4절 : 지지대 6.2.7절
Globe Valve 3.1.5절
Grade(등급) : 5.3.1절의 '수직기준선'참조
Ground Joint(지표이음) : 2개의 기계가공한 금속표면을 면대면으로 연결한 연결장치
Group Leader(단체지도자)
Grout(시멘트풀) : 콘크리트기초에 붙는 얇은 콘크리트로 기초와 기기의 Base Plate이 서로 움직이지 않게 고정하여 준다.
Guide(안내서, 지침서) 2.12.2절 6.2.8절 그림2.72A
Gut line 6.8.2절의 '트레이싱'참조

H

Helf-Coupling(반커플링)
: 나사가공 Half Coupling 2.5.3절 그림2.49
: 소켓용접 반커플링 2.4.3절 그림2.31
Handail(난간) 궤도참조
Hanger 2.12.2절
: 일정하중Hanger 2.12.2절
: 스프링Hanger 2.12.2절
Harness Piping 6.3.1절
Head(水頭) 압력수도 3.2.1절
Header : 주요 공급라인이나 되돌아오는 배관에 사용하는 파이프
Header Valve 3.1.11절
Heat Exchanger(열 교환기) 3.3.5절, 그림6.32 도표H-1
: 데이터표 6.6.1절
: 열 교환기의 배관 6.6절
Hexagon Bushing(육각형부싱) 2.5.1절 그림2.4.2
High Point Finished Grade(최고높이 최종가공등급) : 5.3.1절의 '수직기준선'참조
Holding Tank(저장탱크) : 공정이나 처리를 더 하기위해 임시로 액체나 가스를 저장하는 탱크
Homogeniger(균질기)3.3.4절
Hose Connenctur(호스연결자)2.8.1절
Hose Valve 3.1.11절
Hot Tap(고온탭가공) : 배선에 폐쇄 없이 압력이 걸린 상태하에서 라인에 지선을 내는 기술
Hotwell(온수통) : 뜨거운 액체를 배출하기 전에 저장해두는 일종의 웅덩이, 탱크 또는 다른 용기 6.10.4절
Hydraulic Accumulator(수력 축적장치) : 압력이 걸린 상태에서 액체를 보존한다. 전형적으로 중량, 스프링, 또는 압축된 가스에 의해 동작하는 실린더와 피스톤으로 구성된 장치
Hydraulic Dampener(수력완충기)2.12.2절 : 기호 도표5.2B
Hydraulic Testing 유체(水) 검사 6.11.2절
Hygienic Construction(위생학적 건축) : 식료품이나 약품을 다루는 파이프, 밸브, 펌프와 다른 장비는 위생적으로 건설되어야 하는데 작업물질과 접촉하는 모든 표면은 부식이 안되야 하고 표면이 부드럽고 비유독성이어야 한다. 오염가능성이 있는 상태에서는 플라스틱과 고무가 함께 구성되면 안된다. 오염이 되지 않는 물질은 '백색'고무라고 한다.

I

Inconel : 크롬과 강철을 함유하는 고니켈합금. 산화와 부식에 저항성이 있다.
Increaser(쐐기 또는 리듀서와 동의어)
Instrument(계기공기) : 공기 6.3.2절의 '압축공기의 사용'참조
Instrument Connection(계기연결장치)6.7절 도표6.2
Instrument Loop(계기루프)5.5.3절
Instrument Society of America(미국계기협회)5.5.1절 표7.3
Instumentation(계기)5.5절
: 규격 표5.2
: 기능 5.5.2절
: 설치 5.5.4절
: 흐름도상의 표시 5.2.3절
: 배관 및 기기설치도상의 표시 5.2.4절
: 안내기호 5.5.6절 도표5.1
Insultion(보온)
: 열의 보온
: 배관 및 기기설치도상의 표시
: 개인작업자의 보호
: 보온재의 두께 6.8.1절 표6.7과 표6.8
Intercooler(중간냉각기)3.2.2절
Interconnecting P&ID(배관 및 기기설치도의 상호연결)5.2.4절
Interface(경계면) : 일반적인 두 시스템의 경계, 그림6.3 점10과 점14
Invert Elevation(역 상승높이)('FE') : 역 상승 높이는 지하 매설파이프의 내부표면의 Base Plate 밑면을 말한다.
Inventory(물품사양서) : 장부에 기재되어 있는 하드웨어상의 파이프와 다른 품목의 목록
Iron Pipe(주철제파이프)2.1.4절
Iron Pipe Sige(주철제파이프의 크기)2.1.3절 표P-1
Iso=Isometric(등치수)5.2.6절 5.2.9절 그림5.15와 그림5.16
: 검사 5.4.4절
: 번호부여 5.2.9절
Isolating Valve(고립밸브)3.1.11절
Issuing Drawings(도면발행)5.4.3절

J

Jack Screw : 오리피스 플랜지와 Line Blind용 플랜지에 설치하는 나사 180°를 사이에 두고 2개의 나사(플랜에 하나씩)가 만들어져 있다. 그림2.59
Jacketing 6.8.2절
Job Functions(업무기능)4.1.2절
Job Number(업무번호) : 회사에서 부여되는 일에 번호를 부여한다. 프로젝트용으로 서류상에 표시한다.
Jumpover 표A-2 6.8.2절

K

Key plan(핵심계획)5.2.7절
Knife-Edge Valve 3.1.11절
Knock-Out Drum or Pot : 액체방울은 포함하는 가스의 흐름이 녹아웃드럼을 통하여 흐르면 유동의 속도가 감소하고 액체를 분류하여 다른곳에 모을 수 있다.
Kinetic Energy(운동에너지) : 물질의 속도를 포함하는 에너지

L

Ledder(사다리) 도표P-22
Land(랜드) : 끝을 Bevel加工된 Land 도표2.1
Lantern Ring 3.1.2절의 '보넷'참조
Lap-Joint Flange 2.3.1
Lateral(측면이음)
: 맞대기용접 Lateral 2.3.2절 그림2.18
: 나사가공 측면이음 2.5.2절 그림2.47
: 소켓용접 측면이음 2.4.3절 그림 2.34
Latrolet
Leroy 4.4.6절
: 맞대기용접 Latrolet 2.3.2절 그림2.15
: 나사가공 Latrolet 2.5.3절 그림2.52
: 소켓용접 Latrolet 2.4.3절 그림 2.34
Lettering4.4.6절
Level Gage(液面計)6.7.4절
Line Blind2.7.1절 그림2.59 : 기호 도표5.6
Line Blind Valve 2.7.1절 3.1.4절
Line Designation Sheet(Line 명칭표) 4.2.3절 5.2.5절
Line Number(Line번호)
: 배관 기기설치도의 Line번호 5.2.4절
: 배관도면 5.28절의 '배관도면상의 공정과 서비스Line'참조
: Iso Line No. 5.2.9절
: Spool Line No. 5.2.9절
Linen : 제도Sheet 4.4.1절
Linings(피복) : 파이프의 Lining 2.1.4절
List of Equipment(機器 List) 5.6.1절
Load cell : 탱크등의 지지대에 설치한 중량

참고문헌

(1) 'American gas handbook'. (Amer Gas J: New York)

(2) 'The Armstrong steam trap book :Catalog L-1'. 1965 (Armstrong Machine Works, Three Rivers, MI 49093)

(3) 'ASRE refrigerating data book' (American Society of Refrigerating Engineers: New York)

(4) Barton E. & Williams E.V. 1957. British Chemical Engineering. Nov

(5) 'Bending seamless steel tubing' (Seamless Steel Tube Institute, Pittsburgh, PA)

(6) 'Cameron hydraulic data'. (Ingersoll-Rand Co)

(7) 'Centrifugal pumps'. Karassik I.J. & Carter R. 1960 (McGraw-Hill)

(8) 'Chemical engineers' handbook'. Perry, Chilton & Kirkpatrick (Eds) (McGraw-Hill)

(9) Ciancia & Steymann. 1965. Chemical Engineering. Aug 30. 114

(10) 'Compressed air data'. (Compressed Air Magazine, New York)

(11) 'Costs:reinforced plastics vs stainless steel'. Smith T.J. 1967. Chemical Engineering. Jan 2. 110-3

(12) 'Crane valves & fittings'. Catalog 60 (Crane Company)

(13) 'Crane valves, fittings, pipe and fabricated piping'. Catalog 53 (Crane Company)

(14) Crocker S. See 'Piping handbook'

(15) 'Defects & failures in pressure vessels & piping'. Thielsch H. 1965 (Reinhold)

(16) 'Design of piping for flexibility with flex-anal charts'. Wert E.A. & Smith S. (Blaw-Knox Co, Pittsburgh, PA)

(17) 'Dictionary of mechanical engineering abbreviations, signs & symbols'. Polon D.D. (Ed) 1967 (Odyssey)

(18) 'Drainage of water and oil from compressed-air lines' Bulletin 251 (Armstrong Machine Works)

(19) 'Economic piping of paralleled equipment'. Volkin R.A. 1967 (Chemical Engineering. Mar 27. 148-52

(20) 'Engineering manual'. Perry R.H. (Ed) (McGraw-Hill)

(21) 'Estimators' manual of equipment & installation costs'. 1963. 'Estimators' piping manhour manual'. 1958. Page J.S.(Gulf Publishing, Houston, TX)

(22) 'Flow of fluids thru valves, fittings & pipe'. Technical paper 409. (Crane Company)

(23) 'Flow of fluids thru valves, fittings & pipe'. Technical paper 410. (Crane Company)

(24) 'Fluid meters:their theory & application'. Report of ASME Research Committee on Fluid Meters. (ASME)

(25) 'Handbook of welded steel tubing'. (Formed Steel Tube Institute, Cleveland, OH)

(26) 'How to design tower piping'. Kern R. 1958. Petroleum Refiner. Vol 37 (3) 135-42

(27) 'Industrial piping'. Littleton C.T. 1962. (McGraw-Hill)

(28) 'Instrument symbols—a new approach'. Conison J. 1966. Hydrocarbon Processing. Vol 45 (9) 297-301

(29) 'Jenkins forged-steel valves'. Catalog 68FS (Jenkins Bros)

(30) 'Keeping piping hot—part I'. Chapman F.S. and Holland F.A. 1966. Chemical Engineering. Dec 20

(31) 'Keeping piping hot—part II'. Chapman F.S. and Holland F.A. 1966. Chemical Engineering. Jan 17

(32) King R.C. See 'Piping Handbook'

(33) 'Ladish controlled quality fittings' Catalog 55 (Ladish Co. Cudahy, WI)

(34) 'Pipe friction manual'. (The Hydraulic Institute, 122 East 42nd St, New York 17)

(35) 'Pipe tracing & insulation'. House F.F. 1968. Chemical Engineering. Jun 17

(36) 'Piping design & engineering'. 2nd edn. (Grinnel Co. Providence,RI)

(37) 'Piping design for process plants'. Rase H.F. 1963 (John Wiley)

(38) 'Piping engineering'. 1947 (Tube Turns Inc, Louisville, KY)

(39) 'Piping stress calculations simplified'. Spielvogel S.W. (McGraw-Hill)

(40) 'Practical piping layouts, nos. 26-50 & 51-75'. (Jenkins Bros, NY)

(41) 'Project engineering'. Gordon D. 1950. Chemical Engineering. Mar. 125-36

(42) 'Pump selection & application'. Hicks T. 1957 (McGraw-Hill)

(43) 'Piping handbook'. King R.C. (Ed) 1967 (McGraw-Hill)

(44) 'Screens in the chemical process industries'. (Chemical Engineering reprint)

(45) 'Seamless steel tube data'. (Seamless Steel Tube Institute, Pittsburgh, PA)

(46) 'Selecting materials for process piping'. Aldrich C.K. 1960, Chemical Engineering. Vol 67 (23) 183-222

(47) 'Stainless steel reference book'. (Earle M. Jorgensen Co)

(48) 'Standard manual on pipe welding'. 2nd edn. (Heating, Piping & Air-conditioning Contractors' National Association, New York)

(49) 'Standard marking system for valves, fittings, flanges & unions'. SP-25 (Manufacturers' Standardization Society)

(50) 'Standards of the Hydraulic Institute'. 1965. 11th edn (The Hydraulic Institute, 122 East 42nd St, New York 17)

(51) 'Steam trap service guide'. Bulletin 300 (Armstrong Machine Works)

(52) 'Technical data manual'. Bulletin 159R (Platecoil Div, Tranter Mfg Inc, Lansing, MI)

(53) 'Welding fittings & flanges'. Catalog 311 (Tube Turns Div of Chemetron, Corp, Louisville, KY 40201)

(54) 'Welding fittings & forged flanges'. Catalog 61 (Midwest Fitting Div. of Crane Company)

(55) 'Welding handbook'. (American Welding Society, New York)

(56) 'Winterizing chemical plants'. House F.F. 1967. Chemical Engineering. Sep 11

(57) 'Valves'. Catalogs SS-102, GCS & SEB-4 (Pacific Valves Inc, 3201 Walnut Ave, Long Beach, CA 90807)

(58) 'Valves'. Catalog 64 (Wm Powell Co, Cincinatti 14, OH)

第二部

工業配管 시스템

工業配管 시스템의 設計와 製圖에 對한 참고자료이다.

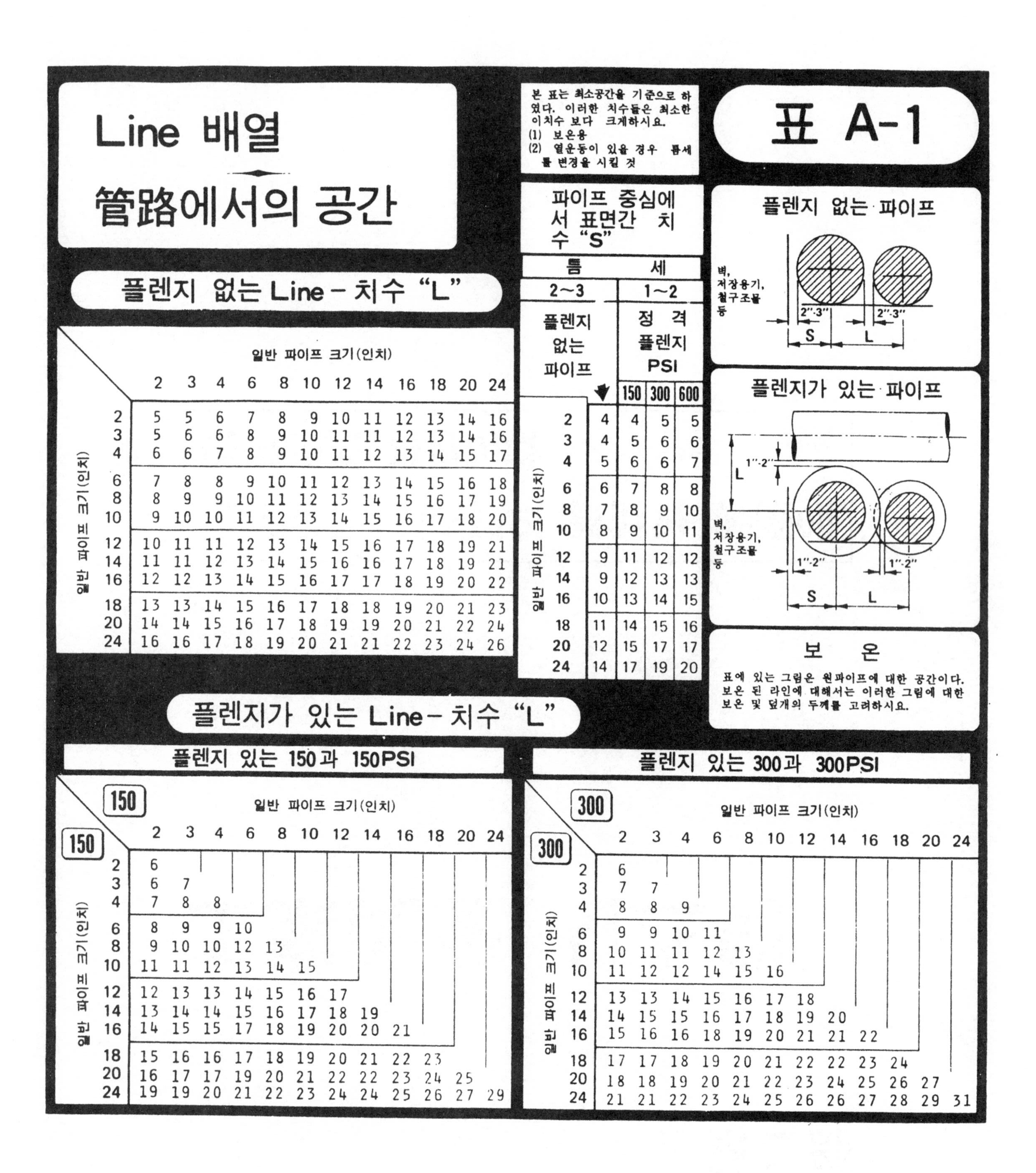

Line 배열 管路에서의 공간

표 A-1

본 표는 최소공간을 기준으로 하였다. 이러한 치수들은 최소한 이치수 보다 크게하시요.
(1) 보온용
(2) 열운동이 있을 경우 틈새를 변경을 시킬 것

플렌지 없는 Line - 치수 "L"

일반 파이프 크기(인치)	2	3	4	6	8	10	12	14	16	18	20	24
2	5	5	6	7	8	9	10	11	12	13	14	16
3	5	6	6	8	9	10	11	11	12	13	14	16
4	6	6	7	8	9	10	11	12	13	14	15	17
6	7	8	8	9	10	11	12	13	14	15	16	18
8	8	9	9	10	11	12	13	14	15	16	17	19
10	9	10	10	11	12	13	14	15	16	17	18	20
12	10	11	11	12	13	14	15	16	17	18	19	21
14	11	11	12	13	14	15	16	16	17	18	19	21
16	12	12	13	14	15	16	17	17	18	19	20	22
18	13	13	14	15	16	17	18	18	19	20	21	23
20	14	14	15	16	17	18	19	19	20	21	22	24
24	16	16	17	18	19	20	21	21	22	23	24	26

파이프 중심에서 표면간 치수 "S"

틈세	2~3	1~2		
일반 파이프 크기(인치)	플렌지 없는 파이프	정격 플렌지 PSI 150	300	600
2	4	4	5	5
3	4	5	6	6
4	5	6	6	7
6	6	7	8	8
8	7	8	9	10
10	8	9	10	11
12	9	11	12	12
14	9	12	13	13
16	10	13	14	15
18	11	14	15	16
20	12	15	17	17
24	14	17	19	20

플렌지 없는 파이프

플렌지가 있는 파이프

보 온

표에 있는 그림은 원파이프에 대한 공간이다. 보온 된 라인에 대해서는 이러한 그림에 대한 보온 및 덮개의 두께를 고려하시요.

플렌지가 있는 Line - 치수 "L"

플렌지 있는 150과 150PSI

150 \ 150 일반 파이프 크기(인치)	2	3	4	6	8	10	12	14	16	18	20	24
2	6											
3	6	7										
4	7	8	8									
6	8	9	9	10								
8	9	10	10	12	13							
10	11	11	12	13	14	15						
12	12	13	13	14	15	16	17					
14	13	14	14	15	16	17	18	19				
16	14	15	15	17	18	19	20	20	21			
18	15	16	16	17	18	19	20	21	22	23		
20	16	17	17	19	20	21	22	22	23	24	25	
24	19	19	20	21	22	23	24	24	25	26	27	29

플렌지 있는 300과 300PSI

300 \ 300 일반 파이프 크기(인치)	2	3	4	6	8	10	12	14	16	18	20	24
2	6											
3	7	7										
4	8	8	9									
6	9	9	10	11								
8	10	11	11	12	13							
10	11	12	12	14	15	16						
12	13	13	14	15	16	17	18					
14	14	15	15	16	17	18	19	20				
16	15	16	16	18	19	20	21	21	22			
18	17	17	18	19	20	21	22	22	23	24		
20	18	18	19	20	21	22	23	24	25	26	27	
24	21	21	22	23	24	25	26	26	27	28	29	31

플렌지 있는 150과 300PSI

300 \ 150 (일반 파이프 크기(인치))	2	3	4	6	8	10	12	14	16	18	20	24
2	6	6	7	8	9	11	12	13	14	15	16	19
3	7	7	8	9	10	11	13	14	15	16	17	19
4	8	8	9	10	11	12	13	14	15	16	17	20
6	9	9	10	11	12	13	14	15	17	17	19	21
8	10	11	11	12	13	14	15	16	18	18	20	22
10	11	12	12	14	15	16	17	17	19	19	21	23
12	13	13	14	15	16	17	18	19	20	21	22	24
14	14	15	15	16	17	18	19	20	21	22	23	25
16	15	16	16	18	19	20	21	21	22	23	24	26
18	17	17	18	19	20	21	22	22	23	24	25	27
20	18	18	19	20	21	22	23	24	25	26	27	29
24	21	21	22	23	24	25	26	26	27	28	29	31

(세로: 일반 파이프 크기(인치))

플렌지 있는 300과 600PSI

600 \ 300 (일반 파이프 크기(인치))	2	3	4	6	8	10	12	14	16	18	20	24
2	6	7	8	9	10	11	13	14	15	17	18	21
3	7	7	8	9	11	12	13	15	16	17	18	21
4	8	9	9	10	11	12	14	15	16	18	19	22
6	10	10	11	12	13	14	15	16	18	19	20	23
8	11	11	12	13	14	15	16	17	19	20	21	24
10	13	13	14	15	16	17	18	18	20	21	22	25
12	14	14	15	16	17	18	19	19	21	22	23	26
14	15	15	16	17	18	19	20	20	21	22	24	26
16	16	17	17	18	19	20	21	22	23	24	25	27
18	17	18	18	19	20	21	22	23	24	25	26	28
20	19	19	20	21	22	23	24	24	25	26	27	29
24	21	22	22	23	24	25	26	27	28	29	30	32

(세로: 일반 파이프 크기(인치))

플렌지 있는 150과 600PSI

600 \ 150 (일반 파이프 크기(인치))	2	3	4	6	8	10	12	14	16	18	20	24
2	6	6	7	8	9	11	12	13	14	15	16	19
3	7	7	8	9	10	11	13	14	15	16	17	19
4	8	9	9	10	11	12	13	14	15	16	17	20
6	10	10	11	12	13	14	15	15	17	17	19	21
8	11	11	12	13	14	15	16	17	18	19	20	22
10	13	13	14	15	16	17	18	18	19	20	21	23
12	14	14	15	16	17	18	19	19	20	21	22	24
14	15	15	16	17	18	19	20	20	21	22	23	25
16	16	17	17	18	19	20	21	22	23	24	25	27
18	17	18	18	19	20	21	22	23	24	25	26	28
20	19	19	20	21	22	23	24	24	25	26	27	29
24	21	22	22	23	24	25	26	27	28	29	30	32

(세로: 일반 파이프 크기(인치))

플렌지 있는 600과 600PSI

600 \ 600 (일반 파이프 크기(인치))	2	3	4	6	8	10	12	14	16	18	20	24
2	6											
3	7	7										
4	8	9	9									
6	10	10	11	12								
8	11	11	12	13	14							
10	13	13	14	15	16	17						
12	14	14	15	16	17	18	19					
14	15	15	16	17	18	19	20	20				
16	16	17	17	18	19	20	21	22	23			
18	17	18	18	19	20	21	22	23	24	25		
20	19	19	20	21	22	23	24	24	25	26	27	
24	21	22	22	23	24	25	26	27	28	29	30	32

(세로: 일반 파이프 크기(인치))

관 로 폭

Line 수, Line 크기, 정격압력(플렌지가 있는 Line의 경우) 그리고 보온두께를 결정한 후, **20%**의 앞으로 할 배관용 공간을 포함시키고, 최종설계를 위한 **25%**를 고려하여 표 A-1에서 표 A-3를 참조하여 관로폭을 결정한다.

크기가 2에서 8인치 NPS인 플렌지 없는 Line을 선택하는데 필요한 관로폭의 기초 값을 얻기 위하여 다음과 같은 요소들중 하나를 사용한다.

(1) 모든 파이프 크기가 정해지면 인치로된 공칭 크기를 더하고 피트로 폭을 정해주기 위하여 **0.34**를 곱하시요.

(2) 단지 Line의 수만 알 수 있을 경우 되도록 폭을 정해주기 위하여 이 수에 **1.43**을 곱하시요.

이러한 요소들은 관로폭을 정해주는데 이 관로폭에는 Line의 보온을 위한 **25%**, Line의 추가 및 치수 재조정을 위한 **20%**, 그리고 앞으로 할 배관을 위한 **20%**를 포함 시킨다.

45° Jumpover

표 A-2

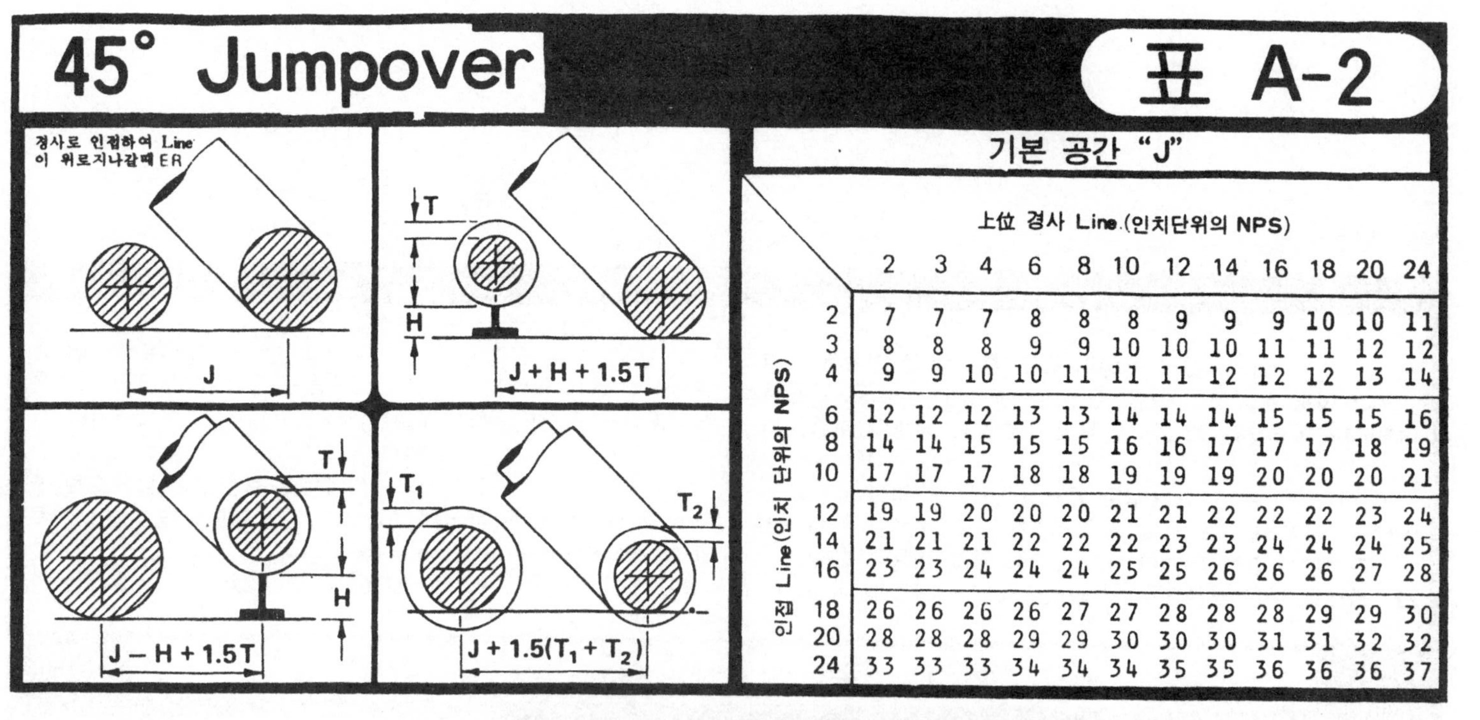

기본 공간 "J"

인접 Line(인치단위의 NPS) \ 上位 경사 Line(인치단위의 NPS)	2	3	4	6	8	10	12	14	16	18	20	24
2	7	7	7	8	8	8	9	9	9	10	10	11
3	8	8	8	9	9	10	10	10	11	11	12	12
4	9	9	10	10	11	11	11	12	12	12	13	14
6	12	12	12	13	13	14	14	14	15	15	15	16
8	14	14	15	15	15	16	16	17	17	17	18	19
10	17	17	17	18	18	19	19	19	20	20	20	21
12	19	19	20	20	20	21	21	22	22	22	23	24
14	21	21	21	22	22	22	23	23	24	24	24	25
16	23	23	24	24	24	25	25	26	26	26	27	28
18	26	26	26	26	27	27	28	28	28	29	29	30
20	28	28	28	29	29	30	30	30	31	31	32	32
24	33	33	33	34	34	34	35	35	36	36	36	37

45° Rununder

표 A-3

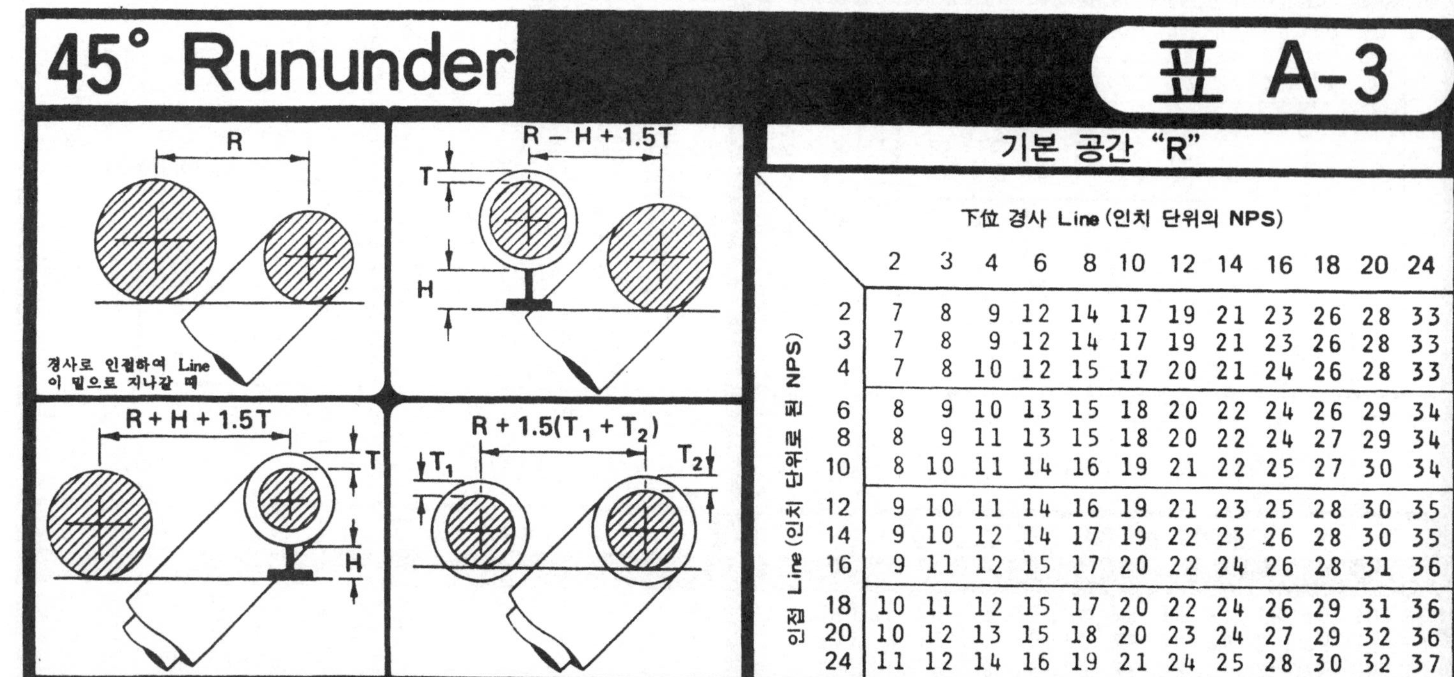

기본 공간 "R"

인접 Line(인치 단위로 된 NPS) \ 下位 경사 Line(인치 단위의 NPS)	2	3	4	6	8	10	12	14	16	18	20	24
2	7	8	9	12	14	17	19	21	23	26	28	33
3	7	8	9	12	14	17	19	21	23	26	28	33
4	7	8	10	12	15	17	20	21	24	26	28	33
6	8	9	10	13	15	18	20	22	24	26	29	34
8	8	9	11	13	15	18	20	22	24	27	29	34
10	8	10	11	14	16	19	21	22	25	27	30	34
12	9	10	11	14	16	19	21	23	25	28	30	35
14	9	10	12	14	17	19	22	23	26	28	30	35
16	9	11	12	15	17	20	22	24	26	28	31	36
18	10	11	12	15	17	20	22	24	26	29	31	36
20	10	12	13	15	18	20	23	24	27	29	32	36
24	11	12	14	16	19	21	24	25	28	30	32	37

표 A-2 & A-3 대한 주의

(1) 그림에 나타나 있는 간격은 2~2.7인치 틈새가 있다.
(2) 표 A-2 와 A-3에서 "H"는 유효 shoe 높이이며, 그리고 "T"는 덮개가 있는 보온 두께이다.
(3) 요약하면 요소 1.5는 요소 2½(=1.414……)에 대한 모든 계산에 사용하고 있다.

600 PSI 맞대기 용접배관 치수

표 D-1

이 표에 있는 치수들은 플렌지 위의 1/4인치 Gasket 좌면을 포함한다.

구분	일반 파이프 크기 (IN)		2	3	4	6	8	10	12	14	16	18	20	24
이음쇠 (ANSI B 16.9 에 의한 치수이다.)	직선 Tee (Reducing Tee의 치수들은 표 D-6 에 있다.)		$2\frac{1}{2}$	$3\frac{3}{8}$	$4\frac{1}{8}$	$5\frac{5}{8}$	7	$8\frac{1}{2}$	10	11	12	$13\frac{1}{2}$	15	17
	Weldolet (표준 Weight 1/16in 곡면과 Root Gap이 표시된 치수이다.)	FULL	$1\frac{9}{16}$	$1\frac{7}{8}$	$2\frac{1}{8}$	$2\frac{1}{2}$	$2\frac{15}{16}$	$3\frac{1}{4}$	$3\frac{9}{16}$	$3\frac{11}{16}$	$3\frac{7}{8}$	$4\frac{1}{4}$	$4\frac{13}{16}$	$5\frac{9}{16}$
		RED.	$1\frac{9}{16}$	$1\frac{7}{8}$	$2\frac{1}{8}$	$2\frac{1}{2}$	$2\frac{15}{16}$	$3\frac{1}{4}$	$3\frac{9}{16}$	$3\frac{11}{16}$	$3\frac{7}{8}$	4	$4\frac{3}{16}$	$4\frac{3}{4}$
	Reducer 동심 및 편심		표 D-5	$3\frac{1}{2}$	4	$5\frac{1}{2}$	6	7	8	13	14	15	20	20
	90° LR Ell (Regular와 Reducing)		3	$4\frac{1}{2}$	6	9	12	15	18	21	24	27	30	36
	90° SR Ell		2	3	4	6	8	10	12	14	16	18	20	24
	45° Ell(LR)		$1\frac{3}{8}$	2	$2\frac{1}{2}$	$3\frac{3}{4}$	5	$6\frac{1}{4}$	$7\frac{1}{2}$	$8\frac{3}{4}$	10	$11\frac{1}{4}$	$12\frac{1}{2}$	15
	OFFSET (2개의 45° Ell)	A	$1\frac{15}{16}$	$2\frac{13}{16}$	$3\frac{9}{16}$	$5\frac{5}{16}$	$7\frac{1}{16}$	$8\frac{13}{16}$	$10\frac{5}{8}$	$12\frac{3}{8}$	$14\frac{1}{8}$	$15\frac{15}{16}$	$17\frac{11}{16}$	$21\frac{3}{16}$
		B	$4\frac{11}{16}$	$6\frac{13}{16}$	$8\frac{9}{16}$	$12\frac{13}{16}$	$17\frac{1}{16}$	$21\frac{5}{16}$	$25\frac{5}{8}$	$29\frac{7}{8}$	$34\frac{1}{8}$	$38\frac{7}{16}$	$42\frac{11}{16}$	$51\frac{3}{16}$
	90° OFFSET BEND (45° Ell+90° LR Ell)	C	$3\frac{1}{8}$	$4\frac{5}{8}$	6	9	12	15	$18\frac{1}{16}$	$21\frac{1}{16}$	$24\frac{1}{16}$	$27\frac{1}{16}$	$30\frac{1}{16}$	$36\frac{1}{16}$
		D	$4\frac{1}{2}$	$6\frac{5}{8}$	$8\frac{1}{2}$	$12\frac{3}{4}$	17	$21\frac{1}{4}$	$25\frac{9}{16}$	$29\frac{13}{16}$	$34\frac{1}{16}$	$38\frac{5}{16}$	$42\frac{9}{16}$	$51\frac{1}{16}$
	90° LR Ell +용접형 NECK Gasket 좌면이 있는 Flange	E	$6\frac{1}{8}$	8	$10\frac{1}{4}$	$13\frac{7}{8}$	$17\frac{1}{2}$	$21\frac{1}{4}$	$24\frac{3}{8}$	$27\frac{3}{4}$	$31\frac{1}{4}$	$34\frac{1}{2}$	$37\frac{3}{4}$	$44\frac{1}{4}$
		F	$6\frac{1}{2}$	$8\frac{1}{4}$	$10\frac{3}{4}$	14	$16\frac{1}{2}$	20	22	$23\frac{3}{4}$	27	$29\frac{1}{4}$	32	37
		G	$3\frac{1}{8}$	$3\frac{1}{2}$	$4\frac{1}{4}$	$4\frac{7}{8}$	$5\frac{1}{2}$	$6\frac{1}{4}$	$6\frac{3}{8}$	$6\frac{3}{4}$	$7\frac{1}{4}$	$7\frac{1}{2}$	$7\frac{3}{4}$	$8\frac{1}{4}$
밸브 (ANSI B 16.10에 의한 치수이다.)	PLUG (정상패턴: 2″–10″ 벤튜리패턴: 6″–24″)		$11\frac{1}{2}$	14	17	22	26	31	33	35	39	43	47	55
	GATE (맞대기용접 끝을 가진 게이트 밸브에도 이의 치수를 적용한다.)	H	9	12	16	22	24	28	30	36	38	38	42	42
		I	$20\frac{5}{8}$	$25\frac{3}{4}$	33	$46\frac{1}{2}$	53	$65\frac{1}{8}$	73	$80\frac{13}{16}$	$92\frac{1}{16}$	$98\frac{1}{2}$	$106\frac{3}{8}$	126
		J	$11\frac{1}{2}$	14	17	22	26	31	33	35	39	43	47	55
	BALL (Full-Port 밸브에 대한 치수 (6″이상의 밸브))		$11\frac{1}{2}$	14	17	22	26	31	33	35	39	43	47	55
	GLOBE (맞대기용접 끝을 가진 글로우브 밸브에도 이의 치수를 적용한다.)	K	12	14	18	24	36							
		L	$20\frac{1}{2}$	27	$32\frac{3}{4}$	44	$46\frac{5}{16}$							
		M	$11\frac{1}{2}$	14	17	22	26	31	33					
	CHECK (기울기: 2″–12″ Swing: 2″–12″ Lift: 2″–12″)		$11\frac{1}{2}$	14	17	22	26	31	33					
	일반 파이프 크기 (IN)		2	3	4	6	8	10	12	14	16	18	20	24

NOTE

H, I, K, 와 L 의 치수는 제작공장에 따라 조금씩 다르나 여기 기재한 치수는 미국 유명 제작 공장의 수도용 주강 Valve를 기준으로 한 치수이다.

300 PSI 맞대기용접 배관치수

표 D-2

이 표에 있는 치수들은 플랜지 위의 1/16인치 Gasket 좌면을 포함한다.

구분	일반 파이프 크기 (IN)		2	3	4	6	8	10	12	14	16	18	20	24
이음쇠 (ANSI B 16. 9에 의한 치수이다.)	직선 Tee (Reducing Tee의 치수들은 표 D-6에 있다.)		2 1/2	3 3/8	4 1/8	5 5/8	7	8 1/2	10	11	12	13 1/2	15	17
	Weldolet (표준 Weight, 1/16in 곡면과 Root Gap이 표시된 치수이다.)	FULL	1 9/16	1 7/8	2 1/8	2 1/2	2 15/16	3 1/4	3 9/16	3 11/16	3 7/8	4 1/4	4 13/16	5 9/16
		RED.	1 9/16	1 7/8	2 1/8	2 1/2	2 15/16	3 1/4	3 9/16	3 11/16	3 7/8	4	4 3/16	4 3/4
	REDUCERS 동심 및 편심		표 D-5	3 1/2	4	5 1/2	6	7	8	13	14	15	20	20
	90° LR Ell (Regular와 Reducing)		3	4 1/2	6	9	12	15	18	21	24	27	30	36
	90° SR Ell		2	3	4	6	8	10	12	14	16	18	20	24
	45° Ell (LR)		1 3/8	2	2 1/2	3 3/4	5	6 1/4	7 1/2	8 3/4	10	11 1/4	12 1/2	15
	OFFSET (2개의 45° Ell)	A	1 15/16	2 13/16	3 9/16	5 5/16	7 1/16	8 13/16	10 5/8	12 3/8	14 1/8	15 15/16	17 11/16	21 3/16
		B	4 11/16	6 13/16	8 9/16	12 13/16	17 1/16	21 5/16	25 5/8	29 7/8	34 1/8	38 7/16	42 11/16	51 3/16
	90° OFFSET BEND (45° Ell+90° LR Ell)	C	3 1/8	4 5/8	6	9	12	15	18 1/16	21 1/16	24 1/16	27 1/16	30 1/16	36 1/16
		D	4 1/2	6 5/8	8 1/2	12 3/4	17	21 1/4	25 9/16	29 13/16	34 1/16	38 5/16	42 9/16	51 1/16
	90° LR Ell + 용접형 NECK Gasket 좌면이 있는 Flange	E	5 3/4	7 5/8	9 3/8	12 7/8	16 3/8	19 5/8	23 1/8	26 5/8	29 3/4	33 1/4	36 3/8	42 5/8
		F	6 1/2	8 1/4	10	12 1/2	15	17 1/2	20 1/2	23	25 1/2	28	30 1/2	36
		G	2 3/4	3 1/8	3 3/8	3 7/8	4 3/8	4 5/8	5 1/8	5 5/8	5 3/4	6 1/4	6 3/8	6 5/8
밸브 (ANSI B 16. 10에 의한 치수이다.)	Plug (쇼트패턴 : 2"–12", 벤튜리타입 : 6"–24")		8 1/2	11 1/8	12	15 7/8	16 1/2	18	19 3/4	30	33	36	39	45
	GATE (맞대기용접 끝을 가진 게이트밸브에도 이외 치수를 적용한다.)	H	8	10	12	16	20	24	24	28	28	32	36	36
		I	20 5/16	24 3/8	28 3/4	38 1/2	48 1/8	58 1/4	66 7/8	75 1/4	81	91 1/2	101 15/16	122 1/2
		J	8 1/2	11 1/8	12	15 7/8	16 1/2	18	19 3/4	30	33	36	39	45
	BALL (Full-Port 밸브에 대한 치수 (6"이상의 밸브))		8 1/2	11 1/8	12	15 7/8	19 3/4	22 3/8	25 1/2	30	33	36	44 1/2	45
	GLOBE (맞대기 용접 끝이 가진 글로우브 밸브에도 이외 치수를 적용한다.)	K	10	12	14	22	24	26	30					
		L	19 1/2	24	26 1/2	31 1/4	40 3/4	48 1/4	48 1/8					
		M	10 1/2	12 1/2	14	17 1/2	22	24 1/2	28					
	CHECK (기울기 : 2"–12", Swing : 2"–12", Lift : 2"–6", 10", 12")		10 1/2	12 1/2	14	17 1/2	21	24 1/2	28					
	일반 파이프 크기 (IN)		2	3	4	6	8	10	12	14	16	18	20	24

NOTE

H, I, K와 L의 치수는 제작공장에 따라 조금씩 다르나 여기 기재한 치수는 미국 유명 제작 공장이 수도용 주강 Valve를 기준한 치수이다.

150PSI 맞대기용접 배관치수

표 D-3

이 표에 있는 치수들은 플랜지 위의 1/16인치 Gasket 좌면을 포함한다.

구분	일반 파이프 크기 (IN)		2	3	4	6	8	10	12	14	16	18	20	24
이음쇠 (ANSI B 16.9에 의한 치수이다.)	직선 Tee (Reducing Tee의 치수들은 표 D-6에 있다.)		2 1/2	3 3/8	4 1/8	5 5/8	7	8 1/2	10	11	12	13 1/2	15	17
	WELDOLET (표준 Weight, 1/16" 곡면과 Root Gap이 표시된 치수이다.)	FULL	1 9/16	1 7/8	2 1/8	2 1/2	2 15/16	3 1/4	3 9/16	3 11/16	3 7/8	4 1/4	4 13/16	5 9/16
		RED.	1 9/16	1 7/8	2 1/8	2 1/2	2 15/16	3 1/4	3 9/16	3 11/16	3 7/8	4	4 3/16	4 3/4
	REDUCERS 동심 및 편심		표 D-5	3 1/2	4	5 1/2	6	7	8	13	14	15	20	20
	90° LR Ell (Regular와 Reducing)		3	4 1/2	6	9	12	15	18	21	24	27	30	36
	90° SR Ell		2	3	4	6	8	10	12	14	16	18	20	24
	45° Ell (LR)		1 3/8	2	2 1/2	3 3/4	5	6 1/4	7 1/2	8 3/4	10	11 1/4	12 1/2	15
	OFFSET (두개의 45° Ell)	A	1 15/16	2 13/16	3 9/16	5 5/16	7 1/16	8 13/16	10 5/8	12 3/8	14 1/8	15 15/16	17 11/16	21 3/16
		B	4 11/16	6 13/16	8 9/16	12 13/16	17 1/16	21 5/16	25 5/8	29 7/8	34 1/8	38 7/16	42 11/16	51 3/16
	90° OFFSET BEND (45° Ell+90° LR Ell)	C	3 1/8	4 5/8	6	9	12	15	18 1/16	21 1/16	24 1/16	27 1/16	30 1/16	36 1/16
		D	4 1/2	6 5/8	8 1/2	12 3/4	17	21 1/4	25 9/16	29 13/16	34 1/16	38 5/16	42 9/16	51 1/16
	90° LR Ell +용접형 NECK Gasket 좌면이 있는 Flange	E	5 1/2	7 1/4	9	12 1/2	16	19	22 1/2	26	29	32 1/2	35 11/16	42
		F	6	7 1/2	9	11	13 1/2	16	19	21	23 1/2	25	27 1/2	32
		G	2 1/2	2 3/4	3	3 1/2	4	4	4 1/2	5	5	5 1/2	5 11/16	6
밸브 (ANSI B 16.10에 의한 치수이다.)	PLUG (쇼트패턴 : 2"–12", 벤튜리타입 : 14"–24")		7	8	9	10 1/2	11 1/2	13	14	27	30	34	36	42
	GATE (맞대기용접 끝을 가진 게이트밸브에도 이외의 치수를 적는다.)	H	8	10	12	14	16	18	20	24	26	30	30	36
		I	18 3/4	22 7/8	27 3/8	36 3/4	46 1/2	52 1/2	60 1/2	70 1/4	79 3/4	89	97 1/4	112 3/4
		J	7	8	9	10 1/2	11 1/2	13	14	15	16	17	18	20
	BALL (Full-Port 밸브에 대한 치수 (6"이상의 밸브))		7	8	9	15 1/2	18	21	24	27	30	34	36	42
	GLOBE (맞대기용접 끝을 가진 글로우브 밸브에도 이의 치수를 적용한다.)	K	8	10	12	16	18	24	24					
		L	14 5/8	18 5/8	21	25 5/16	32 1/8	31 11/16	37					
		M	8	9 1/2	11 1/2	16	19 1/2	24 1/2	27 1/2					
	Check (기울기 : 2"–12", Swing : 2"–12", Lift : 2"–12")		8	9 1/2	11 1/2	14	19 1/2	24 1/2	27 1/2	31	36			
	일반 파이프 크기 (IN)		2	3	4	6	8	10	12	14	16	18	20	24

NOTE

H, I, K와 L의 치수는 제작공장에 따라 조금씩 다르나 여기 기재한 치수는 미국 유명 제작 공장의 수도용 주강 Valve를 기준으로 한 치수이다.

ELBOLET 치수 — 표 D-4

지관의 일반 파이프 크기(인치) \ 主管路의 일반 파이프 크기(인치)	2	3	4	6	8	10	12	14	16	18	20	24
1/2	3.57	5.98	7.29	10.04	12.70	15.42	18.07	20.17	22.79	25.45	28.11	33.39
3/4	4.86	6.26	7.57	10.32	12.98	15.70	18.36	20.45	23.07	25.73	28.39	33.67
1	5.17	6.57	7.89	10.64	13.29	16.01	18.67	20.76	23.39	26.04	28.70	33.98
1 1/4	5.36	6.76	8.07	10.82	13.48	16.20	18.86	20.95	23.57	26.23	28.89	34.17
1 1/2	5.61	7.01	8.32	11.07	13.86	16.45	19.11	21.20	23.82	26.48	29.14	34.42
2	6.17	7.57	8.89	11.64	14.29	17.01	19.67	21.76	24.39	27.04	30.01	34.98
3		8.24	9.56	12.31	14.96	17.68	20.34	22.43	25.06	27.71	30.37	35.65
4			10.24	12.99	15.65	18.37	21.03	23.12	25.74	28.40	31.06	36.34
6				14.70	17.36	20.08	22.73	24.83	27.45	30.11	32.77	38.05
8					18.36	21.08	23.73	25.83	28.45	31.11	33.77	39.05
10						22.89	25.55	27.64	30.27	32.92	35.58	40.86
12							26.55	28.64	31.27	33.92	37.05	41.86

* 결표의 보네이 제철소+서구산업생산회사의 데이터

SWage* — 표 D-5

이음매 없는 Swage Nipple의 모든 중량

일반 파이프 크기(인치)	큰 끝	2	2½	3	4	6	7	8	10	12	14	16	18	20	24
	작은 끝	¼–1½	¼–2	¼–2½	½–3½	½–5	2–6	2–7	2–8	2–10	2–12	2–14	2–16	2–18	2–20
면사이의 길이 (인치)	Regular Swage	6½	7	8	9	12	13	13	15	16	17	18	20	22	24
	Venturi 형	7	8	8¼	9	12	–	14	16	18	–	–	–	–	–

*Dimensions in this table are for Mills Iron Works Inc. swages, which are available with ends threaded, beveled, cut square, Victaulic-grooved, and any combination of these terminations.

Reducing 맞대기 용접 Tee — 표 D-6

관로의 일반 파이프 크기(인치)	3	4	6	8	10	12	14	16	18	20	24
치수 "A"	3.38	4.13	5.63	7.00	8.50	10.00	11.00	12.00	13.50	15.00	17.00
지관의 일반 파이프 크기(인치) / 치수 "B"											
2	3.00	3.50	4.63								
3		3.88	4.88	6.00	7.00						
4			5.13	6.13	7.25	8.25					
6				6.63	7.63	8.63	9.38	10.38			
8					8.00	9.00	9.75	10.75	11.75	12.75	
10						9.50	10.13	11.13	12.13	13.13	15.13
12							10.63	11.63	12.63	13.63	15.63
14								12.00	13.00	14.00	16.00
16									13.00	14.00	16.00
18										14.50	16.50
20											17.00

제철 이음쇠 — 표 D-7

지관의 형태	연결형태	Weight 명칭	지관 크기 일반 파이프 크기(인치)	Header 크기 일반 파이프 크기(인치)
WELDOLET, Reducing	맞대기 용접	STD XS SCH 160, XXS	1/8–30 1/8–26 1/2–10	3/8–36 3/8–36 1/2–12
WELDOLET, Full-size	맞대기 용접	STD XS SCH 160, XXS	1/2–30 1/2–26 1/2–12	1/2–30 1/2–26 1/2–12
SOCKOLET, Reducing	소켓 용접	STD XS SCH 160, XXS	1/8–10 1/8–4 1/2–2	3/8–36 3/8–36 3/4–36
SOCKOLET, Full-size	소켓 용접	STD XS	1/2–10 1/2–2	1/2–10 1/2–2
THREDOLET, Reducing	나사	STD 3000 PSI 6000 PSI	5–10 1/8–4 1/4–2	6–36 3/8–36 1/2–36
THREDOLET, Full-size	나사	STD 3000 PSI	5–10 1/2–4	5–10 1/2–4
ELBOLET	맞대기용접	STD, XS SCH 160 XXS	1/4–8 1/4–6 1/4–2	1¼–36
	소켓용접	STD, XS XXS	1/4–2 1/4–1½	
	나사	3000 PSI 6000 PSI	1/4–2 1/4–1½	
LATROLET, 45 degree	맞대기용접	STD, XS SCH 160 XXS	1/4–12 1/4–6 1/4–2	1¼–36 1¼–12 1¼–12
	소켓용접	STD, XS SCH 160, XXS	1/4–2 1/4–1½	1¼–36 1¼–12
	나사	3000 PSI 6000 PSI	1/4–2 1/4–1½	1¼–36 1¼–12
NIPOLET	나사 또는 평면끝	3000, 6000 PSI	½, ¾, 1, 1½	2–12

SOCKET 용접하는 鉄材配管

표 D-8

이음쇠

정격압력(PSI)			3000				6000			
일반 파이프 크기(IN)			1/2	3/4	1	1½	1/2	3/4	1	1½
45° Ell		A	0.88	1.00	1.13	1.38	1.00	1.13	1.31	1.69
		B	1.31	1.50	1.81	2.44	1.50	1.81	2.19	3.00
90° Ell		A	1.13	1.31	1.50	2.00	1.31	1.50	1.75	2.38
		B	1.31	1.50	1.81	2.44	1.50	1.81	2.19	3.00
Tee	CROSS의 치수는 中心에서 끝의 面까지이다. 직선 Tee와 Reducing Tee	A	1.13	1.31	1.50	2.00	1.31	1.50	1.75	2.38
		B	1.31	1.50	1.81	2.44	1.50	1.81	2.19	3.00
Lateral		A	3.00	3.56	4.13	5.38	3.56	4.13	4.81	6.44
		B	1.50	1.75	2.00	2.69	1.75	2.00	2.38	3.56
		C	2.13	2.56	3.00	3.94	2.56	3.00	3.50	4.75
Union	OCTAGONAL, B ACROSS FLATS	A	2.25	2.44	2.69	3.13	2.88	3.38	3.63	4.19
		B	1.81	2.19	2.56	3.44	2.19	2.56	3.06	4.13
Coupling	HALF- / FULL-	A	1.38	1.50	1.75	2.00	1.38	1.50	1.75	2.00
		B	1.25	1.50	1.81	2.50	1.50	1.75	2.25	3.00
Swage	일반 주철제 2"–24" : 표 D-5를 참조바람 (NPS)		2.75	3.00	3.50	4.50	2.75	3.00	3.50	4.50
Reducer	NPS	A	1.38	1.50	1.75	2.00	1.38	1.50	1.75	2.00
		B	1.25	1.50	1.81	2.50	1.50	1.75	2.25	3.00
Reducer Insert	NPS; 일반 소형 Pipe 치수 (INCHES):	1/2	--	1.50	1.31	1.44	--	1.88	2.13	2.00
		3/4	--	--	1.63	1.44	--	--	2.25	2.00
		1	--	--	--	1.44	--	--	--	2.63

800PSI 밸브

일반 파이프 크기(IN)		1/2	3/4	1	1½
Gate	L	3.50	3.88	4.25	5.50
	H	6.31	7.69	8.75	11.44
	W	3.50	3.50	4.75	5.75
Globe	L	3.25	3.50	5.00	7.00
	H	6.19	6.38	7.81	10.00
	W	3.50	3.50	4.00	4.75
Check	L	3.25	3.50	5.00	7.00

(단조강; W; H 완전히 열었을때; L)

파이프 삽입 길이

표준 갭 = 1/16th INCH

일반 파이프 크기(IN)		1/2	3/4	1	1½
이음쇠 PSI	3000	0.44	0.50	0.56	0.69
	6000	0.50	0.56	0.63	0.81
밸브 GATE	일반적인 형태	0.63	0.63	0.56	0.94
	一体型	0.75	0.81	0.75	1.19
밸브	GLOBE, CHECK	0.44	0.50	0.56	0.69

NOTE

이 표에 있는 치수들은 1/16 인치로 처리했다. 메이커가 나타나 있지 않으면 이음쇠에 대한 치수는 다음과 같은회사가 인용한 가장 큰 값을 기본으로 하시요 : ANSI B16.11을 기준으로 하시요.

小數点比較	0.06	0.13	0.19	0.25	0.31	0.38	0.44	0.50	0.56	0.63	0.69	0.75	0.81	0.88	0.94
	1/16	1/8	3/16	1/4	5/16	3/8	7/16	1/2	9/16	5/8	11/16	3/4	13/16	7/8	15/16

가단주철제 이음쇠 • 표 D-9

밴드 이음쇠에 대한 치수

정격 압력(PSI)		150 (표준)						300 (특별히 무거운 것)					
일반 파이프 크기(IN)		1/2	3/4	1	1½	2	3	1/2	3/4	1	1½	2	3
45° ELL		0.88	1.00	1.13	1.44	1.69	2.19	1.00	1.13	1.31	1.69	2.00	2.50
90° ELL		1.13	1.31	1.50	1.94	2.25	3.13	1.25	1.44	1.63	2.13	2.50	3.38
90° STREET ELL	A	1.13	1.31	1.50	1.94	2.25	3.13	1.25	1.44	1.63	2.13	2.50	3.38
	B	1.63	1.88	2.19	2.69	3.31	4.56	2.00	2.19	2.56	3.13	3.69	5.13
RETURN BEND	CLOSE	1.00	1.25	1.50	2.19	2.63				1.75	3.00	4.00	
	MEDIUM	1.25	1.50	1.88	2.50	3.00				2.50	3.50	6.00	
	OPEN	1.50	2.00	2.50	3.50	4.00	5.00			3.00	6.00	8.00	
직선 TEE (중심선에서 끝면까지의 치수를 表示한 것이다.)		1.13	1.31	1.50	1.94	2.25	3.13	1.25	1.44	1.63	2.13	2.50	3.38
LATERAL 틈새가 큰것	A	2.38	2.81	3.31	4.38	5.19	7.31	2.75	3.25	4.25	5.81	5.75	
	C	1.75	2.06	2.44	3.31	3.94	5.63	2.00	2.38	3.25	4.56	4.50	
완전가단주철, Ground 연결 Union UNION (OCTAGONAL, B ACROSS FLATS)	A	1.81	2.00	2.19	2.63	3.06	3.88	2.13	2.31	2.56	3.06	3.44	4.31
	B	1.63	1.88	2.06	3.00	2.44	4.94	1.81	2.25	2.56	3.38	4.06	5.69
COUPLING		1.38	1.56	1.69	2.19	2.56	3.19	1.88	2.13	2.38	2.88	3.63	4.13
NIPPLE 탄소강 (탱크니플은 6인치 길이임)	CLOSE NIPPLE	1.13	1.38	1.50	1.75	2.00	2.63	1.13	1.38	1.50	1.75	2.00	2.63
	짧거나 긴 Nipple 사용	AVAILABLE IN 2, 2½, 3, 3½, 4, 4½, 5, 5½, 6, 7, 8, 9, 10, 11, & 12-INCH LENGTHS (1/2- and 3/4-inch nipples are also available 1½ inches long)											
SWAGE 주철用 탄소강 (NPS)	Regular型	2.75	3.00	3.50	4.50	6.50	8.00	2.75	3.00	3.50	4.50	6.50	8.00
	Venturi型					7.00	8.25					7.00	8.25
REDUCER (NPS)		1.25	1.44	1.69	2.31	2.81	3.81	1.69	1.75	2.00	2.69	3.19	4.06
나사 이음用 (TAPER/TAPER, 나사 이음부분)		0.50	0.56	0.69	0.69	0.75	1.00	0.50	0.56	0.69	0.69	0.75	1.00

NOTE

이 표에 있는 치수들은 1/16 인치로 처리했다. 메이커가 나타나 있지 않으면 구부러진 가단 주철 이음쇠에 대한 치수는 다음과 같은 회사가 인용한 가장 큰 값을 기본으로 하시요 : ANSI B16.3, 크레인, 플레그, 그리넬, 그리고 스토크함. 또한 완전가단주철 그라운드 조인트 유니언에 대한 치수는 다음과 같은 회사가 인용한 가장 큰 값을 기본으로 하시요 : 다트, 플레그, 그리고 스토크함.

小数点比較	0.06	0.13	0.19	0.25	0.31	0.38	0.44	0.50	0.56	0.63	0.69	0.75	0.81	0.88	0.94
	1/16	1/8	3/16	1/4	5/16	3/8	7/16	1/2	9/16	5/8	11/16	3/4	13/16	7/8	15/16

나사연결用 鉄材配管

표D-10

이음

정격 압력(PSI)		2000				3000				6000			
일반 파이프 크기(IN)		1/2	3/4	1	1½		3/4	1	1½	1/2	3/4	1	1½
45° Ell	A	0.88	1.00	1.13	1.38	1.00	1.13	1.31	1.69	1.13	1.31	1.38	1.75
	B	1.31	1.50	1.81	2.44	1.50	1.81	2.19	3.00	1.81	2.19	2.44	3.31
90° Ell	A	1.13	1.31	1.50	2.00	1.31	1.50	1.75	2.38	1.50	1.75	2.00	2.50
	B	1.31	1.50	1.81	2.44	1.50	1.81	2.19	3.00	1.81	2.19	2.44	3.31
(Also, center-to-end dimensions for CROSS) Tee 직선 Tee와 Reducing Tee	A	1.13	1.31	1.50	2.00	1.31	1.50	1.75	2.38	1.50	1.75	2.00	2.50
	B	1.31	1.50	1.81	2.44	1.50	1.81	2.19	3.00	1.81	2.19	2.44	3.31
Lateral	A	3.56	4.13	4.81	6.44	3.56	4.13	4.81	6.44	4.13	4.81	5.38	6.00
	B	1.50	1.81	2.19	3.00	1.50	1.81	2.19	3.00	1.81	2.19	2.44	3.56
	C	2.56	3.00	3.50	4.75	2.56	3.00	3.50	4.75	3.00	3.50	3.94	4.38
Union (OCTAGONAL; B ACROSS FLATS)	A					2.25	2.44	2.69	3.13	2.88	3.38	3.63	4.19
	B					1.81	2.25	2.56	3.44	2.25	2.56	3.06	4.13
Half Coupling	A	0.94	1.00	1.19	1.56	0.94	1.00	1.19	1.56	0.94	1.00	1.19	1.56
	B	1.13	1.38	1.75	2.50	1.13	1.38	1.75	2.50	1.50	1.75	2.25	3.00
Full-Coupling	A	1.88	2.00	2.38	3.13	1.88	2.00	2.38	3.13	1.88	2.00	2.38	3.13
	B	1.13	1.38	1.75	2.50	1.13	1.38	1.75	2.50	1.50	1.75	2.25	3.00
Nipple	CLOSE NIPPLE	1.13	1.38	1.50	1.75	1.13	1.38	1.50	1.75	1.13	1.38	1.50	1.75
	장·단 Nipple	보통 使用하는 길이는 2, 2½, 3, 3½, 4, 4½, 5, 5½, 6, 7, 8, 9, 10, 11, 12inch 이다. (1/2"와 3/4" Nipple 길이는 1½"이다.											
Swage 일반 주철제 2"-24" 크기는 표 D-5를 참조바람 (NPS)		2.75	3.00	3.50	4.50	2.75	3.00	3.50	4.50	2.75	3.00	3.50	4.50
Reducer (REDUCING COUPLING) (NPS)	A	1.88	2.00	2.38	3.13	1.88	2.00	2.38	3.13	1.88	2.00	2.38	3.13
	B	1.13	1.38	1.75	2.50	1.13	1.38	1.75	2.50	1.50	1.75	2.25	3.00
육각형 Bushing (B ACROSS FLATS)	A									0.56	0.75	0.81	0.94
	B									0.88	1.06	1.44	2.00
	C									0.19	0.25	0.25	0.38
나사 이음 (TAPER / TAPER; 나사 이음부분)		0.50	0.56	0.69	0.69	0.50	0.56	0.69	0.69	0.50	0.56	0.69	0.69

800 PSI 밸브

단조강 (W, H 완전히 열었을 때, L)

일반파이프 크기 (IN)		1/2	3/4	1	1½
GATE	L	3.50	3.88	4.25	5.50
	H	6.31	7.69	8.75	11.44
	W	3.50	3.50	4.75	5.75
GLOBE	L	3.25	3.50	5.00	7.00
	H	6.19	6.38	7.81	10.00
	W	3.50	3.50	4.00	4.75
CHECK	L	3.25	3.50	5.00	7.00

노 우 트

이 표에 있는 치수들은 1/16번째 인치로 처리했다. 메이커가 나타나 있지 않으면 이음쇠에 대한 치수는 다음과 같은 회사들이 인용한 가장 큰 값을 기본으로 하시요: ANSI B 16.11, 그리고 나사연결 단조강 유니언에 대한 표로된 치수는 다음과 같은 회사들이 인용한 가장 큰 값을 기본으로 하시요.

플렌지 자료 :150-2500PSI ANSI B 16. 5

표 F

표 F-9 이하의 NOTE 참조

맞대기 용접 플렌지 ―――― 표 F-1～F-6
Lap Joint Stub End ―――― 표 F-7
소형 소켓 용접 플렌지 ―――― 표 F-8
소형 나사연결 플렌지 ―――― 표 F-9

150PSI 플렌지 자료 — 표 F-1

일반 파이프 크기(인치)			2	3	4	6	8	10	12	14	16	18	20	24
플렌지	외경		6	7.5	9	11	13.5	16	19	21	23.5	25	27.5	32
	Hub간 길이 Gasket 좌면 1/16" 포함한 RF	Welding Neck	2.5	2.75	3	3.5	4	4	4.5	5	5	5.5	5.69	6
		Long Welding Neck	9	9	12	12	12	12	12	12	12	12	12	12
	Bore의 직경 - Note (3)참조		Pipe에 맞추어서 주문(보통 I.D는 STD Pipe에 맞춘다.											
보울트	플렌지당 보울트 구멍수		4	4	8	8	8	12	12	12	16	16	20	20
	보울트의 직경		0.63	0.63	0.63	0.75	0.75	0.88	0.88	1.00	1.00	1.13	1.13	1.25
	Stud Bolt 나사길이 (Lap Joint 제외)	Gasket 좌면이 있는 것	3	3.5	3.5	3.75	4	4.5	4.5	5	5.25	5.75	6	6.75
		Ring Joint	3.5	4	4	4.25	4.5	5	5	5.5	5.75	6.25	6.5	7.25

300 PSI 플렌지 자료 — 표 F-2

일반 파이프 크기(인치)			2	3	4	6	8	10	12	14	16	18	20	24
플렌지	외경		6.5	8.25	10	12.5	15	17.5	20.5	23	25.5	28	30.5	36
	Hub간 길이 Gasket 좌면 1/16" 포함한 RF	Welding Neck	2.75	3.13	3.38	3.88	4.38	4.63	5.13	5.63	5.75	6.25	6.38	6.63
		Long Welding Neck	9	9	12	12	12	12	12	12	12	12	12	12
	Bore의 직경-Note (3)참조		Pipe에 맞춰서 주문(보통 I.D는 STP Pipe에 맞춘다).											
보울트	플렌지당 보울트 구멍수		8	8	8	12	12	16	16	20	20	24	24	24
	보울트의 직경		0.63	0.75	0.75	0.75	0.88	1.00	1.13	1.13	1.25	1.25	1.25	1.50
	Stud Bolt 나사길이 (Lap Joint 제외)	Gasket 좌면이 있는 것	3.25	4	4.25	4.75	5.25	6	6.5	6.75	7.25	7.5	8	9
		Ring Joint	4	4.75	5	5.5	6	6.75	7.25	7.5	8	8.25	8.75	10

600 PSI 플렌지 자료 — 표 F-3

일반 파이프 크기(인치)			2	3	4	6	8	10	12	14	16	18	20	24
플렌지	외경		6.5	8.25	10.75	14	16.5	20	22	23.75	27	29.25	32	37
	Hub간 길이 Gasket 좌면 1/4" 포함한 RF)	Welding Neck	3.13	3.5	4.25	4.88	5.5	6.25	6.38	6.75	7.25	7.5	7.75	8.25
		Long Welding Neck	9	9	12	12	12	12	12	12	12	12	12	12
	Bore의 직경-Note (3)참조		ID는 PIPE 외경에 맞춰서 주문한다.											
보울트	플렌지당 보울트 구멍수		8	8	8	12	12	16	20	20	20	20	24	24
	보울트의 직경		0.63	0.75	0.88	1.00	1.13	1.25	1.25	1.38	1.5	1.63	1.63	1.88
	Stud Bolt 나사길이 (Lap Joint 제외)	Gasket 좌면이 있는 것	4	4.75	5.5	6.5	7.5	8.25	8.5	9	9.75	10.5	11.25	12.75
		Ring Joint	4.25	5	5.75	6.75	7.75	8.5	8.75	9.25	10	10.75	11.5	13.25

플렌지 자료 :150-2500PSI

표 F

900 PSI 플렌지 자료 (표 F-4)

구분	항목	세부	2	3	4	6	8	10	12	14	16	18	20	24
일반 파이프 크기(인치)			2	3	4	6	8	10	12	14	16	18	20	24
플렌지	외경		8.5	9.5	11.5	15	18.5	21.5	24	25.25	27.75	31	33.75	41
플렌지	Hub간 길이 Gasket 좌면높이 1/4" RF 포함	Welding Neck	4.25	4.25	4.75	5.75	6.63	7.5	8.13	8.63	8.75	9.25	10	11.75
플렌지	Hub간 길이 Gasket 좌면높이 1/4" RF 포함	Long Weldeing Neck	9	12	12	12	12	12	12	12	12	12	12	12
플렌지	Bore의 직경-Note (3)참조		ID는 PIPE 외경에 맞춰서 주문한다.											
보울팅	플렌지당 보울트 구멍수		8	8	8	12	12	16	20	20	20	20	20	20
보울팅	보울트의 직경		0.88	0.88	1.13	1.13	1.38	1.38	1.38	1.5	1.63	1.88	2	2.5
보울팅	Stud Bolt 나사길이 (Lap Joint 제외)	좌면이 있을 때	5.5	5.5	6.5	7.5	8.5	9	9.75	10.5	11	12.75	13.5	17
보울팅	Stud Bolt 나사길이 (Lap Joint 제외)	Ring Joint	5.75	5.75	6.75	7.5	8.75	9.25	10	11	11.5	13.25	14	17.75

1500 PSI 플렌지 자료 (표 F-5)

구분	항목	세부	2	3	4	6	8	10	12	14	16	18	20	24
일반 파이프 크기(인치)			2	3	4	6	8	10	12	14	16	18	20	24
플렌지	외경		8.5	10.5	12.25	15.5	19	23	26.5	29.5	32.5	36	38.75	46
플렌지	Hub간 길이 Gasket 좌면높이 1/4" RF 포함	Welding Neck	4.25	4.88	5.13	7	8.63	10.25	11.38	12	12.5	13.13	14.25	16.25
플렌지	Hub간 길이 Gasket 좌면높이 1/4" RF 포함	Long Welding Neck	9	12	12	12	12	12	12	12	12	12	12	12
플렌지	Bore의 직경-Note (3)참조		ID는 PIPE 외경에 맞춰서 주문한다.											
보울팅	플렌지당 보울트 구멍수		8	8	8	12	12	12	16	16	16	16	16	16
보울팅	보울트의 직경		0.88	1.13	1.25	1.38	1.63	1.88	2	2.25	2.5	2.75	3	3.5
보울팅	Stud Bolt 나사길이 (Lap Joint 제외)	좌면이 있을 때	5.5	6.75	7.5	10	11.25	13.25	14.75	16	17.5	19.25	21	24
보울팅	Stud Bolt 나사길이 (Lap Joint 제외)	Ring Joint	5.75	7	7.75	10.25	11.75	13.5	15.25	16.75	18.5	20.25	22.25	25.5

2500 PSI 플렌지 자료 (표 F-6)

구분	항목	세부	2	3	4	6	8	10	12
일반 파이프 크기(인치)			2	3	4	6	8	10	12
플렌지	외경		9.25	12	14	19	21.75	26.5	30
플렌지	Hub간 길이 Gasket 좌면높이 1/4" RF 포함	Welding Neck	5.25	6.88	7.75	11	12.75	16.75	18.5
플렌지	Hub간 길이 Gasket 좌면높이 1/4" RF 포함	Long Welding Neck	9	12	12	12	12	12	12
플렌지	Bore의 직경-Note (3)참조		ID는 PIPE 외경에 맞춰서 주문한다.						
보울팅	플렌지당 보울트 구멍수		8	8	8	8	12	12	12
보울팅	보울트의 직경		1	1.25	1.5	2	2	2.5	2.75
보울팅	Stud Bolt 나사길이 (Lap Joint 제외)	좌면이 있을 때	6.75	8.5	9.75	13.5	15	19	21
보울팅	Stud Bolt 나사길이 (Lap Joint 제외)	Ring Joint	7	8.75	10.25	14	15.5	20	22

Slip-on 및 소켓용접 플렌지에 대하여 표 F를 사용할 때 NOTE(3)과 (5)를 참조하시오.

소수 비교	0.06	0.13	0.19	0.25	0.31	0.38	0.44	0.50	0.56	0.63	0.69	0.75	0.81	0.88	0.94
소수비교	1/16	1/8	3/16	1/4	5/16	3/8	7/16	1/2	9/16	5/8	11/16	3/4	13/16	7/8	15/16

플렌지 데이터:150-2500 PSI

표 F

LAP-JOINT STUB ENDS : ANSI B16.9 & MSS SP-43

표 F-7

			2	3	4	6	8	10	12	14	16	18	20	24
	일반 파이프 크기(인치)		2	3	4	6	8	10	12	14	16	18	20	24
STUB END	전체길이 — STD, XS, XXS, 40S, 80S, 160S	LAP JOINT FLANGE를 사용할 때	6	6	6	8	8	10	10	12	12	12	12	12
STUB END	전체길이 — 5S and 10S	SLIP-ON FLANG와 같이 사용하기 위한 MSS SP-43 STUB END	2.5	2.5	3	3.5	4	5	6					
STUB END	ANSI와 MSS의 용접형 END의 外徑		2.38	3.5	4.5	6.63	8.63	10.75	12.75	14	16	18	20	24
STUB END	ANSI와 MSS의 LAP 두께		일반 파이프 벽 두께(ANSI형은 +1/16″) 파이프 두께에 대해서는 표 P-1 참조											

STUD BOLT	플렌지 조합	PSI RATING	STUD BOLT길이는 F-1에서 F-6에 주어진 값을 더해줄 것
LAP JOINT시 STUD BOLT의 길이 NOTE(7) 참조	LAP과 비LAP	150 ~ 300	랩의 두께
	LAP과 비LAP	300이상	랩의 두께 - 1/4in
	LAP과 LAP	150 ~ 2500	두개의 랩의 두께

小型소켓 용접 FLANGE 자료

표 F-8

일반 파이프 크기(인치)		½	¾	1	1½	½	¾	1	1½	½	¾	1	1½
플렌지	정격 압력(PSI)	150				300				600			
플렌지	외경	3.5	3.88	4.25	5	3.75	4.63	4.88	6.13	3.75	4.63	4.88	6.13
플렌지	플렌지면(RF)에 대한 파이프 끝	0.31	0.25	0.25	0.31	0.56	0.63	0.63	0.63	0.81	0.88	0.88	0.94
플렌지	BORE의 직경	Order to match pipe ID (otherwise ID matches STD pipe)								Order to match pipe ID			
보울팅	플렌지당 보울트 구멍수	4	4	4	4	4	4	4	4	4	4	4	4
보울팅	보울트의 직경	0.5	0.5	0.5	0.5	0.5	0.63	0.63	0.75	0.5	0.63	0.63	0.75
보울팅	STUD BOLT 나사길이 — 상승면	2.25	2.25	2.5	2.75	2.5	2.75	3	3.5	3	3.25	3.5	4
보울팅	STUD BOLT 나사길이 — RING JOINT	–	–	3	3.25	3	3.25	3.5	4	3	3.25	3.5	4

일반 파이프 크기(인치)		½	¾	1	1½	½	¾	1	1½	½	¾	1	1½
플렌지	정격 압력(PSI)	900				1500				2500			
플렌지	외경	4.75	5.13	5.88	7	4.75	5.13	5.88	7	5.25	5.5	6.25	8
플렌지	플렌지면(RF)에 대한 파이프 끝	1.19	1.25	1.44	1.44	1.19	1.25	1.44	1.44	1.5	1.56	1.69	2.06
플렌지	BORE의 직경	Order to match pipe ID											
보울팅	플렌지당 보울트 구멍수	4	4	4	4	4	4	4	4	4	4	4	4
보울팅	보울트의 직경	0.75	0.75	0.88	1	0.75	0.75	0.88	1	0.75	0.75	0.88	1.13
보울팅	STUD BOLT 나사길이 — 상승면	4	4.25	4.75	5.25	4	4.25	4.75	5.25	4.75	4.75	5.25	6.5
보울팅	STUD BOLT 나사길이 — RING JOINT	4	4.25	4.75	5.25	4	4.25	4.75	5.25	4.75	4.75	5.25	6.75

小型나사이음 FLANGE 자료

표 F-9

일반 파이프 크기(인치)		½	¾	1	1½	½	¾	1	1½	½	¾	1	1½
플렌지	정격 압력(PSI)	150				300				600			
플렌지	외경	3.5	3.88	4.25	5	3.75	4.63	4.88	6.13	3.75	4.63	4.88	6.13
플렌지	플렌지면(RF)에 대한 파이프 끝	0.13	0.06	0	0.19	0.38	0.44	0.38	0.5	0.63	0.69	0.63	0.81
보울팅	플렌지당 보울트 구멍수	4	4	4	4	4	4	4	4	4	4	4	4
보울팅	보울트의 직경	0.5	0.5	0.5	0.5	0.5	0.63	0.63	0.75	0.5	0.63	0.63	0.75
보울팅	STUD BOLT 나사길이	2.25	2.25	2.5	2.75	2.5	2.75	3	3.5	3	3.25	3.5	4

일반 파이프 크기(인치)		½	¾	1	1½	½	¾	1	1½	½	¾	1	1½
플렌지	정격 압력(PSI)	900				1500				2500			
플렌지	외경	4.75	5.13	5.88	7	4.75	5.13	5.88	7	5.25	5.5	6.25	8
플렌지	플렌지면(RF)에 대한 파이프 끝	1.00	1.06	1.19	1.31	1.00	1.06	1.19	1.31	1.31	1.38	1.44	1.94
보울팅	플렌지당 보울트 구멍수	4	4	4	4	4	4	4	4	4	4	4	4
보울팅	보울트의 직경	0.75	0.75	0.88	1	0.75	0.75	0.88	1	0.75	0.75	0.88	1.13
보울팅	STUD BOLT 나사길이	4	4.25	4.75	5.25	4	4.25	4.75	5.25	4.75	4.75	5.25	6.5

NOTE

1. 표 F-1~F-9에 있는 치수들은 인치이다.
2. 표 F-1~F-9에 주어져 있는 플렌지 외경, 플렌지당 보울트 구멍수, 그리고 보울트 직경에 대한 자료는 Welding Neck, Slip-on, 나사연결, Lap Joint 그리고 Blind 플렌지에 적용된다.
3. "Bore의 직경" 자료는 Welding Neck 그리고 Blind 플렌지에만 적용된다. 긴 Welding Neck 플렌지는 일반파이프 크기에 포함되어 있다.
4. 2500PSI Slip-on 플렌지는 ANSI B16.5에 정의하지 않았다.
5. 소켓 용접 플렌지는 다음과 같은 크기 및 압력으로만 ANSI B16.5에 의하여 정의된다: 2/1in~3in(150, 300 및 600PSI) 1/2in~2½in (1500PSI). 표 F-1~표 F-6에 있는 자료는 여러 가지 소켓 용접 플렌지에 적용된다; 사용할 때 제조자에게 문의하시요.
6. ANSI B16.5은 긴 Welding Neck 플렌지는 정의하지 않았다. 여기서 기록된 치수와 다른 "Hub간 길이" 치수도 사용할 수 있다.
7. 표 F-7에 있는 Stud Bolt 나사길이는 ANSI B16.5에 명시된 방법에 따라 계산된 것이다.

이음쇠와 밸브의 유동저항

표 F-10

유동저항은 피트 단위의 파이프 소수 길이로서 표시된다 (NOTE(1)과 (2) 참조)

구분	일반 파이프 크기 (iN)		1/2	3/4	1	1½	2	3	4	6	8	10	12	14	16	18	20	24
이음쇠의 연결부	90° 장반경 엘보우	(나사 : 표준형대로)	3.3	2.8	3.2	4.9	2.3	3.5	4.5	6.8	9.0	11	13	15	17	19	21	25
	90° 단반경 엘보우						6.7	9.8	13	19	25	21	37	38	44	49	55	66
	45° 엘보우(장반경) 나사형 : Regular형으로		0.4	0.6	0.8	1.3	1.1	1.8	2.5	4.0	5.5	7.4	9.5	10	12	14	16	20
	리턴, 장반경	(나사 : 표준형대로)	2.3	2.8	3.5	4.9	5.1	7.5	9.8	15	19	24	29	32	36	41	45	55
	리턴, 단반경						13	20	25	39	50	63	75	78	89	100	110	130
	90° 마이터 (90° 방향 반경)	2 - 토막	—	—	—	—	—	—	21	34	47	63	80	88	110	120	140	170
		3 - 토막	—	—	—	—	—	—	9.3	14	18	23	27	30	34	38	43	51
		4 - 토막	—	—	—	—	—	—	8.5	13	17	21	25	27	31	35	39	47
		5 - 토막	—	—	—	—	—	—	6.3	9.5	13	16	19	20	23	26	29	35
	REDUCER 와 SWAGE NOTE (3)	한쪽이 축소된 NPS	—	1.1	3.1	2.8	11	9.0	22	21	48	79	130	270	240	330	390	270
		한쪽이 확대된 NPS	1.1	2.2	2.9	3.3	9.4	14	23	33	45	54	28	46	47	43	100	—
	벤튜리 스웨지 - 한쪽이 확대된 NPS Note (3)		—	—	—	—	2.7	3.0	4.7	6.2	8.3	12	21	17	21	25	49	—
	직선 티이	一体형	1.0	1.5	2.1	3.7	1.6	2.2	2.6	3.6	4.2	5.0	5.9	6.3	6.9	7.8	8.4	9.1
		一体형과 支線형	2.7	3.3	4.1	6.1	6.6	9.7	13	18	23	29	35	36	41	45	49	59
	유니언 및 커플링(나사이음, 파이프와 파이프)		0.2	0.2	0.2	0.3	—	—	—	—	—	—	—	—	—	—	—	—
	리듀싱 플렌지 Note (3)	한쪽이 축소된 NPS	—	0.1	0.2	0.2	0.6	0.7	1.4	1.6	3.1	4.4	5.8	6.2	7.1	8.4	9.4	12
		한쪽이 확대된 NPS	0.2	0.2	0.8	0.6	2.4	2.4	5.8	5.3	5.6	4.9	2.1	4.3	4.1	4.1	11	—
	벨마우스 출구 (Vessel에서 Line까지)		0.1	0.1	0.1	0.2	0.4	0.7	0.9	1.4	2.1	2.8	3.6	3.9	4.6	5.4	6.0	7.5
	입구 : 평면인벽 (Line에서 Vess까지)		1.1	1.6	2.3	4.1	8.2	14	19	30	42	56	71	78	93	108	120	150
	출구 : 平面인벽 (Vessel에서 Line까지)		0.6	0.8	1.2	2.0	4.1	6.8	9.3	15	21	28	36	39	46	54	60	75
밸브	게이트 밸브		0.4	0.4	0.5	0.8	2.2	2.8	3.0	3.3	3.1	3.3	3.1	3.1	3.1	3.3	3.0	2.7
	글로우브 밸브	Regular Disc	—	—	—	—	71	97	120	180	240	310	390	—	—	—	—	—
		Composition Disc	15	16	20	29	70	94	120	170	230	300	380	—	—	—	—	—
		Plug-type Disc	—	—	—	—	100	140	170	250	330	440	560	—	—	—	—	—
	체크 밸브	Swing	5.2	5.7	6.7	10	16	27	37	59	83	110	140	160	190	—	—	—
		Ball	170	190	220	320	530	880	1200	1900	2700	3600	4600	5100	6000	7000	7800	9800
		Tilting-disc	—	—	—	—	82	140	190	300	420	560	710	780	930	1100	1200	1500
	회전보울 밸브	표준형	4.0	3.9	1.2	3.3	5.6	4.0	15	10	35	56	48	—	—	—	—	—
		편심형	1.6	1.7	2.2	3.9	3.7	5.7	8.0	15	21	28	40	38	45	49	47	57
	버터 플라이 밸브	(Walworth 'Pinnacle' Valve)	—	—	—	—	8.8	6.1	5.5	8.3	8.4	11	16	—	—	—	—	—
	플러그밸브	1"–12": 표준형 14"–24": Venturi형	—	—	1.7	4.1	5.5	8.2	14	56	96	100	140	88	130	120	160	170

NOTE

(1) 수력 저항은 난류 유동에 대한 것이며 같은 저항을 가지는 SCH40 파이프의 길이로써 나타내어 진다. 두꺼운 벽에 있는 파이프에 대해서는 가장 가까운 내경을 가진 SCH 40 파이프에 대한 저항값을 사용하시요.
(2) 이탤릭체로 된 숫자들은 나사이음 밸브 및 이음쇠에 대한 저항이다. 고딕체 숫자는 플렌지 밸브 및 맞대기용접 이음쇠에 관한 것이다.
(3) 리듀싱 및 인크리싱 이음쇠에 대해서는 유동저항을 흡입유동 끝에서의 일반 파이프 크기를 기본으로한 것이다.
(4) 표로된 유동저항은 근사치이며 여러 자료에서 뽑은 것이다.

小數点比較	0.06	0.13	0.19	0.25	0.31	0.38	0.44	0.50	0.56	0.63	0.69	0.75	0.81	0.88	0.94
	1/16	1/8	3/16	1/4	5/16	3/8	7/16	1/2	9/16	5/8	11/16	3/4	13/16	7/8	15/16

SCH 40 파이프를 흐르는 물의 유동 표 F-11

유동율		100ft SCH 40 파이프 당 압력강하(PSI)													
GPM	Cu.ft/sec	v Ft/Sec	p psi	v Ft/Sec	p psi	v Ft/Sec	p psi	v Ft/Sec	p psi	v Ft/Sec	p psi	v Ft/Sec	p psi	v Ft/Sec	p psi
		1/8"		1/4"											
.1	.00022	.56	.677			3/8"									
.2	.00045	1.14	2.48	.62	.548			1/2"							
.3	.00067	1.70	5.26	.93	1.16	.50	.255			3/4"					
.4	.0089	2.26	9.00	1.24	1.98	.67	.436	.42	.136						
.5	.00111	2.82	13.58	1.55	3.00	.84	.656	.53	.205	.30	.050	1"			
.6	.00134	3.38	19.12	1.85	4.22	1.01	.925	.63	.290	.36	.071			1¼"	
.8	.00178	4.52	32.62	2.47	7.17	1.34	1.58	.84	.494	.48	.121	.30	.036		
1	.00223			3.09	10.91	1.68	2.39	1.06	.749	.60	.183	.37	.055	.21	.014
2	.00446			6.18	39.60	3.36	8.68	2.11	2.72	1.20	.665	.74	.199	.43	.051
3	.00668					5.04	18.46	3.17	5.77	1.80	1.41	1.11	.424	.64	.107
4	.00891					6.72	31.55	4.22	9.86	2.40	2.42	1.49	.724	.86	.183
5	.01114	1½"						5.28	14.92	3.01	3.64	1.86	1.09	1.07	.276
6	.01337							6.33	20.95	3.61	5.13	2.23	1.54	1.29	.390
8	.01782	1.26	.308	2"						4.81	8.76	2.97	2.62	1.71	.667
10	.02228	1.58	.466							6.01	13.28	3.713	3.97	2.142	1.01
15	.03342	2.36	.992	1.43	.285							5.57	8.46	3.21	2.14
20	.04456	3.15	1.69	1.91	.486	2½"						7.43	14.42	4.28	3.66
25	.05570	3.94	2.54	2.39	.736									5.36	5.54
30	.06684	4.73	3.60	2.37	1.03	2.01	.424							6.43	7.79
35	.07798	5.51	4.79	3.35	1.37	2.35	.566	3"						7.50	10.38
40	.08912	6.30	6.14	3.82	1.76	2.68	.724							8.57	13.28
50	.1114	7.88	9.31	4.78	2.67	3.35	1.10	2.17	.371	3½"					
60	.1337	9.45	13.08	5.74	3.75	4.02	1.54	2.61	.520						
70	.1560			6.70	4.99	4.70	2.05	3.04	.693	2.27	.335				
80	.1782			7.65	6.40	5.37	2.63	3.47	.890	2.59	.430	4"			
90	.2005			8.60	7.96	6.04	3.28	3.91	1.10	2.92	.535				
100	.2228			9.56	9.69	6.71	3.98	4.34	1.34	3.24	.650	2.52	.346		
125	.2785					8.38	6.03	5.43	2.01	4.05	.984	3.15	.523	5"	
150	.3342					10.1	8.46	6.52	2.86	4.87	1.38	3.78	.734		
175	.3899					11.7	11.3	7.60	3.81	5.68	1.84	4.41	.978	2.81	.316
200	.4456	6"				13.4	14.4	8.69	4.89	6.49	2.36	5.04	1.25	3.21	.405
225	.5013							9.77	6.09	7.30	2.94	5.67	1.56	3.61	.505
250	.5570	2.78	.245					10.9	7.41	8.11	3.58	6.30	1.90	4.01	.616
275	.6127	3.06	.292					11.9	8.84	8.92	4.27	6.93	2.27	4.41	.734
300	.6684	3.33	.344	8"				13.0	10.4	9.73	5.02	7.56	2.67	4.81	.863
350	.7798	3.89	.457					15.2	13.8	11.4	6.87	8.82	3.55	5.62	1.15
400	.8912	4.44	.587	2.57	.149					13.0	8.58	10.1	4.56	6.41	1.47
450	1.003	5.00	.731	2.89	.185					14.6	10.7	11.3	5.66	7.22	1.83
500	1.114	5.55	.887	3.21	.225					16.2	13.0	12.6	6.89	8.02	2.23
550	1.225	6.11	1.07	3.53	.270	10"				17.8	15.5	13.9	8.25	8.82	2.67
600	1.337	6.66	1.25	3.85	.316					19.5	18.2	15.1	9.68	9.62	3.13
650	1.449	7.22	1.45	4.17	.367	2.65	.118					16.4	11.2	10.4	3.62
700	1.560	7.78	1.66	4.49	.420	2.85	.135					17.6	12.9	11.2	4.16
750	1.671	8.33	1.89	4.81	.480	3.05	.154					18.9	14.7	12.0	4.75
800	1.782	8.89	2.13	5.13	.540	3.26	.173	12"				20.2	16.5	12.8	5.35
850	1.894	9.44	2.38	5.45	.605	3.46	.194					21.4	18.5	13.6	5.98
900	2.005	10.0	2.66	5.77	.627	3.66	.216	2.58	.090			22.7	20.6	14.4	6.65
950	2.117	10.6	2.93	6.09	.744	3.87	.238	2.72	.099			23.9	22.8	15.2	7.36
1000	2.228	11.1	3.23	6.41	.817	4.07	.262	2.87	.109	14"				16.0	8.10
1100	2.451	12.2	3.85	7.06	.975	4.48	.313	3.15	.130					17.6	9.66
1200	2.674	13.3	4.53	7.70	1.15	4.88	.368	3.44	.153	2.85	.096			19.2	11.4
1300	2.896	14.4	5.26	8.34	1.33	5.29	.427	3.73	.178	3.08	.111			20.8	13.2
1400	3.119	15.6	6.01	8.98	1.53	5.70	.490	4.01	.204	3.32	.127	16"		22.4	15.1
1500	3.342	16.7	6.84	9.62	1.74	6.10	.556	4.30	.232	3.56	.145			24.1	17.2
1600	3.565	17.8	7.73	10.3	1.96	6.51	.628	4.59	.262	3.79	.163	2.91	.084		
1800	4.010	20.0	9.64	11.5	2.46	7.32	.782	5.16	.329	4.27	.203	3.27	.104		
2000	4.456	22.2	11.6	12.8	2.97	8.14	.953	5.73	.396	4.74	.247	3.63	.127	18"	
2500	5.570	27.8	17.6	16.0	4.49	10.2	1.44	7.17	.601	5.93	.374	4.54	.192		
3000	6.684			19.2	6.30	12.2	2.02	8.60	.842	7.11	.525	5.45	.270	4.30	.149
3500	7.798			22.4	8.41	14.2	2.70	10.0	1.12	8.30	.700	6.36	.358	5.02	.199
4000	8.912			25.7	10.8	16.3	3.46	11.5	1.44	9.48	.896	7.26	.459	5.74	.255
4500	10.03			28.9	13.4	18.3	4.31	12.9	1.76	10.7	1.12	8.17	.671	6.45	.317
5000	11.14					20.4	5.23	14.3	2.18	11.9	1.36	9.08	.695	7.17	.386
6000	13.37					24.4	7.35	17.2	3.06	14.2	1.91	10.9	.977	8.60	.542
7000	15.60					28.5	9.80	20.1	4.08	16.6	2.54	12.7	1.30	10.0	.723
8000	17.82							22.9	5.22	19.0	3.25	14.5	1.67	11.5	.926
9000	20.05							25.8	6.51	21.3	4.06	16.3	2.08	12.9	1.15
10000	22.28							28.7	7.91	23.7	4.92	18.2	2.53	14.3	1.40
12000	26.74									28.5	6.92	21.8	3.55	17.2	1.97
14000	31.19											25.4	4.72	20.1	2.62
16000	35.65											29.1	6.06	22.9	3.36
18000	40.10											32.7	7.55	25.8	4.18
20000	44.56													28.7	5.08

런켄헤이머 회사의 보고서. 데이터는 사프와 스코더 공식을 기본으로 하였음 : $P=LQ^{1.85}/1435\,D^{5}$

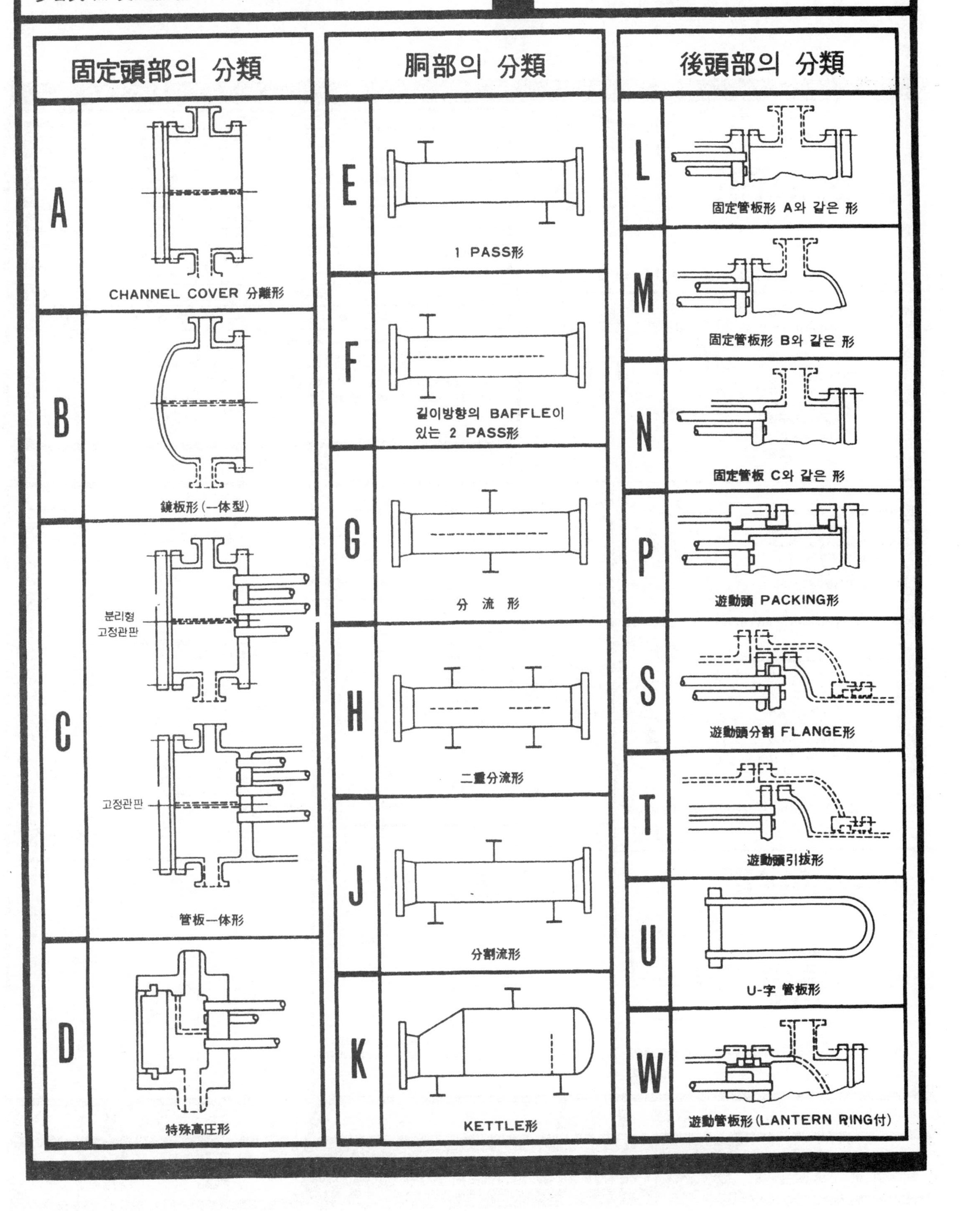

熱 交換機 用語
도표 H-1
多管式 熱 交換器 協会에서 인용한 것임
AEW, BGP, 등과 같은 세 개의 문자는 열교환기의 기본설계를 가리킨다.
6.6.1의 "열교환기 배관을 설계하는데 필요한 자료"를 참조하시오.
固定頭部의 分類
A
CHANNEL COVER 分離形
B
鏡板形(一体型)
C
분리형
고정관판
고정관판
管板一体形
D
特殊高圧形
胴部의 分類
E
1 PASS形
F
길이방향의 BAFFLE이
있는 2 PASS形
G
分 流 形
H
二重分流形
J
分割流形
K
KETTLE形
後頭部의 分類
L
固定管板形 A와 같은 形
M
固定管板形 B와 같은 形
N
固定管板 C와 같은 形
P
遊動頭 PACKING形
S
遊動頭分割 FLANGE形
T
遊動頭引拔形
U
U-字 管板形
W
遊動管板形(LANTERN RING付)

측 정

이러한 공식에 나타나 있는 모든 각은 원호의 각도로 표현한다.

도표 M-1

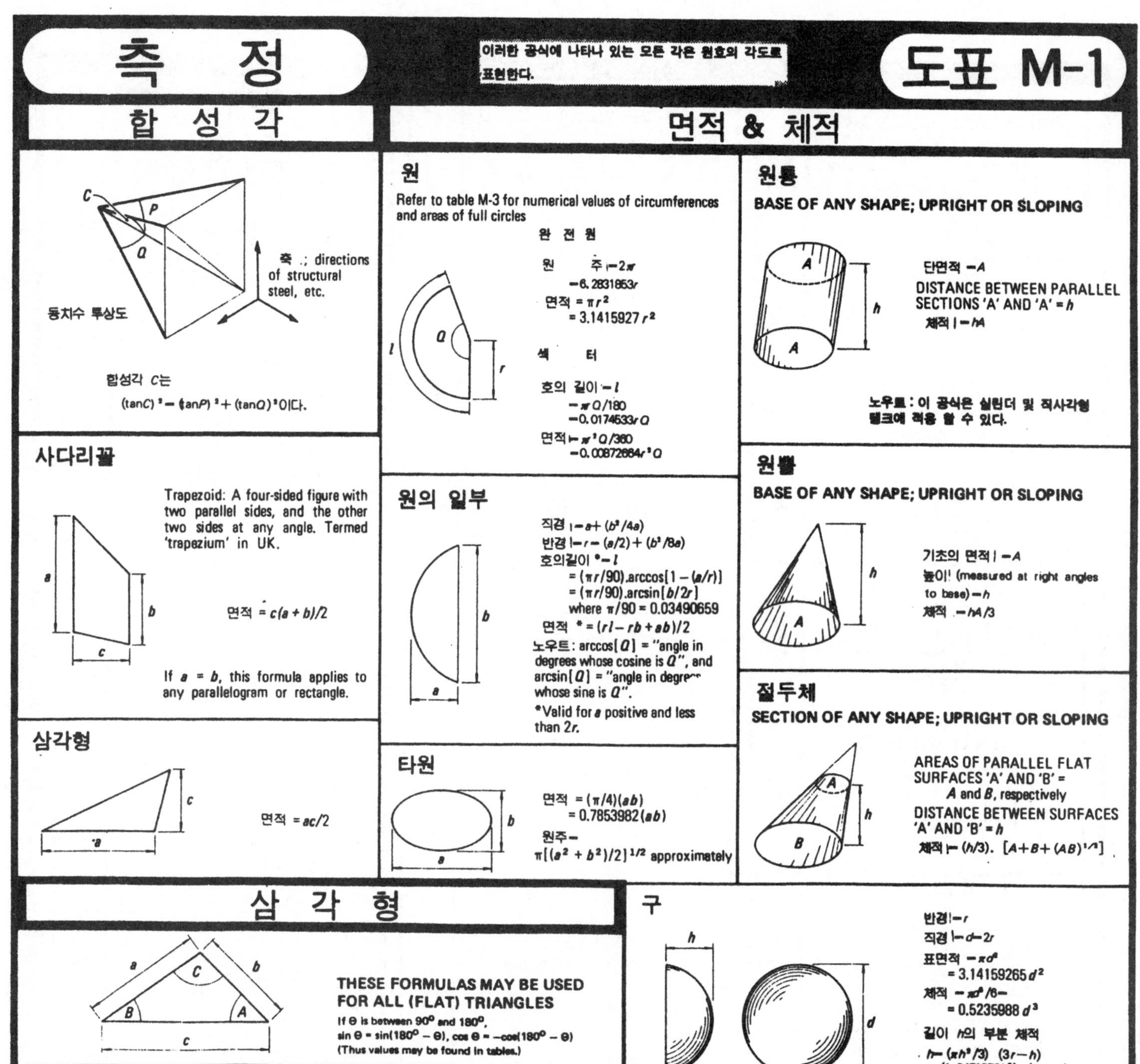

합 성 각

합성각 C는

(tanC) ² = (tanP) ² + (tanQ) ²이다.

사다리꼴

Trapezoid: A four-sided figure with two parallel sides, and the other two sides at any angle. Termed 'trapezium' in UK.

면적 $= c(a+b)/2$

If $a = b$, this formula applies to any parallelogram or rectangle.

삼각형

면적 $= ac/2$

면적 & 체적

원

Refer to table M-3 for numerical values of circumferences and areas of full circles

완 전 원

원 주 $= 2\pi r$
$= 6.2831853r$

면적 $= \pi r^2$
$= 3.1415927 r^2$

섹 터

호의 길이 $= l$
$= \pi Q/180$
$= 0.0174533 r Q$

면적 $= \pi r^2 Q/360$
$= 0.00872664 r^2 Q$

원의 일부

직경 $= a + (b^2/4a)$

반경 $= r = (a/2) + (b^2/8a)$

호의길이 $^* = l$
$= (\pi r/90).\arccos[1 - (a/r)]$
$= (\pi r/90).\arcsin[b/2r]$
where $\pi/90 = 0.03490659$

면적 $^* = (rl - rb + ab)/2$

노우트: arccos[Q] = "angle in degrees whose cosine is Q", and arcsin[Q] = "angle in degrees whose sine is Q".

*Valid for a positive and less than $2r$.

타원

면적 $= (\pi/4)(ab)$
$= 0.7853982(ab)$

원주 =
$\pi[(a^2 + b^2)/2]^{1/2}$ approximately

원통

BASE OF ANY SHAPE; UPRIGHT OR SLOPING

단면적 $= A$

DISTANCE BETWEEN PARALLEL SECTIONS 'A' AND 'A' $= h$

체적 $= hA$

노우트 : 이 공식은 실린더 및 직사각형 탱크에 적용 할 수 있다.

원뿔

BASE OF ANY SHAPE; UPRIGHT OR SLOPING

기초의 면적 $= A$

높이 (measured at right angles to base) $= h$

체적 $= hA/3$

절두체

SECTION OF ANY SHAPE; UPRIGHT OR SLOPING

AREAS OF PARALLEL FLAT SURFACES 'A' AND 'B' = A and B, respectively

DISTANCE BETWEEN SURFACES 'A' AND 'B' $= h$

체적 $= (h/3).\ [A + B + (AB)^{1/2}]$

삼 각 형

THESE FORMULAS MAY BE USED FOR ALL (FLAT) TRIANGLES

If θ is between 90° and 180°, sin θ = sin(180° − θ), cos θ = −cos(180° − θ)
(Thus values may be found in tables.)

기 지 값	미 지 값	해 법
Two angles	Third angle	$A = 180° - (B + C)$
Three sides	Any angle	$\cos A = (b^2 + c^2 - a^2)/2bc$
	Area	$\text{Area} = [s(s-a)(s-b)(s-c)]^{1/2}$, $s = (a+b+c)/2$
Two sides and included angle	Third side	$c = (a^2 + b^2 - 2ab\cos C)^{1/2}$
	Third angle	$\tan A = (a\sin C)/(b - a\cos C)$
	Area	$(ab\sin C)/2$
Two sides and excluded angle *(ambiguous)*	Third side	$c = b\cos A \pm (a^2 - b^2\sin^2 A)^{1/2}$
	Area	$(b/2)\sin A\,[b\cos A \pm (a^2 - b^2\sin^2 A)^{1/2}]$
One side and adjacent angles	Adjacent side	$c = a\sin C/\sin(B + C)$
	Area	$a^2.\sin B.\sin C/[2\sin(B + C)]$

구

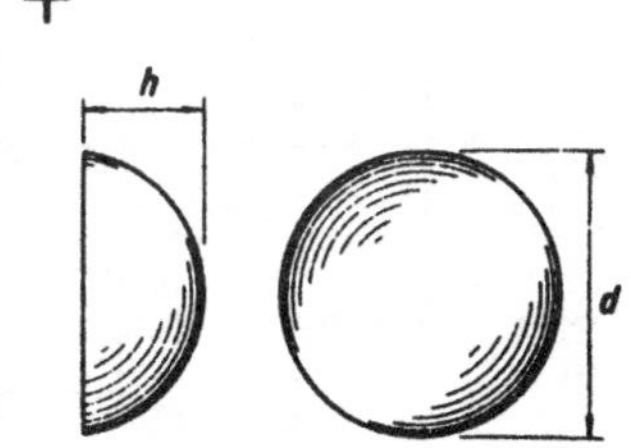

반경 $= r$

직경 $= d = 2r$

표면적 $= \pi d^2$
$= 3.14159265 d^2$

체적 $= \pi d^3/6 =$
$= 0.5235988 d^3$

길이 h의 부분 체적

$= (\pi h^2/3)\ (3r - h)$
$= (1.0471976h^2)\ (3r - h)$

여기서 h는 양수이며 $2r$보다 적다.

구의 갭 또는 슬라이스의 면적

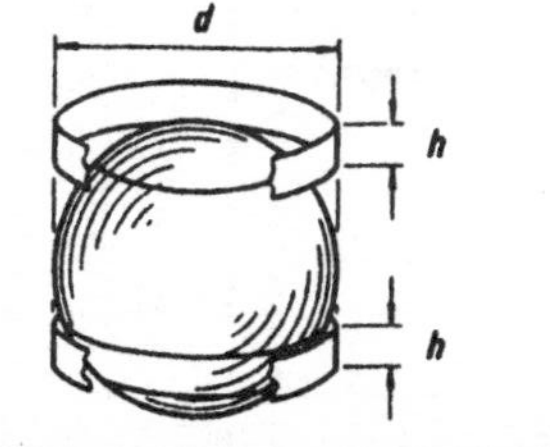

갭 또는 슬라이스의 곡선면의 면적은같은 길이h의 실린더 밴드의 면적과 같다; 즉 πhd이다.

측 정

표 M-2

45° 삼각형에 대한 경사변의 길이

밑변 및 높이	경 사 변	밑변 및 높이	경 사 변	밑변 및 높이	경 사 변	밑변 및 높이	경 사 변
0 0-1/16	0 0-1/16	0 3-3/16	0 4-1/2	0 6-5/16	0 8-15/16	0 9-7/16	1 1-3/8
0 0-1/8	0 0-3/16	0 3-1/4	0 4-5/8	0 6-3/8	0 9	0 9-1/2	1 1-7/16
0 0-3/16	0 0-1/4	0 3-5/16	0 4-11/16	0 6-7/16	0 9-1/8	0 9-9/16	1 1-1/2
0 0-1/4	0 0-3/8	0 3-3/8	0 4-3/4	0 6-1/2	0 9-3/16	0 9-5/8	1 1-5/8
0 0-5/16	0 0-7/16	0 3-7/16	0 4-7/8	0 6-9/16	0 9-1/4	0 9-11/16	1 1-11/16
0 0-3/8	0 0-1/2	0 3-1/2	0 4-15/16	0 6-5/8	0 9-3/8	0 9-3/4	1 1-13/16
0 0-7/16	0 0-5/8	0 3-9/16	0 5-1/16	0 6-11/16	0 9-7/16	0 9-13/16	1 1-7/8
0 0-1/2	0 0-11/16	0 3-5/8	0 5-1/8	0 6-3/4	0 9-9/16	0 9-7/8	1 1-15/16
0 0-9/16	0 0-13/16	0 3-11/16	0 5-3/16	0 6-13/16	0 9-5/8	0 9-15/16	1 2-1/16
0 0-5/8	0 0-7/8	0 3-3/4	0 5-5/16	0 6-7/8	0 9-3/4	0 10	1 2-1/8
0 0-11/16	0 1	0 3-13/16	0 5-3/8	0 6-15/16	0 9-13/16	0 10-1/16	1 2-1/4
0 0-3/4	0 1-1/16	0 3-7/8	0 5-1/2	0 7	0 9-7/8	0 10-1/8	1 2-5/16
0 0-13/16	0 1-1/8	0 3-15/16	0 5-9/16	0 7-1/16	0 10	0 10-3/16	1 2-7/16
0 0-7/8	0 1-1/4	0 4	0 5-11/16	0 7-1/8	0 10-1/16	0 10-1/4	1 2-1/2
0 0-15/16	0 1-5/16	0 4-1/16	0 5-3/4	0 7-3/16	0 10-3/16	0 10-5/16	1 2-9/16
0 1	0 1-7/16	0 4-1/8	0 5-13/16	0 7-1/4	0 10-1/4	0 10-3/8	1 2-11/16
0 1-1/16	0 1-1/2	0 4-3/16	0 5-15/16	0 7-5/16	0 10-5/16	0 10-7/16	1 2-3/4
0 1-1/8	0 1-9/16	0 4-1/4	0 6	0 7-3/8	0 10-7/16	0 10-1/2	1 2-7/8
0 1-3/16	0 1-11/16	0 4-5/16	0 6-1/8	0 7-7/16	0 10-1/2	0 10-9/16	1 2-15/16
0 1-1/4	0 1-3/4	0 4-3/8	0 6-3/16	0 7-1/2	0 10-5/8	0 10-5/8	1 3
0 1-5/16	0 1-7/8	0 4-7/16	0 6-1/4	0 7-9/16	0 10-11/16	0 10-11/16	1 3-1/8
0 1-3/8	0 1-15/16	0 4-1/2	0 6-3/8	0 7-5/8	0 10-13/16	0 10-3/4	1 3-3/16
0 1-7/16	0 2-1/16	0 4-9/16	0 6-7/16	0 7-11/16	0 10-7/8	0 10-13/16	1 3-5/16
0 1-1/2	0 2-1/8	0 4-5/8	0 6-9/16	0 7-3/4	0 10-15/16	0 10-7/8	1 3-3/8
0 1-9/16	0 2-3/16	0 4-11/16	0 6-5/8	0 7-13/16	0 11-1/16	0 10-15/16	1 3-7/16
0 1-5/8	0 2-5/16	0 4-3/4	0 6-11/16	0 7-7/8	0 11-1/8	0 11	1 3-9/16
0 1-11/16	0 2-3/8	0 4-13/16	0 6-13/16	0 7-15/16	0 11-1/4	0 11-1/16	1 3-5/8
0 1-3/4	0 2-1/2	0 4-7/8	0 6-7/8	0 8	0 11-5/16	0 11-1/8	1 3-3/4
0 1-13/16	0 2-9/16	0 4-15/16	0 7	0 8-1/16	0 11-3/8	0 11-3/16	1 3-13/16
0 1-7/8	0 2-5/8	0 5	0 7-1/16	0 8-1/8	0 11-1/2	0 11-1/4	1 3-15/16
0 1-15/16	0 2-3/4	0 5-1/16	0 7-3/16	0 8-3/16	0 11-9/16	0 11-5/16	1 4
0 2	0 2-13/16	0 5-1/8	0 7-1/4	0 8-1/4	0 11-11/16	0 11-3/8	1 4-1/16
0 2-1/16	0 2-15/16	0 5-3/16	0 7-5/16	0 8-5/16	0 11-3/4	0 11-7/16	1 4-3/16
0 2-1/8	0 3	0 5-1/4	0 7-7/16	0 8-3/8	0 11-7/8	0 11-1/2	1 4-1/4
0 2-3/16	0 3-1/16	0 5-5/16	0 7-1/2	0 8-7/16	0 11-15/16	0 11-9/16	1 4-3/8
0 2-1/4	0 3-3/16	0 5-3/8	0 7-5/8	0 8-1/2	1 0	0 11-5/8	1 4-7/16
0 2-5/16	0 3-1/4	0 5-7/16	0 7-11/16	0 8-9/16	1 0-1/8	0 11-11/16	1 4-1/2
0 2-3/8	0 3-3/8	0 5-1/2	0 7-3/4	0 8-5/8	1 0-3/16	0 11-3/4	1 4-5/8
0 2-7/16	0 3-7/16	0 5-9/16	0 7-7/8	0 8-11/16	1 0-5/16	0 11-13/16	1 4-11/16
0 2-1/2	0 3-9/16	0 5-5/8	0 7-15/16	0 8-3/4	1 0-3/8	0 11-7/8	1 4-13/16
0 2-9/16	0 3-5/8	0 5-11/16	0 8-1/16	0 8-13/16	1 0-7/16	0 11-15/16	1 4-7/8
0 2-5/8	0 3-11/16	0 5-3/4	0 8-1/8	0 8-7/8	1 0-9/16	1 0	1 5
0 2-11/16	0 3-13/16	0 5-13/16	0 8-1/4	0 8-15/16	1 0-5/8	1 0-1/16	1 5-1/16
0 2-3/4	0 3-7/8	0 5-7/8	0 8-5/16	0 9	1 0-3/4	1 0-1/8	1 5-1/8
0 2-13/16	0 4	0 5-15/16	0 8-3/8	0 9-1/16	1 0-13/16	1 0-3/16	1 5-1/4
0 2-7/8	0 4-1/16	0 6	0 8-1/2	0 9-1/8	1 0-7/8	1 0-1/4	1 5-5/16
0 2-15/16	0 4-1/8	0 6 1/16	0 8-9/16	0 9-3/16	1 1	1 0-5/16	1 5-7/16
0 3	0 4-1/4	0 6-1/8	0 8-11/16	0 9-1/4	1 1-1/16	1 0-3/8	1 5-1/2
0 3-1/16	0 4-5/16	0 6-3/16	0 8-3/4	0 9-5/16	1 1-3/16	1 0-7/16	1 5-9/16
0 3-1/8	0 4-7/16	0 6-1/4	0 8-13/16	0 9-3/8	1 1-1/4	1 0-1/2	1 5-11/16

1/16in에 가장 근사 값

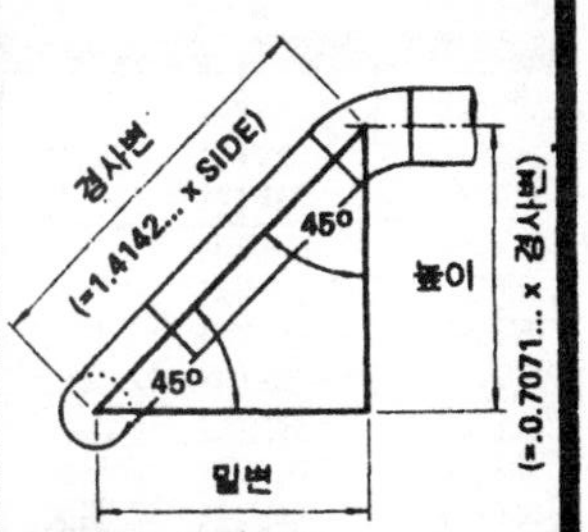

경사변 (=1.4142... x SIDE)

높이 (=0.7071... x 경사변)

밑변 (=0.7071... x 경사변)

45°

피트

밑변 및 높이	경 사 변
1 0	1 4-31/32
2 0	2 9-15/16
3 0	4 2-29/32
4 0	5 7-7/8
5 0	7 0-27/32
6 0	8 5-13/16
7 0	9 10-25/32
8 0	11 3-3/4
9 0	12 8-3/4
10 0	14 1-23/32
11 0	15 6-11/16
12 0	16 11-21/32
13 0	18 4-5/8
14 0	19 9-19/32
15 0	21 2-9/16
0 8-1/2	1 0
1 4-31/32	2 0
2 1-15/32	3 0
2 9-15/16	4 0
3 6-7/16	5 0
4 2-29/32	6 0
4 11-13/32	7 0
5 7-7/8	8 0
6 4-3/8	9 0
7 0-27/32	10 0
7 9-11/32	11 0
8 5-13/16	12 0
9 2-5/16	13 0
9 10-25/32	14 0
10 7-9/32	15 0

마이터의 설치

3-토막 4-토막 5-토막

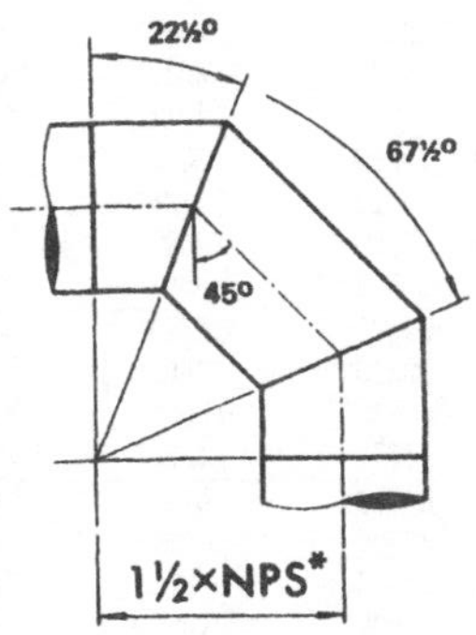

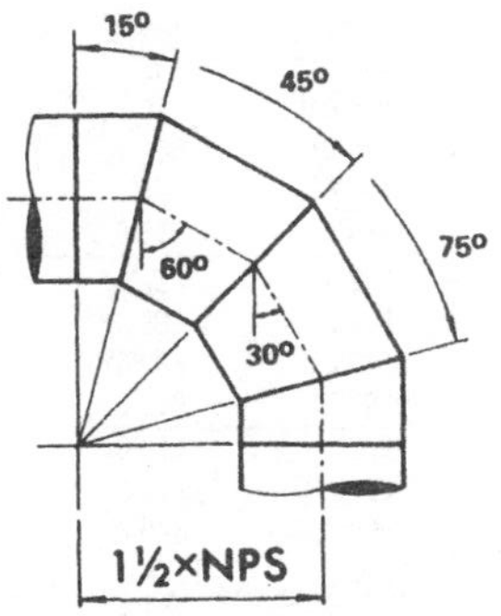

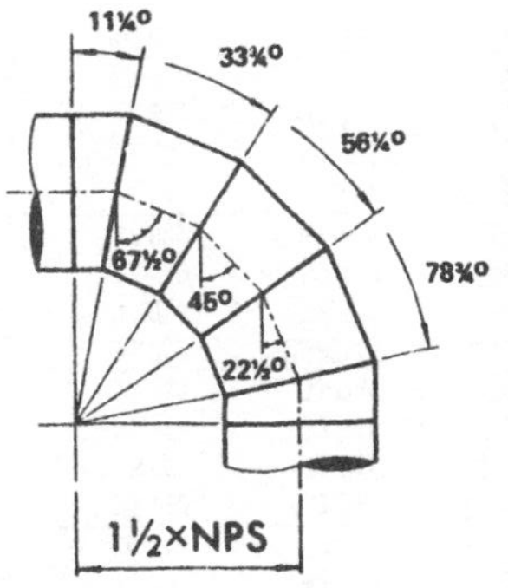

22½° 67½° 45° 1½×NPS*

15° 45° 75° 60° 30° 1½×NPS

11¼° 33¾° 56¼° 78¾° 67½° 45° 22½° 1½×NPS

일반 파이프 크기(인치)

벤드에 대한 접선 길이

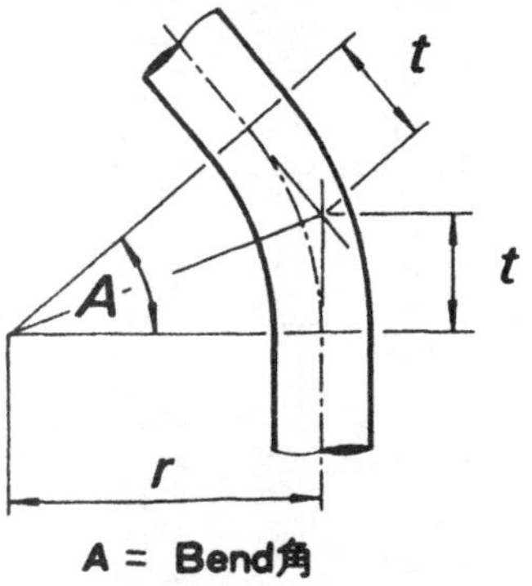

A = Bend角

일반적인 공식

$$t = r.\tan(A/2)$$

(A는 180°보다 적어야 한다)

원 : 직경, 원주 그리고 면적

표M-3

직경 IN.	원주 IN.	단면적 IN^2	직경 IN.	원주 IN.	단면적 IN^2	직경 IN.	원주 IN.	단면적 IN^2	직경 IN.	원주 IN.	단면적 IN^2	직경 IN.	원주 IN.	단면적 IN^2
1/64	.04909	.00019	2 7/8	9.0321	6.4918	7 5/8	23.955	45.664	21	65.973	346.36	37	116.239	1075.2
1/32	.09818	.00077	2 15/16	9.2284	6.7771	7 3/4	24.347	47.173	21 1/4	66.759	354.66	37 1/4	117.024	1089.8
3/64	.14726	.00173	3	9.4248	7.0686	7 7/8	24.740	48.707	21 1/2	67.544	363.05	37 1/2	117.810	1104.5
1/16	.19635	.00307	3 1/16	9.6211	7.3662	8	25.133	50.265	21 3/4	68.330	371.54	37 3/4	118.596	1119.2
3/32	.29452	.00690	3 1/8	9.8175	7.6699	8 1/8	25.525	51.849	22	69.115	380.13	38	119.381	1134.1
1/8	.39270	.01227	3 3/16	10.014	7.9798	8 1/4	25.918	53.456	22 1/4	69.900	388.82	38 1/4	120.166	1149.1
5/32	.49087	.01917	3 1/4	10.210	8.2958	8 3/8	26.311	55.088	22 1/2	70.686	397.61	38 1/2	120.951	1164.2
3/16	.58905	.02761	3 5/16	10.407	8.6179	8 1/2	26.704	56.745	22 3/4	71.471	406.49	38 3/4	121.737	1179.3
7/32	.68722	.03758	3 3/8	10.603	8.9462	8 5/8	27.096	58.426	23	72.257	415.48	39	122.522	1194.6
1/4	.78540	.04909	3 7/16	10.799	9.2806	8 3/4	27.489	60.132	23 1/4	73.042	424.56	39 1/4	123.308	1210.0
9/32	.88357	.06213	3 1/2	10.996	9.6211	8 7/8	27.882	61.862	23 1/2	73.827	433.74	39 1/2	124.093	1225.4
5/16	.98175	.07670	3 9/16	11.192	9.9678	9	28.274	63.617	23 3/4	74.613	443.01	39 3/4	124.878	1241.0
11/32	1.0799	.09281	3 5/8	11.388	10.321	9 1/8	28.667	65.397	24	75.398	452.39	40	125.664	1256.6
3/8	1.1781	.11045	3 11/16	11.585	10.680	9 1/4	29.060	67.201	24 1/4	76.184	461.86	40 1/4	126.449	1272.4
13/32	1.2763	.12962	3 3/4	11.781	11.045	9 3/8	29.452	69.029	24 1/2	76.969	471.44	40 1/2	127.235	1288.2
7/16	1.3744	.15033	3 13/16	11.977	11.416	9 1/2	29.845	70.882	24 3/4	77.754	481.11	40 3/4	128.020	1304.2
15/32	1.4726	.17257	3 7/8	12.174	11.793	9 5/8	30.238	72.760	25	78.540	490.87	41	128.805	1320.3
1/2	1.5708	.19635	3 15/16	12.370	12.177	9 3/4	30.631	74.662	25 1/4	79.325	500.74	41 1/4	129.591	1336.4
17/32	1.6690	.22166	4	12.566	12.566	9 7/8	31.023	76.589	25 1/2	80.111	510.71	41 1/2	130.376	1352.7
9/16	1.7671	.24850	4 1/16	12.763	12.962	10	31.416	78.540	25 3/4	80.896	520.77	41 3/4	131.161	1369.0
19/32	1.8653	.27688	4 1/8	12.959	13.364	10 1/4	32.201	82.516	26	81.681	530.93	42	131.947	1385.4
5/8	1.9635	.30680	4 3/16	13.155	13.772	10 1/2	32.987	86.590	26 1/4	82.467	541.19	42 1/4	132.732	1402.0
21/32	2.0617	.33824	4 1/4	13.352	14.186	10 3/4	33.772	90.763	26 1/2	83.252	551.55	42 1/2	133.518	1418.6
11/16	2.1598	.37122	4 5/16	13.548	14.607	11	34.558	95.033	26 3/4	84.038	562.00	42 3/4	134.303	1435.4
23/32	2.2580	.40574	4 3/8	13.744	15.033	11 1/4	35.343	99.402	27	84.823	572.56	43	135.088	1452.2
3/4	2.3562	.44179	4 7/16	13.941	15.466	11 1/2	36.128	103.87	27 1/4	85.608	583.21	43 1/4	135.874	1469.1
25/32	2.4544	.47937	4 1/2	14.137	15.904	11 3/4	36.914	108.43	27 1/2	86.394	593.96	43 1/2	136.659	1486.2
13/16	2.5525	.51849	4 9/16	14.334	16.349	12	37.699	113.10	27 3/4	87.179	604.81	43 3/4	137.445	1503.3
27/32	2.6507	.55914	4 5/8	14.530	16.800	12 1/4	38.485	117.86	28	87.965	615.75	44	138.230	1520.5
7/8	2.7489	.60132	4 11/16	14.726	17.257	12 1/2	39.270	122.72	28 1/4	88.750	626.80	44 1/4	139.015	1537.9
29/32	2.8471	.64504	4 3/4	14.923	17.721	12 3/4	40.055	127.68	28 1/2	89.535	637.94	44 1/2	139.801	1555.3
15/16	2.9452	.69029	4 13/16	15.119	18.190	13	40.841	132.73	28 3/4	90.321	649.18	44 3/4	140.586	1572.8
31/32	3.0434	.73708	4 7/8	15.315	18.665	13 1/4	41.626	137.89	29	91.106	660.52	45	141.372	1590.4
1	3.1416	.7854	4 15/16	15.512	19.147	13 1/2	42.412	143.14	29 1/4	91.892	671.96	45 1/4	142.157	1608.2
1 1/16	3.3379	.8866	5	15.708	19.635	13 3/4	43.197	148.49	29 1/2	92.677	683.49	45 1/2	142.942	1626.0
1 1/8	3.5343	.9940	5 1/16	15.904	20.129	14	43.982	153.94	29 3/4	93.462	695.13	45 3/4	143.728	1643.9
1 3/16	3.7306	1.1075	5 1/8	16.101	20.629	14 1/4	44.768	159.48	30	94.248	706.86	46	144.513	1661.9
1 1/4	3.9270	1.2272	5 3/16	16.297	21.135	14 1/2	45.553	165.13	30 1/4	95.033	718.69	46 1/4	145.299	1680.0
1 5/16	4.1233	1.3530	5 1/4	16.493	21.648	14 3/4	46.338	170.87	30 1/2	95.819	730.62	46 1/2	146.084	1698.2
1 3/8	4.3197	1.4849	5 5/16	16.690	22.166	15	47.124	176.71	30 3/4	96.604	742.64	46 3/4	146.869	1716.5
1 7/16	4.5160	1.6230	5 3/8	16.886	22.691	15 1/4	47.909	182.65	31	97.389	754.77	47	147.655	1734.9
1 1/2	4.7124	1.7671	5 7/16	17.082	23.221	15 1/2	48.695	188.69	31 1/4	98.175	766.99	47 1/4	148.440	1753.5
1 9/16	4.9087	1.9175	5 1/2	17.279	23.758	15 3/4	49.480	194.83	31 1/2	98.960	779.31	47 1/2	149.226	1772.1
1 5/8	5.1051	2.0739	5 9/16	17.475	24.301	16	50.265	201.06	31 3/4	99.746	791.73	47 3/4	150.011	1790.8
1 11/16	5.3014	2.2365	5 5/8	17.671	24.850	16 1/4	51.051	207.39	32	100.531	804.25	48	150.796	1809.6
1 3/4	5.4978	2.4053	5 11/16	17.868	25.406	16 1/2	51.836	213.82	32 1/4	101.316	816.86	48 1/4	151.582	1828.5
1 13/16	5.6941	2.5802	5 3/4	18.064	25.967	16 3/4	52.622	220.35	33 1/2	102.102	829.58	48 1/2	152.367	[illegible]
1 7/8	5.8905	2.7612	5 13/16	18.261	26.535	17	53.407	226.98	32 3/4	102.887	842.39	48 3/4	153.153	1866.5
1 15/16	6.0868	2.9483	5 7/8	18.457	27.109	17 1/4	54.192	233.71	33	103.673	855.30	49	153.938	1885.7
2	6.2832	3.1416	5 15/16	18.653	27.688	17 1/2	54.978	240.53	33 1/4	104.458	868.31	49 1/4	154.723	1905.0
2 1/16	6.4795	3.3410	6	18.850	28.274	17 3/4	55.763	247.45	33 1/2	105.243	881.41	49 1/2	155.509	1924.4
2 1/8	6.6759	3.5466	6 1/8	19.242	29.465	18	56.549	254.47	33 3/4	106.029	894.62	49 3/4	156.294	1943.9
2 3/16	6.8722	3.7583	6 1/4	19.635	30.680	18 1/4	57.334	261.59	34	106.814	907.92	50	157.080	1963.5
2 1/4	7.0686	3.9761	6 3/8	20.028	31.919	18 1/2	58.119	268.80	34 1/4	107.600	921.32	50 1/4	157.865	1983.2
2 5/16	7.2649	4.2000	6 1/2	20.420	33.183	18 3/4	58.905	276.12	34 1/2	108.385	934.82	50 1/2	158.650	2003.0
2 3/8	7.4613	4.4301	6 5/8	20.813	34.472	19	59.690	283.53	34 3/4	109.170	948.42	50 3/4	159.436	2022.8
2 7/16	7.6576	4.6664	6 3/4	21.206	35.785	19 1/4	60.476	291.04	35	109.956	962.11	51	160.221	2042.8
2 1/2	7.8540	4.9087	6 7/8	21.598	37.122	19 1/2	61.261	298.65	35 1/4	110.741	975.91	51 1/4	161.007	2062.9
2 9/16	8.0503	5.1572	7	21.991	38.485	19 3/4	62.046	306.35	35 1/2	111.527	989.80	51 1/2	161.792	2083.1
2 5/8	8.2467	5.4119	7 1/8	22.384	39.871	20	62.832	314.16	35 3/4	112.312	1003.80	51 3/4	162.577	2103.3
2 11/16	8.4430	5.6727	7 1/4	22.776	41.282	20 1/4	63.617	322.06	36	113.097	1017.90	52	163.363	2123.7
2 3/4	8.6394	5.9396	7 3/8	23.169	42.718	20 1/2	64.403	330.06	36 1/4	113.883	1032.10	52 1/4	164.148	2144.2
2 13/16	8.8357	6.2126	7 1/2	23.562	44.179	20 3/4	65.188	338.16	36 1/2	114.668	1046.30	52 1/2	164.934	2164.8
									36 3/4	115.454	1060.70			

밀리미터와 피트, 그리고 인치사이의 환산 값 〔1/64in에 가장 근사 값〕

표 M-4

1 mm 에서 800 mm

3/64 in. 에서 2 ft, 7-1/2 in.

mm	ft,	in.	mm	ft,	in.	mm	ft,	in.	mm	ft,	in.	mm	ft,	in.	mm	ft,	in.	mm	ft,	in.	mm	ft,	in.
1	0	0 3/64	101	0	3 31/32	201	0	7 29/32	301	0	11 27/32	401	1	3 25/32	501	1	7 23/32	601	1	11 21/32	701	2	3 19/32
2	0	0 5/64	102	0	4 1/64	202	0	7 61/64	302	0	11 57/64	402	1	3 53/64	502	1	7 49/64	602	1	11 45/64	702	2	3 41/64
3	0	0 1/8	103	0	4 1/16	203	0	7 63/64	303	0	11 59/64	403	1	3 55/64	503	1	7 51/64	603	1	11 47/64	703	2	3 43/64
4	0	0 5/32	104	0	4 3/32	204	0	8 1/32	304	0	11 31/32	404	1	3 29/32	504	1	7 27/32	604	1	11 25/32	704	2	3 23/32
5	0	0 13/64	105	0	4 9/64	205	0	8 5/64	305	1	0 1/64	405	1	3 15/16	505	1	7 7/8	605	1	11 13/16	705	2	3 3/4
6	0	0 15/64	106	0	4 11/64	206	0	8 7/64	306	1	0 3/64	406	1	3 63/64	506	1	7 59/64	606	1	11 55/64	706	2	3 51/64
7	0	0 9/32	107	0	4 7/32	207	0	8 5/32	307	1	0 3/32	407	1	4 1/32	507	1	7 61/64	607	1	11 57/64	707	2	3 53/64
8	0	0 5/16	108	0	4 1/4	208	0	8 3/16	308	1	0 1/8	408	1	4 1/16	508	1	8	608	1	11 15/16	708	2	3 7/8
9	0	0 23/64	109	0	4 19/64	209	0	8 15/64	309	1	0 11/64	409	1	4 7/64	509	1	8 3/64	609	1	11 31/32	709	2	3 29/32
10	0	0 25/64	110	0	4 21/64	210	0	8 17/64	310	1	0 13/64	410	1	4 9/64	510	1	8 5/64	610	2	0 1/64	710	2	3 61/64
11	0	0 7/16	111	0	4 3/8	211	0	8 5/16	311	1	0 1/4	411	1	4 3/16	511	1	8 1/3	611	2	0 1/16	711	2	3 63/64
12	0	0 15/32	112	0	4 13/32	212	0	8 11/32	312	1	0 9/32	412	1	4 7/32	512	1	8 5/32	612	2	0 3/32	712	2	4 1/32
13	0	0 33/64	113	0	4 29/64	213	0	8 25/64	313	1	0 21/64	413	1	4 17/64	513	1	8 13/64	613	2	0 9/64	713	2	4 5/64
14	0	0 35/64	114	0	4 31/64	214	0	8 27/64	314	1	0 23/64	414	1	4 19/64	514	1	8 15/64	614	2	0 11/64	714	2	4 7/64
15	0	0 19/32	115	0	4 17/32	215	0	8 15/32	315	1	0 13/32	415	1	4 11/32	515	1	8 9/32	615	2	0 7/32	715	2	4 5/32
16	0	0 5/8	116	0	4 9/16	216	0	8 1/2	316	1	0 7/16	416	1	4 3/8	516	1	8 5/16	616	2	0 1/4	716	2	4 3/16
17	0	0 43/64	117	0	4 39/64	217	0	8 35/64	317	1	0 31/64	417	1	4 27/64	517	1	8 23/64	617	2	0 19/64	717	2	4 15/64
18	0	0 45/64	118	0	4 41/64	218	0	8 37/64	318	1	0 33/64	418	1	4 29/64	518	1	8 25/64	618	2	0 21/64	718	2	4 17/64
19	0	0 3/4	119	0	4 11/16	219	0	8 5/8	319	1	0 9/16	419	1	4 1/2	519	1	8 7/16	619	2	0 3/8	719	2	4 5/16
20	0	0 25/32	120	0	4 23/32	220	0	8 21/32	320	1	0 19/32	420	1	4 17/32	520	1	8 15/32	620	2	0 13/32	720	2	4 11/32
21	0	0 53/64	121	0	4 49/64	221	0	8 45/64	321	1	0 41/64	421	1	4 37/64	521	1	8 33/64	621	2	0 29/64	721	2	4 25/64
22	0	0 55/64	122	0	4 51/64	222	0	8 47/64	322	1	0 43/64	422	1	4 39/64	522	1	8 35/64	622	2	0 31/64	722	2	4 27/64
23	0	0 29/32	123	0	4 27/32	223	0	8 25/32	323	1	0 23/32	423	1	4 21/32	523	1	8 19/32	623	2	0 17/32	723	2	4 15/32
24	0	0 15/16	124	0	4 7/8	224	0	8 13/16	324	1	0 3/4	424	1	4 11/16	524	1	8 5/8	624	2	0 9/16	724	2	4 1/2
25	0	0 63/64	125	0	4 59/64	225	0	8 55/64	325	1	0 51/64	425	1	4 47/64	525	1	8 43/64	625	2	0 39/64	725	2	4 35/64
26	0	1 1/32	126	0	4 61/64	226	0	8 57/64	326	1	0 53/64	426	1	4 49/64	526	1	8 45/64	626	2	0 41/64	726	2	4 37/64
27	0	1 1/16	127	0	5	227	0	8 15/16	327	1	0 7/8	427	1	4 13/16	527	1	8 3/4	627	2	0 11/16	727	2	4 5/8
28	0	1 7/64	128	0	5 3/64	228	0	8 31/32	328	1	0 29/32	428	1	4 27/32	528	1	8 25/32	628	2	0 23/32	728	2	4 21/32
29	0	1 9/64	129	0	5 5/64	229	0	9 1/64	329	1	0 61/64	429	1	4 57/64	529	1	8 53/64	629	2	0 49/64	729	2	4 45/64
30	0	1 3/16	130	0	5 1/8	230	0	9 1/16	330	1	0 63/64	430	1	4 59/64	530	1	8 55/64	630	2	0 51/64	730	2	4 47/64
31	0	1 7/32	131	0	5 5/32	231	0	9 3/32	331	1	1 1/32	431	1	4 31/32	531	1	8 29/32	631	2	0 27/32	731	2	4 25/32
32	0	1 17/64	132	0	5 13/64	232	0	9 9/64	332	1	1 5/64	432	1	5 1/64	532	1	8 15/16	632	2	0 7/8	732	2	4 13/16
33	0	1 19/64	133	0	5 15/64	233	0	9 11/64	333	1	1 7/64	433	1	5 3/64	533	1	8 63/64	633	2	0 59/64	733	2	4 55/64
34	0	1 11/32	134	0	5 9/32	234	0	9 7/32	334	1	1 5/32	434	1	5 3/32	534	1	9 1/32	634	2	0 61/64	734	2	4 57/64
35	0	1 3/8	135	0	5 5/16	235	0	9 1/4	335	1	1 3/16	435	1	5 1/8	535	1	9 1/16	635	2	1	735	2	4 15/16
36	0	1 27/64	136	0	5 23/64	236	0	9 19/64	336	1	1 15/64	436	1	5 11/64	536	1	9 7/64	636	2	1 3/64	736	2	4 31/32
37	0	1 29/64	137	0	5 25/64	237	0	9 21/64	337	1	1 17/64	437	1	5 13/64	537	1	9 9/64	637	2	1 5/64	737	2	5 1/64
38	0	1 1/2	138	0	5 7/16	238	0	9 3/8	338	1	1 5/16	438	1	5 1/4	538	1	9 3/16	638	2	1 1/8	738	2	5 1/16
39	0	1 17/32	139	0	5 15/32	239	0	9 13/32	339	1	1 11/32	439	1	5 9/32	539	1	9 7/32	639	2	1 5/32	739	2	5 3/32
40	0	1 37/64	140	0	5 33/64	240	0	9 29/64	340	1	1 25/64	440	1	5 21/64	540	1	9 17/64	640	2	1 13/64	740	2	5 9/64
41	0	1 39/64	141	0	5 35/64	241	0	9 31/64	341	1	1 27/64	441	1	5 23/64	541	1	9 19/64	641	2	1 15/64	741	2	5 11/64
42	0	1 21/32	142	0	5 19/32	242	0	9 17/32	342	1	1 15/32	442	1	5 13/32	542	1	9 11/32	642	2	1 9/32	742	2	5 7/32
43	0	1 11/16	143	0	5 5/8	243	0	9 9/16	343	1	1 1/2	443	1	5 7/16	543	1	9 3/8	643	2	1 5/16	743	2	5 1/4
44	0	1 47/64	144	0	5 43/64	244	0	9 39/64	344	1	1 35/64	444	1	5 31/64	544	1	9 27/64	644	2	1 23/64	744	2	5 19/64
45	0	1 49/64	145	0	5 45/64	245	0	9 41/64	345	1	1 37/64	445	1	5 33/64	545	1	9 29/64	645	2	1 25/64	745	2	5 21/64
46	0	1 13/16	146	0	5 3/4	246	0	9 11/16	346	1	1 5/8	446	1	5 9/16	546	1	9 1/2	646	2	1 7/16	746	2	5 3/8
47	0	1 27/32	147	0	5 25/32	247	0	9 23/32	347	1	1 21/32	447	1	5 19/32	547	1	9 17/32	647	2	1 15/32	747	2	5 13/32
48	0	1 57/64	148	0	5 53/64	248	0	9 49/64	348	1	1 45/64	448	1	5 41/64	548	1	9 37/64	648	2	1 33/64	748	2	5 29/64
49	0	1 59/64	149	0	5 55/64	249	0	9 51/64	349	1	1 47/64	449	1	5 43/64	549	1	9 39/64	649	2	1 35/64	749	2	5 31/64
50	0	1 31/32	150	0	5 29/32	250	0	9 27/32	350	1	1 25/32	450	1	5 23/32	550	1	9 21/32	650	2	1 19/32	750	2	5 17/32
51	0	2 1/64	151	0	5 15/16	251	0	9 7/8	351	1	1 13/16	451	1	5 3/4	551	1	9 11/16	651	2	1 5/8	751	2	5 9/16
52	0	2 3/64	152	0	5 63/64	252	0	9 59/64	352	1	1 55/64	452	1	5 51/64	552	1	9 47/64	652	2	1 43/64	752	2	5 39/64
53	0	2 3/32	153	0	6 1/32	253	0	9 61/64	353	1	1 57/64	453	1	5 53/64	553	1	9 49/64	653	2	1 45/64	753	2	5 41/64
54	0	2 1/8	154	0	6 1/16	254	0	10	354	1	1 15/16	454	1	5 7/8	554	1	9 13/16	654	2	1 3/4	754	2	5 11/16
55	0	2 11/64	155	0	6 7/64	255	0	10 3/64	355	1	1 31/32	455	1	5 29/32	555	1	9 27/32	655	2	1 25/32	755	2	5 23/32
56	0	2 13/64	156	0	6 9/64	256	0	10 5/64	356	1	2 1/64	456	1	5 61/64	556	1	9 57/64	656	2	1 53/64	756	2	5 49/64
57	0	2 1/4	157	0	6 3/16	257	0	10 1/8	357	1	2 1/16	457	1	5 63/64	557	1	9 59/64	657	2	1 55/64	757	2	5 51/64
58	0	2 9/32	158	0	6 7/32	258	0	10 5/32	358	1	2 3/32	458	1	6 1/32	558	1	9 31/32	658	2	1 29/32	758	2	5 27/32
59	0	2 21/64	159	0	6 17/64	259	0	10 13/64	359	1	2 9/64	459	1	6 5/64	559	1	10 1/64	659	2	1 15/16	759	2	5 7/8
60	0	2 23/64	160	0	6 19/64	260	0	10 15/64	360	1	2 11/64	460	1	6 7/64	560	1	10 3/64	660	2	1 63/64	760	2	5 59/64
61	0	2 13/32	161	0	6 11/32	261	0	10 9/32	361	1	2 7/32	461	1	6 5/32	561	1	10 3/32	661	2	2 1/32	761	2	5 61/64
62	0	2 7/16	162	0	6 3/8	262	0	10 5/16	362	1	2 1/4	462	1	6 3/16	562	1	10 1/8	662	2	2 1/16	762	2	6
63	0	2 31/64	163	0	6 27/64	263	0	10 23/64	363	1	2 19/64	463	1	6 15/64	563	1	10 11/64	663	2	2 7/64	763	2	6 3/64
64	0	2 33/64	164	0	6 29/64	264	0	10 25/64	364	1	2 21/64	464	1	6 17/64	564	1	10 13/64	664	2	2 9/64	764	2	6 5/64
65	0	2 9/16	165	0	6 1/2	265	0	10 7/16	365	1	2 3/8	465	1	6 5/16	565	1	10 1/4	665	2	2 3/16	765	2	6 1/8
66	0	2 19/32	166	0	6 17/32	266	0	10 15/32	366	1	2 13/32	466	1	6 11/32	566	1	10 9/32	666	2	2 7/32	766	2	6 5/32
67	0	2 41/64	167	0	6 37/64	267	0	10 33/64	367	1	2 29/64	467	1	6 25/64	567	1	10 21/64	667	2	2 17/64	767	2	6 13/64
68	0	2 43/64	168	0	6 39/64	268	0	10 35/64	368	1	2 31/64	468	1	6 27/64	568	1	10 23/64	668	2	2 19/64	768	2	6 15/64
69	0	2 23/32	169	0	6 21/32	269	0	10 19/32	369	1	2 17/32	469	1	6 15/32	569	1	10 13/32	669	2	2 11/32	769	2	6 9/32
70	0	2 3/4	170	0	6 11/16	270	0	10 5/8	370	1	2 9/16	470	1	6 1/2	570	1	10 7/16	670	2	2 3/8	770	2	6 5/16
71	0	2 51/64	171	0	6 47/64	271	0	10 43/64	371	1	2 39/64	471	1	6 35/64	571	1	10 31/64	671	2	2 27/64	771	2	6 23/64
72	0	2 53/64	172	0	6 49/64	272	0	10 45/64	372	1	2 41/64	472	1	6 37/64	572	1	10 33/64	672	2	2 29/64	772	2	6 25/64
73	0	2 7/8	173	0	6 13/16	273	0	10 3/4	373	1	2 11/16	473	1	6 5/8	573	1	10 9/16	673	2	2 1/2	773	2	6 7/16
74	0	2 29/32	174	0	6 27/32	274	0	10 25/32	374	1	2 23/32	474	1	6 21/32	574	1	10 19/32	674	2	2 17/32	774	2	6 15/32
75	0	2 61/64	175	0	6 57/64	275	0	10 53/64	375	1	2 49/64	475	1	6 45/64	575	1	10 41/64	675	2	2 37/64	775	2	6 33/64
76	0	2 63/64	176	0	6 59/64	276	0	10 55/64	376	1	2 51/64	476	1	6 47/64	576	1	10 43/64	676	2	2 39/64	776	2	6 35/64
77	0	3 1/32	177	0	6 31/32	277	0	10 29/32	377	1	2 27/32	477	1	6 25/32	577	1	10 23/32	677	2	2 21/32	777	2	6 19/32
78	0	3 5/64	178	0	7 1/64	278	0	10 15/16	378	1	2 7/8	478	1	6 13/16	578	1	10 3/4	678	2	2 11/16	778	2	6 5/8
79	0	3 7/64	179	0	7 3/64	279	0	10 63/64	379	1	2 59/64	479	1	6 55/64	579	1	10 51/64	679	2	2 47/64	779	2	6 43/64
80	0	3 5/32	180	0	7 3/32	280	C	11 1/32	380	1	2 61/64	480	1	6 57/64	580	1	10 53/64	680	2	2 49/64	780	2	6 45/64
81	0	3 3/16	181	0	7 1/8	281	0	11 1/16	381	1	3	481	1	6 15/16	581	1	10 7/8	681	2	2 13/16	781	2	6 3/4
82	0	3 15/64	182	0	7 11/64	282	0	11 7/64	382	1	3 3/64	482	1	6 31/32	582	1	10 29/32	682	2	2 27/32	782	2	6 25/32
83	0	3 17/64	183	0	7 13/64	283	0	11 9/64	383	1	3 5/64	483	1	7 1/64	583	1	10 61/64	683	2	2 57/64	783	2	6 53/64
84	0	3 5/16	184	0	7 1/4	284	0	11 3/16	384	1	3 1/8	484	1	7 1/16	584	1	10 63/64	684	2	2 59/64	784	2	6 55/64
85	0	3 11/32	185	0	7 9/32	285	0	11 7/32	385	1	3 5/32	485	1	7 3/32	585	1	11 1/32	685	2	2 31/32	785	2	6 29/32
86	0	3 25/64	186	0	7 21/64	286	0	11 17/64	386	1	3 13/64	486	1	7 9/64	586	1	11 5/64	686	2	3 1/64	786	2	6 15/16
87	0	3 27/64	187	0	7 23/64	287	0	11 19/64	387	1	3 15/64	487	1	7 11/64	587	1	11 7/64	687	2	3 3/64	787	2	6 63/64
88	0	3 15/32	188	0	7 13/32	288	0	11 11/32	388	1	3 9/32	488	1	7 7/32	588	1	11 5/32	688	2	3 3/32	788	2	7 1/32
89	0	3 1/2	189	0	7 7/16	289	0	11 3/8	389	1	3 5/16	489	1	7 1/4	589	1	11 3/16	689	2	3 1/8	789	2	7 1/16
90	0	3 35/64	190	0	7 31/64	290	0	11 27/64	390	1	3 23/64	490	1	7 19/64	590	1	11 15/64	690	2	3 11/64	790	2	7 7/64
91	0	3 37/64	191	0	7 33/64	291	0	11 29/64	391	1	3 25/64	491	1	7 21/64	591	1	11 17/64	691	2	3 13/64	791	2	7 9/64
92	0	3 5/8	192	0	7 9/16	292	0	11 1/2	392	1	3 7/16	492	1	7 3/8	592	1	11 5/16	692	2	3 1/4	792	2	7 3/16
93	0	3 21/32	193	0	7 19/32	293	0	11 17/32	393	1	3 15/32	493	1	7 13/32	593	1	11 11/32	693	2	3 9/32	793	2	7 7/32
94	0	3 45/64	194	0	7 41/64	294	0	11 37/64	394	1	3 33/64	494	1	7 29/64	594	1	11 25/64	694	2	3 21/64	794	2	7 17/64
95	0	3 47/64	195	0	7 43/64	295	0	11 39/64	395	1	3 35/64	495	1	7 31/64	595	1	11 27/64	695	2	3 23/64	795	2	7 19/64
96	0	3 25/32	196	0	7 23/32	296	0	11 21/32	396	1	3 19/32	496	1	7 17/32	596	1	11 15/32	696	2	3 13/32	796	2	7 11/32
97	0	3 13/16	197	0	7 3/4	297	0	11 11/16	397	1	3 5/8	497	1	7 9/16	597	1	11 1/2	697	2	3 7/16	797	2	7 3/8
98	0	3 55/64	198	0	7 51/64	298	0	11 47/64	398	1	3 43/64	498	1	7 39/64	598	1	11 35/64	698	2	3 31/64	798	2	7 27/64
99	0	3 57/64	199	0	7 53/64	299	0	11 49/64	399	1	3 45/64	499	1	7 41/64	599	1	11 37/64	699	2	3 33/64	799	2	7 29/64
100	0	3 15/16	200	0	7 7/8	300	0	11 13/16	400	1	3 3/4	500	1	7 11/16	600	1	11 5/8	700	2	3 9/16	800	2	7 1/2

밀리미터와 피트, 그리고 인치사이의 환산 값 〔1/64in에 가장 근사 값〕

표 M-4

801 mm 에서 1600 mm

2 ft, 7-17/32 in. 에서 5 ft, 2-63/64 in.

mm	ft,	in.
801	2	7 17/32
802	2	7 37/64
803	2	7 39/64
804	2	7 21/32
805	2	7 11/16
806	2	7 47/64
807	2	7 49/64
808	2	7 13/16
809	2	7 27/32
810	2	7 57/64
811	2	7 59/64
812	2	7 31/32
813	2	8 1/64
814	2	8 3/64
815	2	8 3/32
816	2	8 1/8
817	2	8 11/64
818	2	8 13/64
819	2	8 1/4
820	2	8 9/32
821	2	8 21/64
822	2	8 23/64
823	2	8 13/32
824	2	8 7/16
825	2	8 31/64
826	2	8 33/64
827	2	8 9/16
828	2	8 19/32
829	2	8 41/64
830	2	8 43/64
831	2	8 23/32
832	2	8 3/4
833	2	8 51/64
834	2	8 53/64
835	2	8 7/8
836	2	8 29/32
837	2	8 61/64
838	2	8 63/64
839	2	9 1/32
840	2	9 5/64
841	2	9 7/64
842	2	9 5/32
843	2	9 3/16
844	2	9 15/64
845	2	9 17/64
846	2	9 5/16
847	2	9 11/32
848	2	9 25/64
849	2	9 27/64
850	2	9 15/32
851	2	9 1/2
852	2	9 35/64
853	2	9 37/64
854	2	9 5/8
855	2	9 21/32
856	2	9 45/64
857	2	9 47/64
858	2	9 25/32
859	2	9 13/16
860	2	9 55/64
861	2	9 57/64
862	2	9 15/16
863	2	9 31/32
864	2	10 1/64
865	2	10 1/16
866	2	10 3/32
867	2	10 9/64
868	2	10 11/64
869	2	10 7/32
870	2	10 1/4
871	2	10 19/64
872	2	10 21/64
873	2	10 3/8
874	2	10 13/32
875	2	10 29/64
876	2	10 31/64
877	2	10 17/32
878	2	10 9/16
879	2	10 39/64
880	2	10 41/64
881	2	10 11/16
882	2	10 23/32
883	2	10 49/64
884	2	10 51/64
885	2	10 27/32
886	2	10 7/8
887	2	10 59/64
888	2	10 61/64
889	2	11
890	2	11 3/64
891	2	11 5/64
892	2	11 1/8
893	2	11 5/32
894	2	11 13/64
895	2	11 15/64
896	2	11 9/32
897	2	11 5/16
898	2	11 23/64
899	2	11 25/64
900	2	11 7/16

mm	ft,	in.
901	2	11 15/32
902	2	11 33/64
903	2	11 35/64
904	2	11 19/32
905	2	11 5/8
906	2	11 43/64
907	2	11 45/64
908	2	11 3/4
909	2	11 25/32
910	2	11 53/64
911	2	11 55/64
912	2	11 29/32
913	2	11 15/16
914	2	11 63/64
915	3	0 1/32
916	3	0 1/16
917	3	0 7/64
918	3	0 9/64
919	3	0 3/16
920	3	0 7/32
921	3	0 17/64
922	3	0 19/64
923	3	0 11/32
924	3	0 3/8
925	3	0 27/64
926	3	0 29/64
927	3	0 1/2
928	3	0 17/32
929	3	0 37/64
930	3	0 39/64
931	3	0 21/32
932	3	0 11/16
933	3	0 47/64
934	3	0 49/64
935	3	0 13/16
936	3	0 27/32
937	3	0 57/64
938	3	0 59/64
939	3	0 31/32
940	3	1 1/64
941	3	1 3/64
942	3	1 3/32
943	3	1 1/8
944	3	1 11/64
945	3	1 13/64
946	3	1 1/4
947	3	1 9/32
948	3	1 21/64
949	3	1 23/64
950	3	1 13/32
951	3	1 7/16
952	3	1 31/64
953	3	1 33/64
954	3	1 9/16
955	3	1 19/32
956	3	1 41/64
957	3	1 43/64
958	3	1 23/32
959	3	1 3/4
960	3	1 51/64
961	3	1 53/64
962	3	1 7/8
963	3	1 29/32
964	3	1 61/64
965	3	1 63/64
966	3	2 1/32
967	3	2 5/64
968	3	2 7/64
969	3	2 5/32
970	3	2 3/16
971	3	2 15/64
972	3	2 17/64
973	3	2 5/16
974	3	2 11/32
975	3	2 25/64
976	3	2 27/64
977	3	2 15/32
978	3	2 1/2
979	3	2 35/64
980	3	2 37/64
981	3	2 5/8
982	3	2 21/32
983	3	2 45/64
984	3	2 47/64
985	3	2 25/32
986	3	2 13/16
987	3	2 55/64
988	3	2 57/64
989	3	2 15/16
990	3	2 31/32
991	3	3 1/64
992	3	3 1/16
993	3	3 3/32
994	3	3 9/64
995	3	3 11/64
996	3	3 7/32
997	3	3 1/4
998	3	3 19/64
999	3	3 21/64
1000	3	3 3/8

mm	ft,	in.
1001	3	3 13/32
1002	3	3 29/64
1003	3	3 31/64
1004	3	3 17/32
1005	3	3 9/16
1006	3	3 39/64
1007	3	3 41/64
1008	3	3 11/16
1009	3	3 23/32
1010	3	3 49/64
1011	3	3 51/64
1012	3	3 27/32
1013	3	3 7/8
1014	3	3 59/64
1015	3	3 61/64
1016	3	4
1017	3	4 3/64
1018	3	4 5/64
1019	3	4 1/8
1020	3	4 5/32
1021	3	4 13/64
1022	3	4 15/64
1023	3	4 9/32
1024	3	4 5/16
1025	3	4 23/64
1026	3	4 25/64
1027	3	4 7/16
1028	3	4 15/32
1029	3	4 33/64
1030	3	4 35/64
1031	3	4 19/32
1032	3	4 5/8
1033	3	4 43/64
1034	3	4 45/64
1035	3	4 3/4
1036	3	4 25/32
1037	3	4 53/64
1038	3	4 55/64
1039	3	4 29/32
1040	3	4 15/16
1041	3	4 63/64
1042	3	5 1/32
1043	3	5 1/16
1044	3	5 7/64
1045	3	5 9/64
1046	3	5 3/16
1047	3	5 7/32
1048	3	5 17/64
1049	3	5 19/64
1050	3	5 11/32
1051	3	5 3/8
1052	3	5 27/64
1053	3	5 29/64
1054	3	5 1/2
1055	3	5 17/32
1056	3	5 37/64
1057	3	5 39/64
1058	3	5 21/32
1059	3	5 11/16
1060	3	5 47/64
1061	3	5 49/64
1062	3	5 13/16
1063	3	5 27/32
1064	3	5 57/64
1065	3	5 59/64
1066	3	5 31/32
1067	3	6 1/64
1068	3	6 3/64
1069	3	6 3/32
1070	3	6 1/8
1071	3	6 11/64
1072	3	6 13/64
1073	3	6 1/4
1074	3	6 9/32
1075	3	6 21/64
1076	3	6 23/64
1077	3	6 13/32
1078	3	6 7/16
1079	3	6 31/64
1080	3	6 33/64
1081	3	6 9/16
1082	3	6 19/32
1083	3	6 41/64
1084	3	6 43/64
1085	3	6 23/32
1086	3	6 3/4
1087	3	6 51/64
1088	3	6 53/64
1089	3	6 7/8
1090	3	6 29/32
1091	3	6 61/64
1092	3	6 63/64
1093	3	7 1/32
1094	3	7 5/64
1095	3	7 7/64
1096	3	7 5/32
1097	3	7 3/16
1098	3	7 15/64
1099	3	7 17/64
1100	3	7 5/16

mm	ft,	in.
1101	3	7 11/32
1102	3	7 25/64
1103	3	7 27/64
1104	3	7 15/32
1105	3	7 1/2
1106	3	7 35/64
1107	3	7 37/64
1108	3	7 5/8
1109	3	7 21/32
1110	3	7 45/64
1111	3	7 47/64
1112	3	7 25/32
1113	3	7 13/16
1114	3	7 55/64
1115	3	7 57/64
1116	3	7 15/16
1117	3	7 31/32
1118	3	8 1/64
1119	3	8 1/16
1120	3	8 3/32
1121	3	8 9/64
1122	3	8 11/64
1123	3	8 7/32
1124	3	8 1/4
1125	3	8 19/64
1126	3	8 21/64
1127	3	8 3/8
1128	3	8 13/32
1129	3	8 29/64
1130	3	8 31/64
1131	3	8 17/32
1132	3	8 9/16
1133	3	8 39/64
1134	3	8 41/64
1135	3	8 11/16
1136	3	8 23/32
1137	3	8 49/64
1138	3	8 51/64
1139	3	8 27/32
1140	3	8 7/8
1141	3	8 59/64
1142	3	8 61/64
1143	3	9
1144	3	9 3/64
1145	3	9 5/64
1146	3	9 1/8
1147	3	9 5/32
1148	3	9 13/64
1149	3	9 15/64
1150	3	9 9/32
1151	3	9 5/16
1152	3	9 23/64
1153	3	9 25/64
1154	3	9 7/16
1155	3	9 15/32
1156	3	9 33/64
1157	3	9 35/64
1158	3	9 19/32
1159	3	9 5/8
1160	3	9 43/64
1161	3	9 45/64
1162	3	9 3/4
1163	3	9 25/32
1164	3	9 53/64
1165	3	9 55/64
1166	3	9 29/32
1167	3	9 15/16
1168	3	9 63/64
1169	3	10 1/32
1170	3	10 1/16
1171	3	10 7/64
1172	3	10 9/64
1173	3	10 3/16
1174	3	10 7/32
1175	3	10 17/64
1176	3	10 19/64
1177	3	10 11/32
1178	3	10 3/8
1179	3	10 27/64
1180	3	10 29/64
1181	3	10 1/2
1182	3	10 17/32
1183	3	10 37/64
1184	3	10 39/64
1185	3	10 21/32
1186	3	10 11/16
1187	3	10 47/64
1188	3	10 49/64
1189	3	10 13/16
1190	3	10 27/32
1191	3	10 57/64
1192	3	10 59/64
1193	3	10 31/32
1194	3	11 1/64
1195	3	11 3/64
1196	3	11 3/32
1197	3	11 1/8
1198	3	11 11/64
1199	3	11 13/64
1200	3	11 1/4

mm	ft,	in.
1201	3	11 9/32
1202	3	11 21/64
1203	3	11 23/64
1204	3	11 13/32
1205	3	11 7/16
1206	3	11 31/64
1207	3	11 33/64
1208	3	11 9/16
1209	3	11 19/32
1210	3	11 41/64
1211	3	11 43/64
1212	3	11 23/32
1213	3	11 3/4
1214	3	11 51/64
1215	3	11 53/64
1216	3	11 7/8
1217	3	11 29/32
1218	3	11 61/64
1219	3	11 63/64
1220	4	0 1/32
1221	4	0 5/64
1222	4	0 7/64
1223	4	0 5/32
1224	4	0 3/16
1225	4	0 15/64
1226	4	0 17/64
1227	4	0 5/16
1228	4	0 11/32
1229	4	0 25/64
1230	4	0 27/64
1231	4	0 15/32
1232	4	0 1/2
1233	4	0 35/64
1234	4	0 37/64
1235	4	0 5/8
1236	4	0 21/32
1237	4	0 45/64
1238	4	0 47/64
1239	4	0 25/32
1240	4	0 13/16
1241	4	0 55/64
1242	4	0 57/64
1243	4	0 15/16
1244	4	0 31/32
1245	4	1 1/64
1246	4	1 1/16
1247	4	1 3/32
1248	4	1 9/64
1249	4	1 11/64
1250	4	1 7/32
1251	4	1 1/4
1252	4	1 19/64
1253	4	1 21/64
1254	4	1 3/8
1255	4	1 13/32
1256	4	1 29/64
1257	4	1 31/64
1258	4	1 17/32
1259	4	1 9/16
1260	4	1 39/64
1261	4	1 41/64
1262	4	1 11/16
1263	4	1 23/32
1264	4	1 49/64
1265	4	1 51/64
1266	4	1 27/32
1267	4	1 7/8
1268	4	1 59/64
1269	4	1 61/64
1270	4	2
1271	4	2 3/64
1272	4	2 5/64
1273	4	2 1/8
1274	4	2 5/32
1275	4	2 13/64
1276	4	2 15/64
1277	4	2 9/32
1278	4	2 5/16
1279	4	2 23/64
1280	4	2 25/64
1281	4	2 7/16
1282	4	2 15/32
1283	4	2 33/64
1284	4	2 35/64
1285	4	2 19/32
1286	4	2 5/8
1287	4	2 43/64
1288	4	2 45/64
1289	4	2 3/4
1290	4	2 25/32
1291	4	2 53/64
1292	4	2 55/64
1293	4	2 29/32
1294	4	2 15/16
1295	4	2 63/64
1296	4	3 1/32
1297	4	3 1/16
1298	4	3 7/64
1299	4	3 9/64
1300	4	3 3/16

mm	ft,	in.
1301	4	3 7/32
1302	4	3 17/64
1303	4	3 19/64
1304	4	3 11/32
1305	4	3 3/8
1306	4	3 27/64
1307	4	3 29/64
1308	4	3 1/2
1309	4	3 17/32
1310	4	3 37/64
1311	4	3 39/64
1312	4	3 21/32
1313	4	3 11/16
1314	4	3 47/64
1315	4	3 49/64
1316	4	3 13/16
1317	4	3 27/32
1318	4	3 57/64
1319	4	3 59/64
1320	4	3 31/32
1321	4	4 1/64
1322	4	4 3/64
1323	4	4 3/32
1324	4	4 1/8
1325	4	4 11/64
1326	4	4 13/64
1327	4	4 1/4
1328	4	4 9/32
1329	4	4 21/64
1330	4	4 23/64
1331	4	4 13/32
1332	4	4 7/16
1333	4	4 31/64
1334	4	4 33/64
1335	4	4 9/16
1336	4	4 19/32
1337	4	4 41/64
1338	4	4 43/64
1339	4	4 23/32
1340	4	4 3/4
1341	4	4 51/64
1342	4	4 53/64
1343	4	4 7/8
1344	4	4 29/32
1345	4	4 61/64
1346	4	4 63/64
1347	4	5 1/32
1348	4	5 5/64
1349	4	5 7/64
1350	4	5 5/32
1351	4	5 3/16
1352	4	5 15/64
1353	4	5 17/64
1354	4	5 5/16
1355	4	5 11/32
1356	4	5 25/64
1357	4	5 27/64
1358	4	5 15/32
1359	4	5 1/2
1360	4	5 35/64
1361	4	5 37/64
1362	4	5 5/8
1363	4	5 21/32
1364	4	5 45/64
1365	4	5 47/64
1366	4	5 25/32
1367	4	5 13/16
1368	4	5 55/64
1369	4	5 57/64
1370	4	5 15/16
1371	4	5 31/32
1372	4	6 1/64
1373	4	6 1/16
1374	4	6 3/32
1375	4	6 9/64
1376	4	6 11/64
1377	4	6 7/32
1378	4	6 1/4
1379	4	6 19/64
1380	4	6 21/64
1381	4	6 3/8
1382	4	6 13/32
1383	4	6 29/64
1384	4	6 31/64
1385	4	6 17/32
1386	4	6 9/16
1387	4	6 39/64
1388	4	6 41/64
1389	4	6 11/16
1390	4	6 23/32
1391	4	6 49/64
1392	4	6 51/64
1393	4	6 27/32
1394	4	6 7/8
1395	4	6 59/64
1396	4	6 61/64
1397	4	7
1398	4	7 3/64
1399	4	7 5/64
1400	4	7 1/8

mm	ft,	in.
1401	4	7 5/32
1402	4	7 13/64
1403	4	7 15/64
1404	4	7 9/32
1405	4	7 5/16
1406	4	7 23/64
1407	4	7 25/64
1408	4	7 7/16
1409	4	7 15/32
1410	4	7 33/64
1411	4	7 35/64
1412	4	7 19/32
1413	4	7 5/8
1414	4	7 43/64
1415	4	7 45/64
1416	4	7 3/4
1417	4	7 25/32
1418	4	7 53/64
1419	4	7 55/64
1420	4	7 29/32
1421	4	7 15/16
1422	4	7 63/64
1423	4	8 1/32
1424	4	8 1/16
1425	4	8 7/64
1426	4	8 9/64
1427	4	8 3/16
1428	4	8 7/32
1429	4	8 17/64
1430	4	8 19/64
1431	4	8 11/32
1432	4	8 3/8
1433	4	8 27/64
1434	4	8 29/64
1435	4	8 1/2
1436	4	8 17/32
1437	4	8 37/64
1438	4	8 39/64
1439	4	8 21/32
1440	4	8 11/16
1441	4	8 47/64
1442	4	8 49/64
1443	4	8 13/16
1444	4	8 27/32
1445	4	8 57/64
1446	4	8 59/64
1447	4	8 31/32
1448	4	9 1/64
1449	4	9 3/64
1450	4	9 3/32
1451	4	9 1/8
1452	4	9 11/64
1453	4	9 13/64
1454	4	9 1/4
1455	4	9 9/32
1456	4	9 21/64
1457	4	9 23/64
1458	4	9 13/32
1459	4	9 7/16
1460	4	9 31/64
1461	4	9 33/64
1462	4	9 9/16
1463	4	9 19/32
1464	4	9 41/64
1465	4	9 43/64
1466	4	9 23/32
1467	4	9 3/4
1468	4	9 51/64
1469	4	9 53/64
1470	4	9 7/8
1471	4	9 29/32
1472	4	9 61/64
1473	4	9 63/64
1474	4	10 1/32
1475	4	10 5/64
1476	4	10 7/64
1477	4	10 5/32
1478	4	10 3/16
1479	4	10 15/64
1480	4	10 17/64
1481	4	10 5/16
1482	4	10 11/32
1483	4	10 25/64
1484	4	10 27/64
1485	4	10 15/32
1486	4	10 1/2
1487	4	10 35/64
1488	4	10 37/64
1489	4	10 5/8
1490	4	10 21/32
1491	4	10 45/64
1492	4	10 47/64
1493	4	10 25/32
1494	4	10 13/16
1495	4	10 55/64
1496	4	10 57/64
1497	4	10 15/16
1498	4	10 31/32
1499	4	11 1/64
1500	4	11 1/16

mm	ft,	in.
1501	4	11 3/32
1502	4	11 9/64
1503	4	11 11/64
1504	4	11 7/32
1505	4	11 1/4
1506	4	11 19/64
1507	4	11 21/64
1508	4	11 3/8
1509	4	11 13/32
1510	4	11 29/64
1511	4	11 31/64
1512	4	11 17/32
1513	4	11 9/16
1514	4	11 39/64
1515	4	11 41/64
1516	4	11 11/16
1517	4	11 23/32
1518	4	11 49/64
1519	4	11 51/64
1520	4	11 27/32
1521	4	11 7/8
1522	4	11 59/64
1523	4	11 61/64
1524	5	0
1525	5	0 3/64
1526	5	0 5/64
1527	5	0 1/8
1528	5	0 5/32
1529	5	0 13/64
1530	5	0 15/64
1531	5	0 9/32
1532	5	0 5/16
1533	5	0 23/64
1534	5	0 25/64
1535	5	0 7/16
1536	5	0 15/32
1537	5	0 33/64
1538	5	0 35/64
1539	5	0 19/32
1540	5	0 5/8
1541	5	0 43/64
1542	5	0 45/64
1543	5	0 3/4
1544	5	0 25/32
1545	5	0 53/64
1546	5	0 55/64
1547	5	0 29/32
1548	5	0 15/16
1549	5	0 63/64
1550	5	1 1/32
1551	5	1 1/16
1552	5	1 7/64
1553	5	1 9/64
1554	5	1 3/16
1555	5	1 7/32
1556	5	1 17/64
1557	5	1 19/64
1558	5	1 11/32
1559	5	1 3/8
1560	5	1 27/64
1561	5	1 29/64
1562	5	1 1/2
1563	5	1 17/32
1564	5	1 37/64
1565	5	1 39/64
1566	5	1 21/32
1567	5	1 11/16
1568	5	1 47/64
1569	5	1 49/64
1570	5	1 13/16
1571	5	1 27/32
1572	5	1 57/64
1573	5	1 59/64
1574	5	1 31/32
1575	5	2 1/64
1576	5	2 3/64
1577	5	2 3/32
1578	5	2 1/8
1579	5	2 11/64
1580	5	2 13/64
1581	5	2 1/4
1582	5	2 9/32
1583	5	2 21/64
1584	5	2 23/64
1585	5	2 13/32
1586	5	2 7/16
1587	5	2 31/64
1588	5	2 33/64
1589	5	2 9/16
1590	5	2 19/32
1591	5	2 41/64
1592	5	2 43/64
1593	5	2 23/32
1594	5	2 3/4
1595	5	2 51/64
1596	5	2 53/64
1597	5	2 7/8
1598	5	2 29/32
1599	5	2 61/64
1600	5	2 63/64

밀리미터와 피트, 그리고 인치사이의 환산 값〔1/64in에 가장 근사 값〕

표 M-4

1601 mm 에서 2400 mm

5 ft, 3-1/32 in. 에서 7 ft, 10-31/64 in.

mm	ft,	in.	mm	ft,	in.	mm	ft,	in.	mm	ft,	in.	mm	ft,	in.	mm	ft,	in.	mm	ft,	in.	mm	ft,	in.
1601	5	3 1/32	1701	5	6 31/32	1801	5	10 29/32	1901	6	2 27/32	2001	6	6 25/32	2101	6	10 23/32	2201	7	2 21/32	2301	7	6 19/32
1602	5	3 5/64	1702	5	7 1/64	1802	5	10 15/16	1902	6	2 7/8	2002	6	6 13/16	2102	6	10 3/4	2202	7	2 11/16	2302	7	6 5/8
1603	5	3 7/64	1703	5	7 3/64	1803	5	10 63/64	1903	6	2 59/64	2003	6	6 55/64	2103	6	10 51/64	2203	7	2 47/64	2303	7	6 43/64
1604	5	3 5/32	1704	5	7 3/32	1804	5	11 1/32	1904	6	2 61/64	2004	6	6 57/64	2104	6	10 53/64	2204	7	2 49/64	2304	7	6 45/64
1605	5	3 3/16	1705	5	7 1/8	1805	5	11 1/16	1905	6	3	2005	6	6 15/16	2105	6	10 7/8	2205	7	2 13/16	2305	7	6 3/4
1606	5	3 15/64	1706	5	7 11/64	1806	5	11 7/64	1906	6	3 3/64	2006	6	6 31/32	2106	6	10 29/32	2206	7	2 27/32	2306	7	6 25/32
1607	5	3 17/64	1707	5	7 13/64	1807	5	11 9/64	1907	6	3 5/64	2007	6	7 1/64	2107	6	10 61/64	2207	7	2 57/64	2307	7	6 53/64
1608	5	3 5/16	1708	5	7 1/4	1808	5	11 3/16	1908	6	3 1/8	2008	6	7 1/16	2108	6	10 63/64	2208	7	2 59/64	2308	7	6 55/64
1609	5	3 11/32	1709	5	7 9/32	1809	5	11 7/32	1909	6	3 5/32	2009	6	7 3/32	2109	6	11 1/32	2209	7	2 31/32	2309	7	6 29/32
1610	5	3 25/64	1710	5	7 21/64	1810	5	11 17/64	1910	6	3 13/64	2010	6	7 9/64	2110	6	11 5/64	2210	7	3 1/64	2310	7	6 15/16
1611	5	3 27/64	1711	5	7 23/64	1811	5	11 19/64	1911	6	3 15/64	2011	6	7 11/64	2111	6	11 7/64	2211	7	3 3/64	2311	7	6 63/64
1612	5	3 15/32	1712	5	7 13/32	1812	5	11 11/32	1912	6	3 9/32	2012	6	7 7/32	2112	6	11 5/32	2212	7	3 3/32	2312	7	7 1/32
1613	5	3 1/2	1713	5	7 7/16	1813	5	11 3/8	1913	6	3 5/16	2013	6	7 1/4	2113	6	11 3/16	2213	7	3 1/8	2313	7	7 1/16
1614	5	3 35/64	1714	5	7 31/64	1814	5	11 27/64	1914	6	3 23/64	2014	6	7 19/64	2114	6	11 15/64	2214	7	3 11/64	2314	7	7 7/64
1615	5	3 37/64	1715	5	7 33/64	1815	5	11 29/64	1915	6	3 25/64	2015	6	7 21/64	2115	6	11 17/64	2215	7	3 13/64	2315	7	7 9/64
1616	5	3 5/8	1716	5	7 9/16	1816	5	11 1/2	1916	6	3 7/16	2016	6	7 3/8	2116	6	11 5/16	2216	7	3 1/4	2316	7	7 3/16
1617	5	3 21/32	1717	5	7 19/32	1817	5	11 17/32	1917	6	3 15/32	2017	6	7 13/32	2117	6	11 11/32	2217	7	3 9/32	2317	7	7 7/32
1618	5	3 45/64	1718	5	7 41/64	1818	5	11 37/64	1918	6	3 33/64	2018	6	7 29/64	2118	6	11 25/64	2218	7	3 21/64	2318	7	7 17/64
1619	5	3 47/64	1719	5	7 43/64	1819	5	11 39/64	1919	6	3 35/64	2019	6	7 31/64	2119	6	11 27/64	2219	7	3 23/64	2319	7	7 19/64
1620	5	3 25/32	1720	5	7 23/32	1820	5	11 21/32	1920	6	3 19/32	2020	6	7 17/32	2120	6	11 15/32	2220	7	3 13/32	2320	7	7 11/32
1621	5	3 13/16	1721	5	7 3/4	1821	5	11 11/16	1921	6	3 5/8	2021	6	7 9/16	2121	6	11 1/2	2221	7	3 7/16	2321	7	7 3/8
1622	5	3 55/64	1722	5	7 51/64	1822	5	11 47/64	1922	6	3 43/64	2022	6	7 39/64	2122	6	11 35/64	2222	7	3 31/64	2322	7	7 27/64
1623	5	3 57/64	1723	5	7 53/64	1823	5	11 49/64	1923	6	3 45/64	2023	6	7 41/64	2123	6	11 37/64	2223	7	3 33/64	2323	7	7 29/64
1624	5	3 15/16	1724	5	7 7/8	1824	5	11 13/16	1924	6	3 3/4	2024	6	7 11/16	2124	6	11 5/8	2224	7	3 9/16	2324	7	7 1/2
1625	5	3 31/32	1725	5	7 29/32	1825	5	11 27/32	1925	6	3 25/32	2025	6	7 23/32	2125	6	11 21/32	2225	7	3 19/32	2325	7	7 17/32
1626	5	4 1/64	1726	5	7 61/64	1826	5	11 57/64	1926	6	3 53/64	2026	6	7 49/64	2126	6	11 45/64	2226	7	3 41/64	2326	7	7 37/64
1627	5	4 1/16	1727	5	7 63/64	1827	5	11 59/64	1927	6	3 55/64	2027	6	7 51/64	2127	6	11 47/64	2227	7	3 43/64	2327	7	7 39/64
1628	5	4 3/32	1728	5	8 1/32	1828	5	11 31/32	1928	6	3 29/32	2028	6	7 27/32	2128	6	11 25/32	2228	7	3 23/32	2328	7	7 21/32
1629	5	4 9/64	1729	5	8 5/64	1829	6	0 1/64	1929	6	3 15/16	2029	6	7 7/8	2129	6	11 13/16	2229	7	3 3/4	2329	7	7 11/16
1630	5	4 11/64	1730	5	8 7/64	1830	6	0 3/64	1930	6	3 63/64	2030	6	7 59/64	2130	6	11 55/64	2230	7	3 51/64	2330	7	7 47/64
1631	5	4 7/32	1731	5	8 5/32	1831	6	0 3/32	1931	6	4 1/32	2031	6	7 61/64	2131	6	11 57/64	2231	7	3 53/64	2331	7	7 49/64
1632	5	4 1/4	1732	5	8 3/16	1832	6	0 1/8	1932	6	4 1/16	2032	6	8	2132	6	11 15/16	2232	7	3 7/8	2332	7	7 13/16
1633	5	4 19/64	1733	5	8 15/64	1833	6	0 11/64	1933	6	4 7/64	2033	6	8 3/64	2133	6	11 31/32	2233	7	3 29/32	2333	7	7 27/32
1634	5	4 21/64	1734	5	8 17/64	1834	6	0 13/64	1934	6	4 9/64	2034	6	8 5/64	2134	7	0 1/64	2234	7	3 61/64	2334	7	7 57/64
1635	5	4 3/8	1735	5	8 5/16	1835	6	0 1/4	1935	6	4 3/16	2035	6	8 1/8	2135	7	0 1/16	2235	7	3 63/64	2335	7	7 59/64
1636	5	4 13/32	1736	5	8 11/32	1836	6	0 9/32	1936	6	4 7/32	2036	6	8 5/32	2136	7	0 3/32	2236	7	4 1/32	2336	7	7 31/32
1637	5	4 29/64	1737	5	8 25/64	1837	6	0 21/64	1937	6	4 17/64	2037	6	8 13/64	2137	7	0 9/64	2237	7	4 5/64	2337	7	8 1/64
1638	5	4 31/64	1738	5	8 27/64	1838	6	0 23/64	1938	6	4 19/64	2038	6	8 15/64	2138	7	0 11/64	2238	7	4 7/64	2338	7	8 3/64
1639	5	4 17/32	1739	5	8 15/32	1839	6	0 13/32	1939	6	4 11/32	2039	6	8 9/32	2139	7	0 7/32	2239	7	4 5/32	2339	7	8 3/32
1640	5	4 9/16	1740	5	8 1/2	1840	6	0 7/16	1940	6	4 3/8	2040	6	8 5/16	2140	7	0 1/4	2240	7	4 3/16	2340	7	8 1/8
1641	5	4 39/64	1741	5	8 35/64	1841	6	0 31/64	1941	6	4 27/64	2041	6	8 23/64	2141	7	0 19/64	2241	7	4 15/64	2341	7	8 11/64
1642	5	4 41/64	1742	5	8 37/64	1842	6	0 33/64	1942	6	4 29/64	2042	6	8 25/64	2142	7	0 21/64	2242	7	4 17/64	2342	7	8 13/64
1643	5	4 11/16	1743	5	8 5/8	1843	6	0 9/16	1943	6	4 1/2	2043	6	8 7/16	2143	7	0 3/8	2243	7	4 5/16	2343	7	8 1/4
1644	5	4 23/32	1744	5	8 21/32	1844	6	0 19/32	1944	6	4 17/32	2044	6	8 15/32	2144	7	0 13/32	2244	7	4 11/32	2344	7	8 9/32
1645	5	4 49/64	1745	5	8 45/64	1845	6	0 41/64	1945	6	4 37/64	2045	6	8 33/64	2145	7	0 29/64	2245	7	4 25/64	2345	7	8 21/64
1646	5	4 51/64	1746	5	8 47/64	1846	6	0 43/64	1946	6	4 39/64	2046	6	8 35/64	2146	7	0 31/64	2246	7	4 27/64	2346	7	8 23/64
1647	5	4 27/32	1747	5	8 25/32	1847	6	0 23/32	1947	6	4 21/32	2047	6	8 19/32	2147	7	0 17/32	2247	7	4 15/32	2347	7	8 13/32
1648	5	4 7/8	1748	5	8 13/16	1848	6	0 3/4	1948	6	4 11/16	2048	6	8 5/8	2148	7	0 9/16	2248	7	4 1/2	2348	7	8 7/16
1649	5	4 59/64	1749	5	8 55/64	1849	6	0 51/64	1949	6	4 47/64	2049	6	8 43/64	2149	7	0 39/64	2249	7	4 35/64	2349	7	8 31/64
1650	5	4 61/64	1750	5	8 57/64	1850	6	0 53/64	1950	6	4 49/64	2050	6	8 45/64	2150	7	0 41/64	2250	7	4 37/64	2350	7	8 33/64
1651	5	5	1751	5	8 15/16	1851	6	0 7/8	1951	6	4 13/16	2051	6	8 3/4	2151	7	0 11/16	2251	7	4 5/8	2351	7	8 9/16
1652	5	5 3/64	1752	5	8 31/32	1852	6	0 29/32	1952	6	4 27/32	2052	6	8 25/32	2152	7	0 23/32	2252	7	4 21/32	2352	7	8 19/32
1653	5	5 5/64	1753	5	9 1/64	1853	6	0 61/64	1953	6	4 57/64	2053	6	8 53/64	2153	7	0 49/64	2253	7	4 45/64	2353	7	8 41/64
1654	5	5 1/8	1754	5	9 1/16	1854	6	0 63/64	1954	6	4 59/64	2054	6	8 55/64	2154	7	0 51/64	2254	7	4 47/64	2354	7	8 43/64
1655	5	5 5/32	1755	5	9 3/32	1855	6	1 1/32	1955	6	4 31/32	2055	6	8 29/32	2155	7	0 27/32	2255	7	4 25/32	2355	7	8 23/32
1656	5	5 13/64	1756	5	9 9/64	1856	6	1 5/64	1956	6	5 1/64	2056	6	8 15/16	2156	7	0 7/8	2256	7	4 13/16	2356	7	8 3/4
1657	5	5 15/64	1757	5	9 11/64	1857	6	1 7/64	1957	6	5 3/64	2057	6	8 63/64	2157	7	0 59/64	2257	7	4 55/64	2357	7	8 51/64
1658	5	5 9/32	1758	5	9 7/32	1858	6	1 5/32	1958	6	5 3/32	2058	6	9 1/32	2158	7	0 61/64	2258	7	4 57/64	2358	7	8 53/64
1659	5	5 5/16	1759	5	9 1/4	1859	6	1 3/16	1959	6	5 1/8	2059	6	9 1/16	2159	7	1	2259	7	4 15/16	2359	7	8 7/8
1660	5	5 23/64	1760	5	9 19/64	1860	6	1 15/64	1960	6	5 11/64	2060	6	9 7/64	2160	7	1 3/64	2260	7	4 31/32	2360	7	8 29/32
1661	5	5 25/64	1761	5	9 21/64	1861	6	1 17/64	1961	6	5 13/64	2061	6	9 9/64	2161	7	1 5/64	2261	7	5 1/64	2361	7	8 61/64
1662	5	5 7/16	1762	5	9 3/8	1862	6	1 5/16	1962	6	5 1/4	2062	6	9 3/16	2162	7	1 1/8	2262	7	5 1/16	2362	7	8 63/64
1663	5	5 15/32	1763	5	9 13/32	1863	6	1 11/32	1963	6	5 9/32	2063	6	9 7/32	2163	7	1 5/32	2263	7	5 3/32	2363	7	9 1/32
1664	5	5 33/64	1764	5	9 29/64	1864	6	1 25/64	1964	6	5 21/64	2064	6	9 17/64	2164	7	1 13/64	2264	7	5 9/64	2364	7	9 5/64
1665	5	5 35/64	1765	5	9 31/64	1865	6	1 27/64	1965	6	5 23/64	2065	6	9 19/64	2165	7	1 15/64	2265	7	5 11/64	2365	7	9 7/64
1666	5	5 19/32	1766	5	9 17/32	1866	6	1 15/32	1966	6	5 13/32	2066	6	9 11/32	2166	7	1 9/32	2266	7	5 7/32	2366	7	9 5/32
1667	5	5 5/8	1767	5	9 9/16	1867	6	1 1/2	1967	6	5 7/16	2067	6	9 3/8	2167	7	1 5/16	2267	7	5 1/4	2367	7	9 3/16
1668	5	5 43/64	1768	5	9 39/64	1868	6	1 35/64	1968	6	5 31/64	2068	6	9 27/64	2168	7	1 23/64	2268	7	5 19/64	2368	7	9 15/64
1669	5	5 45/64	1769	5	9 41/64	1869	6	1 37/64	1969	6	5 33/64	2069	6	9 29/64	2169	7	1 25/64	2269	7	5 21/64	2369	7	9 17/64
1670	5	5 3/4	1770	5	9 11/16	1870	6	1 5/8	1970	6	5 9/16	2070	6	9 1/2	2170	7	1 7/16	2270	7	5 3/8	2370	7	9 5/16
1671	5	5 25/32	1771	5	9 23/32	1871	6	1 21/32	1971	6	5 19/32	2071	6	9 17/32	2171	7	1 15/32	2271	7	5 13/32	2371	7	9 11/32
1672	5	5 53/64	1772	5	9 49/64	1872	6	1 45/64	1972	6	5 41/64	2072	6	9 37/64	2172	7	1 33/64	2272	7	5 29/64	2372	7	9 25/64
1673	5	5 55/64	1773	5	9 51/64	1873	6	1 47/64	1973	6	5 43/64	2073	6	9 39/64	2173	7	1 35/64	2273	7	5 31/64	2373	7	9 27/64
1674	5	5 29/32	1774	5	9 27/32	1874	6	1 25/32	1974	6	5 23/32	2074	6	9 21/32	2174	7	1 19/32	2274	7	5 17/32	2374	7	9 15/32
1675	5	5 15/16	1775	5	9 7/8	1875	6	1 13/16	1975	6	5 3/4	2075	6	9 11/16	2175	7	1 5/8	2275	7	5 9/16	2375	7	9 1/2
1676	5	5 63/64	1776	5	9 59/64	1876	6	1 55/64	1976	6	5 51/64	2076	6	9 47/64	2176	7	1 43/64	2276	7	5 39/64	2376	7	9 35/64
1677	5	6 1/32	1777	5	9 61/64	1877	6	1 57/64	1977	6	5 53/64	2077	6	9 49/64	2177	7	1 45/64	2277	7	5 41/64	2377	7	9 37/64
1678	5	6 1/16	1778	5	10	1878	6	1 15/16	1978	6	5 7/8	2078	6	9 13/16	2178	7	1 3/4	2278	7	5 11/16	2378	7	9 5/8
1679	5	6 7/64	1779	5	10 3/64	1879	6	1 31/32	1979	6	5 29/32	2079	6	9 27/32	2179	7	1 25/32	2279	7	5 23/32	2379	7	9 21/32
1680	5	6 9/64	1780	5	10 5/64	1880	6	2 1/64	1980	6	5 61/64	2080	6	9 57/64	2180	7	1 53/64	2280	7	5 49/64	2380	7	9 45/64
1681	5	6 3/16	1781	5	10 1/8	1881	6	2 1/16	1981	6	5 63/64	2081	6	9 59/64	2181	7	1 55/64	2281	7	5 51/64	2381	7	9 47/64
1682	5	6 7/32	1782	5	10 5/32	1882	6	2 3/32	1982	6	6 1/32	2082	6	9 31/32	2182	7	1 29/32	2282	7	5 27/32	2382	7	9 25/32
1683	5	6 17/64	1783	5	10 13/64	1883	6	2 9/64	1983	6	6 5/64	2083	6	10 1/64	2183	7	1 15/16	2283	7	5 7/8	2383	7	9 13/16
1684	5	6 19/64	1784	5	10 15/64	1884	6	2 11/64	1984	6	6 7/64	2084	6	10 3/64	2184	7	1 63/64	2284	7	5 59/64	2384	7	9 55/64
1685	5	6 11/32	1785	5	10 9/32	1885	6	2 7/32	1985	6	6 5/32	2085	6	10 3/32	2185	7	2 1/32	2285	7	5 61/64	2385	7	9 57/64
1686	5	6 3/8	1786	5	10 5/16	1886	6	2 1/4	1986	6	6 3/16	2086	6	10 1/8	2186	7	2 1/16	2286	7	6	2386	7	9 15/16
1687	5	6 27/64	1787	5	10 23/64	1887	6	2 19/64	1987	6	6 15/64	2087	6	10 11/64	2187	7	2 7/64	2287	7	6 3/64	2387	7	9 31/32
1688	5	6 29/64	1788	5	10 25/64	1888	6	2 21/64	1988	6	6 17/64	2088	6	10 13/64	2188	7	2 9/64	2288	7	6 5/64	2388	7	10 1/64
1689	5	6 1/2	1789	5	10 7/16	1889	6	2 3/8	1989	6	6 5/16	2089	6	10 1/4	2189	7	2 3/16	2289	7	6 1/8	2389	7	10 1/16
1690	5	6 17/32	1790	5	10 15/32	1890	6	2 13/32	1990	6	6 11/32	2090	6	10 9/32	2190	7	2 7/32	2290	7	6 5/32	2390	7	10 3/32
1691	5	6 37/64	1791	5	10 33/64	1891	6	2 29/64	1991	6	6 25/64	2091	6	10 21/64	2191	7	2 17/64	2291	7	6 13/64	2391	7	10 9/64
1692	5	6 39/64	1792	5	10 35/64	1892	6	2 31/64	1992	6	6 27/64	2092	6	10 23/64	2192	7	2 19/64	2292	7	6 15/64	2392	7	10 11/64
1693	5	6 21/32	1793	5	10 19/32	1893	6	2 17/32	1993	6	6 15/32	2093	6	10 13/32	2193	7	2 11/32	2293	7	6 9/32	2393	7	10 7/32
1694	5	6 11/16	1794	5	10 5/8	1894	6	2 9/16	1994	6	6 1/2	2094	6	10 7/16	2194	7	2 3/8	2294	7	6 5/16	2394	7	10 1/4
1695	5	6 47/64	1795	5	10 43/64	1895	6	2 39/64	1995	6	6 35/64	2095	6	10 31/64	2195	7	2 27/64	2295	7	6 23/64	2395	7	10 19/64
1696	5	6 49/64	1796	5	10 45/64	1896	6	2 41/64	1996	6	6 37/64	2096	6	10 33/64	2196	7	2 29/64	2296	7	6 25/64	2396	7	10 21/64
1697	5	6 13/16	1797	5	10 3/4	1897	6	2 11/16	1997	6	6 5/8	2097	6	10 9/16	2197	7	2 1/2	2297	7	6 7/16	2397	7	10 3/8
1698	5	6 27/32	1798	5	10 25/32	1898	6	2 23/32	1998	6	6 21/32	2098	6	10 19/32	2198	7	2 17/32	2298	7	6 15/32	2398	7	10 13/32
1699	5	6 57/64	1799	5	10 53/64	1899	6	2 49/64	1999	6	6 45/64	2099	6	10 41/64	2199	7	2 37/64	2299	7	6 33/64	2399	7	10 29/64
1700	5	6 59/64	1800	5	10 55/64	1900	6	2 51/64	2000	6	6 47/64	2100	6	10 43/64	2200	7	2 39/64	2300	7	6 35/64	2400	7	10 31/64

밀리미터와 피트, 그리고 인치사이의 환산 값 〔1/64in에 가장 근사 값〕

표 M-4

2401 mm 에서 3200 mm

7 ft, 10-17/32 in. 에서 10 ft, 5-63/64 in.

mm	ft,	in.	mm	ft,	in.	mm	ft,	in.	mm	ft,	in.	mm	ft,	in.	mm	ft,	in.	mm	ft,	in.	mm	ft,	in.
2401	7	10 17/32	2501	8	2 15/32	2601	8	6 13/32	2701	8	10 11/32	2801	9	2 9/32	2901	9	6 7/32	3001	9	10 5/32	3101	10	2 3/32
2402	7	10 9/16	2502	8	2 1/2	2602	8	6 7/16	2702	8	10 3/8	2802	9	2 5/16	2902	9	6 1/4	3002	9	10 3/16	3102	10	2 1/8
2403	7	10 39/64	2503	8	2 35/64	2603	8	6 31/64	2703	8	10 27/64	2803	9	2 23/64	2903	9	6 19/64	3003	9	10 15/64	3103	10	2 11/64
2404	7	10 41/64	2504	8	2 37/64	2604	8	6 33/64	2704	8	10 29/64	2804	9	2 25/64	2904	9	6 21/64	3004	9	10 17/64	3104	10	2 13/64
2405	7	10 11/16	2505	8	2 5/8	2605	8	6 9/16	2705	8	10 1/2	2805	9	2 7/16	2905	9	6 3/8	3005	9	10 5/16	3105	10	2 1/4
2406	7	10 23/32	2506	8	2 21/32	2606	8	6 19/32	2706	8	10 17/32	2806	9	2 15/32	2906	9	6 13/32	3006	9	10 11/32	3106	10	2 9/32
2407	7	10 49/64	2507	8	2 45/64	2607	8	6 41/64	2707	8	10 37/64	2807	9	2 33/64	2907	9	6 29/64	3007	9	10 25/64	3107	10	2 21/64
2408	7	10 51/64	2508	8	2 47/64	2608	8	6 43/64	2708	8	10 39/64	2808	9	2 35/64	2908	9	6 31/64	3008	9	10 27/64	3108	10	2 23/64
2409	7	10 27/32	2509	8	2 25/32	2609	8	6 23/32	2709	8	10 21/32	2809	9	2 19/32	2909	9	6 17/32	3009	9	10 15/32	3109	10	2 13/32
2410	7	10 7/8	2510	8	2 13/16	2610	8	6 3/4	2710	8	10 11/16	2810	9	2 5/8	2910	9	6 9/16	3010	9	10 1/2	3110	10	2 7/16
2411	7	10 59/64	2511	8	2 55/64	2611	8	6 51/64	2711	8	10 47/64	2811	9	2 43/64	2911	9	6 39/64	3011	9	10 35/64	3111	10	2 31/64
2412	7	10 61/64	2512	8	2 57/64	2612	8	6 53/64	2712	8	10 49/64	2812	9	2 45/64	2912	9	6 41/64	3012	9	10 37/64	3112	10	2 33/64
2413	7	11	2513	8	2 15/16	2613	8	6 7/8	2713	8	10 13/16	2813	9	2 3/4	2913	9	6 11/16	3013	9	10 5/8	3113	10	2 9/16
2414	7	11 3/64	2514	8	2 31/32	2614	8	6 29/32	2714	8	10 27/32	2814	9	2 25/32	2914	9	6 23/32	3014	9	10 21/32	3114	10	2 19/32
2415	7	11 5/64	2515	8	3 1/64	2615	8	6 61/64	2715	8	10 57/64	2815	9	2 53/64	2915	9	6 49/64	3015	9	10 45/64	3115	10	2 41/64
2416	7	11 1/8	2516	8	3 1/16	2616	8	6 63/64	2716	8	10 59/64	2816	9	2 55/64	2916	9	6 51/64	3016	9	10 47/64	3116	10	2 43/64
2417	7	11 5/32	2517	8	3 3/32	2617	8	7 1/32	2717	8	10 31/32	2817	9	2 29/32	2917	9	6 27/32	3017	9	10 25/32	3117	10	2 23/32
2418	7	11 13/64	2518	8	3 9/64	2618	8	7 5/64	2718	8	11 1/64	2818	9	2 15/16	2918	9	6 7/8	3018	9	10 13/16	3118	10	2 3/4
2419	7	11 15/64	2519	8	3 11/64	2619	8	7 7/64	2719	8	11 3/64	2819	9	2 63/64	2919	9	6 59/64	3019	9	10 55/64	3119	10	2 51/64
2420	7	11 9/32	2520	8	3 7/32	2620	8	7 5/32	2720	8	11 3/32	2820	9	3 1/32	2920	9	6 61/64	3020	9	10 57/64	3120	10	2 53/64
2421	7	11 5/16	2521	8	3 1/4	2621	8	7 3/16	2721	8	11 1/8	2821	9	3 1/16	2921	9	7	3021	9	10 15/16	3121	10	2 7/8
2422	7	11 23/64	2522	8	3 19/64	2622	8	7 15/64	2722	8	11 11/64	2822	9	3 7/64	2922	9	7 3/64	3022	9	10 31/32	3122	10	2 29/32
2423	7	11 25/64	2523	8	3 21/64	2623	8	7 17/64	2723	8	11 13/64	2823	9	3 9/64	2923	9	7 5/64	3023	9	11 1/64	3123	10	2 61/64
2424	7	11 7/16	2524	8	3 3/8	2624	8	7 5/16	2724	8	11 1/4	2824	9	3 3/16	2924	9	7 1/8	3024	9	11 1/16	3124	10	2 63/64
2425	7	11 15/32	2525	8	3 13/32	2625	8	7 11/32	2725	8	11 9/32	2825	9	3 7/32	2925	9	7 5/32	3025	9	11 3/32	3125	10	3 1/32
2426	7	11 33/64	2526	8	3 29/64	2626	8	7 25/64	2726	8	11 21/64	2826	9	3 17/64	2926	9	7 13/64	3026	9	11 9/64	3126	10	3 5/64
2427	7	11 35/64	2527	8	3 31/64	2627	8	7 27/64	2727	8	11 23/64	2827	9	3 19/64	2927	9	7 15/64	3027	9	11 11/64	3127	10	3 7/64
2428	7	11 19/32	2528	8	3 17/32	2628	8	7 15/32	2728	8	11 13/32	2828	9	3 11/32	2928	9	7 9/32	3028	9	11 7/32	3128	10	3 5/32
2429	7	11 5/8	2529	8	3 9/16	2629	8	7 1/2	2729	8	11 7/16	2829	9	3 3/8	2929	9	7 5/16	3029	9	11 1/4	3129	10	3 3/16
2430	7	11 43/64	2530	8	3 39/64	2630	8	7 35/64	2730	8	11 31/64	2830	9	3 27/64	2930	9	7 23/64	3030	9	11 19/64	3130	10	3 15/64
2431	7	11 45/64	2531	8	3 41/64	2631	8	7 37/64	2731	8	11 33/64	2831	9	3 29/64	2931	9	7 25/64	3031	9	11 21/64	3131	10	3 17/64
2432	7	11 3/4	2532	8	3 11/16	2632	8	7 5/8	2732	8	11 9/16	2832	9	3 1/2	2932	9	7 7/16	3032	9	11 3/8	3132	10	3 5/16
2433	7	11 25/32	2533	8	3 23/32	2633	8	7 21/32	2733	8	11 19/32	2833	9	3 17/32	2933	9	7 15/32	3033	9	11 13/32	3133	10	3 11/32
2434	7	11 53/64	2534	8	3 49/64	2634	8	7 45/64	2734	8	11 41/64	2834	9	3 37/64	2934	9	7 33/64	3034	9	11 29/64	3134	10	3 25/64
2435	7	11 55/64	2535	8	3 51/64	2635	8	7 47/64	2735	8	11 43/64	2835	9	3 39/64	2935	9	7 35/64	3035	9	11 31/64	3135	10	3 27/64
2436	7	11 29/32	2536	8	3 27/32	2636	8	7 25/32	2736	8	11 23/32	2836	9	3 21/32	2936	9	7 19/32	3036	9	11 17/32	3136	10	3 15/32
2437	7	11 15/16	2537	8	3 7/8	2637	8	7 13/16	2737	8	11 3/4	2837	9	3 11/16	2937	9	7 5/8	3037	9	11 9/16	3137	10	3 1/2
2438	7	11 63/64	2538	8	3 59/64	2638	8	7 55/64	2738	8	11 51/64	2838	9	3 47/64	2938	9	7 43/64	3038	9	11 39/64	3138	10	3 35/64
2439	8	0 1/32	2539	8	3 61/64	2639	8	7 57/64	2739	8	11 53/64	2839	9	3 49/64	2939	9	7 45/64	3039	9	11 41/64	3139	10	3 37/64
2440	8	0 1/16	2540	8	4	2640	8	7 15/16	2740	8	11 7/8	2840	9	3 13/16	2940	9	7 3/4	3040	9	11 11/16	3140	10	3 5/8
2441	8	0 7/64	2541	8	4 3/64	2641	8	7 31/32	2741	8	11 29/32	2841	9	3 27/32	2941	9	7 25/32	3041	9	11 23/32	3141	10	3 21/32
2442	8	0 9/64	2542	8	4 5/64	2642	8	8 1/64	2742	8	11 61/64	2842	9	3 57/64	2942	9	7 53/64	3042	9	11 49/64	3142	10	3 45/64
2443	8	0 3/16	2543	8	4 1/8	2643	8	8 1/16	2743	8	11 63/64	2843	9	3 59/64	2943	9	7 55/64	3043	9	11 51/64	3143	10	3 47/64
2444	8	0 7/32	2544	8	4 5/32	2644	8	8 3/32	2744	9	0 1/32	2844	9	3 31/32	2944	9	7 29/32	3044	9	11 27/32	3144	10	3 25/32
2445	8	0 17/64	2545	8	4 13/64	2645	8	8 9/64	2745	9	0 5/64	2845	9	4 1/64	2945	9	7 15/16	3045	9	11 7/8	3145	10	3 13/16
2446	8	0 19/64	2546	8	4 15/64	2646	8	8 11/64	2746	9	0 7/64	2846	9	4 3/64	2946	9	7 63/64	3046	9	11 59/64	3146	10	3 55/64
2447	8	0 11/32	2547	8	4 9/32	2647	8	8 7/32	2747	9	0 5/32	2847	9	4 3/32	2947	9	8 1/32	3047	9	11 61/64	3147	10	3 57/64
2448	8	0 3/8	2548	8	4 5/16	2648	8	8 1/4	2748	9	0 3/16	2848	9	4 1/8	2948	9	8 1/16	3048	10	0	3148	10	3 15/16
2449	8	0 27/64	2549	8	4 23/64	2649	8	8 19/64	2749	9	0 15/64	2849	9	4 11/64	2949	9	8 7/64	3049	10	0 3/64	3149	10	3 31/32
2450	8	0 29/64	2550	8	4 25/64	2650	8	8 21/64	2750	9	0 17/64	2850	9	4 13/64	2950	9	8 9/64	3050	10	0 5/64	3150	10	4 1/64
2451	8	0 1/2	2551	8	4 7/16	2651	8	8 3/8	2751	9	0 5/16	2851	9	4 1/4	2951	9	8 3/16	3051	10	0 1/8	3151	10	4 1/16
2452	8	0 17/32	2552	8	4 15/32	2652	8	8 13/32	2752	9	0 11/32	2852	9	4 9/32	2952	9	8 7/32	3052	10	0 5/32	3152	10	4 3/32
2453	8	0 37/64	2553	8	4 33/64	2653	8	8 29/64	2753	9	0 25/64	2853	9	4 21/64	2953	9	8 17/64	3053	10	0 13/64	3153	10	4 9/64
2454	8	0 39/64	2554	8	4 35/64	2654	8	8 31/64	2754	9	0 27/64	2854	9	4 23/64	2954	9	8 19/64	3054	10	0 15/64	3154	10	4 11/64
2455	8	0 21/32	2555	8	4 19/32	2655	8	8 17/32	2755	9	0 15/32	2855	9	4 13/32	2955	9	8 11/32	3055	10	0 9/32	3155	10	4 7/32
2456	8	0 11/16	2556	8	4 5/8	2656	8	8 9/16	2756	9	0 1/2	2856	9	4 7/16	2956	9	8 3/8	3056	10	0 5/16	3156	10	4 1/4
2457	8	0 47/64	2557	8	4 43/64	2657	8	8 39/64	2757	9	0 35/64	2857	9	4 31/64	2957	9	8 27/64	3057	10	0 23/64	3157	10	4 19/64
2458	8	0 49/64	2558	8	4 45/64	2658	8	8 41/64	2758	9	0 37/64	2858	9	4 33/64	2958	9	8 29/64	3058	10	0 25/64	3158	10	4 21/64
2459	8	0 13/16	2559	8	4 3/4	2659	8	8 11/16	2759	9	0 5/8	2859	9	4 9/16	2959	9	8 1/2	3059	10	0 7/16	3159	10	4 3/8
2460	8	0 27/32	2560	8	4 25/32	2660	8	8 23/32	2760	9	0 21/32	2860	9	4 19/32	2960	9	8 17/32	3060	10	0 15/32	3160	10	4 13/32
2461	8	0 57/64	2561	8	4 53/64	2661	8	8 49/64	2761	9	0 45/64	2861	9	4 41/64	2961	9	8 37/64	3061	10	0 33/64	3161	10	4 29/64
2462	8	0 59/64	2562	8	4 55/64	2662	8	8 51/64	2762	9	0 47/64	2862	9	4 43/64	2962	9	8 39/64	3062	10	0 35/64	3162	10	4 31/64
2463	8	0 31/32	2563	8	4 29/32	2663	8	8 27/32	2763	9	0 25/32	2863	9	4 23/32	2963	9	8 21/32	3063	10	0 19/32	3163	10	4 17/32
2464	8	1 1/64	2564	8	4 15/16	2664	8	8 7/8	2764	9	0 13/16	2864	9	4 3/4	2964	9	8 11/16	3064	10	0 5/8	3164	10	4 9/16
2465	8	1 3/64	2565	8	4 63/64	2665	8	8 59/64	2765	9	0 55/64	2865	9	4 51/64	2965	9	8 47/64	3065	10	0 43/64	3165	10	4 39/64
2466	8	1 3/32	2566	8	5 1/32	2666	8	8 61/64	2766	9	0 57/64	2866	9	4 53/64	2966	9	8 49/64	3066	10	0 45/64	3166	10	4 41/64
2467	8	1 1/8	2567	8	5 1/16	2667	8	9	2767	9	0 15/16	2867	9	4 7/8	2967	9	8 13/16	3067	10	0 3/4	3167	10	4 11/16
2468	8	1 11/64	2568	8	5 7/64	2668	8	9 3/64	2768	9	0 31/32	2868	9	4 29/32	2968	9	8 27/32	3068	10	0 25/32	3168	10	4 23/32
2469	8	1 13/64	2569	8	5 9/64	2669	8	9 5/64	2769	9	1 1/64	2869	9	4 61/64	2969	9	8 57/64	3069	10	0 53/64	3169	10	4 49/64
2470	8	1 1/4	2570	8	5 3/16	2670	8	9 1/8	2770	9	1 1/16	2870	9	4 63/64	2970	9	8 59/64	3070	10	0 55/64	3170	10	4 51/64
2471	8	1 9/32	2571	8	5 7/32	2671	8	9 5/32	2771	9	1 3/32	2871	9	5 1/32	2971	9	8 31/32	3071	10	0 29/32	3171	10	4 27/32
2472	8	1 21/64	2572	8	5 17/64	2672	8	9 13/64	2772	9	1 9/64	2872	9	5 5/64	2972	9	9 1/64	3072	10	0 15/16	3172	10	4 7/8
2473	8	1 23/64	2573	8	5 19/64	2673	8	9 15/64	2773	9	1 11/64	2873	9	5 7/64	2973	9	9 3/64	3073	10	0 63/64	3173	10	4 59/64
2474	8	1 13/32	2574	8	5 11/32	2674	8	9 9/32	2774	9	1 7/32	2874	9	5 5/32	2974	9	9 3/32	3074	10	1 1/32	3174	10	4 61/64
2475	8	1 7/16	2575	8	5 3/8	2675	8	9 5/16	2775	9	1 1/4	2875	9	5 3/16	2975	9	9 1/8	3075	10	1 1/16	3175	10	5
2476	8	1 31/64	2576	8	5 27/64	2676	8	9 23/64	2776	9	1 19/64	2876	9	5 15/64	2976	9	9 11/64	3076	10	1 7/64	3176	10	5 3/64
2477	8	1 33/64	2577	8	5 29/64	2677	8	9 25/64	2777	9	1 21/64	2877	9	5 17/64	2977	9	9 13/64	3077	10	1 9/64	3177	10	5 5/64
2478	8	1 9/16	2578	8	5 1/2	2678	8	9 7/16	2778	9	1 3/8	2878	9	5 5/16	2978	9	9 1/4	3078	10	1 3/16	3178	10	5 1/8
2479	8	1 19/32	2579	8	5 17/32	2679	8	9 15/32	2779	9	1 13/32	2879	9	5 11/32	2979	9	9 9/32	3079	10	1 7/32	3179	10	5 5/32
2480	8	1 41/64	2580	8	5 37/64	2680	8	9 33/64	2780	9	1 29/64	2880	9	5 25/64	2980	9	9 21/64	3080	10	1 17/64	3180	10	5 13/64
2481	8	1 43/64	2581	8	5 39/64	2681	8	9 35/64	2781	9	1 31/64	2881	9	5 27/64	2981	9	9 23/64	3081	10	1 19/64	3181	10	5 15/64
2482	8	1 23/32	2582	8	5 21/32	2682	8	9 19/32	2782	9	1 17/32	2882	9	5 15/32	2982	9	9 13/32	3082	10	1 11/32	3182	10	5 9/32
2483	8	1 3/4	2583	8	5 11/16	2683	8	9 5/8	2783	9	1 9/16	2883	9	5 1/2	2983	9	9 7/16	3083	10	1 3/8	3183	10	5 5/16
2484	8	1 51/64	2584	8	5 47/64	2684	8	9 43/64	2784	9	1 39/64	2884	9	5 35/64	2984	9	9 31/64	3084	10	1 27/64	3184	10	5 23/64
2485	8	1 53/64	2585	8	5 49/64	2685	8	9 45/64	2785	9	1 41/64	2885	9	5 37/64	2985	9	9 33/64	3085	10	1 29/64	3185	10	5 25/64
2486	8	1 7/8	2586	8	5 13/16	2686	8	9 3/4	2786	9	1 11/16	2886	9	5 5/8	2986	9	9 9/16	3086	10	1 1/2	3186	10	5 7/16
2487	8	1 29/32	2587	8	5 27/32	2687	8	9 25/32	2787	9	1 23/32	2887	9	5 21/32	2987	9	9 19/32	3087	10	1 17/32	3187	10	5 15/32
2488	8	1 61/64	2588	8	5 57/64	2688	8	9 53/64	2788	9	1 49/64	2888	9	5 45/64	2988	9	9 41/64	3088	10	1 37/64	3188	10	5 33/64
2489	8	1 63/64	2589	8	5 59/64	2689	8	9 55/64	2789	9	1 51/64	2889	9	5 47/64	2989	9	9 43/64	3089	10	1 39/64	3189	10	5 35/64
2490	8	2 1/32	2590	8	5 31/32	2690	8	9 29/32	2790	9	1 27/32	2890	9	5 25/32	2990	9	9 23/32	3090	10	1 21/32	3190	10	5 19/32
2491	8	2 5/64	2591	8	6 1/64	2691	8	9 15/16	2791	9	1 7/8	2891	9	5 13/16	2991	9	9 3/4	3091	10	1 11/16	3191	10	5 5/8
2492	8	2 7/64	2592	8	6 3/64	2692	8	9 63/64	2792	9	1 59/64	2892	9	5 55/64	2992	9	9 51/64	3092	10	1 47/64	3192	10	5 43/64
2493	8	2 5/32	2593	8	6 3/32	2693	8	10 1/32	2793	9	1 61/64	2893	9	5 57/64	2993	9	9 53/64	3093	10	1 49/64	3193	10	5 45/64
2494	8	2 3/16	2594	8	6 1/8	2694	8	10 1/16	2794	9	2	2894	9	5 15/16	2994	9	9 7/8	3094	10	1 13/16	3194	10	5 3/4
2495	8	2 15/64	2595	8	6 11/64	2695	8	10 7/64	2795	9	2 3/64	2895	9	5 31/32	2995	9	9 29/32	3095	10	1 27/32	3195	10	5 25/32
2496	8	2 17/64	2596	8	6 13/64	2696	8	10 9/64	2796	9	2 5/64	2896	9	6 1/64	2996	9	9 61/64	3096	10	1 57/64	3196	10	5 53/64
2497	8	2 5/16	2597	8	6 1/4	2697	8	10 3/16	2797	9	2 1/8	2897	9	6 1/16	2997	9	9 63/64	3097	10	1 59/64	3197	10	5 55/64
2498	8	2 11/32	2598	8	6 9/32	2698	8	10 7/32	2798	9	2 5/32	2898	9	6 3/32	2998	9	10 1/32	3098	10	1 31/32	3198	10	5 29/32
2499	8	2 25/64	2599	8	6 21/64	2699	8	10 17/64	2799	9	2 13/64	2899	9	6 9/64	2999	9	10 5/64	3099	10	2 1/64	3199	10	5 15/16
2500	8	2 27/64	2600	8	6 23/64	2700	8	10 19/64	2800	9	2 15/64	2900	9	6 11/64	3000	9	10 7/64	3100	10	2 3/64	3200	10	5 63/64

밀리미터와 피트, 그리고 인치사이의 환산 값 〔1/64in에 가장 근사 값〕

표 M-4

3201 mm 에서 4000 mm

10 ft, 6-1/32 in. 에서 13 ft, 1-31/64 in.

mm	ft,	in.
3201	10	6 1/32
3202	10	6 1/16
3203	10	6 7/64
3204	10	6 9/64
3205	10	6 3/16
3206	10	6 7/32
3207	10	6 17/64
3208	10	6 19/64
3209	10	6 11/32
3210	10	6 3/8
3211	10	6 27/64
3212	10	6 29/64
3213	10	6 1/2
3214	10	6 17/32
3215	10	6 37/64
3216	10	6 39/64
3217	10	6 21/32
3218	10	6 11/16
3219	10	6 47/64
3220	10	6 49/64
3221	10	6 13/16
3222	10	6 27/32
3223	10	6 57/64
3224	10	6 59/64
3225	10	6 31/32
3226	10	7 1/64
3227	10	7 3/64
3228	10	7 3/32
3229	10	7 1/8
3230	10	7 11/64
3231	10	7 13/64
3232	10	7 1/4
3233	10	7 9/32
3234	10	7 21/64
3235	10	7 23/64
3236	10	7 13/32
3237	10	7 7/16
3238	10	7 31/64
3239	10	7 33/64
3240	10	7 9/16
3241	10	7 19/32
3242	10	7 41/64
3243	10	7 43/64
3244	10	7 23/32
3245	10	7 3/4
3246	10	7 51/64
3247	10	7 53/64
3248	10	7 7/8
3249	10	7 29/32
3250	10	7 61/64
3251	10	7 63/64
3252	10	8 1/32
3253	10	8 5/64
3254	10	8 7/64
3255	10	8 5/32
3256	10	8 3/16
3257	10	8 15/64
3258	10	8 17/64
3259	10	8 5/16
3260	10	8 11/32
3261	10	8 25/64
3262	10	8 27/64
3263	10	8 15/32
3264	10	8 1/2
3265	10	8 35/64
3266	10	8 37/64
3267	10	8 5/8
3268	10	8 21/32
3269	10	8 45/64
3270	10	8 47/64
3271	10	8 25/32
3272	10	8 13/16
3273	10	8 55/64
3274	10	8 57/64
3275	10	8 15/16
3276	10	8 31/32
3277	10	9 1/64
3278	10	9 1/16
3279	10	9 3/32
3280	10	9 9/64
3281	10	9 11/64
3282	10	9 7/32
3283	10	9 1/4
3284	10	9 19/64
3285	10	9 21/64
3286	10	9 3/8
3287	10	9 13/32
3288	10	9 29/64
3289	10	9 31/64
3290	10	9 17/32
3291	10	9 9/16
3292	10	9 39/64
3293	10	9 41/64
3294	10	9 11/16
3295	10	9 23/32
3296	10	9 49/64
3297	10	9 51/64
3298	10	9 27/32
3299	10	9 7/8
3300	10	9 59/64

mm	ft,	in.
3301	10	9 61/64
3302	10	10
3303	10	10 3/64
3304	10	10 5/64
3305	10	10 1/8
3306	10	10 5/32
3307	10	10 13/64
3308	10	10 15/64
3309	10	10 9/32
3310	10	10 5/16
3311	10	10 23/64
3312	10	10 25/64
3313	10	10 7/16
3314	10	10 15/32
3315	10	10 33/64
3316	10	10 35/64
3317	10	10 19/32
3318	10	10 5/8
3319	10	10 43/64
3320	10	10 45/64
3321	10	10 3/4
3322	10	10 25/32
3323	10	10 53/64
3324	10	10 55/64
3325	10	10 29/32
3326	10	10 15/16
3327	10	10 63/64
3328	10	11 1/32
3329	10	11 1/16
3330	10	11 7/64
3331	10	11 9/64
3332	10	11 3/16
3333	10	11 7/32
3334	10	11 17/64
3335	10	11 19/64
3336	10	11 11/32
3337	10	11 3/8
3338	10	11 27/64
3339	10	11 29/64
3340	10	11 1/2
3341	10	11 17/32
3342	10	11 37/64
3343	10	11 39/64
3344	10	11 21/32
3345	10	11 11/16
3346	10	11 47/64
3347	10	11 49/64
3348	10	11 13/16
3349	10	11 27/32
3350	10	11 57/64
3351	10	11 59/64
3352	10	11 31/32
3353	11	0 1/64
3354	11	0 3/64
3355	11	0 3/32
3356	11	0 1/8
3357	11	0 11/64
3358	11	0 13/64
3359	11	0 1/4
3360	11	0 9/32
3361	11	0 21/64
3362	11	0 23/64
3363	11	0 13/32
3364	11	0 7/16
3365	11	0 31/64
3366	11	0 33/64
3367	11	0 9/16
3368	11	0 19/32
3369	11	0 41/64
3370	11	0 43/64
3371	11	0 23/32
3372	11	0 3/4
3373	11	0 51/64
3374	11	0 53/64
3375	11	0 7/8
3376	11	0 29/32
3377	11	0 61/64
3378	11	0 63/64
3379	11	1 1/32
3380	11	1 5/64
3381	11	1 7/64
3382	11	1 5/32
3383	11	1 3/16
3384	11	1 15/64
3385	11	1 17/64
3386	11	1 5/16
3387	11	1 11/32
3388	11	1 25/64
3389	11	1 27/64
3390	11	1 15/32
3391	11	1 1/2
3392	11	1 35/64
3393	11	1 37/64
3394	11	1 5/8
3395	11	1 21/32
3396	11	1 45/64
3397	11	1 47/64
3398	11	1 25/32
3399	11	1 13/16
3400	11	1 55/64

mm	ft,	in.
3401	11	1 57/64
3402	11	1 15/16
3403	11	1 31/32
3404	11	2 1/64
3405	11	2 1/16
3406	11	2 3/32
3407	11	2 9/64
3408	11	2 11/64
3409	11	2 7/32
3410	11	2 1/4
3411	11	2 19/64
3412	11	2 21/64
3413	11	2 3/8
3414	11	2 13/32
3415	11	2 29/64
3416	11	2 31/64
3417	11	2 17/32
3418	11	2 9/16
3419	11	2 39/64
3420	11	2 41/64
3421	11	2 11/16
3422	11	2 23/32
3423	11	2 49/64
3424	11	2 51/64
3425	11	2 27/32
3426	11	2 7/8
3427	11	2 59/64
3428	11	2 61/64
3429	11	3
3430	11	3 3/64
3431	11	3 5/64
3432	11	3 1/8
3433	11	3 5/32
3434	11	3 13/64
3435	11	3 15/64
3436	11	3 9/32
3437	11	3 5/16
3438	11	3 23/64
3439	11	3 25/64
3440	11	3 7/16
3441	11	3 15/32
3442	11	3 33/64
3443	11	3 35/64
3444	11	3 19/32
3445	11	3 5/8
3446	11	3 43/64
3447	11	3 45/64
3448	11	3 3/4
3449	11	3 25/32
3450	11	3 53/64
3451	11	3 55/64
3452	11	3 29/32
3453	11	3 15/16
3454	11	3 63/64
3455	11	4 1/32
3456	11	4 1/16
3457	11	4 7/64
3458	11	4 9/64
3459	11	4 3/16
3460	11	4 7/32
3461	11	4 17/64
3462	11	4 19/64
3463	11	4 11/32
3464	11	4 3/8
3465	11	4 27/64
3466	11	4 29/64
3467	11	4 1/2
3468	11	4 17/32
3469	11	4 37/64
3470	11	4 39/64
3471	11	4 21/32
3472	11	4 11/16
3473	11	4 47/64
3474	11	4 49/64
3475	11	4 13/16
3476	11	4 27/32
3477	11	4 57/64
3478	11	4 59/64
3479	11	4 31/32
3480	11	5 1/64
3481	11	5 3/64
3482	11	5 3/32
3483	11	5 1/8
3484	11	5 11/64
3485	11	5 13/64
3486	11	5 1/4
3487	11	5 9/32
3488	11	5 21/64
3489	11	5 23/64
3490	11	5 13/32
3491	11	5 7/16
3492	11	5 31/64
3493	11	5 33/64
3494	11	5 9/16
3495	11	5 19/32
3496	11	5 41/64
3497	11	5 43/64
3498	11	5 23/32
3499	11	5 3/4
3500	11	5 51/64

mm	ft,	in.
3501	11	5 53/64
3502	11	5 7/8
3503	11	5 29/32
3504	11	5 61/64
3505	11	5 63/64
3506	11	6 1/32
3507	11	6 5/64
3508	11	6 7/64
3509	11	6 5/32
3510	11	6 3/16
3511	11	6 15/64
3512	11	6 17/64
3513	11	6 5/16
3514	11	6 11/32
3515	11	6 25/64
3516	11	6 27/64
3517	11	6 15/32
3518	11	6 1/2
3519	11	6 35/64
3520	11	6 37/64
3521	11	6 5/8
3522	11	6 21/32
3523	11	6 45/64
3524	11	6 47/64
3525	11	6 25/32
3526	11	6 13/16
3527	11	6 55/64
3528	11	6 57/64
3529	11	6 15/16
3530	11	6 31/32
3531	11	7 1/64
3532	11	7 1/16
3533	11	7 3/32
3534	11	7 9/64
3535	11	7 11/64
3536	11	7 7/32
3537	11	7 1/4
3538	11	7 19/64
3539	11	7 21/64
3540	11	7 3/8
3541	11	7 13/32
3542	11	7 29/64
3543	11	7 31/64
3544	11	7 17/32
3545	11	7 9/16
3546	11	7 39/64
3547	11	7 41/64
3548	11	7 11/16
3549	11	7 23/32
3550	11	7 49/64
3551	11	7 51/64
3552	11	7 27/32
3553	11	7 7/8
3554	11	7 59/64
3555	11	7 61/64
3556	11	8
3557	11	8 3/64
3558	11	8 5/64
3559	11	8 1/8
3560	11	8 5/32
3561	11	8 13/64
3562	11	8 15/64
3563	11	8 9/32
3564	11	8 5/16
3565	11	8 23/64
3566	11	8 25/64
3567	11	8 7/16
3568	11	8 15/32
3569	11	8 33/64
3570	11	8 35/64
3571	11	8 19/32
3572	11	8 5/8
3573	11	8 43/64
3574	11	8 45/64
3575	11	8 3/4
3576	11	8 25/32
3577	11	8 53/64
3578	11	8 55/64
3579	11	8 29/32
3580	11	8 15/16
3581	11	8 63/64
3582	11	9 1/32
3583	11	9 1/16
3584	11	9 7/64
3585	11	9 9/64
3586	11	9 3/16
3587	11	9 7/32
3588	11	9 17/64
3589	11	9 19/64
3590	11	9 11/32
3591	11	9 3/8
3592	11	9 27/64
3593	11	9 29/64
3594	11	9 1/2
3595	11	9 17/32
3596	11	9 37/64
3597	11	9 39/64
3598	11	9 21/32
3599	11	9 11/16
3600	11	9 47/64

mm	ft,	in.
3601	11	9 49/64
3602	11	9 13/16
3603	11	9 27/32
3604	11	9 57/64
3605	11	9 59/64
3606	11	9 31/32
3607	11	10 1/64
3608	11	10 3/64
3609	11	10 3/32
3610	11	10 1/8
3611	11	10 11/64
3612	11	10 13/64
3613	11	10 1/4
3614	11	10 9/32
3615	11	10 21/64
3616	11	10 23/64
3617	11	10 13/32
3618	11	10 7/16
3619	11	10 31/64
3620	11	10 33/64
3621	11	10 9/16
3622	11	10 19/32
3623	11	10 41/64
3624	11	10 43/64
3625	11	10 23/32
3626	11	10 3/4
3627	11	10 51/64
3628	11	10 53/64
3629	11	10 7/8
3630	11	10 29/32
3631	11	10 61/64
3632	11	10 63/64
3633	11	11 1/32
3634	11	11 5/64
3635	11	11 7/64
3636	11	11 5/32
3637	11	11 3/16
3638	11	11 15/64
3639	11	11 17/64
3640	11	11 5/16
3641	11	11 11/32
3642	11	11 25/64
3643	11	11 27/64
3644	11	11 15/32
3645	11	11 1/2
3646	11	11 35/64
3647	11	11 37/64
3648	11	11 5/8
3649	11	11 21/32
3650	11	11 45/64
3651	11	11 47/64
3652	11	11 25/32
3653	11	11 13/16
3654	11	11 55/64
3655	11	11 57/64
3656	11	11 15/16
3657	11	11 31/32
3658	12	0 1/64
3659	12	0 1/16
3660	12	0 3/32
3661	12	0 9/64
3662	12	0 11/64
3663	12	0 7/32
3664	12	0 1/4
3665	12	0 19/64
3666	12	0 21/64
3667	12	0 3/8
3668	12	0 13/32
3669	12	0 29/64
3670	12	0 31/64
3671	12	0 17/32
3672	12	0 9/16
3673	12	0 39/64
3674	12	0 41/64
3675	12	0 11/16
3676	12	0 23/32
3677	12	0 49/64
3678	12	0 51/64
3679	12	0 27/32
3680	12	0 7/8
3681	12	0 59/64
3682	12	0 61/64
3683	12	1
3684	12	1 3/64
3685	12	1 5/64
3686	12	1 1/8
3687	12	1 5/32
3688	12	1 13/64
3689	12	1 15/64
3690	12	1 9/32
3691	12	1 5/16
3692	12	1 23/64
3693	12	1 25/64
3694	12	1 7/16
3695	12	1 15/32
3696	12	1 33/64
3697	12	1 35/64
3698	12	1 19/32
3699	12	1 5/8
3700	12	1 43/64

mm	ft,	in.
3701	12	1 45/64
3702	12	1 3/4
3703	12	1 25/32
3704	12	1 53/64
3705	12	1 55/64
3706	12	1 29/32
3707	12	1 15/16
3708	12	1 63/64
3709	12	2 1/32
3710	12	2 1/16
3711	12	2 7/64
3712	12	2 9/64
3713	12	2 3/16
3714	12	2 7/32
3715	12	2 17/64
3716	12	2 19/64
3717	12	2 11/32
3718	12	2 3/8
3719	12	2 27/64
3720	12	2 29/64
3721	12	2 1/2
3722	12	2 17/32
3723	12	2 37/64
3724	12	2 39/64
3725	12	2 21/32
3726	12	2 11/16
3727	12	2 47/64
3728	12	2 49/64
3729	12	2 13/16
3730	12	2 27/32
3731	12	2 57/64
3732	12	2 59/64
3733	12	2 31/32
3734	12	3 1/64
3735	12	3 3/64
3736	12	3 3/32
3737	12	3 1/8
3738	12	3 11/64
3739	12	3 13/64
3740	12	3 1/4
3741	12	3 9/32
3742	12	3 21/64
3743	12	3 23/64
3744	12	3 13/32
3745	12	3 7/16
3746	12	3 31/64
3747	12	3 33/64
3748	12	3 9/16
3749	12	3 19/32
3750	12	3 41/64
3751	12	3 43/64
3752	12	3 23/32
3753	12	3 3/4
3754	12	3 51/64
3755	12	3 53/64
3756	12	3 7/8
3757	12	3 29/32
3758	12	3 61/64
3759	12	3 63/64
3760	12	4 1/32
3761	12	4 5/64
3762	12	4 7/64
3763	12	4 5/32
3764	12	4 3/16
3765	12	4 15/64
3766	12	4 17/64
3767	12	4 5/16
3768	12	4 11/32
3769	12	4 25/64
3770	12	4 27/64
3771	12	4 15/32
3772	12	4 1/2
3773	12	4 35/64
3774	12	4 37/64
3775	12	4 5/8
3776	12	4 21/32
3777	12	4 45/64
3778	12	4 47/64
3779	12	4 25/32
3780	12	4 13/16
3781	12	4 55/64
3782	12	4 57/64
3783	12	4 15/16
3784	12	4 31/32
3785	12	5 1/64
3786	12	5 1/16
3787	12	5 3/32
3788	12	5 9/64
3789	12	5 11/64
3790	12	5 7/32
3791	12	5 1/4
3792	12	5 19/64
3793	12	5 21/64
3794	12	5 3/8
3795	12	5 13/32
3796	12	5 29/64
3797	12	5 31/64
3798	12	5 17/32
3799	12	5 9/16
800	12	5 39/64

mm	ft,	in.
3801	12	5 41/64
3802	12	5 11/16
3803	12	5 23/32
3804	12	5 49/64
3805	12	5 51/64
3806	12	5 27/32
3807	12	5 7/8
3808	12	5 59/64
3809	12	5 61/64
3810	12	6
3811	12	6 3/64
3812	12	6 5/64
3813	12	6 1/8
3814	12	6 5/32
3815	12	6 13/64
3816	12	6 15/64
3817	12	6 9/32
3818	12	6 5/16
3819	12	6 23/64
3820	12	6 25/64
3821	12	6 7/16
3822	12	6 15/32
3823	12	6 33/64
3824	12	6 35/64
3825	12	6 19/32
3826	12	6 5/8
3827	12	6 43/64
3828	12	6 45/64
3829	12	6 3/4
3830	12	6 25/32
3831	12	6 53/64
3832	12	6 55/64
3833	12	6 29/32
3834	12	6 15/16
3835	12	6 63/64
3836	12	7 1/32
3837	12	7 1/16
3838	12	7 7/64
3839	12	7 9/64
3840	12	7 3/16
3841	12	7 7/32
3842	12	7 17/64
3843	12	7 19/64
3844	12	7 11/32
3845	12	7 3/8
3846	12	7 27/64
3847	12	7 29/64
3848	12	7 1/2
3849	12	7 17/32
3850	12	7 37/64
3851	12	7 39/64
3852	12	7 21/32
3853	12	7 11/16
3854	12	7 47/64
3855	12	7 49/64
3856	12	7 13/16
3857	12	7 27/32
3858	12	7 57/64
3859	12	7 59/64
3860	12	7 31/32
3861	12	8 1/64
3862	12	8 3/64
3863	12	8 3/32
3864	12	8 1/8
3865	12	8 11/64
3866	12	8 13/64
3867	12	8 1/4
3868	12	8 9/32
3869	12	8 21/64
3870	12	8 23/64
3871	12	8 13/32
3872	12	8 7/16
3873	12	8 31/64
3874	12	8 33/64
3875	12	8 9/16
3876	12	8 19/32
3877	12	8 41/64
3878	12	8 43/64
3879	12	8 23/32
3880	12	8 3/4
3881	12	8 51/64
3882	12	8 53/64
3883	12	8 7/8
3884	12	8 29/32
3885	12	8 61/64
3886	12	8 63/64
3887	12	9 1/32
3888	12	9 5/64
3889	12	9 7/64
3890	12	9 5/32
3891	12	9 3/16
3892	12	9 15/64
3893	12	9 17/64
3894	12	9 5/16
3895	12	9 11/32
3896	12	9 25/64
3897	12	9 27/64
3898	12	9 15/32
3899	12	9 1/2
3900	12	9 35/64

mm	ft,	in.
3901	12	9 37/64
3902	12	9 5/8
3903	12	9 21/32
3904	12	9 45/64
3905	12	9 47/64
3906	12	9 25/32
3907	12	9 13/16
3908	12	9 55/64
3909	12	9 57/64
3910	12	9 15/16
3911	12	9 31/32
3912	12	10 1/64
3913	12	10 1/16
3914	12	10 3/32
3915	12	10 9/64
3916	12	10 11/64
3917	12	10 7/32
3918	12	10 1/4
3919	12	10 19/64
3920	12	10 21/64
3921	12	10 3/8
3922	12	10 13/32
3923	12	10 29/64
3924	12	10 31/64
3925	12	10 17/32
3926	12	10 9/16
3927	12	10 39/64
3928	12	10 41/64
3929	12	10 11/16
3930	12	10 23/32
3931	12	10 49/64
3932	12	10 51/64
3933	12	10 27/32
3934	12	10 7/8
3935	12	10 59/64
3936	12	10 61/64
3937	12	11
3938	12	11 3/64
3939	12	11 5/64
3940	12	11 1/8
3941	12	11 5/32
3942	12	11 13/64
3943	12	11 15/64
3944	12	11 9/32
3945	12	11 5/16
3946	12	11 23/64
3947	12	11 25/64
3948	12	11 7/16
3949	12	11 15/32
3950	12	11 33/64
3951	12	11 35/64
3952	12	11 19/32
3953	12	11 5/8
3954	12	11 43/64
3955	12	11 45/64
3956	12	11 3/4
3957	12	11 25/32
3958	12	11 53/64
3959	12	11 55/64
3960	12	11 29/32
3961	12	11 15/16
3962	12	11 63/64
3963	13	0 1/32
3964	13	0 1/16
3965	13	0 7/64
3966	13	0 9/64
3967	13	0 3/16
3968	13	0 7/32
3969	13	0 17/64
3970	13	0 19/64
3971	13	0 11/32
3972	13	0 3/8
3973	13	0 27/64
3974	13	0 29/64
3975	13	0 1/2
3976	13	0 17/32
3977	13	0 37/64
3978	13	0 39/64
3979	13	0 21/32
3980	13	0 11/16
3981	13	0 47/64
3982	13	0 49/64
3983	13	0 13/16
3984	13	0 27/32
3985	13	0 57/64
3986	13	0 59/64
3987	13	0 31/32
3988	13	1 1/64
3989	13	1 3/64
3990	13	1 3/32
3991	13	1 1/8
3992	13	1 11/64
3993	13	1 13/64
3994	13	1 1/4
3995	13	1 9/32
3996	13	1 21/64
3997	13	1 23/64
3998	13	1 13/32
3999	13	1 7/16
4000	13	1 31/64

밀리미터와 피트, 그리고 인치사이의 환산 값 〔1/64in에 가장 근사 값〕

표 M-4

4001 mm 에서 4800 mm

13 ft, 1-33/64 in. 에서 15 ft, 8-31/32 in.

mm	ft,	in.	mm	ft,	in.	mm	ft,	in.	mm	ft,	in.	mm	ft,	in.	mm	ft,	in.	mm	ft,	in.	mm	ft,	in.
4001	13	1 33/64	4101	13	5 29/64	4201	13	9 25/64	4301	14	1 21/64	4401	14	5 17/64	4501	14	9 13/64	4601	15	1 9/64	4701	15	5 5/64
4002	13	1 9/16	4102	13	5 1/2	4202	13	9 7/16	4302	14	1 3/8	4402	14	5 5/16	4502	14	9 1/4	4602	15	1 3/16	4702	15	5 1/8
4003	13	1 19/32	4103	13	5 17/32	4203	13	9 15/32	4303	14	1 13/32	4403	14	5 11/32	4503	14	9 9/32	4603	15	1 7/32	4703	15	5 5/32
4004	13	1 41/64	4104	13	5 37/64	4204	13	9 33/64	4304	14	1 29/64	4404	14	5 25/64	4504	14	9 21/64	4604	15	1 17/64	4704	15	5 13/64
4005	13	1 43/64	4105	13	5 39/64	4205	13	9 35/64	4305	14	1 31/64	4405	14	5 27/64	4505	14	9 23/64	4605	15	1 19/64	4705	15	5 15/64
4006	13	1 23/32	4106	13	5 21/32	4206	13	9 19/32	4306	14	1 17/32	4406	14	5 15/32	4506	14	9 13/32	4606	15	1 11/32	4706	15	5 9/32
4007	13	1 3/4	4107	13	5 11/16	4207	13	9 5/8	4307	14	1 9/16	4407	14	5 1/2	4507	14	9 7/16	4607	15	1 3/8	4707	15	5 5/16
4008	13	1 51/64	4108	13	5 47/64	4208	13	9 43/64	4308	14	1 39/64	4408	14	5 35/64	4508	14	9 31/64	4608	15	1 27/64	4708	15	5 23/64
4009	13	1 53/64	4109	13	5 49/64	4209	13	9 45/64	4309	14	1 41/64	4409	14	5 37/64	4509	14	9 33/64	4609	15	1 29/64	4709	15	5 25/64
4010	13	1 7/8	4110	13	5 13/16	4210	13	9 3/4	4310	14	1 11/16	4410	14	5 5/8	4510	14	9 9/16	4610	15	1 1/2	4710	15	5 7/16
4011	13	1 29/32	4111	13	5 27/32	4211	13	9 25/32	4311	14	1 23/32	4411	14	5 21/32	4511	14	9 19/32	4611	15	1 17/32	4711	15	5 15/32
4012	13	1 61/64	4112	13	5 57/64	4212	13	9 53/64	4312	14	1 49/64	4412	14	5 45/64	4512	14	9 41/64	4612	15	1 37/64	4712	15	5 33/64
4013	13	1 63/64	4113	13	5 59/64	4213	13	9 55/64	4313	14	1 51/64	4413	14	5 47/64	4513	14	9 43/64	4613	15	1 39/64	4713	15	5 35/64
4014	13	2 1/32	4114	13	5 31/32	4214	13	9 29/32	4314	14	1 27/32	4414	14	5 25/32	4514	14	9 23/32	4614	15	1 21/32	4714	15	5 19/32
4015	13	2 5/64	4115	13	6 1/64	4215	13	9 15/16	4315	14	1 7/8	4415	14	5 13/16	4515	14	9 3/4	4615	15	1 11/16	4715	15	5 5/8
4016	13	2 7/64	4116	13	6 3/64	4216	13	9 63/64	4316	14	1 59/64	4416	14	5 55/64	4516	14	9 51/64	4616	15	1 47/64	4716	15	5 43/64
4017	13	2 5/32	4117	13	6 3/32	4217	13	10 1/32	4317	14	1 61/64	4417	14	5 57/64	4517	14	9 53/64	4617	15	1 49/64	4717	15	5 45/64
4018	13	2 3/16	4118	13	6 1/8	4218	13	10 1/16	4318	14	2	4418	14	5 15/16	4518	14	9 7/8	4618	15	1 13/16	4718	15	5 3/4
4019	13	2 15/64	4119	13	6 11/64	4219	13	10 7/64	4319	14	2 3/64	4419	14	5 31/32	4519	14	9 29/32	4619	15	1 27/32	4719	15	5 25/32
4020	13	2 17/64	4120	13	6 13/64	4220	13	10 9/64	4320	14	2 5/64	4420	14	6 1/64	4520	14	9 61/64	4620	15	1 57/64	4720	15	5 53/64
4021	13	2 5/16	4121	13	6 1/4	4221	13	10 3/16	4321	14	2 1/8	4421	14	6 1/16	4521	14	9 63/64	4621	15	1 59/64	4721	15	5 55/64
4022	13	2 11/32	4122	13	6 9/32	4222	13	10 7/32	4322	14	2 5/32	4422	14	6 3/32	4522	14	10 1/32	4622	15	1 31/32	4722	15	5 29/32
4023	13	2 25/64	4123	13	6 21/64	4223	13	10 17/64	4323	14	2 13/64	4423	14	6 9/64	4523	14	10 5/64	4623	15	2 1/64	4723	15	5 15/16
4024	13	2 27/64	4124	13	6 23/64	4224	13	10 19/64	4324	14	2 15/64	4424	14	6 11/64	4524	14	10 7/64	4624	15	2 3/64	4724	15	5 63/64
4025	13	2 15/32	4125	13	6 13/32	4225	13	10 11/32	4325	14	2 9/32	4425	14	6 7/32	4525	14	10 5/32	4625	15	2 3/32	4725	15	6 1/32
4026	13	2 1/2	4126	13	6 7/16	4226	13	10 3/8	4326	14	2 5/16	4426	14	6 1/4	4526	14	10 3/16	4626	15	2 1/8	4726	15	6 1/16
4027	13	2 35/64	4127	13	6 31/64	4227	13	10 27/64	4327	14	2 23/64	4427	14	6 19/64	4527	14	10 15/64	4627	15	2 11/64	4727	15	6 7/64
4028	13	2 37/64	4128	13	6 33/64	4228	13	10 29/64	4328	14	2 25/64	4428	14	6 21/64	4528	14	10 17/64	4628	15	2 13/64	4728	15	6 9/64
4029	13	2 5/8	4129	13	6 9/16	4229	13	10 1/2	4329	14	2 7/16	4429	14	6 3/8	4529	14	10 5/16	4629	15	2 1/4	4729	15	6 3/16
4030	13	2 21/32	4130	13	6 19/32	4230	13	10 17/32	4330	14	2 15/32	4430	14	6 13/32	4530	14	10 11/32	4630	15	2 9/32	4730	15	6 7/32
4031	13	2 45/64	4131	13	6 41/64	4231	13	10 37/64	4331	14	2 33/64	4431	14	6 29/64	4531	14	10 25/64	4631	15	2 21/64	4731	15	6 17/64
4032	13	2 47/64	4132	13	6 43/64	4232	13	10 39/64	4332	14	2 35/64	4432	14	6 31/64	4532	14	10 27/64	4632	15	2 23/64	4732	15	6 19/64
4033	13	2 25/32	4133	13	6 23/32	4233	13	10 21/32	4333	14	2 19/32	4433	14	6 17/32	4533	14	10 15/32	4633	15	2 13/32	4733	15	6 11/32
4034	13	2 13/16	4134	13	6 3/4	4234	13	10 11/16	4334	14	2 5/8	4434	14	6 9/16	4534	14	10 1/2	4634	15	2 7/16	4734	15	6 3/8
4035	13	2 55/64	4135	13	6 51/64	4235	13	10 47/64	4335	14	2 43/64	4435	14	6 39/64	4535	14	10 35/64	4635	15	2 31/64	4735	15	6 27/64
4036	13	2 57/64	4136	13	6 53/64	4236	13	10 49/64	4336	14	2 45/64	4436	14	6 41/64	4536	14	10 37/64	4636	15	2 33/64	4736	15	6 29/64
4037	13	2 15/16	4137	13	6 7/8	4237	13	10 13/16	4337	14	2 3/4	4437	14	6 11/16	4537	14	10 5/8	4637	15	2 9/16	4737	15	6 1/2
4038	13	2 31/32	4138	13	6 29/32	4238	13	10 27/32	4338	14	2 25/32	4438	14	6 23/32	4538	14	10 21/32	4638	15	2 19/32	4738	15	6 17/32
4039	13	3 1/64	4139	13	6 61/64	4239	13	10 57/64	4339	14	2 53/64	4439	14	6 49/64	4539	14	10 45/64	4639	15	2 41/64	4739	15	6 37/64
4040	13	3 1/16	4140	13	6 63/64	4240	13	10 59/64	4340	14	2 55/64	4440	14	6 51/64	4540	14	10 47/64	4640	15	2 43/64	4740	15	6 39/64
4041	13	3 3/32	4141	13	7 1/32	4241	13	10 31/32	4341	14	2 29/32	4441	14	6 27/32	4541	14	10 25/32	4641	15	2 23/32	4741	15	6 21/32
4042	13	3 9/64	4142	13	7 5/64	4242	13	11 1/64	4342	14	2 15/16	4442	14	6 7/8	4542	14	10 13/16	4642	15	2 3/4	4742	15	6 11/16
4043	13	3 11/64	4143	13	7 7/64	4243	13	11 3/64	4343	14	2 63/64	4443	14	6 59/64	4543	14	10 55/64	4643	15	2 51/64	4743	15	6 47/64
4044	13	3 7/32	4144	13	7 5/32	4244	13	11 3/32	4344	14	3 1/32	4444	14	6 61/64	4544	14	10 57/64	4644	15	2 53/64	4744	15	6 49/64
4045	13	3 1/4	4145	13	7 3/16	4245	13	11 1/8	4345	14	3 1/16	4445	14	7	4545	14	10 15/16	4645	15	2 7/8	4745	15	6 13/16
4046	13	3 19/64	4146	13	7 15/64	4246	13	11 11/64	4346	14	3 7/64	4446	14	7 3/64	4546	14	10 31/32	4646	15	2 29/32	4746	15	6 27/32
4047	13	3 21/64	4147	13	7 17/64	4247	13	11 13/64	4347	14	3 9/64	4447	14	7 5/64	4547	14	11 1/64	4647	15	2 61/64	4747	15	6 57/64
4048	13	3 3/8	4148	13	7 5/16	4248	13	11 1/4	4348	14	3 3/16	4448	14	7 1/8	4548	14	11 1/16	4648	15	2 63/64	4748	15	6 59/64
4049	13	3 13/32	4149	13	7 11/32	4249	13	11 9/32	4349	14	3 7/32	4449	14	7 5/32	4549	14	11 3/32	4649	15	3 1/32	4749	15	6 31/32
4050	13	3 29/64	4150	13	7 25/64	4250	13	11 21/64	4350	14	3 17/64	4450	14	7 13/64	4550	14	11 9/64	4650	15	3 5/64	4750	15	7 1/64
4051	13	3 31/64	4151	13	7 27/64	4251	13	11 23/64	4351	14	3 19/64	4451	14	7 15/64	4551	14	11 11/64	4651	15	3 7/64	4751	15	7 3/64
4052	13	3 17/32	4152	13	7 15/32	4252	13	11 13/32	4352	14	3 11/32	4452	14	7 9/32	4552	14	11 7/32	4652	15	3 5/32	4752	15	7 3/32
4053	13	3 9/16	4153	13	7 1/2	4253	13	11 7/16	4353	14	3 3/8	4453	14	7 5/16	4553	14	11 1/4	4653	15	3 3/16	4753	15	7 1/8
4054	13	3 39/64	4154	13	7 35/64	4254	13	11 31/64	4354	14	3 27/64	4454	14	7 23/64	4554	14	11 19/64	4654	15	3 15/64	4754	15	7 11/64
4055	13	3 41/64	4155	13	7 37/64	4255	13	11 33/64	4355	14	3 29/64	4455	14	7 25/64	4555	14	11 21/64	4655	15	3 17/64	4755	15	7 13/64
4056	13	3 11/16	4156	13	7 5/8	4256	13	11 9/16	4356	14	3 1/2	4456	14	7 7/16	4556	14	11 3/8	4656	15	3 5/16	4756	15	7 1/4
4057	13	3 23/32	4157	13	7 21/32	4257	13	11 19/32	4357	14	3 17/32	4457	14	7 15/32	4557	14	11 13/32	4657	15	3 11/32	4757	15	7 9/32
4058	13	3 49/64	4158	13	7 45/64	4258	13	11 41/64	4358	14	3 37/64	4458	14	7 33/64	4558	14	11 29/64	4658	15	3 25/64	4758	15	7 21/64
4059	13	3 51/64	4159	13	7 47/64	4259	13	11 43/64	4359	14	3 39/64	4459	14	7 35/64	4559	14	11 31/64	4659	15	3 27/64	4759	15	7 23/64
4060	13	3 27/32	4160	13	7 25/32	4260	13	11 23/32	4360	14	3 21/32	4460	14	7 19/32	4560	14	11 17/32	4660	15	3 15/32	4760	15	7 13/32
4061	13	3 7/8	4161	13	7 13/16	4261	13	11 3/4	4361	14	3 11/16	4461	14	7 5/8	4561	14	11 9/16	4661	15	3 1/2	4761	15	7 7/16
4062	13	3 59/64	4162	13	7 55/64	4262	13	11 51/64	4362	14	3 47/64	4462	14	7 43/64	4562	14	11 39/64	4662	15	3 35/64	4762	15	7 31/64
4063	13	3 61/64	4163	13	7 57/64	4263	13	11 53/64	4363	14	3 49/64	4463	14	7 45/64	4563	14	11 41/64	4663	15	3 37/64	4763	15	7 33/64
4064	13	4	4164	13	7 15/16	4264	13	11 7/8	4364	14	3 13/16	4464	14	7 3/4	4564	14	11 11/16	4664	15	3 5/8	4764	15	7 9/16
4065	13	4 3/64	4165	13	7 31/32	4265	13	11 29/32	4365	14	3 27/32	4465	14	7 25/32	4565	14	11 23/32	4665	15	3 21/32	4765	15	7 19/32
4066	13	4 5/64	4166	13	8 1/64	4266	13	11 61/64	4366	14	3 57/64	4466	14	7 53/64	4566	14	11 49/64	4666	15	3 45/64	4766	15	7 41/64
4067	13	4 1/8	4167	13	8 1/16	4267	13	11 63/64	4367	14	3 59/64	4467	14	7 55/64	4567	14	11 51/64	4667	15	3 47/64	4767	15	7 43/64
4068	13	4 5/32	4168	13	8 3/32	4268	14	0 1/32	4368	14	3 31/32	4468	14	7 29/32	4568	14	11 27/32	4668	15	3 25/32	4768	15	7 23/32
4069	13	4 13/64	4169	13	8 9/64	4269	14	0 5/64	4369	14	4 1/64	4469	14	7 15/16	4569	14	11 7/8	4669	15	3 13/16	4769	15	7 3/4
4070	13	4 15/64	4170	13	8 11/64	4270	14	0 7/64	4370	14	4 3/64	4470	14	7 63/64	4570	14	11 59/64	4670	15	3 55/64	4770	15	7 51/64
4071	13	4 9/32	4171	13	8 7/32	4271	14	0 5/32	4371	14	4 3/32	4471	14	8 1/32	4571	14	11 61/64	4671	15	3 57/64	4771	15	7 53/64
4072	13	4 5/16	4172	13	8 1/4	4272	14	0 3/16	4372	14	4 1/8	4472	14	8 1/16	4572	15	0	4672	15	3 15/16	4772	15	7 7/8
4073	13	4 23/64	4173	13	8 19/64	4273	14	0 15/64	4373	14	4 11/64	4473	14	8 7/64	4573	15	0 3/64	4673	15	3 31/32	4773	15	7 29/32
4074	13	4 25/64	4174	13	8 21/64	4274	14	0 17/64	4374	14	4 13/64	4474	14	8 9/64	4574	15	0 5/64	4674	15	4 1/64	4774	15	7 61/64
4075	13	4 7/16	4175	13	8 3/8	4275	14	0 5/16	4375	14	4 1/4	4475	14	8 3/16	4575	15	0 1/8	4675	15	4 1/16	4775	15	7 63/64
4076	13	4 15/32	4176	13	8 13/32	4276	14	0 11/32	4376	14	4 9/32	4476	14	8 7/32	4576	15	0 5/32	4676	15	4 3/32	4776	15	8 1/32
4077	13	4 33/64	4177	13	8 29/64	4277	14	0 25/64	4377	14	4 21/64	4477	14	8 17/64	4577	15	0 13/64	4677	15	4 9/64	4777	15	8 5/64
4078	13	4 35/64	4178	13	8 31/64	4278	14	0 27/64	4378	14	4 23/64	4478	14	8 19/64	4578	15	0 15/64	4678	15	4 11/64	4778	15	8 7/64
4079	13	4 19/32	4179	13	8 17/32	4279	14	0 15/32	4379	14	4 13/32	4479	14	8 11/32	4579	15	0 9/32	4679	15	4 7/32	4779	15	8 5/32
4080	13	4 5/8	4180	13	8 9/16	4280	14	0 1/2	4380	14	4 7/16	4480	14	8 3/8	4580	15	0 5/16	4680	15	4 1/4	4780	15	8 3/16
4081	13	4 43/64	4181	13	8 39/64	4281	14	0 35/64	4381	14	4 31/64	4481	14	8 27/64	4581	15	0 23/64	4681	15	4 19/64	4781	15	8 15/64
4082	13	4 45/64	4182	13	8 41/64	4282	14	0 37/64	4382	14	4 33/64	4482	14	8 29/64	4582	15	0 25/64	4682	15	4 21/64	4782	15	8 17/64
4083	13	4 3/4	4183	13	8 11/16	4283	14	0 5/8	4383	14	4 9/16	4483	14	8 1/2	4583	15	0 7/16	4683	15	4 3/8	4783	15	8 5/16
4084	13	4 25/32	4184	13	8 23/32	4284	14	0 21/32	4384	14	4 19/32	4484	14	8 17/32	4584	15	0 15/32	4684	15	4 13/32	4784	15	8 11/32
4085	13	4 53/64	4185	13	8 49/64	4285	14	0 45/64	4385	14	4 41/64	4485	14	8 37/64	4585	15	0 33/64	4685	15	4 29/64	4785	15	8 25/64
4086	13	4 55/64	4186	13	8 51/64	4286	14	0 47/64	4386	14	4 43/64	4486	14	8 39/64	4586	15	0 35/64	4686	15	4 31/64	4786	15	8 27/64
4087	13	4 29/32	4187	13	8 27/32	4287	14	0 25/32	4387	14	4 23/32	4487	14	8 21/32	4587	15	0 19/32	4687	15	4 17/32	4787	15	8 15/32
4088	13	4 15/16	4188	13	8 7/8	4288	14	0 13/16	4388	14	4 3/4	4488	14	8 11/16	4588	15	0 5/8	4688	15	4 9/16	4788	15	8 1/2
4089	13	4 63/64	4189	13	8 59/64	4289	14	0 55/64	4389	14	4 51/64	4489	14	8 47/64	4589	15	0 43/64	4689	15	4 39/64	4789	15	8 35/64
4090	13	5 1/32	4190	13	8 61/64	4290	14	0 57/64	4390	14	4 53/64	4490	14	8 49/64	4590	15	0 45/64	4690	15	4 41/64	4790	15	8 37/64
4091	13	5 1/16	4191	13	9	4291	14	0 15/16	4391	14	4 7/8	4491	14	8 13/16	4591	15	0 3/4	4691	15	4 11/16	4791	15	8 5/8
4092	13	5 7/64	4192	13	9 3/64	4292	14	0 31/32	4392	14	4 29/32	4492	14	8 27/32	4592	15	0 25/32	4692	15	4 23/32	4792	15	8 21/32
4093	13	5 9/64	4193	13	9 5/64	4293	14	1 1/64	4393	14	4 61/64	4493	14	8 57/64	4593	15	0 53/64	4693	15	4 49/64	4793	15	8 45/64
4094	13	5 3/16	4194	13	9 1/8	4294	14	1 1/16	4394	14	4 63/64	4494	14	8 59/64	4594	15	0 55/64	4694	15	4 51/64	4794	15	8 47/64
4095	13	5 7/32	4195	13	9 5/32	4295	14	1 3/32	4395	14	5 1/32	4495	14	8 31/32	4595	15	0 29/32	4695	15	4 27/32	4795	15	8 25/32
4096	13	5 17/64	4196	13	9 13/64	4296	14	1 9/64	4396	14	5 5/64	4496	14	9 1/64	4596	15	0 15/16	4696	15	4 7/8	4796	15	8 13/16
4097	13	5 19/64	4197	13	9 15/64	4297	14	1 11/64	4397	14	5 7/64	4497	14	9 3/64	4597	15	0 63/64	4697	15	4 59/64	4797	15	8 55/64
4098	13	5 11/32	4198	13	9 9/32	4298	14	1 7/32	4398	14	5 5/32	4498	14	9 3/32	4598	15	1 1/32	4698	15	4 61/64	4798	15	8 57/64
4099	13	5 3/8	4199	13	9 5/16	4299	14	1 1/4	4399	14	5 3/16	4499	14	9 1/8	4599	15	1 1/16	4699	15	5	4799	15	8 15/16
4100	13	5 27/64	4200	13	9 23/64	4300	14	1 19/64	4400	14	5 15/64	4500	14	9 11/64	4600	15	1 7/64	4700	15	5 3/64	4800	15	8 31/32

밀리미터와 피트, 그리고 인치사이의 환산 값 〔1/64in에 가장 근사 값〕

표 M-4

4801 mm 에서 5600 mm — **15 ft, 9-1/64 in. 에서 18 ft, 4-15/32 in.**

mm	ft,	in.
4801	15	9 1/64
4802	15	9 1/16
4803	15	9 3/32
4804	15	9 9/64
4805	15	9 11/64
4806	15	9 7/32
4807	15	9 1/4
4808	15	9 19/64
4809	15	9 21/64
4810	15	9 3/8
4811	15	9 13/32
4812	15	9 29/64
4813	15	9 31/64
4814	15	9 17/32
4815	15	9 9/16
4816	15	9 39/64
4817	15	9 41/64
4818	15	9 11/16
4819	15	9 23/32
4820	15	9 49/64
4821	15	9 51/64
4822	15	9 27/32
4823	15	9 7/8
4824	15	9 59/64
4825	15	9 61/64
4826	15	10
4827	15	10 3/64
4828	15	10 5/64
4829	15	10 1/8
4830	15	10 5/32
4831	15	10 13/64
4832	15	10 15/64
4833	15	10 9/32
4834	15	10 5/16
4835	15	10 23/64
4836	15	10 25/64
4837	15	10 7/16
4838	15	10 15/32
4839	15	10 33/64
4840	15	10 35/64
4841	15	10 19/32
4842	15	10 5/8
4843	15	10 43/64
4844	15	10 45/64
4845	15	10 3/4
4846	15	10 25/32
4847	15	10 53/64
4848	15	10 55/64
4849	15	10 29/32
4850	15	10 15/16
4851	15	10 63/64
4852	15	11 1/32
4853	15	11 1/16
4854	15	11 7/64
4855	15	11 9/64
4856	15	11 3/16
4857	15	11 7/32
4858	15	11 17/64
4859	15	11 19/64
4860	15	11 11/32
4861	15	11 3/8
4862	15	11 27/64
4863	15	11 29/64
4864	15	11 1/2
4865	15	11 17/32
4866	15	11 37/64
4867	15	11 39/64
4868	15	11 21/32
4869	15	11 11/16
4870	15	11 47/64
4871	15	11 49/64
4872	15	11 13/16
4873	15	11 27/32
4874	15	11 57/64
4875	15	11 59/64
4876	15	11 31/32
4877	16	0 1/64
4878	16	0 3/64
4879	16	0 3/32
4880	16	0 1/8
4881	16	0 11/64
4882	16	0 13/64
4883	16	0 1/4
4884	16	0 9/32
4885	16	0 21/64
4886	16	0 23/64
4887	16	0 13/32
4888	16	0 7/16
4889	16	0 31/64
4890	16	0 33/64
4891	16	0 9/16
4892	16	0 19/32
4893	16	0 41/64
4894	16	0 43/64
4895	16	0 23/32
4896	16	0 3/4
4897	16	0 51/64
4898	16	0 53/64
4899	16	0 7/8
4900	16	0 29/32
4901	16	0 61/64
4902	16	0 63/64
4903	16	1 1/32
4904	16	1 5/64
4905	16	1 7/64
4906	16	1 5/32
4907	16	1 3/16
4908	16	1 15/64
4909	16	1 17/64
4910	16	1 5/16
4911	16	1 11/32
4912	16	1 25/64
4913	16	1 27/64
4914	16	1 15/32
4915	16	1 1/2
4916	16	1 35/64
4917	16	1 37/64
4918	16	1 5/8
4919	16	1 21/32
4920	16	1 45/64
4921	16	1 47/64
4922	16	1 25/32
4923	16	1 13/16
4924	16	1 55/64
4925	16	1 57/64
4926	16	1 15/16
4927	16	1 31/32
4928	16	2 1/64
4929	16	2 1/16
4930	16	2 3/32
4931	16	2 9/64
4932	16	2 11/64
4933	16	2 7/32
4934	16	2 1/4
4935	16	2 19/64
4936	16	2 21/64
4937	16	2 3/8
4938	16	2 13/32
4939	16	2 29/64
4940	16	2 31/64
4941	16	2 17/32
4942	16	2 9/16
4943	16	2 39/64
4944	16	2 41/64
4945	16	2 11/16
4946	16	2 23/32
4947	16	2 49/64
4948	16	2 51/64
4949	16	2 27/32
4950	16	2 7/8
4951	16	2 59/64
4952	16	2 61/64
4953	16	3
4954	16	3 3/64
4955	16	3 5/64
4956	16	3 1/8
4957	16	3 5/32
4958	16	3 13/64
4959	16	3 15/64
4960	16	3 9/32
4961	16	3 5/16
4962	16	3 23/64
4963	16	3 25/64
4964	16	3 7/16
4965	16	3 15/32
4966	16	3 33/64
4967	16	3 35/64
4968	16	3 19/32
4969	16	3 5/8
4970	16	3 43/64
4971	16	3 45/64
4972	16	3 3/4
4973	16	3 25/32
4974	16	3 53/64
4975	16	3 55/64
4976	16	3 29/32
4977	16	3 15/16
4978	16	3 63/64
4979	16	4 1/32
4980	16	4 1/16
4981	16	4 7/64
4982	16	4 9/64
4983	16	4 3/16
4984	16	4 7/32
4985	16	4 17/64
4986	16	4 19/64
4987	16	4 11/32
4988	16	4 3/8
4989	16	4 27/64
4990	16	4 29/64
4991	16	4 1/2
4992	16	4 17/32
4993	16	4 37/64
4994	16	4 39/64
4995	16	4 21/32
4996	16	4 11/16
4997	16	4 47/64
4998	16	4 49/64
4999	16	4 13/16
5000	16	4 27/32
5001	16	4 57/64
5002	16	4 59/64
5003	16	4 31/32
5004	16	5 1/64
5005	16	5 3/64
5006	16	5 3/32
5007	16	5 1/8
5008	16	5 11/64
5009	16	5 13/64
5010	16	5 1/4
5011	16	5 9/32
5012	16	5 21/64
5013	16	5 23/64
5014	16	5 13/32
5015	16	5 7/16
5016	16	5 31/64
5017	16	5 33/64
5018	16	5 9/16
5019	16	5 19/32
5020	16	5 41/64
5021	16	5 43/64
5022	16	5 23/32
5023	16	5 3/4
5024	16	5 51/64
5025	16	5 53/64
5026	16	5 7/8
5027	16	5 29/32
5028	16	5 61/64
5029	16	5 63/64
5030	16	6 1/32
5031	16	6 5/64
5032	16	6 7/64
5033	16	6 5/32
5034	16	6 3/16
5035	16	6 15/64
5036	16	6 17/64
5037	16	6 5/16
5038	16	6 11/32
5039	16	6 25/64
5040	16	6 27/64
5041	16	6 15/32
5042	16	6 1/2
5043	16	6 35/64
5044	16	6 37/64
5045	16	6 5/8
5046	16	6 21/32
5047	16	6 45/64
5048	16	6 47/64
5049	16	6 25/32
5050	16	6 13/16
5051	16	6 55/64
5052	16	6 57/64
5053	16	6 15/16
5054	16	6 31/32
5055	16	7 1/64
5056	16	7 1/16
5057	16	7 3/32
5058	16	7 9/64
5059	16	7 11/64
5060	16	7 7/32
5061	16	7 1/4
5062	16	7 19/64
5063	16	7 21/64
5064	16	7 3/8
5065	16	7 13/32
5066	16	7 29/64
5067	16	7 31/64
5068	16	7 17/32
5069	16	7 9/16
5070	16	7 39/64
5071	16	7 41/64
5072	16	7 11/16
5073	16	7 23/32
5074	16	7 49/64
5075	16	7 51/64
5076	16	7 27/32
5077	16	7 7/8
5078	16	7 59/64
5079	16	7 61/64
5080	16	8
5081	16	8 3/64
5082	16	8 5/64
5083	16	8 1/8
5084	16	8 5/32
5085	16	8 13/64
5086	16	8 15/64
5087	16	8 9/32
5088	16	8 5/16
5089	16	8 23/64
5090	16	8 25/64
5091	16	8 7/16
5092	16	8 15/32
5093	16	8 33/64
5094	16	8 35/64
5095	16	8 19/32
5096	16	8 5/8
5097	16	8 43/64
5098	16	8 45/64
5099	16	8 3/4
5100	16	8 25/32
5101	16	8 53/64
5102	16	8 55/64
5103	16	8 29/32
5104	16	8 15/16
5105	16	8 63/64
5106	16	9 1/32
5107	16	9 1/16
5108	16	9 7/64
5109	16	9 9/64
5110	16	9 3/16
5111	16	9 7/32
5112	16	9 17/64
5113	16	9 19/64
5114	16	9 11/32
5115	16	9 3/8
5116	16	9 27/64
5117	16	9 29/64
5118	16	9 1/2
5119	16	9 17/32
5120	16	9 37/64
5121	16	9 39/64
5122	16	9 21/32
5123	16	9 11/16
5124	16	9 47/64
5125	16	9 49/64
5126	16	9 13/16
5127	16	9 27/32
5128	16	9 57/64
5129	16	9 59/64
5130	16	9 31/32
5131	16	10 1/64
5132	16	10 3/64
5133	16	10 3/32
5134	16	10 1/8
5135	16	10 11/64
5136	16	10 13/64
5137	16	10 1/4
5138	16	10 9/32
5139	16	10 21/64
5140	16	10 23/64
5141	16	10 13/32
5142	16	10 7/16
5143	16	10 31/64
5144	16	10 33/64
5145	16	10 9/16
5146	16	10 19/32
5147	16	10 41/64
5148	16	10 43/64
5149	16	10 23/32
5150	16	10 3/4
5151	16	10 51/64
5152	16	10 53/64
5153	16	10 7/8
5154	16	10 29/32
5155	16	10 61/64
5156	16	10 63/64
5157	16	11 1/32
5158	16	11 5/64
5159	16	11 7/64
5160	16	11 5/32
5161	16	11 3/16
5162	16	11 15/64
5163	16	11 17/64
5164	16	11 5/16
5165	16	11 11/32
5166	16	11 25/64
5167	16	11 27/64
5168	16	11 15/32
5169	16	11 1/2
5170	16	11 35/64
5171	16	11 37/64
5172	16	11 5/8
5173	16	11 21/32
5174	16	11 45/64
5175	16	11 47/64
5176	16	11 25/32
5177	16	11 13/16
5178	16	11 55/64
5179	16	11 57/64
5180	16	11 15/16
5181	16	11 31/32
5182	17	0 1/64
5183	17	0 1/16
5184	17	0 3/32
5185	17	0 9/64
5186	17	0 11/64
5187	17	0 7/32
5188	17	0 1/4
5189	17	0 19/64
5190	17	0 21/64
5191	17	0 3/8
5192	17	0 13/32
5193	17	0 29/64
5194	17	0 31/64
5195	17	0 17/32
5196	17	0 9/16
5197	17	0 39/64
5198	17	0 41/64
5199	17	0 11/16
5200	17	0 23/32
5201	17	0 49/64
5202	17	0 51/64
5203	17	0 27/32
5204	17	0 7/8
5205	17	0 59/64
5206	17	0 61/64
5207	17	1
5208	17	1 3/64
5209	17	1 5/64
5210	17	1 1/8
5211	17	1 5/32
5212	17	1 13/64
5213	17	1 15/64
5214	17	1 9/32
5215	17	1 5/16
5216	17	1 23/64
5217	17	1 25/64
5218	17	1 7/16
5219	17	1 15/32
5220	17	1 33/64
5221	17	1 35/64
5222	17	1 19/32
5223	17	1 5/8
5224	17	1 43/64
5225	17	1 45/64
5226	17	1 3/4
5227	17	1 25/32
5228	17	1 53/64
5229	17	1 55/64
5230	17	1 29/32
5231	17	1 15/16
5232	17	1 63/64
5233	17	2 1/32
5234	17	2 1/16
5235	17	2 7/64
5236	17	2 9/64
5237	17	2 3/16
5238	17	2 7/32
5239	17	2 17/64
5240	17	2 19/64
5241	17	2 11/32
5242	17	2 3/8
5243	17	2 27/64
5244	17	2 29/64
5245	17	2 1/2
5246	17	2 17/32
5247	17	2 37/64
5248	17	2 39/64
5249	17	2 21/32
5250	17	2 11/16
5251	17	2 47/64
5252	17	2 49/64
5253	17	2 13/16
5254	17	2 27/32
5255	17	2 57/64
5256	17	2 59/64
5257	17	2 31/32
5258	17	3 1/64
5259	17	3 3/64
5260	17	3 3/32
5261	17	3 1/8
5262	17	3 11/64
5263	17	3 13/64
5264	17	3 1/4
5265	17	3 9/32
5266	17	3 21/64
5267	17	3 23/64
5268	17	3 13/32
5269	17	3 7/16
5270	17	3 31/64
5271	17	3 33/64
5272	17	3 9/16
5273	17	3 19/32
5274	17	3 41/64
5275	17	3 43/64
5276	17	3 23/32
5277	17	3 3/4
5278	17	3 51/64
5279	17	3 53/64
5280	17	3 7/8
5281	17	3 29/32
5282	17	3 61/64
5283	17	3 63/64
5284	17	4 1/32
5285	17	4 5/64
5286	17	4 7/64
5287	17	4 5/32
5288	17	4 3/16
5289	17	4 15/64
5290	17	4 17/64
5291	17	4 5/16
5292	17	4 11/32
5293	17	4 25/64
5294	17	4 27/64
5295	17	4 15/32
5296	17	4 1/2
5297	17	4 35/64
5298	17	4 37/64
5299	17	4 5/8
5300	17	4 21/32
5301	17	4 45/64
5302	17	4 47/64
5303	17	4 25/32
5304	17	4 13/16
5305	17	4 55/64
5306	17	4 57/64
5307	17	4 15/16
5308	17	4 31/32
5309	17	5 1/64
5310	17	5 1/16
5311	17	5 3/32
5312	17	5 9/64
5313	17	5 11/64
5314	17	5 7/32
5315	17	5 1/4
5316	17	5 19/64
5317	17	5 21/64
5318	17	5 3/8
5319	17	5 13/32
5320	17	5 29/64
5321	17	5 31/64
5322	17	5 17/32
5323	17	5 9/16
5324	17	5 39/64
5325	17	5 41/64
5326	17	5 11/16
5327	17	5 23/32
5328	17	5 49/64
5329	17	5 51/64
5330	17	5 27/32
5331	17	5 7/8
5332	17	5 59/64
5333	17	5 61/64
5334	17	6
5335	17	6 3/64
5336	17	6 5/64
5337	17	6 1/8
5338	17	6 5/32
5339	17	6 13/64
5340	17	6 15/64
5341	17	6 9/32
5342	17	6 5/16
5343	17	6 23/64
5344	17	6 25/64
5345	17	6 7/16
5346	17	6 15/32
5347	17	6 33/64
5348	17	6 35/64
5349	17	6 19/32
5350	17	6 5/8
5351	17	6 43/64
5352	17	6 45/64
5353	17	6 3/4
5354	17	6 25/32
5355	17	6 53/64
5356	17	6 55/64
5357	17	6 29/32
5358	17	6 15/16
5359	17	6 63/64
5360	17	7 1/32
5361	17	7 1/16
5362	17	7 7/64
5363	17	7 9/64
5364	17	7 3/16
5365	17	7 7/32
5366	17	7 17/64
5367	17	7 19/64
5368	17	7 11/32
5369	17	7 3/8
5370	17	7 27/64
5371	17	7 29/64
5372	17	7 1/2
5373	17	7 17/32
5374	17	7 37/64
5375	17	7 39/64
5376	17	7 21/32
5377	17	7 11/16
5378	17	7 47/64
5379	17	7 49/64
5380	17	7 13/16
5381	17	7 27/32
5382	17	7 57/64
5383	17	7 59/64
5384	17	7 31/32
5385	17	8 1/64
5386	17	8 3/64
5387	17	8 3/32
5388	17	8 1/8
5389	17	8 11/64
5390	17	8 13/64
5391	17	8 1/4
5392	17	8 9/32
5393	17	8 21/64
5394	17	8 23/64
5395	17	8 13/32
5396	17	8 7/16
5397	17	8 31/64
5398	17	8 33/64
5399	17	8 9/16
5400	17	8 19/32
5401	17	8 41/64
5402	17	8 43/64
5403	17	8 23/32
5404	17	8 3/4
5405	17	8 51/64
5406	17	8 53/64
5407	17	8 7/8
5408	17	8 29/32
5409	17	8 61/64
5410	17	8 63/64
5411	17	9 1/32
5412	17	9 5/64
5413	17	9 7/64
5414	17	9 5/32
5415	17	9 3/16
5416	17	9 15/64
5417	17	9 17/64
5418	17	9 5/16
5419	17	9 11/32
5420	17	9 25/64
5421	17	9 27/64
5422	17	9 15/32
5423	17	9 1/2
5424	17	9 35/64
5425	17	9 37/64
5426	17	9 5/8
5427	17	9 21/32
5428	17	9 45/64
5429	17	9 47/64
5430	17	9 25/32
5431	17	9 13/16
5432	17	9 55/64
5433	17	9 57/64
5434	17	9 15/16
5435	17	9 31/32
5436	17	10 1/64
5437	17	10 1/16
5438	17	10 3/32
5439	17	10 9/64
5440	17	10 11/64
5441	17	10 7/32
5442	17	10 1/4
5443	17	10 19/64
5444	17	10 21/64
5445	17	10 3/8
5446	17	10 13/32
5447	17	10 29/64
5448	17	10 31/64
5449	17	10 17/32
5450	17	10 9/16
5451	17	10 39/64
5452	17	10 41/64
5453	17	10 11/16
5454	17	10 23/32
5455	17	10 49/64
5456	17	10 51/64
5457	17	10 27/32
5458	17	10 7/8
5459	17	10 59/64
5460	17	10 51/64
5461	17	11
5462	17	11 3/64
5463	17	11 5/64
5464	17	11 1/8
5465	17	11 5/32
5466	17	11 13/64
5467	17	11 15/64
5468	17	11 9/32
5469	17	11 5/16
5470	17	11 23/64
5471	17	11 25/64
5472	17	11 7/16
5473	17	11 15/32
5474	17	11 33/64
5475	17	11 35/64
5476	17	11 19/32
5477	17	11 5/8
5478	17	11 43/64
5479	17	11 45/64
5480	17	11 3/4
5481	17	11 25/32
5482	17	11 53/64
5483	17	11 55/64
5484	17	11 29/32
5485	17	11 15/16
5486	17	11 63/64
5487	18	0 1/32
5488	18	0 1/16
5489	18	0 7/64
5490	18	0 9/64
5491	18	0 3/16
5492	18	0 7/32
5493	18	0 17/64
5494	18	0 19/64
5495	18	0 11/32
5496	18	0 3/8
5497	18	0 27/64
5498	18	0 29/64
5499	18	0 1/2
5500	18	0 17/32
5501	18	0 37/64
5502	18	0 39/64
5503	18	0 21/32
5504	18	0 11/16
5505	18	0 47/64
5506	18	0 49/64
5507	18	0 13/16
5508	18	0 27/32
5509	18	0 57/64
5510	18	0 59/64
5511	18	0 31/32
5512	18	1 1/64
5513	18	1 3/64
5514	18	1 3/32
5515	18	1 1/8
5516	18	1 11/64
5517	18	1 13/64
5518	18	1 1/4
5519	18	1 9/32
5520	18	1 21/64
5521	18	1 23/64
5522	18	1 13/32
5523	18	1 7/16
5524	18	1 31/64
5525	18	1 33/64
5526	18	1 9/16
5527	18	1 19/32
5528	18	1 41/64
5529	18	1 43/64
5530	18	1 23/32
5531	18	1 3/4
5532	18	1 51/64
5533	18	1 53/64
5534	18	1 7/8
5535	18	1 29/32
5536	18	1 61/64
5537	18	1 63/64
5538	18	2 1/32
5539	18	2 5/64
5540	18	2 7/64
5541	18	2 5/32
5542	18	2 3/16
5543	18	2 15/64
5544	18	2 17/64
5545	18	2 5/16
5546	18	2 11/32
5547	18	2 25/64
5548	18	2 27/64
5549	18	2 15/32
5550	18	2 1/2
5551	18	2 35/64
5552	18	2 37/64
5553	18	2 5/8
5554	18	2 21/32
5555	18	2 45/64
5556	18	2 47/64
5557	18	2 25/32
5558	18	2 13/16
5559	18	2 55/64
5560	18	2 57/64
5561	18	2 15/16
5562	18	2 31/32
5563	18	3 1/64
5564	18	3 1/16
5565	18	3 3/32
5566	18	3 9/64
5567	18	3 11/64
5568	18	3 7/32
5569	18	3 1/4
5570	18	3 19/64
5571	18	3 21/64
5572	18	3 3/8
5573	18	3 13/32
5574	18	3 29/64
5575	18	3 31/64
5576	18	3 17/32
5577	18	3 9/16
5578	18	3 39/64
5579	18	3 41/64
5580	18	3 11/16
5581	18	3 23/32
5582	18	3 49/64
5583	18	3 51/64
5584	18	3 27/32
5585	18	3 7/8
5586	18	3 59/64
5587	18	3 61/64
5588	18	4
5589	18	4 3/64
5590	18	4 5/64
5591	18	4 1/8
5592	18	4 5/32
5593	18	4 13/64
5594	18	4 15/64
5595	18	4 9/32
5596	18	4 5/16
5597	18	4 23/64
5598	18	4 25/64
5599	18	4 7/16
5600	18	4 15/32

밀리미터와 피트, 그리고 인치사이의 환산 값 〔1/64in에 가장 근사 값〕

표 M-4

5601 mm 에서 6400 mm — 18 ft, 4-33/64 in. 에서 20 ft, 11-31/32 in.

mm	ft,	in.	mm	ft,	in.	mm	ft,	in.	mm	ft,	in.	mm	ft,	in.	mm	ft,	in.	mm	ft,	in.	mm	ft,	in.
5601	18	4 33/64	5701	18	8 29/64	5801	19	0 25/64	5901	19	4 21/64	6001	19	8 17/64	6101	20	0 13/64	6201	20	4 9/64	6301	20	8 5/64
5602	18	4 35/64	5702	18	8 31/64	5802	19	0 27/64	5902	19	4 23/64	6002	19	8 19/64	6102	20	0 15/64	6202	20	4 11/64	6302	20	8 7/64
5603	18	4 19/32	5703	18	8 17/32	5803	19	0 15/32	5903	19	4 13/32	6003	19	8 11/32	6103	20	0 9/32	6203	20	4 7/32	6303	20	8 5/32
5604	18	4 5/8	5704	18	8 9/16	5804	19	0 1/2	5904	19	4 7/16	6004	19	8 3/8	6104	20	0 5/16	6204	20	4 1/4	6304	20	8 3/16
5605	18	4 43/64	5705	18	8 39/64	5805	19	0 35/64	5905	19	4 31/64	6005	19	8 27/64	6105	20	0 23/64	6205	20	4 19/64	6305	20	8 15/64
5606	18	4 45/64	5706	18	8 41/64	5806	19	0 37/64	5906	19	4 33/64	6006	19	8 29/64	6106	20	0 25/64	6206	20	4 21/64	6306	20	8 17/64
5607	18	4 3/4	5707	18	8 11/16	5807	19	0 5/8	5907	19	4 9/16	6007	19	8 1/2	6107	20	0 7/16	6207	20	4 3/8	6307	20	8 5/16
5608	18	4 25/32	5708	18	8 23/32	5808	19	0 21/32	5908	19	4 19/32	6008	19	8 17/32	6108	20	0 15/32	6208	20	4 13/32	6308	20	8 11/32
5609	18	4 53/64	5709	18	8 49/64	5809	19	0 45/64	5909	19	4 41/64	6009	19	8 37/64	6109	20	0 33/64	6209	20	4 29/64	6309	20	8 25/64
5610	18	4 55/64	5710	18	8 51/64	5810	19	0 47/64	5910	19	4 43/64	6010	19	8 39/64	6110	20	0 35/64	6210	20	4 31/64	6310	20	8 27/64
5611	18	4 29/32	5711	18	8 27/32	5811	19	0 25/32	5911	19	4 23/32	6011	19	8 21/32	6111	20	0 19/32	6211	20	4 17/32	6311	20	8 15/32
5612	18	4 15/16	5712	18	8 7/8	5812	19	0 13/16	5912	19	4 3/4	6012	19	8 11/16	6112	20	0 5/8	6212	20	4 9/16	6312	20	8 1/2
5613	18	4 63/64	5713	18	8 59/64	5813	19	0 55/64	5913	19	4 51/64	6013	19	8 47/64	6113	20	0 43/64	6213	20	4 39/64	6313	20	8 35/64
5614	18	5 1/32	5714	18	8 61/64	5814	19	0 57/64	5914	19	4 53/64	6014	19	8 49/64	6114	20	0 45/64	6214	20	4 41/64	6314	20	8 37/64
5615	18	5 1/16	5715	18	9	5815	19	0 15/16	5915	19	4 7/8	6015	19	8 13/16	6115	20	0 3/4	6215	20	4 11/16	6315	20	8 5/8
5616	18	5 7/64	5716	18	9 3/64	5816	19	0 31/32	5916	19	4 29/32	6016	19	8 27/32	6116	20	0 25/32	6216	20	4 23/32	6316	20	8 21/32
5617	18	5 9/64	5717	18	9 5/64	5817	19	1 1/64	5917	19	4 61/64	6017	19	8 57/64	6117	20	0 53/64	6217	20	4 49/64	6317	20	8 45/64
5618	18	5 3/16	5718	18	9 1/8	5818	19	1 1/16	5918	19	4 63/64	6018	19	8 59/64	6118	20	0 55/64	6218	20	4 51/64	6318	20	8 47/64
5619	18	5 7/32	5719	18	9 5/32	5819	19	1 3/32	5919	19	5 1/32	6019	19	8 31/32	6119	20	0 29/32	6219	20	4 27/32	6319	20	8 25/32
5620	18	5 17/64	5720	18	9 13/64	5820	19	1 9/64	5920	19	5 5/64	6020	19	9 1/64	6120	20	0 15/16	6220	20	4 7/8	6320	20	8 13/16
5621	18	5 19/64	5721	18	9 15/64	5821	19	1 11/64	5921	19	5 7/64	6021	19	9 3/64	6121	20	0 63/64	6221	20	4 59/64	6321	20	8 55/64
5622	18	5 11/32	5722	18	9 9/32	5822	19	1 7/32	5922	19	5 5/32	6022	19	9 3/32	6122	20	1 1/32	6222	20	4 61/64	6322	20	8 57/64
5623	18	5 3/8	5723	18	9 5/16	5823	19	1 1/4	5923	19	5 3/16	6023	19	9 1/8	6123	20	1 1/16	6223	20	5	6323	20	8 15/16
5624	18	5 27/64	5724	18	9 23/64	5824	19	1 19/64	5924	19	5 15/64	6024	19	9 11/64	6124	20	1 7/64	6224	20	5 3/64	6324	20	8 31/32
5625	18	5 29/64	5725	18	9 25/64	5825	19	1 21/64	5925	19	5 17/64	6025	19	9 13/64	6125	20	1 9/64	6225	20	5 5/64	6325	20	9 1/64
5626	18	5 1/2	5726	18	9 7/16	5826	19	1 3/8	5926	19	5 5/16	6026	19	9 1/4	6126	20	1 3/16	6226	20	5 1/8	6326	20	9 1/16
5627	18	5 17/32	5727	18	9 15/32	5827	19	1 13/32	5927	19	5 11/32	6027	19	9 9/32	6127	20	1 7/32	6227	20	5 5/32	6327	20	9 3/32
5628	18	5 37/64	5728	18	9 33/64	5828	19	1 29/64	5928	19	5 25/64	6028	19	9 21/64	6128	20	1 17/64	6228	20	5 13/64	6328	20	9 9/64
5629	18	5 39/64	5729	18	9 35/64	5829	19	1 31/64	5929	19	5 27/64	6029	19	9 23/64	6129	20	1 19/64	6229	20	5 15/64	6329	20	9 11/64
5630	18	5 21/32	5730	18	9 19/32	5830	19	1 17/32	5930	19	5 15/32	6030	19	9 13/32	6130	20	1 11/32	6230	20	5 9/32	6330	20	9 7/32
5631	18	5 11/16	5731	18	9 5/8	5831	19	1 9/16	5931	19	5 1/2	6031	19	9 7/16	6131	20	1 3/8	6231	20	5 5/16	6331	20	9 1/4
5632	18	5 47/64	5732	18	9 43/64	5832	19	1 39/64	5932	19	5 35/64	6032	19	9 31/64	6132	20	1 27/64	6232	20	5 23/64	6332	20	9 19/64
5633	18	5 49/64	5733	18	9 45/64	5833	19	1 41/64	5933	19	5 37/64	6033	19	9 33/64	6133	20	1 29/64	6233	20	5 25/64	6333	20	9 21/64
5634	18	5 13/16	5734	18	9 3/4	5834	19	1 11/16	5934	19	5 5/8	6034	19	9 9/16	6134	20	1 1/2	6234	20	5 7/16	6334	20	9 3/8
5635	18	5 27/32	5735	18	9 25/32	5835	19	1 23/32	5935	19	5 21/32	6035	19	9 19/32	6135	20	1 17/32	6235	20	5 15/32	6335	20	9 13/32
5636	18	5 57/64	5736	18	9 53/64	5836	19	1 49/64	5936	19	5 45/64	6036	19	9 41/64	6136	20	1 37/64	6236	20	5 33/64	6336	20	9 29/64
5637	18	5 59/64	5737	18	9 55/64	5837	19	1 51/64	5937	19	5 47/64	6037	19	9 43/64	6137	20	1 39/64	6237	20	5 35/64	6337	20	9 31/64
5638	18	5 31/32	5738	18	9 29/32	5838	19	1 27/32	5938	19	5 25/32	6038	19	9 23/32	6138	20	1 21/32	6238	20	5 19/32	6338	20	9 17/32
5639	18	6 1/64	5739	18	9 15/16	5839	19	1 7/8	5939	19	5 13/16	6039	19	9 3/4	6139	20	1 11/16	6239	20	5 5/8	6339	20	9 9/16
5640	18	6 3/64	5740	18	9 63/64	5840	19	1 59/64	5940	19	5 55/64	6040	19	9 51/64	6140	20	1 47/64	6240	20	5 43/64	6340	20	9 39/64
5641	18	6 3/32	5741	18	10 1/32	5841	19	1 61/64	5941	19	5 57/64	6041	19	9 53/64	6141	20	1 49/64	6241	20	5 45/64	6341	20	9 41/64
5642	18	6 1/8	5742	18	10 1/16	5842	19	2	5942	19	5 15/16	6042	19	9 7/8	6142	20	1 13/16	6242	20	5 3/4	6342	20	9 11/16
5643	18	6 11/64	5743	18	10 7/64	5843	19	2 3/64	5943	19	5 31/32	6043	19	9 29/32	6143	20	1 27/32	6243	20	5 25/32	6343	20	9 23/32
5644	18	6 13/64	5744	18	10 9/64	5844	19	2 5/64	5944	19	6 1/64	6044	19	9 61/64	6144	20	1 57/64	6244	20	5 53/64	6344	20	9 49/64
5645	18	6 1/4	5745	18	10 3/16	5845	19	2 1/8	5945	19	6 1/16	6045	19	9 63/64	6145	20	1 59/64	6245	20	5 55/64	6345	20	9 51/64
5646	18	6 9/32	5746	18	10 7/32	5846	19	2 5/32	5946	19	6 3/32	6046	19	10 1/32	6146	20	1 31/32	6246	20	5 29/32	6346	20	9 27/32
5647	18	6 21/64	5747	18	10 17/64	5847	19	2 13/64	5947	19	6 9/64	6047	19	10 5/64	6147	20	2 1/64	6247	20	5 15/16	6347	20	9 7/8
5648	18	6 23/64	5748	18	10 19/64	5848	19	2 15/64	5948	19	6 11/64	6048	19	10 7/64	6148	20	2 3/64	6248	20	5 63/64	6348	20	9 59/64
5649	18	6 13/32	5749	18	10 11/32	5849	19	2 9/32	5949	19	6 7/32	6049	19	10 5/32	6149	20	2 3/32	6249	20	6 1/32	6349	20	9 61/64
5650	18	6 7/16	5750	18	10 3/8	5850	19	2 5/16	5950	19	6 1/4	6050	19	10 3/16	6150	20	2 1/8	6250	20	6 1/16	6350	20	10
5651	18	6 31/64	5751	18	10 27/64	5851	19	2 23/64	5951	19	6 19/64	6051	19	10 15/64	6151	20	2 11/64	6251	20	6 7/64	6351	20	10 3/64
5652	18	6 33/64	5752	18	10 29/64	5852	19	2 25/64	5952	19	6 21/64	6052	19	10 17/64	6152	20	2 13/64	6252	20	6 9/64	6352	20	10 5/64
5653	18	6 9/16	5753	18	10 1/2	5853	19	2 7/16	5953	19	6 3/8	6053	19	10 5/16	6153	20	2 1/4	6253	20	6 3/16	6353	20	10 1/8
5654	18	6 19/32	5754	18	10 17/32	5854	19	2 15/32	5954	19	6 13/32	6054	19	10 11/32	6154	20	2 9/32	6254	20	6 7/32	6354	20	10 5/32
5655	18	6 41/64	5755	18	10 37/64	5855	19	2 33/64	5955	19	6 29/64	6055	19	10 25/64	6155	20	2 21/64	6255	20	6 17/64	6355	20	10 13/64
5656	18	6 43/64	5756	18	10 39/64	5856	19	2 35/64	5956	19	6 31/64	6056	19	10 27/64	6156	20	2 23/64	6256	20	6 19/64	6356	20	10 15/64
5657	18	6 23/32	5757	18	10 21/32	5857	19	2 19/32	5957	19	6 17/32	6057	19	10 15/32	6157	20	2 13/32	6257	20	6 11/32	6357	20	10 9/32
5658	18	6 3/4	5758	18	10 11/16	5858	19	2 5/8	5958	19	6 9/16	6058	19	10 1/2	6158	20	2 7/16	6258	20	6 3/8	6358	20	10 5/16
5659	18	6 51/64	5759	18	10 47/64	5859	19	2 43/64	5959	19	6 39/64	6059	19	10 35/64	6159	20	2 31/64	6259	20	6 27/64	6359	20	10 23/64
5660	18	6 53/64	5760	18	10 49/64	5860	19	2 45/64	5960	19	6 41/64	6060	19	10 37/64	6160	20	2 33/64	6260	20	6 29/64	6360	20	10 25/64
5661	18	6 7/8	5761	18	10 13/16	5861	19	2 3/4	5961	19	6 11/16	6061	19	10 5/8	6161	20	2 9/16	6261	20	6 1/2	6361	20	10 7/16
5662	18	6 29/32	5762	18	10 27/32	5862	19	2 25/32	5962	19	6 23/32	6062	19	10 21/32	6162	20	2 19/32	6262	20	6 17/32	6362	20	10 15/32
5663	18	6 61/64	5763	18	10 57/64	5863	19	2 53/64	5963	19	6 49/64	6063	19	10 45/64	6163	20	2 41/64	6263	20	6 37/64	6363	20	10 33/64
5664	18	6 63/64	5764	18	10 59/64	5864	19	2 55/64	5964	19	6 51/64	6064	19	10 47/64	6164	20	2 43/64	6264	20	6 39/64	6364	20	10 35/64
5665	18	7 1/32	5765	18	10 31/32	5865	19	2 29/32	5965	19	6 27/32	6065	19	10 25/32	6165	20	2 23/32	6265	20	6 21/32	6365	20	10 19/32
5666	18	7 5/64	5766	18	11 1/64	5866	19	2 15/16	5966	19	6 7/8	6066	19	10 13/16	6166	20	2 3/4	6266	20	6 11/16	6366	20	10 5/8
5667	18	7 7/64	5767	18	11 3/64	5867	19	2 63/64	5967	19	6 59/64	6067	19	10 55/64	6167	20	2 51/64	6267	20	6 47/64	6367	20	10 43/64
5668	18	7 5/32	5768	18	11 3/32	5868	19	3 1/32	5968	19	6 61/64	6068	19	10 57/64	6168	20	2 53/64	6268	20	6 49/64	6368	20	10 45/64
5669	18	7 3/16	5769	18	11 1/8	5869	19	3 1/16	5969	19	7	6069	19	10 15/16	6169	20	2 7/8	6269	20	6 13/16	6369	20	10 3/4
5670	18	7 15/64	5770	18	11 11/64	5870	19	3 7/64	5970	19	7 3/64	6070	19	10 31/32	6170	20	2 29/32	6270	20	6 27/32	6370	20	10 25/32
5671	18	7 17/64	5771	18	11 13/64	5871	19	3 9/64	5971	19	7 5/64	6071	19	11 1/64	6171	20	2 61/64	6271	20	6 57/64	6371	20	10 53/64
5672	18	7 5/16	5772	18	11 1/4	5872	19	3 3/16	5972	19	7 1/8	6072	19	11 1/16	6172	20	2 63/64	6272	20	6 59/64	6372	20	10 55/64
5673	18	7 11/32	5773	18	11 9/32	5873	19	3 7/32	5973	19	7 5/32	6073	19	11 3/32	6173	20	3 1/32	6273	20	6 31/32	6373	20	10 29/32
5674	18	7 25/64	5774	18	11 21/64	5874	19	3 17/64	5974	19	7 13/64	6074	19	11 9/64	6174	20	3 5/64	6274	20	7 1/64	6374	20	10 15/16
5675	18	7 27/64	5775	18	11 23/64	5875	19	3 19/64	5975	19	7 15/64	6075	19	11 11/64	6175	20	3 7/64	6275	20	7 3/64	6375	20	10 63/64
5676	18	7 15/32	5776	18	11 13/32	5876	19	3 11/32	5976	19	7 9/32	6076	19	11 7/32	6176	20	3 5/32	6276	20	7 3/32	6376	20	11 1/32
5677	18	7 1/2	5777	18	11 7/16	5877	19	3 3/8	5977	19	7 5/16	6077	19	11 1/4	6177	20	3 3/16	6277	20	7 1/8	6377	20	11 1/16
5678	18	7 35/64	5778	18	11 31/64	5878	19	3 27/64	5978	19	7 23/64	6078	19	11 19/64	6178	20	3 15/64	6278	20	7 11/64	6378	20	11 7/64
5679	18	7 37/64	5779	18	11 33/64	5879	19	3 29/64	5979	19	7 25/64	6079	19	11 21/64	6179	20	3 17/64	6279	20	7 13/64	6379	20	11 9/64
5680	18	7 5/8	5780	18	11 9/16	5880	19	3 1/2	5980	19	7 7/16	6080	19	11 3/8	6180	20	3 5/16	6280	20	7 1/4	6380	20	11 3/16
5681	18	7 21/32	5781	18	11 19/32	5881	19	3 17/32	5981	19	7 15/32	6081	19	11 13/32	6181	20	3 11/32	6281	20	7 9/32	6381	20	11 7/32
5682	18	7 45/64	5782	18	11 41/64	5882	19	3 37/64	5982	19	7 33/64	6082	19	11 29/64	6182	20	3 25/64	6282	20	7 21/64	6382	20	11 17/64
5683	18	7 47/64	5783	18	11 43/64	5883	19	3 39/64	5983	19	7 35/64	6083	19	11 31/64	6183	20	3 27/64	6283	20	7 23/64	6383	20	11 19/64
5684	18	7 25/32	5784	18	11 23/32	5884	19	3 21/32	5984	19	7 19/32	6084	19	11 17/32	6184	20	3 15/32	6284	20	7 13/32	6384	20	11 11/32
5685	18	7 13/16	5785	18	11 3/4	5885	19	3 11/16	5985	19	7 5/8	6085	19	11 9/16	6185	20	3 1/2	6285	20	7 7/16	6385	20	11 3/8
5686	18	7 55/64	5786	18	11 51/64	5886	19	3 47/64	5986	19	7 43/64	6086	19	11 39/64	6186	20	3 35/64	6286	20	7 31/64	6386	20	11 27/64
5687	18	7 57/64	5787	18	11 53/64	5887	19	3 49/64	5987	19	7 45/64	6087	19	11 41/64	6187	20	3 37/64	6287	20	7 33/64	6387	20	11 29/64
5688	18	7 15/16	5788	18	11 7/8	5888	19	3 13/16	5988	19	7 3/4	6088	19	11 11/16	6188	20	3 5/8	6288	20	7 9/16	6388	20	11 1/2
5689	18	7 31/32	5789	18	11 29/32	5889	19	3 27/32	5989	19	7 25/32	6089	19	11 23/32	6189	20	3 21/32	6289	20	7 19/32	6389	20	11 17/32
5690	18	8 1/64	5790	18	11 61/64	5890	19	3 57/64	5990	19	7 53/64	6090	19	11 49/64	6190	20	3 45/64	6290	20	7 41/64	6390	20	11 37/64
5691	18	8 1/16	5791	18	11 63/64	5891	19	3 59/64	5991	19	7 55/64	6091	19	11 51/64	6191	20	3 47/64	6291	20	7 43/64	6391	20	11 39/64
5692	18	8 3/32	5792	19	0 1/32	5892	19	3 31/32	5992	19	7 29/32	6092	19	11 27/32	6192	20	3 25/32	6292	20	7 23/32	6392	20	11 21/32
5693	18	8 9/64	5793	19	0 5/64	5893	19	4 1/64	5993	19	7 15/16	6093	19	11 7/8	6193	20	3 13/16	6293	20	7 3/4	6393	20	11 11/16
5694	18	8 11/64	5794	19	0 7/64	5894	19	4 3/64	5994	19	7 63/64	6094	19	11 59/64	6194	20	3 55/64	6294	20	7 51/64	6394	20	11 47/64
5695	18	8 7/32	5795	19	0 5/32	5895	19	4 3/32	5995	19	8 1/32	6095	19	11 61/64	6195	20	3 57/64	6295	20	7 53/64	6395	20	11 49/64
5696	18	8 1/4	5796	19	0 3/16	5896	19	4 1/8	5996	19	8 1/16	6096	20	0	6196	20	3 15/16	6296	20	7 7/8	6396	20	11 13/16
5697	18	8 19/64	5797	19	0 15/64	5897	19	4 11/64	5997	19	8 7/64	6097	20	0 3/64	6197	20	3 31/32	6297	20	7 29/32	6397	20	11 27/32
5698	18	8 21/64	5798	19	0 17/64	5898	19	4 13/64	5998	19	8 9/64	6098	20	0 5/64	6198	20	4 1/64	6298	20	7 61/64	6398	20	11 57/64
5699	18	8 3/8	5799	19	0 5/16	5899	19	4 1/4	5999	19	8 3/16	6099	20	0 1/8	6199	20	4 1/16	6299	20	7 63/64	6399	20	11 59/64
5700	18	8 13/32	5800	19	0 11/32	5900	19	4 9/32	6000	19	8 7/32	6100	20	0 5/32	6200	20	4 3/32	6300	20	8 1/32	6400	20	11 31/32

1inch와 1feet의 소수값 표 M-5

1 inch 의비	소수 등가	1 feet 의 비	1 inch 의 비	소수 등가	1 feet 의 비	1 inch 의 비	소수 등가	1 feet 의 비	1 inch 의 비	소수 등가	1 feet 의 비
	.0052	1/16"		.2552	3 1/16"		.5052	6 1/16"		.7552	9 1/16"
	.0104	1/8		.2604	3 1/8		.5104	6 1/8		.7604	9 1/8
1/64	.015625	3/16	17/64	.265625	3 3/16	33/64	.515625	6 3/16	49/64	.765625	9 3/16
	.0208	1/4		.2708	3 1/4		.5208	6 1/4		.7708	9 1/4
	.0260	5/16		.2760	3 5/16		.5260	6 5/16		.7760	9 5/16
1/32	.03125	3/8	9/32	.28125	3 3/8	17/32	.53125	6 3/8	25/32	.78125	9 3/8
	.0365	7/16		.2865	3 7/16		.5365	6 7/16		.7865	9 7/16
	.0417	1/2		.2917	3 1/2		.5417	6 1/2		.7917	9 1/2
3/64	.046875	9/16	19/64	.296875	3 9/16	35/64	.546875	6 9/16	51/64	.796875	9 9/16
	.0521	5/8		.3021	3 5/8		.5521	6 5/8		.8021	9 5/8
	.0573	11/16		.3073	3 11/16		.5573	6 11/16		.8073	9 11/16
1/16	.0625	3/4	5/16	.3125	3 3/4	9/16	.5625	6 3/4	13/16	.8125	9 3/4
	.0677	13/16		.3177	3 13/16		.5677	6 13/16		.8177	9 13/16
	.0729	7/8		.3229	3 7/8		.5729	6 7/8		.8229	9 7/8
5/64	.078125	15/16	21/64	.328125	3 15/16	37/64	.578125	6 15/16	53/64	.828125	9 15/16
	.0833	1		.3333	4		.5833	7		.8333	10
	.0885	1 1/16		.3385	4 1/16		.5885	7 1/16		.8385	10 1/16
3/32	.09375	1 1/8	11/32	.34375	4 1/8	19/32	.59375	7 1/8	27/32	.84375	10 1/8
	.0990	1 3/16		.3490	4 3/16		.5990	7 3/16		.8490	10 3/16
	.1042	1 1/4		.3542	4 1/4		.6042	7 1/4		.8542	10 1/4
7/64	.109375	1 5/16	23/64	.359375	4 5/16	39/64	.609375	7 5/16	55/64	.859375	10 5/16
	.1146	1 3/8		.3646	4 3/8		.6146	7 3/8		.8646	10 3/8
	.1198	1 7/16		.3698	4 7/16		.6198	7 7/16		.8698	10 7/16
1/8	.1250	1 1/2	3/8	.3750	4 1/2	5/8	.6250	7 1/2	7/8	.8750	10 1/2
	.1302	1 9/16		.3802	4 9/16		.6302	7 9/16		.8802	10 9/16
	.1354	1 5/8		.3854	4 5/8		.6354	7 5/8		.8854	10 5/8
9/64	.140625	1 11/16	25/64	.390625	4 11/16	41/64	.640625	7 11/16	57/64	.890625	10 11/16
	.1458	1 3/4		.3958	4 3/4		.6458	7 3/4		.8958	10 3/4
	.1510	1 13/16		.4010	4 13/16		.6510	7 13/16		.9010	10 13/16
5/32	.15625	1 7/8	13/32	.40625	4 7/8	21/32	.65625	7 7/8	29/32	.90625	10 7/8
	.1615	1 15/16		.4115	4 15/16		.6615	7 15/16		.9115	10 15/16
	.1667	2		.4167	5		.6667	8		.9167	11
11/64	.171875	2 1/16	27/64	.421875	5 1/16	43/64	.671875	8 1/16	59/64	.921875	11 1/16
	.1771	2 1/8		.4271	5 1/8		.6771	8 1/8		.9271	11 1/8
	.1823	2 3/16		.4328	5 3/16		.6823	8 3/16		.9323	11 3/16
3/16	.1875	2 1/4	7/16	.4375	5 1/4	11/16	.6875	8 1/4	15/16	.9375	11 1/4
	.1927	2 5/16		.4427	5 5/16		.6927	8 5/16		.9427	11 5/16
	.1979	2 3/8		.4479	5 3/8		.6979	8 3/8		.9479	11 3/8
13/64	.203125	2 7/16	29/64	.453125	5 7/16	45/64	.703125	8 7/16	61/64	.953125	11 7/16
	.2083	2 1/2		.4583	5 1/2		.7083	8 1/2		.9583	11 1/2
	.2135	2 9/16		.4635	5 9/16		.7135	8 9/16		.9635	11 9/16
7/32	.21875	2 5/8	15/32	.46875	5 5/8	23/32	.71875	8 5/8	31/32	.96875	11 5/8
	.2240	2 11/16		.4740	5 11/16		.7240	8 11/16		.9740	11 11/16
	.2292	2 3/4		.4792	5 3/4		.7292	8 3/4		.9792	11 3/4
15/64	.234375	2 13/16	31/64	.484375	5 13/16	47/64	.734375	8 13/16	63/64	.984375	11 13/16
	.2396	2 7/8		.4896	5 7/8		.7396	8 7/8		.9896	11 7/8
	.2448	2 15/16		.4948	5 13/16		.7448	8 15/16		.9948	11 15/16
1/4	.2500	3	1/2	.5000	6	3/4	.7500	9	1	1.000	12

°F/°C 온도 변환

표 M-6

−459.4에서 0			0에서 100						110에서 1110						1120에서 3000					
°C.	주어진 온도	°F.	°C.	주어진 온도	°F.	°C.	주어진 온도	°F.	°C.	주어진 온도	°F.	°C.	주어진 온도	°F.	°C.	주어진 온도	°F.	°C.	주어진 온도	°F.
-273	-459.4	—	-17.8	0	32	10.0	50	122.0	43	110	230	321	610	1130	604	1120	2048	888	1630	2966
-268	-450	—	-17.2	1	33.8	10.6	51	123.8	49	120	248	327	620	1148	610	1130	2066	893	1640	2984
-262	-440	—	-16.7	2	35.6	11.1	52	125.6	54	130	266	332	630	1166	616	1140	2084	899	1650	3002
-257	-430	—	-16.1	3	37.4	11.7	53	127.4	60	140	284	338	640	1184	621	1150	2102	904	1660	3020
-251	-420	—	-15.6	4	39.2	12.2	54	129.2	66	150	302	343	650	1202	627	1160	2120	910	1670	3038
-246	-410	—	-15.0	5	41.0	12.8	55	131.0	71	160	320	349	660	1220	632	1170	2138	916	1680	3056
-240	-400	—	-14.4	6	42.8	13.3	56	132.8	77	170	338	354	670	1238	638	1180	2156	921	1690	3074
-234	-390	—	-13.9	7	44.6	13.9	57	134.6	82	180	356	360	680	1256	643	1190	2174	927	1700	3092
-229	-380	—	-13.3	8	46.4	14.4	58	136.4	88	190	374	366	690	1274	649	1200	2192	932	1710	3110
-223	-370	—	-12.8	9	48.2	15.0	59	138.2	93	200	392	371	700	1292	654	1210	2210	938	1720	3128
-218	-360	—	-12.2	10	50.0	15.6	60	140.0	99	210	410	377	710	1310	660	1220	2228	943	1730	3146
-212	-350	—	-11.7	11	51.8	16.1	61	141.8	100	212	413.6	382	720	1328	666	1230	2246	949	1740	3164
-207	-340	—	-11.1	12	53.6	16.7	62	143.6	104	220	428	388	730	1346	671	1240	2264	954	1750	3182
-201	-330	—	-10.6	13	55.4	17.2	63	145.4	110	230	446	393	740	1364	677	1250	2282	960	1760	3200
-196	-320	—	-10.0	14	57.2	17.8	64	147.2	116	240	464	399	750	1382	682	1260	2300	966	1770	3218
-190	-310	—	-9.4	15	59.0	18.3	65	149.0	121	250	482	404	760	1400	688	1270	2318	971	1780	3236
-184	-300	—	-8.9	16	60.8	18.9	66	150.8	127	260	500	410	770	1418	693	1280	2336	977	1790	3254
-179	-290	—	-8.3	17	62.6	19.4	67	152.6	132	270	518	416	780	1436	699	1290	2354	982	1800	3272
-173	-280	—	-7.8	18	64.4	20.0	68	154.4	138	280	536	421	790	1454	704	1300	2372	988	1810	3290
-169	-273	-459.4	-7.2	19	66.2	20.6	69	156.2	143	290	554	427	800	1472	710	1310	2390	993	1820	3308
-168	-270	-454	-6.7	20	68.0	21.1	70	158.0	149	300	572	432	810	1490	716	1320	2408	999	1830	3326
-162	-260	-436	-6.1	21	69.8	21.7	71	159.8	154	310	590	438	820	1508	721	1330	2426	1004	1840	3344
-157	-250	-418	-5.6	22	71.6	22.2	72	161.6	160	320	608	443	830	1526	727	1340	2444	1010	1850	3362
-151	-240	-400	-5.0	23	73.4	22.8	73	163.4	166	330	626	449	840	1544	732	1350	2462	1016	1860	3380
-146	-230	-382	-4.4	24	75.2	23.3	74	165.2	171	340	644	454	850	1562	738	1360	2480	1021	1870	3398
-140	-220	-364	-3.9	25	77.0	23.9	75	167.0	177	350	662	460	860	1580	743	1370	2498	1027	1880	3416
-134	-210	-346	-3.3	26	78.8	24.4	76	168.8	182	360	680	466	870	1598	749	1380	2516	1032	1890	3434
-129	-200	-328	-2.8	27	80.6	25.0	77	170.6	188	370	698	471	880	1616	754	1390	2534	1038	1900	3452
-123	-190	-310	-2.2	28	82.4	25.6	78	172.4	193	380	716	477	890	1634	760	1400	2552	1043	1910	3470
-118	-180	-292	-1.7	29	84.2	26.1	79	174.2	199	390	734	482	900	1652	766	1410	2570	1049	1920	3488
-112	-170	-274	-1.1	30	86.0	26.7	80	176.0	204	400	752	488	910	1670	771	1420	2588	1054	1930	3506
-107	-160	-256	-0.6	31	87.8	27.2	81	177.8	210	410	770	493	920	1688	777	1430	2606	1060	1940	3524
-101	-150	-238	0.0	32	89.6	27.8	82	179.6	216	420	788	499	930	1706	782	1440	2624	1066	1950	3542
-96	-140	-220	0.6	33	91.4	28.3	83	181.4	221	430	806	504	940	1724	788	1450	2642	1071	1960	3560
-90	-130	-202	1.1	34	93.2	28.9	84	183.2	227	440	824	510	950	1742	793	1460	2660	1077	1970	3578
-84	-120	-184	1.7	35	95.0	29.4	85	185.0	232	450	842	516	960	1760	799	1470	2678	1082	1980	3596
-79	-110	-166	2.2	36	96.8	30.0	86	186.8	238	460	860	521	970	1778	804	1480	2696	1088	1990	3614
-73	-100	-148	2.8	37	98.6	30.6	87	188.6	243	470	878	527	980	1796	810	1490	2714	1093	2000	3632
-68	-90	-130	3.3	38	100.4	31.1	88	190.4	249	480	896	532	990	1814	816	1500	2732	1121	2050	3722
-62	-80	-112	3.9	39	102.2	31.7	89	192.2	254	490	914	538	1000	1832	821	1510	2750	1149	2100	3812
-57	-70	-94	4.4	40	104.0	32.2	90	194.0	260	500	932	543	1010	1850	827	1520	2768	1204	2200	3922
-51	-60	-76	5.0	41	105.8	32.8	91	195.8	266	510	950	549	1020	1868	832	1530	2786	1232	2250	4082
-46	-50	-58	5.6	42	107.6	33.3	92	197.6	271	520	968	554	1030	1886	838	1540	2804	1260	2300	4172
-40	-40	-40	6.1	43	109.4	33.9	93	199.4	277	530	986	560	1040	1904	843	1550	2822	1316	2400	4352
-34	-30	-22	6.7	44	111.2	34.4	94	201.2	282	540	1004	566	1050	1922	849	1560	2840	1371	2500	4532
-29	-20	-4	7.2	45	113.0	35.0	95	203.0	288	550	1022	571	1060	1940	854	1570	2858	1427	2600	4712
-23	-10	+14	7.8	46	114.8	35.6	96	204.8	293	560	1040	577	1070	1958	860	1580	2876	1482	2700	4892
-17.8	-0	+32	8.3	47	116.6	36.1	97	206.6	299	570	1058	582	1080	1976	866	1590	2894	1510	2750	4982
—	—	—	8.9	48	118.4	36.7	98	208.4	304	580	1076	588	1090	1994	871	1600	2912	1538	2800	5072
—	—	—	9.4	49	120.2	37.2	99	210.2	310	590	1094	593	1100	2012	877	1610	2930	1593	2900	5252
—	—	—	—	—	—	37.8	100	212.0	316	600	1112	599	1110	2030	882	1620	2948	1649	3000	5432

파이프의 자료: 크기와 응력 변수

표P-1

파이프에 쓰이는 약호 명칭

미국 표준 협회* XXS—Double-extra-strong pipe; XS—Extra-strong pipe; STD—Standard pipe; L—Light-wall pipe(—"Light-gage")

미국 석유 협회 API—"Line pipe" to 5L or 5LX designation

공칭 파이프 크기	벽두께			크기			중량		면적				특성값			所要熔接棒의重量
	*강제 파이프 크기	Sch. No.	CODE	외경	내경	두께	Plain End Pipe	Water in Pipe	표면적 Outside	표면적 Inside	단면적 Flow	단면적 Metal	관성 모멘트	단면률	나선반경	
in				in	in	in	lb/ft	lb/ft	ft²/ft	ft²/ft	in²	in²	in⁴	in³	in	lb
1/8		10S		.405	.307	.049	.186	.032	.106	.0804	.0740	.0548	.0009	.0044	.1270	—
	STD	40	API	.405	.269	.068	.244	.025	.106	.0705	.0568	.0720	.0011	.0053	.1215	—
	XS	80	API	.405	.215	.095	.314	.016	.106	.0563	.0364	.0925	.0012	.0060	.1146	—
1/4		10S		.540	.410	.065	.330	.057	.141	.1073	.1320	.0970	.0028	.0103	.1695	—
	STD	40	API	.540	.364	.088	.424	.045	.141	.0955	.1041	.1250	.0033	.0123	.1628	—
	XS	80	API	.540	.302	.119	.535	.031	.141	.0794	.0716	.1574	.0038	.0139	.1547	—
3/8		10S		.675	.545	.065	.423	.101	.177	.1427	.2333	.1245	.0059	.0174	.2160	—
	STD	40	API	.675	.493	.091	.567	.083	.177	.1295	.1910	.1670	.0073	.0216	.2090	—
	XS	80	API	.675	.423	.126	.738	.061	.177	.1106	.1405	.2173	.0086	.0255	.1991	.04
1/2		5S		.840	.710	.065	.538	.171	.220	.1859	.3959	.1583	.0120	.0285	.2750	—
		10S		.840	.674	.083	.671	.154	.220	.1765	.3568	.1974	.0143	.0340	.2693	—
	STD	40	API	.840	.622	.109	.850	.132	.220	.1637	.3040	.2503	.0171	.0407	.2613	—
	XS	80	API	.840	.546	.147	1.087	.101	.220	.1433	.2340	.3200	.0201	.0478	.2505	.05
		160		.840	.464	.188	1.311	.073	.220	.1215	.1691	.3856	.0222	.0528	.2399	.1
	XXS		API	.840	.252	.294	1.714	.022	.220	.0660	.0499	.5043	.0242	.0577	.2192	.2
3/4		5S		1.050	.920	.065	.684	.288	.275	.2409	.6648	.2011	.0245	.0467	.3490	—
		10S	L	1.050	.884	.083	.857	.266	.275	.2314	.6138	.2522	.0297	.0566	.3430	—
	STD	40	API	1.050	.824	.113	1.130	.230	.275	.2168	.5330	.3326	.0370	.0705	.3337	—
	XS	80	API	1.050	.742	.154	1.473	.187	.275	.1948	.4330	.4335	.0448	.0853	.3214	.05
		160		1.050	.612	219	1.944	.127	.275	.1602	.2942	.5717	.0528	.1005	.3038	.1
	XXS		API	1.050	.434	.308	2.440	.063	.275	.1137	.1479	.7180	.0579	.1103	.2840	.2
1		5S		1.315	1.185	.065	.868	.478	.344	.3102	1.1029	.2552	.0500	.0760	.4425	—
		10S	L	1.315	1.097	.109	1.404	.409	.344	.2872	.9448	.4129	.0756	.1150	.4282	—
	STD	40	API	1.315	1.049	.133	1.678	.374	.344	.2740	.8640	.4939	.0873	.1328	.4205	.08
	XS	80	API	1.315	.957	.179	2.171	.311	.344	.2520	.7190	.6388	.1056	.1606	.4066	.1
		160		1.315	.815	.250	2.840	.226	.344	.2134	.5217	.8364	.1252	.1903	.3868	.3
	XXS		API	1.315	.599	.358	3.659	.122	.344	.1570	.2818	1.0760	.1405	.2136	.3613	.4
1¼		5S		1.660	1.530	.065	1.107	.796	.434	.4006	1.8381	.3257	.1037	.1250	.5644	—
		10S	L	1.660	1.442	.109	1.806	.708	.434	.3775	1.6330	.5314	.1606	.1934	.5499	—
	STD	40	API	1.660	1.380	.140	2.272	.647	.434	.3620	1.4950	.6685	.1947	.2346	.5397	.1
	XS	80	API	1.660	1.278	191	2.996	.555	.434	.3356	1.2830	.8815	.2418	.2913	.5237	.2
		160		1.660	1.160	.250	3.764	.457	.434	.3029	1.0570	1.1070	.2833	.3421	.5063	.3
	XXS		API	1.660	.896	.382	5.214	.273	.434	.2331	.6305	1.5340	.3411	.4110	.4716	.5
1½		5S		1.900	1.770	.065	1.274	1.066	.497	.4634	2.4610	.3751	.1579	.1662	.6492	—
		10S	L	1.900	1.682	.109	2.085	.963	.497	.4403	2.2219	.6139	.2469	.2599	.6344	—
	STD	40	API	1.900	1.610	.145	2.717	.882	.497	.4213	2.0361	.8001	.3099	.3262	.6226	.1
	XS	80	API	1.900	1.500	.200	3.631	.765	.497	.3927	1.7672	1.0689	.3912	.4118	.6052	.2
		160		1.900	1.338	.281	4.858	.609	.497	.3503	1.4060	1.4299	.4823	.5077	.5809	.4
	XXS		API	1.900	1.100	.400	6.408	.412	.497	.2903	.9502	1.8859	.5678	.5977	.5489	.6

* 여기서 "철제 파이프 치수"는 강철제 파이프의 크기이며, 배관 지침 (Part I)의 "제작자의 중량"에서 다루었다—2.1.3절 참조.

파이프의 자료 표 P-1

공칭파이프크기	벽두께			크기			중량		면적				특성값			所要熔接棒의重量
	강제파이프크기*	Sch. No.	CODE	외경	내경	두께	Plain End Pipe	Water in Pipe	표면적 Outside	표면적 Inside	단면적 Flow	단면적 Metal	관성모멘트	단면률	나선반경	
in.				in.	in	in.	lb/ft	lb/ft	ft²/ft	ft²/ft	in²	in²	in⁴	in³	in	lb
2		5S		2.375	2.245	.065	1.60	1.71	.622	.588	3.958	.472	.315	.265	.817	—
		10S	API,L	2.375	2.157	.109	2.64	1.58	.622	.565	3.654	.776	.500	.421	.803	—
	STD	40	API	2.375	2.067	.154	3.65	1.45	.622	.540	3.355	1.075	.666	.561	.787	.2
	XS	80	API	2.375	1.939	.218	5.02	1.28	.622	.507	2.953	1.477	.868	.731	.766	.3
			API	2.375	1.875	.250	5.67	1.20	.622	.492	2.761	1.669	.955	.805	.756	.4
		160		2.375	1.687	.344	7.46	.97	.622	.442	2.235	2.195	1.164	.980	.728	.6
	XXS		API	2.375	1.503	.436	9.03	.77	.622	.393	1.774	2.656	1.312	1.104	.703	.8
2½		5S	API	2.875	2.709	.083	2.47	2.50	.753	.709	5.764	.728	.710	.494	.988	—
		10S	L	2.875	2.635	.120	3.53	2.36	.753	.690	5.453	1.038	.988	.687	.976	—
	STD	40	API	2.875	2.469	.203	5.79	2.07	.753	.646	4.788	1.704	1.530	1.064	.947	.3
	XS	80	API	2.875	2.323	.276	7.66	1.83	.753	.610	4.238	2.254	1.924	1.339	.924	.5
		160		2.875	2.125	.375	10.01	1.54	.753	.556	3.547	2.945	2.353	1.638	.894	.7
	XXS		API	2.875	1.771	.552	13.70	1.07	.753	.463	2.464	4.028	2.871	1.997	.844	1.3
3		5S	API	3.500	3.334	.083	3.03	3.78	.916	.873	8.730	.891	1.301	.744	1.208	—
		10S	L	3.500	3.260	.120	4.33	3.62	.916	.853	8.346	1.272	1.821	1.041	1.196	—
			API	3.500	3.250	.125	4.52	3.60	.916	.851	8.300	1.329	1.900	1.086	1.195	—
			API	3.500	3.188	.156	5.58	3.46	.916	.835	7.982	1.639	2.298	1.313	1.184	.2
			API	3.500	3.124	.188	6.65	3.32	.916	.818	7.665	1.956	2.691	1.538	1.173	.3
	STD	40	API	3.500	3.068	.216	7.58	3.20	.916	.802	7.393	2.228	3.017	1.724	1.164	.4
			API	3.500	3.000	.250	8.68	3.06	.916	.785	7.184	2.553	3.388	1.936	1.152	.5
			API	3.500	2.938	.281	9.65	2.94	.916	.769	6.780	2.842	3.819	2.182	1.142	.6
	XS	80	API	3.500	2.900	.300	10.25	2.86	.916	.761	6.605	3.016	3.892	2.225	1.136	.6
		160		3.500	2.624	.438	14.31	2.34	.916	.687	5.407	4.214	5.044	2.882	1.094	1.2
	XXS		API	3.500	2.300	.600	18.58	1.80	.916	.601	4.155	5.466	5.993	3.424	1.047	1.8
3½		5S		4.000	3.834	.083	3.47	5.00	1.047	1.004	11.545	1.021	1.960	.980	1.385	—
		10S	L	4.000	3.760	.120	4.97	4.81	1.047	.984	11.103	1.463	2.754	1.377	1.372	—
			API	4.000	3.750	.125	5.18	4.79	1.047	.982	11.044	1.522	2.859	1.430	1.371	—
			API	4.000	3.688	.156	6.41	4.63	1.047	.966	10.682	1.884	3.485	1.743	1.360	.3
			API	4.000	3.624	.188	7.71	4.48	1.047	.950	10.315	2.251	4.130	2.065	1.350	.4
	STD	40	API	4.000	3.548	.226	9.11	4.28	1.047	.929	9.886	2.680	4.788	2.394	1.337	.5
			API	4.000	3.500	.250	10.02	4.17	1.047	.916	9.621	2.945	5.201	2.601	1.329	.6
			API	4.000	3.438	.281	11.17	4.02	1.047	.900	9.283	3.283	5.715	2.858	1.319	.7
	XS	80	API	4.000	3.364	.318	12.51	3.85	1.047	.880	8.888	3.678	6.280	3.140	1.307	.8
				4.000	2.728	.636	22.85	2.53	1.047	.716	5.845	6.721	9.848	4.924	1.210	2.4
4		5S		4.500	4.334	.083	3.92	6.39	1.178	1.135	14.752	1.152	2.810	1.249	1.562	—
		10S	L	4.500	4.260	.120	5.61	6.18	1.178	1.115	14.253	1.651	3.962	1.761	1.550	—
			API	4.500	4.250	.125	5.84	6.15	1.178	1.113	14.186	1.718	4.115	1.829	1.548	—
			API	4.500	4.188	.156	7.24	5.97	1.178	1.096	13.775	2.129	5.029	2.235	1.537	.4
			API	4.500	4.124	.188	8.56	5.80	1.178	1.082	13.357	2.547	5.850	2.600	1.525	.5
			API	4.500	4.062	.219	10.02	5.62	1.178	1.063	12.959	2.945	6.768	3.008	1.516	.6
	STD	40	API	4.500	4.026	.237	10.79	5.51	1.178	1.055	12.730	3.174	7.231	3.214	1.510	.6
			API	4.500	4.000	.250	11.35	5.45	1.178	1.049	12.566	3.338	7.560	3.360	1.505	.7
			API	4.500	3.938	.281	12.67	5.27	1.178	1.031	12.180	3.724	8.332	3.703	1.495	.8
			API	4.500	3.876	.312	14.00	5.12	1.178	1.013	11.799	4.105	9.045	4.020	1.482	.9
	XS	80	API	4.500	3.826	.337	14.98	4.98	1.178	1.002	11.497	4.407	9.610	4.271	1.477	.9
		120	API	4.500	3.624	.438	18.98	4.47	1.178	.949	10.315	5.589	11.648	5.177	1.444	1.5
				4.500	3.500	.500	21.36	4.16	1.178	.916	9.621	6.283	12.771	5.676	1.425	1.8
		160	API	4.500	3.438	.531	22.52	4.02	1.178	.900	9.283	6.621	13.275	5.900	1.416	2.0
	XXS		API	4.500	3.152	.674	27.54	3.38	1.178	.826	7.803	8.101	15.284	6.793	1.374	3.0
5		5S		5.563	5.345	.109	6.35	9.72	1.456	1.399	22.438	1.868	7.126	2.562	1.929	—
		10S	L	5.563	5.295	.134	7.77	9.54	1.456	1.386	22.021	2.285	8.422	3.028	1.920	.3
			API	5.563	5.251	.156	9.02	9.39	1.456	1.375	21.656	2.650	9.699	3.487	1.913	.4
			API	5.563	5.187	.188	10.80	9.16	1.456	1.358	21.131	3.175	11.485	4.129	1.902	.5
			API	5.563	5.125	.219	12.51	8.94	1.456	1.342	20.629	3.677	13.145	4.726	1.891	.6
	STD	40	API	5.563	5.047	.258	14.62	8.66	1.456	1.321	20.006	4.300	15.162	5.451	1.878	.7
			API	5.563	5.001	.281	15.86	8.52	1.456	1.309	19.643	4.663	16.305	5.862	1.870	.8
			API	5.563	4.939	.312	17.51	8.31	1.456	1.293	19.159	5.147	17.807	6.402	1.860	1.0
			API	5.563	4.875	.344	19.19	8.09	1.456	1.276	18.666	5.640	19.281	6.932	1.849	1.2
	XS	80	API	5.563	4.813	.375	20.78	7.87	1.456	1.260	18.194	6.112	20.669	7.431	1.839	1.4
		120	API	5.563	4.563	.500	27.04	7.08	1.456	1.195	16.353	7.953	25.737	9.253	1.799	2.3
		160	API	5.563	4.313	.625	32.96	6.32	1.456	1.129	14.610	9.696	30.040	10.800	1.760	3.2
	XXS		API	5.563	4.063	.750	38.55	5.62	1.456	1.064	12.966	11.340	33.628	12.090	1.722	3.3

* 여기서 "철제 파이프 치수"는 강철제 파이프의 크기이며, 배관 지침(Part I)의 "제작자의 중량"에서 다루었다-2.1.3절 참조.

파이프의 자료

표 P-1

공칭 파이프 크기	벽두께: *강제 파이프 크기	벽두께: Sch. No.	벽두께: CODE	크기: 외경	크기: 내경	크기: 두께	중량: Plain End Pipe	중량: Water in Pipe	면적: 표면적 Outside	면적: 표면적 Inside	면적: 단면적 Flow	면적: 단면적 Metal	특성값: 관성모멘트	특성값: 단면율	특성값: 나선반경	所要熔接棒의重量
in				in	in.	in	lb/ft	lb/ft	ft²/ft	ft²/ft	in²	in²	in⁴	in³	in	lb
6		5S	API	6.625	6.407	.109	7.59	14.0	1.73	1.68	32.24	2.23	11.84	3.57	2.30	—
		10S	L	6.625	6.357	.134	9.29	13.7	1.73	1.66	31.75	2.73	14.38	4.34	2.29	.4
			API	6.625	6.249	.188	12.93	13.3	1.73	1.64	30.70	3.80	19.71	5.95	2.28	.6
			API	6.625	6.187	.219	15.02	13.1	1.73	1.62	30.10	4.41	22.66	6.84	2.27	.8
			API	6.625	6.125	.250	17.02	12.8	1.73	1.61	29.50	5.01	25.55	7.71	2.26	1.0
				6.625	6.071	.277	18.86	12.6	1.73	1.59	28.95	5.54	28.00	8.46	2.25	1.1
	STD	40	API	6.625	6.065	.280	18.97	12.5	1.73	1.59	28.90	5.58	28.14	8.50	2.24	1.1
			API	6.625	6.001	.312	21.05	12.3	1.73	1.57	28.28	6.19	30.91	9.33	2.23	1.3
			API	6.625	5.937	.344	23.09	12.0	1.73	1.55	27.68	6.79	33.51	10.14	2.22	1.6
			API	6.625	5.875	.375	25.10	11.8	1.73	1.54	27.10	7.37	36.20	10.90	2.21	1.8
	XS	80	API	6.625	5.761	.432	28.57	11.3	1.73	1.51	26.07	8.40	40.49	12.22	2.19	2.2
				6.625	5.625	.500	32.79	10.8	1.73	1.48	24.85	9.63	45.60	13.78	2.16	3.0
		120	API	6.625	5.501	.562	36.42	10.3	1.73	1.47	23.77	10.74	49.91	15.07	2.15	3.2
		160	API	6.625	5.187	.719	45.34	9.2	1.73	1.36	21.13	13.34	59.03	17.82	2.10	5.1
	XXS		API	6.625	4.897	.864	53.16	8.1	1.73	1.28	18.83	15.64	66.33	20.02	2.06	5.8
8		5S		8.625	8.407	.109	9.91	24.0	2.26	2.20	55.51	2.92	26.44	6.13	3.01	—
		10S	L	8.625	8.329	.148	13.40	23.6	2.26	2.18	54.49	3.94	35.45	8.22	3.00	.4
			API	8.625	8.249	.188	16.90	23.2	2.26	2.16	53.43	5.00	44.42	10.30	2.98	.7
			API	8.625	8.219	.203	18.30	23.1	2.26	2.15	53.05	5.38	47.65	11.05	2.98	.8
			API	8.625	8.187	.219	19.64	22.9	2.26	2.15	52.63	5.80	51.32	11.90	2.97	1.0
		20	API	8.625	8.125	.250	22.36	22.5	2.26	2.13	51.85	6.58	57.74	13.39	2.96	1.2
		30	API	8.625	8.071	.277	24.70	22.2	2.26	2.12	51.17	7.26	63.35	14.69	2.95	1.3
			API	8.625	8.001	.312	27.72	21.8	2.26	2.10	50.28	8.15	70.60	16.37	2.94	1.6
	STD	40	API	8.625	7.981	.322	28.55	21.6	2.26	2.09	50.03	8.40	72.49	16.81	2.94	1.7
			API	8.625	7.937	.344	30.40	21.4	2.26	2.08	49.49	8.94	76.81	17.81	2.93	1.9
			API	8.625	7.875	.375	33.10	21.1	2.26	2.06	48.69	9.74	83.10	19.27	2.92	2.1
		60		8.625	7.813	.406	35.66	20.8	2.26	2.04	47.95	10.48	88.75	20.58	2.91	2.3
			API	8.625	7.749	.438	38.33	20.4	2.26	2.03	47.16	11.27	94.75	21.97	2.90	2.7
	XS	80	API	8.625	7.625	.500	43.39	19.8	2.26	2.01	45.67	12.76	105.70	24.51	2.88	3.6
		100		8.625	7.437	.594	50.93	18.8	2.26	1.95	43.44	14.99	121.48	28.17	2.85	4.6
				8.625	7.375	.625	53.40	18.5	2.26	1.93	42.72	15.71	126.49	29.33	2.84	5.1
		120	API	8.625	7.187	.719	60.69	17.6	2.26	1.88	40.57	17.86	140.67	32.62	2.81	6.7
		140		8.625	7.001	.812	67.79	16.7	2.26	1.83	38.50	19.93	153.74	35.65	2.78	7.3
	XXS		API	8.625	6.875	.875	72.42	16.1	2.26	1.80	37.13	21.30	161.98	37.56	2.76	8.0
		160		8.625	6.813	.906	74.71	15.8	2.26	1.78	36.46	21.97	165.94	38.48	2.76	8.2
10		5S		10.750	10.482	.134	15.19	37.4	2.81	2.74	86.29	4.47	62.94	11.71	3.75	.6
		10S	L	10.750	10.420	.165	18.65	36.9	2.81	2.73	85.26	5.50	76.81	14.29	3.74	.8
			API	10.750	10.374	.188	21.12	36.7	2.81	2.72	84.56	6.20	86.54	16.10	3.74	1.0
			API	10.750	10.344	.203	22.86	36.5	2.81	2.71	84.05	6.71	93.26	17.35	3.73	1.1
			API	10.750	10.312	.219	24.63	36.2	2.81	2.70	83.52	7.24	100.46	18.69	3.72	1.2
		20	API	10.750	10.250	.250	28.04	35.9	2.81	2.68	82.50	8.26	113.52	21.12	3.71	1.4
			API	10.750	10.192	.279	31.20	35.3	2.81	2.66	81.58	9.18	125.88	23.42	3.70	1.7
		30	API	10.750	10.136	.307	34.24	35.0	2.81	2.65	80.69	10.07	137.44	25.57	3.69	2.0
			API	10.750	10.062	.344	38.26	34.5	2.81	2.63	79.51	11.25	152.27	28.33	3.68	2.4
	STD	40	API	10.750	10.020	.365	40.48	34.1	2.81	2.62	78.85	11.91	160.71	29.90	3.67	2.7
			API	10.750	9.874	.438	48.28	33.2	2.81	2.58	76.57	14.91	188.82	35.13	3.65	3.6
	XS	60, 80S	API	10.750	9.750	.500	54.74	32.3	2.81	2.55	74.66	16.10	211.94	39.43	3.63	4.5
		80		10.750	9.562	.594	64.40	31.1	2.81	2.50	71.81	18.95	245.21	45.62	3.60	6.0
		100	API	10.750	9.312	.719	77.00	29.5	2.81	2.44	68.10	22.66	286.43	53.29	3.56	8.3
				10.750	9.250	.750	80.10	29.1	2.81	2.42	67.20	23.56	296.16	55.10	3.54	8.5
		120		10.750	9.062	.844	89.27	27.9	2.81	2.37	64.49	26.27	324.54	60.38	3.52	9.0
				10.750	9.000	.875	92.28	27.6	2.81	2.36	63.62	27.14	333.46	62.04	3.50	9.8
	XXS	140		10.750	8.750	1.000	104.13	26.1	2.81	2.29	60.13	30.63	367.81	68.43	3.46	13
		160		10.750	8.500	1.125	115.65	24.6	2.81	2.22	56.75	34.01	399.42	74.31	3.43	15
				10.750	8.250	1.250	126.82	23.2	2.81	2.16	53.45	37.31	428.17	79.66	3.39	17

• 여기서 "철제 파이프 치수"는 강철제 파이프의 크기이며, 배관 지침 (Part I)의 "제작자의 중량"에서 다루었다-2.1.3절 참조.

파이프의 자료

표 P-1

공칭 파이프 크기	벽두께: * 강제 파이프 크기	벽두께: Sch. No.	벽두께: CODE	크기: 외경	크기: 내경	크기: 두께	중량: Plain End Pipe	중량: Water in Pipe	면적: 표면적 Outside	면적: 표면적 Inside	면적: 단면적 Flow	면적: 단면적 Metal	특성값: 관성모멘트	특성값: 단면률	특성값: 나선반경	所要熔接棒의重量
in				in	in	in	lb/ft	lb/ft	ft²/ft	ft²/ft	in²	in²	in⁴	in³	in	lb
12		5S		12.750	12.438	.156	21.0	52.6	3.34	3.26	121.5	6.17	122.4	19.2	4.45	.8
		10S	L	12.750	12.390	.180	24.2	52.2	3.34	3.24	120.6	7.11	140.4	22.0	4.44	1.0
			API	12.750	12.344	.203	27.2	52.0	3.34	3.23	119.9	7.99	157.2	24.7	4.43	1.3
			API	12.750	12.312	.219	29.3	51.7	3.34	3.22	119.1	8.52	167.6	26.3	4.43	1.4
		20	API	12.750	12.250	.250	33.4	51.3	3.34	3.21	118.0	9.84	192.3	30.2	4.42	1.7
			API	12.750	12.188	.281	37.4	50.6	3.34	3.19	116.7	11.01	214.1	33.6	4.41	2.0
			API	12.750	12.126	.312	41.5	50.1	3.34	3.17	115.5	12.19	236.0	37.0	4.40	2.4
		30	API	12.750	12.090	.330	43.8	49.7	3.34	3.16	114.8	12.88	248.5	39.0	4.39	2.6
			API	12.750	12.062	.344	45.5	49.7	3.34	3.16	114.5	13.46	259.0	40.7	4.38	2.8
	STD	40S	API	12.750	12.000	.375	49.6	48.9	3.34	3.14	113.1	14.58	279.3	43.8	4.37	3.0
		40	API	12.750	11.938	.406	53.6	48.5	3.34	3.13	111.9	15.74	300.3	47.1	4.37	3.5
			API	12.750	11.874	.438	57.5	48.2	3.34	3.11	111.0	16.95	321.0	50.4	4.35	4.3
	XS	80S	API	12.750	11.750	.500	65.4	46.9	3.34	3.08	108.4	19.24	361.5	56.7	4.33	5.3
		60	API	12.750	11.626	.562	73.2	46.0	3.34	3.04	106.2	21.52	400.5	62.8	4.31	6.4
			API	12.750	11.500	.625	80.9	44.9	3.34	3.01	103.8	23.81	438.7	68.8	4.29	7.5
		80	API	12.750	11.374	.688	88.6	44.0	3.34	2.98	101.6	26.07	475.7	74.6	4.27	8.6
			API	12.750	11.250	.750	96.2	43.1	3.34	2.94	99.4	28.27	510.7	80.1	4.25	10
		100	API	12.750	11.062	.844	107.3	41.6	3.34	2.90	96.1	31.57	562.2	88.2	4.22	11
				12.750	11.000	.875	110.9	41.1	3.34	2.88	95.0	32.64	578.5	90.7	4.21	12
	XXS	120		12.750	10.750	1.000	125.5	39.3	3.34	2.81	90.8	36.91	641.7	100.7	4.17	15
		140		12.750	10.500	1.125	139.7	37.5	3.34	2.75	86.6	41.08	700.7	109.9	4.13	18
				12.750	10.250	1.250	153.6	35.8	3.34	2.68	82.5	45.16	755.5	118.5	4.09	20
		160		12.750	10.126	1.312	160.3	34.9	3.34	2.65	80.5	47.14	781.3	122.6	4.07	22
				12.750	10.000	1.375	167.2	34.0	3.34	2.62	78.5	49.14	807.2	126.6	4.05	24
				12.750	9.750	1.500	180.4	32.4	3.34	2.55	74.7	53.01	853.8	133.9	4.01	28
14		5S		14.000	13.688	.156	23.0	63.7	3.67	3.58	147.2	6.78	162.6	23.2	4.90	.9
		10S	API	14.000	13.624	.188	27.7	63.1	3.67	3.57	145.8	8.16	194.6	27.8	4.88	1.1
			API	14.000	13.580	.210	30.9	62.8	3.67	3.55	144.8	9.10	216.2	30.9	4.87	1.4
			API	14.000	13.562	.219	32.2	62.6	3.67	3.55	144.5	9.48	225.1	32.2	4.87	1.5
		10	API,L	14.000	13.500	.250	36.7	62.1	3.67	3.54	143.0	10.82	256.0	36.6	4.86	1.8
			API	14.000	13.438	.281	41.2	61.5	3.67	3.52	141.8	12.11	285.2	40.7	4.85	2.2
		20	API	14.000	13.376	.312	45.7	60.9	3.67	3.50	140.5	13.42	314.4	44.9	4.84	2.6
			API	14.000	13.312	.344	50.2	60.3	3.67	3.48	139.2	14.76	344.3	49.2	4.83	3.1
	STD	30	API	14.000	13.250	.375	54.6	59.7	3.67	3.47	137.9	16.05	372.8	53.2	4.82	3.6
		40	API	14.000	13.124	.438	63.4	58.5	3.67	3.44	135.3	18.66	429.6	61.4	4.80	4.5
			API	14.000	13.062	.469	67.8	58.0	3.67	3.42	134.0	19.94	456.8	65.3	4.79	5.2
	XS		API	14.000	13.000	.500	72.1	57.4	3.67	3.40	132.7	21.21	483.8	69.1	4.78	5.8
		60		14.000	12.812	.594	85.0	55.8	3.67	3.35	128.9	25.02	563.1	80.4	4.74	7.6
			API	14.000	12.750	.625	89.3	55.3	3.67	3.34	127.7	26.26	588.5	84.1	4.73	8.2
		80	API	14.000	12.500	.750	106.1	51.2	3.67	3.27	122.7	31.22	687.5	98.2	4.69	9.4
				14.000	12.250	.875	122.7	51.1	3.67	3.21	117.9	36.08	780.1	111.4	4.65	13
		100		14.000	12.124	.938	130.8	50.0	3.67	3.17	115.4	38.49	825.1	117.9	4.63	15
				14.000	12.000	1.000	138.8	49.0	3.67	3.14	113.1	40.84	868.0	124.0	4.61	16
		120		14.000	11.812	1.094	150.8	47.5	3.67	3.09	109.6	44.36	930.2	132.9	4.58	18
				14.000	11.750	1.125	154.7	47.0	3.67	3.08	108.4	45.50	950.3	135.8	4.57	20
		140		14.000	11.500	1.250	170.2	45.0	3.67	3.01	103.9	50.07	1027.5	146.8	4.53	22
				14.000	11.250	1.375	185.4	43.1	3.67	2.94	99.4	54.54	1099.5	157.1	4.49	26
		160		14.000	11.188	1.406	189.1	42.6	3.67	2.93	98.3	55.63	1116.9	159.6	4.48	27
				14.000	11.000	1.500	200.2	41.2	3.67	2.88	95.0	58.90	1166.5	166.6	4.45	31
				14.000	10.000	2.000	256.3	34.0	3.67	2.62	78.5	75.40	1394.9	199.3	4.30	50
				14.000	9.750	2.125	269.5	32.3	3.67	2.55	74.7	79.28	1442.1	206.0	4.26	55
				14.000	9.600	2.200	277.3	31.4	3.67	2.51	72.4	81.56	1468.8	209.8	4.24	58
				14.000	9.000	2.500	307.1	27.6	3.67	2.36	63.6	90.32	1563.7	223.4	4.16	71

* 여기서 "철제 파이프 치수"는 강철제 파이프의 크기이며, 배관 지침 (Part I)의 "제작자의 중량"에서 다루었다-2.1.3절 참조.

파이프의 자료

표 P-1

공칭 파이프 크기	벽두께: • 강제 파이프 크기	벽두께: Sch No.	벽두께: CODE	크기: 외경	크기: 내경	크기: 두께	중량: Plain End Pipe	중량: Water in Pipe	면적: 표면적 Outside	면적: 표면적 Inside	면적: 단면적 Flow	면적: 단면적 Metal	특성값: 관성모멘트	특성값: 단면율	특성값: 나선반경	所要熔接棒의重量
in				in	in	in	lb/ft	lb/ft	ft/ft²	ft²/ft	in²	in²	in⁴	in³	in	lb
16		5S		16.000	15.670	.165	28	83.5	4.19	4.10	192.9	8.21	257	32.2	5.60	1.1
		10S		16.000	15.624	.188	32	83.0	4.19	4.09	191.7	9.34	292	36.5	5.59	1.3
			API	16.000	15.562	.219	37	82.5	4.19	4.07	190.2	10.86	338	42.3	5.58	1.7
		10	API,L	16.000	15.500	.250	42	82.1	4.19	4.06	189.0	12.40	385	48.1	5.57	2.0
			API	16.000	15.438	.281	47	81.2	4.19	4.04	187.0	13.90	430	53.8	5.56	2.5
		20	API	16.000	15.376	.312	52	80.4	4.19	4.03	185.7	15.38	473	59.2	5.55	2.9
			API	16.000	15.312	.344	57	80.0	4.19	4.01	184.1	16.94	519	64.9	5.54	3.5
	STD	30	API	16.000	15.250	.375	63	79.1	4.19	4.00	182.6	18.41	562	70.3	5.53	4.2
			API	16.000	15.124	.438	73	78.2	4.19	3.96	180.0	21.42	650	81.2	5.51	5.1
			API	16.000	15.062	.469	78	77.0	4.19	3.94	178.2	22.88	691	86.3	5.49	5.9
	XS	40	API	16.000	15.000	.500	83	76.5	4.19	3.93	176.7	24.35	732	91.5	5.48	6.7
			API	16.000	14.750	.625	103	74.1	4.19	3.86	170.9	30.19	893	111.7	5.44	9.4
		60		16.000	14.688	.656	108	73.4	4.19	3.85	169.4	31.62	933	116.6	5.43	11
			API	16.000	14.500	.750	122	71.5	4.19	3.80	165.1	35.93	1047	130.9	5.40	12
		80		16.000	14.312	.844	137	69.7	4.19	3.75	160.9	40.19	1157	144.7	5.37	14
				16.000	14.000	1.000	160	66.7	4.19	3.66	153.9	47.12	1331	166.4	5.31	18
		100		16.000	13.938	1.031	165	66.0	4.19	3.65	152.6	48.49	1366	170.7	5.30	20
		120		16.000	13.562	1.219	192	62.6	4.19	3.55	144.5	56.60	1556	194.6	5.24	25
				16.000	13.500	1.250	197	62.1	4.19	3.53	143.1	57.92	1586	198.3	5.23	26
		140		16.000	13.124	1.438	224	58.6	4.19	3.44	135.3	65.79	1761	220.1	5.17	31
				16.000	13.000	1.500	232	57.4	4.19	3.40	132.7	68.33	1816	227.0	5.15	33
		160		16.000	12.812	1.594	245	55.8	4.19	3.35	129.0	72.14	1894	236.8	5.12	37
18		5S		18.000	17.670	.165	31	106.2	4.71	4.63	245.2	9.24	368	40.8	6.31	1.2
		10S	API	18.000	17.624	.188	36	105.7	4.71	4.61	243.9	10.52	417	46.4	6.30	1.5
		10	API,L	18.000	17.500	.250	47	104.6	4.71	4.58	241.0	13.96	550	61.1	6.28	2.2
			API	18.000	17.438	.281	49	104.0	4.71	4.56	240.0	14.49	570	63.4	6.27	2.8
		20	API	18.000	17.376	.312	59	102.7	4.71	4.55	237.1	17.34	678	75.4	6.25	3.3
			API	18.000	17.312	.344	65	102.0	4.71	4.53	235.4	19.08	744	82.6	6.24	3.9
	STD		API	18.000	17.250	.375	71	101.2	4.71	4.51	233.7	20.76	807	89.6	6.23	4.8
			API	18.000	17.188	.406	76	100.6	4.71	4.50	232.0	22.44	869	96.6	6.22	5.3
		30	API	18.000	17.124	.438	82	99.5	4.71	4.48	229.5	24.95	963	107.0	6.21	5.8
			API	18.000	17.062	.469	88	99.0	4.71	4.47	228.6	25.83	993	110.3	6.20	6.6
	XS		API	18.000	17.000	.500	93	98.2	4.71	4.45	227.0	27.49	1053	117.0	6.19	7.5
		40	API	18.000	16.876	.562	105	97.2	4.71	4.42	224.0	30.85	1177	130.9	6.17	8.9
			API	18.000	16.750	.625	116	95.8	4.71	4.39	220.5	34.15	1290	143.2	6.14	11
		60	API	18.000	16.500	.750	138	92.5	4.71	4.32	213.8	40.64	1515	168.3	6.10	15
		80		18.000	16.124	.938	171	88.4	4.71	4.22	204.2	50.28	1835	203.9	6.04	19
				18.000	16.000	1.000	182	87.2	4.71	4.19	201.1	53.41	1935	215.0	6.02	20
		100		18.000	15.688	1.156	208	83.7	4.71	4.11	193.3	61.18	2182	242.3	5.97	26
				18.000	15.500	1.250	224	81.8	4.71	4.06	188.7	65.78	2319	257.7	5.94	29
		120		18.000	15.250	1.375	244	79.2	4.71	3.99	182.7	71.8[illegible]	2498	277.5	5.90	33
				18.000	15.000	1.500	265	78.6	4.71	3.93	176.7	77.75	2668	296.5	5.86	38
		140		18.000	14.876	1.562	274	75.3	4.71	3.89	173.8	80.66	2750	305.5	5.84	41
		160		18.000	14.438	1.781	309	71.0	4.71	3.78	163.7	90.75	3020	335.5	5.77	49
20		5S		20.000	19.634	.188	40	131.0	5.24	5.14	302.4	11.70	574	57.4	7.00	1.7
		10S		20.000	19.564	.218	46	130.2	5.24	5.12	300.6	13.55	663	66.3	6.99	2.1
		10	API,L	20.000	19.500	.250	53	130.0	5.24	5.11	299.0	15.52	759	75.9	6.98	2.5
			API	20.000	19.438	.281	59	128.6	5.24	5.09	296.8	17.41	846	84.6	6.97	3.2
			API	20.000	19.376	.312	66	127.7	5.24	5.07	294.9	19.30	935	93.5	6.96	3.9
			API	20.000	19.312	.344	72	127.0	5.24	5.06	292.9	21.24	1026	102.6	6.95	4.6
	STD	20	API	20.000	19.250	.375	79	126.0	5.24	5.04	291.1	23.12	1113	111.3	6.94	5.0
			API	20.000	19.188	.406	85	125.4	5.24	5.02	289.2	24.99	1200	120.0	6.93	6.0
			API	20.000	19.124	.438	92	125.1	5.24	5.01	288.0	26.95	1290	129.0	6.92	6.8
			API	20.000	19.062	.469	98	123.6	5.24	4.99	285.4	28.78	1373	137.3	6.91	7.6
	XS	30	API	20.000	19.000	.500	104	122.8	5.24	4.97	283.5	30.63	1457	145.7	6.90	8.3
		40		20.000	18.812	.594	123	120.4	5.24	4.92	277.9	36.21	1706	170.6	6.86	11

• 여기서 "철제 파이프 치수"는 강철제 파이프의 크기이며, 배관 지침(Part I)의 "제작자의 중량"에서 다루었다-2.1.3절 참조.

파이프의 자료 표 P-1

공칭 파이프 크기	벽두께			크기			중량		면적				특성값			所要熔接棒의重量
	* 강제 파이프 크기	Sch. No.	CODE	외경	내경	두께	Plain End Pipe	Water in Pipe	표면적 Outside	표면적 Inside	단면적 Flow	단면적 Metal	관성 모멘트	단면율	나선반경	
in				in	in	in	lb/ft	lb/ft	ft²/ft	ft²/ft	in²	in²	in⁴	in³	in	lb.
20 (앞 페이지에서 계속)			API	20.000	18.750	.625	129	119.5	5.24	4.91	276.1	38.04	1787	178.7	6.85	12
		60	API	20.000	18.376	.812	167	114.9	5.24	4.81	265.2	48.95	2257	225.7	6.79	17
				20.000	18.000	1.000	203	110.3	5.24	4.71	254.5	59.69	2702	270.2	6.73	24
		80		20.000	17.938	1.031	209	109.4	5.24	4.70	252.7	61.44	2771	277.1	6.72	26
				20.000	17.500	1.250	250	104.3	5.24	4.58	240.5	73.63	3249	324.9	6.64	31
		100		20.000	17.438	1.281	256	103.4	5.24	4.56	238.8	75.34	3317	331.7	6.63	32
		120		20.000	17.000	1.500	296	98.3	5.24	4.45	227.0	87.18	3755	375.5	6.56	43
		140		20.000	16.500	1.750	341	92.6	5.24	4.32	213.8	100.33	4217	421.7	6.48	54
		160		20.000	16.062	1.969	379	87.8	5.24	4.20	202.6	111.54	4587	458.7	6.41	64
22		5S		22.000	21.624	.188	44	159.1	5.76	5.66	367.3	12.88	766	69.7	7.71	1.8
		10S		22.000	21.564	.218	51	158.2	5.76	5.65	365.2	14.92	885	80.4	7.70	2.4
		10	API,L	22.000	21.500	.250	58	157.4	5.76	5.63	363.1	17.18	1010	91.8	7.69	3.0
			API	22.000	21.438	.281	65	156.5	5.76	5.61	361.0	19.17	1131	102.8	7.68	3.6
			API	22.000	21.376	.312	72	155.6	5.76	5.60	358.9	21.26	1250	113.6	7.67	4.3
			API	22.000	21.312	.344	80	154.7	5.76	5.58	356.7	23.40	1373	124.8	7.66	5.0
	STD	20	API	22.000	21.250	.375	87	153.7	5.76	5.56	354.7	25.48	1490	135.4	7.65	5.8
			API	22.000	21.188	.406	94	152.9	5.76	5.55	352.6	27.54	1607	146.1	7.64	6.6
			API	22.000	21.124	.438	101	151.9	5.76	5.53	350.5	29.67	1725	156.8	7.62	7.5
			API	22.000	21.062	.469	108	150.9	5.76	5.51	348.4	31.72	1839	167.2	7.61	8.4
	XS	30	API	22.000	21.000	.500	115	150.2	5.76	5.50	346.4	33.77	1953	177.5	7.61	9.3
				22.000	20.750	.625	143	146.6	5.76	5.43	338.2	41.97	2400	218.2	7.56	13
			API	22.000	20.500	.750	170	143.1	5.76	5.37	330.1	50.07	2829	257.2	7.52	18
		60		22.000	20.250	.875	197	139.6	5.76	5.30	322.1	58.07	3245	295.0	7.47	21
				22.000	20.000	1.000	224	136.2	5.76	5.24	314.2	65.97	3645	331.4	7.43	27
		80		22.000	19.750	1.125	251	132.8	5.76	5.17	306.4	73.78	4029	366.3	7.39	32
				22.000	19.500	1.250	277	129.5	5.76	5.10	298.6	81.48	4400	400.0	7.35	38
		100		22.000	19.250	1.375	303	126.2	5.76	5.04	291.0	89.09	4758	432.6	7.31	45
				22.000	19.000	1.500	329	122.9	5.76	4.97	283.5	96.60	5103	463.9	7.27	52
		120		22.000	18.750	1.625	354	119.6	5.76	4.91	276.1	104.02	5432	493.8	7.23	58
		140		22.000	18.250	1.875	403	113.3	5.76	4.78	261.6	118.55	6054	550.3	7.15	74
		160		22.000	17.750	2.125	451	107.2	5.76	4.65	247.4	132.68	6626	602.4	7.07	90
24		5S		24.000	23.564	.218	55	188.9	6.28	6.17	436.1	16.29	1152	96.0	8.41	2.6
		10, 10S	API,L	24.000	23.500	.250	63	187.9	6.28	6.15	435.0	18.67	1320	110.0	8.40	3.0
			API	24.000	23.438	.281	71	186.9	6.28	6.14	431.5	20.94	1472	122.7	8.38	3.9
			API	24.000	23.376	.312	79	185.9	6.28	6.12	430.0	23.20	1630	136.0	8.38	4.7
			API	24.000	23.312	.344	87	184.9	6.28	6.10	426.8	25.57	1789	149.1	8.36	5.5
	STD	20	API	24.000	23.250	.375	95	183.9	6.28	6.09	424.6	27.83	1942	161.9	8.35	6.0
			API	24.000	23.188	.406	102	182.9	6.28	6.07	422.3	30.09	2095	174.6	8.34	7.2
			API	24.000	23.124	.438	110	181.9	6.28	6.05	420.0	32.42	2252	187.7	8.33	8.2
			API	24.000	23.062	.469	118	180.9	6.28	6.04	417.7	34.67	2401	200.1	8.32	9.2
	XS		API	24.000	23.000	.500	125	180.0	6.28	6.02	416.0	36.90	2550	213.0	8.31	10
		30	API	24.000	22.876	.562	141	178.0	6.28	5.99	411.0	41.40	2840	237.0	8.28	12
			API	24.000	22.750	.625	156	176.1	6.28	5.96	406.5	45.90	3137	261.4	8.27	15
		40	API	24.000	22.624	.688	171	174.1	6.28	5.92	402.0	50.39	3426	285.5	8.25	18
			API	24.000	22.500	.750	186	172.1	6.28	5.89	397.6	54.78	3705	308.8	8.22	20
				24.000	22.126	.937	231	166.6	6.28	5.79	384.5	67.89	4521	376.8	8.16	24
		60		24.000	22.062	.969	238	165.6	6.28	5.78	382.3	70.11	4657	388.1	8.15	25
				24.000	22.000	1.000	246	164.8	6.28	5.76	380.1	72.26	4788	399.0	8.14	29
		80		24.000	21.562	1.219	297	158.2	6.28	5.64	365.2	87.24	5676	473.0	8.07	37
				24.000	21.500	1.250	304	157.4	6.28	5.63	363.1	89.34	5797	483.0	8.05	39
				24.000	21.000	1.500	361	150.2	6.28	5.50	346.4	106.03	6740	561.7	7.97	51
		100		24.000	20.938	1.531	367	149.3	6.28	5.48	344.3	108.07	6847	570.6	7.96	52
		120		24.000	20.376	1.812	430	141.4	6.28	5.33	326.1	126.30	7823	651.9	7.87	67
		140		24.000	19.876	2.062	483	134.4	6.28	5.20	310.3	142.10	8627	718.9	7.79	86
		160		24.000	19.312	2.344	542	126.9	6.28	5.06	292.9	159.47	9458	788.2	7.70	110

* 여기서 "철제 파이프 치수"는 강철제 파이프의 크기이며, 배관 지침 (Part I)의 "제작자의 중량"에서 다루었다-2.1.3절 참조.

파이프의 자료

표 P-1

* 공칭 파이프 크기	벽두께: * 강제 파이프 크기	벽두께: Sch. No.	벽두께: CODE	크기: 외경	크기: 내경	크기: 두께	중량: Plain End Pipe	중량: Water in Pipe	면적: 표면적 Outside	면적: 표면적 Inside	면적: 단면적 Flow	면적: 단면적 Metal	특성값: 관성모멘트	특성값: 단면율	특성값: 나선반경	所要熔接棒의重量
in				in	in	in	lb/ft	lb/ft	ft²/ft	ft²/ft	in²	in²	in⁴	in³	in	lb
26			API	26.000	25.500	.250	67	221.4	6.81	6.68	510.7	19.85	1646	126.6	9.10	3.5
			API	26.000	25.438	.281	77	220.3	6.81	6.66	508.2	22.70	1877	144.4	9.09	4.2
		10	API	26.000	25.376	.312	86	219.2	6.81	6.64	505.8	25.18	2076	159.7	9.08	5.0
			API	26.000	25.312	.344	94	218.2	6.81	6.63	503.2	27.73	2280	175.4	9.07	6.0
	STD		API	26.000	25.250	.375	103	217.1	6.81	6.61	500.7	30.19	2478	190.6	9.06	6.9
			API	26.000	25.188	.406	111	216.0	6.81	6.59	498.3	32.64	2673	205.6	9.05	7.8
			API	26.000	25.124	.438	120	214.9	6.81	6.58	495.8	35.17	2874	221.1	9.04	8.8
			API	26.000	25.062	.469	128	213.7	6.81	6.56	493.3	37.62	3066	235.8	9.03	9.9
	XS	20	API	26.000	25.000	.500	136	212.8	6.81	6.54	490.9	40.06	3259	250.7	9.02	11
			API	26.000	24.876	.562	153	210.5	6.81	6.51	486.0	44.91	3635	279.6	9.00	13
			API	26.000	24.750	.625	169	208.6	6.81	6.48	481.1	49.82	4013	308.7	8.98	16
			API	26.000	24.500	.750	202	204.4	6.81	6.41	471.4	59.49	4744	364.9	8.93	22
				26.000	24.250	.875	235	200.2	6.81	6.35	461.9	69.07	5458	419.9	8.89	25
				26.000	24.000	1.000	267	196.1	6.81	6.28	452.4	78.54	6149	473.0	8.85	32
				26.000	23.750	1.125	299	192.1	6.81	6.22	443.0	87.91	6813	524.1	8.80	38
				26.000	23.500	1.250	330	187.9	6.81	6.15	433.7	97.19	7461	573.9	8.76	46
				26.000	23.250	1.375	362	184.1	6.81	6.09	424.6	106.37	8088	622.2	8.72	53
				26.000	23.000	1.500	393	180.1	6.81	6.02	415.5	115.45	8695	668.8	8.68	61
28			API	28.000	27.500	.250	74	257.3	7.33	7.20	594.0	21.80	2098	149.8	9.81	3.8
			API	28.000	27.438	.281	83	256.1	7.33	7.18	591.3	24.47	2350	167.8	9.80	4.6
		10	API	28.000	27.376	.312	92	255.0	7.33	7.17	588.6	27.14	2601	185.8	9.79	5.4
			API	28.000	27.312	.344	102	253.8	7.33	7.15	585.9	29.89	2858	204.1	9.78	6.4
	STD		API	28.000	27.250	.375	111	252.6	7.33	7.13	583.2	32.54	3105	221.8	9.77	7.4
			API	28.000	27.188	.406	120	251.5	7.33	7.12	580.6	35.20	3351	239.4	9.76	8.4
			API	28.000	27.124	.438	129	250.3	7.33	7.10	577.8	37.93	3602	257.3	9.75	9.5
			API	28.000	27.062	.469	138	249.2	7.33	7.08	575.2	40.56	3844	274.6	9.74	11
	XS	20	API	28.000	27.000	.500	147	248.0	7.33	7.07	572.6	43.20	4085	291.8	9.72	12
		30	API	28.000	26.750	.625	183	243.4	7.33	7.00	562.0	53.75	5038	359.8	9.68	17
			API	28.000	26.500	.750	218	238.9	7.33	6.94	551.6	64.21	5964	426.0	9.64	23
				28.000	26.250	.875	253	234.4	7.33	6.87	541.2	74.56	6865	490.3	9.60	27
				28.000	26.000	1.000	288	230.0	7.33	6.81	530.9	84.82	7740	552.8	9.55	34
				28.000	25.750	1.125	323	225.6	7.33	6.74	520.8	94.98	8590	613.6	9.51	41
				28.000	25.500	1.250	357	221.2	7.33	6.68	510.7	105.05	9417	672.6	9.47	49
				28.000	25.250	1.375	391	216.9	7.33	6.61	500.7	115.01	10219	729.9	9.43	57
				28.000	25.000	1.500	425	212.6	7.33	6.54	490.9	124.88	10997	785.5	9.38	66
30		5S	API	30.000	29.500	.250	79	296.3	7.85	7.72	683.4	23.37	2585	172.3	10.52	4.1
			API	30.000	29.438	.281	89	295.1	7.85	7.70	680.5	26.24	2897	193.1	10.51	4.9
		10, 10S	API	30.000	29.376	.312	99	293.7	7.85	7.69	677.8	29.19	3201	213.4	10.50	5.8
			API	30.000	29.312	.344	109	292.6	7.85	7.67	674.8	32.04	3524	235.0	10.49	6.9
	STD		API	30.000	29.250	.375	119	291.2	7.85	7.66	672.0	34.90	3823	254.8	10.48	8.0
			API	30.000	29.188	.406	130	290.7	7.85	7.64	669.0	37.75	4132	275.5	10.46	9.0
			API	30.000	29.124	.438	138	288.8	7.85	7.62	666.1	40.68	4442	296.2	10.45	10
			API	30.000	29.062	.469	148	287.3	7.85	7.61	663.4	43.51	4744	316.3	10.44	11
	XS	20	API	30.000	29.000	.500	158	286.2	7.85	7.59	660.5	46.34	5033	335.5	10.43	13
		30	API	30.000	28.750	.625	196	281.3	7.85	7.53	649.2	57.68	6213	414.2	10.39	18
			API	30.000	28.500	.750	234	276.6	7.85	7.46	637.9	68.92	7371	491.4	10.34	25
				30.000	28.250	.875	272	271.8	7.85	7.39	620.7	80.06	8494	566.2	10.30	29
				30.000	28.000	1.000	310	267.0	7.85	7.33	615.7	91.11	9591	639.4	10.26	36
				30.000	27.750	1.125	347	262.2	7.85	7.26	604.7	102.05	10653	710.2	10.22	44
				30.000	27.500	1.250	384	257.5	7.85	7.20	593.9	112.90	11682	778.8	10.17	53
				30.000	27.250	1.375	421	252.9	7.85	7.13	583.1	123.65	12694	846.2	10.13	62
				30.000	27.000	1.500	457	248.2	7.85	7.07	572.5	134.30	13673	911.5	10.09	71

* 여기서 "철제 파이프 치수"는 강철제 파이프의 크기이며, 배관 지침 (Part I)의 "제작자의 중량"에서 다루었다-2.1.3절 참조.

파이프의 자료

표 P-1

공칭 파이프 크기	벽두께: * 강제 파이프 크기	벽두께: Sch. No.	벽두께: CODE	크기: 외경	크기: 내경	크기: 두께	중량: Plain End Pipe	중량: Water in Pipe	면적: 표면적 Outside	면적: 표면적 Inside	면적: 단면적 Flow	면적: 단면적 Metal	특성값: 관성모멘트	특성값: 단면율	특성값: 나선반경	所要熔接棒의重量
in				in	in	in	lb/ft	lb/ft	ft²/ft	ft²/ft	in²	in²	in⁴	in³	in	lb
32			API	32.000	31.500	.250	85	337.8	8.38	8.25	779.2	24.93	3141	196.3	11.22	4.3
			API	32.000	31.438	.281	95	336.5	8.38	8.23	776.2	28.04	3525	220.3	11.21	5.2
		10	API	32.000	31.376	.312	106	335.2	8.38	8.21	773.2	31.02	3891	243.2	11.20	6.2
			API	32.000	31.312	.344	116	333.8	8.38	8.20	770.0	34.24	4287	268.0	11.19	7.4
	STD		API	32.000	31.250	.375	127	332.5	8.38	8.18	766.9	37.25	4656	291.0	11.18	8.5
			API	32.000	31.188	.406	137	331.2	8.38	8.16	764.0	40.29	5025	314.1	11.17	10
			API	32.000	31.124	.438	148	329.8	8.38	8.15	760.8	43.43	5407	337.9	11.16	11
			API	32.000	31.062	.469	158	328.2	8.38	8.13	757.8	46.46	5775	360.9	11.15	12
	XS	20	API	32.000	31.000	.500	168	327.2	8.38	8.11	754.7	49.48	6140	383.8	11.14	14
		30	API	32.000	30.750	.625	209	321.9	8.38	8.05	742.5	61.59	7578	473.6	11.09	20
		40	API	32.000	30.624	.688	230	319.0	8.38	8.02	736.6	67.68	8298	518.6	11.07	23
			API	32.000	30.500	.750	250	316.7	8.38	7.98	730.5	73.63	8990	561.9	11.05	27
				32.000	30.000	1.000	331	306.4	8.38	7.85	706.8	97.38	11680	730.0	10.95	39
				32.000	29.500	1.250	410	296.3	8.38	7.72	683.5	120.76	14398	899.9	10.88	56
				32.000	29.000	1.500	489	286.3	8.38	7.59	660.5	143.73	16752	104.70	10.80	76
34			API	34.000	33.500	.250	90	382.0	8.90	8.77	881.2	26.50	3773	221.9	11.93	4.6
			API	34.000	33.438	.281	101	380.7	8.90	8.75	878.2	29.77	4230	248.8	11.92	6.1
		10	API	34.000	33.376	.312	112	379.3	8.90	8.74	874.9	32.99	4680	275.3	11.91	6.6
			API	34.000	33.312	.344	124	377.8	8.90	8.72	871.6	36.36	5147	302.8	11.90	7.8
	STD		API	34.000	33.250	.375	135	376.2	8.90	8.70	867.8	39.61	5597	329.2	11.89	9.0
			API	34.000	33.188	.406	146	375.0	8.90	8.69	865.0	42.88	6047	355.7	11.87	10
			API	34.000	33.124	.438	157	373.6	8.90	8.67	861.7	46.18	6501	382.4	11.86	12
			API	34.000	33.062	.469	168	371.9	8.90	8.66	858.5	49.40	6945	408.5	11.86	13
	XS	20	API	34.000	33.000	.500	179	370.8	8.90	8.64	855.3	52.62	7385	434.4	11.85	14
		30	API	34.000	32.750	.625	223	365.0	8.90	8.57	841.9	65.53	9124	536.7	11.80	21
		40	API	34.000	32.624	.688	245	362.1	8.90	8.54	835.9	72.00	9992	587.8	11.78	25
			API	34.000	32.500	.750	266	359.5	8.90	8.51	829.3	78.34	10829	637.0	11.76	28
				34.000	32.000	1.000	353	348.6	8.90	8.38	804.2	103.67	14114	830.2	11.67	42
				34.000	31.500	1.250	437	337.8	8.90	8.25	779.2	128.61	17246	1014.5	11.58	60
				34.000	31.000	1.500	521	327.2	8.90	8.11	754.7	153.15	20247	1191.0	11.50	81
36			API	36.000	35.500	.250	96	429.1	9.42	9.29	989.7	28.11	4491	249.5	12.64	4.8
			API	36.000	35.438	.281	107	427.6	9.42	9.28	986.4	31.49	5023	279.1	12.63	5.9
		10	API	36.000	35.376	.312	119	426.1	9.42	9.26	982.9	34.95	5565	309.1	12.62	7.0
			API	36.000	35.312	.344	131	424.6	9.42	9.24	979.3	38.56	6127	340.4	12.60	8.2
	STD		API	36.000	35.250	.375	143	423.1	9.42	9.23	975.8	42.01	6664	370.2	12.59	9.5
			API	36.000	35.188	.406	154	421.6	9.42	9.21	972.5	45.40	7191	399.5	12.58	11
			API	36.000	35.124	.438	166	420.1	9.42	9.19	968.9	48.93	7737	429.9	12.57	12
			API	36.000	35.062	.469	178	418.2	9 42	9.18	965.5	52.35	8263	459.0	12.56	14
	XS	20	API	36.000	35.000	.500	190	417.1	9.42	9.16	962.1	55.76	8785	488.1	12.55	15
			API	36.000	34.876	.562	213	413.8	9.42	9.13	955.3	62.57	9825	545.8	12.53	19
		30	API	36.000	34.750	.625	236	411.1	9.42	9.10	948.3	69.50	10872	604.0	12.51	22
		40	API	36.000	34.500	.750	282	405.3	9.42	9.03	934.7	83.01	12898	716.5	12.46	30
				36.000	34.000	1.000	374	393.6	9.42	8.90	907.9	109.96	16851	936.2	12.38	44
				36.000	33.500	1.250	464	382.1	9.42	8.77	881.3	136.46	20624	1145.8	12.29	64
				36.000	33.000	1.500	553	370.8	9.42	8.64	855.3	162.58	24237	1346.5	12.21	86
42				42.000	41.500	.250	112	586.4	10.99	10.86	1352.6	32.82	7126	339.3	14.73	5.7
			API	42.000	41.250	.375	167	579.3	10.99	10.80	1336.3	49.08	10627	506.1	14.71	11
			API	42.000	41.000	.500	222	572.3	10.99	10.73	1320.2	65.18	14037	668.4	14.67	18
			API	42.000	40.750	.625	276	565.4	10.99	10.67	1304.1	81.28	17373	827.3	14.62	26
			API	42.000	40.500	.750	330	558.4	10.99	10.60	1288.2	97.23	20689	985.2	14.59	35
				42.000	40.000	1.000	438	544.8	10.99	10.47	1256.6	128.81	27080	1289.5	14.50	52
				42.000	39.500	1.250	544	531.2	10.99	10.34	1225.3	160.03	33233	1582.5	14.41	74
				42.000	39.000	1.500	649	517.9	10.99	10.21	1194.5	190.85	39181	1865.7	14.33	92

* 여기서 "철제 파이프 치수"는 강철제 파이프의 크기이며, 배관 지침 (Part I)의 "제작자의 중량"에서 다루었다-2.1.3절 참조

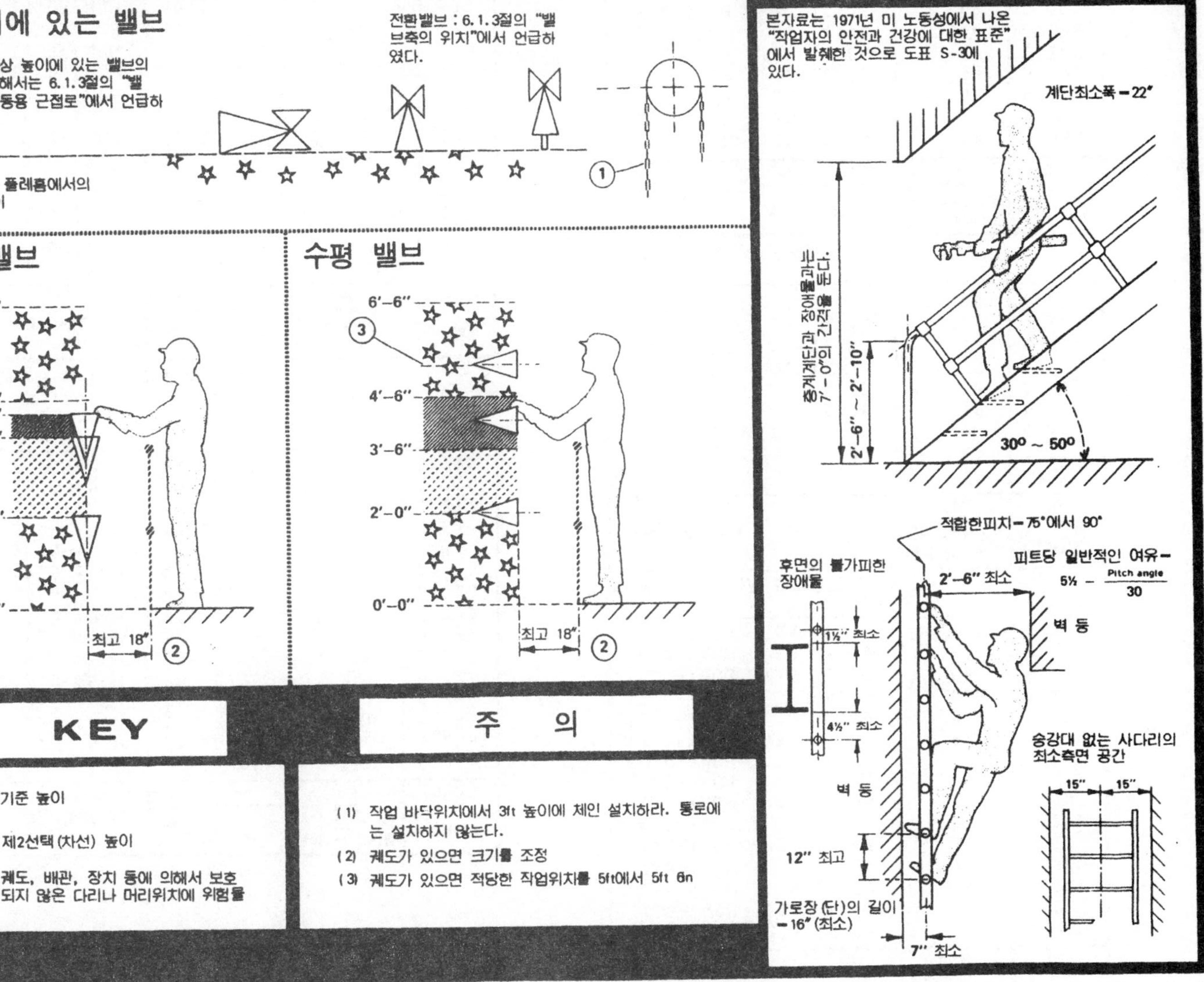

링조인트데이터

평상압축시의 링조인트 플랜지의 반대면 사이의 링번호와 간격

표 R-1

PSI	일반적인 파이프의 크기 (IN.)	1/2	3/4	1	1½	2	2½	3	4	6	8	10	12	14	16	18	20	24
150	링 번호			R15	R19	R22	R25	R29	R36	R43	R48	R52	R56	R59	R64	R68	R72	R76
	간격 (INCH)			5/32	5/32	5/32	5/32	5/32	5/32	5/32	5/32	5/32	5/32	1/8	1/8	1/8	1/8	1/8
300	링번호	R11	R13	R16	R20	R23	R26	R31	R37	R45	R49	R53	R57	R61	R65	R69	R73	R77
	간격 (INCH)	1/8	5/32	5/32	5/32	7/32	7/32	7/32	7/32	7/32	7/32	7/32	7/32	7/32	7/32	7/32	7/32	1/4
600	링 번호	R11	R13	R16	R20	R23	R26	R31	R37	R45	R49	R53	R57	R61	R65	R69	R73	R77
	간격 (INCH)	1/8	5/32	5/32	5/32	3/16	3/16	3/16	3/16	3/16	3/16	3/16	3/16	3/16	3/16	3/16	3/16	7/32
900	링 번호	R12	R14	R16	R20	R24	R27	R31	R37	R45	R49	R53	R57	R62	R66	R70	R74	R78
	간격 (INCH)	5/32	5/32	5/32	5/32	1/8	1/8	5/32	5/32	5/32	5/32	5/32	5/32	5/32	5/32	3/16	3/16	7/32
1500	링 번호	R12	R14	R16	R20	R24	R27	R35	R39	R46	R50	R54	R58	R63	R67	R71	R75	R79
	간격 (INCH)	5/32	5/32	5/32	5/32	1/8	1/8	1/8	1/8	1/8	5/32	5/32	3/16	7/32	5/16	5/16	3/8	7/16
2500	링 번호	R13	R16	R18	R23	R26	R28	R32	R38	R47	R51	R55	R60					
	간격 (INCH)	5/32	5/32	5/32	1/8	1/8	1/8	1/8	5/32	5/32	3/16	1/4	5/16					

수평 파이프의 지지 간격

표 S-1

이 표는 파이프배선의 적당한 파이프 지지 간격을 나타내고 각 끝단에 둘 또는 그 이상의 지지 간격이 직선파이프의 일부분일 때 작동한다.

SPAN*
SUPPORT
PIPE
MAXIMUM DEFLECTION†
SUPPORT

도표 S-2에 따른 굽힘응력과 굽힘을 값

강철제 파이프 스케쥴 번호 160

일반 파이프 크기	파이프 지지간격*		물이가득차있을 때파이프지지간격의 중량	최대처짐의 높이†
	Ft.	In.	(Lb)	(In.)
1.0-INCH	15	8.77	48	0.234
1.5-INCH	19	3.28	105	0.243
2.0-INCH	21	6.79	182	0.243
2.5-INCH	23	9.87	275	0.245
3.0-INCH	26	3.66	438	0.245
4.0-INCH	29	9.30	733	0.245
6.0-INCH	36	2.01	1,970	0.245
8.0-INCH	41	2.89	3,732	0.245
10.0-INCH	45	11.75	6,465	0.244
12.0-INCH	50	0.40	9,801	0.244
14.0-INCH	52	4.67	12,186	0.243
16.0-INCH	56	0.99	16,875	0.244
18.0-INCH	59	5.13	22,582	0.244
20.0-INCH	62	8.17	29,266	0.244
24.0-INCH	68	7.74	45,923	0.244

강철제 파이프 스케쥴 번호 80

일반 파이프 크기	파이프 지지간격*		물이가득차있을 때파이프지지간격의 중량	최대처짐의 높이†
	Ft.	In.	(Lb)	(In.)
1.0-INCH	16	1.05	40	0.244
1.5-INCH	19	4.29	85	0.245
2.0-INCH	21	6.49	136	0.243
2.5-INCH	23	9.02	225	0.244
3.0-INCH	26	0.66	342	0.241
4.0-INCH	29	3.07	584	0.236
6.0-INCH	35	0.22	1,396	0.230
8.0-INCH	39	4.67	2,480	0.223
10.0-INCH	43	8.21	4,172	0.220
12.0-INCH	47	5.26	6,290	0.219
14.0-INCH	49	9.95	7,883	0.220
16.0-INCH	52	10.78	10,934	0.217
18.0-INCH	56	0.58	14,545	0.217
20.0-INCH	59	0.02	18,706	0.216
24.0-INCH	64	5.48	29,341	0.215

강철제 파이프 스케쥴 번호 40

일반 파이프 크기	파이프 지지간격*		물이가득차있을 때파이프지지간격의 중량	최대처짐의 높이†
	Ft.	In.	(Lb)	(In.)
1.0-INCH	16	1.07	33	0.244
1.5-INCH	19	0.49	69	0.237
2.0-INCH	20	11.53	107	0.230
2.5-INCH	23	3.20	183	0.234
3.0-INCH	25	3.65	273	0.227
4.0-INCH	28	1.01	458	0.218
6.0-INCH	32	10.37	1,035	0.202
8.0-INCH	36	7.40	1,836	0.193
10.0-INCH	40	0.55	2,987	0.185
12.0-INCH	42	11.48	4,386	0.180
14.0-INCH	44	11.52	5,463	0.179
16.0-INCH	47	10.83	7,640	0.178
18.0-INCH	50	10.65	10,289	0.179
20.0-INCH	52	11.02	12,880	0.174
24.0-INCH	57	5.84	19,844	0.171

강철제 파이프 스케쥴 번호 20

일반 파이프 크기	파이프 지지간격*		물이가득차있을 때파이프지지간격의 중량	최대처짐의 높이†
	Ft.	In.	(Lb)	(In.)
8.0-INCH	34	6.46	1,551	0.172
10.0-INCH	36	4.22	2,324	0.152
12.0-INCH	37	9.18	3,199	0.139
14.0-INCH	41	0.64	4,385	0.149
16.0-INCH	42	4.07	5,593	0.139
18.0-INCH	43	2.92	6,984	0.129
20.0-INCH	46	7.22	9,553	0.135
24.0-INCH	48	2.35	13,437	0.120
30.0-INCH	54	11.58	24,415	0.125

강철제 파이프 스케쥴 번호 10

일반 파이프 크기	파이프 지지간격*		물이가득차있을 때파이프지지간격의 중량	최대처짐의 높이†
	Ft.	In.	(Lb)	(In.)
1.0-INCH	15	11.14	29	0.240
1.5-INCH	18	5.62	56	0.223
2.0-INCH	19	11.77	84	0.209
2.5-INCH	21	7.24	127	0.202
3.0-INCH	22	10.63	182	0.186
4.0-INCH	24	5.31	288	0.164
6.0-INCH	27	5.75	632	0.141
8.0-INCH	29	9.72	1,103	0.128
10.0-INCH	32	0.93	1,782	0.119
12.0-INCH	33	11.37	2,592	0.112
14.0-INCH	38	5.23	3,809	0.131
16.0-INCH	39	4.50	4,886	0.120
18.0-INCH	40	1.82	6,087	0.111
20.0-INCH	40	8.77	7,454	0.103
24.0-INCH	41	9.43	10,530	0.090

알루미늄제 파이프 스케쥴번호 80

일반 파이프 크기	파이프 지지간격*		물이가득차있을 때파이프지지간격의 중량	최대처짐의 높이†
	Ft.	In.	(Lb)	(In.)
1.0-INCH	17	4.67	18	0.414
1.5-INCH	20	2.26	41	0.386
2.0-INCH	22	0.19	66	0.367
2.5-INCH	24	5.26	110	0.374
3.0-INCH	26	4.25	169	0.357
4.0-INCH	28	11.94	295	0.336
6.0-INCH	33	11.69	719	0.314
8.0-INCH	37	6.31	1,306	0.294
10.0-INCH	39	8.42	1,986	0.264

알루미늄제 파이프 스케쥴번호 40

일반 파이프 크기	파이프 지지간격*		물이가득차있을 때파이프지지간격의 중량	최대처짐의 높이†
	Ft.	In.	(Lb)	(In.)
1.0-INCH	16	8.12	16	0.381
1.5-INCH	18	11.07	34	0.339
2.0-INCH	20	3.81	55	0.313
2.5-INCH	22	10.19	93	0.327
3.0-INCH	24	4.06	142	0.305
4.0-INCH	26	4.46	244	0.278
6.0-INCH	29	10.16	569	0.242
8.0-INCH	32	8.17	1,029	0.223
10.0-INCH	35	3.12	1,696	0.208

3ft가 상승하거나 하강한 수평파이프의 지지 간격

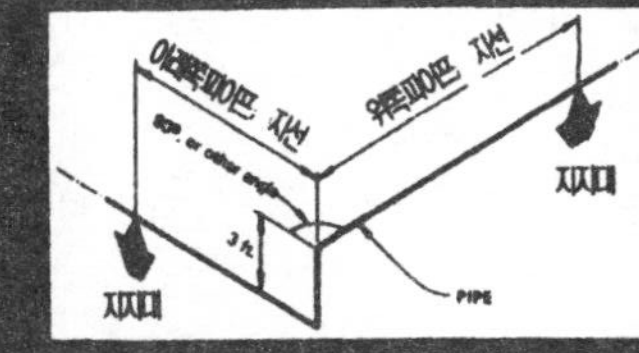

도표 S-2

THESE CHARTS GIVE THE MAXIMUM LENGTH PERMISSIBLE FOR EITHER HORIZONTAL LIMB IN THE PIPING ARRANGEMENT SHOWN, AND APPLY WHEN THE SPAN INCLUDING THE RISE OR FALL IS CONTINUOUS WITH TWO OR MORE STRAIGHT SPANS AT EACH END.

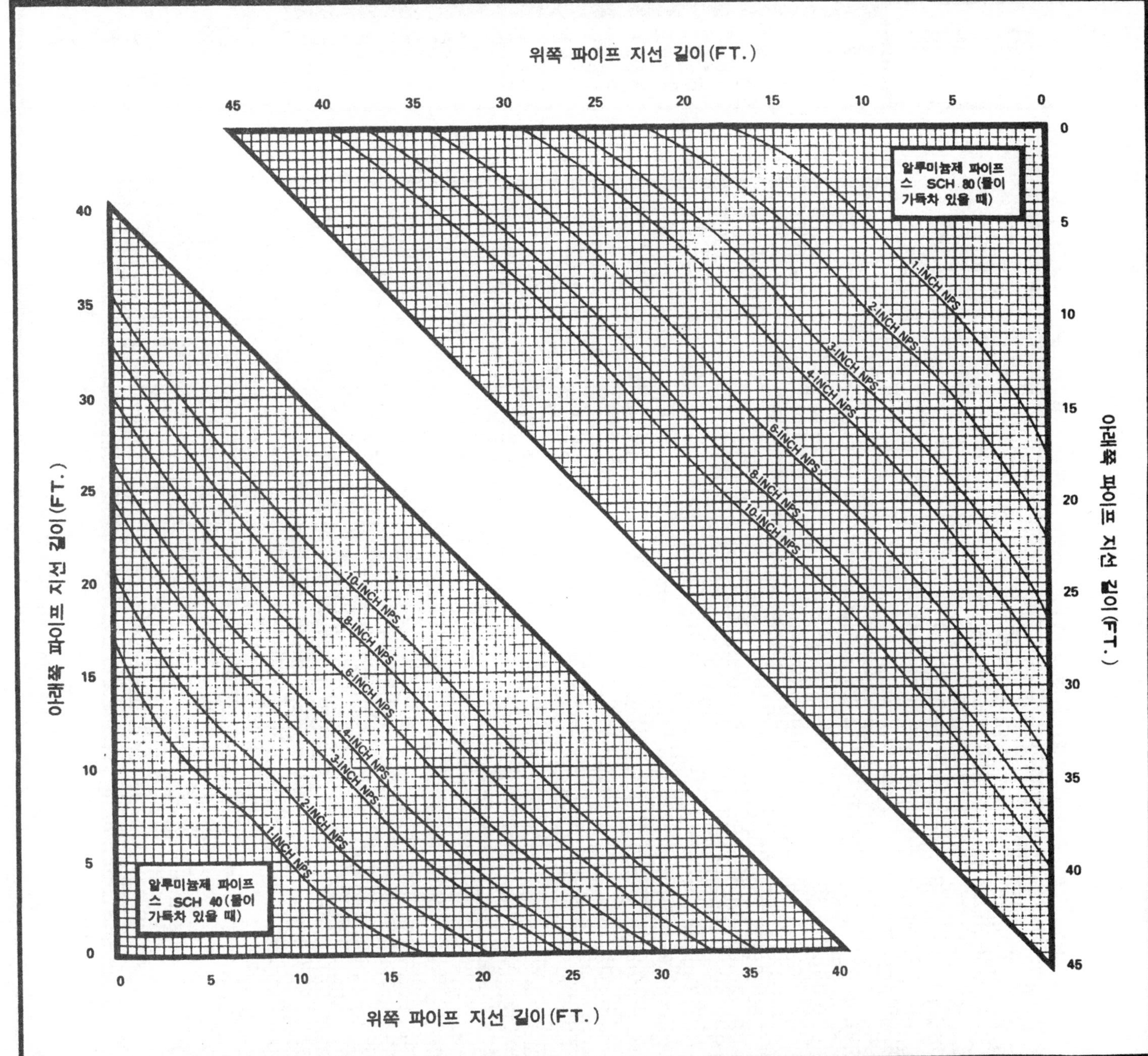

아래도표

SCH 40, 알루미늄

물이 가득찬 강제 파이프가 지지될 때 파이프 중량과 물의중량으로 굽힘이 발생하며, 최대 굽힘응력 4000PSi에 기준한 자료이다 : 적용응력은 합성적인 인장 응력을 증가시킨다. 이 자료 값은 29,000,000PSi 의 탄성 인장율을 가진 탄소강제와 스테인레스강제에 적용한다. 물이 가득찬 알루미늄 파이프와 지지 간격은 2000PSi의 응력과 10,000,000PSi 응력율에 근거를 둔다.

위쪽도표

SCH 80, 알루미늄

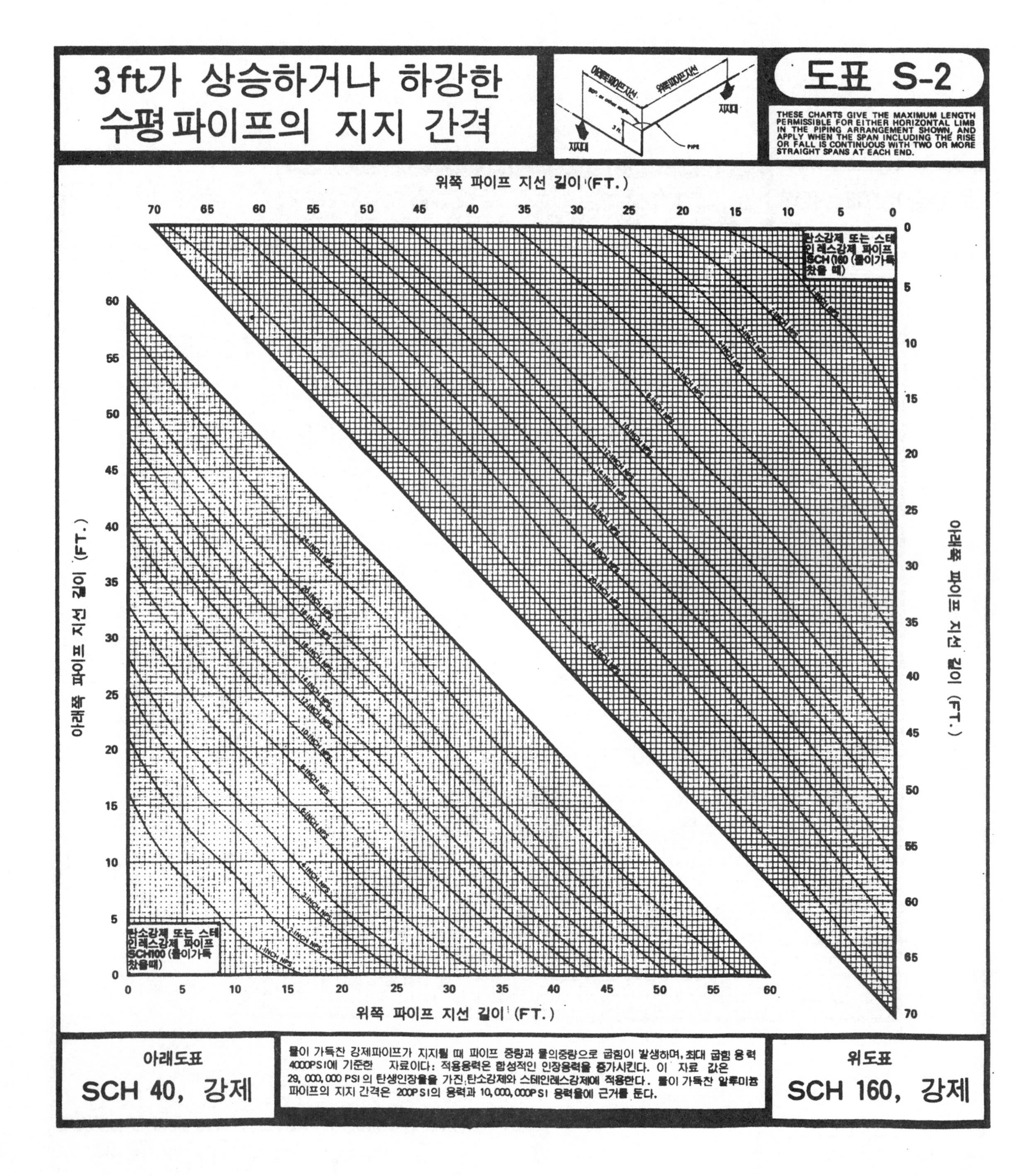
3ft가 상승하거나 하강한
수평파이프의 지지 간격
도표 S-2
THESE CHARTS GIVE THE MAXIMUM LENGTH PERMISSIBLE FOR EITHER HORIZONTAL LIMB IN THE PIPING ARRANGEMENT SHOWN, AND APPLY WHEN THE SPAN INCLUDING THE RISE OR FALL IS CONTINUOUS WITH TWO OR MORE STRAIGHT SPANS AT EACH END.
아래쪽파이프지선
위쪽파이프지선
지지대
PIPE
위쪽 파이프 지선 길이 (FT.)
아래쪽 파이프 지선 길이 (FT.)
탄소강제 또는 스테인레스강제 파이프 SCH160 (물이가득 찼을 때)
탄소강제 또는 스테인레스강제 파이프 SCH100 (물이가득 찼을때)
아래도표
SCH 40, 강제
물이 가득찬 강제파이프가 지지될 때 파이프 중량과 물의중량으로 굽힘이 발생하며, 최대 굽힘 응력 4000PSI에 기준한 자료이다: 적용응력은 합성적인 인장응력을 증가시킨다. 이 자료 값은 29,000,000 PSI 의 탄생인장율을 가진,탄소강제와 스테인레스강제에 적용한다. 물이 가득찬 알루미늄 파이프의 지지 간격은 200PSI의 응력과 10,000,000PSI 응력율에 근거를 둔다.
위도표
SCH 160, 강제

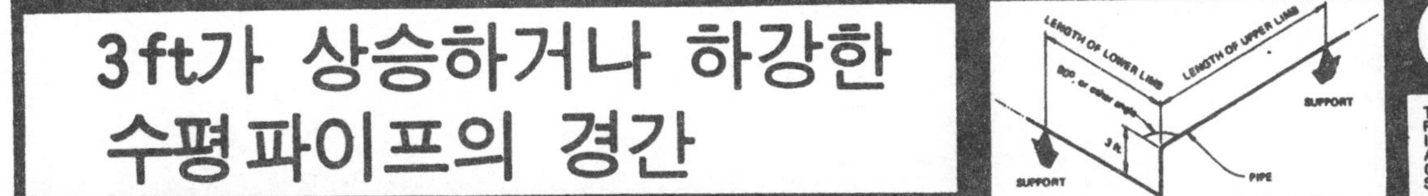

3ft가 상승하거나 하강한 수평파이프의 경간

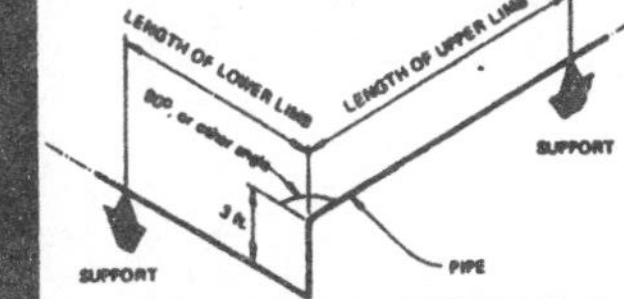

도표 S-2

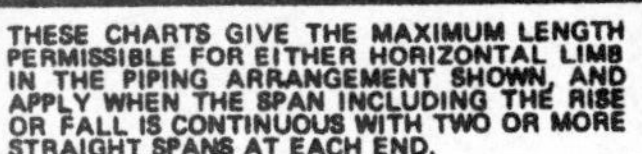

THESE CHARTS GIVE THE MAXIMUM LENGTH PERMISSIBLE FOR EITHER HORIZONTAL LIMB IN THE PIPING ARRANGEMENT SHOWN, AND APPLY WHEN THE SPAN INCLUDING THE RISE OR FALL IS CONTINUOUS WITH TWO OR MORE STRAIGHT SPANS AT EACH END.

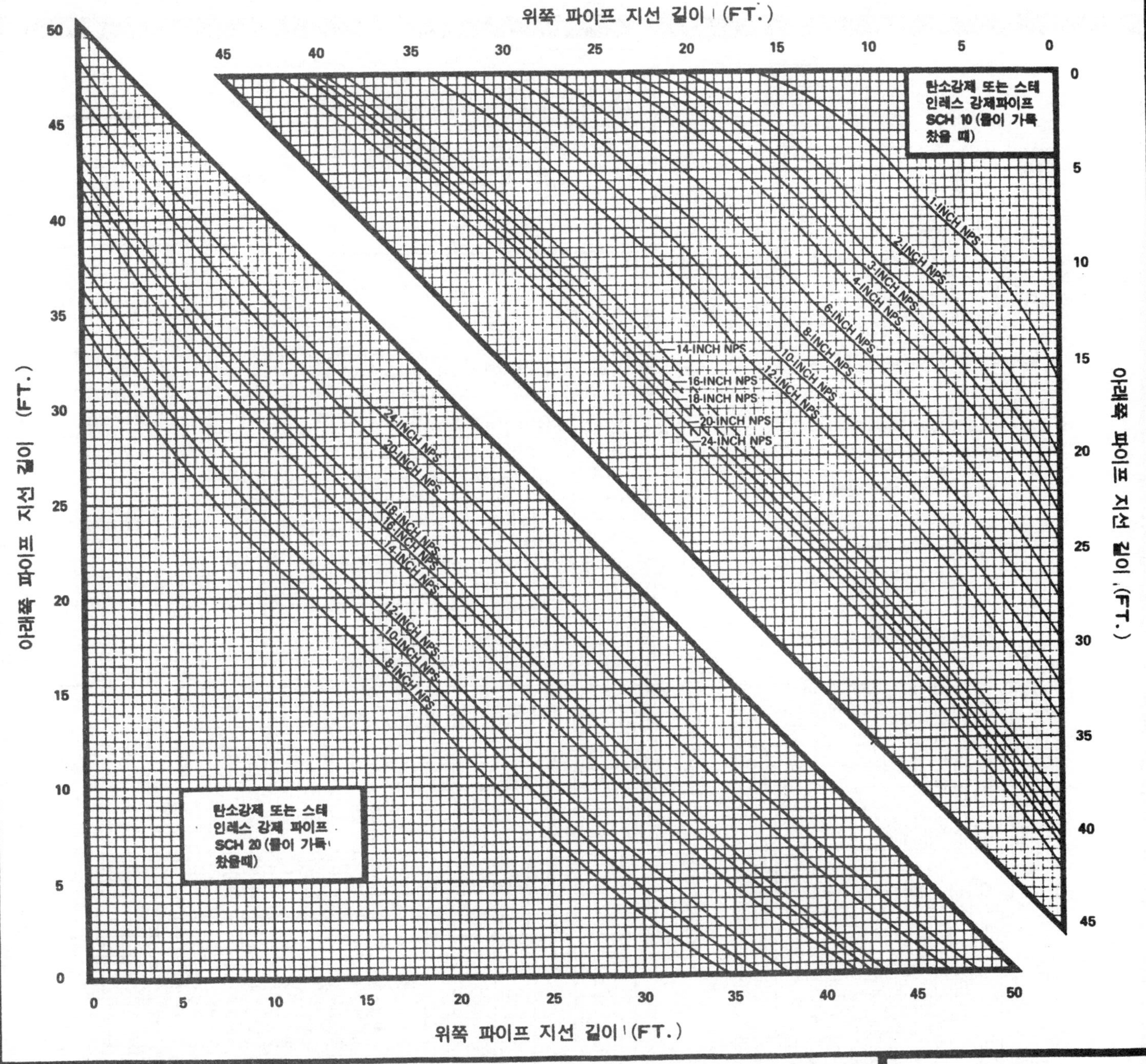

아래도표
SCH 20, 강제

물이 가득찬 강제 파이프가 지지될 때 파이프 중량과 물이 가해져 굽힘이 발생하여, 최대 굽힘응력 4000PSI에 기준한 자료이다 : 적용응력은 합성적인 인장 응력을 증가시킨다. 이 자료 값은 29,000,000PSI의 탄성 인장율을 가진 탄소강제와 스테인레스강제에 적용된다. 물이 가득찬 알루미늄 파이프와 경간은 2000PSI의 응력과 10,000,000PSI 응력율에 근거를 둔다.

위도표
SCH 10, 강제

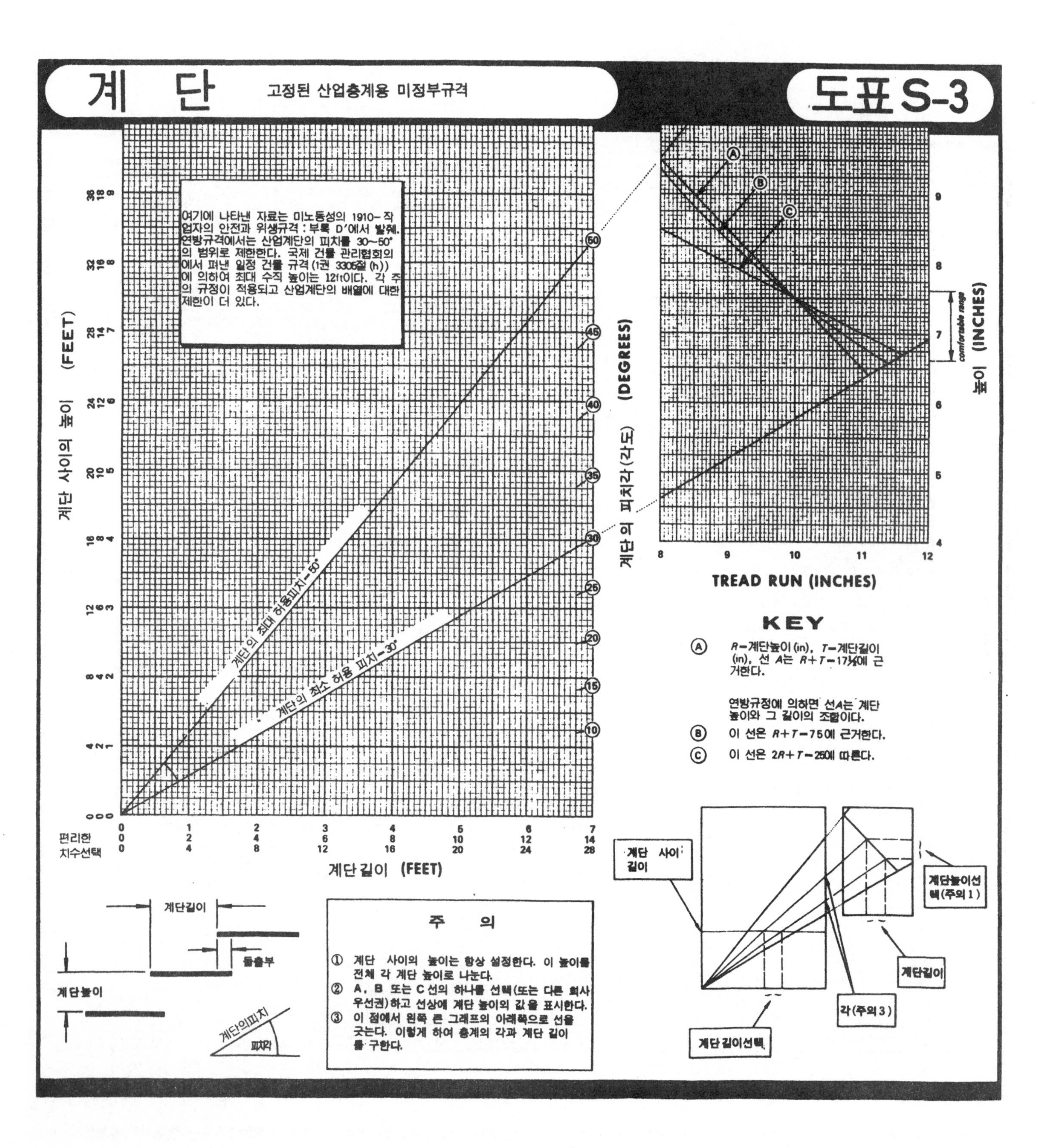

계 단
고정된 산업층계용 미정부규격
도표 S-3
여기에 나타낸 자료는 미노동성의 1910-작업자의 안전과 위생규격 : 부록 D'에서 발췌. 연방규격에서는 산업계단의 피치를 30~50°의 범위로 제한한다. 국제 건물 관리협회의에서 펴낸 일정 건물 규격(1권 3306절 (h))에 의하여 최대 수직 높이는 12ft이다. 각 주의 규정이 적용되고 산업계단의 배열에 대한 제한이 더 있다.
계단 사이의 높이 (FEET)
계단의 최대 허용피치-50°
계단의 최소 허용 피치-30°
계단의 피치각(각도) (DEGREES)
편리한 치수선택
계단 길이 (FEET)
TREAD RUN (INCHES)
comfortable range
높이 (INCHES)
KEY
Ⓐ R-계단높이(in), T-계단길이(in), 선 A는 R+T-17½에 근거한다.
연방규정에 의하면 선A는 계단 높이와 그 길이의 조합이다.
Ⓑ 이 선은 R+T-75에 근거한다.
Ⓒ 이 선은 2R+T-25에 따른다.
계단길이
돌출부
계단높이
계단의피치
피치각
주 의
① 계단 사이의 높이는 항상 설정한다. 이 높이를 전체 각 계단 높이로 나눈다.
② A, B 또는 C선의 하나를 선택(또는 다른 회사 우선권)하고 선상에 계단 높이의 값을 표시한다.
③ 이 점에서 왼쪽 큰 그래프의 아래쪽으로 선을 긋는다. 이렇게 하여 층계의 각과 계단 길이를 구한다.
계단 사이 길이
계단높이선택(주의1)
계단길이
각(주의3)
계단 길이선택

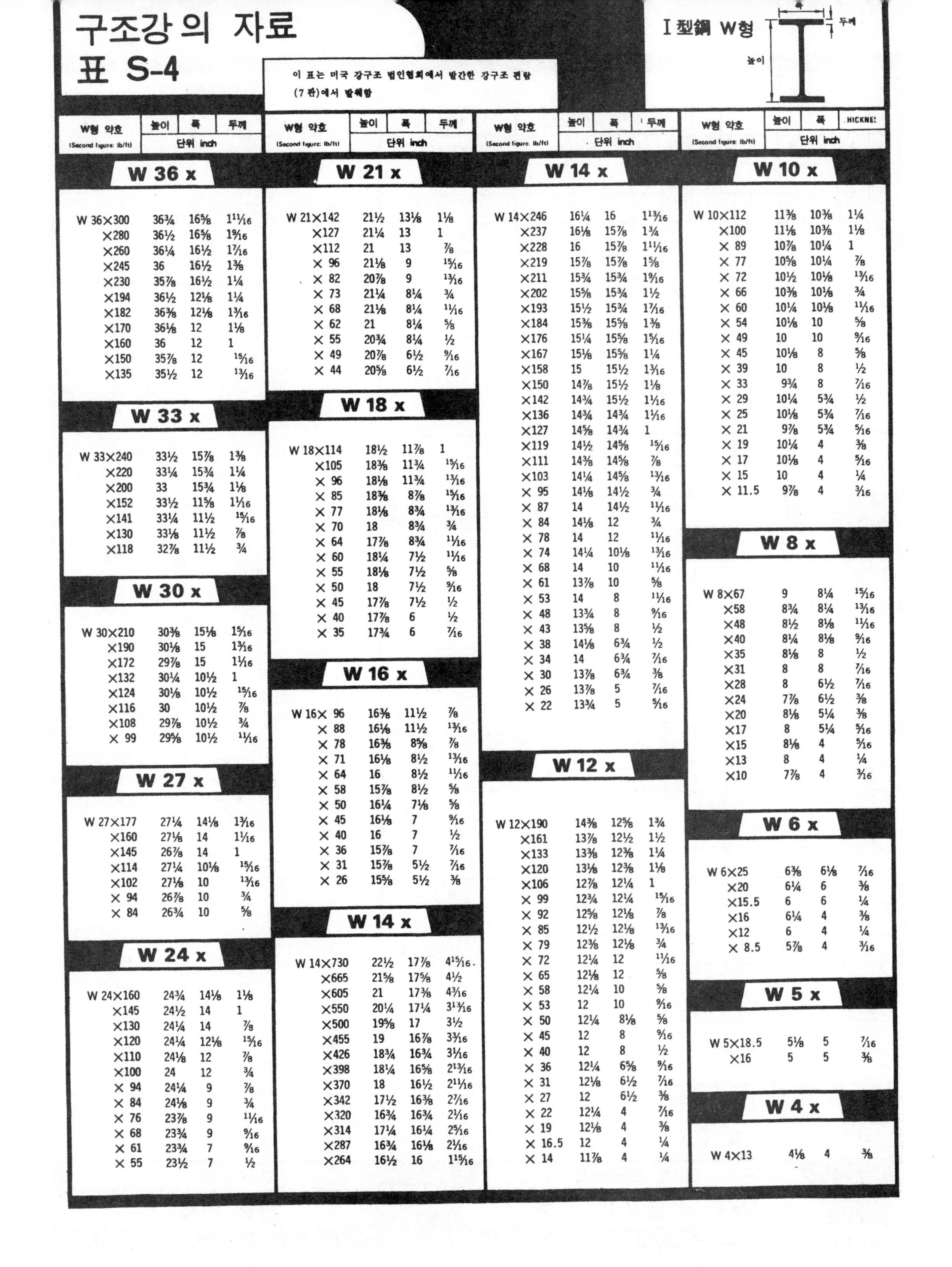

구조강의 자료
표 S-4

이 표는 미국 강구조 법인협회에서 발간한 강구조 편람 (7 판)에서 발췌함

I 型鋼 W형

단위 inch

W 36 x

W형 약호 (Second figure: lb/ft)	높이	폭	두께
W 36×300	36 3/4	16 5/8	1 11/16
×280	36 1/2	16 5/8	1 9/16
×260	36 1/4	16 1/2	1 7/16
×245	36	16 1/2	1 3/8
×230	35 7/8	16 1/2	1 1/4
×194	36 1/2	12 1/8	1 1/4
×182	36 3/8	12 1/8	1 3/16
×170	36 1/8	12	1 1/8
×160	36	12	1
×150	35 7/8	12	15/16
×135	35 1/2	12	13/16

W 33 x

W형 약호 (Second figure: lb/ft)	높이	폭	두께
W 33×240	33 1/2	15 7/8	1 3/8
×220	33 1/4	15 3/4	1 1/4
×200	33	15 3/4	1 1/8
×152	33 1/2	11 5/8	1 1/16
×141	33 1/4	11 1/2	15/16
×130	33 1/8	11 1/2	7/8
×118	32 7/8	11 1/2	3/4

W 30 x

W형 약호 (Second figure: lb/ft)	높이	폭	두께
W 30×210	30 3/8	15 1/8	1 5/16
×190	30 1/8	15	1 3/16
×172	29 7/8	15	1 1/16
×132	30 1/4	10 1/2	1
×124	30 1/8	10 1/2	15/16
×116	30	10 1/2	7/8
×108	29 7/8	10 1/2	3/4
× 99	29 5/8	10 1/2	11/16

W 27 x

W형 약호 (Second figure: lb/ft)	높이	폭	두께
W 27×177	27 1/4	14 1/8	1 3/16
×160	27 1/8	14	1 1/16
×145	26 7/8	14	1
×114	27 1/4	10 1/8	15/16
×102	27 1/8	10	13/16
× 94	26 7/8	10	3/4
× 84	26 3/4	10	5/8

W 24 x

W형 약호 (Second figure: lb/ft)	높이	폭	두께
W 24×160	24 3/4	14 1/8	1 1/8
×145	24 1/2	14	1
×130	24 1/4	14	7/8
×120	24 1/4	12 1/8	15/16
×110	24 1/8	12	7/8
×100	24	12	3/4
× 94	24 1/4	9	7/8
× 84	24 1/8	9	3/4
× 76	23 7/8	9	11/16
× 68	23 3/4	9	9/16
× 61	23 3/4	7	9/16
× 55	23 1/2	7	1/2

W 21 x

W형 약호 (Second figure: lb/ft)	높이	폭	두께
W 21×142	21 1/2	13 1/8	1 1/8
×127	21 1/4	13	1
×112	21	13	7/8
× 96	21 1/8	9	15/16
× 82	20 7/8	9	13/16
× 73	21 1/4	8 1/4	3/4
× 68	21 1/8	8 1/4	11/16
× 62	21	8 1/4	5/8
× 55	20 3/4	8 1/4	1/2
× 49	20 7/8	6 1/2	9/16
× 44	20 5/8	6 1/2	7/16

W 18 x

W형 약호 (Second figure: lb/ft)	높이	폭	두께
W 18×114	18 1/2	11 7/8	1
×105	18 3/8	11 3/4	15/16
× 96	18 1/8	11 3/4	13/16
× 85	18 3/8	8 7/8	15/16
× 77	18 1/8	8 3/4	13/16
× 70	18	8 3/4	3/4
× 64	17 7/8	8 3/4	11/16
× 60	18 1/4	7 1/2	11/16
× 55	18 1/8	7 1/2	5/8
× 50	18	7 1/2	9/16
× 45	17 7/8	7 1/2	1/2
× 40	17 7/8	6	1/2
× 35	17 3/4	6	7/16

W 16 x

W형 약호 (Second figure: lb/ft)	높이	폭	두께
W 16× 96	16 3/8	11 1/2	7/8
× 88	16 1/8	11 1/2	13/16
× 78	16 3/8	8 5/8	7/8
× 71	16 1/8	8 1/2	13/16
× 64	16	8 1/2	11/16
× 58	15 7/8	8 1/2	5/8
× 50	16 1/4	7 1/8	5/8
× 45	16 1/8	7	9/16
× 40	16	7	1/2
× 36	15 7/8	7	7/16
× 31	15 7/8	5 1/2	7/16
× 26	15 5/8	5 1/2	3/8

W 14 x

W형 약호 (Second figure: lb/ft)	높이	폭	두께
W 14×730	22 1/2	17 7/8	4 15/16
×665	21 5/8	17 5/8	4 1/2
×605	21	17 3/8	4 3/16
×550	20 1/4	17 1/4	3 13/16
×500	19 5/8	17	3 1/2
×455	19	16 7/8	3 3/16
×426	18 3/4	16 3/4	3 1/16
×398	18 1/4	16 5/8	2 13/16
×370	18	16 1/2	2 11/16
×342	17 1/2	16 3/8	2 7/16
×320	16 3/4	16 3/4	2 1/16
×314	17 1/4	16 1/4	2 5/16
×287	16 3/4	16 1/8	2 1/16
×264	16 1/2	16	1 15/16

W 14 x

W형 약호 (Second figure: lb/ft)	높이	폭	두께
W 14×246	16 1/4	16	1 13/16
×237	16 1/8	15 7/8	1 3/4
×228	16	15 7/8	1 11/16
×219	15 7/8	15 7/8	1 5/8
×211	15 3/4	15 3/4	1 9/16
×202	15 5/8	15 3/4	1 1/2
×193	15 1/2	15 3/4	1 7/16
×184	15 3/8	15 5/8	1 3/8
×176	15 1/4	15 5/8	1 5/16
×167	15 1/8	15 5/8	1 1/4
×158	15	15 1/2	1 3/16
×150	14 7/8	15 1/2	1 1/8
×142	14 3/4	15 1/2	1 1/16
×136	14 3/4	14 3/4	1 1/16
×127	14 5/8	14 3/4	1
×119	14 1/2	14 5/8	15/16
×111	14 3/8	14 5/8	7/8
×103	14 1/4	14 5/8	13/16
× 95	14 1/8	14 1/2	3/4
× 87	14	14 1/2	11/16
× 84	14 1/8	12	3/4
× 78	14	12	11/16
× 74	14 1/4	10 1/8	13/16
× 68	14	10	11/16
× 61	13 7/8	10	5/8
× 53	14	8	11/16
× 48	13 3/4	8	9/16
× 43	13 5/8	8	1/2
× 38	14 1/8	6 3/4	1/2
× 34	14	6 3/4	7/16
× 30	13 7/8	6 3/4	3/8
× 26	13 7/8	5	7/16
× 22	13 3/4	5	5/16

W 12 x

W형 약호 (Second figure: lb/ft)	높이	폭	두께
W 12×190	14 3/8	12 5/8	1 3/4
×161	13 7/8	12 1/2	1 1/2
×133	13 3/8	12 3/8	1 1/4
×120	13 1/8	12 3/8	1 1/8
×106	12 7/8	12 1/4	1
× 99	12 3/4	12 1/4	15/16
× 92	12 5/8	12 1/8	7/8
× 85	12 1/2	12 1/8	13/16
× 79	12 3/8	12 1/8	3/4
× 72	12 1/4	12	11/16
× 65	12 1/8	12	5/8
× 58	12 1/4	10	5/8
× 53	12	10	9/16
× 50	12 1/4	8 1/8	5/8
× 45	12	8	9/16
× 40	12	8	1/2
× 36	12 1/4	6 5/8	9/16
× 31	12 1/8	6 1/2	7/16
× 27	12	6 1/2	3/8
× 22	12 1/4	4	7/16
× 19	12 1/8	4	3/8
× 16.5	12	4	1/4
× 14	11 7/8	4	1/4

W 10 x

W형 약호 (Second figure: lb/ft)	높이	폭	두께
W 10×112	11 3/8	10 3/8	1 1/4
×100	11 1/8	10 3/8	1 1/8
× 89	10 7/8	10 1/4	1
× 77	10 5/8	10 1/4	7/8
× 72	10 1/2	10 1/8	13/16
× 66	10 3/8	10 1/8	3/4
× 60	10 1/4	10 1/8	11/16
× 54	10 1/8	10	5/8
× 49	10	10	9/16
× 45	10 1/8	8	5/8
× 39	10	8	1/2
× 33	9 3/4	8	7/16
× 29	10 1/4	5 3/4	1/2
× 25	10 1/8	5 3/4	7/16
× 21	9 7/8	5 3/4	5/16
× 19	10 1/4	4	3/8
× 17	10 1/8	4	5/16
× 15	10	4	1/4
× 11.5	9 7/8	4	3/16

W 8 x

W형 약호 (Second figure: lb/ft)	높이	폭	두께
W 8×67	9	8 1/4	15/16
×58	8 3/4	8 1/4	13/16
×48	8 1/2	8 1/8	11/16
×40	8 1/4	8 1/8	9/16
×35	8 1/8	8	1/2
×31	8	8	7/16
×28	8	6 1/2	7/16
×24	7 7/8	6 1/2	3/8
×20	8 1/8	5 1/4	3/8
×17	8	5 1/4	5/16
×15	8 1/8	4	5/16
×13	8	4	1/4
×10	7 7/8	4	3/16

W 6 x

W형 약호 (Second figure: lb/ft)	높이	폭	두께
W 6×25	6 3/8	6 1/8	7/16
×20	6 1/4	6	3/8
×15.5	6	6	1/4
×16	6 1/4	4	3/8
×12	6	4	1/4
× 8.5	5 7/8	4	3/16

W 5 x

W형 약호 (Second figure: lb/ft)	높이	폭	두께
W 5×18.5	5 1/8	5	7/16
×16	5	5	3/8

W 4 x

W형 약호 (Second figure: lb/ft)	높이	폭	두께
W 4×13	4 1/8	4	3/8

ㄷ型鋼 資料

미국 표준 규격

명 칭 (Second figure: lb/ft)	높이	폭	평균두께
	단위 : inch		
C 15×50	15	3¾	⅝
×40	15	3½	⅝
×33.9	15	3⅜	⅝
C 12×30	12	3⅛	½
×25	12	3	½
×20.7	12	3	½
C 10×30	10	3	7/16
×25	10	2⅞	7/16
×20	10	2¾	7/16
×15.3	10	2⅝	7/16
C 9×20	9	2⅝	7/16
×15	9	2½	7/16
×13.4	9	2⅜	7/16
C 8×18.75	8	2½	⅜
×13.75	8	2⅜	⅜
×11.5	8	2¼	⅜
C 7×14.75	7	2¼	⅜
×12.25	7	2¼	⅜
× 9.8	7	2⅛	⅜
C 6×13	6	2⅛	5/16
×10.5	6	2	5/16
× 8.2	6	1⅞	5/16
C 5× 9	5	1⅞	5/16
× 6.7	5	1¾	5/16
C 4× 7.25	4	1¾	5/16
× 5.4	4	1⅝	5/16
C 3× 6	3	1⅝	¼
× 5	3	1½	¼
× 4.1	3	1⅜	¼

미국 표준 규격 채널

폭
평균두께
높이

각도 값 / 유용 크기

1. 부등변의 길이

크 기	두께: 1	⅞	¾	⅝	9/16	½	7/16	⅜	5/16	¼	3/16	⅛
9x4x	✓	✓	✓	✓	✓	✓						
8x6x	✓	✓	✓	✓	✓	✓	✓					
8x4x	✓	✓	✓	✓	✓	✓	✓					
7x4x		✓	✓	✓	✓	✓	✓	✓				
6x4x		✓	✓	✓	✓	✓	✓	✓	✓	✓		
6x3½x						✓		✓	✓	✓		
5x3½x			✓	✓		✓	✓	✓	✓	✓		
5x3x						✓	✓	✓	✓	✓		
4x3½x				✓		✓	✓	✓	✓	✓		
4x3x				✓		✓	✓	✓	✓	✓		
3½x3x						✓	✓	✓	✓	✓		
3½x2½x						✓	✓	✓	✓	✓		
3x2½x						✓	✓	✓	✓	✓	✓	
3x2x						✓	✓	✓	✓	✓	✓	
2½x2x								✓	✓	✓	✓	
2½x1½x									✓	✓	✓	
2x1½x	보기명칭 : L 2 x 1½ x ¼									✓	✓	✓
2x1¼x										✓	✓	✓
1¾x1¼x										✓	✓	✓

2. 等辺 길이

크 기	두께: 1⅛	1	⅞	¾	⅝	9/16	½	7/16	⅜	5/16	¼	3/16	5/32	⅛
8x8x	✓	✓	✓	✓	✓	✓	✓							
6x6x		✓	✓	✓	✓	✓	✓	✓	✓	✓				
5x5x			✓	✓	✓		✓	✓	✓	✓				
4x4x				✓	✓		✓	✓	✓	✓	✓			
3½x3½x							✓	✓	✓	✓	✓			
3x3x							✓	✓	✓	✓	✓	✓		
2½x2½x							✓		✓	✓	✓	✓		
2x2x									✓	✓	✓	✓		✓
1¾x1¾x											✓	✓		✓
1½x1½x	보기명칭 : L 1½ x 1½ x ¼										✓	✓	✓	✓
1¼x1¼x											✓	✓		✓
1x1x											✓	✓		✓

TUBE 자료 — 표 T-1

증기와 수도배선용 구리 TUBE

다음의 수치 데이터는 일반적인 주철 이음매 없는 구리와 구리합성 파이프와 튜브의 필요성에 대한 ASTM B251-58T(임시의) 명칭에 따라 구리 물 튜브에 대해 다루었다.

K형 튜브

경질이나 연질의 중 벽두께는 증기와 뜨거운 물의 난방시스템; 연료 기름 배선; 액체, 공공와 가스를 운송하는 산업공정; 공기조화, 냉방과 낮은 압력의 수력 배선 등의 내부배선과 지하 배선으용으로 쓰인다. 경질 구리 튜브는 견고성에 의해 처진 배선에 의해 트랩이 제거되므로 가스 배선용으로 쓰인다.

공칭크기	공칭치수			공칭치수에 의한 이론적인 면적			이론적인 중량 (Pounds Per Foot)
	외경 (Inches)	내경 (Inches)	벽두께 (Inches)	구멍단면적 (Sq. Inches)	외부표면면적 (Sq. Ft. Per Lin. Ft.)	내부표면면적 (Sq. Ft. Per Lin. Ft.)	
¼	.375	.305	.035	.073	.098	.080	0.145
⅜	.500	.402	.049	.127	.131	.105	0.269
½	.625	.527	.049	.218	.164	.138	0.344
¾	.875	.745	.065	.436	.229	.195	0.641
1	1.125	.995	.065	.778	.294	.261	0.839
1¼	1.375	1.245	.065	1.22	.360	.326	1.04
1½	1.625	1.481	.072	1.72	.425	.388	1.36
2	2.125	1.959	.083	3.01	.556	.513	2.06
2½	2.625	2.435	.095	4.66	.687	.638	2.93
3	3.125	2.907	.109	6.64	.818	.761	4.00

L형 튜브

경질이나 연질의 중(中) 벽두께는 중간 압력의 내부 배관에 쓰이고 증기와 뜨거운 물 집난방 시스템, 패널 난방, 배관 환기 시스템에 쓰이며 산업과 공정에 쓰인다.

공칭크기	공칭치수			공칭치수에 의한 이론적인 면적			이론적인 중량 (Pounds Per Foot)
	외경 (Inches)	내경 (Inches)	벽두께 (Inches)	구멍단면적 (Sq. Inches)	외부표면면적 (Sq. Ft. Per Lin. Ft.)	내부표면면적 (Sq. Ft. Per Lin. Ft.)	
¼	.375	.315	.030	.078	.098	.082	0.126
⅜	.500	.430	.035	.145	.131	.113	0.198
½	.625	.545	.040	.233	.164	.143	0.285
¾	.875	.785	.045	.484	.229	.206	0.455
1	1.125	1.025	.050	.825	.294	.268	0.655
1¼	1.375	1.265	.055	1.26	.360	.331	0.884
1½	1.625	1.505	.060	1.78	.425	.394	1.14
2	2.125	1.985	.070	3.09	.556	.520	1.75
2½	2.625	2.465	.080	4.77	.687	.645	2.48
3	3.125	2.945	.090	6.81	.818	.771	3.33

M형 튜브

경질이나 연질의 경 벽두께는 배선에 압력이 적거나 없는 경우 또는 인장이 없는 경우에 쓰인다.

공칭크기	공칭치수			공칭치수에 의한 이론적인 면적			이론적인 중량 (Pounds Per Foot)
	외경 (Inches)	내경 (Inches)	벽두께 (Inches)	구멍단면적 (Sq. Inches)	외부표면면적 (Sq. Ft. Per Lin. Ft.)	내부표면면적 (Sq. Ft. Per Lin. Ft.)	
1¼	1.375	1.291	.042	1.31	.360	.338	0.682
1½	1.625	1.527	.049	1.83	.425	.400	0.940
2	2.125	2.009	.058	3.17	.556	.526	1.460
2½	2.625	2.495	.065	4.89	.687	.653	2.030
3	3.125	2.981	.072	6.98	.818	.780	2.680

탱크와 저장용기 체적

도표 T-2

탱크와 저장용기 체적

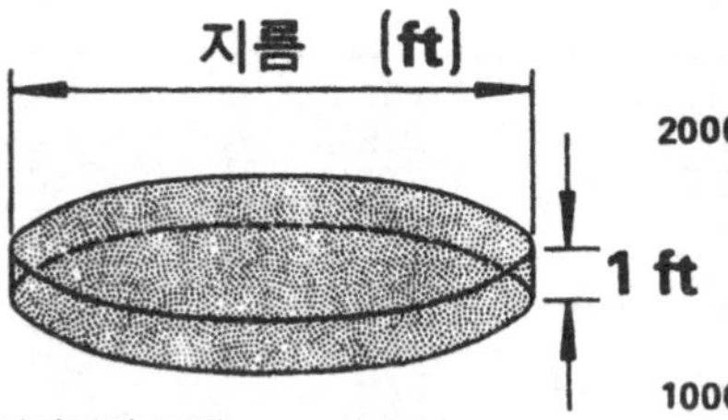

지름 (ft)

1 ft

단위길이당 체적 ············A 선

저장용기 경판의 내부체적

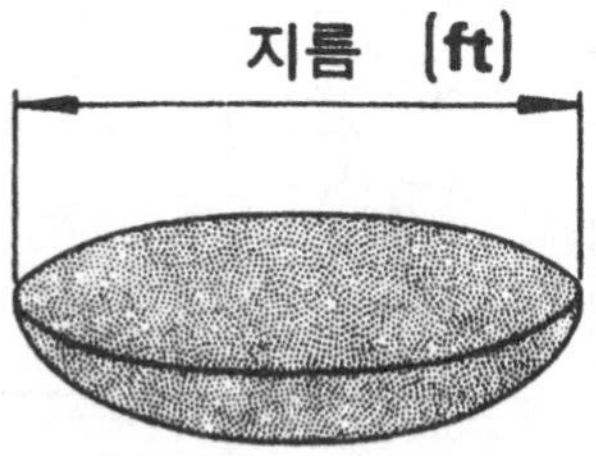

지름 (ft)

반구체의 경판 ································B 선

탄원체 경판 ································C선
(ASME "탄원체의")

플랜지와 접시형 경판 ····················점▲
(ASME "원환체")

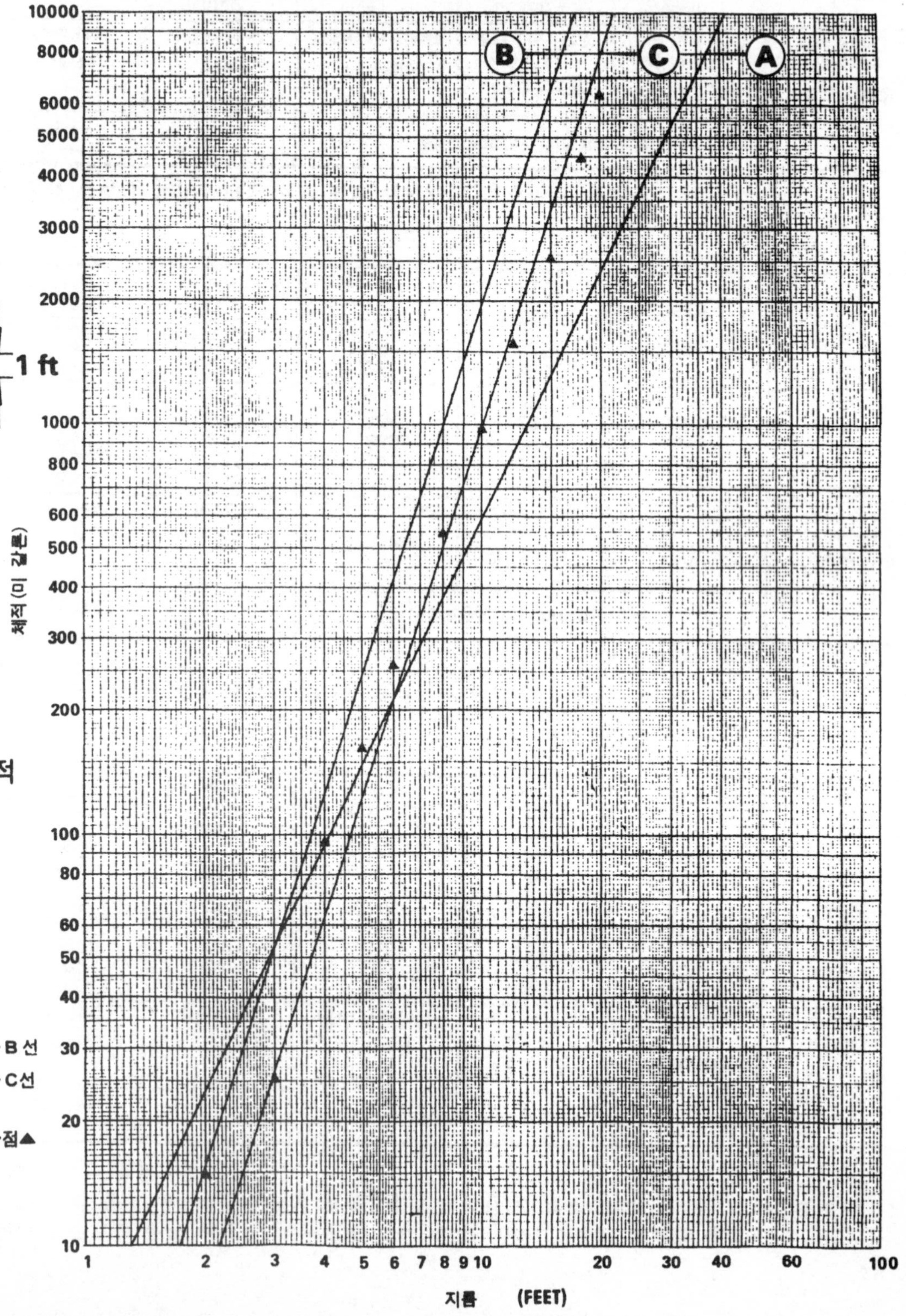

체적(미 갈론)

10000, 8000, 6000, 5000, 4000, 3000, 2000, 1000, 800, 600, 500, 400, 300, 200, 100, 80, 60, 50, 40, 30, 20, 10

Ⓑ Ⓒ Ⓐ

1, 2, 3, 4, 5, 6, 7, 8, 9, 10, 20, 30, 40, 60, 100

지름 (FEET)

밸브 자료

표 V-1

공칭파이프 크기 (IN.)

밸브	정격 압력 PSI	2	2 1/2	3	4	6	8	10	12	14	16	18	20	24
강제 게이트 밸브 고체쐐기와 이중디스크(분리쐐기)	150 플랜지이음	7	$7\frac{1}{2}$	8	9	$10\frac{1}{2}$	$11\frac{1}{2}$	13	14	15	16	17	18	20
	150 엇이음	$8\frac{1}{2}$	$9\frac{1}{2}$	$11\frac{1}{8}$	12	$15\frac{7}{8}$	$16\frac{1}{2}$	18	$19\frac{3}{4}$	$22\frac{1}{2}$	24	26	28	32
	300	$8\frac{1}{2}$	$9\frac{1}{2}$	$11\frac{1}{8}$	12	$15\frac{7}{8}$	$16\frac{1}{2}$	18	$19\frac{3}{4}$	30	33	36	39	45
	400	$11\frac{1}{2}$	13	14	16	$19\frac{1}{2}$	$23\frac{1}{2}$	$26\frac{1}{2}$	30	$32\frac{1}{2}$	$35\frac{1}{2}$	$38\frac{1}{2}$	$41\frac{1}{2}$	$48\frac{1}{2}$
	600	$11\frac{1}{2}$	13	14	17	22	26	31	33	35	39	43	47	55
	900	$14\frac{1}{2}$	$16\frac{1}{2}$	15	18	24	29	33	38	$40\frac{1}{2}$	$44\frac{1}{2}$	48	52	61
	1500	$14\frac{1}{2}$	$16\frac{1}{2}$	$18\frac{1}{2}$	$21\frac{1}{2}$	$27\frac{3}{4}$	$32\frac{3}{4}$	39	$44\frac{1}{2}$	$49\frac{1}{2}$	$54\frac{1}{2}$	$60\frac{1}{2}$	$65\frac{1}{2}$	$76\frac{1}{2}$
	2500	$17\frac{3}{4}$	20	$22\frac{3}{4}$	$26\frac{1}{2}$	36	$40\frac{1}{4}$	50	56					
강제 글로브 밸브 / 리프트 체크 밸브	150 플랜지이음	8	$8\frac{1}{2}$	$9\frac{1}{2}$	$11\frac{1}{2}$	16	$19\frac{1}{2}$	$24\frac{1}{2}$	$27\frac{1}{2}$					
	150 엇이음	8	$8\frac{1}{2}$	$9\frac{1}{2}$	$11\frac{1}{2}$	16	$19\frac{1}{2}$	$24\frac{1}{2}$	$27\frac{1}{2}$					
	300	$10\frac{1}{2}$	$11\frac{1}{2}$	$12\frac{1}{2}$	14	$17\frac{1}{2}$	22	$24\frac{1}{2}$	28					
	400	$11\frac{1}{2}$	13	14	16	$19\frac{1}{2}$	$23\frac{1}{2}$	$26\frac{1}{2}$	30					
	600	$11\frac{1}{2}$	13	14	17	22	26	31	33					
	900	$14\frac{1}{2}$	$16\frac{1}{2}$	15	18	24	29	33	38					
	1500	$14\frac{1}{2}$	$16\frac{1}{2}$	$18\frac{1}{2}$	$21\frac{1}{2}$	$27\frac{3}{4}$	$32\frac{3}{4}$	39	$44\frac{1}{2}$					
	2500	$17\frac{3}{4}$	20	$22\frac{3}{4}$	$26\frac{1}{2}$	36	$40\frac{1}{4}$	50	56					
스윙 체크 밸브 / 경사 디스크 체크 밸브	150 플랜지이음	8	$8\frac{1}{2}$	$9\frac{1}{2}$	$11\frac{1}{2}$	14	$19\frac{1}{2}$	$24\frac{1}{2}$	$27\frac{1}{2}$					
	150 엇이음	8	$8\frac{1}{2}$	$9\frac{1}{2}$	$11\frac{1}{2}$	14	$19\frac{1}{2}$	$24\frac{1}{2}$	$27\frac{1}{2}$					
	300	$10\frac{1}{2}$	$11\frac{1}{2}$	$12\frac{1}{2}$	14	$17\frac{1}{2}$	21	$24\frac{1}{2}$	28					
	400	$11\frac{1}{2}$	13	14	16	$19\frac{1}{2}$	$23\frac{1}{2}$	$26\frac{1}{2}$	30					
	600	$11\frac{1}{2}$	13	14	17	22	26	31	33					
	900	$14\frac{1}{2}$	$16\frac{1}{2}$	15	18	24	29	33	38					
	1500	$14\frac{1}{2}$	$16\frac{1}{2}$	$18\frac{1}{2}$	$21\frac{1}{2}$	$27\frac{3}{4}$	$32\frac{3}{4}$	39	$44\frac{1}{2}$					
	2500	$17\frac{3}{4}$	20	$22\frac{3}{4}$	$26\frac{1}{2}$	36	$40\frac{1}{4}$	50	56					

주 의

이 표의 치수는 ANSI B16.10에서 발췌하였고 플랜지 이음한 밸브와 용접용으로 끝은 엇이음한 밸브에 사용된다.

표치수

플랜지 이음한 밸브의 표의 치수는 밸브의 양 상승면의 여유를 포함한다. 150PSI와 300 PSI 밸브는 각 상승면이 1/16in이고 정격 압력이 400 또는 그 이상인 경우는 1/4in이다.

앵글 글로브 밸브와 앵글 리프트체크 밸브에서 면의 중심은 표의 치수의 1/2 값이다.

1/2 표치수

주 의

배관지지물을 설계하려면 먼저 파이프의 중량을 계산한다. 이 계산에서는 배관 시스템의 한 부분으로 지지대는 모든 요소 즉 파이프, 물과 운반되는 다른 유체의 중량, 이음쇠, 플랜지, 밸브, 보온재와 다른 요소의 중량을 포함한다.

파이프와 보온재

파이프 재료의 중량은 표 W-1에 볼트체로 나타내었다. 이 중량 값은 제작 명세와 차이가 있을 수 있다.

단면 중량을 결정하려면 플랜지, 밸브와 이음쇠의 중량에 덮개를 파이프 중량에 가는 선으로 나타낸 적당한 계수를 곱한 중량을 더해준다.

칼슘 규산염용과 일반적인 85% 마그네시아(산화마그네슘) 췌로 또는 규조류 규산의 합성용의 단열 중량을 나타내었다. 칼슘규산염과 85% 마그네시아의 중량은 체적당(ft^3) 11파운드의 밀도를 기준으로 하였고 규조류 규산은 체적당 21파운드의 밀도를 기준으로 한다. 중량에는 캔버스, 시멘트, 페인트, 철사와 밴드의 중량은 대략적으로 포함 되었으나 비, 바람막이나 다른 특별한 보호막 중량은 포함하지 않았다. 파이프를 싸고 있는 다른 구조물의 중량은 다양하고 보온재 제작자로부터 얻는다. 명시된 장소에는 비, 바람막이 중량을 더한다. 보온재의 중량은 보온재 제작자가 만든 일반적인 두께 참고서에 의하고 특별한 용도로 만든 보온명세와는 일치하지 않아도 된다. 최종 배관 중량을 결정하기 전에 먼저 보온재의 명세가 재검토되야 한다.

밸 브

밸브의 중량은 제작자의 설계에 따라 다양하다. 여기에 나타낸 중량은 거의 밸브 자체만의 중량이고 전기모터나 특별한 밸브에 명시된 다른 장치의 중량은 포함하지 않는다. 가능하면 밸브 중량은 배관에 설치할 특별한 밸브의 제작자로부터 직접 얻는게 좋다.

125와 250 파운드의 중량을 갖는 주철제 밸브는 표준 플랜지 말단을 갖는 배브용이다. 강제 밸브의 중량은 말단 용접형용이다. 플랜지 이음 강제 밸브의 중량의 계산은 평평한 밸브의 중량에 상응하는 두 개의 SLIP-ON 플랜지를 더한다.

맞대기 용접 리듀서

맞대기 용접 리듀서에 나타낸 중량은 한 개의 파이프 크기가 축소될 때 쓰인다.

표 W-1

배관 재료의 중량

		1" PIPE 크기				1¼" PIPE 크기			
파이프	스케쥴 번호	40	80	160		40	80	160	
	벽 두께	STD	XS		XXS	STD	XS		XXS
	두께-인치	.133	.179	.250	.358	.140	.191	.250	.382
	파이프-Lbs/ft	1.68	2.17	2.84	3.66	2.27	3.00	3.76	5.22
	물-Lbs/ft	.37	.31	.23	.12	.65	.56	.46	.27
용접소켓 이음쇠	90° 엘보우	1.0 .3	1.0 .3	2.3 .3	2.6 .3	1.5 .3	1.6 .3	3.0 .3	3.3 .3
	45° 엘보우	1.0 .2	1.0 .2	2.0 .2	2.5 .2	1.3 .2	1.4 .2	2.5 .2	2.8 .2
	티이(T)	1.3 .4	1.4 .4	3.2 .4	3.3 .4	2.0 .5	2.2 .5	3.8 .5	4.4 .5
	커플링	.6 1.1	.6 1.1	1.4 1.1	1.5 1.1	1.0 1.2	1.1 1.2	1.4 1.2	1.8 1.2
	캡	.5 .3	.5 .3	1.2 .3	1.5 .3	.9 .3	.9 .3	1.0 .3	1.4 .3

1" PIPE 크기

덮개	온도범위 °F	100 to 199	200 to 299	300 to 399	400 to 499	500 to 599	600 to 699	700 to 799	800 to 999	1000 to 1199
	두께-inches 칼슘규산염	1	1	1½	2	2	2½	2½	3	3
	중량 Lbs./Ft.	.7	.7	1.2	1.9	1.9	2.8	2.8	3.7	3.7
	두께-인치 최고온도						2½	2½	3	3
	두께-인치 85% 마그네시아	1	1	1½	2	2				
	총 W t/ft	.7	.7	1.2	1.9	1.9	3.3	3.3	4.7	4.7
	材質	鑄鐵		鋼						
	定格压力 PSI	125	250	150	300	400	600	900	1500	2500
플랜지	나사식이음 또는 SLIP-ON	2.5 1.5	4 1.5	2 1.5	3 1.5		4 1.5		11 1.5	14 1.5
	WELDING NECK			3 1.5	4 1.5		6 1.5		11 1.5	15 1.5
	랩조인트			2 1.5	3 1.5		4 1.5		11 1.5	15 1.5
	브라인드	2.5 1.5	4 1.5	3 1.5	5 1.5		4 1.5		11 1.5	16 1.5
플랜지 이음쇠	S.R.90° 엘보우	6 3.6					14 3.7		30 3.8	
	L.R. 90° 엘보우	8 3.8								
	45° 엘보우	5 3.2					13 3.4		26 3.6	
	티이(T)	11 5.4					20 5.6		40 5.7	
밸브	플랜지이음 보넷 게이트						8.5 1.5		67 4.3	
	플랜지이음 보넷 글로브 또는 앵글						13 1.5		70 4.3	
	플랜지이음 보넷첵크									
	보넷 없는 게이트						8.5 1.5		20 0.9	
	보넷 없는 글로브								28 1.2	
보울트	한쪽 플랜지이음 조인트	1	2	1	2		2		6	6

1¼" PIPE 크기

덮개	온도범위 °F	100 to 199	200 to 299	300 to 399	400 to 499	500 to 599	600 to 699	700 to 799	800 to 999	1000 to 1199
	두께-inches 칼슘규산염	1	1	1½	2	2	2½	2½	3	3
	중량 Lbs./Ft.	.7	.7	1.5	1.8	1.8	2.7	2.7	3.6	3.6
	두께-인치 최고온도						2½	2½	3	3
	두께-인치 85% 마그네시아	1	1	1½	2	2				
	총 W t/ft	.7	.7	1.5	1.8	1.8	3.2	3.2	5.8	5.8
	材質	鑄鐵		鋼						
	定格压力 PSI	125	250	150	300	400	600	900	1500	2500
플랜지	나사식이음 또는 SLIP-ON	2.5 1.5	5 1.5	3 1.5	4 1.5		6 1.5		12 1.5	22 1.5
	WELDING NECK			3 1.5	6 1.5		7 1.5		11 1.5	24 1.5
	랩조인트			3 1.5	4 1.5		6 1.5		12 1.5	23 1.5
	브라인드	3.5 1.5	5.0 1.5	3 1.5	6 1.5		6 1.5		13 1.5	24 1.5
플랜지 이음쇠	S.R.90° 엘보우	8 3.6			16 3.7		18 3.8		32 3.9	
	L.R. 90° 엘보우	10 3.9			18 3.9					
	45° 엘보우	7 3.3			14 3.4		15 3.5		30 3.7	
	티이(T)	14 5.4			24 5.6		26 5.7		50 5.9	
밸브	플랜지이음 보넷 게이트				34 3.8		18 4.0		95 4.4	
	플랜지이음 보넷 글로브 또는 앵글						20 4.0		105 4.4	
	플랜지이음 보넷첵크				21 4					
	보넷 없는 게이트						16 2.2		33 1.1	
	보넷 없는 글로브								38 1.1	
보울트	한쪽 플랜지이음 조인트	1	2	1	2		2		6	9

표 W-1

배관 재료의 중량

		1½" PIPE 크기									2" PIPE 크기								
파이프	스케쥴 번호	40		80		160					40		80		160				
	벽 두께	STD		XS					XXS		STD		XS					XXS	
	두께-인치	.145		.200		.281			.400		.154		.218		.343			.436	
	파이프-Lbs/ft	2.72		3.63		4.87			6.41		3.65		5.02		7.45			9.03	
	물-Lbs/ft	.88		.77		.61			.41		1.46		1.28		.97			.77	
용접소켓 이음쇠	90° 엘보우	2.0 .4		2.5 .4		5.5 .4			6.0 .4		3.3 .5		3.8 .5		6.0 .5			6.4 .5	
	45° 엘보우	1.7 .2		2.0 .2		4.2 .2			4.8 .2		2.7 .2		2.9 .2		5.0 .2			5.9 .2	
	티이(T)	2.7 .6		3.0 .6		6.5 .6			7.8 .6		3.8 .6		4.4 .6		7.8 .6			8.7 .6	
	커플링	1.2 1.3		1.3 1.3		2.0 1.3			3.0 1.3		2.0 1.4		2.2 1.4		3.9 1.4			4.8 1.4	
	캡	1.2 .3		1.8 .3		2.2 .3			2.5 .3		1.8 .4		2.0 .4		3.6 .4			4.0 .4	
덮개	온도범위 °F	100 to 199	200 to 299	300 to 399	400 to 499	500 to 599	600 to 699	700 to 799	800 to 999	1000 to 1199	100 to 199	200 to 299	300 to 399	400 to 499	500 to 599	600 to 699	700 to 799	800 to 999	1000 to 1199
	두께-inches 칼슘규산염	1	1	1½	2	2	2½	2½	3	3	1	1	1½	2	2	2½	2½	3	3
	중량 Lbs./Ft.	.8	.8	1.4	2.5	2.5	3.5	3.5	4.5	4.5	1.0	1.0	1.7	2.5	2.5	3.5	3.5	4.2	4.2
	두께-인치 최고온도						2½	2½	3	3						2½	2½	3	3
	두께-인치 85% 마그네시아	1	1	1½	2	2					1	1	1½	2	2				
	총 W t/ft	.8	.8	1.4	2.5	2.5	4.2	4.2	5.6	5.6	1.0	1.0	1.7	2.5	2.5	4.3	4.3	5.9	5.9
플랜지	材質	鑄鐵		鋼							鑄鐵		鋼						
	定格壓力 PSI	125	250	150	300	400	600	900	1500	2500	125	250	150	300	400	600	900	1500	2500
	나사식이음 또는 SLIP-ON	3.5 1.5	6 1.5	3 1.5	7 1.5		8 1.5		20 1.5	30 1.5	5 1.5	9 1.5	5 1.5	8 1.5		10 1.5		33 1.5	50 1.5
	WELDING NECK			4 1.5	8 1.5		10 1.5		18 1.5	32 1.5			6 1.5	10 1.5		12 1.5		31 1.5	50 1.5
	랩조인트			3 1.5	7 1.5		8 1.5		18 1.5	32 1.5			5 1.5	10 1.5		11 1.5		30 1.5	47 1.5
	브라인드	4.0 1.5	7 1.5	4 1.5	8 1.5		9 1.5		20 1.5	32 1.5	6 1.5	10 1.5	5 1.5	11 1.5		12 1.5		33 1.5	52 1.5
플랜지 이음쇠	S.R. 90° 엘보우	10 3.7		13 3.7	24 3.8		28 3.9		50 4		16 3.8	24 3.8	19 3.8	28 3.8		42 4		80 4.2	
	L.R. 90° 엘보우	12 4		14 4	26 4						18 4.1	28 4.1	23 4.1	31 4.1					
	45° 엘보우	9 3.4		12 3.4	20 3.5		24 3.5		44 3.7		15 3.4	23 3.5	17 3.4	25 3.5		35 3.7		70 3.9	
	티이(T)	18 5.6		21 5.6	33 5.7		37 5.8		70 6		24 5.7	38 5.7	28 5.7	40 5.7		50 6		120 6.3	
밸브	플랜지이음 보넷 게이트	27 6.8			50 4		70 4.2		115 4.5		37 6.9	52 7.1	43 3.9	65 4.1		83 4.4		155 4.8	
	플랜지이음 보넷 글로브 또는 앵글				40 4.1		46 4.2		110 4.5		30 7	64 7.3	42 4	58 4.3		80 4.4		160 4.8	
	플랜지이음 보넷췍크				32 4.1		33 4.2		80 4.5		26 7	51 7.3	27 4	55 4.3		47 4.4		110 4.8	
	보넷 없는 게이트						24 2.0		40 1.2							42 2.3		50 1.4	
	보넷 없는 글로브								44 1.2									55 2.1	
보울트	한쪽 플랜지이음 조인트	1	2.5	1	3.5		3.5		9	12	1.5	3.5	1.5	4		4.5		12.5	21

표 W-1

배관 재료의 중량

구분	항목	2½" PIPE 크기				3" PIPE 크기			
파이프	스케쥴 번호	40	80	160		40	80	160	
	벽 두께	STD	XS		XXS	STD	XS		XXS
	두께-인치	.203	.276	.375	.552	.216	.300	.438	.600
	파이프-Lbs/ft	5.79	7.66	10.0	13.7	7.58	10.3	14.3	18.6
	물-Lbs/ft	2.08	1.84	1.54	1.07	3.20	2.86	2.34	1.80
맞대기용접 이음쇠	L.R. 90° 엘보우	2.9 .6	3.9 .6	5.2 .6	7.0 .6	4.6 .8	6.1 .8	8.4 .8	10.7 .8
	S.R.90° 엘보우	2.0 .4	2.6 .4			3.0 .5	4.0 .5		
	45° 엘보우	1.6 .3	2.1 .3	2.6 .3	3.5 .3	2.4 .3	3.2 .3	4.4 .3	5.4 .3
	티이(T)	5.9 .8	6.8 .8	7.9 .8	10.0 .8	7.4 .8	9.5 .8	12.2 .8	14.8 .8
	라터랠	9.2 1.5	13.5 1.5			17.0 1.8	24.0 1.8		
	리듀서	1.7 .3	2.2 .3	2.9 .3	4.0 .3	2.2 .3	2.9 .3	3.7 .3	4.7 .3
	캡	.8 .4	1.0 .4	2.0 .4	2.1 .4	1.4 .5	1.8 .5	3.5 .5	3.7 .5

2½" PIPE 크기

덮개	온도범위 °F	100 to 199	200 to 299	300 to 399	400 to 499	500 to 599	600 to 699	700 to 799	800 to 999	1000 to 1199
	두께-inches 칼슘규산염	1	1	1½	2	2	2½	2½	3	3½
	중량 Lbs./Ft.	1.1	1.1	2.3	3.2	3.2	4.3	4.3	5.5	6.9
	두께-인치 최고온도						2½	2½	3	3½
	두께-인치 85% 마그네시아	1	1	1½	2	2				
	총 W t/ft	1.1	1.1	2.3	3.2	3.2	5.2	5.2	7.4	9.6
플랜지	材質	鑄鐵		鋼						
	定格壓力 PSI	125	250	150	300	400	600	900	1500	2500
	나사식이음 또는 SLIP-ON	7 1.5	13 1.5	8 1.5	13 1.5		17 1.5		45 1.5	67 1.5
	WELDING NECK			9 1.5	14 1.5		19 1.5		43 1.5	60 1.5
	랩조인트			9 1.5	15 1.5		19 1.5		46 1.5	67 1.5
	브라인드	8 1.5	14 1.5	9 1.5	15 1.5		19 1.5		46 1.5	68 1.5
플랜지 이음쇠	S.R.90° 엘보우	21 3.8	35 3.9	29 3.8	42 3.9		53 4.1		120 4.4	
	L.R. 90° 엘보우	27 4.2	40 4.2	33 4.2	47 4.2					
	45° 엘보우	20 3.5	35 3.6	23 3.5	37 3.6		45 3.8		110 3.9	
	티이(T)	35 5.7	52 5.8	43 5.7	55 5.9		78 6.2		160 6.6	
밸브	플랜지이음 보넷 게이트	50 7	82 7.1	53 4	83 4.1		108 4.6		220 5.1	
	플랜지 이음 보넷 글로브 또는 앵글	43 7.1	90 7.4	50 4.1	85 4.4		100 4.6		250 5.1	
	플랜지이음 보넷 체크	36 7.1	71 7.4	32 4.1	70 4.4		70 4.6		175 5.1	
	압력밀봉 보넷-게이트						70 2.2	100 1.7	100 1.7	
	압력밀봉 보넷-글로브						80 2.4	120 2.3	120 2.3	
보울트	한쪽 플랜지 이음 조인트	1.5	6	1.5	7		8		19	27

3" PIPE 크기

덮개	온도범위 °F	100 to 199	200 to 299	300 to 399	400 to 499	500 to 599	600 to 699	700 to 799	800 to 999	1000 to 1199
	두께-inches 칼슘규산염	1	1	1½	2	2	2½	3	3	3½
	중량 Lbs./Ft.	1.3	1.3	2.1	3.0	3.0	4.1	5.2	5.2	6.7
	두께-인치 최고온도						2½	3	3	3½
	두께-인치 85% 마그네시아	1	1	1½	2	2				
	총 W t/ft	1.3	1.3	2.1	3.0	3.0	5.1	6.9	6.9	9.2
플랜지	材質	鑄鐵		鋼						
	定格壓力 PSI	125	250	150	300	400	600	900	1500	2500
	나사식이음 또는 SLIP-ON	9 1.5	16 1.5	9 1.5	16 1.5		20 1.5	35 1.5	60 1.5	100 1.5
	WELDING NECK			9 1.5	17 1.5		23 1.5	33 1.5	59 1.5	105 1.5
	랩조인트			9 1.5	18 1.5		21 1.5	35 1.5	61 1.5	103 1.5
	브라인드	9.5 1.5	18 1.5	10 1.5	19 1.5		23 1.5	37 1.5	61 1.5	105 1.5
플랜지 이음쇠	S.R.90° 엘보우	28 3.9	45 4	36 3.9	54 4		66 4.1	90 4.3	150 4.6	
	L.R. 90° 엘보우	33 4.3	50 4.3	40 4.3	60 4.3					
	45° 엘보우	25 3.5	40 3.6	27 3.5	47 3.6		60 3.8	90 3.9	130 4	
	티이(T)	40 5.9	66 6	52 5.9	82 6		100 6.2	150 6.5	225 6.9	
밸브	플랜지이음 보넷 게이트	66 7	110 7.4	77 4	120 4.4		153 4.8	225 4.9	338 5.3	
	플랜지 이음 보넷 글로브 또는 앵글	56 7.2	120 7.6	80 4.2	100 4.6		132 4.8	240 4.9	340 5.3	
	플랜지이음 보넷 체크	46 7.2	100 7.6	50 4.2	100 4.6		90 4.8	145 4.9	235 5.3	
	압력밀봉 보넷-게이트						85 2.5	170 2.5	180 2.5	
	압력밀봉 보넷-글로브						91 2.5	180 2.5	260 2.5	
보울트	한쪽 플랜지 이음 조인트	1.5	6	1.5	7.5		8	12.5	25	37

표 W-1 배관 재료의 중량

구분	항목	3½" PIPE 크기									4" PIPE 크기								
파이프	스케쥴 번호	40	80								40	80	120	160					
파이프	벽 두께	STD	XS	XXS							STD	XS			XXS				
파이프	두께-인치	.226	.318	.636							.237	.337	.437	.531	.674				
파이프	파이프-Lbs/ft	9.11	12.51	22.85							10.8	15.0	19.0	22.5	27.5				
파이프	물-Lbs/ft	4.28	3.85	2.53							5.51	4.98	4.47	4.02	3.38				
맞대기용접 이음쇠	L.R. 90° 엘보우	6.4 .9	8.7 .9	15.4 .9							8.7 1	11.9 1		17.6 1	21.2 1				
맞대기용접 이음쇠	S.R.90° 엘보우	4.3 .6	5.8 .6								5.8 .7	7.9 .7							
맞대기용접 이음쇠	45° 엘보우	3.3 .4	4.4 .4	7.5 .4							4.3 .4	5.9 .4		8.5 .4	10.1 .4				
맞대기용접 이음쇠	티이(T)	9.9 .9	12.6 .9	20 .9							12.6 1	16.4 1		23 1	27 1				
맞대기용접 이음쇠	라터랄	19.2 1.8	25.6 1.8								30 2.1	45 2.1							
맞대기용접 이음쇠	리듀서	3.1 .3	4.1 .3	6.9 .3							3.6 .3	4.9 .3		6.6 .3	8.2 .3				
맞대기용접 이음쇠	캡	2.1 .6	2.8 .6	5.5 .6							2.6 .6	3.4 .6		6.5 .6	6.7 .6				
덮개	온도범위 °F	100 to 199	200 to 299	300 to 399	400 to 499	500 to 599	600 to 699	700 to 799	800 to 999	1000 to 1199	100 to 199	200 to 299	300 to 399	400 to 499	500 to 599	600 to 699	700 to 799	800 to 999	1000 to 1199
덮개	두께-inches 칼슘규산염	1	1	1½	2	2½	2½	3	3½	3½	1	1	1½	2	2½	2½	3	3½	3½
덮개	중량 Lbs./Ft.	1.8	1.8	2.8	3.7	4.9	4.9	6.4	7.8	7.8	1.6	1.6	2.6	3.6	4.7	4.7	6.1	7.5	7.5
덮개	두께-인치 최고온도						2½	3	3½	3½						2½	3	3½	3½
덮개	두께-인치 85% 마그네시아	1	1	1½	2	2½					1	1	1½	2	2½				
덮개	총 W t/ft	1.8	1.8	2.8	3.7	4.9	6.5	8.7	10.8	10.8	1.6	1.6	2.6	3.6	4.7	6.1	8.3	10.6	10.6
플랜지	材質	鑄鐵		鋼							鑄鐵		鋼						
플랜지	定格壓力 PSI	125	250	150	300	400	600	900	1500	2500	125	250	150	300	400	600	900	1500	2500
플랜지	나사식이음 또는 SLIP-ON	12 1.5	20 1.5	13 1.5	25 1.5		27 1.5				15 1.5	25 1.5	14 1.5	26 1.5	32 1.5	42 1.5	65 1.5	92 1.5	155 1.5
플랜지	WELDING NECK			13 1.5	26 1.5		27 1.5						15 1.5	27 1.5	38 1.5	42 1.5	58 1.5	80 1.5	157 1.5
플랜지	랩조인트			14 1.5	23 1.5		27 1.5						16 1.5	28 1.5	34 1.5	45 1.5	68 1.5	92 1.5	154 1.5
플랜지	브라인드	13 1.5	22 1.5	16 1.5	27 1.5		35 1.5				17 1.5	29 1.5	18 1.5	32 1.5	38 1.5	48 1.5	67 1.5	94 1.5	160 1.5
플랜지 이음쇠	S.R.90° 엘보우	36 4	58 4.1	48 4			80 4.3				50 4.1	75 4.2	58 4.1	85 4.2	100 4.3	130 4.4	180 4.5	240 4.8	
플랜지 이음쇠	L.R. 90° 엘보우	45 4.4	63 4.4	54 4.4							56 4.5	80 4.5	70 4.5	92 4.5					
플랜지 이음쇠	45° 엘보우	31 3.6	52 3.7	37 3.6			78 3.9				44 3.7	60 3.8	50 3.7	75 3.8	90 3.9	118 4	160 4.1	210 4.2	
플랜지 이음쇠	티이(T)	60 6	84 6.2	68 6			140 6.4				74 6.1	110 6.3	84 6.1	124 6.3	153 6.4	195 6.6	250 6.8	350 7.2	
밸브	플랜지이음 보넷 게이트	82 7.1	143 7.5	88 4.1			200 4.9				109 7.2	188 7.5	115 4.2	173 4.5	210 5	275 5.1	370 5.3	570 5.7	
밸브	플랜지이음 보넷 글로브 또는 앵글	74 7.3	137 7.7	99 4.3			160 4.9				97 7.4	177 7.8	127 4.4	168 4.8	194 5	220 5.1	380 5.3	550 5.7	
밸브	플랜지이음 보넷체크	71 7.3	125 7.7	54 4.3			120 4.9				80 7.4	146 7.8	104 4.4	146 4.8	180 5	160 5.1	256 5.3	350 5.7	
밸브	압력밀봉 보넷-게이트															165 2.5	230 2.8	250 3	
밸브	압력밀봉 보넷-글로브															175 2.5	260 2.8	375 3	
보울트	한쪽 플랜지이음 조인트	3.5	6.5	3.5			12				4	6.5	4	7.5	12	12.5	25	34	61

표 W-1

배관 재료의 중량

구분	항목	5" PIPE 크기									6" PIPE 크기								
파이프	스케쥴 번호	40	80	120	160						40	80	120	160					
파이프	벽 두께	STD	XS			XXS					STD	XS			XXS				
파이프	두께- 인치	.258	.375	.500	.625	.750					.280	.432	.562	.718	.864				
파이프	파이프- Lbs/ft	14.6	20.8	27.4	32.9	38.6					19.0	28.6	36.4	45.3	53.2				
파이프	물- Lbs/ft	8.66	7.89	7.06	6.33	5.62					12.5	11.3	10.3	9.16	8.14				
맞대기용접 이음쇠	L.R. 90° 엘보우	14.7 1.3	21 1.3		32 1.3	37 1.3					22.9 1.5	34 1.5		53 1.5	61.8 1.5				
맞대기용접 이음쇠	S.R.90° 엘보우	9.8 .8	13.7 .8								15.2 1	22.6 1							
맞대기용접 이음쇠	45° 엘보우	7.3 .5	10.2 .5		15.6 .5	17.7 .5					11.3 .6	16.7 .6		26 .6	30 .6				
맞대기용접 이음쇠	티이(T)	19.8 1.2	26 1.2		39 1.2	43 1.2					29.3 1.4	42 1.4		60 1.4	68 1.4				
맞대기용접 이음쇠	라터랠	49 2.5	70 2.5								79 2.9	101 2.9							
맞대기용접 이음쇠	리듀서	6 .4	8.3 .4		12.4 .4	14.2 .4					8.7 .5	12.6 .5		18.8 .5	21 .5				
맞대기용접 이음쇠	캡	4.2 .7	5.7 .7		11 .7	11 .7					6.4 .9	9.2 .9		17.5 .9	17.5 .9				
덮개	온도범위 °F	100 to 199	200 to 299	300 to 399	400 to 499	500 to 599	600 to 699	700 to 799	800 to 999	1000 to 1199	100 to 199	200 to 299	300 to 399	400 to 499	500 to 599	600 to 699	700 to 799	800 to 999	1000 to 1199
덮개	두께- inches 칼슘규산염	1	1½	1½	2	2½	2½	3	3½	4	1	1½	2	2	2½	3	3	3½	4
덮개	중량 Lbs./Ft.	1.9	2.9	2.9	4.1	5.4	5.4	6.9	8.4	10.4	2.1	3.3	4.6	4.6	6.1	7.6	7.6	9.8	11.5
덮개	두께- 인치 최고온도						2½	3	3½	4						3	3	3½	4
덮개	두께- 인치 85% 마그네시아	1	1½	1½	2	2½					1	1½	2	2	2½				
덮개	총 W t/ft	1.9	2.9	2.9	4.1	5.4	7.0	9.3	11.8	14.9	2.1	3.3	4.6	4.6	6.1	10.3	10.3	13.4	16.6
플랜지	材質	鑄鐵		鋼							鑄鐵		鋼						
플랜지	定格壓力 PSI	125	250	150	300	400	600	900	1500	2500	125	250	150	300	400	600	900	1500	2500
플랜지	나사식이음 또는 SLIP-ON	19 1.5	31 1.5	18 1.5	32 1.5	38 1.5	74 1.5	98 1.5	165 1.5	250 1.5	23 1.5	40 1.5	22 1.5	44 1.5	55 1.5	95 1.5	115 1.5	205 1.5	400 1.5
플랜지	WELDING NECK			21 1.5	34 1.5	44 1.5	78 1.5	96 1.5	165 1.5	295 1.5			24 1.5	42 1.5	54 1.5	95 1.5	130 1.5	200 1.5	400 1.5
플랜지	랩조인트			18 1.5	32 1.5	45 1.5	73 1.5	103 1.5	170 1.5	250 1.5			24 1.5	48 1.5	54 1.5	93 1.5	130 1.5	210 1.5	400 1.5
플랜지	브라인드	21 1.5	35 1.5	23 1.5	39 1.5	48 1.5	79 1.5	103 1.5	173 1.5	275 1.5	28 1.5	50 1.5	29 1.5	55 1.5	70 1.5	100 1.5	135 1.5	200 1.5	420 1.5
플랜지 이음쇠	S.R.90° 엘보우	60 4.3	98 4.3	80 4.3	113 4.3	135 4.5	212 4.7	266 4.8	400 5.2		80 4.3	130 4.4	90 4.3	155 4.4	190 4.6	280 4.8	360 5	550 5.3	
플랜지 이음쇠	L.R. 90° 엘보우	78 4.7	110 4.7	90 4.7	130 4.7						97 4.9	145 4.9	125 4.9	190 4.9					
플랜지 이음쇠	45° 엘보우	54 3.8	84 3.8	62 3.8	105 3.8	120 4	190 4.2	240 4.3	340 4.5		70 3.8	147 3.9	80 3.8	135 3.9	155 4.1	250 4.3	320 4.3	450 4.6	
플랜지 이음쇠	티이(T)	91 6.4	145 6.5	120 6.4	173 6.4	200 6.8	310 7	400 7.2	620 7.8		117 6.5	200 6.6	145 6.5	225 6.6	290 6.9	410 7.2	550 7.5	750 8	
밸브	플랜지이음 보넷 게이트	140 7.3	200 7.9	150 4.3	250 4.9	310 5.3	400 5.5	510 5.8	850 6.3		170 7.3	360 8	210 4.3	375 5	400 5.5	550 5.8	780 6	1230 6.6	
밸브	플랜지이음 보넷 글로브 또는 앵글	140 7.6	250 8	170 4.6	240 5	275 5.3	275 5.5	658 5.8			185 7.8	350 8.2	240 4.8	350 5.2	365 5.4	465 5.8	840 6		
밸브	플랜지이음 보넷 첵크	120 7.6	210 8	140 4.6	200 5	250 5.3	244 5.5	325 5.8	530 6.3		155 7.8	290 8.2	175 4.8	275 5.2	340 5.4	335 5.8	460 6	875 6.5	
밸브	압력밀봉 보넷- 게이트						285 2.9	450 3.1	400 3.4							395 3.9	540 3.5	600 3.8	
밸브	압력밀봉 보넷- 글로브						300 2.9	500 3.1	550 3.4							415 3.9	600 3.5	700 3.8	
보울트	한쪽 플랜지이음 조인트	6	6.5	6	8	12.5	19.5	33	60	98	6	10	6	11.5	19	30	40	76	145

표 W-1

배관 재료의 중량

		8" PIPE 크기									10" PIPE 크기								
파이프	스케쥴 번호	30	40	60	80	100	120	140		160	30	40	60	80	100	120	140	160	
	벽 두께		STD		XS				XXS			STD	XS						
	두께- 인치	.277	.322	.406	.500	.593	.718	.812	.875	.906	.307	.365	.500	.593	.718	.843	1.000	1.125	
	파이프- Lbs/ft	24.70	28.55	35.64	43.4	50.9	60.6	67.8	72.4	74.7	34.24	40.5	54.7	64.3	76.9	89.2	104.1	115.7	
	물- Lbs/ft	22.18	21.69	20.79	19.8	18.8	17.6	16.7	16.1	15.8	34.98	34.1	32.3	31.1	29.5	28.0	26.1	24.6	
맞대기용접 이음쇠	L.R.90° 엘보우		46 2		69 2				114 2	117 2		81.5 2.5	109 2.5					226 2.5	
	S.R.90° 엘보우		30.5 1.3		45.6 1.3							54 1.7	73 1.7						
	45° 엘보우		22.8 .8		34 .8				55 .8	56 .8		40.4 1	54 1					109 1	
	티이(T)		53.7 1.8		76.4 1.8				118 1.8	120 1.8		91.2 2.1	118 2.1					222 2.1	
	라터랠		155 3.8		216 3.8							238 4.4	335 4.4						
	리듀서		13.9 .5		20 .5				32 .5	33 .5		23 .6	31 .6					58 .6	
	캡		11.3 1		16.3 1				31 1	32 1		20 1.3	26 1.3					54 1.3	
덮개	온도범위 °F	100 to 199	200 to 299	300 to 399	400 to 499	500 to 599	600 to 699	700 to 799	800 to 999	1000 to 1199	100 to 199	200 to 299	300 to 399	400 to 499	500 to 599	600 to 699	700 to 799	800 to 999	1000 to 1199
	두께- inches 칼슘규산염	1½	1½	2	2	2½	3	3½	4	4	1½	1½	2	2½	2½	3	3½	4	4
	중량 Lbs./Ft.	4.1	4.1	5.6	5.6	7.9	9.5	11.5	13.8	13.8	5.2	5.2	7.1	8.9	8.9	11.0	13.2	15.5	15.5
	두께- 인치 최고온도						3	3½	4	4						3	3½	4	4
	두께- 인치 85% 마그네시아	1½	1½	2	2	2½					1½	1½	2	2½	2½				
	총 W t/ft	4.1	4.1	5.6	5.6	7.9	12.9	16.2	20.4	20.4	5.2	5.2	7.1	8.9	8.9	15.4	19.3	23.0	23.0
플랜지	材質	鑄鐵		鋼							鑄鐵		鋼						
	定格压力 PSI	125	250	150	300	400	600	900	1500	2500	125	250	150	300	400	600	900	1500	2500
	나사식이음 또는 SLIP-ON	32 1.5	61 1.5	34 1.5	66 1.5	82 1.5	135 1.5	205 1.5	320 1.5	600 1.5	52 1.5	98 1.5	52 1.5	101 1.5	117 1.5	210 1.5	295 1.5	530 1.5	1150 1.5
	WELDING NECK			34 1.5	75 1.5	89 1.5	140 1.5	210 1.5	335 1.5	700 1.5			60 1.5	110 1.5	151 1.5	226 1.5	310 1.5	550 1.5	1300 1.5
	랩조인트			36 1.5	68 1.5	85 1.5	130 1.5	225 1.5	345 1.5	590 1.5			52 1.5	110 1.5	136 1.5	210 1.5	325 1.5	580 1.5	1130 1.5
	브라인드	43 1.5	80 1.5	50 1.5	91 1.5	115 1.5	160 1.5	235 1.5	360 1.5	645 1.5	70 1.5	137 1.5	77 1.5	145 1.5	184 1.5	266 1.5	340 1.5	600 1.5	1250 1.5
플랜지 이음쇠	S.R.90° 엘보우	125 4.5	207 4.7	150 4.5	238 4.7	320 5	440 5.2	630 5.4	1000 5.7		210 4.8	340 4.9	240 4.8	350 4.9	475 5.2	700 5.6	1000 5.8		
	L.R.90° 엘보우	160 5.3	240 5.3	205 5.3	290 5.3						260 5.8	400 5.8	310 5.8	430 5.8					
	45° 엘보우	102 3.9	170 4	125 3.9	200 4	235 4.1	360 4.4	530 4.5	900 4.8		170 4.1	280 4.2	185 4.1	300 4.2	385 4.3	570 4.6	750 4.7		
	티이(T)	182 6.8	300 7.1	225 6.8	350 7.1	465 7.5	600 7.8	970 8.1	1500 8.6		290 7.2	495 7.4	340 7.2	570 7.4	630 7.8	1000 8.4	1500 8.7		
밸브	플랜지이음 보넷 게이트	250 7.5	580 8.1	330 4.5	550 5.1	730 6	1000 6.3	1350 6.6			470 7.7	900 8.3	500 4.7	890 5.3	1200 6.3	1575 6.9	2500 7.1		
	플랜지이음 보넷 글로브 또는 앵글	320 8.4	550 8.6	410 5.4	510 5.6	575 5.9	1200 6.3				540 9.1	940 9.1		1000 6.1	1075 6.8	1350 6.9	2600 7.1		
	플랜지이음 보넷 체크	300 8.4	450 8.6	300 5.4	470 5.6	520 5.9	560 6.3	680 6.6			450 9.1	750 9.1	400 6	580 6.1	725 6.3	750 6.9			
	압력밀봉 보넷- 게이트						700 4.2	900 4.3	1000 4.5							1000 5.0	1400 4.9	1800 5.2	
	압력밀봉 보넷- 글로브						690 4.2	1100 4.3	1300 4.5							1100 5.0	1800 4.9	2400 5.2	
보울트	한쪽 플랜지이음 조인트	6.5	16	6.5	18	30	40	69	121	232	15	33	15	38	52	72	95	184	445

CONTINUED

표 W-1

배관 재료의 중량

구분	항목	12" PIPE 크기								
파이프	스케쥴 번호	30		40		80	100	120	140	160
파이프	벽 두께		STD		XS					
파이프	두께-인치	.330	.375	.406	.500	.687	.843	1.000	1.125	1.312
파이프	파이프-Lbs/ft	43.8	49.6	53.5	65.4	88.5	107.2	125.5	139.7	160.3
파이프	물-Lbs/ft	49.7	49.0	48.5	47.0	44.0	41.6	39.3	37.5	34.9
맞대기용접 이음쇠	L.R.90° 엘보우		119 3		157 3					375 3
맞대기용접 이음쇠	S.R.90° 엘보우		79.5 2		104 2					
맞대기용접 이음쇠	45° 엘보우		60 1.3		78 1.3					181 1.3
맞대기용접 이음쇠	티이(T)		132 2.5		167 2.5					360 2.5
맞대기용접 이음쇠	라터랠		337 5.4		556 5.4					
맞대기용접 이음쇠	리듀서		33 .7		44 .7					94 .7
맞대기용접 이음쇠	캡		30 1.5		38 1.5					89 1.5
덮개	온도범위 °F	100 to 199	200 to 299	300 to 399	400 to 499	500 to 599	600 to 699	700 to 799	800 to 999	1000 to 1199
덮개	두께-inches 칼슘규산염	1½	1½	2	2½	3	3	3½	4	5
덮개	중량 Lbs./Ft.	6.0	6.0	8.1	10.5	12.7	12.7	15.1	17.9	23.8
덮개	두께-인치 최고온도						3	3½	4	5
덮개	두께-인치 85% 마그네시아	1½	1½	2	2½	3				
덮개	총 Wt/ft	6.0	6.0	8.1	10.5	12.7	17.7	21.9	26.7	35.2
플랜지	材質	주철		鋼						
플랜지	定格压力 PSI	125	250	150	300	400	600	900	1500	2500
플랜지	나사식이음 또는 SLIP-ON	70 1.5	135 1.5	72 1.5	140 1.5	165 1.5	250 1.5	390 1.5	740 1.5	1410 1.5
플랜지	WELDING NECK			88 1.5	165 1.5	210 1.5	270 1.5	390 1.5	840 1.5	1840 1.5
플랜지	랩조인트			72 1.5	165 1.5	185 1.5	250 1.5	440 1.5	780 1.5	1410 1.5
플랜지	브라인드	96 1.5	180 1.5	120 1.5	210 1.5	260 1.5	345 1.5	475 1.5	840 1.5	1600 1.5
플랜지 이음쇠	S.R.90° 엘보우	300 5	470 5.2	345 5	550 5.2	700 5.5	850 5.8	1500 6.2		
플랜지 이음쇠	L.R.90° 엘보우	390 6.2	550 6.2	480 6.2	650 6.2			1600 6.2		
플랜지 이음쇠	45° 엘보우	250 4.3	400 4.3	280 4.3	450 4.3	550 4.5	725 4.7	1130 4.8		
플랜지 이음쇠	티이(T)	400 7.5	670 7.8	500 7.5	800 7.8	950 8.3	1300 8.7	2000 9.3		
밸브	플랜지이음 보넷 게이트	690 7.8	1300 8.5	925 4.8	1350 5.5	1600 6.8	2275 7.1	3250 7.8		
밸브	플랜지이음 보넷 글로브 또는 앵글	800 9.4	1200 9.5		1400 6.5	1500 6.8				
밸브	플랜지이음 보넷 체크	675 9.4	1160 9.5	700 6.5	875 6.5	1100 6.8	1175 7.1			
밸브	압력밀봉 보넷-게이트						1700 5.2	2100 5.5	2500 5.9	
밸브	압력밀봉 보넷-글로브						1750 5.2	2700 5.5	3000 5.9	
보울트	한쪽 플랜지이음 조인트	15	44	15	49	69	91	124	306	622

구분	항목	14" PIPE 크기								
파이프	스케쥴 번호	20	30	40		80	100	120	140	160
파이프	벽 두께		STD		XS					
파이프	두께-인치	.312	.375	.437	.500	.750	.937	1.093	1.250	1.406
파이프	파이프-Lbs/ft	45.7	54.6	63.4	72.1	106.1	130.7	150.7	170.2	189.1
파이프	물-Lbs/ft	60.92	59.7	58.7	57.5	53.2	50.0	47.5	45.0	42.6
맞대기용접 이음쇠	L.R.90° 엘보우		154 3.5		202 3.5					
맞대기용접 이음쇠	S.R.90° 엘보우		102 2.3		135 2.3					
맞대기용접 이음쇠	45° 엘보우		77 1.5		100 1.5					
맞대기용접 이음쇠	티이(T)		159 2.8		203 2.8					
맞대기용접 이음쇠	라터랠		495 5.8		588 5.8					
맞대기용접 이음쇠	리듀서		63 1.1		83 1.1					
맞대기용접 이음쇠	캡		35 1.7		46 1.7					
덮개	온도범위 °F	100 to 199	200 to 299	300 to 399	400 to 499	500 to 599	600 to 699	700 to 799	800 to 999	1000 to 1199
덮개	두께-inches 칼슘규산염	1½	1½	2	2½	3	3	3½	4	5
덮개	중량 Lbs./Ft.	6.2	6.2	8.4	10.7	13.1	13.1	15.8	18.5	25.5
덮개	두께-인치 최고온도						3	3½	4	5
덮개	두께-인치 85% 마그네시아	1½	1½	2	2½	3				
덮개	총 Wt/ft	6.2	6.2	8.4	10.7	13.1	18.2	22.8	27.5	37.7
플랜지	材質	주철		鋼						
플랜지	定格压力 PSI	125	250	150	300	400	600	900	1500	2500
플랜지	나사식이음 또는 SLIP-ON	93 1.5	185 1.5	100 1.5	195 1.5	230 1.5	300 1.5	480 1.5		
플랜지	WELDING NECK			120 1.5	210 1.5	245 1.5	400 1.5	480 1.5		
플랜지	랩조인트			115 1.5	220 1.5	260 1.5	310 1.5	495 1.5		
플랜지	브라인드	126 1.5	240 1.5	150 1.5	280 1.5	350 1.5	415 1.5	600 1.5		
플랜지 이음쇠	S.R.90° 엘보우	400 5.3	620 5.5	500 5.3	640 5.5	670 5.7	950 5.9	1550 6.4		
플랜지 이음쇠	L.R.90° 엘보우	520 6.6	770 6.6	620 6.6	770 6.6					
플랜지 이음쇠	45° 엘보우	300 4.3	500 4.4	380 4.3	580 4.4	640 4.6	880 4.8	1250 4.9		
플랜지 이음쇠	티이(T)	600 8	950 8.4	690 8	1000 8.3	1150 8.6	1700 8.9	2400 9.6		
밸브	플랜지이음 보넷 게이트	950 7.9	1800 8.8	850 4.9	1875 6.3	2000 7.1	3100 7.4	4000 8.1		
밸브	플랜지이음 보넷 글로브 또는 앵글	1175 9.9								
밸브	플랜지이음 보넷 체크	900 9.9								
밸브	압력밀봉 보넷-게이트									
밸브	압력밀봉 보넷-글로브									
보울트	한쪽 플랜지이음 조인트	22	57	22	62	88	118	159		

표 W-1

배관 재료의 중량

구분	항목	16" PIPE 크기									18" PIPE 크기								
파이프	스케쥴 번호	20	30	40	80	100	120	140	160		20		30		40	60	80	120	160
	벽 두께		STD	XS								STD		XS					
	두께-인치	.312	.375	.500	.843	1.031	1.218	1.437	1.593		.312	.375	.437	.500	.563	.750	.937	1.375	1.781
	파이프-Lbs/ft	52.4	62.6	82.8	136.5	164.8	192.3	223.6	245.1		59.0	70.6	82.1	93.5	104.8	138.2	170.8	244.1	308.5
	물-Lbs/ft	80.5	79.1	76.5	69.7	66.1	62.6	58.6	55.9		102.8	101.2	99.9	98.4	97.0	92.7	88.5	79.2	71.0
맞대기용접 이음쇠	L.R.90° 엘보우		201 4	265 4								256 4.5		338 4.5					
	S.R.90° 엘보우		135 2.5	177 2.5								171 2.8		225 2.8					
	45° 엘보우		100 1.7	132 1.7								128 1.9		168 1.9					
	티이(T)		202 3.2	257 3.2								258 3.6		328 3.6					
	라터랠		650 6.7	774 6.7								798 7.5		984 7.5					
	리듀서		78 1.2	102 1.2								94 1.3		123 1.3					
	캡		44 1.8	58 1.8								57 2.1		75 2.1					
덮개	온도범위 °F	100 to 199	200 to 299	300 to 399	400 to 499	500 to 599	600 to 699	700 to 799	800 to 999	1000 to 1199	100 to 199	200 to 299	300 to 399	400 to 499	500 to 599	600 to 699	700 to 799	800 to 999	1000 to 1199
	두께-inches 칼슘규산염	1½	1½	2	2½	3	3	3½	4	5	1½	1½	2	2½	3	3	3½	4	5
	중량 Lbs./Ft.	6.9	6.9	9.3	12.0	14.6	14.6	17.5	20.5	28.1	7.7	7.7	10.4	13.3	16.3	16.3	19.3	22.6	30.8
	두께-인치 최고온도						3	3½	4	5						3	3½	4	5
	두께-inches 85%마그네시아	1½	1½	2	2½	3					1½	1½	2	2½	3				
	총 W t/ft	6.9	6.9	9.3	12.0	14.6	20.3	25.2	30.7	41.6	7.7	7.7	10.4	13.3	16.3	22.7	28.0	33.8	45.6
플랜지	材質	주철		鋼							주철		鋼						
	定格圧力 PSI	125	250	150	300	400	600	900	1500	2500	125	250	150	300	400	600	900	1500	2500
	나사식이음 또는 SLIP-ON	120 1.5	235 1.5	115 1.5	230 1.5	300 1.5	410 1.5	525 1.5			140 1.5	290 1.5	150 1.5	300 1.5	360 1.5	550 1.5	770 1.5		
	WELDING NECK			155 1.5	290 1.5	355 1.5	550 1.5	600 1.5					170 1.5	370 1.5	430 1.5	650 1.5	830 1.5		
	랩조인트			155 1.5	290 1.5	330 1.5	440 1.5	570 1.5					180 1.5	350 1.5	385 1.5	550 1.5	800 1.5		
	브라인드	175 1.5	308 1.5	195 1.5	340 1.5	440 1.5	580 1.5	700 1.5			210 1.5	400 1.5	240 1.5	450 1.5	525 1.5	750 1.5	1100 1.5		
플랜지 이음쇠	S.R.90° 엘보우	550 5.5	830 5.8	660 5.5	950 5.8	1000 6	1400 6.3	1900 6.7			650 5.8	1100 6	710 5.8	1150 6	1300 6.2	1800 6.6	2800 7		
	L.R.90° 엘보우	725 7	1050 7	780 7	1100 7						980 7.4	1400 7.4	950 7.4	1450 7.4					
	45° 엘보우	425 4.3	700 4.6	480 4.3	700 4.6	850 4.7	1200 5	1600 5			490 4.4	880 4.7	520 4.4	900 4.7	1050 4.8	1550 5	2300 5.2		
	티이(T)	750 8.3	1280 8.7	980 8.3	1400 8.6	1700 9	2150 9.4	3750 10			930 8.6	1650 9	1000 8.6	1400 9	1900 9.3	2700 9.9	4350 10.5		
밸브	플랜지이음 보넷 게이트	1250 8	2350 9	1350 5	2500 7.1	2700 7.5	3700 7.9				1650 8.2	2600 9.3		3200 7.5	3600 7.8	5700 8.4			
	플랜지이음 보넷 글로브 또는 앵글																		
	플랜지이음 보넷첵크	1200 10.5									1371 10.5								
	압력밀봉 보넷-게이트																		
	압력밀봉 보넷-글로브																		
보울트	한쪽 플랜지이음 조인트	31	76	31	83	114	152	199			41	93	41	101	139	193	299		

표W-1

배관 재료의 중량

구분	항목	20" PIPE 크기									24" PIPE 크기								
파이프	스케쥴 번호	20	30	40	60	80	100	120	140	160	20		40	60	80	100	120	140	160
	벽 두께	STD	XS								STD	XS							
	두께－인치	.375	.500	.593	.812	1.031	1.281	1.500	1.750	1.968	.375	.500	.687	.968	1.218	1.531	1.812	2.062	2.343
	파이프－Lbs/ft	78.6	104.1	122.9	166.4	208.9	256.1	296.4	341.1	379.0	94.6	125.5	171.2	238.1	296.4	367.4	429	484	541
	물－Lbs/ft	126.0	122.8	120.4	115.0	109.4	103.4	98.3	92.6	87.9	183.8	180.1	174.3	165.8	158.3	149.3	141	134	127
맞대기용접 이음쇠	L.R.90° 엘보우	317 5	419 5								458 6	606 6							
	S.R.90° 엘보우	212 3.4	278 3.4								305 3.7	404 3.7							
	45° 엘보우	158 2.1	208 2.1								229 2.5	302 2.5							
	티이(T)	321 4	407 4								445 4.9	563 4.9							
	라터랠	1024 8.3	1221 8.3								1482 10	1769 10							
	리듀서	142 1.7	186 1.7								167 1.7	220 1.7							
	캡	72 2.3	94 2.3								102 2.8	134 2.8							
덮개	온도범위 °F	100 to 199	200 to 299	300 to 399	400 to 499	500 to 599	600 to 699	700 to 799	800 to 999	1000 to 1199	100 to 199	200 to 299	300 to 399	400 to 499	500 to 599	600 to 699	700 to 799	800 to 999	1000 to 1199
	두께－inches 칼슘규산염	1½	1½	2	2½	3	3	3½	4	5	1½	1½	2	2½	3	3	3½	4	5
	중량	8.5	8.5	11.6	14.6	17.7	17.7	21.1	24.6	33.6	10.0	10.0	13.4	17.0	21.0	21.0	24.8	28.7	39.0
	두께－인치 최고온도						3	3½	4	5						3	3½	4	5
	두께－inches 85% 마그네시아	1½	1½	2	2½	3					1½	1½	2	2½	3				
	총 W t/ft	8.5	8.5	11.6	14.6	17.7	24.7	30.7	37.0	49.7	10.0	10.0	13.4	17.0	21.0	29.2	36.0	43.1	57.5
플랜지	材質	鑄鉄		鋼							鑄鉄		鋼						
	定格壓力 PSI	125	250	150	300	400	600	900	1500	2500	125	250	150	300	400	600	900	1500	2500
	나사식이음 또는 SLIP-ON	175 1.5	350 1.5	190 1.5	370 1.5	450 1.5	650 1.5	950 1.5			250 1.5	540 1.5	250 1.5	560 1.5	650 1.5	1000 1.5	1800 1.5		
	WELDING NECK			210 1.5	450 1.5	510 1.5	810 1.5	1010 1.5					300 1.5	660 1.5	750 1.5	1150 1.5	1900 1.5		
	랩조인트			235 1.5	430 1.5	475 1.5	700 1.5	980 1.5					310 1.5	630 1.5	750 1.5	1000 1.5	1900 1.5		
	브라인드	275 1.5	540 1.5	310 1.5	550 1.5	700 1.5	950 1.5	1300 1.5			400 1.5	750 1.5	470 1.5	850 1.5	105 1.5	1400 1.5	2500 1.5		
플랜지 이음쇠	S.R.90° 엘보우	790 6	1350 6.3	930 6	1400 6.3	1700 6.5	2300 6.9	3600 7.3			1250 6.7	2050 6.9	1700 6.7	2200 6.8	2500 7.1	3500 7.6	6200 8.1		
	L.R.90° 엘보우	1300 7.8	1800 7.8	1350 7.8	1700 7.8						1850 8.7	2700 8.7	1850 8.7	2900 8.7					
	45° 엘보우	590 4.6	1100 4.8	650 4.6	1100 4.8	1400 4.9	1900 5.2	2900 5.4			920 4.8	1650 5	1150 4.8	1630 5	2000 5.1	2800 5.5	5200 6		
	티이(T)	1100 9	2100 9.5	1400 9	1900 9.5	2400 9.7	3500 10.1	5500 11			1850 10	3100 10.2	2300 10	3200 10.2	3800 10.6	5200 11.4	9400 12.1		
밸브	플랜지이음 보넷 게이트	2000 8.3	3850 9.5		4450 7.9	4750 8.2	6500 8.9				3100 8.5	6500 9.8		7000 8.7	7100 9.1	9300 9.9			
	플랜지이음 보넷 글로브 또는 앵글																		
	플랜지이음 보넷책크	1772 11									3000 12								
	압력밀봉 보넷－게이트																		
	압력밀봉 보넷－글로브																		
보울트	한쪽 플랜지이음 조인트	52	95	52	105	180	242	361			71	174	71	174	274	360	687		

材料의 WEIGHT

표 W-2

	材料	비중	lb/in³	lb/ft³	lb/ft²-in	Kg/m³	lb/US gal	lb/Imp gal
METAL과 合金	Aluminum (2S)	2.71	0.0978	169	14.1	2710		
	Aluminum bronze	7.70	0.278	481	40.1	7700		
	Brasses: %Cu %Zn							
	Red brass 85 15	8.75	0.379	546	45.5	8750		
	Low brass 80 20	8.67	0.376	541	45.1	8670		
	Cartridge brass 70 30	8.52	0.369	532	44.3	8520		
	Muntz metal 60 40	8.39	0.364	524	43.7	8390		
	Bronze, %Cu=80-95, %Sn=20-5	8.84	0.319	552	46.0	8840		
	Copper	8.91	0.322	556	46.3	8900		
	Iron, gray-cast	7.21	0.260	450	37.5	7210		
	malleable	7.34	0.267	461	38.4	7380		
	wrought	7.69	0.278	480	40.0	7690		
	Lead	11.37	0.411	710	59.2	11370		
	Monel	8.83	0.319	551	45.9	8830		
	Nickel	8.87	0.321	554	46.2	8870		
	Steel, carbon	7.85	0.284	490	40.8	7850		
	stainless, %Cr=18,%Ni=8	7.93	0.286	495	41.3	7930		
液体	Fuel oil	0.95	0.034	59			7.9	9.5
	Gasoline	0.67	0.024	42			5.6	6.7
		thru	thru	thru			thru	thru
		0.75	0.027	47			6.3	7.5
	Lube oil	0.90	0.032	56			7.5	9.0
	Jet fuel	0.82	0.030	51			6.8	8.2
	Water, fresh	1.00	0.036	62.3			8.33	10.0
	salt (seawater)	1.03	0.037	64			8.6	10.3
保温資材	Abestos	2.45	0.0885	153	12.8	2450		
	Cork	0.24	0.0087	15.0	1.25	240		
	Fiberglas (Owens/Corning "Kaylo")	0.176	0.0064	11.0	0.92	176		
	Magnesia (85%)	0.18	0.0064	11.0	0.92	176		
	Plastic foam	0.08	0.0029	5.0	0.42	80		
		thru	thru	thru	thru	thru		
		0.10	0.0038	6.5	0.54	104		
建設資材	Brick, common	1.92	0.069	120	10.0	1920		
	Concrete, plain	2.31	0.083	144	12.0	2310		
	reinforced	2.40	0.088	150	12.5	2400		
	Earth, dry, loose	1.22	0.044	76	6.3	1220		
	dry, packed	1.52	0.055	95	7.9	1520		
	moist, loose	1.25	0.045	78	6.5	1250		
	moist, packed	1.54	0.056	96	8.0	1540		
	Glass	2.50	0.090	156	13.0	2500		
	Gravel, dry	1.60	0.058	100	8.3	1600		
	wet	1.92	0.069	120	10.0	1920		
	Sand, dry	1.60	0.058	100	8.3	1600		
	wet	1.92	0.069	120	10.0	1920		
	Snow, loose	0.13	0.0046	8	0.7	130		

TITLE:

SUGGESTED ARRANGEMENT WITHIN PROCESS UNIT

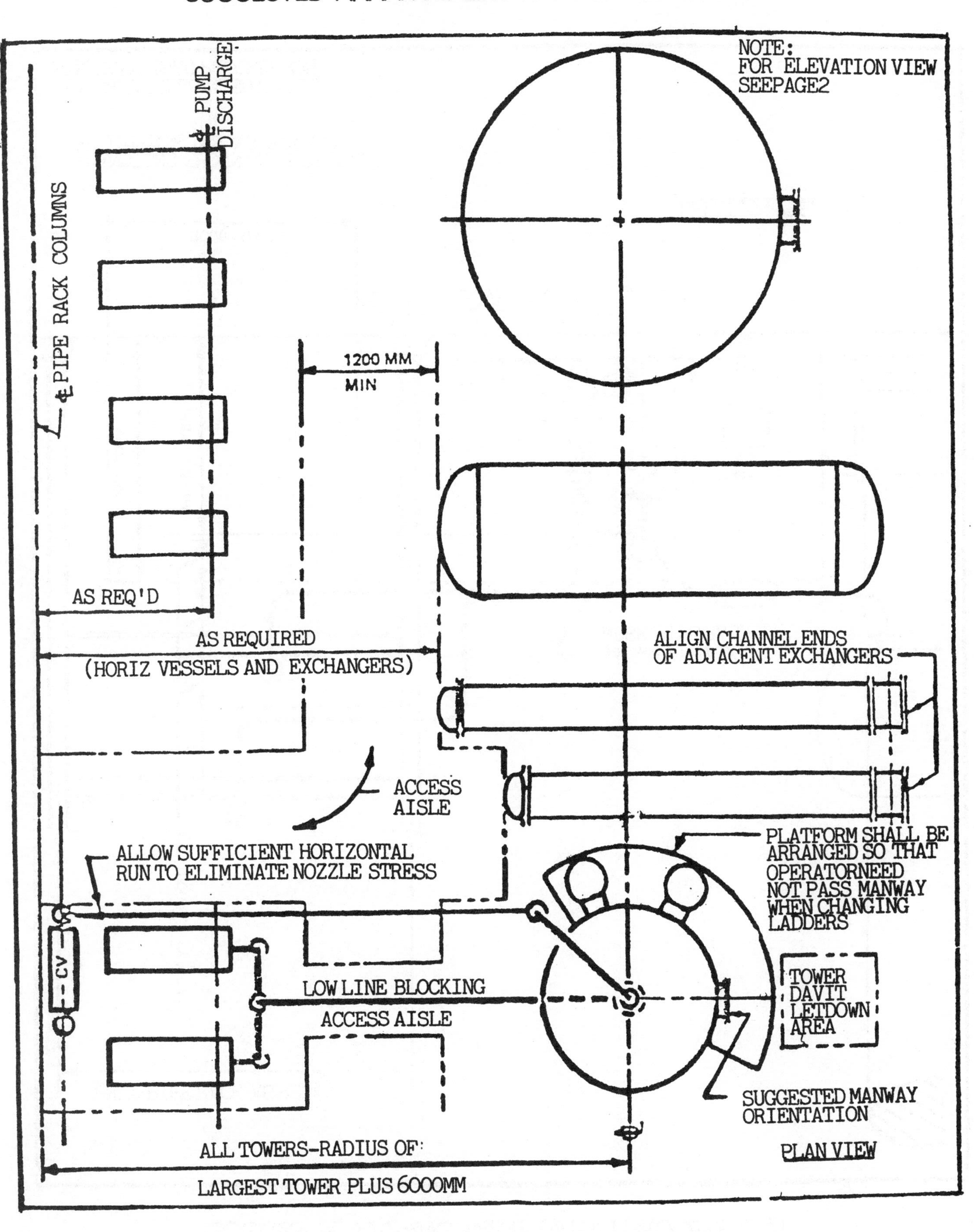

TITLE:

SUGGESTED ARRANGEMENT WITHIN PROCESS UNIT

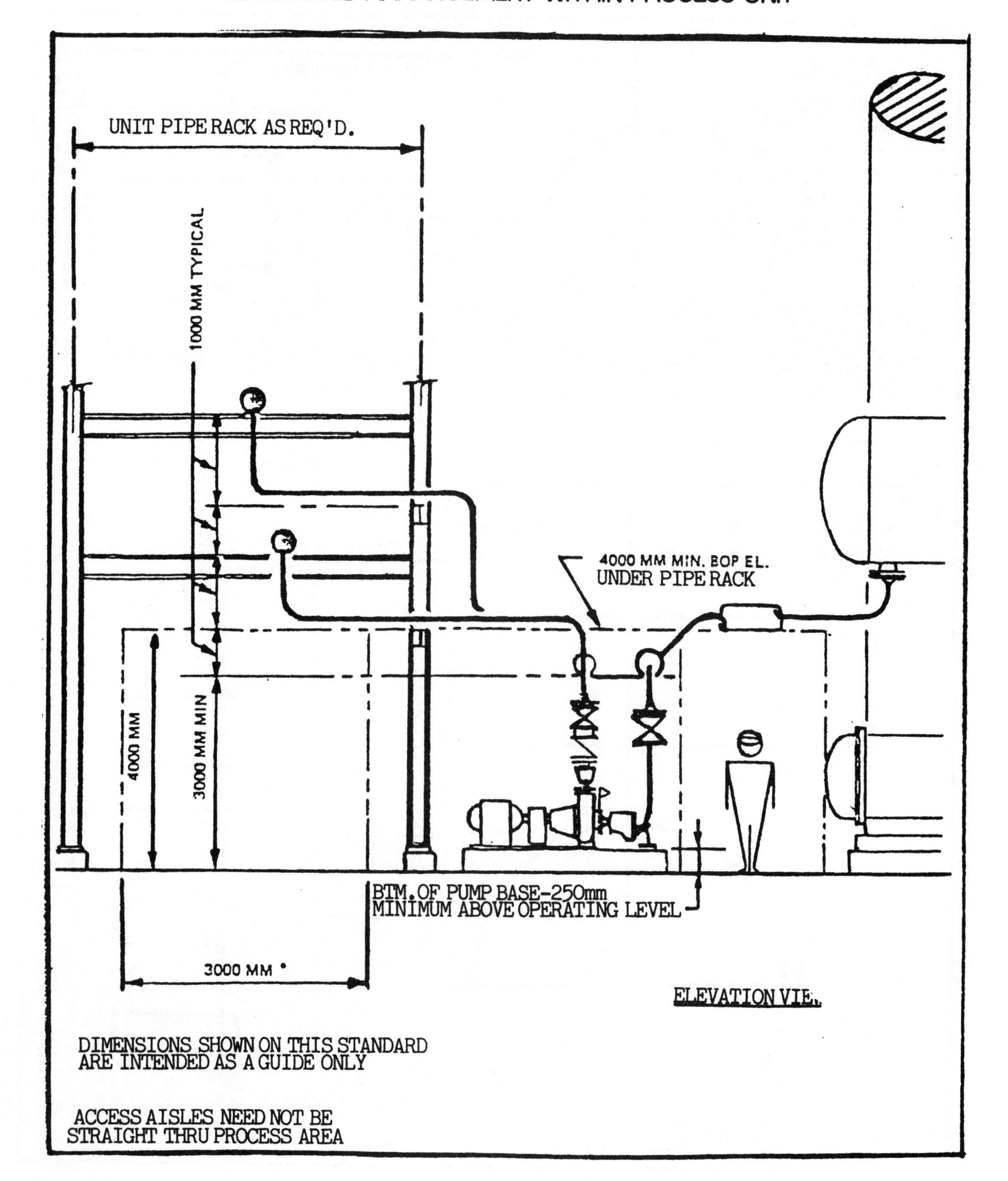

TITLE:

PIPING DRAFTING SYMBOLS

	Denomination	Symbols (11): Assembly drawings (2): Single line	Double (3)	Piping Isometrics (4)
Piping	Pipe fol prefabrication			
	Pipe for erection			
	Jacketed (only if necessary)			(Manually worked-out)
	With normal flange of any type (for pad flange see "T" branches)			
	With special flange and female flange (5	(Item)	(Item)	F S
	With union joint			
	With flanged joint			
	With tongue-and -groove flange	M F	M F	F S
	With blinded flange			
	With female plug			
	With cap			

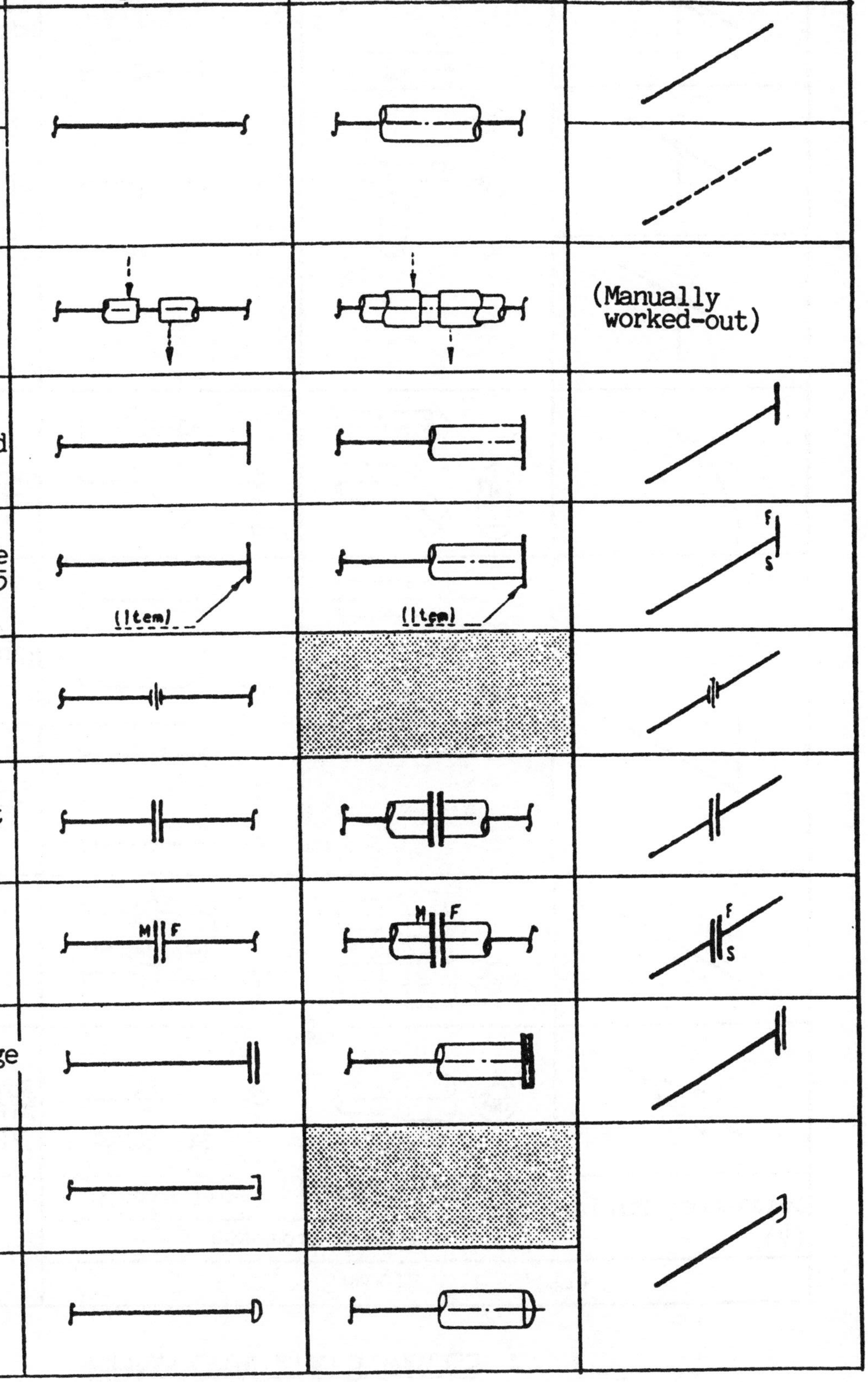

TITLE:

PIPING DRAFTING SYMBOLS

Denomination			Symbols (11)		
			Assembly drawings (2)		(4) Piping isometrics
			Single line	Double line (3)	
Piping		With concentric reducer, swage ni pleand reducing coupling	CR (DN) / (dn)	CR (DN) / (dn)	
		With eccentric reducer	ER (DN) / (dn)	ER (DN) / (dn)	
		With screwed ar socket-weld 90° elbow			
		With bend or butt -weld 90° elbow			
		With bend or butt -weld elbow other than 90°			
	T-branches	General			
		Made from pipe			
		Made from pipe with reinforc ing pad			
		By pad flange			

DN = NPS
dn = nps

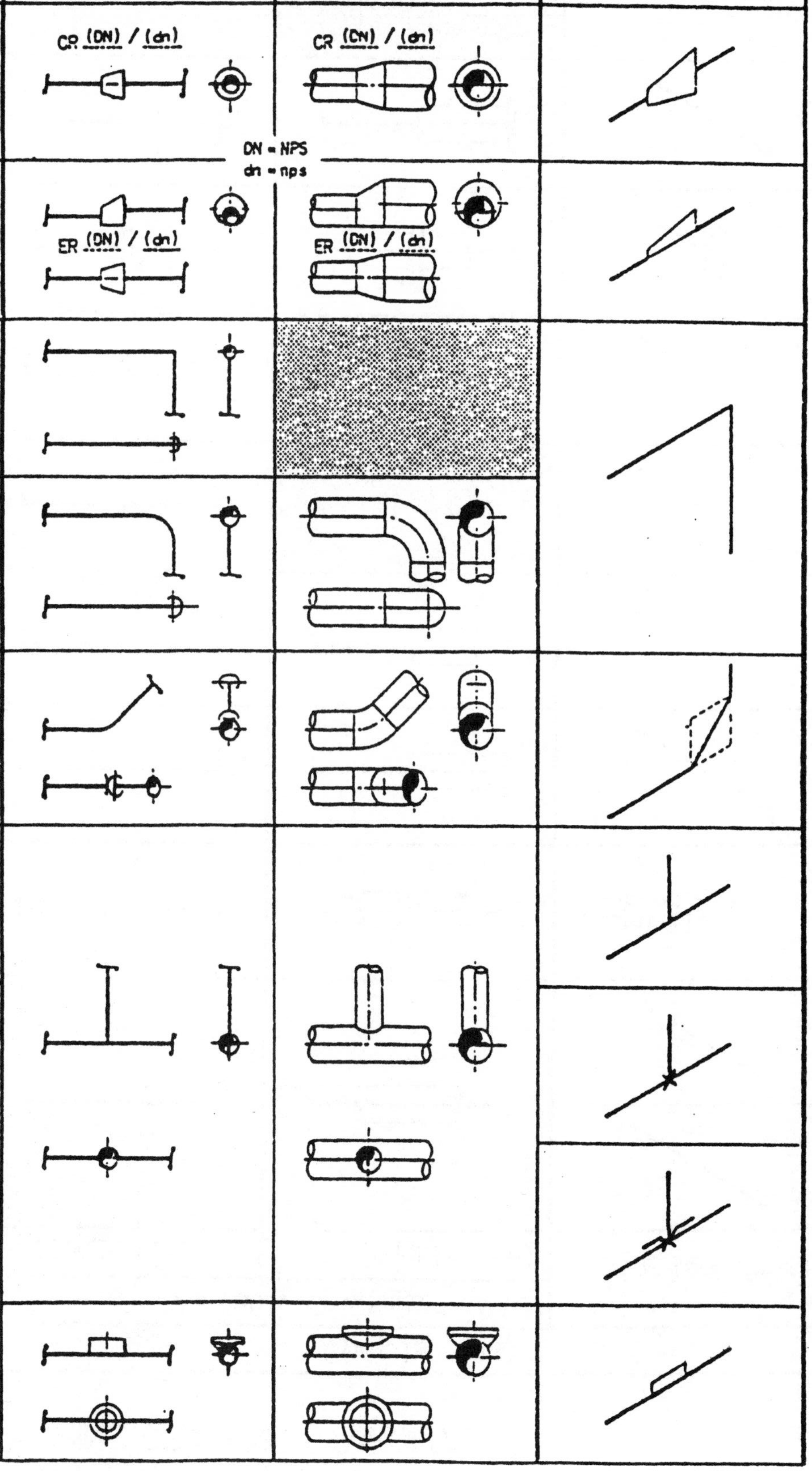

TITLE:

PIPING DRAFTING SYMBOLS

Denomination			Symbol (11)		
			Assembly drawings (2)		Piping isometrics (4)
			Single line	Double line (3)	
Piping	With quick coup line	Female			
		Male			
	With open funnel				
	With closed funnel				
	With temporary str				
	With drip ring		(Drain)		
	With spacer ring		SR	SR	
	With ring spade (spec tacle, full and periorated disc)				
	With orifice flange		(6)		(6)
	With flow limiting disc		(6)		(6)
	With safety rupture disc		(6)		(6)

TITLE:

PIPING DRAFTING SYMBOLS

	Denomination	Symbol: Assembly drawings (2)	Symbol: Piping isometrics (4)
typical Installations (10)	Vents	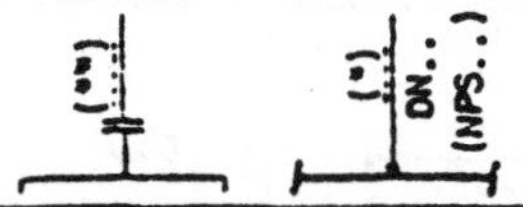 (**) (*) DN.. (NPS..)	 (*)
		(*) HBV o KBV o HTV ---- (or item) - On lines (**) HA o KA o HC o KC ---- (or item) - On equipment	
	Drains	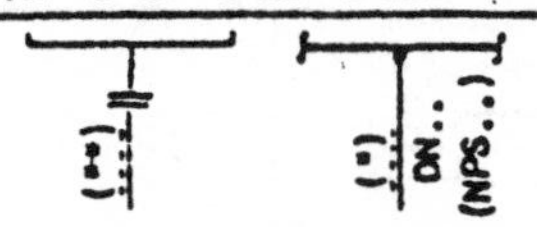 (**) (*) DN.. (NPS..)	 (*)
		(*) HBD o KBD o HTD ---- (or item) - On lines (**) HA o KA o HC o KC ---- (or item) - On equipment	
	Pressure taps	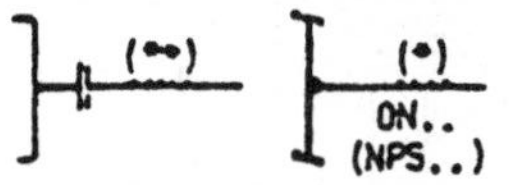 (**) (*) DN.. (NPS..) (6)	 (*) (6)
		(*) HD o KD o HJ o HU o HV o HW o KW ---- (or item) - On lines (**) HG o KG o HH o KH o HQ o HX o HZ o KZ – (or item) - On equipment	
	Pressure taps on orifice flanges	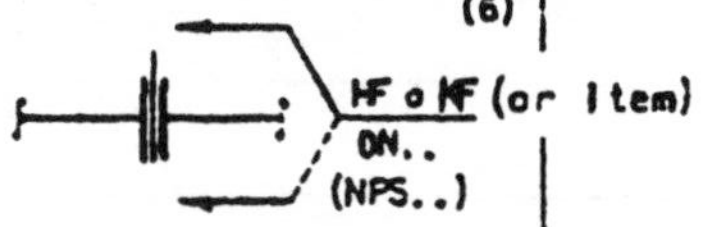 HF o KF (or Item) DN.. (NPS..) (6)	 HF o KF (6)
	Temperature taps	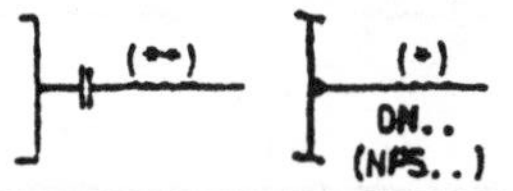 (**) (*) DN.. (NPS..) (6)	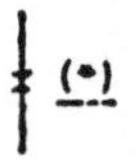 (*) (6)
		(*) HL (HLC o HLM o HLL) ---- (or item) - On lines (**) HM ---- (or item) - On equipment	
	Steam trap group with recovery	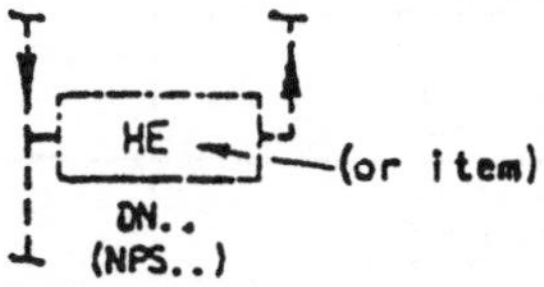 HE (or item) DN.. (NPS..)	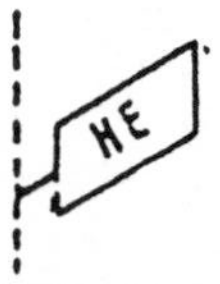 HE
	Steam trap group with free discharge	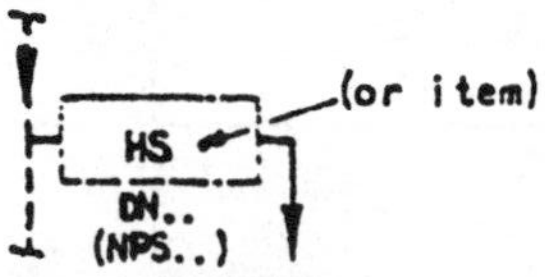 HS (or item) DN.. (NPS..)	 HS
	Sampling connections	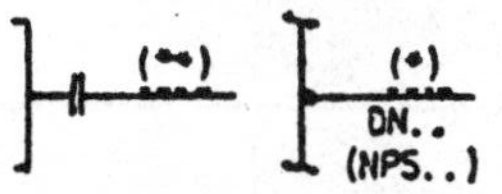 (**) (*) DN.. (NPS..)	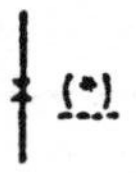 (*)
		(*) HN o KN ---- (or item) - On lines (**) HP o KP ---- (or item) - On equipment	
	By-pass on gate valve	 HR (or item) DN.. (NPS..)	 HR

TITLE:

PIPING DRAFTING SYMBOLS

Denomination		Symbols (11)	
		Assembly drawings (2)	Piping isometrics (4)
Sight glass			
Y-type strainer			
Valves	Gate	(7)	
	Golde-Piston-Bellows -Diaphragm-Pinch	(7)	
	Obligue	(7)	
	Angle	(7)	No symbol
	Chech		
	Butterfly	(7)	

TITLE:

PIPING DRAFTING SYMBOLS

Denomination		Symbols (11): Assembly drawings (2)	Symbols (11): Piping isometrics (4)
Plug or ball cocks	Lever-operated two-way	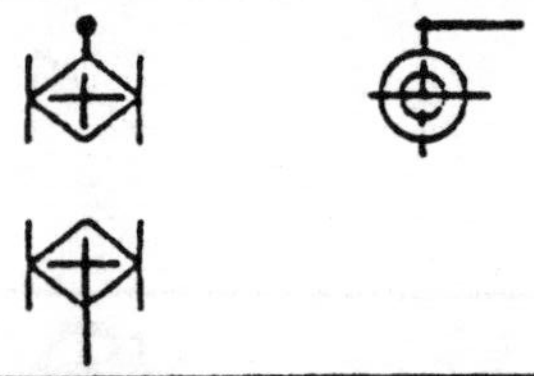 (7)	
	Handwheel-operated two-way	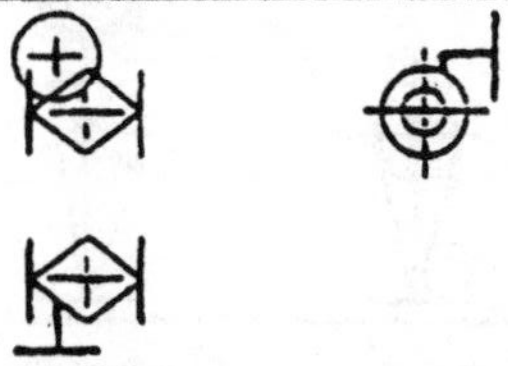 (7)	
	Lever-operated three-way	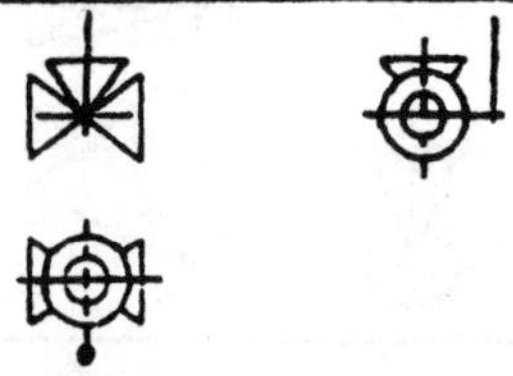 (7)	Nosymbol
	Lever-operated four-way	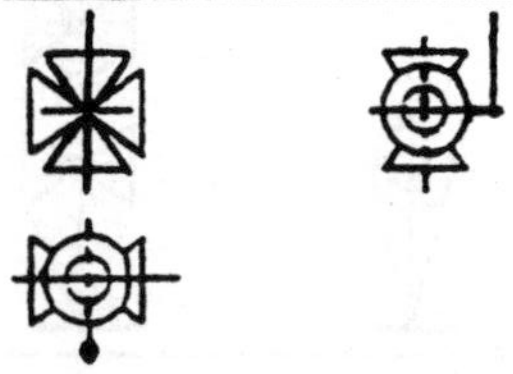 (7)	No symbol
Flow meters		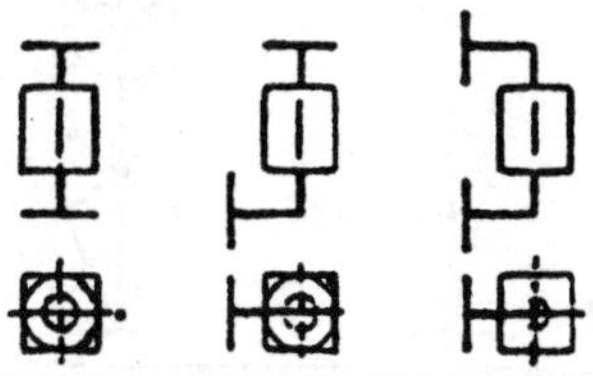 (6)	 (6) (Only fol straight way type)
Safety valve		(6)	No symbol
Control valves in general		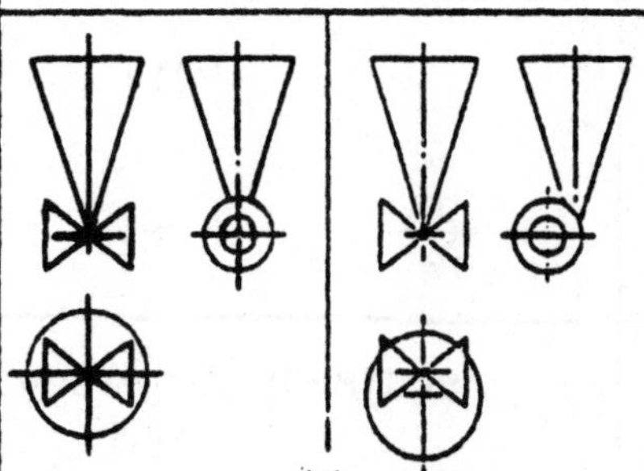 (6)	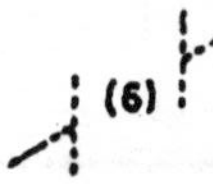 (6)
		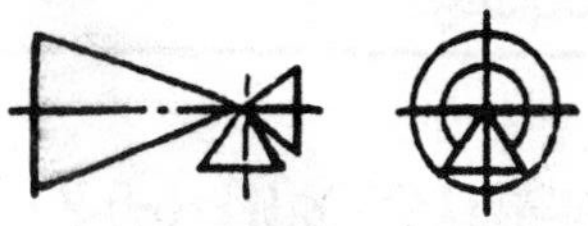	No symbol

TITLE:

PIPING DRAFTING SYMBOLS

Denomination	Symbols	
	Assembly drawings (2)	Piping isometrics (4)
Piping with screwed, socket or butt-weld elements (11)	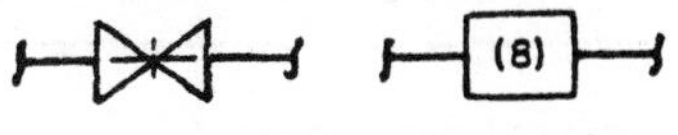 (8)	 (8)
Piping with flanged elements	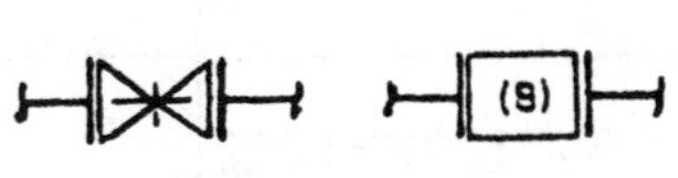 (8)	 (8)
Welding indications (only if necessary)	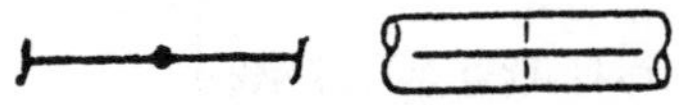	
Line change indications	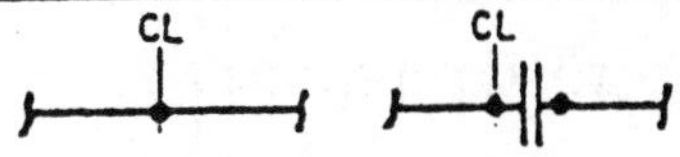 CL CL	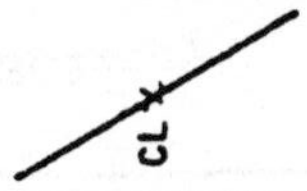 CL
Flow direction indications	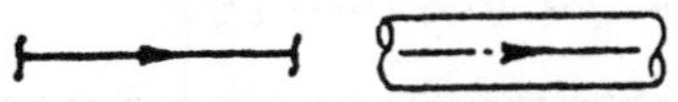	
Instrument references	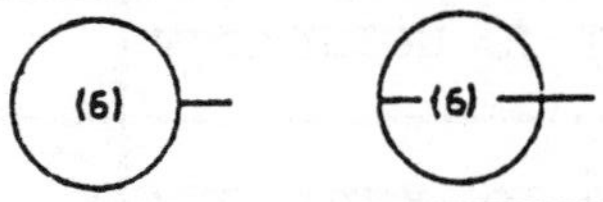 (6) (6)	 (6)
Note references	(1), (A), (*), (•), etc.	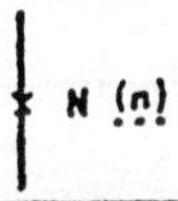 N (n)
Overall dimension of regulation group (plan views only) and tracing station	 (9)	
Mi tre bends and line deviations	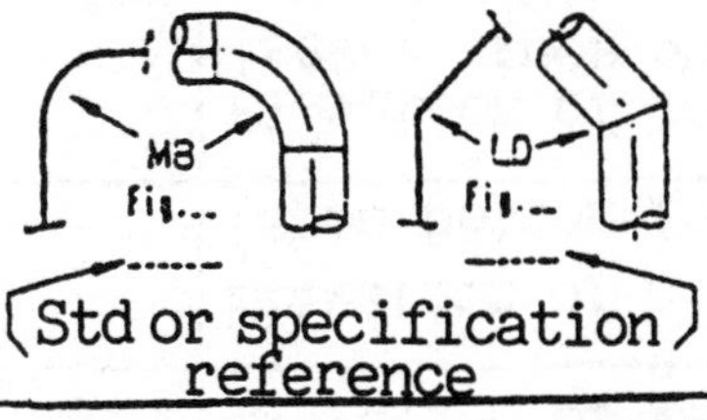 MB Fig... LD Fig... Std or specification reference	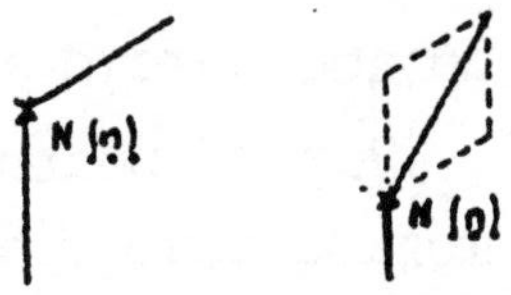 N (n) N (n)
Insulated piping indication (only if necessary)	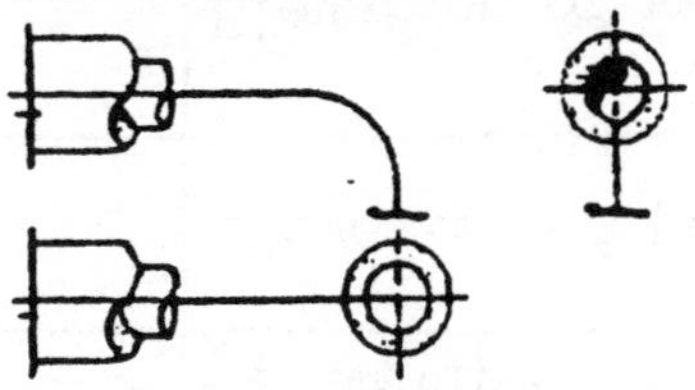	
Support number A - Support B - Anchor F - Stop G - Guide M - Spring R - Roll S - Soide plate	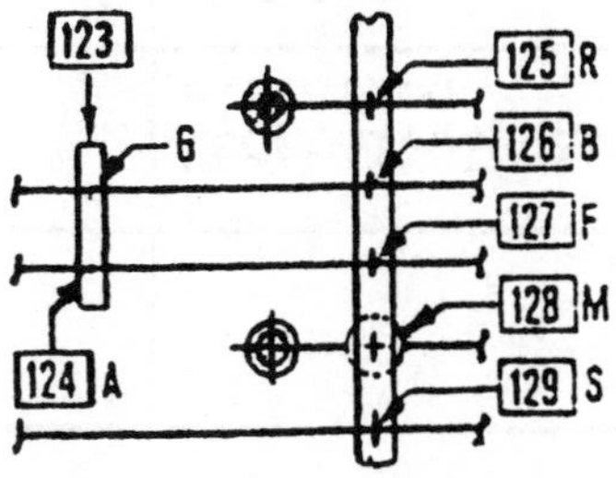 123 G 124 A 125 R 126 B 127 F 128 M 129 S	 Support .... (Square with spport reference)

TITLE:

PIPING DRAFTING SYMBOLS

Symbols	Denomination
▽.......	General elevation and main datrm point elevation
▼ 100.000	100.000 elevation and secondary datum point elevation
▼.......	Elevation of piping canter line
....	Elevation of valve canter line
▽....... F.B.	Elevation of axternal piping bottom (shoe bottom for insuated piping)
▽....... I.P.B.	Elevation of internal piping bottom (sewer lines only)
▽...... E.S.P.	Elevation of ewuipment supporting plane
▽...... W.P.	Elevation of walkway
▽...... U.I.P.	Elevation of upper iron plane
▽...... F.P.	Elevation of finished plane(for foundations only)
▽...... R.P.	Elevation of rough plane(for foundations only)
▽...... F.S.	Eoevation of flattened soil
▽..... M.M.S.L.	Medium marine sea level
T.L.	Tangent line
W.L.	Welding line
	Main datum point
	Secondary or zone datum point

TITLE:

PIPING DRAFTING SYMBOLS

Symbols	Denomination
	Structure vertex(main pillar)
	Area vertex
	Axis intersection of reference equipment
X	View indication(ex.:view-x-)
A A	Section indication(ex.:section A-A)
	Zone limit
	Barrery limit
	Area limit
	Axis of main layout
	Axis of secondary iayout
	Pipe section
	Holes and openings in general
2	Indication of ravised part(Ex.:Rev.2)
	Supply limit

TITLE:

PIPING DRAFTING SYMBOLS

<u>NOTES:</u>

(1)-For special installations or for installations other than indicated symbols may be modified according to the specifec specific case.

(2)-Overall dimensions of componenta to be drawn to scale.

(3)-Double line indication shall be indicated only whenever necessary for a better explanation of drawing.

(4)-Obtained by computer. In case of "No symbol" identification item shall be indicated. For manually worked-out piping isometrics, if necessary, the same symbols shownin the assembly drawingsmay be used.

(5)-Non included in piping class.

(6)-These symbols are completed with instrument item.

(7)-The handwells and operating levers(for valves and cocks orientation) will be indicated on plan views only .
On elevation view only if necessary.

(8)-Identification item of components.

(9)-Control valve item for regulation groups. Station item for tracing stations.

(10)-When typical installations are not used, all the components shall be indicated on assembly drawings and piping isometrics.

(11)-There are not difference for symbols of screwed,socket or butt-weld elements beacause the type of connections are clearly shown in the piping class spedifications.

TITLE:

SHOE, GUIDE, ANCHOR, AND HANGER SYMBOLS

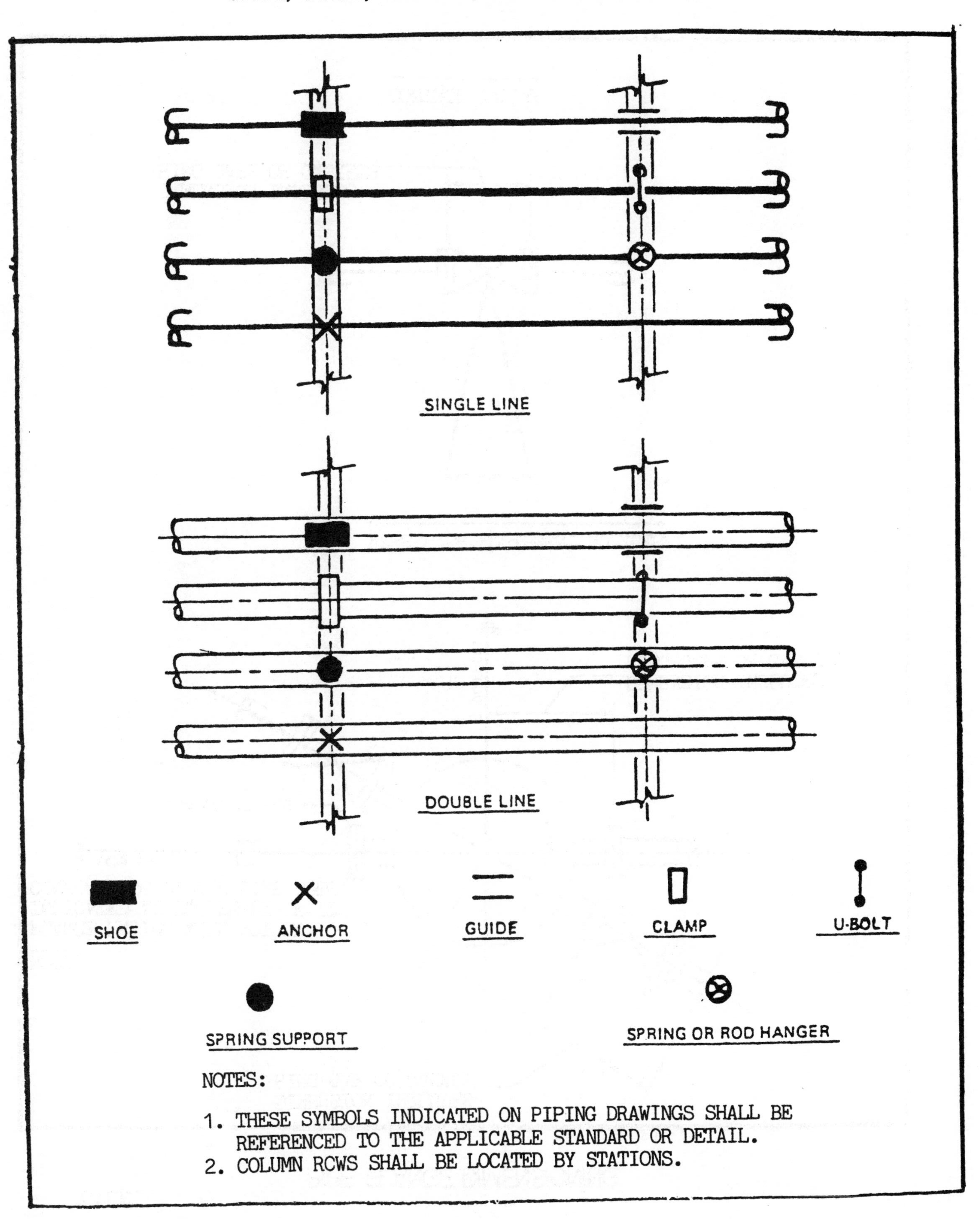

NOTES:

1. THESE SYMBOLS INDICATED ON PIPING DRAWINGS SHALL BE REFERENCED TO THE APPLICABLE STANDARD OR DETAIL.
2. COLUMN RCWS SHALL BE LOCATED BY STATIONS.

TITLE:

PIPE FLANGE DIMENSIONING

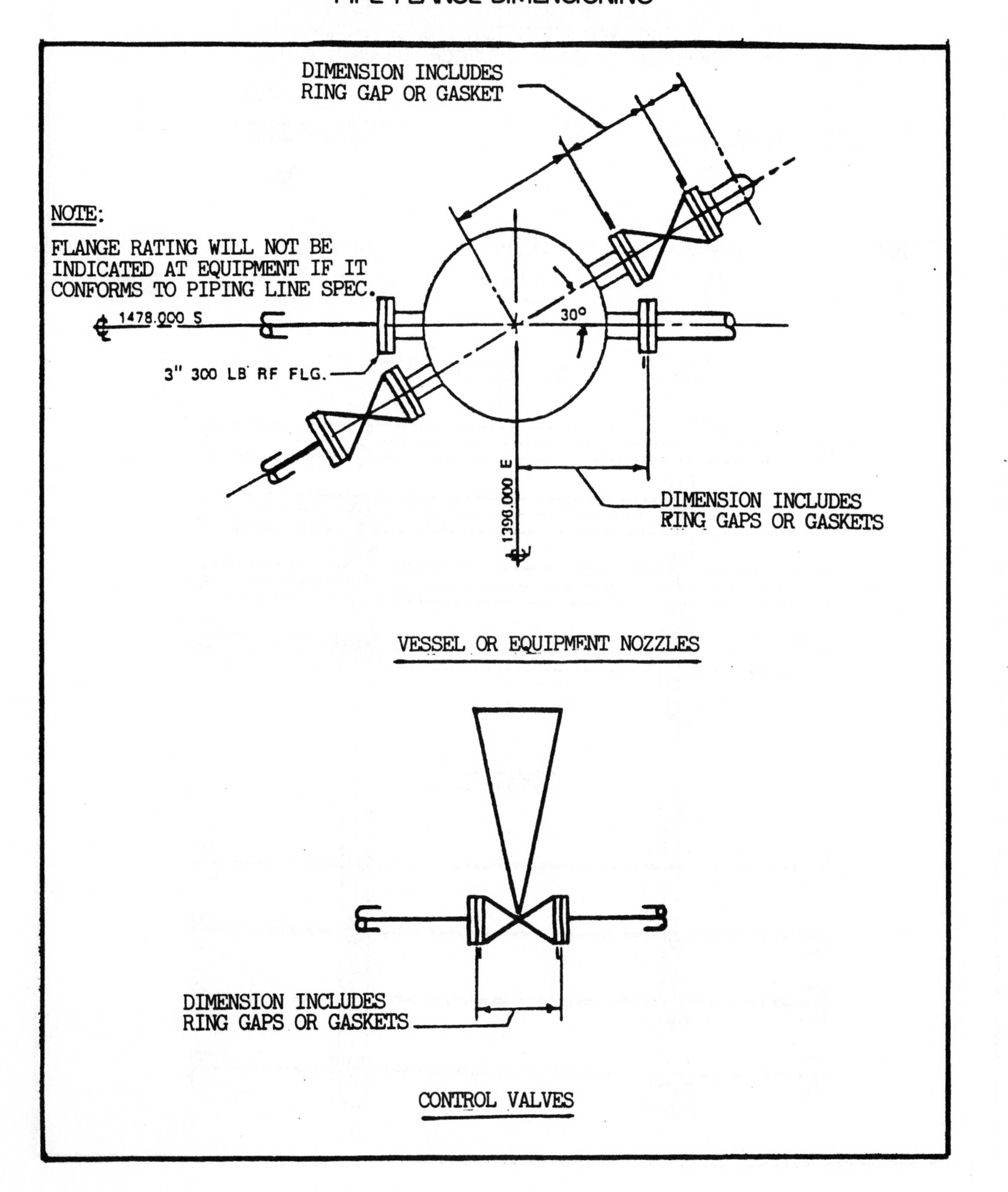

TITLE:

STANDARD NORTH ARROW

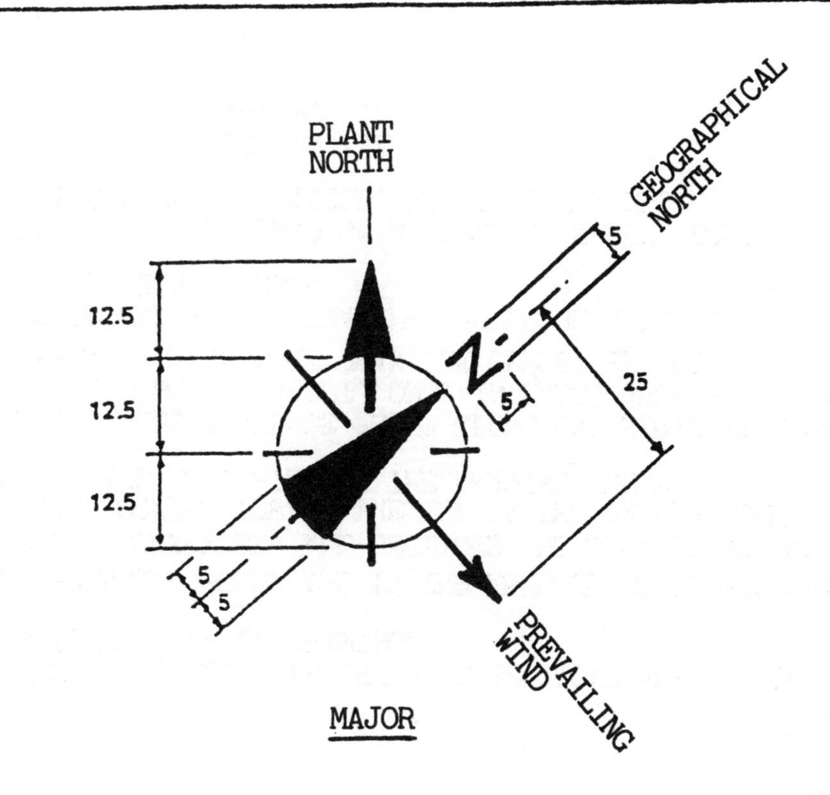

MAJOR

MINOR NORTH POINT:

USE MAJOR NORTH POINT AT ONE-HALF SIZE FOR DRAWINGS AND SKETCHES IN A3 AND A4 SIZES

MAJOR NORTH POINT:

USEON ALL DRAWINGS EXCEPT THOSE MENTIONEDABOVE

NORTH POINTS:

STANDARD NORTH POINTS SHALL BE PLACED IN THE LOWER RIGHT HAND HAND CORNER OF ALL DRAWINGS SHOWING GENERAL PLAN VIEWS.

ORIENTATION:

WHENEVER POSSIBLE, ALL DRAWINGS SHALL BE ORIENTED SO THAT THE NORTH POINT INDICATES THE PLANT NORTH TO THE TOP OR TO THE LEFT

SIDE OF THE SHEET.
ALL PLAN VIEWS ON ANY SINGLE DRAWING OR GROUP SHALL BE ORIENTATED COINCIDENTALLY.

NOTE:

ALL DIMENSIONS SHOWN IN MILLIMETERS.

TITLE:

PIPING DRAFTING-SECTION MARKER DESIGNATION

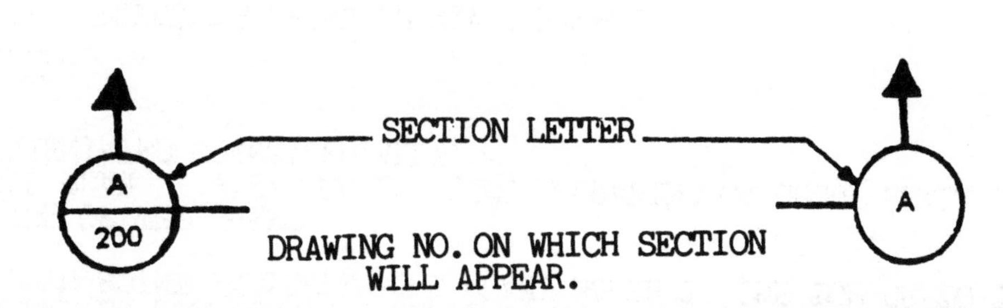

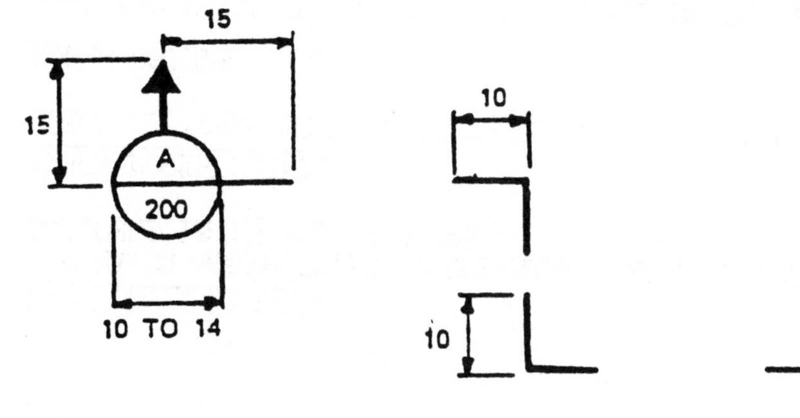

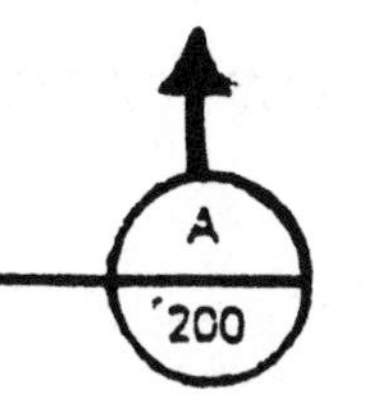

NOTES:

1. IDENTICAL OR SIMILAR LETTERED SECTIONS ARE NOT TO BE USED IN THE SAME GROUP OF DRAWINGS.

2. AS A GENERAL RULE, AND IN THE ABSENCE OF CONDITIONS WHICH DICTATE OTHERWISE, ALL SECTIONS AND ELEVATIONS SHALL BE VIEWED LOCKING TOWARD THE TOP OF THE DRAWING SHEET OR TOWARD THE LEFT SIDE OF THE DRAWING SHEET.

3. ALL SECTIONS SHALL BE "CUT" ALONG ONE STRAIGHT LINE THROUGH THE BUILDING OR LAYOUT. ONLY IN CASES WHERE IT IS ABSOLUTELY NECESSARY SHALL MORE THAN ONE OFFSET BE USED.

4. SECTION MARKS ON A DRAWING SHOULD BE MADE HEAVY SO THAT THEY ARE EASILY SEEN.

5. WHEN SECTION APPEARS ON A SEPARATE SHEET, INCUDE PLAN DRAWING NUMBER IN TITLE.(NOT IN TITLE BLOCK)

SECTION A.A
DWG. NO.....

TITLE:

LEGEND FOR DRAFTING-LINE WORK

NEW WORK:

VISIBLE LINES IN FUNCTION * — THICK

VISIBLE LINES OUT OF FUNCTION ** — THIN

INVISIBLE (HIDDEN) LINES IN FUNCTION * — MEDIUM

CENTER LINES:

LIGHT DASH — THIN

EXISTING WORK:

LIGHT DASH — THIN

FUTURE WORK:

LIGHT DASH — THIN

EXAMPLE OF TERMS:

* IN FUNCTION. PIPE, VALVES, ETC. ON A PIPING DRAWING.
** OUT OF FUNCTION. EQUIPMENT. STRUCTURAL STEEL, CONCRETE, ETC. ON A PIPING DRAWING.

TITLE:

PIPE SPACING(UN-INSULATED)

PIPE SIZE	36	30	24	20	18	16	14	12	10	8	6	4	3	2	1-1/2	1
1	570	490	450	390	360	340	310	285	245	215	185	170	150	150	150	150
1-1/2	580	495	455	400	370	350	315	290	255	220	190	165	150	150	150	
2	585	500	465	405	375	355	325	300	260	230	195	170	150	150		
3	600	515	475	420	390	370	335	310	275	240	210	185	165			
4	615	500	490	435	400	380	350	325	295	255	225	200				
6	640	555	515	460	430	410	375	350	315	280	250					
8	665	580	540	485	455	435	405	375	340	305						
10	690	605	570	510	480	460	430	405	365							
12	715	630	595	540	505	485	455	430								
14	735	650	610	555	520	505	470									
16	760	675	635	580	545	530										
18	785	700	660	605	570											
20	810	725	685	630												
24	860	775	740													
30	935	850														
36	1010															

25 MM
MIN
WALL
25
MIN. 150 LB FLANGES

NOTES:

1. PIPE SIZES ARE IN INCHES: ALL DIMENSIONS ARE IN MILLIMETRES.
2. MAINTAIN 600MM MINIMUM LONGITUDINAL SPACE BE TWEEN FLANGES IN ADJACENT LINES.
3. ADD INSULATION THICKNESSES FOR INSULATED LINES AND FLANGES.
4. SPACING FOR 30"AND 36" SLANGES BASED ON API-605:ADJUST SPACING FOR OTHER SIZES.
5. WHEN TIE-ins are made to existing pipe; adjust spacing if required.

TITLE:

PIPE SPACING(UN-INSULATED)

PIPE SIZE	36	30	24	20	18	16	14	12	10	8	6	4	3	2	1-1/2	1
1	630	540	540	430	400	365	335	305	265	235	200	170	150	150	150	150
1-1/2	635	545	510	440	405	375	345	310	275	240	210	180	155	150	150	
2	640	550	515	445	410	380	350	315	280	245	215	185	160	150		
3	655	565	530	460	425	395	365	330	295	260	230	200	175			
4	670	580	540	470	440	405	375	345	305	275	240	210				
6	695	605	570	500	465	435	405	370	335	300	270					
8	720	630	595	525	490	460	430	395	360	325						
10	750	660	620	550	520	485	455	425	385							
12	775	685	645	575	545	510	480	450								
14	790	700	660	590	560	530	495									
16	815	725	685	615	585	555										
18	840	750	710	640	610											
20	865	775	740	670												
24	915	825	790													
30	995	905														
36	1070															

25 MM MIN

300 LB FLANGES

NOTES:

1. PIPE SIZES ARE IN INCHES;ALL DIMENSIONS ARE IN MILLIMETRES.
2. MAINTAIN 600MM MINIMUM LONGITUDINAL SPACE BETWEEN FLANGES IN ADJACENT LINES.
3. ADD INSULATION THICKNESSES FOR INSULATED LINES AND FLANGES.
4. SPACING FOR 30"and 36" FLANGES BASED ON API-605;ADJUST SPACING FOR OTHERSIZES.
5. WHEN TIE-INS ARE MADE TO EXISTING PIPE;ADJUST SPACING IF REQUIRED.

TITLE:

PIPE SPACING(UN-INSULATED)

PIPE SIZE	36	30	24	20	18	16	14	12	10	8	6	4	3	2	1-1/2	1
1	700	610	515	450	415	385	345	325	300	255	220	180	175	150	150	150
1-1/2	705	615	520	455	420	395	350	330	305	260	230	185	155	150	150	
2	715	620	525	465	430	400	360	335	310	265	235	195	160	150		
3	730	635	540	480	430	400	365	350	325	280	250	210	175			
4	740	650	555	590	455	425	380	365	340	295	260	220				
6	770	675	580	515	480	455	410	390	365	320	290					
8	795	700	605	540	505	480	435	415	390	345						
10	820	730	635	570	535	505	465	440	415							
12	845	755	660	595	560	530	490	470								
14	860	770	675	610	575	545	505									
16	885	795	700	635	600	575										
18	910	820	725	660	625											
20	935	845	750	690												
24	965	870	775													
30	1065	975														
36	1090															

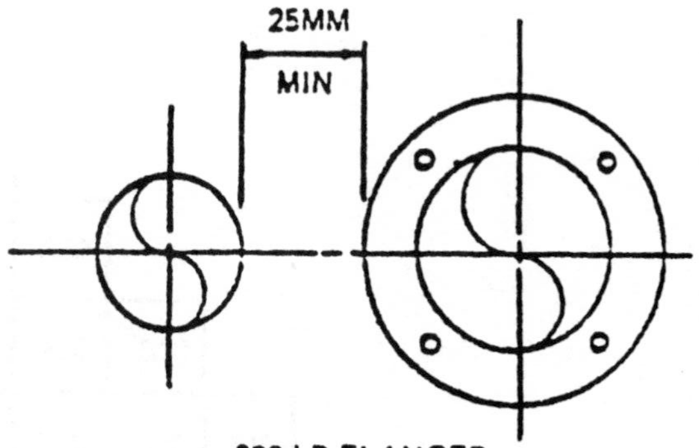

NOTES:

1. PIPE SIZES ARE IN INCHES;ALL DIMENSIONS ARE IN MILLIMETRES.
2. MAINTAIN 600MM MINIMUM LONGITUDINAL SPACE BETWEEN FLANGES IN ADJACENT LINES.
3. ADD INSULATION THICKNESSES FOR INSULATED LINES AND FLANGES.
4. SPACING FOR 30"AND 36"FLANGES BASED ON MSS-SP44;ADJUST SPACING FOR OTHER SIZES.
5. WHEN TIE-INS ARE MADE TO EXISTING PIPE; ADJUST SPACING IF REQUIRED.

TITLE:

PIPE SPACING(UN-INSULATED)

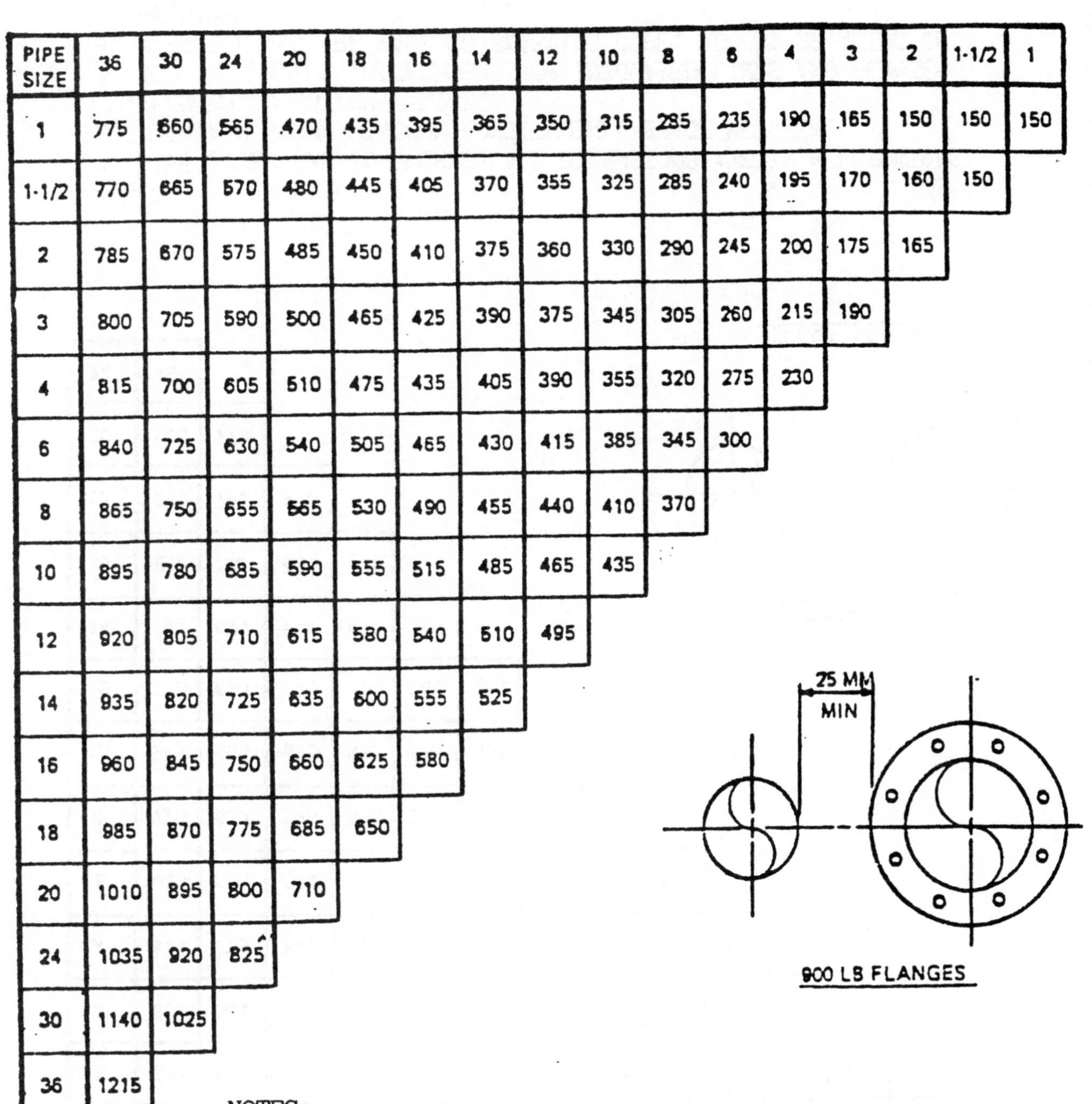

PIPE SIZE	36	30	24	20	18	16	14	12	10	8	6	4	3	2	1-1/2	1
1	775	860	565	470	435	395	365	350	315	285	235	190	165	150	150	150
1-1/2	770	865	570	480	445	405	370	355	325	285	240	195	170	160	150	
2	785	870	575	485	450	410	375	360	330	290	245	200	175	165		
3	800	705	590	500	465	425	390	375	345	305	260	215	190			
4	815	700	605	510	475	435	405	390	355	320	275	230				
6	840	725	630	540	505	465	430	415	385	345	300					
8	865	750	655	565	530	490	455	440	410	370						
10	895	780	685	590	555	515	485	465	435							
12	920	805	710	615	580	540	510	495								
14	935	820	725	635	600	555	525									
16	960	845	750	660	625	580										
18	985	870	775	685	650											
20	1010	895	800	710												
24	1035	920	825													
30	1140	1025														
36	1215															

NOTES:

1. PIPE SIZES ARE IN INCHES;ALL DIMENSIONS ARE IN MILLIMETRES.
2. MAINTAIN 600MM MINIMUM LONGITUCINAL SPACE BETWEEN FLANGES IN ADJACENT LINES.
3. ADD INSULATION THICKNESSES FOR INSULATED LINES AND FLANGES.
4. SPACING FOR 30"AND 36"FLANGES BASED ON MSS-SP44;ADJUST SPACING FOR OTHER SIZES.
5. WHEN TIE-INS ARE MADE TO EXISTING PIPE;ADJUST SPAING IF REOUIRED.

TITLE:

PIPE SPACING(UN-INSULATED)

PIPE SIZE	24	20	18	16	14	12	10	8	6	4	3	2	1-1/2	1
1	630	535	500	455	420	380	335	285	240	200	175	150	150	150
1-1/2	635	540	505	465	425	385	340	290	245	205	185	160	150	
2	640	550	515	470	430	395	350	300	255	210	190	165		
3	655	565	530	485	445	405	365	310	270	225	205			
4	670	575	540	495	460	420	375	325	280	240				
6	695	600	570	525	485	445	405	350	305					
8	720	630	595	550	510	470	430	375						
10	745	655	620	575	535	500	455							
12	770	680	645	600	565	525								
14	790	695	660	615	580									
16	815	720	685	640										
18	840	745	710											
20	865	770												
24	890													

25 MM
MIN

1500 LB FLANGES

NOTES:

1. PIPE SIZES ARE IN INCHES; ALL DIMENSIONS ARE IN MILLIMETRES.
2. MAINTAIN 600MM MINIMUM LONGITUDINAL SPACE BETWEEN FLANGES IN ADJACENT LINES.
3. ADD INSULATION THICKNESSES FOR INSULATED LINES AND FLANGES.
4. WHEN TIE-INS ARE MADE TO EXISTING PIPE; ADJUST SP ACING IF REQUIRED.

TITLE:

PIPE SPACING(UN-INSULATED)

PIPE SIZE	.12	10	8	6	4	3	2	1-1/2	1
1	.425	380	.320	285	220	.195	.160	.150	.150
1-1/2	430	385	325	290	230	200	165	150	
2	435	395	330	300	235	210	175		
3	450	405	345	310	250	225			
4	465	420	365	325	260				
6	490	445	385	350					
8	515	470	410						
10	545	500							
12	570								

25 MM
MIN

2500 LB FLANGES

NOTES:

1. PIPE SIZES ARE IN INCHES; ALL SIMENSIONS ARE IN MILLIMETRES.
2. MAINTAIN 600MM MINIMUM LINGITUDINAL SPACE BETWEEN FLANGES IN ADJACENT LINES.

3. ADD INSULATION THICKNESSES FOR INSULATED LINES AND FLANGES.
4. WHEN TIE-INS ARE MADE TO EXISTING PIPE;ADJUST SPACING IF REQUIRED.

TITLE:

DIMENSIONS FOR STUB-IN NOZZLES

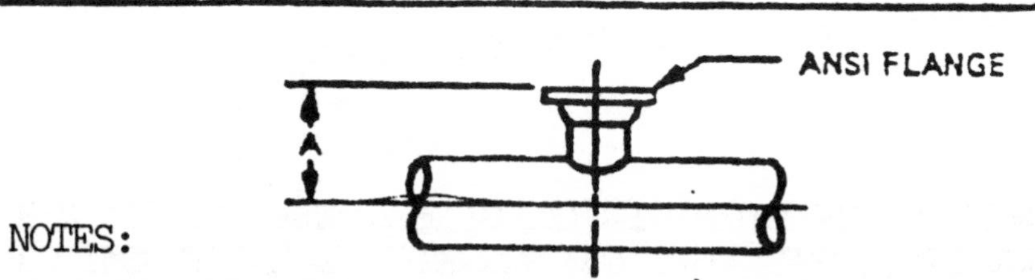

NOTES:

1. PIPE SIZES ARE IN INCHES;ALL DIMENSIONS ARE IN MILLIMETRES.
2. THE DIMENSIONS GIVEN ARE MINIMUM NOZZLE LENGTH WITH FLANGE LENGTH (INCLUDING FACING) ADDED AND ROUNDED TO THE NEXT EVEN NUMBER.

RUN SIZE	NOZZ SIZE	A					
		150 LB	300 LB	400 LB	600 LB	900 LB	1500 LB
3	2	180	180	200	200	230	230
4	2	180	200	200	200	230	230
	3	200	200	230	230	250	250
6	2	230	230	230	230	250	250
	3	230	230	250	250	280	280
	4	230	250	250	280	280	300
8	2	250	250	280	280	300	300
	3	250	280	280	280	300	300
	4	250	280	280	300	300	330
	6	280	300	300	330	350	380
10	2	280	280	300	300	330	330
	3	280	280	300	300	330	330
	4	300	300	300	330	330	350
	6	300	330	330	350	380	400
	8	330	350	350	380	400	450
12	2	300	330	330	330	350	350
	3	330	330	330	330	350	380
	4	330	330	330	350	380	280
	6	330	350	350	380	400	430
	8	350	380	380	400	430	480
	10	380	400	400	430	450	530
14	2	330	330	350	350	380	380
	3	330	350	350	350	380	380
	4	350	350	350	380	380	400
	6	350	380	380	400	400	450
	8	380	380	400	430	450	500
	10	380	400	430	450	480	550
	12	400	430	450	450	500	580
16	2	350	350	380	380	400	400
	3	350	380	380	380	400	430
	4	380	380	380	400	400	430
	6	380	400	400	430	430	480
	8	400	400	430	450	480	530

RUN SIZE	NOZZ SIZE	A					
		150 LB	300 LB	400 LB	600 LB	900 LB	1500 LB
16	10	400	430	450	480	500	580
	12	430	450	480	480	530	600
	14	450	480	480	500	550	630
18	2	400	400	400	400	430	430
	3	400	400	430	430	430	450
	4	400	400	430	430	450	450
	6	430	430	430	450	480	500
	8	430	430	450	480	500	550
	10	430	450	480	500	530	600
	12	450	480	500	500	550	630
	14	480	500	500	530	560	650
	16	480	500	530	550	580	680
20	2	430	430	430	430	450	450
	3	430	430	450	450	450	480
	4	430	430	450	450	480	480
	6	450	450	450	480	500	530
	8	450	450	480	500	530	580
	10	450	480	500	530	580	630
	12	480	500	530	530	550	650
	14	500	530	530	550	600	680
	16	500	530	550	580	600	700
	18	530	550	580	580	630	730
24	2	480	480	500	500	530	530
	3	480	500	500	500	530	530
	4	480	500	500	530	530	550
	6	500	500	530	530	550	580
	8	500	530	530	550	580	630
	10	500	530	550	580	600	680
	12	530	550	580	580	630	700
	14	550	580	580	600	650	730
	16	550	580	600	630	650	750
	18	580	600	630	630	660	780
	20	600	630	630	650	700	830

TITLE:

PIPE MITRE ELBOW   TWO CUT LONG RADIUS

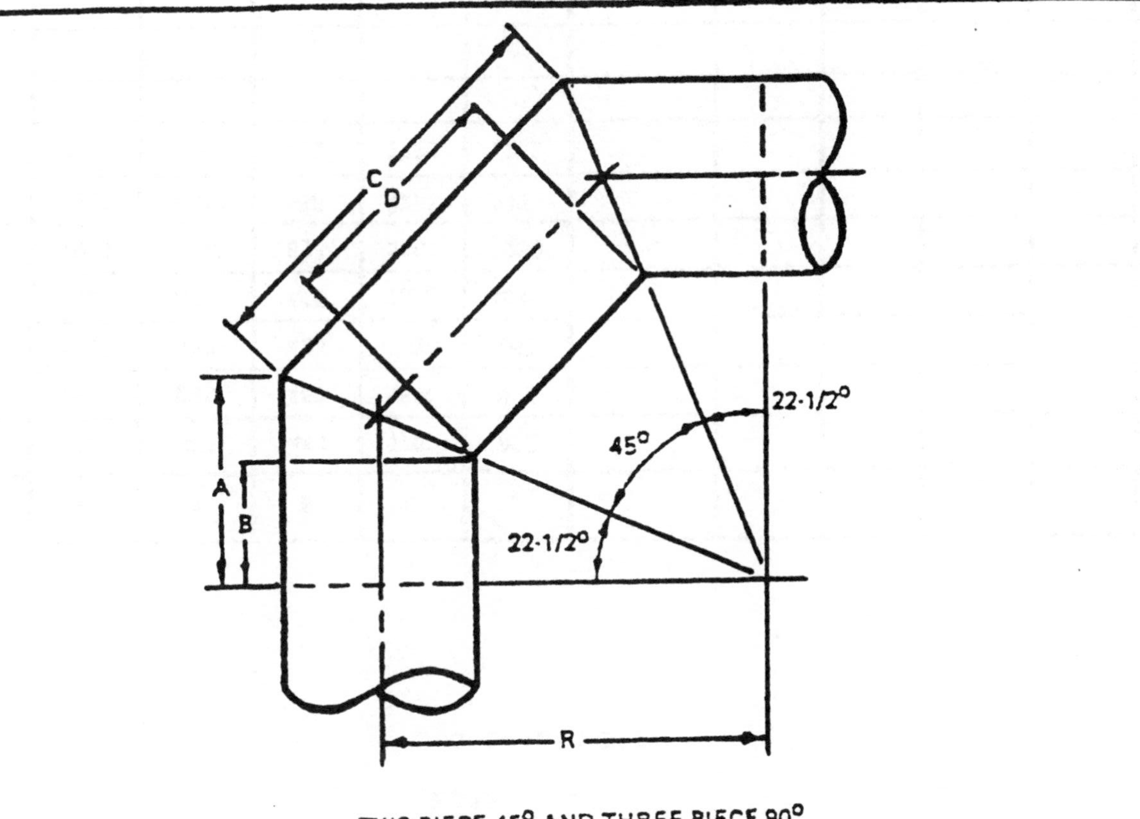

TWO PIECE 45° AND THREE PIECE 90°

NOTES:

1. PIPE SIZES ARE IN INCHES; ALL DIMENSIONS ARE IN MILLIMETRES.
2. MATERIAL IS TO BE THE SAME AS THE PIPING SPECIFICATIONS.
3. FITTINGS SHALL BE FABRICATED IN ACCORDANCE WITH APPLICABLE SECTION OF CODE FOR PRESSURE PIPING.
4. TYPE OF MITRE ELL (90'-3,4,OR5PIECE)TO BE SPECIFIED BY PROCESS DEPARTMENT IN ACCORDANCE WITH FLOW CONDITIONS.

PIPE SIZE	R	A	B	C	D	PIPE SIZE	R	A	B	C	D
3	114	65	28	132	63	22	838	465	232	924	464
4	152	87	39	174	79	24	914	504	252	1008	504
6	228	130	60	260	120	26	991	548	273	1096	546
8	305	171	81	342	162	28	1067	592	295	1184	590
10	381	214	101	428	203	30	1143	632	316	1264	632
12	457	257	122	514	244	32	1219	672	336	1344	672
14	533	295	146	590	295	34	1295	715	357	1430	714
16	610	336	168	672	336	36	1372	759	379	1514	758
18	686	379	189	758	378	38	1448	800	400	1600	800
20	762	424	211	841	422	40	1524	840	420	1680	840

TITLE:

PIPE MITRE ELBOW TWO CUT LONG RADIUS

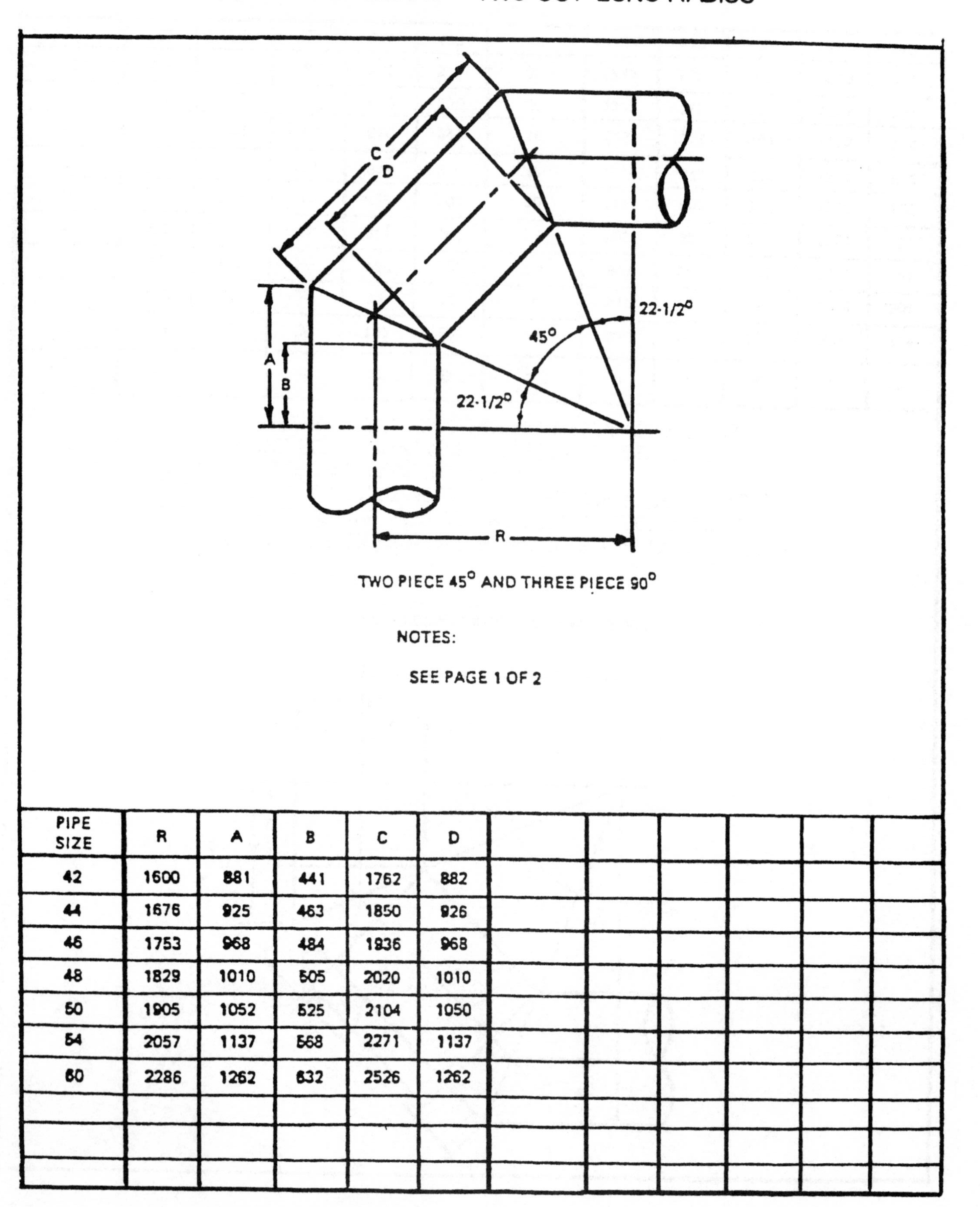

TWO PIECE 45° AND THREE PIECE 90°

NOTES:

SEE PAGE 1 OF 2

PIPE SIZE	R	A	B	C	D						
42	1600	881	441	1762	882						
44	1676	925	463	1850	926						
46	1753	968	484	1936	968						
48	1829	1010	505	2020	1010						
50	1905	1052	525	2104	1050						
54	2057	1137	568	2271	1137						
60	2286	1262	632	2526	1262						

TITLE: PIPE MITRE ELBOW TWO CUT LONG RADIUS

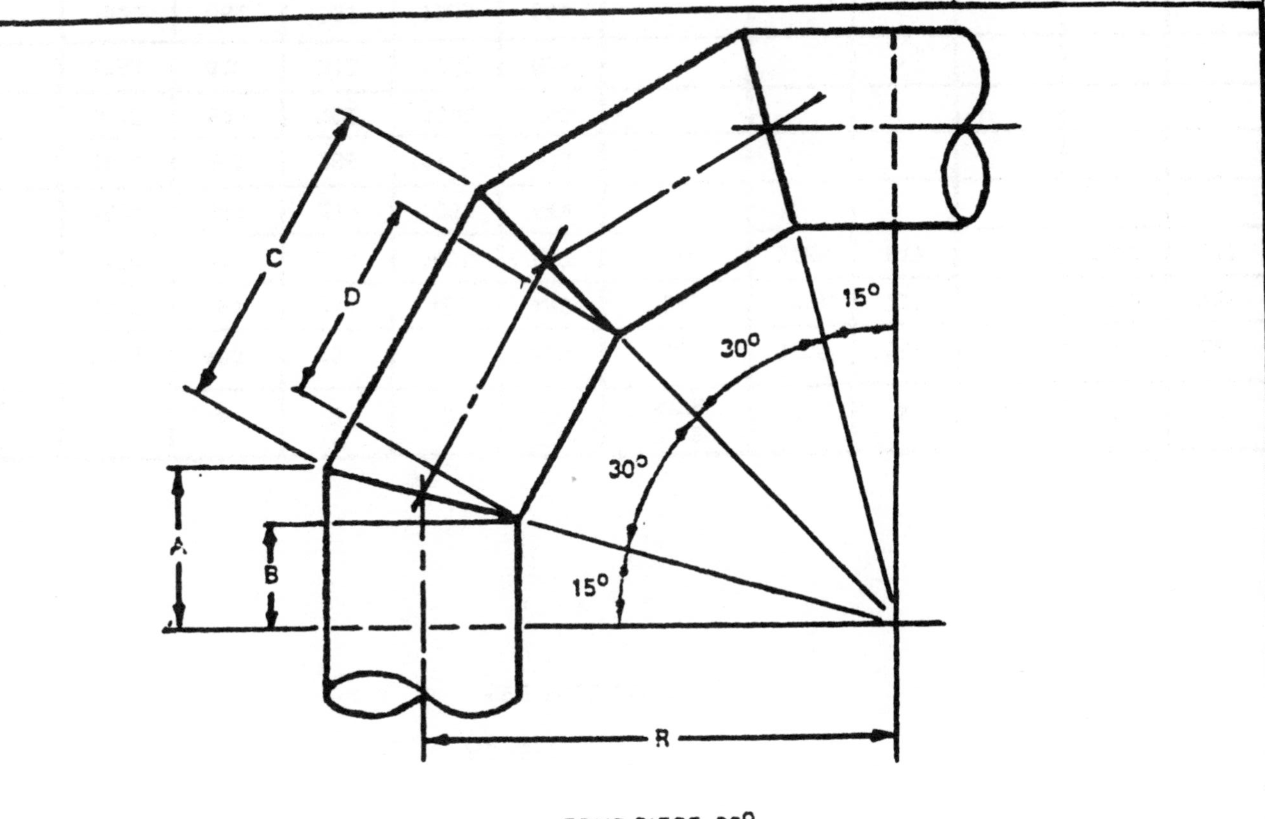

FOUR PIECE 90°

NOTES:

1. PIPE SIZES ARE IN INCHES;ALL DIMENSIONS ARE IN MILLIMETRES.
2. FITTINGS SHALL BE FABRICATED IN ACCORDANCE WITH APPLICABLE SECTION OF CODE FOR PRESSURE PIPING.
3. MATERIAL IS TO BE THESAME AS PIPE SPECIFICATIONS.
4. TYPE OF MITRE ELL (90'-3,4,OR5PIECE)TO BE SPECIFIED BY PROCESS DEPARTMENT IN ACCORDANCE WITH FLOW CONDITIONS.

PIPE SIZE	R	A	B	C	D	PIPE SIZE	R	A	B	C	D
3	153	52	29	105	57	18	686	244	122	489	244
4	153	56	25	111	51	20	762	271	137	543	273
6	229	34	38	168	76	22	838	299	150	599	299
8	305	111	52	222	104	24	914	322	164	654	327
10	381	138	65	276	130	26	991	354	177	708	354
12	457	167	79	333	158	28	1067	381	191	762	381
14	533	191	95	381	191	30	1143	408	205	816	410
16	610	217	110	435	219	32	1219	436	218	871	436

TITLE: PIPE MITRE ELBOW TWO CUT LONG RADIUS

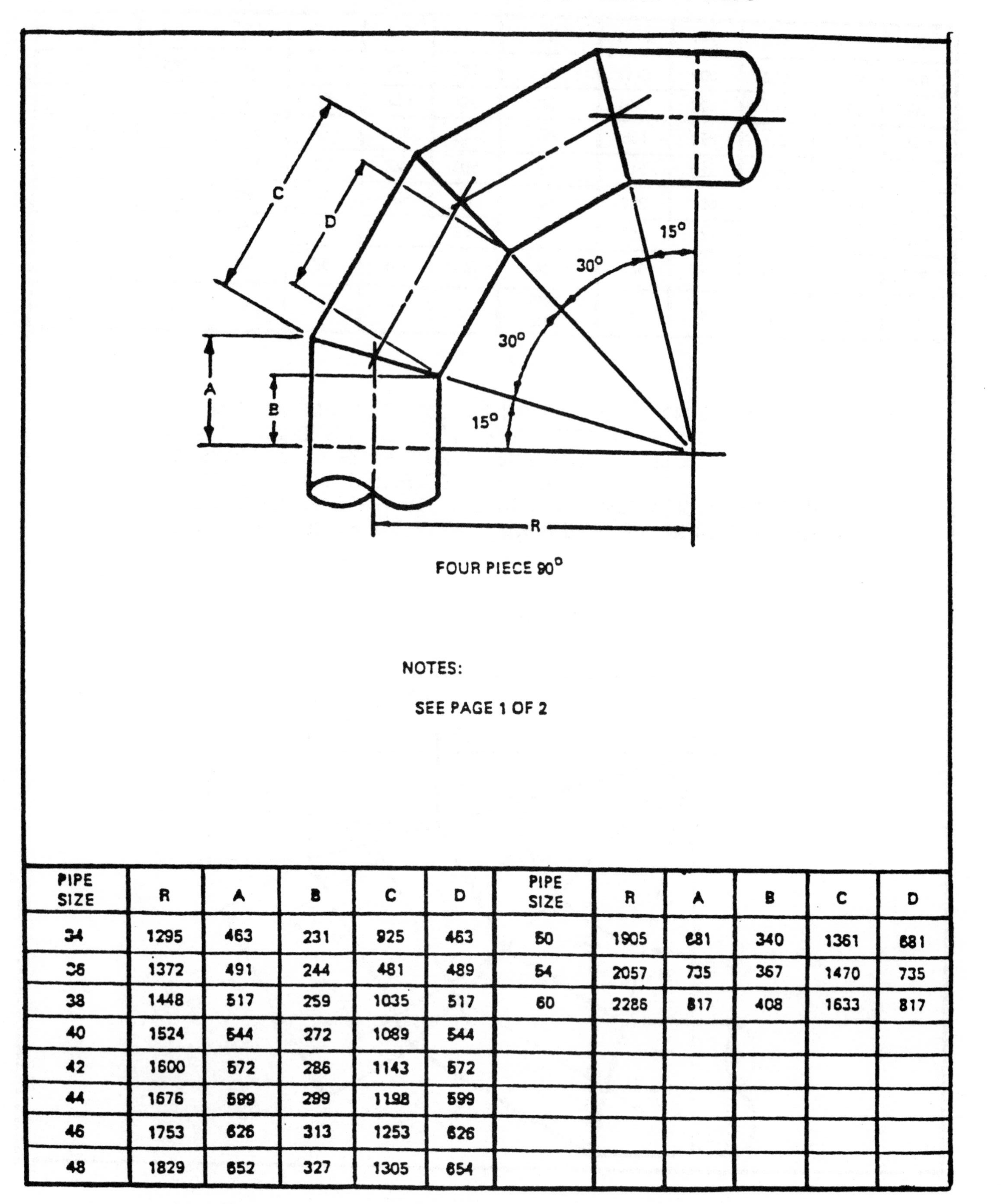

FOUR PIECE 90°

NOTES:

SEE PAGE 1 OF 2

PIPE SIZE	R	A	B	C	D	PIPE SIZE	R	A	B	C	D
34	1295	463	231	925	463	50	1905	681	340	1361	681
36	1372	491	244	481	489	54	2057	735	367	1470	735
38	1448	517	259	1035	517	60	2286	817	408	1633	817
40	1524	544	272	1089	544						
42	1600	572	286	1143	572						
44	1676	599	299	1198	599						
46	1753	626	313	1253	626						
48	1829	652	327	1305	654						

TITLE:

PIPE MITRE ELBOW TWO CUT LONG RADIUS

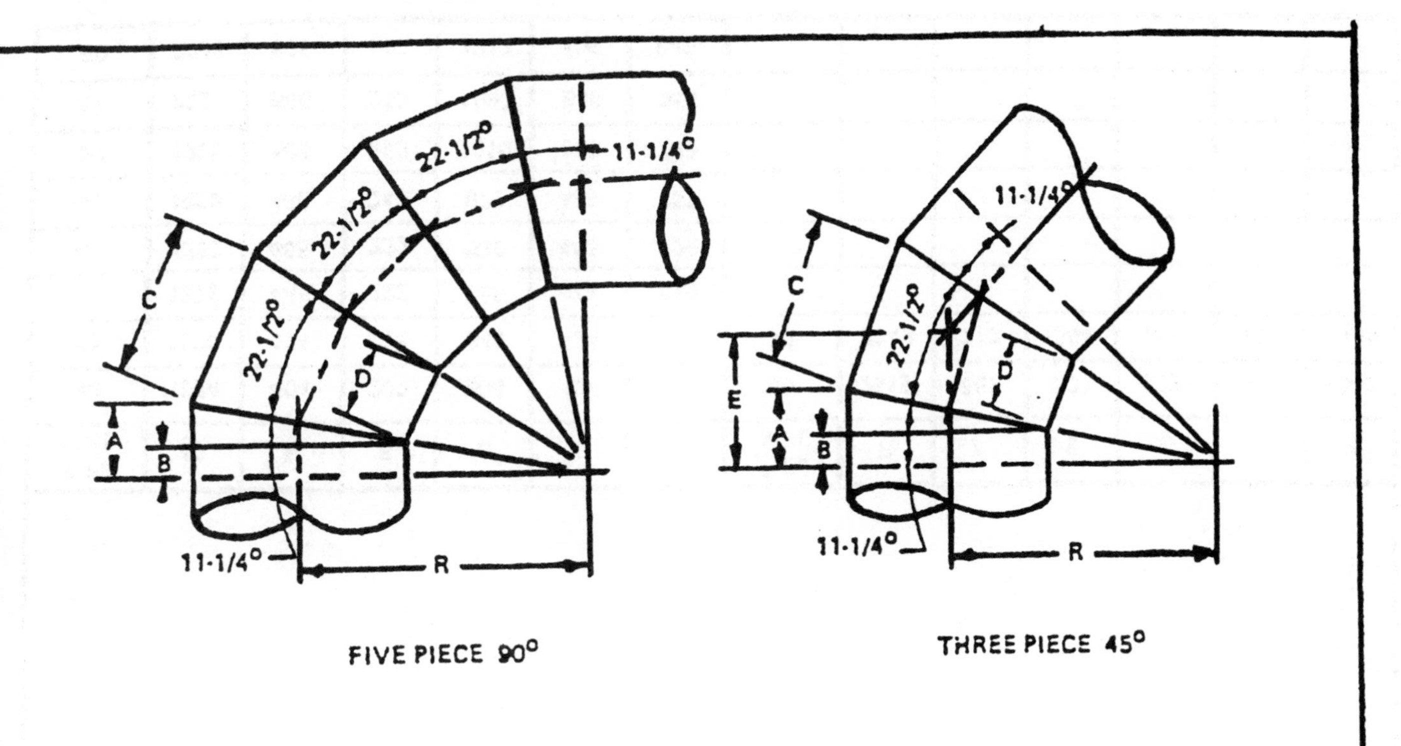

NOTES:

1. PIPE SIZES ARE IN INCHES; ALL DIMENSIONS ARE IN MILLIMETRES.
2. MATREIAL IS TO BE THE SAME AS PIPE SPECIFICATIONS.
3. FITTINGS SHALL BE FABRICATED IN ACCORDANCE WITH APPLICABLE SECTION OF CODE DOR PRESSURE PIPING.
4. TYPE OF MITRE ELL(90'-3,4,OR5PIECE)TO BE SPECIFIED BY PROCESS DEPARTMENT IN ACCCRD ANCE WITH FLOW C NDITIONS.

PIPE SIZE	R	A	B	C	D	E	PIPE SIZE	R	A	B	C	D	E
8	305	83	38	165	78	127	24	914	243	121	486	243	381
10	381	103	48	206	97	159	26	991	263	131	526	263	410
12	457	122	59	246	117	191	28	1067	283	142	566	283	442
14	533	141	70	283	141	222	30	1143	303	152	606	303	473
16	610	162	81	324	162	254	32	1219	323	162	647	323	505
18	686	183	90	364	183	286	34	1295	343	172	687	343	536
20	762	203	102	406	203	318	36	1372	364	181	727	364	568
22	838	222	111	445	222	347	38	1448	384	192	768	384	600

TITLE:

PIPE MITRE ELBOW TWO CUT LONG RADIUS

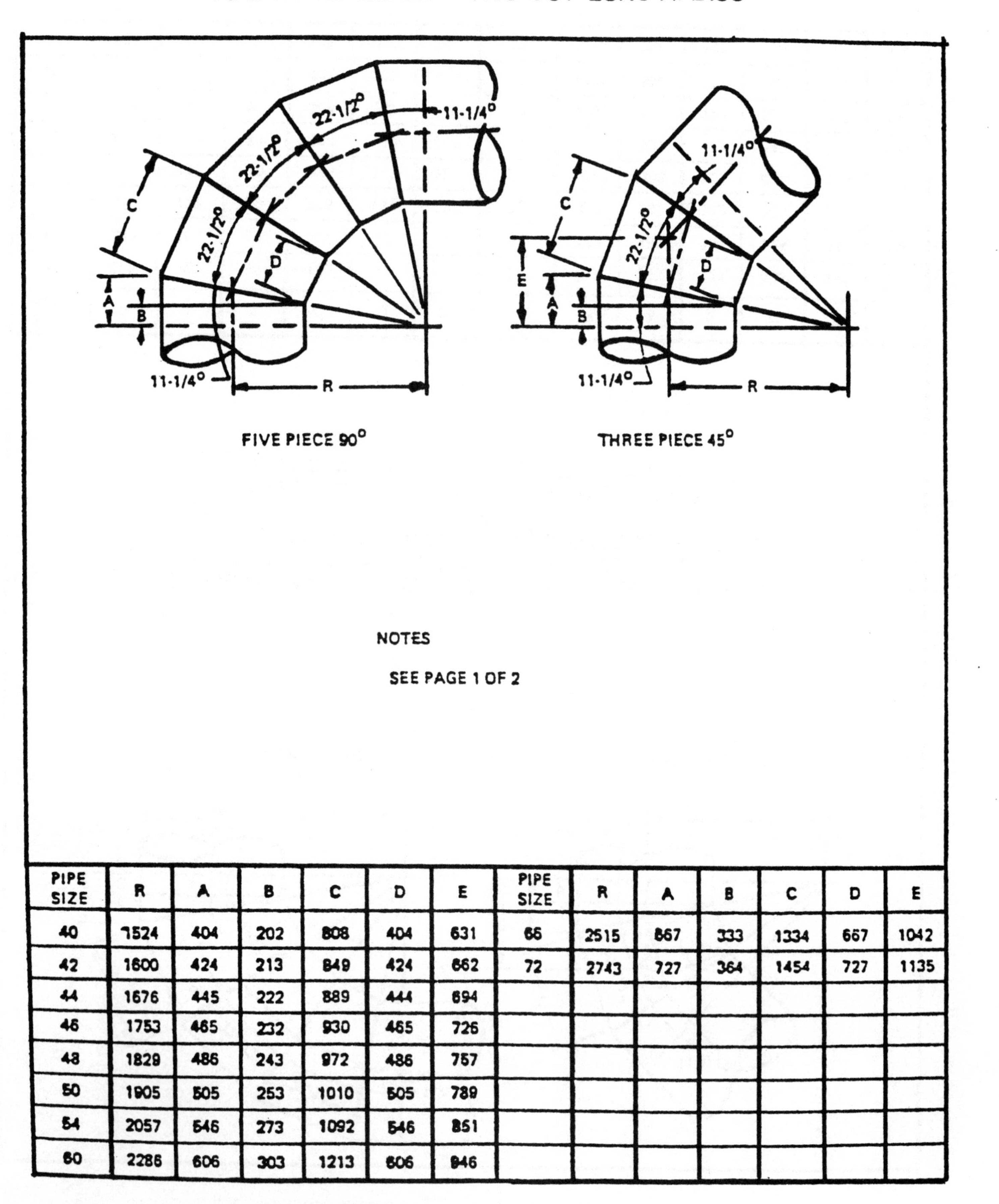

NOTES

SEE PAGE 1 OF 2

PIPE SIZE	R	A	B	C	D	E	PIPE SIZE	R	A	B	C	D	E
40	1524	404	202	808	404	631	66	2515	867	333	1334	667	1042
42	1600	424	213	849	424	662	72	2743	727	364	1454	727	1135
44	1676	445	222	889	444	694							
46	1753	465	232	930	465	726							
48	1829	486	243	972	486	757							
50	1905	505	253	1010	505	789							
54	2057	546	273	1092	546	851							
60	2286	606	303	1213	606	946							

工業配管 시스템 정가 35,000 원

초 판 1988年 10月 15日
재 판 2005年 6月 30日

譯 者 : 박 영 희
発行人 : 박 승 합
發行處 : 도서출판 골드

住所 : 서울특별시 용산구 갈월동 11-50
電話 : 754-1867 FAX : 753-1867

登録 : 1988. 1. 21 第3-163號

ISBN 978 - 89 - 8458 - 165 - 4